Wenn Werke der Weltliteratur unsterblich genannt werden können, so die im 8. vorchristlichen Jahrhundert entstandenen Dichtungen Homers: ›Ilias‹ und ›Odyssee‹, die ältesten und wohl auch großartigsten Zeugnisse der griechischen und abendländischen Literatur.

In 24 Gesängen schildert die ›Ilias‹ die Endphase des zehnjährigen Kampfes um Troja. Im Mittelpunkt der breit angelegten dramatischen Handlung steht der von Agamemnon in seiner Ehre verletzte Achilleus. Homer schöpfte zwar aus dem reichen Fundus mündlicher Überlieferung, konzentrierte jedoch alle kompositorischen und stilistischen Mittel auf ein Zentralmotiv: den Zorn des Achilleus, so daß bereits die ›Ilias‹ eine Dichtung von überraschender thematischer und stilistischer Individualität ist.

Die abenteuerlichen Irrfahrten und die glückliche Heimkehr des Königs Odysseus besingt Homer in seinem zweiten Epos, dem »Urroman des Abendlandes«, wie Jean Paul die ›Odyssee‹ genannt hat. Im Vergleich zum düster-vitalen Achilleus in der ›Ilias‹ schildert Homer in der ›Odyssee‹ einen Helden neuer Art. Der »erfindungsreiche« Odysseus, der »göttliche Dulder« verkörpert ein Humanitätsideal, das sich in der Folgezeit durch die ganze abendländische Philosophie zieht.

Nach der Neuentdeckung Homers in der Renaissance übte seine Dichtung besonders in der deutschen Klassik eine ungemein fruchtbare Wirkung aus. Ende des 18. Jahrhunderts schuf Johann Heinrich Voß eine schon selbst klassisch gewordene Versübersetzung der Homerischen Epen, die bis heute nicht überholt wurde. Sie liegt der vorliegenden Ausgabe zugrunde, die durch das profunde Nachwort des Gräzisten Wolf Hartmut Friedrich ergänzt wird.

Homer

Ilias · Odyssee

Deutscher Taschenbuch Verlag

Vollständige Ausgabe. In der Übertragung von Johann Heinrich Voß (Ilias, Hamburg 1793; Odyssee, Hamburg 1781). Mit einem Nachwort von Wolf Hartmut Friedrich und Literaturhinweisen von Frieder Schönnagel.

1. Auflage Februar 1979
2. Auflage April 1982: 11. bis 18. Tausend
Deutscher Taschenbuch Verlag GmbH & Co. KG, München
Lizenzausgabe des Winkler Verlages, München
ISBN 3-538-05117-8
Umschlaggestaltung: Celestino Piatti unter Verwendung eines attischen Vasenbildes, um 510 v. Chr., Odysseus und seine Gefährten flüchten aus der Höhle des Polyphem
(Ausschnitt, Antikensammlungen München)
Gesamtherstellung: Friedrich Pustet,
Graphischer Großbetrieb, Regensburg
Printed in Germany · ISBN 3-423-02101-2

ILIAS

I. GESANG

Den Priester Chryses zu rächen, dem Agamemnon die Tochter vorenthielt, sendet Apollon den Achaiern eine Pest. Agamemnon zankt mit Achilleus, weil er durch Kalchas die Befreiung der Chryseis fordern ließ, und nimmt ihm sein Ehrengeschenk, des Brises Tochter. Dem zürnenden Achilleus verspricht Thetis Hilfe. Entsendung der Chryseis und Versöhnung Apollons. Der Thetis gewährt Zeus so lange Sieg für die Troer, bis ihr Sohn Genugtuung erhalte. Unwille der Here gegen Zeus. Hephästos besänftigt beide.

Singe den Zorn, o Göttin, des Peleiaden Achilleus,
Ihn, der entbrannt den Achaiern unnennbaren Jammer erregte
Und viel tapfere Seelen der Heldensöhne zum Ais
Sendete, aber sie selbst zum Raub darstellte den Hunden
Und dem Gevögel umher. So ward Zeus' Wille vollendet: 5
Seit dem Tag, als erst durch bitteren Zank sich entzweiten
Atreus' Sohn, der Herrscher des Volks, und der edle Achilleus.
Wer hat jene der Götter empört zu feindlichem Hader?
Letos Sohn und des Zeus. Denn der, dem Könige zürnend,
Sandte verderbliche Seuche durchs Heer; und es sanken die Völker: 10
Drum, weil ihm den Chryses beleidiget, seinen Priester,
Atreus' Sohn. Denn er kam zu den rüstigen Schiffen Achaias,
Freizukaufen die Tochter, und bracht unendliche Lösung,
Tragend den Lorbeerschmuck des treffenden Phöbos Apollon
Um den goldenen Stab; und er flehete laut den Achaiern, 15
Doch den Atreiden vor allen, den zween Feldherren der Völker:
Atreus Söhn und ihr andern, ihr hellumschienten Achaier,
Euch verleihn die Götter, olympischer Höhen Bewohner,
Priamos' Stadt zu vertilgen und wohl nach Hause zu kehren;
Doch mir gebt die Tochter zurück und empfahet die Lösung, 20
Ehrfurchtsvoll vor Zeus' ferntreffendem Sohn Apollon.
Drauf gebot beifallend das ganze Heer der Achaier,
Ehrend den Priester zu scheun und die köstliche Lösung zu nehmen.
Aber nicht Agamemnon, des Atreus Sohne, gefiel es;
Dieser entsandt ihn mit Schmach und befahl die drohenden Worte: 25
Daß ich nimmer, o Greis, bei den räumigen Schiffen dich treffe,
Weder anitzt hier zaudernd noch wiederkehrend in Zukunft!
Kaum wohl möchte dir helfen der Stab und der Lorbeer des Gottes!
Jene lös ich dir nicht, bis einst das Alter ihr nahet,

Wann sie in meinem Palast in Argos, fern von der Heimat, 30
Mir als Weberin dient und meines Bettes Genossin!
Gehe denn, reize mich nicht, daß wohlbehalten du kehrest!
Jener sprach's, doch Chryses erschrak und gehorchte der Rede.
Schweigend ging er am Ufer des weit aufrauschenden Meeres;
Und wie er einsam jetzt hinwandelte, flehte der Alte 35
Viel zum Herrscher Apollon, dem Sohn der lockigen Leto:
Höre mich, Gott, der du Chrysa mit silbernem Bogen umwandelst
Samt der heiligen Killa und Tenedos mächtig beherrschest.
Smintheus! hab ich dir je den prangenden Tempel gekränzet,
Oder hab ich dir je von erlesenen Farren und Ziegen 40
Fette Schenkel verbrannt, so gewähre mir dieses Verlangen:
Meine Tränen vergilt mit deinem Geschoß den Achaiern!
Also rief er betend; ihn hörete Phöbos Apollon.
Schnell von den Höhn des Olympos enteilet' er zürnenden Herzens,
Auf der Schulter den Bogen und rings verschlossenen Köcher. 45
Laut erschollen die Pfeile zugleich an des Zürnenden Schulter,
Als er einher sich bewegt'. Er wandelte düster wie Nachtgraun,
Setzte sich drauf von den Schiffen entfernt und schnellte den Pfeil ab;
Und ein schrecklicher Klang entscholl dem silbernen Bogen.
Nur Maultier' erlegt' er zuerst und hurtige Hunde: 50
Doch nun gegen sie selbst das herbe Geschoß hinwendend,
Traf er; und rastlos brannten die Totenfeuer in Menge.
Schon neun Tage durchflogen das Heer die Geschosse des Gottes.
Drauf am zehnten berief des Volks Versammlung Achilleus,
Dem in die Seel es legte die lilienarmige Here; 55
Denn sie sorgt' um der Danaer Volk, die Sterbenden schauend.
Als sie nunmehr sich versammelt und vollgedrängt die Versammlung,
Trat hervor und begann der mutige Renner Achilleus:
Atreus' Sohn, nun denk ich, wir ziehn den vorigen Irrweg
Wieder nach Hause zurück, wofern wir entrinnen dem Tode, 60
Weil ja zugleich der Krieg und die Pest hinrafft die Achaier.
Aber wohlan, fragt einen der Opferer oder der Seher
Oder auch Traumausleger (auch Träume ja kommen von Zeus her),
Der uns sage, warum so ereiferte Phöbos Apollon,
Ob versäumte Gelübd ihn erzürneten, ob Hekatomben: 65
Wenn vielleicht der Lämmer Gedüft und erlesener Ziegen

Er zum Opfer begehrt, von uns die Plage zu wenden.
Also redete jener und setzte sich. Wieder erhub sich
Kalchas, der Thestoride, der weiseste Vogelschauer,
Der erkannte, was ist, was sein wird oder zuvor war, 70
Der auch her vor Troja der Danaer Schiffe geleitet
Durch wahrsagenden Geist, des ihn würdigte Phöbos Apollon;
Dieser begann wohlmeinend und redete vor der Versammlung:
Peleus' Sohn, du gebeutst mir, o Göttlicher, auszudeuten
Diesen Zorn des Apollon, des fernhin treffenden Herrschers. 75
Gerne will ich's ansagen; doch du verheiße mit Eidschwur,
Daß du gewiß willfährig mit Wort und Händen mir helfest.
Denn leicht möcht erzürnen ein Mann, der mächtigen Ansehns
Argos' Völker beherrscht und dem die Achaier gehorchen.
Stärker ja ist ein König, der zürnt dem geringeren Manne. 80
Wenn er auch die Galle den selbigen Tag noch zurückhält,
Dennoch laurt ihm beständig der heimliche Groll in dem Busen,
Bis er ihn endlich gekühlt. Drum rede du, willst du mich schützen?
Ihm antwortete drauf der mutige Renner Achilleus:
Sei getrost und erkläre den Götterwink, den du wahrnahmst. 85
Denn bei Apollon fürwahr, Zeus' Lieblinge, welchem, o Kalchas,
Flehend zuvor, den Achaiern der Götter Rat du enthüllest:
Keiner, solang ich leb und das Licht auf Erden noch schaue,
Soll bei den räumigen Schiffen mit frevelnder Hand dich berühren,
Aller Achaier umher! Und nenntest du selbst Agamemnon, 90
Der nun mächtig zu sein vor allem Volke sich rühmet.
Jetzo begann er getrost und sprach, der untadlige Seher:
Nicht versäumte Gelübd erzürnten ihn noch Hekatomben,
Sondern er zürnt um den Priester, den also entehrt' Agamemnon,
Nicht die Tochter befreit' und nicht annahm die Erlösung: 95
Darum gab uns Jammer der Treffende, wird es auch geben.
Nicht wird jener die schreckliche Hand abziehn vom Verderben,
Bis man zurück dem Vater das freudigblickende Mägdlein
Hingibt, frei, ohne Entgelt und mit heiliger Festhekatombe
Heim gen Chrysa entführt. Das möcht ihn vielleicht uns versöhnen.
Also redete jener und setzte sich. Wieder erhub sich
Atreus' Heldensohn, der Völkerfürst Agamemnon,
Zürnend vor Schmerz; es schwoll ihm das finstere Herz von der Galle,

Schwarz umströmt, und den Augen entfunkelte strahlendes Feuer.
Gegen Kalchas zuerst mit drohendem Blicke begann er: 105
Unglücksseher, der nie auch ein heilsames Wort mir geredet!
Immerdar nur Böses erfreut dein Herz zu verkünden!
Gutes hast du noch nimmer geweissagt oder vollendet!
Jetzt auch meldest du hier als Götterspruch den Achaiern,
Darum habe dem Volk der Treffende Wehe bereitet, 110
Weil für Chryses' Tochter ich selbst die köstliche Lösung
Anzunehmen verwarf. Denn traun! weit lieber behielt ich
Solche daheim, da ich höher wie Klytämnestra sie achte,
Meiner Jugend Vermählte; denn nicht ist jene geringer,
Weder an Bildung und Wuchs noch an Geist und künstlicher Arbeit.
Dennoch geb ich sie willig zurück, ist solches ja besser.
Lieber mög ich das Volk errettet schaun denn verderbend.
Gleich nur ein Ehrengeschenk bereitet mir, daß ich allein nicht
Ungeehrt der Danaer sei; nie wäre das schicklich!
Denn das seht ihr alle, daß mein Geschenk mir entgehet. 120
Ihm antwortete drauf der mutige Renner Achilleus:
Atreus' Sohn, ruhmvoller, du Habbegierigster aller,
Welches Geschenk verlangst du vom edlen Volk der Achaier?
Nirgends wissen wir doch des Gemeinsamen vieles verwahret,
Sondern soviel wir aus Städten erbeuteten, wurde geteilet; 125
Auch nicht ziemt es dem Volke, das einzelne wieder zu sammeln.
Aber entlaß du jetzo dem Gotte sie, und wir Achaier
Wollen sie dreifach ersetzen und vierfach, wenn uns einmal Zeus
Gönnen wird, der Troer befestigte Stadt zu verwüsten.
Gegen ihn rief antwortend der Völkerfürst Agamemnon: 130
Nicht also, wie tapfer du seist, gottgleicher Achilleus,
Sinn auf Trug! Nie wirst du mich schlau umgehn noch bereden!
Willst du, indes dir bleibt das Geschenk, daß ich selber umsonst hier
Sitze, des meinen beraubt? Und gebietest mir, frei sie zu geben?
Wohl denn, wofern mir ein andres verleihn die edlen Achaier, 135
Meinem Sinn es erlesend, das mir ein voller Ersatz sei!
Aber verleihn sie es nicht, dann komm ich selber und nehm es,
Deines vielleicht, auch des Ajas Geschenk wohl oder Odysseus'
Führ ich hinweg, und zürnen vielleicht wird, welchem ich nahe!
Doch von solcherlei Dingen ist Zeit zu reden auch künftig. 140

Auf nun, zieht ein schwärzliches Schiff in die heilige Meerflut,
Sammelt hinein vollzählig die Ruderer, bringt auch Apollons
Hekatomb; und sie selbst, des Chryses rosige Tochter,
Führet hinein. Und Gebieter des Schiffs sei der Könige einer:
Ajas oder der Held Idomeneus oder Odysseus 145
Oder auch du, Peleide, du schrecklichster unter den Männern,
Daß du den Treffenden uns durch heilige Opfer besänftigst.
Finster schaut' und begann der mutige Renner Achilleus:
Ha, du in Unverschämtheit Gehülleter, sinnend auf Vorteil!
Wie doch gehorcht dir willig noch einer im Heer der Achaier, 150
Einen Gang dir zu gehn und kühn mit dem Feinde zu kämpfen?
Nicht ja wegen der Troer, der lanzenkundigen, kam ich
Mit hieher in den Streit, sie haben's an mir nicht verschuldet.
Denn nie haben sie mir die Rosse geraubt noch die Rinder,
Nie auch haben in Phthia, dem scholligen Männergefilde, 155
Meine Frucht sie verletzt, indem viel Raumes uns sondert,
Waldbeschattete Berg und des Meers weitrauschende Wogen.
Dir, schamlosester Mann, dir folgten wir, daß du dich freutest;
Nur Menelaos zu rächen und dich, du Ehrevergeßner,
An den Troern! Das achtest du nichts, noch kümmert dich solches!
Selbst mein Ehrengeschenk, das drohest du mir zu entreißen,
Welches mit Schweiß ich errungen und mir verehrt die Achaier!
Hab ich doch nie ein Geschenk wie das deinige, wann die Achaier
Eine bevölkerte Stadt des troischen Volkes verwüstet,
Sondern die schwerste Last des tobenden Schlachtengetümmels 165
Trag ich mit meinem Arm: doch kommt zur Teilung es endlich,
Dein ist das größte Geschenk, und ich, mit wenigem fröhlich,
Kehre heim zu den Schiffen, nachdem ich erschlafft von dem Streite.
Doch nun geh ich gen Phthia! Denn weit zuträglicher ist es,
Heim mit den Schiffen zu gehn, den gebogenen! Schwerlich auch wirst
Weil du allhier mich entehrst, noch Schätz und Güter dir häufen! [du,
Ihm antwortete drauf der Herrscher des Volks Agamemnon:
Fliehe nur, wenn's dein Herz dir gebeut! Nie werd ich dich wahrlich
Anflehn, meinethalb zu verziehn! Mir bleiben noch andre,
Ehre mir zu erwerben, zumal Zeus' waltende Vorsicht! 175
Ganz verhaßt mir bist du vor allen beseligten Herrschern; [ten!
Stets doch hast du den Zank nur geliebt und die Kämpf und die Schlach-

Wenn du ein Stärkerer bist, ein Gott hat dir solches verliehen!
Schiffe denn heim, du selbst mit den Deinigen, daß du in Ruhe
Myrmidonen gebietest; denn du bist nichts mir geachtet, 180
Nichts auch gilt mir dein Pochen! Vielmehr noch droh ich dir also:
Weil mir Chryses' Tochter hinwegnimmt Phöbos Apollon,
Werd ich sie mit eigenem Schiff und eignen Genossen
Senden, allein ich hole die rosige Tochter des Brises
Selbst mir aus deinem Gezelt, dein Ehrengeschenk: daß du lernest, 185
Wieviel höher ich sei als du, und ein anderer zage,
Gleich sich mir zu wähnen und so mir zu trotzen ins Antlitz!
Jener sprach's; da entbrannte der Peleion, und das Herz ihm
Unter der zottigen Brust ratschlagete wankenden Sinnes,
Ob er, das schneidende Schwert alsbald von der Hüfte sich reißend, 190
Trennen sie sollt auseinander und niederhaun den Atreiden
Oder stillen den Zorn und die mutige Seele beherrschen.
Als er solches erwog in des Herzens Geist und Empfindung
Und er das große Schwert schon hervorzog, naht' ihm vom Himmel
Pallas Athen, entsandt von der lilienarmigen Here, 195
Die für beide zugleich in liebender Seele besorgt war.
Hinter ihn trat sie und faßte das bräunliche Haar des Peleiden,
Ihm allein sich enthüllend; der anderen schaute sie keiner.
Staunend zuckte der Held und wandte sich: plötzlich erkannt er
Pallas Athenens Gestalt, und fürchterlich strahlt' ihm ihr Auge. 200
Und er begann zu jener und sprach die geflügelten Worte:
Warum, o Tochter Zeus', des Ägiserschütterers, kamst du?
Etwa den Frevel zu schaun von Atreus' Sohn Agamemnon?
Aber ich sage dir an, und das wird wahrlich vollendet:
Sein unbändiger Stolz wird einst noch das Leben ihm kosten! 205
Drauf antwortete Zeus' blauäugige Tochter Athene:
Deinen Zorn zu stillen, gehorchtest du, kam ich vom Himmel;
Denn mich sendete Here, die lilienarmige Göttin,
Die für beide zugleich in liebender Seele besorgt ist.
Aber wohlan, laß fahren den Streit und zücke das Schwert nicht, 210
Magst du mit Worten ihn doch beleidigen, wie es dir einfällt.
Denn ich sage dir an, und das wird wahrlich vollendet:
Einst wird dir noch dreimal so herrliche Gabe geboten
Wegen der heutigen Schmach. Drum fasse dich nun und gehorch uns.

Ihr antwortete drauf der mutige Renner Achilleus: 215
Euer Wort, o Göttin, geziemet es wohl zu bewahren,
Welche Wut auch im Herzen sich hebt; denn solches ist besser.
Wer dem Gebot der Götter gehorcht, den hören sie wieder.
Sprach's und hemmte die nervichte Hand an dem silbernen Hefte,
Stieß in die Scheide zurück das große Schwert und verwarf nicht 220
Athenäens Gebot. Sie wandte sich drauf zum Olympos,
In den Palast des donnernden Zeus, zu den anderen Göttern.
Doch der Peleide begann mit erbitterten Worten von neuem
Gegen des Atreus Sohn, denn noch nicht ruht' er vom Zorne:
Trunkenbold, mit dem hündischen Blick und dem Mute des Hirsches,
Niemals, weder zur Schlacht mit dem Volke zugleich dich zu rüsten
Noch zum Hinterhalte zu gehn mit den Edlen Achaias,
Hast du im Herzen gewagt! das scheinen dir Schrecken des Todes!
Zwar behaglicher ist es, im weiten Heer der Achaier
Ihm sein Geschenk zu entwenden, der dir entgegen nur redet! 230
Volkverschlingender König! denn nichtigen Menschen gebeutst du!
Oder du hättest, Atreide, das letztemal heute gefrevelt!
Aber ich sage dir an, und mit heiligem Eide beschwör ich's:
Wahrlich, bei diesem Zepter, der niemals Blätter und Zweige
Wieder zeugt, nachdem er den Stamm im Gebirge verlassen, 235
Nie mehr sproßt er empor, denn ringsum schälte das Erz ihm
Laub und Rinde hinweg, und edele Söhne Achaias
Tragen ihn jetzt in der Hand, die Richtenden, welchen Kronion
Seine Gesetze vertraut: dies sei dir die hohe Beteurung!
Wahrlich, vermißt wird Achilleus hinfort von den Söhnen Achaias
Allzumal; dann suchst du umsonst, wie sehr du dich härmest,
Rettung, wenn sie in Scharen, vom männermordenden Hektor
Niedergestürzt, hinsterben; und tief in der Seele zernagt dich
Zürnender Gram, daß den besten der Danaer nichts du geehret!
Also sprach der Peleid und warf auf die Erde den Zepter, 245
Rings mit goldenen Buckeln geschmückt; dann setzt' er sich nieder.
Gegen ihn stand der Atreid und wütete. Jetzo erhub sich
Nestor mit holdem Gespräch, der tönende Redner von Pylos,
Dem von der Zung ein Laut wie des Honiges Süße daherfloß.
Diesem waren schon zwei der redenden Menschengeschlechter 250
Hingewelkt, die vordem ihm zugleich aufwuchsen und lebten,

Dort in der heiligen Pylos; und jetzt das dritte beherrscht' er.
Dieser begann wohlmeinend und redete vor der Versammlung:
Wehe, wie großes Leid dem achaiischen Lande herannaht!
Traun, wohl freun wird sich Priamos des und Priamos' Söhne, 255
Auch das Volk der Troer wird hoch frohlocken im Herzen,
Wenn sie das alles gehört, wie ihr durch Zank euch ereifert,
Ihr, die ersten Achaier im Rat und die ersten im Kampfe.
Aber gehorcht! ihr beide seid jüngeren Alters, denn ich bin!
Denn schon vormals pflog ich mit stärkeren Männern Gemeinschaft,
Als ihr seid; und dennoch verachteten jene mich nimmer!
Solche Männer ersah ich nicht mehr und ersehe sie schwerlich,
So wie Peirithoos war und der völkerweidende Dryas,
Käneus auch und der Held Exadios, auch Polyphemos,
Oder wie Ägeus' Sohn, der götterähnliche Theseus. 265
Traun, das waren die stärksten der lebenden Erdebewohner,
Waren selbst die stärksten und kämpften nur wider die stärksten,
Wider die Bergkentauren, und übeten grause Vertilgung.
Seht, und jenen war ich ein Kriegsgenoß, der aus Pylos
Herkam, fern aus dem Apierland; denn sie riefen mich selber; 270
Und ich kämpfte das Meinige mit. Doch jene vermöchte
Keiner, so viel nun leben des Menschengeschlechts, zu bekämpfen.
Dennoch hörten sie Rat von mir und gehorchten dem Worte.
Aber gehorcht auch ihr; denn Rat zu hören ist besser.
Weder du, wie mächtig du seist, nimm jenem das Mägdlein, 275
Sondern laß, was ihm einmal zum Dank verliehn die Achaier;
Noch auch du, o Peleid, erhebe dich wider den König
So voll Trotz; denn es ward nie gleicher Ehre ja teilhaft
Ein bezepterter König, den Zeus mit Ruhme verherrlicht.
Wenn du ein Stärkerer bist und Sohn der göttlichen Mutter, 280
Ist er mächtiger doch, weil mehrerem Volk er gebietet.
Atreus' Sohn, laß fahren den Zorn; und ich selbst will Achilleus
Anflehn, auch sein Herz zu besänftigen, ihn, der die große
Schutzwehr ist dem achaiischen Volk im verderbenden Kriege.
Gegen ihn rief antwortend der Völkerfürst Agamemnon: 285
Wahrlich, o Greis, du hast wohlziemende Worte geredet.
Aber der Mann will immer den anderen allen zuvor sein;
Allen will er gebieten im Heer und alle beherrschen,

Allen Gesetz' austeilen, die niemand, mein ich, erkennet!
Wenn sie ja Lanzenkund ihm verliehn, die ewigen Götter, 290
Stellen sie darum ihm frei, auch Schmähungen auszurufen?
Ihm in die Red einfallend, begann der edle Achilleus:
Ja fürwahr, ein Feiger und Nichtiger müßt ich genannt sein,
Wenn ich in allem mich dir demütigte, was du nur aussprichst!
Andern gebeut du solches nach Willkür, aber nur mir nicht 295
Winke Befehl; ich möchte hinfort dir wenig gehorchen!
Eines verkünd ich dir noch, und du bewahr es im Herzen:
Niemals heb ich die Arme zum Streit auf wegen des Mägdleins,
Weder mit dir noch andern; ihr gabt und nehmet sie wieder.
Aber so viel mir sonst bei dem dunkelen Schiffe sich findet, 300
Davon nimmst du mir schwerlich das mindeste wider mein Wollen.
Oder wohlan, versuch es! Damit sie alle mit ansehn,
Wie alsbald an der Lanze dein schwarzes Blut mir herabträuft!
Also haderten beide mit widerstrebenden Worten,
Standen dann auf und trennten den Rat bei den Schiffen Achaias.
Peleus' Sohn, zu den Zelten gewandt und schwebenden Schiffen,
Wandelte samt Menötios' Sohn und seinen Genossen.
Doch der Atreid entließ ein hurtiges Schiff in die Meerflut,
Wählete zwanzig hinein der Ruderer, bracht auch Apollons
Hekatomb, und darauf des Chryses rosige Tochter 310
Führt' er hinein; und Gebieter des Schiffs war der weise Odysseus.
Alle nun eingestiegen, durchsteuerten flüssige Pfade.
Drauf hieß Atreus' Sohn sich entsündigen alle Achaier:
Und sie entsündigten sich und warfen ins Meer die Befleckung,
Opferten dann für Apollon vollkommene Sühnhekatomben 315
Mutiger Stier' und Ziegen am Strand des verödeten Meeres;
Und hoch wallte der Duft in wirbelndem Rauche gen Himmel.
So war alles im Heere beschäftiget. Doch Agamemnon
Ließ nicht ruhn, was er zankend zuvor gedroht dem Achilleus;
Sondern Talthybios schnell und Eurybates rief er ermahnend, 320
Die Herold' ihm waren und rasch aufwartende Diener:
Gehet hin zum Gezelte des Peleiaden Achilleus,
Nehmt an der Hand und bringt des Brises rosige Tochter.
Wenn er sie nicht hergäbe, so möcht ich selber sie nehmen,
Hin mit mehreren kommend, was ihm noch schrecklicher sein wird!

Jener sprach's und entließ sie, die drohenden Worte befehlend.
Ungern gingen sie beid am Strand des verödeten Meeres,
Bis sie die Zelt' und Schiffe der Myrmidonen erreichten.
Ihn nun fanden sie dort am Gezelt und dunkelen Schiffe
Sitzend; und traun, nicht wurde des Anblicks fröhlich Achilleus. 330
Beide, bestürzt vor Scheu und Ehrfurcht gegen den König,
Standen und wageten nichts zu verkündigen oder zu fragen.
Aber er selbst vernahm es in seinem Geist und begann so:
Freude mit euch, Herold', ihr Boten Zeus' und der Menschen!
Nahet euch! Ihr nicht seid mir Verschuldete, nur Agamemnon, 335
Der euch beide gesandt um Brises' rosige Tochter.
Auf denn, führe heraus das Mägdelein, edler Patroklos,
Und laß jene sie nehmen. Doch sei'n sie selber mir Zeugen
Vor den seligen Göttern und vor den sterblichen Menschen,
Auch vor dem Könige dort, dem Wüterich: wenn man hinfort noch
Meiner Hilfe bedarf, dem schmählichen Jammer zu steuern
Jenes Volks...! Ha, wahrlich! er tobt in verderblichem Wahnsinn,
Blind im Geiste zugleich vorwärts zu schauen und rückwärts,
Daß bei den Schiffen er sichre das streitende Heer der Achaier!
Jener sprach's; und Patroklos, dem lieben Freunde gehorchend, 345
Führt' aus dem Zelt und gab des Brises rosige Tochter
Jenen dahin; und sie kehrten zurück zu den Schiffen Achaias.
Ungern ging mit ihnen das Mägdelein. Aber Achilleus,
Weinend, setzte sich schnell, abwärts von den Freunden gesondert,
Hin an des Meeres Gestad und schaut' in das finstre Gewässer. 350
Vieles zur trauten Mutter nun flehet er, breitend die Hände:
Mutter, dieweil du mich nur für wenige Tage gebarest,
Sollte mir Ehre doch der Olympier jetzo verleihen,
Der hochdonnernde Zeus! Doch er ehret mich nicht auch ein wenig!
Siehe, des Atreus Sohn, der Völkerfürst Agamemnon, 355
Hat mich entehrt und behält mein Geschenk, das er selber geraubet!
Also sprach er beträant; ihn vernahm die treffliche Mutter,
Sitzend dort in den Tiefen des Meeres beim grauen Erzeuger.
Eilenden Schwungs entstieg sie der finsteren Flut wie ein Nebel,
Und nun setzte sie nahe sich hin vor den Tränenbenetzten, 360
Streichelt' ihn drauf mit der Hand und redete, also beginnend:
Liebes Kind, was weinst du? und was betrübt dir die Seele?

Sprich, verhehle mir nichts, damit wir es beide wissen.
Doch schwerseufzend begann der mutige Renner Achilleus:
Mutter, du weißt das alles; was soll ich es dir noch erzählen? 365
Thebe belagerten wir, Eetions heilige Feste,
Und verwüsteten sie und führeten alles von dannen.
Redlich teilten den Raub die tapferen Söhne Achaias,
Und man erkor dem Atreiden des Chryses rosige Tochter.
Chryses darauf, der Priester des treffenden Phöbos Apollon, 370
Kam zu den rüstigen Schiffen der erzumschirmten Achaier,
Freizukaufen die Tochter, und bracht unendliche Lösung,
Tragend den Lorbeerschmuck des treffenden Phöbos Apollon
Um den goldenen Stab; und er flehete laut den Achaiern,
Doch den Atreiden vor allen, den zween Feldherrn der Völker. 375
Drauf gebot beifallend das ganze Heer der Achaier,
Ehrend den Priester zu scheun und die köstliche Lösung zu nehmen.
Aber nicht Agamemnon, des Atreus Sohne, gefiel es;
Dieser entsandt ihn mit Schmach und befahl ihm drohende Worte.
Zürnend vernahm es der Greis und wandte sich. Aber Apollon 380
Hörte des Flehenden Ruf; denn sehr geliebt war ihm jener.
Und nun sandt er sein Todesgeschoß; und die Völker Achaias
Starben in Scharen dahin, da rings die Geschosse des Gottes
Flogen im weiten Heere der Danaer. Siehe, da weissagt'
Uns ein kundiger Seher den heiligen Rat des Apollon. 385
Eilend riet ich selber zuerst, den Gott zu versöhnen.
Aber der Atreion ereiferte; schnell sich erhebend,
Sprach er ein drohendes Wort, das nun der Vollendung genaht ist.
Jene geleiten im Schiff frohblickende Söhne Achaias
Heim nach Chrysa zurück, auch bringen sie Gaben dem Herrscher.
Doch mir nahmen nur eben die Herold' aus dem Gezelte
Brises' Tochter hinweg, das Ehrengeschenk der Achaier.
Oh, wenn du es vermagst, so hilf dem tapferen Sohne!
Steig empor zum Olympos und flehe Zeus, wenn du jemals
Ihm mit Worten das Herz erfreuetest oder mit Taten. 395
Denn ich habe ja oft dich selbst im Palaste des Vaters
Rühmen gehört, wie du einst dem schwarzumwölkten Kronion,
Du von den Göttern allein, die schmähliche Kränkung gewendet,
Als vordem ihn zu binden die andern Olympier drohten,

Here und Poseidaon zugleich und Pallas Athene. 400
Doch du kamst, o Göttin, und lösetest ihn aus den Banden,
Rufend zum hohen Olympos den hundertarmigen Riesen,
Den Briareos nennen die Himmlischen, aber Ägäon
Jeglicher Mensch; denn er raget auch selbst vor dem Vater an Stärke.
Dieser nun saß bei Kronion dem Donnerer, freudigen Trotzes. 405
Drob erschraken die Götter und scheuten sich, jenen zu fesseln.
Setze nun, des ihn erinnernd, zu jenem dich, faß ihm die Knie auch,
Ob es vielleicht ihm gefalle, den Troern Schutz zu gewähren,
Aber zurückzudrängen zum Lager und Meer die Achaier,
Niedergehaun, bis sie alle sich sättigen ihres Gebieters; 410
Auch er selbst, der Atreide, der Völkerfürst Agamemnon,
Kenne die Schuld, da den besten der Danaer nichts er geehret!
Aber Thetis darauf antwortete, Tränen vergießend:
Wehe mir, daß ich, mein Kind, dich erzog, unselig Geborner!
Möchtest du hier bei den Schiffen doch frei von Tränen und Kränkung
Sitzen, dieweil dein Verhängnis so kurz nur währet, so gar kurz!
Aber zugleich frühwelkend und unglückselig vor allen
Wurdest du! Ja, dich gebar ich dem Jammergeschick im Palaste!
Dies dem Donnerer Zeus zu verkündigen, ob er mich höre,
Geh ich selber hinauf zum schneebedeckten Olympos. 420
Du indes, an des Meers schnellwandelnden Schiffen dich setzend,
Zürne dem Danaervolk und des Kriegs enthalte dich gänzlich.
Zeus ging gestern zum Mahl der unsträflichen Äthiopen
An des Okeanos Flut, und die Himmlischen folgten ihm alle.
Aber am zwölften Tag dann kehret er heim zum Olympos. 425
Hierauf steig ich empor zum ehernen Hause Kronions
Und umfaß ihm die Knie; und ich traue mir, ihn zu bewegen.
Als sie solches geredet, enteilte sie. Jener, allein nun,
Zürnt' im Geist und gedachte des schöngegürteten Weibes,
Das man mit Trotz und Gewalt ihm hinwegnahm. Aber Odysseus
Kam und brachte gen Chrysa die heilige Sühnhekatombe.
Als sie nunmehr in des Ports tiefgründige Räume gekommen,
Zogen sie ein die Segel und legten ins schwärzliche Schiff sie;
Lehnten darauf zum Behälter den Mast, an den Tauen ihn senkend,
Eilig hinab und schoben das Schiff mit Rudern zur Anfurt, 435
Warfen dann Anker hinaus und befestigten Seil' am Gestade.

Aus nun stiegen sie selbst an den wogenden Strand der Gewässer,
Aus auch lud man das Opfer dem treffenden Phöbos Apollon;
Aus auch stieg Chryseis vom meerdurchwallenden Schiffe.
Diese nun führte sogleich zum Altar der weise Odysseus, 440
Gab in des Vaters Hände sie hin und redete also:
Chryses, mich sandte daher der Völkerfürst Agamemnon,
Daß ich die Tochter dir brächt und die Sühnhekatombe dem Phöbos
Opferte für die Achaier, den Zorn zu versöhnen des Herrschers,
Der nun Argos' Volke so schmerzliches Wehe verhänget. 445
Sprach's und gab in die Hände sie ihm; und mit Freuden empfing er
Seine geliebte Tochter. Auch ordneten jene des Gottes
Herrliche Sühnhekatombe um den schöngebaueten Altar,
Wuschen darauf sich die Händ' und nahmen sich heilige Gerste.
Aber Chryses betete laut mit erhobenen Händen: 450
Höre mich, Gott, der du Chrysa mit silbernem Bogen umwandelst
Samt der heiligen Killa, und Tenedos mächtig beherrschest!
So wie schon du zuvor mich höretest, als ich dich anrief,
Wie du Ehre mir gabst und furchtbar schlugst die Achaier,
Also auch nun von neuem gewähre mir dieses Verlangen: 455
Gib den Danaern nun der schmählichen Plage Genesung!
Also rief er betend; ihn hörete Phöbos Apollon.
Aber nachdem sie gefleht und heilige Gerste gestreuet,
Beugten zurück sie die Häls' und schlachteten, zogen die Häut' ab,
Sonderten dann die Schenkel, umwickelten solche mit Fette 460
Zwiefach umher und bedeckten sie dann mit Stücken der Glieder.
Jetzo verbrannt es auf Scheitern der Greis, und dunkelen Weines
Sprengt' er darauf; ihn umstanden die Jünglinge, haltend den Fünfzack.
Als sie die Schenkel verbrannt und die Eingeweide gekostet,
Schnitten sie auch das übrige klein und steckten's an Spieße, 465
Brieten es dann vorsichtig und zogen es alles herunter.
Aber nachdem sie ruhten vom Werk und das Mahl sich bereitet,
Schmausten sie, und nicht mangelt' ihr Herz des gemeinsamen Mahles.
Aber nachdem die Begierde des Tranks und der Speise gestillt war,
Füllten die Jünglinge schnell die Krüge zum Rand mit Getränke, 470
Wandten von neuem sich rechts und verteileten allen die Becher.
Jene den ganzen Tag versöhnten den Gott mit Gesange,
Schön anstimmend den Päan, die blühenden Männer Achaias,

Preisend des Treffenden Macht; und er hörte freudigen Herzens.
  Als die Sonne nunmehr hinsank und das Dunkel heraufzog, 475
Legten sich jene zur Ruh an den haltenden Seilen des Schiffes.
Als aufdämmernd nun Eos mit Rosenfingern emporstieg,
Jetzo schifften sie heim zum weiten Heer der Achaier.
Günstigen Hauch sandt ihnen der treffende Phöbos Apollon;
Und sie erhuben den Mast und spannten die schimmernden Segel. 480
Voll nun schwellte der Wind des Segels Mitt, und umher scholl
Laut die purpurne Wog um den Kiel des gleitenden Schiffes;
Und es durchlief die Gewässer, den Weg in Eile vollendend.
Als sie nunmehr hinkamen zum weiten Heer der Achaier,
Zogen das schwärzliche Schiff sie empor an die Feste des Landes, 485
Hoch auf den kiesigen Sand, und breiteten drunter Gebälk hin;
Selbst dann zerstreuten sie sich ringsher zu Gezelten und Schiffen.
  Jener zürnt', an des Meers schnellwandelnden Schiffen sich setzend,
Peleus' göttlicher Sohn, der mutige Renner Achilleus.
Niemals mehr in den Rat, den männerehrenden, ging er, 490
Niemals mehr in die Schlacht. Doch Gram zernagte das Herz ihm,
Daß er blieb; er verlangte nur Feldgeschrei und Getümmel.
  Als nunmehr die zwölfte der Morgenröten emporstieg,
Kehreten heim zum Olympos die ewigwährenden Götter
Alle zugleich; Zeus führte. Doch Thetis vergaß das Geheiß nicht 495
Ihres Sohns; sie enttauchte der Woge des Meers und erhub sich
Schon in dämmernder Frühe zum Himmel empor und Olympos;
Fand nun den waltenden Zeus abwärts von den anderen sitzend,
Dort auf dem obersten Gipfel des vielgezackten Olympos.
Und sie setzte sich nahe vor ihn, umschlang mit der Linken 500
Seine Knie und berührt' ihn unter dem Kinn mit der Rechten;
Flehend zugleich begann sie zum herrschenden Zeus Kronion:
  Vater Zeus, wenn ich je mit Worten dir oder mit Taten
Frommt' in der Götter Schar, so gewähre mir dieses Verlangen:
Ehre mir meinen Sohn, der frühhinwelkend vor andern 505
Sterblichen ward! Doch hat ihn der Völkerfürst Agamemnon
Jetzo entehrt und behält sein Geschenk, das er selber geraubet!
Aber o räch ihn du, Olympier, Ordner der Welt, Zeus!
Stärke die Troer nunmehr mit Siegskraft, bis die Achaier
Meinen Sohn mir geehrt und reichliche Ehr ihm vergolten! 510

Jene sprach's; ihr erwiderte nichts der Wolkenversammler;
Lange saß er und schwieg. Doch Thetis schmiegte sich fest ihm
An die umschlungenen Knie und flehte wieder von neuem:
Unverstellt verheiße mir jetzt und winke Gewährung
Oder verweigere mir's! (nichts scheuest du!) daß ich es wisse, 515
Ganz sei ich vor allen die ungeehrteste Göttin!
Unmutsvoll nun begann der Herrscher im Donnergewölk Zeus:
Heillos, traun, ist solches, daß du mit Here zu hadern
Mich empörst, wann sie künftig mich reizt durch schmähende Worte.
Zanket sie doch schon so im Kreis der unsterblichen Götter 520
Stets mit mir und saget, ich helf im Streite den Troern.
Eile denn du jetzt wieder hinweg, daß nicht dich bemerke
Here; doch mir sei die Sorge des übrigen, wie ich's vollende.
Aber wohlan, mit dem Haupte dir wink ich es, daß du vertrauest.
Solches ist ja meiner Verheißungen unter den Göttern 525
Heiligstes Pfand; denn nie ist wandelbar oder betrüglich,
Noch unvollendet das Wort, das mit winkendem Haupt ich gewähret.
Also sprach und winkte mit schwärzlichen Brauen Kronion;
Und die ambrosischen Locken des Königes wallten ihm vorwärts
Von dem unsterblichen Haupt; es erbebten die Höhn des Olympos.
So ratschlagten sie beid und trennten sich. Siehe, die Göttin
Fuhr in die Tiefe des Meers vom glanzerhellten Olympos,
Zeus dann in seinen Palast. Die Unsterblichen standen empor ihm
Alle vom Sitz, dem Vater entgegenzugehen; und nicht einer
Harrte des Kommenden dort, entgegen ihm traten sie alle. 535
Er nun nahte dem Thron und setzte sich. Aber nicht achtlos
Hatt es Here bemerkt, wie geheim ratschlagte mit jenem
Nereus' Tochter, des Greises, die silberfüßige Thetis.
Schnell mit kränkender Rede zu Zeus Kronion begann sie:
Wer hat, Schlauer, mit dir der Unsterblichen wieder geratschlagt?
Immer war es dir Freude, von mir hinweg dich entfernend,
Heimlich ersonnenen Rat zu genehmigen! Hast du doch niemals
Mir willfährigen Geistes ein Wort gesagt, was du denkest!
Drauf begann der Vater des Menschengeschlechts und der Götter:
Here, nur nicht alles getraue dir, was ich beschließe, 545
Einzusehn; schwer würde dir das, auch meiner Gemahlin!
Zwar was dir zu hören vergönnt ist, keiner soll jenes

Früher erkennen denn du, der Unsterblichen oder der Menschen.
Doch was mir von den Göttern entfernt zu beschließen genehm ist,
Solches darfst du mir nicht auskundigen oder erforschen. 550
Ihm antwortete drauf die hoheitblickende Here:
Welch ein Wort, Kronion, du Schrecklicher, hast du geredet!
Nie doch hab ich zuvor mich erkundiget oder geforschet,
Sondern ganz in Ruhe beschließest du, was dir genehm ist.
Doch nun sorg ich im Herzen und fürchte mich, daß dich beschwatze
Nereus' Tochter, des Greises, die silberfüßige Thetis.
Denn sie saß in der Frühe bei dir und umschlang dir die Knie.
Ihr dann winkend, vermut ich, gelobtest du, daß du Achilleus
Ehren willst und verderben der Danaer viel an den Schiffen.
Gegen sie rief antwortend der Herrscher im Donnergewölk Zeus:
Immer, du Wunderbare, vermutest du, spähest mich immer!
Doch nicht schafft dein Tun dir das mindeste, sondern entfernter
Wirst du im Herzen mir stets, was dir noch schrecklicher sein wird;
Wenn auch jenes geschieht, so wird mir's also gelieben!
Sitze denn ruhig und schweig und gehorche du meinem Gebote! 565
Kaum wohl schützten dich sonst die Unsterblichen all im Olympos,
Trät ich hinan, ausstreckend zu dir die unnahbaren Hände!
Jener sprach's, da erschrak die hoheitblickende Here;
Schweigend saß sie nunmehr und bezwang die Stürme des Herzens.
Doch rings traurten im Saale die göttlichen Uranionen. 570
Jetzo begann Hephästos, der kunstberühmte, zu reden,
Seiner Mutter zu Gunst, der lilienarmigen Here:
Heillos, traun, wird solches zuletzt und gar unerträglich,
Wenn ihr beid um Sterbliche nun euch also entzweiet
Und zu Tumult aufreizet die Himmlischen! Nichts ja genießt man 575
Mehr von der Freude des Mahls; denn es wird je länger, je ärger!
Jetzt ermahn ich die Mutter, wiewohl sie selber Verstand hat,
Unserem Vater zu nahn mit Gefälligkeit, daß er hinfort nicht
Schelte, der Vater Zeus, und uns zerrütte das Gastmahl.
Denn sobald er es wollte, der Donnergott des Olympos, 580
Schmettert' er uns von den Thronen; denn er ist mächtig vor allen.
Aber wohlan, du wollest mit freundlichen Worten ihm schmeicheln;
Bald wird wieder zu Huld der Olympier uns versöhnt sein.
Jener sprach's und erhub sich und nahm den doppelten Becher,

Reicht' in die Hand der Mutter ihn dar und redete also: 585
Duld, o teuerste Mutter, und fasse dich, herzlich betrübt zwar!
Daß ich nicht, du Geliebte, mit eigenen Augen es sehe,
Wann er dich straft; dann sucht' ich umsonst, wie sehr ich mich härmte,
Rettung; schwerlich ja mag dem Olympier einer begegnen!
Denn schon einmal vordem, als abzuwehren ich strebte, 590
Schwang er mich hoch, bei der Ferse gefaßt, von der heiligen Schwelle.
Ganz den Tag hinflog ich, und spät mit der sinkenden Sonne
Fiel ich in Lemnos hinab und atmete kaum noch Leben;
Aber der Sintier Volk empfing mich Gefallenen freundlich.
Sprach's; da lächelte sanft die lilienarmige Here. 595
Lächelnd darauf entnahm sie der Hand des Sohnes den Becher.
Jener schenkte nunmehr auch der übrigen Götterversammlung
Rechts herum, dem Kruge den süßen Nektar entschöpfend.
Doch unermeßliches Lachen erscholl den seligen Göttern,
Als sie sahn, wie Hephästos in emsiger Eil umherging. 600
Also den ganzen Tag bis spät zur sinkenden Sonne
Schmausten sie, und nicht mangelt' ihr Herz des gemeinsamen Mahles,
Nicht des Saitengetöns von der lieblichen Leier Apollons,
Noch des Gesangs der Musen mit hold antwortender Stimme.
Aber nachdem sich gesenkt des Helios leuchtende Fackel, 605
Gingen sie auszuruhn zur eigenen Wohnung ein jeder,
Dort, wo jedem vordem der hinkende Künstler Hephästos
Bauete seinen Palast mit erfindungsreichem Verstande.
Zeus auch ging zum Lager, der Donnergott des Olympos,
Wo er zuvor ausruhte, wann süßer Schlaf ihm genaht war; 610
Dorthin stieg er zu ruhn mit der goldenthronenden Here.

II. GESANG

Zeus, des Versprechens eingedenk, bewegt Agamemnon durch einen Traum, die Achaier zur Schlacht auszuführen. Rat der Fürsten; dann Volksversammlung. Agamemnon, das Volk zu versuchen, befiehlt Heimkehr, und alle sind geneigt. Odysseus, von Athene ermahnt, hemmt sie. Thersites dringt schmähend auf Heimkehr und wird gestraft. Das beschämte Volk, durch Odysseus und Nestor völlig gewonnen, wird von Agamemnon zur Schlacht aufgefordert. Frühmahl, Opfer und Anordnung des Heers. Verzeichnis der achaiischen Völker. Die Troer in Versammlung hören die Botschaft und rücken aus. Verzeichnis der troischen Völker.

Alle nunmehr, die Götter und gaulgerüsteten Männer,
Schliefen die ganze Nacht, nur Zeus nicht labte der Schlummer;
Sondern er sann im Geiste voll Unruh, wie er Achilleus
Ehren möcht und verderben der Danaer viel an den Schiffen.
Dieser Gedank erschien dem Zweifelnden endlich der beste: 5
Einen täuschenden Traum zu Atreus' Sohne zu senden.
Und er begann zu jenem und sprach die geflügelten Worte:
Eile mir, täuschender Traum, zu den rüstigen Schiffen Achaias,
Gehe dort ins Gezelt zu Atreus' Sohn Agamemnon,
Ihm das alles genau zu verkündigen, was ich gebiete. 10
Heiß ihn rüsten zur Schlacht die hauptumlockten Achaier
All im Heer; denn jetzo sei leicht ihm bezwungen der Troer
Weitdurchwanderte Stadt. Nicht mehr zweifachen Entschlusses
Sei'n die olympischen Götter, bewegt schon habe sie alle
Here durch Flehn; und hinab auf Ilios schwebe Verderben. 15
Jener sprach's; und der Traum, sobald er die Rede vernommen,
Eilte hinweg und kam zu den rüstigen Schiffen Achaias.
Hin nun eilt' er und fand des Atreus Sohn Agamemnon
Schlafend in seinem Gezelt; ihn umfloß der ambrosische Schlummer.
Jener trat ihm zum Haupt, an Gestalt dem Sohne des Neleus, 20
Nestor, gleich, den hoch vor den Ältesten ehrt' Agamemnon;
Dessen Gestalt nachahmend, begann der göttliche Traum so:
Schlummerst du, Atreus' Sohn, des feurigen Rossebezähmers?
Keinem Richter gebührt's, die ganze Nacht zu durchschlummern,
Dem zur Hut sich die Völker vertraut und so mancherlei obliegt. 25
Auf nun, höre mein Wort: ich komm ein Bote Kronions,
Der dich sehr, auch ferne, begünstiget, dein sich erbarmend.
Rüsten heißt er zur Schlacht die hauptumlockten Achaier

All im Heer; denn jetzo sei leicht dir bezwungen der Troer
Weitdurchwanderte Stadt. Nicht mehr zweifachen Entschlusses 30
Sei'n die olympischen Götter; bewegt schon habe sie alle
Here durch Flehn; und hinab auf Ilios schwebe Verderben
Her von Zeus. Du merk es im Geiste dir, daß dem Gedächtnis
Nichts entfällt, wann jetzo vom lieblichen Schlaf du erwachest.
Also sagt' ihm der Traum und wandte sich; jenen verließ er, 35
Dem nachsinnend im Geist, was nie zur Vollendung bestimmt war;
Denn er hoffte noch heut, des Priamos Stadt zu erobern,
Tor! und erkannte nicht, was Zeus für Taten geordnet.
Denn er beschloß noch Jammer und Angstgeschrei zu erregen
Troern zugleich und Achaiern im Ungestüme der Feldschlacht. 40
Jetzo erwacht' er vom Schlaf, noch umtönt von der göttlichen Stimme,
Setzte sich aufrecht hin und zog das weiche Gewand an,
Sauber und neugewirkt, und warf den Mantel darüber;
Unter die glänzenden Füß' auch band er sich stattliche Sohlen,
Hängte sodann um die Schulter das Schwert voll silberner Buckeln,
Nahm auch den Herrscherstab, den ererbeten, ewiger Dauer;
Wandelte dann zu den Schiffen der erzumschirmten Achaier.
Eos aber, die Göttin, erstieg den hohen Olympos,
Zeus und den anderen Göttern das Tageslicht zu verkünden.
Und er gebot Herolden von hellaustönender Stimme, 50
Rings zur Versammlung zu rufen die hauptumlockten Achaier.
Tönend riefen sie aus, und flugs war die Menge versammelt.
Einen Rat nun setzt' er zuerst der erhabenen Ältsten,
Am nestorischen Schiffe, des herrschenden Greises von Pylos;
Als sich jene gesetzt, entwarf er die weise Beratung: 55
Freunde, vernehmt, ein göttlicher Traum erschien mir im Schlummer
Durch die ambrosische Nacht; und ganz dem erhabenen Nestor
War an Wuchs und Größ und Gestalt er wunderbar ähnlich.
Dieser trat mir zum Haupt und redete, also beginnend:
Schlummerst du, Atreus' Sohn, des feurigen Rossebezähmers? 60
Keinem Richter gebührt's, die ganze Nacht zu durchschlummern,
Dem zur Hut sich die Völker vertraut und so mancherlei obliegt.
Auf nun, höre mein Wort; ich komm ein Bote Kronions,
Der dich sehr, auch ferne, begünstiget, dein sich erbarmend.
Rüsten heißt er zur Schlacht die hauptumlockten Achaier 65

All im Heer; denn jetzo sei leicht dir bezwungen der Troer
Weitdurchwanderte Stadt. Nicht mehr zweifachen Entschlusses
Sei'n die olympischen Götter; bewegt schon habe sie alle
Here durch Flehn; und hinab auf Ilios schwebe Verderben
Her von Zeus. Du merk es im Geiste dir. – Dieses geredet, 70
Flog er hinweg und verschwand, und der liebliche Schlummer verließ
Aber wohlan, ob vielleicht zu rüsten gelingt die Achaier! [mich.
Selber zuerst durch Worte versuch ich sie, wie es Gebrauch ist,
Und ermahne zur Flucht in vielgeruderten Schiffen;
Ihr dann, anderswo andre, beredet sie wieder zu bleiben. 75
Also redete jener und setzte sich. Wieder erhub sich
Nestor, welcher gebot in Pylos' sandigen Fluren;
Dieser begann wohlmeinend und redete vor der Versammlung:
Freunde, des Volks von Argos erhabene Fürsten und Pfleger,
Hätte von solchem Traum ein anderer Mann uns erzählet, 80
Lug wohl nennten wir ihn und wendeten uns mit Verachtung.
Doch ihn sah, der den ersten vor allem Volke sich rühmet.
Drum wohlan, ob vielleicht zu rüsten gelingt die Achaier!
Jener sprach's und wandte der erste sich aus der Versammlung.
Rings dann standen sie auf, dem Völkerhirten gehorchend, 85
Alle bezepterten Fürsten. Heran nun stürzten die Völker.
Wie wenn Scharen der Bienen daherziehn dichten Gewimmels
Aus dem gehöhleten Fels, in beständigem Schwarm sich erneuend
(Jetzt in Trauben gedrängt umfliegen sie Blumen des Lenzes,
Andere hier unzählbar entflogen sie, andere dorthin): 90
Also zogen gedrängt von den Schiffen daher und Gezelten
Rings unzählbare Völker am Rand des hohen Gestades
Schar an Schar zur Versammlung. Entbrannt in der Mitte war Ossa,
Welche, die Botin Zeus', sie beschleunigte; und ihr Gewühl wuchs.
Weit nun hallte der Kreis, und es dröhnete drunten der Boden, 95
Als sich das Volk hinsetzt', und Getös war. Doch es erhuben
Neun Herolde den Ruf und hemmten sie, ob vom Geschrei sie
Ruheten und anhörten die gottbeseligten Herrscher.
Kaum saß endlich das Volk, umher auf den Sitzen sich haltend,
Und es verstummt' ihr Getön, da erhub sich der Held Agamemnon,
Haltend den Herrscherstab, den mit Kunst Hephästos gebildet.
Diesen gab Hephästos dem waltenden Zeus Kronion;

Hierauf gab ihn Zeus dem bestellenden Argoserwürger;
Hermes gab ihn, der Herrscher, dem Rossebändiger Pelops;
Wieder gab ihn Pelops dem völkerweidenden Atreus; 105
Dann ließ Atreus ihn sterbend dem lämmerreichen Thyestes;
Aber ihn ließ Thyestes dem Held Agamemnon, zu tragen
Viel Eilande damit und Argos reich zu beherrschen.
Hierauf lehnte sich jener und sprach die geflügelten Worte:
  Freund', ihr Helden des Danaerstamms, o Genossen des Ares, 110
Hart hat Zeus der Kronid in schwere Schuld mich verstricket!
Grausamer, welcher mir einst mit gnädigem Winke gelobet,
Heimzugehn ein Vertilger der festummauerten Troja.
Doch nun sann er verderblichen Trug und heißet mich ruhmlos
Wieder gen Argos kehren, nachdem viel Volks mir dahinstarb. 115
Also gefällt's nun wohl dem hocherhabnen Kronion,
Der schon vielen Städten das Haupt zu Boden geschmettert
Und noch schmettern es wird; denn sein ist siegende Allmacht.
Schande ja deucht es und Hohn noch spätem Geschlecht zu vernehmen,
Daß so umsonst ein solches, so großes Volk der Achaier 120
Niemals frommenden Streit rastlos fortstreitet und kämpfet
Gegen mindere Feind', und noch kein Ende zu sehn ist.
Denn wofern wir wünschten, Achaier zugleich und Troer,
Treuen Bund uns schwörend, die Zahl zu wissen von beiden,
Erst zu erlesen die Troer, so viel dort eigenen Herdes, 125
Wir dann ordneten uns je zehn und zehn, wir Achaier,
Einen Mann der Troer für jegliche wählend zum Schenken;
Viele der Zehenten wohl entbehreten, mein ich, des Schenken.
So weit deucht mir größer die Zahl der edlen Achaier,
Als dort wohnen der Troer in Ilios. Aber Genossen 130
Sind aus vielen der Städt', auch lanzenschwingende Männer,
Deren Macht mir verwehrt und nicht, wie ich wollte, gestattet,
Ilios auszutilgen, die Stadt voll prangender Häuser.
Sind doch bereits neun Jahre des großen Zeus uns vergangen,
Und schon stockt den Schiffen das Holz und die Seile vermodern;
Unsere Weiber indes und noch unmündigen Kinder
Sitzen daheim und schmachten nach uns: wir aber umsonst hier
Endigen nimmer das Werk, um dessenthalb wir gekommen.
Aber wohlan, wie ich rede das Wort, so gehorchet mir alle:

Laßt uns fliehn in den Schiffen zum lieben Lande der Väter! 140
Nie erobern wir doch die weitdurchwanderte Troja!
  Jener sprach's; und allen das Herz im Busen bewegt' er
Ringsumher in der Menge, die nicht anhörten den Ratschluß.
Rege nun ward die Versammlung, wie schwellende Wogen des Meeres
Auf der ikarischen Flut, wann hoch sie der Ost- und der Südwind 145
Aufstürmt, schnell dem Gewölke des Donnerers Zeus sich entstürzend.
Wie wenn brausend der West unermeßliche Saaten erreget,
Zuckend mit Ungestüm, und die wallenden Ähren hinabbeugt:
So war rings die Versammlung in Aufruhr. Hin mit Geschrei nun
Stürzte das Volk zu den Schiffen; empor stieg unter dem Fußtritt 150
Finsterer Staub in die Luft; sie ermunterten einer den andern,
Anzugreifen die Schiff' und zu ziehn in die heilige Meerflut.
Und man räumte die Graben; es scholl gen Himmel der heimwärts
Strebenden Ruf, und den Schiffen entzog man die stützenden Balken.
Jetzo geschah den Argeiern auch trotz dem Schicksal die Heimkehr,
Hätte nicht, zur Athene gewandt, so Here geredet:
  Weh mir, des ägiserschütternden Zeus unbezwungene Tochter!
Also sollen nun heim zum lieben Lande der Väter
Argos' Völker entfliehn auf weitem Rücken des Meeres?
Ließe man so dem Priamos Ruhm und den troischen Männern 160
Helena, Argos' Kind, um welche so viel der Achaier
Hin vor Troja gesunken, entfernt vom Vatergefilde?
Auf nun, geeilt in das Heer der erzumschirmten Achaier!
Hemme da jeglichen Mann durch schmeichelnde Red und verbeut ihm,
Nicht zu ziehen ins Meer die zwiefachrudernden Schiffe! 165
  Jene sprach's; ihr gehorchte die Herrscherin Pallas Athene.
Stürmenden Schwungs entflog sie den Felsenhöhn des Olympos,
Schnell erreichte sie dann die rüstigen Schiffe Achaias.
Jetzo fand sie Odysseus, an Ratschluß gleich dem Kronion,
Stehn; und nicht an sein Schiff, das schöngebordete schwarze, 170
Rühret' er, weil ihm der Gram in Herz und Seele gedrungen.
Nahend redete Zeus' blauäugige Tochter Athene:
  Edler Laertiad, erfindungsreicher Odysseus,
Also wollt ihr nun heim zum lieben Lande der Väter
Hinfliehn, alle gestürzt in vielgeruderte Schiffe? 175
Ließet ihr so dem Priamos Ruhm und den troischen Männern

Helena, Argos' Kind, um welche so viel der Achaier
Hin vor Troja gesunken, entfernt vom Vatergefilde?
Auf nun, geeilt in das Heer der Danaer, nicht so gezaudert!
Hemme da jeglichen Mann durch schmeichelnde Red und verbeut ihm,
Nicht zu ziehen ins Meer die zwiefachrudernden Schiffe!
Jene sprach's; da erkannte der Held die Stimme der Göttin.
Schnell abwerfend den Mantel, enteilet' er; aber den Mantel
Hob Eurybates auf, sein Herold, der ihm gefolgt war.
Jener, wie Atreus' Sohn Agamemnon gegen ihn herkam, 185
Nahm ihm den Herrscherstab, den ererbeten, ewiger Dauer;
Hiermit durcheilt' er die Schiffe der erzumschirmten Achaier.
Welchen der Könige nun und edleren Männer er antraf,
Freundlich hemmt' er diesen, mit schmeichelnden Worten ihm nahend:
Halt du, wenig dir ziemt's wie ein feiger Mann zu verzagen! 190
Sitz in Ruhe du selbst und treibe zur Ruh auch die andern!
Denn noch weißt du ja nicht, wie der Atreione gesinnt sei.
Jetzo vielleicht versucht er und züchtiget bald die Achaier;
Denn nicht all im Rate vernahmen wir, was er geredet.
Daß nicht entbrenne sein Zorn und wüte durchs Heer der Achaier! 195
Furchtbar ist der Eifer des gottbeseligten Königs,
Seine Ehr ist von Zeus, und ihn schirmt Zeus' waltende Vorsicht.
Welchen Mann des Volkes er sah und schreiend wo antraf,
Diesen schlug sein Zepter, und laut bedroht' er ihn also:
Halt du! Rege dich nicht und hör auf anderer Rede, 200
Die mehr gelten denn du! Unkriegerisch bist du und kraftlos,
Nie auch weder im Kampf ein Gerechneter, noch in dem Rate!
Nicht wir alle zugleich sind Könige hier, wir Achaier!
Niemals frommt Vielherrschaft im Volk, nur einer sei Herrscher,
Einer König allein, dem der Sohn des verborgenen Kronos 205
Zepter gab und Gesetze, daß ihm die Obergewalt sei. [lung
Also durchherrscht' er das Heer, ein Waltender; und zur Versamm-
Stürzten die Völker zurück, von den Schiffen daher und Gezelten,
Lärmvoll: wie wenn die Woge des weitaufrauschenden Meeres
Hoch an das Felsengestad anbrüllt und die stürmende Flut hallt. 210
Alles saß nun ruhig umher, auf den Sitzen sich haltend;
Nur Thersites erhob sein zügelloses Geschrei noch,
Dessen Herz mit vielen und törichten Worten erfüllt war,

Immer verkehrt, nicht der Ordnung gemäß, mit den Fürsten zu ha-
Wo ihm nur etwas erschien, das lächerlich vor den Argeiern [dern,
Wäre. Der häßlichste Mann vor Ilios, war er gekommen:
Schielend war er und lahm am anderen Fuß und die Schultern
Höckerig, gegen die Brust ihm geengt; und oben erhub sich
Spitz sein Haupt, auf der Scheitel mit dünnlicher Wolle besäet.
Widerlich war er vor allen des Peleus Sohn und Odysseus; 220
Denn sie lästert' er stets. Doch jetzt Agamemnon dem Herrscher
Kreischt' er hell entgegen mit Schmähungen. Rings die Achaier
Zürnten ihm, heftig empört, und ärgerten sich in der Seele.
Aber der Lästerer schalt mit lautem Geschrei Agamemnon:
Atreus' Sohn, was klagst du denn nun und wessen bedarfst du? 225
Voll sind dir von Erz die Gezelt' und viele der Weiber
Sind in deinen Gezelten, erlesene, die wir Achaier
Immer zuerst dir schenken vom Raub eroberter Städte.
Mangelt dir auch noch Gold, das ein rossebezähmender Troer
Her aus Ilios bringe, zum Lösungswerte des Sohnes, 230
Welchen ich selbst in Banden geführt, auch sonst ein Achaier?
Oder ein jugendlich Weib, ihr beizuwohnen in Wollust,
Wann du allein in der Stille sie hegst? Traun, wenig geziemt sich's,
Führer zu sein und in Jammer Achaias Söhne zu leiten!
Weichlinge, zag und verworfen, Achairinnen, nicht mehr Achaier!
Laßt doch heim in den Schiffen uns gehn und diesen vor Troja
Hier an Ehrengeschenken sich sättigen, daß er erkenne,
Ob auch wir mit Taten ihm beistehn oder nicht also!
Hat er Achilleus doch, den weit erhabneren Krieger,
Jetzo entehrt und behält sein Geschenk, das er selber geraubet! 240
Aber er hat nicht Gall in der Brust, der träge Achilleus!
Oder du hättest, Atreide, das letztemal heute gefrevelt!
Also schalt Thersites den Hirten des Volks Agamemnon,
Atreus' Sohn. Ihm nahte sofort der edle Odysseus;
Finster schaut' er auf jenen und rief die drohenden Worte: 245
Törichter Schwätzer Thersites, obgleich ein tönender Redner,
Schweig und enthalte dich, immer allein mit den Fürsten zu hadern!
Denn nicht mein ich, daß irgendein schlechterer Mensch wie du
Wandle, so viel herzogen mit Atreus' Söhnen vor Troja! [selber
Nie drum nenne dein Mund die Könige vor der Versammlung! 250

Schreie sie nicht mit Schmähungen an, noch laur auf die Heimfahrt!
Denn noch wissen wir nicht, wohin sich wende die Sache,
Ob wir zum Glück heimkehren, wir Danaer, oder zum Unglück.
Sitzest du, Atreus' Sohn, den Hirten des Volks Agamemnon,
Darum zu schmähn allhier, weil ihm die Helden Achaias 255
Schätze so reichlich geschenkt, und lästerst ihn vor der Versammlung?
Aber ich sage dir an und das wird wahrlich vollendet:
Find ich noch einmal dich vor Wahnsinn toben wie jetzo,
Dann soll Odysseus' Haupt nicht länger stehn auf den Schultern,
Dann soll keiner hinfort des Telemachos Vater mich nennen, 260
Wenn ich nicht dich ergreif und jedes Gewand dir entreiße,
Deinen Mantel und Rock und was die Scham dir umhüllet,
Und mit lautem Geheul zu den rüstigen Schiffen dich sende
Aus der Versammlung, gestäupt mit schmählichen Geißelhieben!

Also der Held, und zugleich mit dem Zepter ihm Rücken und Schultern
Schlug er; da wand sich jener, und häufig stürzt' ihm die Träne.
Eine Striem erhub sich mit Blut aufschwellend am Rücken
Unter des Zepters Gold. Er setzte sich nun und bebte,
Murrend vor Schmerz, mit entstelltem Gesicht und wischte die Trän ab,
Rings wie betrübt sie waren, doch lachten sie herzlich um jenen. 270
Also redete mancher, gewandt zum anderen Nachbar:

Traun, gar vieles bereits hat Odysseus Gutes vollendet,
Heilsamen Rat zu reden berühmt und Schlachten zu ordnen;
Aber anjetzt vollbracht er das Trefflichste vor den Argeiern,
Daß er den ungestümen und lästernden Redner geschweiget! 275
Schwerlich möcht er hinfort, wie das mutige Herz ihn auch antreibt,
Wider die Könige sich mit schmähenden Worten empören!

Also das Volk. Da erhub sich der Städteverwüster Odysseus,
Haltend den Herrscherstab; und neben ihm Pallas Athene,
Gleich an Gestalt dem Herold, gebot Stillschweigen den Völkern, 280
Daß die Nächsten zugleich und die äußersten Männer Achaias
Hörten des Redenden Wort und wohl nachdächten dem Rate.
Jener begann wohlmeinend und redete vor der Versammlung:

Atreus' Sohn, nun bereiten die Danaer dir, o Gebieter, [tes
Hohn und Schmach vor den Völkern des redenden Menschengeschlech-
Und vollenden dir nicht die Verheißungen, die man gelobet,
Als man hieher dir folgt' aus der rossenährenden Argos:

Heimzugehn, ein Vertilger der festummauerten Troja.
Denn wie zarte Kindelein tun und verwitwete Weiber,
Klagen sie dort einander ihr Leid und jammern um Heimkehr. 290
Freilich ringt wohl jeder, wer Trübsal duldet, nach Heimkehr.
Denn wer auch einen Mond nur entfernt ist seiner Gemahlin,
Weilet ja schon unmutig am vielgeruderten Schiffe,
Welches der winternde Sturm aufhält und des Meeres Empörung.
Doch uns schwand das neunte der rollenden Jahre vorüber, 295
Seit wir allhier ausharren. Ich tadele nicht die Achaier,
Daß man traurt bei den Schiffen und heimstrebt. Aber es wär uns
Schändlich doch, die so lange geweilt, leer wiederzukehren!
Duldet, o Freund', und harrt noch ein weniges, daß wir erkennen,
Ob uns Wahrheit von Kalchas enthüllt ward oder nicht also. 300
Denn wohl denken wir jenes im Geiste noch, und ihr bezeugt es
Alle, die nicht wegführten die graulichen Keren des Todes.
Gestern war's, wie mir deucht, da sich unsere Schiffe bei Aulis
Sammelten, Böses zu bringen dem Priamos selbst und den Troern.
Ringsher opferten wir um den Quell den unsterblichen Göttern 305
Auf geweihten Altären vollkommene Festhekatomben,
Unter des Ahorns Grün, dem blinkendes Wasser entsprudelt.
Sieh, und ein Zeichen geschah. Ein purpurschuppiger Drache,
Gräßlich zu schaun, den selber ans Licht der Olympier sandte,
Unten entschlüpft' dem Altar, fuhr schlängelnd empor an dem Ahorn.
Dort nun ruhten im Neste des Sperlinges nackende Kindlein
Oben auf schwankendem Ast und schmiegten sich unter den Blättern,
Acht; und die neunte war der Vögelchen brütende Mutter.
Jener nunmehr verschlang die kläglich Zwitschernden alle,
Nur die Mutter umflog mit jammernder Klage die Kindlein, 315
Bis er das Haupt hindreht' und am Flügel die Schreiende haschte.
Aber nachdem er die Jungen verzehrt und das Weibchen des Sperlings,
Stellte zum Wunderzeichen der Gott ihn, der ihn gesendet:
Denn zum Stein erschuf ihn der Sohn des verborgenen Kronos.
Wir nun standen umher und stauneten ob der Erscheinung, 320
Wie doch solcherlei Graun eindrang in der Himmlischen Opfer.
Schleunig vor allem Volk weissagete Kalchas der Seher:
Warum steht ihr verstummt, ihr hauptumlockten Achaier?
Uns erschuf dies Wunder der Macht Zeus' waltende Vorsicht,

Spät von Dauer und spät erfüllt, zu ewigem Nachruhm! 325
Gleichwie jener die Jungen verzehrt und das Weibchen des Sperlings,
Acht, und die neunte war der Vögelchen brütende Mutter:
Also werden wir dort neun Jahr auch kriegen um Troja,
Doch im zehnten die Stadt voll prächtiger Gassen erobern.
So weissagete jener, und nun wird alles vollendet. 330
Auf denn, bleibt miteinander, ihr hellumschienten Achaier,
Hier nun, bis wir gewonnen des Priamos türmende Feste!
  Jener sprach's; aufschrien die Danaer laut und umher scholl
Ungestüm von den Schiffen das Jubelgetön der Achaier,
Alle das Wort hochpreisend des göttergleichen Odysseus. 335
Drauf vor jenen begann der gerenische reisige Nestor:
  Götter! Ja, traun, ihr redet wie Knäbelein hier in Versammlung,
Die unmündig noch nichts um Taten des Kriegs sich bekümmern!
Wo sind unsre Verheißungen nun und die heiligen Schwüre?
Soll denn in Rauch aufgehen der Rat und die Sorge der Männer, 340
Opfer des lauteren Weins, und der Handschlag, dem wir vertrauet?
Denn mit eiteler Rede ja zanken wir; aber vergebens
Spähen wir heilsamen Rat, wie lange wir hier auch verweilen!
Atreus' Sohn, du künftig wie vor unerschütterten Herzens
Führe der Danaer Volk in wütendes Waffengetümmel. 345
Aber dahin laß schwinden die einzelnen, welche gesondert
Etwa von uns ratschlagen (denn nie wird solchen Erfüllung),
Heim gen Argos zu kehren, bevor vom Ägiserschüttrer
Wir er erkannt, ob Täuschung gelobete oder nicht also.
Denn ich sag, uns winkte der hocherhabene Kronion 350
Jenes Tags, da wir stiegen in meerdurchgleitende Schiffe,
Argos' Volk, die Troer mit Mord und Verderben bedrohend:
Rechtshin zuckte sein Blitz, ein heilweissagendes Zeichen!
Drum daß keiner zuvor wegdräng und strebe zur Heimkehr,
Eh er allhier mit einer der troischen Frauen geruhet, 355
Eh er gerächt der Helena Angst und einsame Seufzer!
Sehnt sich einer indes so gar unbändig nach Heimkehr,
Wag er mir's, sein schwarzes gebogenes Schiff zu berühren:
Daß er zuerst vor allen den Tod und das Schicksal erreiche!
Sinne denn selbst, o König, auf Rat und hör ihn von andern. 360
Nicht wird dir verwerflich das Wort sein, welches ich rede.

Sondere rings die Männer nach Stamm und Geschlecht, Agamemnon,
Daß ein Geschlecht dem Geschlecht beisteh und Stämme den Stämmen.
Tust du das und gehorchen die Danaer dir, dann erkennst du,
Wer von den Führern des Heers der Feigere, wer von den Völkern,
Und wer tapferer sei, denn es kämpft nun jeder das Seine.
Auch erkennst du, ob Göttergewalt die Eroberung hindert
Oder des Heers Feigheit und mangelnde Kriegeserfahrung.
 Ihm antwortete drauf der Völkerfürst Agamemnon:
Wahrlich, im Rat besiegst du, o Greis, die Männer Achaias. 370
Wenn doch, o Vater Zeus und Pallas Athen und Apollon,
Noch zehn andere Räte wie du mir wären im Volke!
Bald dann neigte sich uns des herrschenden Priamos Feste,
Unter unseren Händen besiegt und zu Boden getrümmert!
Aber Zeus Kronion, der Donnerer, sandte mir Unheil, 375
Der in ein eitles Gewirr von Hader und Zank mich verwickelt.
Denn ich selbst und Achilleus entzweiten uns wegen des Mägdleins
Mit feindseligen Worten; ich aber begann die Entrüstung.
Wenn wir je uns wieder vereinigen, traun, nicht länger
Säumt dann noch das Verderben von Ilios, auch nicht ein kleines! 380
Doch nun geht zum Mahle, damit wir rüsten den Angriff.
Wohl bereite sich jeder den Schild, wohl schärf er die Lanze;
Wohl auch reich er die Kost den leichtgeschenkelten Rossen;
Wohl auch späh er den Wagen umher und gedenke der Feldschlacht,
Daß wir den ganzen Tag im schrecklichen Kampf uns versuchen. 385
Denn nicht wenden wir uns zum Ausruhn, auch nicht ein kleines,
Ehe die Nacht herkommend den Mut der Männer gesondert.
Triefen von Schweiß wird manchem das Riemengehenk um den Busen
Am ringsdeckenden Schild und starren die Hand an der Lanze;
Triefen auch manchem das Roß, vor den zierlichen Wagen gespannet.
Aber wofern mir einer, der Schlacht mit Fleiß sich enthaltend,
Bei den geschnäbelten Schiffen zurückbleibt: wahrlich, umsonst wird
Dieser umher dann schaun, zu entfliehen den Hunden und Vögeln!
 Jener sprach's; aufschrien die Danaer laut: wie die Meerflut
Brüllt um den hohen Strand, wann kommend der Süd sie emporwühlt
Am vorragenden Fels, der nie von Wogen verschont ist
Aller Wind' umher, ob sie dorthin wehen, ob dorthin.
Schnell nun sprangen sie auf und liefen umher durch die Schiffe;

Rings entstieg den Gezelten der Rauch, und sie nahmen das Frühmahl.
Andere opferten andern der ewigwährenden Götter, 400
Flehend, dem Tode der Schlacht zu entgehn und dem Toben des Ares.
Jener selbst auch weihte, der Völkerfürst Agamemnon,
Einen Stier, fünfjährig und feist, dem starken Kronion.
Und er berief die ältsten, die edleren aller Achaier:
Nestor zuerst vor allen, Idomeneus dann, den Beherrscher, 405
Auch die Ajas beid und Tydeus' Sohn Diomedes;
Auch den sechsten Odysseus, an Ratschluß gleich dem Kronion.
Aber es kam freiwillig der Rufer im Streit Menelaos;
Denn er erkannt im Herzen, wie viel dem Bruder zu tun war.
Und sie umstanden den Stier und nahmen sich heilige Gerste; 410
Betend erhub die Stimme der Völkerfürst Agamemnon:

Zeus, ruhmwürdig und hehr, schwarzwolkiger, Herrscher des Äthers!
Nicht bevor laß sinken die Sonn und das Dunkel heraufziehn,
Eh ich hinab von der Höhe gestürzt des Priamos Wohnung,
Dunkel von Rauch und die Tore mit feindlicher Flamme verwüstet;
Eh ich vor Hektors Brust ringsher zerrissen den Panzer
Mit eindringendem Erz und viel um ihn der Genossen,
Vorwärts liegend im Staub, mit Geknirsch in die Erde gebissen!

Jener sprach's, doch mitnichten gewährt' ihm solches Kronion,
Sondern er nahm sein Opfer und häuft' ihm unnennbare Drangsal.
Aber nachdem sie gefleht und heilige Gerste gestreuet,
Beugten zurück sie den Hals und schlachteten, zogen die Haut ab,
Sonderten dann die Schenkel, umwickelten solche mit Fette
Zwiefach umher und bedeckten sie dann mit Stücken der Glieder.
Dies verbrannten sie alles, gelegt auf entblätterte Scheiter; 425
Wendeten dann durchspießt die Eingeweid an der Flamme.
Als sie die Schenkel verbrannt und die Eingeweide gekostet,
Schnitten sie auch das übrige klein und steckten's an Spieße,
Brieten es dann vorsichtig und zogen es alles herunter.
Aber nachdem sie ruhten vom Werk und das Mahl sich bereitet, 430
Schmausten sie, und nicht mangelt' ihr Herz des gemeinsamen Mahles.
Aber nachdem die Begierde des Tranks und der Speise gestillt war,
Jetzo begann das Gespräch der gerenische reisige Nestor:

Atreus' Sohn, ruhmvoller, du Völkerfürst Agamemnon,
Laß uns nicht hier redend die Zeit verlieren und länger 435

Nicht aufschieben das Werk, das jetzo der Gott uns vertrauet.
Auf denn, und heiß ausrufend die Herolde rings der Achaier
Erzumpanzertes Volk umher bei den Schiffen versammeln!
Wir dann wollen gesellt das weite Heer der Achaier
Alle durchgehn, um schneller die wütende Schlacht zu erregen. 440
Jener sprach's; ihm gehorchte der Völkerfürst Agamemnon,
Eilt' und gebot Herolden von hellaustönender Stimme,
Rings in die Schlacht zu rufen die hauptumlockten Achaier.
Tönend riefen sie aus, und flugs war die Menge versammelt.
Jen' um den Atreionen, die gottbeseligten Herrscher, 445
Stürmten umher anordnend. Zugleich ging Pallas Athene,
Haltend die Ägis voll Pracht, unalternd stets und unsterblich;
Hundert zierliche Quäst', aus lauterem Golde geflochten,
Hingen daran, und vom Werte der Hekatombe war jeder.
Hiermit weithinleuchtend durchflog sie das Heer der Achaier, 450
Trieb zur Eile sie an und rüstete jeglichen Mannes
Busen mit Kraft, rastlos im Streite zu stehn und zu kämpfen.
Allen sofort schien süßer der Kampf, als wiederzukehren
In den geräumigen Schiffen zum lieben Lande der Väter.
Wie ein vertilgendes Feuer entbrennt in unendlicher Waldung 455
Auf den Höhn des Gebirgs und fern die Flamme gesehn wird:
Also dem wandelnden Heer entflog von dem prangenden Erze
Weithin leuchtender Glanz und durchstrahlte die Luft bis zum Himmel.
Dort, gleichwie der Gevögel unzählbar fliegende Scharen,
Kraniche oder Gäns' und das Volk langhalsiger Schwäne, 460
Über die asische Wies um Kaystrios' weite Gewässer,
Hierhin flattern und dorthin mit freudigem Schwunge der Flügel,
Dann mit Getön hinsenken den Flug, daß umher das Gefild hallt:
So dort stürzten die Scharen von Schiffen daher und Gezelten
Auf die skamandrische Flur; und ringsum drönte die Erde 465
Graunvoll unter dem Gang des wandelnden Heers und der Rosse.
Jetzo standen sie all in der blumigen Au des Skamandros,
Tausende, gleich wie Blätter und knospende Blumen im Frühling.
Aber dicht, wie der Fliegen unzählbar wimmelnde Scharen
Rastlos durch das Gehege des ländlichen Hirten umherziehn 470
Im anmutigen Lenz, wann Milch von den Butten herabtrieft:
So unzählbar standen die hauptumlockten Achaier

Gegen die Troer im Felde, sie auszutilgen verlangend.
Jetzo, wie oft Geißhirten die schweifenden Ziegenherden
Ohne Müh aussondern, nachdem sie sich weidend gemischet: 475
So dort stellten die Führer und ordneten hierhin und dorthin,
Einzugehn in die Schlacht; mit ihnen der Held Agamemnon,
Gleich an Augen und Haupt dem donnerfrohen Kronion,
Gleich dem Ares an Gurt und an hoher Brust dem Poseidon.
So wie der Stier in der Herd ein Herrlicher wandelt vor allen, 480
Männlich stolz, denn er ragt aus den Rindern hervor auf der Weide:
Also verherrlichte Zeus an jenem Tag Agamemnon,
Daß er hoch aus vielen hervorschien unter den Helden.
Sagt mir anitzt, ihr Musen, olympische Höhen bewohnend
(Denn ihr seid Göttinnen und wart bei allem und wißt es; 485
Unser Wissen ist nichts; wir horchen allein dem Gerüchte):
Welche waren die Fürsten der Danaer und die Gebieter?
Nie vermöcht ich das Volk zu verkündigen oder zu nennen,
Wären mir auch zehn Kehlen zugleich, zehn redende Zungen,
Wär unzerbrechlicher Laut und ein ehernes Herz mir gewähret, 490
Wenn die olympischen Musen mir nicht, des Ägiserschüttrers
Töchter, die Zahl ansagten, wieviel vor Ilios kamen.
Drum die Ordner der Schiffe genannt und die sämtlichen Schiffe.
Führer war den Böoten Peneleos, Leitos Führer,
Arkesilaos zugleich und Klonios samt Prothoenor. 495
Alle, die Hyrie rings und die felsige Aulis bewohnten,
Schoinos auch und Skolos und weit die Höhn Eteonos,
Dann Thespeia und Gräa und weit die Aun Mykalessos',
Auch die Harma umwohnten, Eilesion auch und Erythrä,
Auch die Eleon sich und Peteon bauten und Hyle, 500
Rings Okalea dann und Medeons prangende Gassen,
Kopä, samt Eutresis und Thisbe, flatternd von Tauben:
Die Koroneia umher und die Grasgefild' Haliartos',
Die Platäa gebaut und die in Glissas gewohnet,
Die umher Hypothebe bewohnt in prangenden Häusern, 505
Auch Onchestos' lieblichen Hain um den Tempel Poseidons;
Die dann Arne bewohnt voll Weinhöhn, auch die Mideia,
Auch die heilige Nissa und fern Anthedon, die Grenzstadt:
Diese zogen daher in fünfzig Schiffen, und jedes

Trug der böotischen Jugend erlesene hundertundzwanzig. 510
Die in Orchomenos wohnten, der Minyer, und in Aspledon,
Führt' Askalaphos an und Jalmenos, Söhne des Ares,
Aus der Astyoche Schoß; in der Burg des azeidischen Aktors
Stieg sie einst in den Söller empor, die schüchterne Jungfrau,
Hin zum gewaltigen Ares, und sank in geheimer Umarmung. 515
Diese trug ein Geschwader von dreißig gebogenen Schiffen.
Aber Schedios herrscht' und Epistrophos vor den Phokäern,
Beide des Iphitos Söhne, des naubolidischen Königs;
Die umher Kyparissos gebaut und die felsige Python,
Auch die herrliche Krissa und Panopeus' Äcker und Daulis; 520
Die um Anemoreia und her um Hyampolis wohnten;
Dann die längs dem Kephissos, dem heiligen Strome, gehauset;
Auch die Liläa bestellt, bis hinauf zum Quell des Kephissos:
Diese zogen einher in vierzig dunkelen Schiffen.
Jene stellten in Reihn, die phokäischen Männer umwandelnd, 525
Und sie schlossen sich links an die Männerschar der Böoten.
Ajas führte die Lokrer, der schnelle Sohn des Oileus:
Kleiner und nicht so groß wie der Telamonier Ajas,
Sondern geringer an Wuchs, doch klein und im leinenen Harnisch,
War er geübt mit der Lanze vor allem Volk der Achaier. 530
Alle, die Kynos bewohnt, Kalliaros' Auen und Opus,
Bessa rings und Skarphe, die liebliche Flur um Augeia,
Tarphe und Thronios' Au, von Boagrios' Strome gewässert,
Folgeten jenem zugleich in vierzig dunkelen Schiffen,
Lokrer, die jenseits wohnen dem heiligen Land Euböa. 535
Dann die Euböa bewohnt, die mutbeseelten Abanter,
Chalkis, Eiretria dann und die Traubenhöhn Histiäas,
Auch Kerinthos am Meer und Dios' ragende Bergstadt,
Auch die Karystos umher und Styrons Fluren bebauten:
Diese führt' Elephenor zum Kampf, der Sprößling des Ares, 540
Chalkodons Sohn, Heerfürst der hochgesinnten Abanter.
Rasch ihm folgte sein Volk mit rückwärtsfliegendem Haupthaar,
Schwinger des Speers und begierig, mit ausgestreckter Esche
Krachend des Panzers Erz an feindlicher Brust zu durchschmettern.
Deren folgt ein Geschwader von vierzig dunkelen Schiffen. 545
Dann die Athenä bewohnt, des hochgesinnten Erechtheus

Wohlgebauete Stadt, des Königes, welchen Athene
Nährte, die Tochter Zeus' (ihn gebar die fruchtbare Erde),
Und in Athenä setzt' in ihren gefeierten Tempel,
Wo das Herz ihr erfreun mit geopferten Farren und Lämmern 550
Jünglinge edler Athener, in kreisender Jahre Vollendung.
Jenen gebot anführend des Peteos Sohn Menestheus.
Ihm war nie zu vergleichen ein Mann von den Erdebewohnern,
Rosse zur Schlacht zu ordnen und schildgewappnete Männer.
Nur wetteiferte Nestor; denn der war höheren Alters. 555
Diesem folgt' ein Geschwader von fünfzig dunkelen Schiffen.
 Ajas führte daher aus Salamis zwölf der Schiffe,
Stellte sie dann, wo in Reihn der Athener Schar sich geordnet.
 Dann die Argos bewohnt und die festummauerte Tiryns,
Asinens samt Hermionens Port an besegelter Meerbucht. 560
Trözen, Eionä auch und die Traubengestad' Epidauros',
Auch die Ägina und Mases bewohnt, die jungen Achaier:
Diesen gebot obwaltend der Rufer im Streit Diomedes;
Sthenelos auch, des Kapaneus Sohn, des gepriesenen Helden.
Auch der dritte gebot, Euryalos, ähnlich den Göttern, 565
Er, des Mekistheus Sohn, des taläonidischen Königs.
Alle gesamt dann führte der Rufer im Streit Diomedes.
Ihnen folgt' ein Geschwader von achtzig dunkelen Schiffen.
 Dann die Mykenä bewohnt, die Stadt voll prangender Häuser;
Auch die reiche Korinthos und schöngebaute Kleonä; 570
Auch die Orneia bestellt und Aräthyreens Äcker,
Sikyon auch, wo vordem der Held Adrastos gewaltet,
Hyperesia dann und die Felsenstadt Gonoessa;
Auch die Pellene gebaut und Ägion ringsum bestellet
Und die Gestad' umher, und Helike, grün von Ebnen, 575
Führt' in hundert Schiffen der Völkerfürst Agamemnon,
Atreus' Sohn. Ihm folgte das mehreste Volk und das beste
Her zum Streit; und er selber, in blendendem Erze gerüstet,
Trotzte voran, da er herrlich hervorschien unter den Helden,
Weil er der tapferste war und mit mehrerem Volke daherzog. 580
 Dann die gewohnt in der großen umhügelten Stadt Lakedämon,
Auch die Phare und Sparta, die Messe, flatternd von Tauben,
Und die Briseia bestellt und die liebliche Flur um Augeia;

Die in Amyklä gewohnt, auch Helos' Bürger, der Meerstadt,
Auch die Laas gebaut und Ötylos' Auen bestellet: 585
Deren führt' ihm der Bruder, der Rufer im Streit Menelaos,
Sechzig Schiffe daher; doch hielt gesondert die Heerschar.
Aber er selbst durchging sie, dem eigenen Mute vertrauend,
Und ermahnte zur Schlacht; denn am heftigsten brannte das Herz ihm,
Bis er gerächt der Helena Angst und einsame Seufzer. 590
Dann die Pylos bewohnt und die anmutsvolle Arene,
Thryos, Alpheios' Furt und die schöngebauete Äpy,
Auch die Kyparisseis bestellt und Amphigeneia,
Pteleos auch und Helos und Dorion, dort, wo die Musen
Findend den Thrakier Thamyris einst des Gesanges beraubten, 595
Der aus Öchalia kam von Eurytos. Denn sich vermessend
Prahlt' er laut, zu siegen im Lied, und sängen auch selber
Gegen ihn die Musen, des Ägiserschütterers Töchter.
Doch die Zürnenden straften mit Blindheit jenen und nahmen
Ihm den holden Gesang und die Kunst der tönenden Harfe. 600
Diesen herrschte voran der gerenische reisige Nestor,
Und ihm folgt' ein Geschwader von fünfzig geräumigen Schiffen.
Die in Arkadia weit die kyllenischen Höhen umwohnten,
Am äpytischen Male, die hartandringenden Kämpfer,
Die durch Pheneos' Flur und Orchomenos' Triften gewohnet, 605
Rhipe und Stratie dann und Enispens wehende Gipfel,
Auch die Tegea sich und die schöne Mantinea bauten,
Auch Stymphalos umher und Parrhasiens frohe Bewohner:
Deren führt' Ankäos gebietender Sohn Agapenor
Sechzig Schiffe daher; und viel in jedes der Schiffe 610
Traten arkadische Männer, gewandt in Kriegeserfahrung.
Denn er selbst gab ihnen, der Völkerfürst Agamemnon,
Schöngebordete Schiffe, das dunkele Meer zu durchsteuern,
Atreus' Sohn; nicht waren der Meergeschäfte sie kundig.
Die Buprasion dann und die heilige Elis bewohnten, 615
Was Hyrmine umher und Myrsinos' äußerste Grenzstadt,
Dort der olenische Fels und dort Aleision einschließt,
Ordneten vier Heerführer zum Kampf; und jeglichem folgten
Zehn der hurtigen Schiffe, gedrängt voll edler Epeier.
Denn Amphimachos dort und Thalpios führten die Heerschar, 620

Jener des Kteatos Sohn, des aktorischen Eurytos dieser;
Hier Amarynkeus' Sohn, der tapfere Krieger Diores;
Doch der vierten gebot der göttliche Held Polyxeinos,
Den Agasthenes zeugte, der augeiadische König.
Aber Dulichions Volk und der heiligen Echinaden, 625
Meereilande, die fern von Elis' Ufer man schauet:
Dieses ordnete Meges zur Schlacht, dem Ares vergleichbar,
Phyleus' Sohn, den erzeugte der Rossebändiger Phyleus,
Der in Dulichion einst auswanderte, zürnend dem Vater.
Diesem folgt' ein Geschwader von vierzig dunkelen Schiffen. 630
Aber Odysseus führte die mutigen Kephallener,
Die durch Ithaka wohnten um Neritons rauschende Wälder,
Die Krokyleia bestellten und Ägilips rauhe Gefilde,
Die Zakynthos umher und die weitbevölkerte Samos,
Auch die Epeiros dort und die Gegenküste bestellten: 635
Diesen gebot Odysseus, an Ratschluß gleich dem Kronion;
Und ihm folgt' ein Geschwader von zwölf rotschnäblichten Schiffen.
Aber Thoas gebot, Andrämons Sohn, den Ätolern,
Welche von Pleuron kamen, von Olenos und von Pylene,
Auch von Chalkis' Gestad und Kalydons felsichter Gegend. 640
Denn nicht lebeten mehr vom Geschlecht des erhabenen Öneus,
Noch er selbst; auch starb der bräunliche Held Meleagros.
Drum ward jenem vertraut die Obergewalt der Ätoler;
Und ihm folgt' ein Geschwader von vierzig dunkelen Schiffen.
Kretas Volke gebot Idomeneus, kundig der Lanze. 645
Alle, die Gnossos bewohnt und die festummauerte Gortyn,
Lyktos auch und Miletos und rings die weiße Lykastos,
Phästos und Rhytios auch, die volkdurchwimmelten Städte,
Auch die sonst noch Kreta in hundert Städten bewohnet:
Diesen herrschte voran Idomeneus, kundig der Lanze, 650
Auch Meriones, gleich dem männermordenden Ares.
Ihnen folgt' ein Geschwader von achtzig dunkelen Schiffen.
Aber der Herakleide Tlepolemos, groß und gewaltig,
Führt' in neun Meerschiffen der Rhodier trotzende Jugend,
Welche die heilige Rhodos umwohneten, dreifach geordnet, 655
Lindos samt Jalyssos umher und die weiße Kameiros:
Diesen herrschte voran Tlepolemos, welchen die Fürstin

Astiocheia gebar der hohen Kraft Herakles'.
Diese gewann Herakles an Ephyras Strome Selleis,
Viele Städt' austilgend der gottbeseligten Männer. 660
Aber Tlepolemos wuchs in Herakles' prangender Wohnung
Kaum zum Jüngling empor, da erschlug er Lykymnios plötzlich,
Ihn, des Vaters grauenden Ohm, den Sprößling des Ares.
Schnell nun bauet' er Schiff', und viel des Volkes sich sammelnd,
Floh er hinweg auf das Meer; denn Rach ihm drohten die andern, 665
Söhne zugleich und Enkel der hohen Kraft Herakles'.
Endlich kam er in Rhodos, der Irrende, Kummer erduldend.
Dreifach wohnten sie dort, in Stämme geteilt, und gedeihten,
Lieblinge Zeus', der Götter und sterbliche Menschen beherrschet;
Segnend herab goß ihnen des Reichtums Schätze Kronion. 670
Nireus kam aus Syma mit drei gleichschwebenden Schiffen,
Nireus, Charopos' Sohn, des Herrschenden, und der Aglaia;
Nireus, der der schönste Mann vor Ilios herzog
Rings im Danaervolk, nach dem tadellosen Achilleus;
Aber er war unkriegerisch, und klein ihm folgte die Heerschar. 675
Dann die Nisyros umher und Krapathos bauten und Kasos,
Kos, des Eurypylos Stadt, und umher die kalydnischen Inseln:
Diesen gebot Pheidippos zugleich und Antiphos führend,
Beide Thessalos' Söhne, des herakleidischen Königs.
Ihnen folgt' ein Geschwader von dreißig gebogenen Schiffen. 680
Nun auch sie, die umher das pelasgische Argos bewohnten,
Die sich in Alos gebaut und Alope, auch die in Trachin,
Auch die Phthia bewohnt und Hellas, blühend von Jungfraun;
Myrmidonen genannt, Hellenen zugleich und Achaier.
Diesen in fünfzig Schiffen gebot obwaltend Achilleus. 685
Doch nicht diese gedachten des schrecklichen Waffengetöses;
Denn nicht war, der jetzo geordneten Scharen voranging.
Still ja lag in den Schiffen der mutige Renner Achilleus,
Zürnend des Mägdleins wegen, der schöngelockten Briseis,
Die aus Lyrnessos vordem nach hartem Kampf er erbeutet, 690
Als er umher Lyrnessos zerstört und die Mauern um Thebe,
Als er den Mynes erlegt und Epistrophos, lanzengeübte,
Mutige Söhn' Euenos', des selepiadischen Königs.
Zürnend lag er vor Schmerz; allein bald sollt er emporstehn.

Dann die Phylake bauten und Pyrasos' Blumengefilde, 695
Gern von Demeter bewohnt, und die lämmernährende Iton,
Antrons laute Gestad' und Pteleos' schwellende Rasen:
Diesen herrschte voran der streitbare Protesilaos,
Weil er lebt'; itzt aber umschloß ihn die dunkele Erde.
Einsam in Phylake blieb mit zerrissenen Wangen die Gattin 700
Und sein verödetes Haus; ihn erlegt' ein dardanischer Krieger,
Als er dem Schiff entsprang, zuerst vor allen Achaiern.
Zwar nicht blieb ungeführt sein Volk, doch vermißt' es den Führer;
Sondern es ordnete nun des Ares Sprößling Podarkes,
Sohn von Phylakos' Sohne, dem herdenreichen Iphiklos, 705
Und ein leiblicher Bruder des mutigen Protesilaos,
Jünger er selbst an Geburt; der ältere war und der stärkre
Protesilaos, ein Held wie der Kriegsgott. Zwar es gebrach nicht
Am Heerführer dem Volk; doch vermißten sie ihn, den Erhabnen.
Jenem folgt' ein Geschwader von vierzig dunkelen Schiffen. 710
Dann die Pherä bewohnten, am böbeidischen Landsee,
Böbe und Glaphyrä weit und die prangende Stadt Jaolkos:
Diese führt' Eumelos, der traute Sohn des Admetos,
In elf Schiffen zum Streit; ihn gebar Alkestis, die Fürstin
Aller Frauen, die schönste von Pelias' blühenden Töchtern. 715
Die Methone sodann und Thaumakia ringsum bestellet,
Die Meliböa bewohnt und das rauhe Gefild Olizon:
Diesen gebot Philoktetes, der Held, wohlkundig des Bogens;
Sieben waren der Schiff' und der Ruderer fünfzig in jedem,
Alle der Bogenkund erfahrene, tapfere Streiter, 720
Aber er selber lag in dem Eiland, Qualen erduldend,
Dort in der heiligen Lemnos, wo Argos' Heer ihn zurückließ,
Krank an schwärender Wunde vom Biß der verderblichen Natter.
Jammernd lag er in Schmerz; allein bald sollte gedenken
Argos' Heer bei den Schiffen des Königes Philoktetes. 725
Zwar nicht blieb ungeführt sein Volk, doch vermißt' es den Führer;
Sondern es ordnete Medon, ein Nebensohn des Oileus,
Welchen Rhene gebar dem Städteverwüster Oileus.
Dann die Thrikka bewohnt und die Felsanhöhen Ithomens,
Auch Öchalia rings, des Öchaliers Eurytos Feste: 730
Diesen herrschten voran Podaleirios samt Machaon,

Zween heilkundige Männer, sie beid Asklepios' Söhne.
Ihnen folgt' ein Geschwader von dreißig gebogenen Schiffen.
Die in Ormenion wohnten und die am Quell Hypereia,
Die um Asterion auch und Titanos' schimmernde Häupter 735
Führt' Eurypylos her, der glänzende Sohn des Euämon;
Und ihm folgt' ein Geschwader von vierzig dunkelen Schiffen.
Dann die Argissa bestellt und die Gyrtone bewohnet,
Orthe dann und Elon', und die schimmernde Burg Oloosson:
Diesen herrschte voran der mutige Held Polypötes, 740
Er, Peirithoos' Sohn, den Zeus der Unsterbliche zeugte;
Doch dem Peirithoos selbst gebar ihn Hippodameia
Jenes Tags, da er strafte die mähnichten Ungeheuer
Und sie vom Pelion drängte, zum Volk der Äthiker verjagend;
Nicht er allein, auch Leonteus zugleich, der Sprößling des Ares, 745
Sohn von Käneus' Sohne, dem hochgesinnten Koronos.
Diesen folgt' ein Geschwader von vierzig dunkelen Schiffen.
Guneus kam aus Kyphos mit zweiundzwanzig der Schiffe;
Dieser führt' Eniener und kriegesfrohe Peräber,
Die um Dodonas Hain, den winternden, Häuser bewohnten, 750
Auch die am lieblichen Strom Titaresios Äcker bestellten,
Der in Peneios' Flut hinrollt sein schönes Gewässer,
Aber sich nie einmischt in Peneios' Silbergestrudel,
Sondern wie glattes Öl auf oberer Welle hinabrinnt,
Weil vom furchtbaren Eide, dem stygischen Strom, er entspringet. 755
Aber Prothoos führte, Tenthredons Sohn, die Magneter,
Die am Peneios umher und Pelions rauschenden Gipfeln
Wohneten; diesen gebot der hurtige Sohn des Tendredon.
Und ihm folgt' ein Geschwader von vierzig dunkelen Schiffen.
Solche waren die Fürsten der Danaer und die Gebieter. 760
Doch wer war der trefflichste dort, das verkünde mir, Muse,
Jener selbst und der Rosse, die Atreus' Söhnen gefolget?
Rosse waren die trefflichsten dort des Pheretiaden,
Die, von Eumelos gelenkt, hinflogen im Lauf wie die Vögel,
Gleichen Haars, gleichjährig und schnurgleich über den Rücken; 765
Auf pierischer Weid ernährte sie Phöbos Apollon,
Stuten beid, und drohend umher mit den Schrecken des Ares.
Trefflich vor Männern war der Telamonier Ajas,

Weil Achilleus zürnte; denn der war tapfrer denn alle,
Auch das Gespann, das ihn trug, den untadligen Peleionen. 770
Aber er, bei den schnellen gebogenen Schiffen des Meeres,
Ruhete, zürnend im Geist dem Hirten des Volks Agamemnon,
Atreus' Sohn; und die Völker am wogenden Strande des Meeres
Freueten sich, mit Scheiben und Jägerspießen zu schleudern
Und mit Geschoß. Auch standen an jeglichem Wagen die Rosse 775
Müßig, den Lotos rupfend und sumpfentsprossenen Eppich;
Aber die Wagen, umhüllt mit Teppichen, standen den Eignern
In dem Gezelt: sie selber, den streitbaren Führer vermissend,
Wandelten hier im Lager und dort und mieden das Schlachtfeld.
Sie dort zogen einher, wie wenn Glut durchs ganze Gefild hin 780
Loderte; dumpf aufhallte der Grund, wie dem Gotte der Donner
Zeus, wann des Zürnenden Strahl weitschmetternd das Land des
Arima schlägt, wo sie sagen, Typhoeus ruhe gelagert; [Typhoeus
Also dort ertönte der Grund von der kommenden Völker
Mächtigem Gang; denn in Eile durchzog das Gefilde der Heerzug. 785
Aber den Troern kam die windschnell eilende Iris
Her vom Ägiserschütterer Zeus mit der traurigen Botschaft.
Jene rieten im Rat an Priamos' Pforte, des Königs,
Alle gedrängt miteinander, die Jünglinge so wie die Greise.
Nahe trat und begann die leichthinschwebende Iris, 790
Gleich an tönender Stimme des Priamos Sohn Polites,
Der zur Hut der Troer, den hurtigen Fersen vertrauend,
Oben saß auf dem Grabe des grauenden Äsyetes,
Spähend, sobald vom Gestad herstürzte das Volk der Achaier.
Dessen Gestalt nachahmend begann die schwebende Iris: 795
Edler Greis, noch immer gefallen dir eitele Reden,
So wie im Frieden vordem, da der Krieg unermeßlich herannaht!
Traun, schon oftmals kam ich in blutige Schlachten der Männer,
Doch nie hab ich ein solches, so großes Volk noch gesehen!
Gleich den Blättern des Waldes an Zahl und dem Sande des Meeres 800
Ziehn sie daher im Gefilde, die Stadt ringsum zu bestürmen!
Hektor, du vor allen gehorche nun meiner Ermahnung.
Viel sind umher in Priamos' Stadt der Bundesgenossen,
Andre von andrer Sprache der weitzerstreueten Menschen.
Denen gebiete nunmehr ein jeglicher, welchen er vorsteht; 805

Diese führ er hinaus, in Ordnungen stellend die Bürger.
Jene sprach's, und Hektor, der Göttin Wort nicht verkennend,
Trennte sofort die Versammlung; und alles entflog zu den Waffen.
Ringsum standen geöffnet die Tor', und es stürzte das Kriegsheer,
Streiter zu Fuß und zu Wagen, hinaus mit lautem Getümmel. 810
Draußen liegt vor den Toren der Stadt ein erhabener Hügel,
Abgewandt im Gefild, umgehbar hierhin und dorthin.
Diesen pflegt Batieia der Sterblichen Rede zu nennen.
Aber die Götter das Mal der sprunggeübten Myrinne.
Dort nun teilten die Troer in Reihen sich und die Genossen. 815
Erst den Troern gebot der helmumflatterte Hektor,
Priamos' Sohn; ihm folgte das mehreste Volk und das beste,
Wohlgeordnet zur Schlacht, voll Muts die Speere bewegend.
Drauf vor den Dardanern ging Äneias einher, des Anchises
Starker Sohn, den ihm Aphrodite gebar auf des Idas 820
Waldigen Höhn, die Göttin zum sterblichen Manne gelagert.
Nicht er allein; zugleich ihm die beiden Söhn' Antenors,
Akamas und Archilochos, beid allkundig des Streites.
Dann die Zeleia bewohnt, am äußersten Hange des Ida,
Reich an Hab und trinkend die dunkele Flut des Äsepos, 825
Troischen Stamms: die führte der glänzende Sohn des Lykaon,
Pandaros, dem den Bogen Apollon selber verliehen.
Aber die Adrasteia gebaut und Apäsos' Gemeinfeld,
Auch Pityeia gebaut und die Felsenhöhn von Tereia,
Führt' Adrastos daher und in leinenem Panzer Amphios, 830
Beide von Merops erzeugt, dem Perkosier, welcher vor allen
Fernes Geschick wahrnahm und nie den Söhnen verstattet,
Einzugehn in den Krieg, den verderblichen. Aber sie hörten
Nicht sein Wort; denn sie führte des dunkelen Todes Verhängnis.
Welche Perkote sodann und Praktion ringsum bestellet, 835
Sestos dann und Abydos gebaut und die edle Arisbe:
Ordnete Hyrtakos' Sohn, Held Asios, Männergebieter.
Asios, Hyrtakos' Sohn, den hergebracht aus Arisbe
Rosse, glänzend und groß, vom heiligen Strom Selleis.
Aber Hippothoos führte der speergewohnten Pelasger 840
Stämme daher aus Larissa, dem Land hochscholliger Äcker;
Samt Hippothoos führte des Ares Sprößling Pyläos:

Beide von Teutamos' Sohn, dem pelasgischen Lethos, erzeuget.
  Aber Akamas führt' und Peiroos Thrakiens Völker,
Welche der Hellespontos mit reißendem Strome begrenzet. 845
  Weiter gebot Euphemos kikonischen Lanzenschwingern,
Den Trözenos gezeugt, der gottgeliebte Keade.
  Nächst ihm führte Pyrächmes päonische Krümmer des Bogens
Fern aus Amydon her, von des Axios breitem Gewässer,
Axios, der mit lieblichster Flut die Erde befruchtet. 850
  Weiter gebot Paphlagonen Pylämenes, trotzigen Herzens,
Her aus der Eneter Lande, wo wild aufwachsen die Mäuler:
Die den Kytoros bewohnt, die Sesamos ringsum bestellet
Und um Parthenios' Strom sich gepriesene Häuser gebauet,
Kromna, Ägialos auch und die Felsenhöhn Erithynö. 855
  Aber Hodios kam und Epistrophos samt Halizonen
Fern aus Alybe her, allwo des Silbers Geburt ist.
  Mysern gebot dann Chromis und Ennomos, kundig der Vögel.
Aber nicht durch Vögel vermied er das schwarze Verhängnis,
Sondern ihn tilgte die Hand des äakidischen Renners 860
Dort im Strom, wo gemordet noch andere Troer ihm sanken.
  Phorkys sodann und der Held Askanios führten die Phryger
Fern von Askania her; und sie dürsteten alle nach Feldschlacht.
  Mesthles ordnete drauf und Antiphos kühne Mäonen,
Beide Talämenes' Söhn' und der Nymph im Teiche Gygäa, 865
Die auch mäonische Stämme geführt vom Fuße des Tmolos.
  Nastes führte die Karen, ein Volk barbarischer Mundart,
Welche Miletos umwohnt und das Waldgebirge der Phteirer,
Auch des Mäandros Flut und Mykalens luftige Scheitel:
Diese führt' Amphimachos her und Nastes zur Feldschlacht, 870
Nastes, der glänzende Held und Amphimachos, Söhne Nomions,
Er, der mit Golde geschmückt in die Schlacht einging wie ein Mädchen.
Tor! nicht konnte das Gold ihn befrein vom grausen Verderben,
Sondern ihn tilgte die Hand des äakidischen Renners
Dort im Strom, und das Gold trug hin der erhabne Achilleus. 875
  Lykier führte Sarpedon zum Kampf und der rühmliche Glaukos,
Fern aus Lykia her, von Xanthos' wirbelnden Fluten.

III. GESANG

Begegnungen der Heere. Alexandros oder Paris, nachdem er vor Menelaos geflohn, erbietet sich ihm durch Hektor zum Zweikampf um Helena, welchen Menelaos annimmt. Die Heere ruhn, und Priamos wird zum Vertrage aus Ilios gerufen. Indes geht Helena auf das skäische Tor, wo Priamos mit den Ältesten sitzt, und nennt ihm die achaiischen Heerführer. Priamos fährt in das Schlachtfeld hinaus. Vertrag, Priamos' Rückkehr, Zweikampf. Den besiegten Paris entführt Aphrodite in seine Kammer und ruft ihm Helena. Agamemnon fordert den Siegespreis.

Aber nachdem sich geordnet ein jegliches Volk mit den Führern,
Zogen die Troer in Lärm und Geschrei einher wie die Vögel;
So wie Geschrei hertönt von Kranichen unter dem Himmel,
Welche, nachdem sie dem Winter entflohn und unendlichem Regen,
Dort mit Geschrei hinziehn an Okeanos' strömende Fluten, 5
Kleiner Pygmäen Geschlecht mit Mord und Verderben bedrohend,
Und aus dämmernder Luft zum schrecklichen Kampfe herannahn.
Jene wandelten still, die mutbeseelten Achaier,
All im Herzen gefaßt, zu verteidigen einer den andern.
Wie auf des Bergs Anhöhen der Süd ausbreitet den Nebel, 10
Der nicht Hirten erwünscht, doch dem Raubenden besser wie Nacht ist,
Und man so weit vorschauet, als fliegt der geworfene Feldstein:
Also wirbelte Staub von dem Gang der kommenden Völker
Dicht empor; denn in Eile durchzog das Gefilde der Heerzug.
Als sie nunmehr sich genaht, die Eilenden, gegeneinander, 15
Trat hervor aus den Troern der göttliche Held Alexandros,
Tragend ein Pardelvlies und ein krummes Geschoß um die Schultern,
Samt dem Schwert; zwo Lanzen, gespitzt mit der Schärfe des Erzes,
Schwenkt' er und rief hervor die tapfersten aller Achaier,
Gegen ihn anzukämpfen in schreckenvoller Entscheidung. 20
Aber sobald ihn sahe der streitbare Held Menelaos
Vor dem Scharengewühl einhergehn mächtigen Schrittes:
So wie ein Löwe sich freut, dem größere Beute begegnet,
Wenn ein gehörneter Hirsch dem Hungrigen oder ein Gemsbock
Nahe kommt; denn begierig verschlinget er, ob auch umher ihn 25
Hurtiger Hunde Gewühl wegscheucht, und blühende Jäger:
So war froh Menelaos, den göttlichen Held Alexandros
Dort mit den Augen zu schaun; denn er wollt ihn strafen, den Frevler.
Schnell vom Wagen herab mit den Rüstungen sprang er zur Erde.

Aber sobald ihn sahe der göttliche Held Alexandros 30
Schimmern im Vorderheer, da erbebte vor Angst sein Herz ihm;
Und in der Freunde Gedräng entzog er sich, meidend das Schicksal.
So wie ein Mann, der die Natter ersah, mit Entsetzen zurückfuhr
In des Gebirgs Waldtal (ihm erzitterten unten die Glieder,
Rasch nun floh er hinweg und Bläß umzog ihm die Wangen): 35
Also taucht' er zurück in die Meng hochherziger Troer,
Zagend vor Atreus' Sohn, der göttliche Held Alexandros.
Hektor schalt ihn erblickend und rief die beschämenden Worte:
Weichling, an Schönheit ein Held, weibsüchtiger, schlauer Verführer!
Wärest du nie doch geboren, das wünscht ich dir, oder gestorben, 40
Eh du um Weiber gebuhlt! Viel heilsamer wäre dir solches,
Als nun so zum Gespött dastehn und allen zum Anschaun!
Ja, ein Gelächter erheben die hauptumlockten Achaier,
Welche des Heers Vorkämpfer dich achteten, weil du so schöner
Bildung erscheinst; doch wohnt nicht Kraft dir im Herzen, noch Stärke!
Wagtest denn du, ein solcher! in meerdurchwandelnden Schiffen
Über die Wogen zu gehn, von erlesenem Volke begleitet
Und zu Fremden gesellt, ein schönes Weib zu entführen
Aus der Apier Lande, die Schwägerin kriegrischer Männer?
Deinem Vater zum Gram und der Stadt und dem sämtlichen Volke,
Aber den Feinden zur Wonn und zu ewiger Schande dir selber?
Ha, nicht mochtest du stehn vor Atreus' Sohn; denn gelernet
Hättest du, welchem Manne die blühende Gattin du raubtest!
Nichts auch frommte die Laute dir jetzt und die Huld Aphroditens,
Nichts dein Haar und der Wuchs, wenn dort du im Staube dich wälztest!
Wären die Troer nur nicht Feigherzige, traun, es umhüllte
Längst dich ein steinerner Rock für das Unheil, das du gehäuft hast!
Ihm antwortete drauf der göttliche Held Alexandros:
Hektor, dieweil du mit Recht mich tadeltest, nicht mit Unrecht;
Stets ist dir ja das Herz wie die eherne Axt unbezwingbar, [bau
Welche das Holz durchstrebt vor dem Zimmerer, wann er zum Schiff-
Künstlich die Balken behaut und ihr Schwung ihm die Stärke vermeh-
So ist fest dir das Herz und stets unerschrockenen Mutes. [ret:
Nur nicht rüge die Gaben der goldenen Aphrodite.
Unverwerflich ja sind der Unsterblichen ehrende Gaben, 65
Welche sie selber verleihn und nach Willkür keiner empfänget.

Doch jetzt, willst du mich sehn im tapferen Streite des Krieges,
Heiße die anderen ruhn, die Troer umher und Achaier;
Laßt dann mich vor dem Volk und den streitbaren Held Menelaos
Kämpfen um Helena selbst und die sämtlichen Schätze den Zweikampf.
Wer von beiden nunmehr obsiegt und stärker erscheinet,
Nehme die Schätze gesamt mit dem Weib und führe sie heimwärts.
Ihr dann zugleich, Freundschaft und heiligen Bund euch beschwörend,
Wohnt in der scholligen Troja, und jen' entschiffen zu Argos'
Rossenährender Flur und Achaias rosigen Jungfraun. 75
Jener sprach's; doch Hektor erfreute sich hoch ob der Rede,
Trat dann hervor in die Mitt und hemmte die troischen Haufen,
Haltend die Mitte des Speers, und still nun standen sie alle.
Auf ihn spannten den Bogen die hauptumlockten Achaier,
Zieleten mit Wurfspießen daher und schleuderten Steine. 80
Aber es rief lauttönend der Völkerfürst Agamemnon:
Haltet ein, Argeier, und werft nicht, Männer Achaias!
Denn er begehrt zu reden, der helmumflatterte Hektor!
Jener sprach's, und sie ließen vom Streit und harreten schweigend
Flugs umher; doch Hektor begann in der Mitte der Völker: 85
Hört mein Wort, ihr Troer und hellumschiente Achaier,
Was mir gesagt Alexandros, um welchen der Streit sich erhoben.
Dieser heißt euch andern, die Troer umher und Achaier,
Strecken das schöne Gerät zur nahrungsprossenden Erde,
Daß er allein vor dem Volk und der streitbare Held Menelaos 90
Kämpf um Helena selbst und die sämtlichen Schätze den Zweikampf.
Wer von beiden nunmehr obsiegt und stärker erscheinet,
Nehme die Schätze gesamt mit dem Weib und führe sie heimwärts.
Freundschaft sollen wir andern und heiligen Bund uns beschwören.
Jener sprach's; doch alle verstummten umher und schwiegen. 95
Endlich begann vor ihnen der Rufer im Streit Menelaos:
Höret anjetzt auch mich. Am meisten ja lastet der Kummer
Meine Seel, und ich denke, versöhnt nun werdet ihr scheiden,
Argos' Volk und ihr Troer, nachdem viel Böses ihr truget
Wegen unseres Streits, den mir Alexandros begonnen. 100
Wem nunmehr von uns beiden der Tod und das Schicksal bevorsteht,
Solcher sterb; und ihr andern versöhnt euch eilig und scheidet.
Bringt zwei Lämmer herbei, dem Helios weiß und ein Böcklein,

Schwarz der Erd und ein Weibchen, wir bringen dem Zeus noch ein
Ruft alsdann auch Priamos' Macht, daß jener das Bündnis [drittes.
Schwör, er selbst, denn die Söhne sind übermütig und treulos:
Daß kein frevelnder Mann Zeus' heiligen Bund verletze.
Stets ja flattert das Herz den Jünglingen; doch wo ein Alter
Zwischen tritt, der zugleich vorwärts hinschauet und rückwärts,
Solcher erwägt, wie am besten die Wohlfahrt beider gedeihe. 110
Jener sprach's, ihm erfreuten sich hoch Achaier und Troer,
Hoffend, nun auszuruhn vom unglückseligen Kriege.
Und sie hemmten die Ross' in den Ordnungen, sprangen vom Wagen,
Zogen die Rüstungen aus und legten sie nieder zur Erde,
Nahe nur voneinander; denn wenig war Feldes dazwischen. 115
Aber Hektor beschied zween Herold' eilig gen Troja,
Schnell die Lämmer zu bringen und Priamos her zu berufen.
Auch den Talthybios sandte der Völkerfürst Agamemnon,
Zu den geräumigen Schiffen zu gehn, damit er das Lamm ihm
Holete; jener enteilt' und gehorcht' Agamemnon, dem Herrscher. 120
Iris brachte nunmehr der schimmernden Helena Botschaft,
Ihrer Schwägerin gleich, des Antenoriden Gemahlin,
Ihr, die Antenors Sohn sich vermählt, der Fürst Helikaon,
Priamos' rosiger Tochter Laodike, reizender Bildung.
Jene fand sie daheim; sie webt' ein Gewand in der Kammer, 125
Groß und doppelt und hell, durchwirkt mit mancherlei Kämpfen
Rossebezähmender Troer und erzumschirmter Achaier,
Welche sie ihrethalb von Ares' Händen erduldet.
Nahe trat und begann die leichthinschwebende Iris:
Komm doch, du trautes Kind, die seltsamen Taten zu schauen 130
Rossebezähmender Troer und erzumschirmter Achaier.
Die jüngst gegeneinander das Grauen des Ares getragen
Durch das Gefild, anstrebend zur tränenbringenden Feldschlacht:
Diese ruhn stillschweigend umher, und der Krieg ist geendigt,
Hingelehnt auf die Schild' und die ragenden Speer' in dem Boden.
Nur Alexandros allein und der streitbare Held Menelaos
Werden anjetzt um dich mit langem Speer sich bekämpfen;
Und wer den Gegner besiegt, der nennt dich traute Gemahlin.
Also sprach die Göttin und schuf ihr süßes Verlangen
Nach dem ersten Gemahl, nach Vaterstadt und Gefreunden. 140

Schnell in den Schleier gehüllt von silberfarbener Leinwand,
Flog sie hinweg aus der Kammer, die zarte Trän an den Wimpern;
Nicht sie allein; ihr folgten zugleich zwo dienende Jungfraun,
Äthra, des Pittheus Tochter, und Klymene, herrschenden Blickes.
Bald nun kamen sie hin, allwo das skäische Tor war. 145
Aber Priamos dort und Panthoos neben Thymötes,
Lampos und Klytios auch und Ares' Sproß Hiketaon,
Auch Antenor der Held und Ukalegon, beide voll Weisheit,
Saßen, die Ältsten der Stadt, umher auf dem skäischen Tore,
Welche betagt vom Krieg ausruheten; doch in Versammlung 150
Redner voll Rat, den Zikaden nicht ungleich, die in den Wäldern
Aus der Bäume Gesproß hellschwirrende Stimmen ergießen:
Gleich so saßen der Troer Gebietende dort auf dem Turme.
Als sie nunmehr die Helena sahn zum Turme sich wenden,
Leise redete mancher und sprach die geflügelten Worte: 155
  Tadelt nicht die Troer und hellumschienten Achaier,
Die um ein solches Weib so lang ausharren im Elend!
Einer unsterblichen Göttin fürwahr gleicht jene von Ansehn!
Dennoch kehr, auch mit solcher Gestalt, sie in Schiffen zur Heimat,
Ehe sie uns und den Söhnen hinfort noch Jammer bereitet! 160
  Also die Greis'; und Priamos rief der Helena jetzo:
Komm doch näher heran, mein Töchterchen, setze dich zu mir,
Daß du schaust den ersten Gemahl und die Freund' und Verwandten!
Du nicht trägst mir die Schuld; die Unsterblichen sind es mir schuldig,
Welche mir zugesandt den bejammerten Krieg der Achaier! 165
Daß du auch jenes Manns, des gewaltigen, Namen mir nennest,
Wer doch dort der Achaier so groß und herrlich hervorprangt!
Zwar es ragen an Haupt noch andere höher denn jener,
Doch so schön ist keiner mir je erschienen vor Augen,
Noch so edler Gestalt; denn königlich scheint er von Ansehn! 170
  Aber Helena sprach, die edle der Fraun, ihm erwidernd:
Ehrenwert mir bist du, o teurer Schwäher, und furchtbar.
Hätte der Tod mir gefallen, der herbeste, ehe denn hieher
Deinem Sohn ich gefolgt, das Gemach und die Freunde verlassend
Und mein einziges Kind und die holde Schar der Gespielen! 175
Doch nicht solches geschah, und nun in Tränen verschwind ich!...
Jetzo will ich dir sagen, was du mich fragst und erforschest.

Jener ist der Atreide, der Völkerfürst Agamemnon,
Beides, ein trefflicher König zugleich und ein tapferer Streiter.
Schwager mir war er vordem, der Schändlichen; ach, er war es! 180
  Jene sprach's; und der Greis bewundert' ihn, laut ausrufend:
Seliger Atreion, o gesegneter, glücklichgeborner!
Wahrlich doch, unzählbar gehorchen dir Männer Achaias!
Vormals zog ich selber in Phrygiens Rebengefilde,
Wo ich ein großes Heer gaultummelnder phrygischer Männer 185
Schauete, Otreus' Volk und des götterähnlichen Mygdon,
Welches umher am Gestade Sangarios' weit sich gelagert;
Denn ich ward als Bundesgenoß mit ihnen gerechnet
Jenes Tags, da die Hord amazonischer Männinnen einbrach;
Doch war minder die Zahl wie der freudigen Krieger Achaias! 190
  Jetzo erblickt' Odysseus der Greis und fragte von neuem:
Nenne mir nun auch jenen, mein Töchterchen; siehe, wie heißt er?
Weniger ragt er an Haupt als Atreus' Sohn Agamemnon,
Aber breiteren Wuchses an Brust und mächtigen Schultern.
Seine Wehr ist gestreckt zur nahrungsprossenden Erde; 195
Doch er selbst, wie ein Widder, umgeht die Scharen der Männer.
Gleich dem Bock erscheinet er mir, dickwolliges Vlieses,
Welcher die große Trift weißschimmernder Schafe durchwandelt.
  Ihm antwortete Helena drauf, Zeus' liebliche Tochter:
Der ist Laertes' Sohn, der erfindungsreiche Odysseus, 200
Welcher in Ithakas Reich aufwuchs, des felsichten Eilands,
Wohlgeübt in mancherlei List und verschlagenem Rate.
  Und der verständige Greis Antenor sagte dagegen:
Wahrlich, o Frau, du hast untrügliche Worte geredet.
Denn auch hieher kam er vorlängst, der edle Odysseus, 205
Deinethalben gesandt, und der streitbare Held Menelaos.
Ich herbergete beid, in meinem Palast sie bewirtend,
So daß beider Gestalt und kluger Geist mir bekannt ist.
Als sie nunmehr in der Troer versammelten Kreis sich gesellet,
Ragt' im Stehn Menelaos empor mit mächtigen Schultern; 210
Doch wie sich beide gesetzt, da schien ehrvoller Odysseus.
Aber sobald sie mit Red und Erfindungen alles umstrickten,
Siehe, da sprach Menelaos nur fliegende Worte voll Inhalts,
Wenige, doch eindringender Kraft; denn er liebte nicht Wortschwall,

Nicht abschweifende Rede, wiewohl noch jüngeren Alters. 215
Aber nachdem sich erhub der erfindungsreiche Odysseus,
Stand er und schaute zur Erde hinab mit gehefteten Augen;
Auch den Stab, so wenig zurückbewegend wie vorwärts,
Hielt er steif in der Hand, ein Unerfahrner von Ansehn,
Daß du leicht für tückisch ihn achtetest oder für sinnlos. 220
Aber sobald er der Brust die gewaltigen Stimmen entsandte
Und ein Gedräng der Worte wie stöbernde Winterflocken,
Dann wetteiferte, traun, kein Sterblicher sonst mit Odysseus,
Und nicht stutzten wir so, des Odysseus Bildung betrachtend.
Jetzo sah den Ajas der Greis und fragte noch einmal: 225
Wer ist dort der achaiische Mann, so groß und gewaltig,
Höher denn alles Volk an Haupt und mächtigen Schultern?
Aber Helena sprach, die herrliche, langen Gewandes:
Ajas heißt der gewaltige Held, der Danaer Schutzwehr.
Dorthin steht, wie ein Gott, Idomeneus unter den Kretern; 230
Und es umstehn den König die kretischen Führer versammelt.
Oft herbergete jenen der streitbare Held Menelaos,
Wann er aus Kreta kam, daheim in unserer Wohnung.
Nun zwar schau ich sie alle, die freudigen Krieger Achaias,
Die ich wohl noch erkennt' und jeglichen nennte mit Namen: 235
Zween nur vermag ich nirgends zu schaun der Völkergebieter,
Kastor, den reisigen Held, und den Kämpfer der Faust Polydeukes,
Beide mir leibliche Brüder, von einer Mutter geboren.
Folgten sie nicht hieher aus der lieblichen Flur Lakedämon?
Oder folgten sie zwar in meerdurchwandelnden Schiffen, 240
Aber enthalten sich nun, in die Schlacht zu gehen der Männer, [net?
Weil sie die Schand abschreckt und die große Schmach, die mich zeich-
Jene sprach's; doch die beiden umfing die ernährende Erde
In Lakedämon bereits, im lieben Lande der Väter.
Aber die Herolde trugen die Bundesopfer der Götter 245
Durch die Stadt, zwei Lämmer und fröhlichen Wein des Gefildes
Im geißledernen Schlauch; es trug Idäos, der Herold,
Einen blinkenden Krug in der Hand und goldene Becher.
Dieser nahte dem Greis und sprach die ermahnenden Worte:
Mache dich auf, Laomedons Sohn, dich rufen die Fürsten 250
Rossebezähmender Troer und erzumschirmter Achaier

Dort hinab ins Gefilde, den heiligen Bund zu beschwören.
Nur Alexandros allein und der streitbare Held Menelaos
Werden anjetzt um das Weib mit langem Speer sich bekämpfen;
Und wer den Gegner besiegt, dem folgt das Weib und die Schätze. 255
Wir dann zugleich, Freundschaft und heiligen Bund uns beschwörend,
Baun die schollige Troja; und jen' entschiffen zu Argos'
Rossenährender Flur und Achaias rosigen Jungfraun.

Jener sprach's; da schaurte der Greis und befahl den Gefährten,
Anzuschirren die Ross'; und sie eileten flugs, ihm gehorchend. 260
Priamos trat in den Wagen und zog die lenkenden Zügel;
Auch mit ihm Antenor bestieg den prächtigen Sessel;
Schnell durch das skäische Tor entflogen die Ross' ins Gefilde.

Als sie nunmehr hinkamen zu Trojas Volk und Achaias,
Stiegen sie beid aus dem Wagen zur nahrungsprossenden Erde, 265
Wandelten dann in die Mitte der Troer einher und Achaier.
Eilend darauf erhub sich der Völkerfürst Agamemnon,
Auch Odysseus voll Rat. Die stattlichen Herolde jetzo
Führten die Bundesopfer herbei, auch Wein in dem Kruge
Mischten sie, sprengeten dann der Könige Hände mit Wasser. 270
Doch der Atreid, ausziehend mit hurtigen Händen das Messer,
Das an der großen Scheide des Schwerts ihm immer herabhing,
Schnitt vom Haupt der Lämmer das Haar; und die Herolde jetzo
Teileten rings der Troer und Danaer edlen Gebietern.
Laut nun fleht' Agamemnon empor, mit erhobenen Händen: 275

Vater Zeus, ruhmwürdig und hehr, du Herrscher vom Ida!
Helios auch, der alles vernimmt und alles umschauet!
Auch ihr Ström' und du Erd, und die ihr drunten die Geister
Toter Menschen bestraft, wer hier Meineide geschworen!
Seid uns Zeugen ihr all und bewahrt die Schwüre des Bundes! 280
Wenn den Held Menelaos vielleicht Alexandros erleget,
Dann behalt er Helena selbst und die sämtlichen Schätze,
Doch wir kehren zurück in meerdurchwandelnden Schiffen.
Aber sinkt Alexandros dem bräunlichen Held Menelaos,
Dann entlassen die Troer das Weib und die sämtlichen Schätze; 285
Buße zugleich den Argeiern bezahlen sie, welche geziemet,
Und die hinfort auch daure bei kommenden Menschengeschlechtern.
Doch wenn Priamos dann und Priamos' Söhne sich weigern,

Mir zu bezahlen die Buße, nachdem Alexandros gefallen,
Dann werd ich von neuem mit Kriegsmacht wegen der Sühnung 290
Kämpfen und nicht heimziehn, bis der Zweck des Krieges erreicht ist.
Sprach's, und die Kehlen der Lämmer zerschnitt er mit grausamem
Beide legt' er nunmehr, die zappelnden, nieder im Staube, [Erze.
Matt aushauchend den Geist, da die Kraft vom Erze geraubt war.
Hierauf Wein aus dem Krug, in die goldenen Becher sich schöpfend,
Gossen sie aus und flehten den ewigwährenden Göttern.
Also betete mancher der Troer umher und Achaier:
Zeus, ruhmwürdig und hehr, und ihr andern unsterblichen Götter!
Welche von uns zuerst nun beleidigen, wider den Eidschwur,
Blutig fließ ihr Gehirn, wie der Wein hier, rings auf der Erde, 300
Ihrs und der Kinder zugleich; und die Gattinnen schände der Fremdling!
Also das Volk; doch mitnichten gewährt' ihm solches Kronion.
Aber Priamos sprach, des Dardanos herrschender Enkel:
Hört mein Wort, ihr Troer und hellumschiente Achaier!
Jetzo kehr ich wieder zu Ilios' luftigen Höhen 305
Heim; denn nimmer vermag ich mit eigenen Augen zu schauen
Kämpfend den lieben Sohn mit dem streitbaren Held Menelaos.
Zeus erkennt es allein und die andern unsterblichen Götter,
Wem nunmehr von beiden das Ziel des Todes verhängt ist.
Also der göttliche Held, und legt' in den Wagen die Lämmer, 310
Trat dann selber hinein und zog die lenkenden Zügel;
Auch mit ihm Antenor bestieg den prächtigen Sessel;
Schnell dann kehrten sie beide, zu Ilios' Höhen sich wendend.
Hektor drauf, des Priamos Sohn, und der edle Odysseus,
Maßen umher die Weite des Kampfraums, warfen dann eilend 315
Los' in den ehernen Helm und schüttelten, welchem das Schicksal
Gönnte, zuerst auf den Gegner die eherne Lanze zu werfen.
Ringsum flehte das Volk und erhob zu den Göttern die Hände.
Also betete mancher der Troer umher und Achaier:
Vater Zeus, ruhmwürdig und hehr, du Herrscher vom Ida! 320
Wer von beiden den Grund zu solchem Streite geleget,
Den laß jetzo vertilgt eingehn in Aides' Wohnung;
Aber uns versöhne der Freundschaft heiliges Bündnis!
Also das Volk; doch der große, der helmumflatterte Hektor
Schüttelte, rückwärts gewandt; da entsprang das Zeichen des Paris.

Rings nun setzten sich all in Ordnungen, dort, wo sich jeder
Rosse gehobenen Hufs und gebildete Waffen gereihet.
Aber er selbst umhüllte mit zierlichen Waffen die Schultern,
Alexandros der Held, der lockigen Helena Gatte.
Eilend fügt' er zuerst um die Beine sich bergende Schienen, 330
Blank und schön, anschließend mit silberner Knöchelbedeckung;
Weiter umschirmt' er die Brust ringsher mit dem ehernen Harnisch
Seines tapferen Bruders Lykaon, der ihm gerecht war;
Hängte sodann um die Schulter das Schwert voll silberner Buckeln,
Eherner Kling; und darauf den Schild auch, groß und gediegen; 335
Auch das gewaltige Haupt mit stattlichem Helme bedeckt' er,
Von Roßhaaren umwallt, und fürchterlich winkte der Helmbusch;
Nahm dann die mächtige Lanze, die ihm in den Händen gerecht war.
So auch zog Menelaos, der streitbare, Waffengeschmeid' an.

Als sich diese nunmehr in jeglichem Heere gerüstet, 340
Traten beid in die Mitte der Troer einher und Achaier,
Mit androhendem Blick; und Staunen ergriff, die es ansahn,
Rossebezähmende Troer und hellumschiente Achaier.
Und nun standen sie nah im abgemessenen Kampfraum,
Wild die Speere bewegend und zornvoll wider einander. 345
Erstlich entsandt Alexandros die weithinschattende Lanze,
Und sie traf dem Atreiden den Schild von geründeter Wölbung;
Doch nicht brach sie das Erz, denn rückwärts bog sich die Spitze
Auf dem gediegenen Schild. Nun erhob auch jener die Lanze,
Atreus' Sohn Menelaos, und betete laut zu Kronion: 350

Waltender Zeus, laß strafen mich ihn, der zuerst mich beleidigt,
Alexandros den Held, und meinen Arm ihn bezwingen,
Daß man schaudre hinfort auch in späteren Menschengeschlechtern,
Böses dem Freunde zu tun, der wohlgesinnt ihn beherbergt!

Sprach's, und im Schwung entsandt er die weithinschattende Lanze.
Und sie traf dem Paris den Schild von geründeter Wölbung.
Siehe, den strahlenden Schild durchschmetterte mächtig die Lanze,
Auch in das Kunstgeschmeide des Harnisches drang sie geheftet;
Grad hindurch an der Weiche des Bauchs durchschnitt sie den Leibrock,
Stürmend; da wandt sich jener und mied das schwarze Verhängnis.
Hurtig zog der Atreide das Schwert voll silberner Buckeln,
Hieb dann im Schwunge den Helm, den gekegelten; aber an jenem

Dreifach zerkracht und vierfach, entsprang es umher aus der Rechten.
Atreus' Sohn wehklagte, den Blick gen Himmel erhebend:
Vater Zeus, nie gleicht dir an Grausamkeit einer der Götter! 365
Ha, ich hoffte zu strafen die Freveltat Alexandros'; [Lanze
Aber es sprang aus der Hand mir in Trümmer das Schwert, und die
Flog mir hinweg aus den Händen umsonst und verwundete nicht ihn!
Sprach's und stürmte hinan und ergriff ihn am Busche des Helmes,
Zog dann gewandt ihn daher zu den hellumschienten Achaiern. 370
Jenen engt' an der Kehle der buntgezeichnete Riemen,
Den er unter dem Kinne, des Helmes Band, sich befestigt.
Und er hätt ihn geschleift und ewigen Ruhm sich erworben,
Wenn nicht schnell es bemerkt die Tochter Zeus', Aphrodite,
Und ihm zersprengt den Riemen des stark erschlagenen Stieres. 375
Leer nun folgte der Helm der nervichten Hand Menelaos'.
Diesen schleuderte drauf zu den hellumschienten Achaiern
Hochaufschwingend der Held, es erhoben ihn teure Genossen;
Und nun stürmt' er von neuem in heißer Begier zu ermorden,
Hin mit dem ehernen Speer. Doch jenen entrückt' Aphrodite 380
Sonder Müh, als Göttin, und hüllt' in Nebel ihn ringsher,
Setzt' ihn drauf in die Kammer, von duftender Würze durchräuchert;
Schnell dann Helena suchend, enteilte sie. Jene noch fand sie
Dort auf ragendem Turm und umher viel troische Weiber.
Leis ihr feines Gewand voll Nektarduft ihr bewegend, 385
Redete sie in Gestalt der wollekrämpelnden Greisin,
Hochbetagt, die ihr einst in heimischer Burg Lakedämons
Liebliche Wolle gezupft und ihr am meisten geliebt war;
Dieser gleich an Gestalt, begann Aphrodite, die Göttin:
Komm; dich ruft Alexandros, mit mir nach Hause zu kehren. 390
Jener ruht in der Kammer auf zierlichem Lagergestelle,
Strahlend in Reiz und Feiergewand. Kaum solltest du glauben,
Daß er vom Zweikampf komme; vielmehr er gehe zum Reigen,
Oder er sitz ausruhend vom fröhlichen Reigen ein wenig.
Jene sprach's und erregt' ihr das wallende Herz in dem Busen. 395
Aber sobald sie bemerkte den lieblichen Nacken der Göttin,
Auch den Busen voll Reiz und die anmutstrahlenden Augen,
Tief erstaunte sie jetzt und redete, also beginnend:
Grausame, warum strebst du, mich nochmals schlau zu verleiten?

Soll ich vielleicht noch weiter die wohlbevölkerten Städte 400
Phrygiens oder der holden Mäonia Städte durchwandern,
Wenn auch dort ein Geliebter dir wohnt der redenden Menschen?
Drum weil jetzt Menelaos den edlen Held Alexandros
Überwand und beschleußt, mich heim, die Verhaßte, zu führen,
Darum schleichst du mir jetzo daher voll trüglicher Arglist? 405
Setze zu jenem dich hin und verlaß der Unsterblichen Wandel,
Und nie kehre dein Fuß zu den seligen Höhn des Olympos:
Sondern teile des Sterblichen Weh und pfleg ihn mit Sorgfalt,
Bis er vielleicht zum Weibe dich aufnimmt oder zur Sklavin!
Dorthin geh ich dir nimmer, denn unanständig ja wär es, 410
Ihm sein Bett zu schmücken hinfort. Des würden mich alle
Troerinnen verschmähn; und Gram schon lastet das Herz mir!
 Aber voll Zorns antwortete drauf Aphrodite, die Göttin:
Reize mich nicht, o Törin! Ich könnt im Zorne mich wenden
Und so sehr dich hassen, als innig mein Herz dich geliebet! 415
Beid entflammt' ich die Völker sodann zu verderblicher Feindschaft,
Troer sowohl wie Achaier; dann raffte dich böses Verhängnis!
 Jene sprach's; und verzagt ward Helena, Tochter Kronions.
Eilend ging sie, gesenkt den silberglänzenden Schleier,
Still, unbemerkt den übrigen Fraun; und es führte die Göttin. 420
Als sie nunmehr Alexandros gepriesene Wohnung erreichten,
Wandten die dienenden Mägde sich schnell zur befohlenen Arbeit.
Jene trat in ihr hohes Gemach, die edle der Weiber.
Einen Sessel ergriff die holdanlächelnde Kypris,
Trug und stellt' ihn, die Göttin, dem Held Alexandros entgegen. 425
Helena setzte sich drauf, des Ägiserschütterers Tochter,
Wandte die Augen hinweg und schalt den Gemahl mit den Worten:
 Kommst du vom Kampfe zurück? O lägest du lieber getötet
Dort vom gewaltigen Manne, der mir der erste Gemahl war!
Ha, du prahltest vordem, den streitbaren Held Menelaos 430
Weit an Kraft und Händen und Lanzenwurf zu besiegen!
Gehe denn nun und berufe den streitbaren Held Menelaos,
Wiederum zu kämpfen im Zweikampf! Aber dir rat ich,
Bleib in Ruh und vermeide den bräunlichen Held Menelaos,
Gegen ihn anzukämpfen den tapferen Kampf der Entscheidung 435
Ohne Bedacht, daß nicht durch seinen Speer du erliegest!

Aber Paris drauf antwortete, solches erwidernd:
Frau, laß ab, mir das Herz durch bittere Schmähung zu kränken.
Jetzo hat Menelaos mir obgesiegt mit Athene,
Ihm ein andermal ich; denn es walten ja Götter auch unser. 440
Komm, wir wollen in Lieb uns vereinigen, sanft gelagert.
Denn noch nie hat also die Glut mir die Seele bewältigt,
Auch nicht, als ich zuerst aus der lieblichen Flur Lakedämon
Segelte, dich entführend in meerdurchwandelnden Schiffen,
Und auf Kranaens Au mich gesellt' in Lieb und Umarmung, 445
Als ich anjetzt dir glühe, durchbebt von süßem Verlangen.
Sprach's und nahte dem Lager zuerst; ihm folgte die Gattin.
Beide ruheten dann im schöngebildeten Bette.
Atreus' Sohn durchstürmte das Heer nun, ähnlich dem Raubtier,
Ob er ihn wo ausspähte, den göttlichen Held Alexandros. 450
Doch nicht einer des troischen Volks noch der edlen Genossen
Konnt Alexandros ihm zeigen, dem Rufer im Streit Menelaos.
Nicht aus Freundschaft wahrlich verhehlten sie, wenn man ihn schaute;
Denn verhaßt war er allen umher wie das schwarze Verhängnis.
Jetzo erhub die Stimme der Völkerfürst Agamemnon: 455
Hört mein Wort, ihr Troer, ihr Dardaner und ihr Genossen!
Offenbar ist Sieger der streitbare Held Menelaos.
Gebt denn Helena jetzt, die Argeierin, samt der Besitzung
Uns zurück; auch Buße bezahlet uns, welche geziemet
Und die hinfort auch daure bei kommenden Menschengeschlechtern.
Also sprach der Atreid'; und es lobten ihn alle Achaier.

IV. GESANG

Zeus und Here beschließen Trojas Untergang. Athene beredet den Pandaros, einen Pfeil auf Menelaos zu schießen. Den Verwundeten heilt Machaon. Die Troer rücken an, und Agamemnon ermuntert die achaiischen Heerführer zum Angriff. Schlacht.

Aber die Götter um Zeus ratschlageten all in Versammlung,
Sitzend auf goldener Flur; sie durchging die treffliche Hebe,
Nektar umher einschenkend; und jen' aus goldenen Bechern
Tranken sich zu einander und schaueten nieder auf Troja.
Schnell versuchte Kronion das Herz der Here zu kränken 5
Durch aufregende Wort' und redete solche Vergleichung:
Zwo sind hier Menelaos der Göttinnen jetzo gewogen,
Here von Argos zugleich und Athen', Alalkomenens Göttin.
Aber beide von fern des Anschauns nur sich erfreuend
Sitzen sie, weil dem andern die holdanlächelnde Kypris 10
Stets als Helferin naht und die graulichen Keren ihm abwehrt.
Nun auch entzog sie jenen, da Todesgraun er zuvorsah.
Aber gesiegt hat wahrlich der streitbare Held Menelaos.
Uns nun laßt erwägen, wohin sich wende die Sache:
Ob wir hinfort durch Kriegsgewalt und verderbende Zwietracht 15
Züchtigen oder in Frieden die beiderlei Völker versöhnen.
Wäre dies euch allen so angenehm und gefällig,
Gern noch möchte sie stehn, des herrschenden Priamos Feste,
Doch Menelaos zurück die Argeierin Helena führen.
Jener sprach's, da murrten geheim Athenäa und Here. 20
Nahe sich saßen sie dort, nur Unheil sinnend den Troern.
ene nunmehr blieb schweigend und redete nichts, Athenäa,
Eifernd dem Vater Zeus, und ihr tobte das Herz in Erbittrung.
Here nur konnte den Zorn nicht bändigen, sondern begann so:
Welch ein Wort, Kronion, du Schrecklicher, hast du geredet! 25
Willst du, daß ganz ich umsonst arbeitete, daß ich vergebens
Schweiß der Mühe vergoß, und umher mit ermatteten Rossen
Völker erregt', um dem Priamos Gram und den Söhnen zu schaffen?
Tu's! Doch nimmer gefällt es dem Rat der anderen Götter!
Unmutsvoll nun begann der Herrscher im Donnergewölk Zeus: 30
Grausame, was hat Priamos doch und Priamos' Söhne
Dir so Böses getan, daß sonder Rats du dich abmühst,

Ilios auszutilgen, die Stadt voll prangender Häuser?
Möchtest du doch, eingehend durch Tor' und türmende Mauern,
Roh ihn verschlingen, den Priamos selbst und Priamos' Söhne, 35
Samt den Troern umher; dann würde dein Zorn dir gesättigt!
Tue, wie dir's gefällt, daß nicht der Hader in Zukunft
Beiden, dir selber und mir, zu größerem Zwiste gedeihe.
Eines verkünd ich dir noch, und du bewahr es im Herzen:
Wenn auch mir im Eifer hinwegzutilgen gelüstet 40
Eine Stadt, wo dir erkorene Günstlinge wohnen,
Daß du alsdann nicht weilest den Rächenden, sondern mich lassest!
Gab doch ich selbst dir willig, obgleich unwilligen Herzens.
Denn was unter der Sonn und dem sternumleuchteten Himmel
Irgend erscheint von Städten der sterblichen Erdebewohner, 45
Hoch mir vor allen geehrt war Ilios' heilige Feste,
Priamos selbst und das Volk des lanzenkundigen Königs.
Nie ja mangelte mir der Altar des gemeinsamen Mahles,
Nie des Weins und Gedüftes, das uns zur Ehre bestimmt ward.
Ihm antwortete drauf die hoheitblickende Here: 50
Siehe, drei vor allen sind mir die geliebtesten Städte,
Argos und Sparta zugleich und die weitdurchwohnte Mykene;
Diese verderb im Zorn, wann etwa dein Herz sie erbittern,
Niemals werd ich solche verteidigen oder dir eifern.
Wenn ich ja gleich mißgönnend dir wehrete, sie zu verderben, 55
Nichts doch schaffte mein Tun; denn weit gewaltiger bist du.
Aber auch mein Arbeiten geziemet es nicht zu vereiteln.
Denn auch ich bin Göttin, entstammt dem Geschlechte, woher du:
Ich, die erhabenste Tochter, gezeugt vom verborgenen Kronos,
Zweifach erhöht: an Geburt, und weil ich deine Genossin 60
Ward ernannt, der du mächtig im Kreis der Unsterblichen waltest.
Aber wohlan, dies wollen wir nachsehn einer dem andern,
Dir ich selbst und du mir; auch andre unsterbliche Götter
Folgen uns dann. Doch jetzo beschleunige Pallas Athene,
Hinzugehn in der Troer und Danaer furchtbare Schlachtreihn, 65
Daß sie versuch, ob die Troer die siegesstolzen Achaier
Etwa zuerst anfahn zu beleidigen wider den Eidschwur. [Götter,
Sprach's, ihr gehorchte der Vater des Menschengeschlechts und der
Wandte sich schnell zur Athen' und sprach die geflügelten Worte:

Eile sofort in das Heer der Troer hinab und Achaier, 70
Daß du versuchst, ob die Troer die siegesstolzen Achaier
Etwa zuerst anfahn zu beleidigen wider den Eidschwur.

Also Zeus, und erregte die schon verlangende Göttin;
Stürmenden Schwungs entflog sie den Felsenhöhn des Olympos.
Gleich wie ein Stern, gesendet vom Sohn des verborgenen Kronos, 75
Schiffenden oder dem Heere gewaffneter Völker zum Zeichen,
Strahlend brennt und im Flug unzählige Funken umhersprüht:
Also senkt' hineilend zur Erde sich Pallas Athene
Zwischen die Heere hinab, und Staunen ergriff, die es ansahn,
Rossebezähmende Troer und hellumschiente Achaier. 80
Also redete mancher, gewandt zum anderen Nachbar:

Wieder fürwahr soll Kriegesgewalt und verderbende Zwietracht
Züchtigen, oder in Frieden versöhnt nun beiderlei Völker
Zeus, der dem Menschengeschlecht des Kriegs Obwalter erscheinet!

So nun redete mancher der Troer umher und Achaier. 85
Jen', ein Mann von Gestalt, durchdrang der Troer Getümmel,
Gleich dem Antenoriden Laodokos, mächtig im Speerkampf,
Rings nach Pandaros forschend, dem Göttlichen, ob sie ihn fände.
Jetzo fand sie den starken untadligen Sohn des Lykaon
Stehend und rings um den Herrscher die starke, geschildete Heerschar
Seines Volks, das ihm folgte vom heiligen Strom des Äsepos.
Nahe trat sie hinan und sprach die geflügelten Worte:

Möchtest du jetzt mir gehorchen, verständiger Sohn des Lykaon?
Wagtest du wohl, Menelaos ein schnelles Geschoß zu entsenden?
Preis gewännst du und Dank von allem Volke der Troer, 95
Aber vor allen zumeist vom herrschenden Held Alexandros,
Der dich, traun, vorzüglich mit glänzenden Gaben belohnte,
Säh er jetzt Menelaos, den streitbaren Sohn des Atreus,
Deinem Geschosse besiegt, die traurige Flamme besteigen.
Auf denn und schnelle den Pfeil zum rühmlichen Held Menelaos. 100
Aber gelob Apollon, dem lykischen bogenberühmten,
Eine Dankhekatombe der Erstlingslämmer zu opfern,
Heimgekehrt in dein Haus zur heiligen Stadt Zeleia.

Jene sprach's und bewegte das Herz des törichten Mannes.
Schnell entblößt' er den Bogen, geschnitzt von des üppigen Steinbocks
Schönem Gehörn, dem er selber die Brust von unten getroffen;

Als er dem Felsen entsprang, am gewähleten Ort ihn erwartend,
Zielt' und durchschoß er die Brust, daß rücklings am Fels er hinabsank.
Sechzehn Handbreit ragten empor am Haupte die Hörner.
Solche schnitzt' und verband der hornarbeitende Künstler, 110
Glättete alles umher und beschlug's mit goldener Krümmung.
Diesen nun stellt' er geschickt, nachdem er ihn spannt', auf die Erde
Angelehnt; und mit Schilden bedeckten ihn tapfere Freunde,
Daß nicht zuvor anstürmten die streitbaren Männer Achaias,
Eh er gefällt Menelaos, den streitbaren Fürsten Achaias. 115
Jetzo des Köchers Deckel eröffnet' er, wählte den Pfeil dann,
Ungeschnellt und gefiedert, den Urquell dunkeler Qualen.
Eilend ordnet' er nun das herbe Geschoß auf der Senne;
Und er gelobt' Apollon, dem lykischen bogenberühmten,
Eine Dankhekatombe der Erstlingslämmer zu opfern, 120
Heimgekehrt in sein Haus zur heiligen Stadt Zeleia.
Fassend dann zog er die Kerbe zugleich und die Nerve des Rindes,
Daß die Senne der Brust annaht' und das Eisen dem Bogen.
Als er nunmehr kreisförmig den mächtigen Bogen gekrümmet,
Schwirrte das Horn und tönte die Senn' und sprang das Geschoß hin,
Scharfgespitzt in den Haufen hineinzufliegen verlangend.

Doch nicht dein, Menelaos, vergaßen die seligen Götter,
Ewig an Macht, vor allen des Zeus siegprangende Tochter,
Welche vor dich hintretend das Todesgeschoß dir entfernte.
Gleich so wehrete sie's vom Leibe dir, wie wenn die Mutter 130
Wehrt vom Sohne die Flieg, indem süßschlummernd er daliegt;
Aber dorthin lenkt' es die Herrscherin, wo sich des Gurtes
Goldene Spang ihm schloß, und zwiefach hemmte der Harnisch.
Stürmend traf das Geschoß den festanliegenden Leibgurt,
Sieh, und hinein in den Gurt, den künstlichen, bohrte die Spitze; 135
Auch in das Kunstgeschmeide des Harnisches drang sie geheftet
Und in das Blech, das er trug zur Schutzwehr gegen Geschosse,
Welches am meisten ihn schirmt', allein sie durchdrang ihm auch [dieses;
Und nun ritzte der Pfeil die obere Haut des Atreiden,
Daß ihm sogleich vorströmte das dunkelnde Blut aus der Wunde. 140

Wie wenn ein Elfenbein die Mäonerin oder die Karin,
Schön mit Purpur gefärbt, zum Wangenschmucke des Rosses
(Dort nun liegt's im Gemach, und viel der reisigen Männer

Wünschten es wegzutragen; doch Königen hegt sie das Kleinod,
Beides ein Schmuck dem Rosse zu sein und Ehre dem Lenker): 145
Also umfloß, Menelaos, das färbende Blut dir die Schenkel,
Stattlich von Wuchs, und die Bein' und zierlichen Knöchel hinunter.
Schauer durchdrang alsbald den Herrscher des Volks Agamemnon,
Als er sah, wie das Blut ihm schwarz hinfloß aus der Wunde;
Schauer durchdrang ihn selber, den streitbaren Held Menelaos, 150
Aber sobald er die Schnur auswärts und die Haken erblickte,
Ward von neuem mit Mut sein männliches Herz ihm erfüllet.
Schwer aufseufzend begann der Völkerfürst Agamemnon,
Haltend die Hand Menelaos', es seufzten umher die Genossen:
O du teurer Bruder, zum Tode dir schloß ich das Bündnis, 155
Dich allein hinstellend, für uns mit den Troern zu kämpfen!
Denn dich trafen die Troer, das heilige Bündnis zertretend!
Aber umsonst ist nimmer der Eidschwur oder der Lämmer
Blut, noch der lautere Wein und der Handschlag, dem wir vertrauet.
Wenn auch jetzo sogleich der Olympier nicht es vollendet, 160
Doch vollendet er spät! Und hoch ihm werden sie büßen,
Werden mit eigenem Haupte, mit Weib und Kindern es büßen!
Denn das erkenn ich gewiß in des Herzens Geist und Empfindung:
Einst wird kommen der Tag, da die heilige Ilios hinsinkt,
Priamos selbst und das Volk des lanzenkundigen Königs! 165
Dann wird Zeus, der Kronid, aus strahlender Höhe des Äthers
Gegen sie all erschüttern das Graun der umnachteten Ägis,
Zürnend ob solchem Betrug! Geschehn wird dieses unfehlbar!
Aber in bitteren Schmerz versenkst du mich, o Menelaos,
Wenn du stirbst und das Maß der Lebenstage nun füllest! 170
Siehe, voll Schmach dann kehrt ich zur wasserdürstigen Argos!
Denn alsbald gedächten des Vaterlands die Achaier,
Und wir verließen den Ruhm dem Priamos hier und den Troern,
Helena, Argos' Kind; es moderten deine Gebeine,
Liegend in Trojas Gefild, am unvollendeten Werke! 175
Mancher vielleicht dann spräche der übermütigen Troer,
Fröhlich das Grab umhüpfend dem rühmlichen Held Menelaos:
Daß doch so bei allen den Zorn vollend' Agamemnon,
Wie er jetzo umsonst herführte das Volk der Achaier!
Denn schon kehret' er heim zum lieben Lande der Väter, 180

Leer die sämtlichen Schiff', und verließ den Held Menelaos!
Also spräche man einst. Dann reiße sich weit mir die Erd auf!
  Doch ihn tröstete so der bräunliche Held Menelaos:
Sei getrost und schrecke noch nicht das Volk der Achaier.
Nicht zum Tod hat jetzo das scharfe Geschoß mich verwundet, 185
Sondern mich schützte der Gurt von getriebener Pracht und darunter
Auch die Bind und das Blech, das Erzarbeiter gebildet.
  Ihm antwortete drauf der Herrscher des Volks Agamemnon:
Möcht es doch also sein, du Geliebtester, o Menelaos!
Aber es prüfe der Arzt die blutende Wund und lege 190
Linderung drauf, um vielleicht die dunkele Qual zu bezähmen.
  Sprach's, und rief Talthybios schnell, den göttlichen Herold:
Auf, Talthybios, eil und rufe mir schleunig Machaon,
Ihn, Asklepios' Sohn, des unvergleichbaren Arztes,
Anzuschaun Menelaos, den streitbaren Fürsten Achaias; 195
Diesen traf mit Geschoß ein bogenkundiger Troer
Oder ein Lykier jetzt, zum Ruhme sich, uns zur Betrübnis.
  Jener sprach's, da gehorchte des Königes Worte der Herold;
Schnell durchging er die Scharen der erzumschirmten Achaier,
Schauete forschend umher und fand den Helden Machaon 200
Stehend, und rings um den Herrscher die starke, geschildete Heerschar
Seines Volks, das ihm folgt' aus der rossenährenden Trikka.
Nahe trat er hinan und sprach die geflügelten Worte:
  Auf, Asklepios' Sohn, dich ruft der Fürst Agamemnon,
Anzuschaun Menelaos, den streitbaren Sohn des Atreus: 205
Diesen traf mit Geschoß ein bogenkundiger Troer
Oder ein Lykier jetzt, zum Ruhme sich, uns zur Betrübnis.
  Jener sprach's, ihm aber das Herz im Busen erregt' er;
Schnell durchwandelten sie das Gedräng in den Scharen Achaias.
Als sie nunmehr hinkamen, wo Atreus' Sohn Menelaos 210
Blutend stand, und um jenen die Edelsten alle versammelt
Rings, er selbst in der Mitte, der götterähnliche Streiter,
Zog er sofort das Geschoß aus dem festanliegenden Leibgurt;
Und wie er auszog, bogen die spitzigen Haken sich rückwärts.
Hierauf löst' er den Gurt von getriebener Pracht und darunter 215
Auch die Bind und das Blech, das Erzarbeiter gebildet.
Als er die Wunde geschaut, wo das herbe Geschoß ihm hineindrang,

Sog er das quellende Blut und legt' ihm lindernde Salb auf,
Kundig, die einst dem Vater verliehn der gewogene Cheiron.
 Während sie dort umeilten den Rufer im Streit Menelaos, 220
Zogen bereits die Troer heran in geschildeten Schlachtreihn.
Jen' auch hüllten sich wieder in Wehr und entbrannten von Streitlust.
 Jetzt nicht hättest du schlummern gesehn Agamemnon den Herr-
Nicht hinab sich schmiegen und nicht unwillig zu kämpfen, [scher,
Sondern gefaßt hineilen zur männerehrenden Feldschlacht. 225
Denn dort ließ er die Ross' und den erzumschimmerten Wagen;
Und sein Genoß hielt jene, die mutig schnaubenden abwärts,
Held Eurymedon, Sohn von Piräos' Sohn Ptolemäos.
Ihm gebot er mit Ernst, daß er nahete, würden ihm etwa
Matt die Glieder vom Gang, die Ordnungen rings zu durchwalten.
Selbst dann eilt' er zu Fuß und umging die Scharen der Männer.
 Wo er nunmehr streitfertig erfand Gaultummler Achaias,
Nahe trat er hinan und sprach die ermunternden Worte:
 Nun, Argeier, gedenkt rastlos des stürmenden Mutes!
Denn nicht wird dem Betruge mit Hilf erscheinen Kronion, 235
Sondern welche zuerst nun beleidigten wider den Eidschwur,
Deren Leichname sollen, ein Raub der Geier, vermodern;
Aber die blühenden Weiber und noch unmündigen Kinder
Führen wir selbst in Schiffen, nachdem die Stadt wir erobert!
 Die er alsdann saumselig erfand zur traurigen Feldschlacht, 240
Solche straft' er mit Ernst und rief die zürnenden Worte:
 Argos' Volk, Pfeilkühne, Verworfene, schämt ihr euch gar nicht?
Warum steht ihr dort so betäubt wie die Jungen der Hindin,
Die, nachdem sie ermattet vom Lauf durch ein weites Gefilde,
Dastehn, nichts im Herzen von Kraft und Stärke noch fühlend? 245
Also steht ihr jetzo betäubt und starrt vor der Feldschlacht!
Säumt ihr, bis erst die Troer herannahn, wo wir die Schiffe
Stellten mit prangendem Steuer am Strand der grauen Gewässer,
Dort zu sehn, ob schirmend Kronions Hand euch bedecke?
 So mit Herrschergebot umwandelt' er jegliche Heerschar. 250
Jetzo erreicht' er die Kreter, im Gang durch der Männer Getümmel.
Jen' um Idomeneus her, den feurigen, standen gewappnet,
Aber Idomeneus selber voran, in der Stärke des Ebers;
Und Meriones folgte, die hinteren Reihn ihm erregend.

Diese sah mit Freude der Völkerfürst Agamemnon, 255
Und zu Idomeneus schnell mit freundlicher Rede begann er:
Du, Idomeneus, bist mir geehrt vor den Reisigen allen,
Du im Kriege sowohl als sonst in jedem Geschäfte,
Auch am Mahl, wann festlich den edleren Helden von Argos
Funkelnder Ehrenwein in vollen Krügen gemischt wird. 260
Denn obgleich die andern der hauptumlockten Achaier
Trinken beschiedenes Maß, doch steht dein Becher beständig
Angefüllt, wie der meine, nach Herzenswunsche zu trinken. [met!
Auf denn, gestürmt in die Schlacht, wie du immer vordem dich gerüh-
Aber Idomeneus rief, der Kreter Fürst, ihm entgegen: 265
Atreus' Sohn, dir bleib ich ein treugesinnter Genosse
Immerdar, wie zuerst ich angelobt und beteuert.
Nur die anderen reize der hauptumlockten Achaier,
Schleunig den Kampf zu beginnen, dieweil sie kränkten das Bündnis,
Trojas Volk! Nun möge sie Tod und Jammer in Zukunft 270
Treffen, dieweil sie zuerst nun beleidigten wider den Eidschwur!
Jener sprach's; und vorbei ging freudigen Muts Agamemnon.
Jetzo erreicht' er die Ajas im Gang durch der Männer Getümmel.
Beide standen in Wehr, und es folgt' ein Gewölke des Fußvolks.
Also schaut von der Warte die finstere Wolke der Geißhirt 275
Über das Meer aufziehn, von Zephyros Hauche getragen
(Siehe, schwärzer denn Pech dem Fernestehenden scheint sie,
Über das Meer annahend, und führt unermeßlichen Sturmwind;
Jener erstarrt vor dem Blick und treibt die Herd in die Felskluft):
Also zog mit den Ajas Gewühl streitfertiger Jugend 280
Dort zur blutigen Schlacht in dichtgeordneten Haufen
Schwarz einher, von Schilden umstarrt und spitzigen Lanzen.
Diese sah mit Freuden der Völkerfürst Agamemnon;
Und er begann zu ihnen und sprach die geflügelten Worte:
Ajas beid, Heerführer der erzumschirmten Achaier, 285
Ihr dort braucht, zu erregen das Volk, nicht meines Gebotes;
Denn schon selbst ermahnt ihr die Eurigen, tapfer zu kämpfen.
Wenn doch, o Vater Zeus und Pallas Athen' und Apollon,
Solch ein Mut nun allen das Herz im Busen beseelte!
Bald dann neigte sich uns des herrschenden Priamos Feste, 290
Unter unseren Händen besiegt und zu Boden getrümmert!

Dieses gesagt, verließ er sie dort und eilte zu andern,
Wo er den Nestor fand, den tönenden Redner von Pylos,
Emsig die Freund' anordnend und wohl ermahnend zur Feldschlacht,
Jen' um Pelagon her und Chromios und den Alastor, 295
Auch um Hämon den Held und den völkerweidenden Bias.
Erst die Reisigen stellt' er mit Rossen zugleich und Geschirren,
Hinten sodann die Männer zu Fuß, die vielen und tapfern,
Mauer zu sein des Gefechts; und die Feigen gedrängt in die Mitte,
Daß, wer so gar nicht wollte, die Not ihn zwänge zu streiten. 300
Erst die Reisigen nun ermahnet' er, jedem gebietend,
Wohl zu hemmen die Rosse, nicht wild durcheinander zu tummeln:
Keiner, auf Wagenkund und Männerstärke vertrauend,
Wag allein vor andern zum Kampfe sich gegen die Troer;
Keiner auch weiche zurück, denn also schwächt ihr euch selber. 305
Welcher Mann vom Geschirr hinkommt auf des anderen Wagen,
Strecke die Lanze daher; denn weit heilsamer ist solches.
Das war der Alten Gebrauch, die Städt' und Mauern zertrümmert,
Solchen Sinn und Mut im tapferen Herzen bewahrend.
Also ermahnte der Greis, vorlängst wohlkundig des Krieges. 310
Ihn auch sah mit Freude der Völkerfürst Agamemnon;
Und er begann zu jenem und sprach die geflügelten Worte:
Möchten, o Greis, wie der Mut dein Herz noch füllet im Busen,
So dir folgen die Knie und fest die Stärke dir dauern!
Aber dich drückt des Alters gemeinsame Last! O ihr Götter, 315
Daß sie ein anderer trüg und du ein Jüngling einhergingst!
Ihm antwortete drauf der gerenische reisige Nestor:
Atreus' Sohn, ja gerne verlangt' ich selber noch jetzo
Der zu sein, wie ich einst den Held Ereuthalion hinwarf!
Doch nicht alles zugleich verliehn ja die Götter den Menschen. 320
War ich ein Jüngling vordem, so naht mir jetzo das Alter.
Aber auch so begleit ich die Reisigen noch und ermahne
Andre mit Rat und Worten; denn das ist die Ehre der Alten.
Speere laß hinschwingen die Jünglinge, welche der Jahre
Weniger zählen denn ich und noch vertrauen der Stärke! 325
Jener sprach's; und vorbei ging freudigen Muts Agamemnon,
Fand dann Peteos' Sohn, den Rossetummler Menestheus,
Stehn und umher die Athener geschart, wohlkundig des Feldrufs.

Aber zunächst ihm stand der erfindungsreiche Odysseus,
Welchem umher Kephallener in unverächtlichen Schlachtreihn 330
Standen. Denn nicht ertönte noch beider Volke der Aufruhr,
Weil nur jüngst miteinander erregt andrängten die Scharen
Rossebezähmender Troer und Danaer. Aber erwartend
Standen sie, wann vorrückend ein anderer Zug der Achaier
Stürmt' in der Troer Volk und dort anhöbe das Treffen. 335
Diese schalt erblickend der Völkerfürst Agamemnon;
Und er begann zu ihnen und sprach die geflügelten Worte:
O du, Peteos' Sohn, des gottbeseligten Herrschers!
Und du, reichlich geschmückt mit Betörungen, sinnend auf Vorteil!
Warum also geschmiegt entfernt ihr euch, harrend der andern? 340
Wohl euch beiden geziemt' es, zugleich mit den ersten der Kämpfer
Dazustehn und der flammenden Schlacht euch entgegenzustürzen!
Seid doch ihr die ersten zum Mahle mir immer gerufen,
Rüsteten wir den Edlen ein Ehrenmahl, wir Achaier!
Freud ist's dann, zu schmausen gebratenes Fleisch und zu trinken 345
Becher des süßen Weins, des erlabenden, weil euch gelüstet!
Doch nun säht ihr mit Freude, wenn auch zehn Scharen Achaias
Euch zuvor eindrängen mit grausamem Erz in die Feldschlacht!
Finster schaut' und begann der erfindungsreiche Odysseus:
Welch ein Wort, o Atreid, ist dir aus den Lippen entflohen? 350
Wie doch nennst du zur Schlacht saumselig uns? Wann wir Achaier
Gegen die reisigen Troer die Wut des Ares erregen,
Wirst du schaun, so du willst und solcherlei Dinge dich kümmern,
Auch Telemachos' Vater gemischt in das Vordergetümmel
Troischer Reisigen dort! Du schwatzest da nichtige Worte! 355
Lächelnd erwiderte drauf der Herrscher des Volks Agamemnon,
Als er zürnen ihn sah, und wendete also die Rede:
Edler Laertiad, erfindungsreicher Odysseus,
Weder Tadel von mir verdienest du, weder Ermahnung.
Denn ich weiß, wie das Herz in deinem Busen beständig 360
Milde Gedanken mir hegt; du gleichst an Gesinnung mir selber.
Komm, dies wollen hinfort wir berichtigen, wenn ja ein hartes
Wort entfiel; das mögen die Himmlischen alles vereiteln!
Dieses gesagt, verließ er sie dort und eilte zu andern.
Tydeus' Sohn nun fand er, den stolzen Held Diomedes, 365

Stehn auf rossebespanntem und wohlgefügetem Wagen;
Neben ihm Sthenelos auch, den kapaneischen Sprößling.
Ihn auch schalt erblickend der Völkerfürst Agamemnon;
Und er begann zu jenem und sprach die geflügelten Worte:
  Wehe mir, Tydeus' Sohn, des feurigen Rossebezähmers, 370
Wie du erbebst! Wie du bang umschaust nach den Pfaden des Treffens!
Nie hat Tydeus wahrlich so gar zu verzagen geliebet,
Sondern weit den Genossen voraus in die Feinde zu sprengen.
Also erzählt, wer ihn sah in der Kriegsarbeit; denn ich selber
Traf und erblickt' ihn nie; doch strebet' er, sagt man, vor andern. 375
Vormals kam, sich entfernend vom Krieg, der Held in Mykene
Gastlich, samt Polyneikes, dem Göttlichen, Volk zu versammeln,
Weil sie mit Streit bezogen die heiligen Mauern von Thebe;
Und sie fleheten sehr um rühmliche Bundesgenossen.
Jen' auch wollten gewähren und billigten, was sie gefordert; 380
Doch Zeus wendete solches durch unglückdrohende Zeichen.
Als sie nunmehr uns verlassen und fort des Weges gewandelt
Und den Asopos erreicht, von Gras und Binsen umufert,
Sendeten dort die Achaier den Tydeus wieder mit Botschaft.
Jener enteilt' und fand die versammelten Kadmeionen 385
Fröhlich am Mahl im Palaste der heiligen Macht Eteokles'.
Doch er erblödete nicht, der Rossebändiger Tydeus,
Fremdling zwar und allein, von vielen umringt der Kadmeier,
Sondern rief zu Kämpfen hervor; und in jeglichem siegt' er
Sonder Müh: so mächtig als Helferin naht' ihm Athene. 390
Jene, von Zorn ihm entbrannt, die kadmeiischen Sporner der Rosse,
Legeten Hinterhalt, auf dem Heimweg seiner zu harren,
Jünglinge, fünfzig an Zahl; und zween Anführer geboten,
Mäon, der Hämonid, unsterblichen Göttern vergleichbar,
Und Autophonos' Sohn, der trotzende Held Lykophontes. 395
Aber es ward auch jenen ein schmähliches Ende von Tydeus;
Alle streckt' er dahin, und einen nur sandt er zur Heimat.
Mäon entsandt er allein, der Unsterblichen Zeichen gehorchend.
So war Tydeus einst, der Ätolier! Aber der Sohn hier
Ist ein schlechterer Held in der Schlacht, doch ein besserer Redner.
  Jener sprach's; ihm erwiderte nichts der Held Diomedes,
Ehrfurchtvoll dem Verweise des ehrenvollen Gebieters.

Aber Kapaneus' Sohn, des Gepriesenen, gab ihm zur Antwort:
Rede nicht falsch, Atreide, so wohlbekannt mit der Wahrheit!
Tapferer rühmen wir uns, weit mehr denn unsere Väter! 405
Wir ja eroberten Thebe, die siebentorige Feste,
Weniger zwar hinführend des Volks vor die trotzende Mauer,
Doch durch Götterzeichen gestärkt und die Hilfe Kronions.
Jene bereiteten selbst durch Missetat ihr Verderben.
Darum preise mir nicht in gleicher Ehre die Väter! 410
Finster schaut' und begann der starke Held Diomedes:
Trauter, halte dich still und gehorche du meiner Ermahnung.
Denn nicht ich verarg es dem Hirten des Volks Agamemnon,
Daß er treibt zum Kampfe die hellumschienten Achaier.
Denn ihm folgt ja der Ruhm, wenn Achaias Söhne die Troer 415
Bändigen und mit Triumph zur heiligen Ilios eingehn;
Ihm auch unendlicher Gram, wenn gebändiget sind die Achaier.
Aber wohlan, und beide gedenken wir stürmenden Mutes! [Erde.
Sprach's, und vom Wagen herab mit den Rüstungen sprang er zur
Graunvoll klirrte das Erz umher am Busen des Königs, 420
Als er sich schwang; ihm hätt auch ein Männlicher unten gezittert.
Wie wenn die Meeresflut zum hallenden Felsengestad her
Wog an Woge sich stürzt, vom Zephyros aufgewühlet
(Weit auf der Höhe zuerst erhebt sie sich; aber anjetzo,
Laut am Lande zerplatzt, erdonnert sie, und um den Vorstrand 425
Hänget sie krumm aufbrandend und speit von ferne den Salzschaum):
Also zogen gedrängt die Danaer, Haufen an Haufen,
Rastlos her in die Schlacht. Es gebot den Seinen ein jeder
Völkerfürst; still gingen die anderen. Keiner gedächt auch,
Solch ein großes Gefolg hab einen Laut in den Busen: 430
Ehrfurchtsvoll verstummend den Königen; jegliche Heerschar
Hell von buntem Geschmeid, in welches gehüllt sie einherzog.
Trojas Volk, wie die Schafe des reichen Manns in der Hürde
Zahllos stehn und mit Milch die schäumenden Eimer erfüllen,
Blökend ohn Unterlaß, da der Lämmer Stimme gehört wird: 435
Also erscholl das Geschrei im weiten Heere der Troer;
Denn nicht gleich war aller Getön, noch einerlei Ausruf;
Vielfach gemischt war die Sprach, und mancherlei Stammes die Völker.
Hier ermunterte Ares und dort Zeus' Tochter Athene,

Schrecken zugleich und Graun und die rastlos lechzende Zwietracht,
Sie, des mordenden Ares verbündete Freundin und Schwester,
Die erst klein von Gestalt einherschleicht; aber in kurzem
Trägt sie hoch an den Himmel ihr Haupt und geht auf der Erde,
Diese nun streuete Zank zu gemeinsamem Weh in die Mitte,
Wandelnd von Schar zu Schar, das Geseufz der Männer vermehrend.
Als sie nunmehr anstrebend auf einem Raum sich begegnet,
Trafen zugleich Stierhäut' und Speere zugleich und die Kräfte
Rüstiger Männer in Erz; und die hochgenabelten Schilde
Naheten dichtgedrängt, und umher stieg lautes Getös auf.
Jetzo erscholl Wehklagen und Siegsgeschrei miteinander, 450
Würgender dort und Erwürgter, und Blut umströmte die Erde.
Wie zween Ström' im Herbste geschwellt, den Gebirgen entrollend,
Zum gemeinsamen Tal ihr strudelndes Wasser ergießen
Aus unendlichen Quellen durch tiefgehöhltes Geklüft hin
(Ferne hört ihr Geräusch der weidende Hirt auf den Bergen): 455
Also erhub den Vermischten sich Wutgeschrei und Verfolgung.
Erst nun erschlug den Troern Antilochos einen der Kämpfer,
Mutig im Vordergewühl des Talysios' Sohn Echepolos.
Diesem traf er zuerst den umflatterten Kegel des Helmes,
Daß er die Stirne durchbohrt'; hineindrang tief in den Schädel 460
Jenem die eherne Spitz', und Nacht umhüllt' ihm die Augen;
Und er sank wie ein Turm im Ungestüme der Feldschlacht.
Schnell des Gefallenen Fuß ergriff Elephenor, der Herrscher,
Chalkodons Sohn, Heerfürst der hochgesinnten Abanter;
Dieser entzog den Geschossen begierig ihn, daß er ihm eilig 465
Raubte das Waffengeschmeid; allein kurz währt' ihm die Arbeit.
Denn wie den Toten er schleifte, da sah der beherzte Agenor,
Daß dem Gebückten die Seit entblößt vom Schilde hervorschien,
Zuckte den erzgerüsteten Schaft und löst' ihm die Glieder.
Also verließ ihn der Geist; doch über ihm tobte der Streit nun 470
Schrecklich umher der Troer und Danaer. Ähnlich den Wölfen
Sprangen sie wild aneinander und Mann für Mann sich erwürgend.
Ajas, der Telamonid, erschlug Anthemions Sohn itzt,
Jugendlich, blühend an Kraft, Simoeisios, welchen die Mutter,
Einst vom Ida kommend, an Simois Ufer geboren, 475
Als sie, die Herde zu schaun, dorthin den Eltern gefolgt war;

Darum nannte sie ihn Simoeisios. Aber den Eltern
Lohnet' er nicht die Pflege; denn kurz nur blühte das Leben
Ihm, da vor Ajas' Speer, des mutigen Helden, er hinsank.
Denn wie er vorwärts ging, traf jener die Brust an der Warze 480
Rechts, daß gerad hindurch ihm der eherne Speer aus der Schulter
Drang und er selbst in den Staub hintaumelte: gleich der Pappel,
Die in gewässerter Aue des großen Sumpfes emporwuchs,
Glatten Stamms, nur oben entwuchsen ihr grünende Zweige;
Und die der Wagener jetzt abhaut mit blinkendem Eisen, 485
Daß er zum Kranz des Rades sie beug am zierlichen Wagen;
Jetzo liegt sie welkend am Bord des rinnenden Baches:
So Anthemions Sohn Simoeisios, als ihm die Rüstung
Ajas raubte, der Held. Doch Antiphos, rasch in dem Panzer,
Sandt ihm, Priamos' Sohn, die spitzige Lanz im Gewühl her, 490
Fehlend zwar, doch dem Leukos, Odysseus' edlem Genossen,
Flog das Geschoß in die Scham, da zurück den Toten er schleifte.
Auf ihn taumelt er hin, und der Leichnam sank aus der Hand ihm.
Um den erschlagenen Freund entbrannt im Herzen Odysseus,
Ging durchs Vordergefecht, mit strahlendem Erze gerüstet, 495
Stand dann jenem genaht und schoß den blinkenden Wurfspieß,
Rings umschauend zuvor; und zurück ihm stoben die Troer,
Als hinzielte der Held; doch flog nicht umsonst das Geschoß ihm,
Sondern Priamos' Sohn Demokoon traf es, den Bastard,
Der von Abydos ihm kam, vom Gestüt leichtrennender Gäule. 500
Ihm nun sandte die Lanz, um den Seinigen zürnend, Odysseus
Durch den Schlaf, und hindurch aus dem anderen Schlafe gestürmet
Kam die eherne Spitz; und Nacht umhüllt' ihm die Augen.
Dumpf hinkracht' er im Fall, und es rasselten um ihn die Waffen.
Rückwärts wichen die ersten des Kampfs und der strahlende Hektor.
Doch laut schrien die Danaer auf und entzogen die Toten,
Drangen dann noch tiefer hinein. Des zürnet' Apollon,
Hoch von Pergamos schauend, und rief, die Troer ermunternd:
Auf, ihr reisigen Troer, wohlauf! Und räumet das Feld nicht
Argos' Volk; ihr Leib ist ja weder von Stein noch von Eisen, 510
Daß abprallte der Wurf des leibzerschneidenden Erzes!
Nicht einmal Achilleus, der Sohn der lockigen Thetis,
Kämpft; er ruht bei den Schiffen, das Herz voll nagenden Zornes!

Also rief von der Stadt der Schreckliche. Doch die Achaier
Trieb Zeus' Tochter zum Kampf, die herrliche Tritogeneia, 515
Wandelnd von Schar zu Schar, wo säumende Kämpfer erschienen.

Jetzt umstrickte der Tod Amarinkeus' Sohn, den Diores;
Denn ihn traf an dem Knöchel des rechten Fußes ein Feldstein,
Fausterfüllend und rauh; es warf der thrakische Führer
Peiros, Imbrasos' Sohn, der hergekommen von Änos. 520
Sehnen zugleich und Knochen zerschmetterte sonder Verschonen
Ihm der entsetzliche Stein, daß er rücklings hinab auf den Boden
Taumelte, beide Händ' umher zu den Freunden verbreitend,
Atemlos hinschlummernd. Da nahete, der ihn verwundet,
Peiros, und bohrte die Lanz in den Nabel ihm; und es entstürzten 525
Alle Gedärme zur Erd, und Nacht umhüllt' ihm die Augen.

Ihn, den Stürmenden, traf mit dem Speer der Ätolier Thoas
Über der Warz in die Brust, und es drang in die Lunge das Erz ihm.
Eilend sprang nun Thoas hinan und riß ihm des Speeres [aus,
Mächtigen Schaft aus der Brust; dann zog er das schneidende Schwert
Schwang es und haut' ihm über den Bauch und raubt' ihm das Leben.
Doch nicht nahm er die Wehr; denn rings umstanden ihn Thraker
Mit hochsträubendem Haar, langschaftige Spieße bewegend,
Welche, wie groß der Held, wie gewaltig er war und wie ruhmvoll,
Dennoch zurück ihn drängten; er wich voll jäher Bestürzung. 535
Also lagen sie beid im Staube gestreckt miteinander,
Thrakiens edler Fürst und der erzumschirmten Epeier
Fürst zugleich; auch sanken noch viel umher der Genossen.

Jetzo hätte kein Mann das Werk der Krieger getadelt,
Wandelt' er, ungetroffen und ungehaun von dem Erze, 540
Rings durch das Waffengewühl und leitete Pallas Athene
Ihn an der Hand, abwehrend den fliegenden Sturm der Geschosse.
Denn viel sanken der Troer und viel der Danaer vorwärts
Jenes Tags in den Staub und bluteten nebeneinander.

V. GESANG

Diomedes, den Athene zur Tapferkeit erregt, wird von Pandaros geschossen. Er erlegt den Pandaros und verwundet den Äneias, samt der entführenden Aphrodite. Diese flieht auf Ares' Wagen zum Olympos. Apollon trägt, von Diomedes verfolgt, den Äneias in seinen Tempel auf Pergamos, woher er geheilt bald zurückkehrt. Auf Apollons Ermahnung erweckt Ares die Troer, und die Achaier weichen allmählich. Tlepolemos von Sarpedon erlegt. Here und Athene fahren vom Olympos, den Achaiern gegen Ares zu helfen. Diomedes, von Athene ermahnt und begleitet, verwundet den Ares. Der Gott kehrt zum Olympos, und die Göttinnen folgen.

Jetzo schmückt' Athene des Tydeus Sohn Diomedes
Hoch mit Kraft und Entschluß, damit vorstrahlend aus allem
Danaervolk er erschien' und herrlichen Ruhm sich gewänne.
Flammen ihm hieß auf Helm und Schilde sie mächtig umher glühn,
Ähnlich dem Glanzgestirne der Herbstnacht, welches am meisten 5
Klar den Himmel durchstrahlt, in Okeanos' Fluten gebadet;
Solche Glut hieß jenem sie Haupt umflammen und Schultern,
Stürmt' ihn dann mitten hinein, wo am heftigsten schlug das Getüm-
Unter den Troern war ein unsträflicher Priester Hephästos', [mel.
Dares, mächtig und reich, der ins Heer zween Söhne gesendet, 10
Phegeus und Idäos, geübt in jeglichem Kampfe.
Diese, getrennt vom Haufen, entgegen ihm sprengten sie jetzo
Beid auf Rossegeschirr; er strebte zu Fuß von der Erde.
Als sie nunmehr sich genaht, die Eilenden, gegeneinander,
Sendete Phegeus zuerst die weithinschattende Lanze. 15
Aber es flog dem Tydeiden das Erz links über die Schulter
Hin und verwundete nicht. Nun schwang auch jener den Wurfspieß,
Tydeus' Sohn, und ihm flog nicht umsonst das Geschoß aus der Rechten,
Sondern traf in die Kerbe der Brust und stürzt' ihn vom Wagen.
Aber Idäos entsprang, den zierlichen Sessel verlassend; 20
Denn ihm zagte das Herz, den ermordeten Bruder zu schützen.
Kaum auch, kaum er selber entrann dem schwarzen Verhängnis;
Doch ihn entrückt' Hephästos, in schirmende Nacht ihn verhüllend,
Daß nicht ganz ihm versänke das Herz des Greises in Jammer.
Seitwärts trieb das Gespann der Sohn des erhabenen Tydeus, 25
Und ihm führten die Freund' es hinab zu den räumigen Schiffen.
Doch wie die mutigen Troer geschaut die Söhne des Dares,
Ihn von dannen entflohn und ihn entseelt am Geschirre,

Regte sich allen das Herz. Allein Zeus' Tochter Athene
Faßt' an der Hand und redete so zum tobenden Ares: 30
Ares, o Ares voll Mord, Bluttriefender, Mauernzertrümmrer!
Lassen wir nicht sie allein, die Troer hinfort und Achaier,
Kämpfen, zu welcherlei Volk Zeus' Vorsicht wende den Siegsruhm;
Doch wir weichen zurück und meiden den Zorn Kronions?
Jene sprach's und entführte der Schlacht den tobenden Ares; 35
Diesen setzte sie drauf am behügelten Strand des Skamandros.
Argos' Söhn' itzt drängten den Feind, und jeglichem Führer
Sank ein Mann. Erst stürzte der Völkerfürst Agamemnon
Hodios aus dem Geschirr, den Halizonengebieter.
Als er zuerst umwandte, da flog in den Rücken der Speer ihm 40
Zwischen der Schulterbucht, daß vorn aus dem Busen er vordrang;
Dumpf hinkracht' er im Fall, und es rasselten um ihn die Waffen.
Aber Idomeneus tilgte den Sohn des mäonischen Boros,
Phästos, der her aus Tarne, dem scholligen Lande, gekommen.
Dieser strebt' auf den Wagen empor; doch die ragende Lanze 45
Stieß ihm der speerberühmte Idomeneus rechts in die Schulter;
Und er entsank dem Geschirr, und Graun des Todes umhüllt' ihn;
Aber Idomeneus' Freund' entzogen ihm eilig die Rüstung.
Ihn, des Strophios' Sohn Skamandrios, kundig des Jagens,
Raffte mit spitziger Lanze des Atreus Sohn Menelaos, 50
Jenen tapferen Jäger. Gelehrt von Artemis selber,
Traf er alles Gewild, das der Forst des Gebirges ernähret.
Aber nichts ihm nunmehr half Artemis, froh des Geschosses,
Nichts die gepriesene Kunst, ferntreffende Pfeile zu schnellen,
Sondern des Atreus Sohn, der streitbare Held Menelaos, 55
Als er vor ihm hinbebte, durchstach mit dem Speer ihm den Rücken
Zwischen der Schulterbucht, daß vorn aus dem Busen er vordrang.
Jener entsank vorwärts, und es rasselten um ihn die Waffen.
Auch Meriones traf den Phereklos, stammend von Tekton.
Harmons Sohn, der mit Händen erfindsam allerlei Kunstwerk 60
Bildete; denn ihn erkor zum Lieblinge Pallas Athene.
Er hatt auch Alexandros die schwebenden Schiffe gezimmert,
Jene Beginner des Wehs, die Unheil brachten den Troern
Und ihm selbst, weil nicht er vernahm der Unsterblichen Ausspruch.
Diesen traf, da er jetzt im verfolgenden Lauf ihn ereilte, 65

Rechts hindurch ins Gesäß Meriones, daß ihm die Spitze,
Vorn die Blase durchbohrend, am Schambein wieder hervordrang.
Heulend sank er aufs Knie, und Todesschatten umfing ihn.
Meges warf den Pedäos dahin, den Sohn des Antenor,
Der unehelich war; doch erzog ihn die edle Theano 70
Gleich den eigenen Kindern, gefällig zu sein dem Gemahle.
Diesem schoß nachrennend der speerberühmte Phyleide
Hinten die spitzige Lanze gerad in die Höhle des Nackens;
Zwischen den Zähnen hindurch zerschnitt die Zunge das Erz ihm,
Und er entsank in den Staub, am kalten Erze noch knirschend. 75
Doch der Euämonid Eurypylos traf den Hypsenor,
Ihn, Dolopions Sohn, des Erhabenen, der dem Skamandros
War ein Priester geweiht, wie ein Gott im Volke geehret.
Aber Eurypylos nun, der glänzende Sohn des Euämon,
Als er vor ihm hinbebte, verfolgt' und schwang in die Schulter 80
Ihm anstürmend das Schwert und hieb ihm den nervichten Arm ab:
Blutig entsank ihm der Arm ins Gefild hin; aber die Augen
Übernahm der finstere Tod und das grause Verhängnis.
So arbeiteten jen' im Ungestüme der Feldschlacht.
Aber des Tydeus Sohn, nicht wüßte man, welcherlei Volks er 85
Schaltete, ob er mit Troern einherging, ob mit Achaiern.
Denn er durchtobte das Feld, dem geschwollenen Strome vergleichbar,
Voll vom Herbst, der in reißendem Sturz wegflutet die Brücken;
Nicht ihn zu hemmen vermag der Brücken gewaltiges Bollwerk,
Auch nicht hemmen die Zäune der grünenden Saatengefilde 90
Ihn, der sich schleunig ergießt, wann gedrängt Zeus' Schauer herabfällt;
Weit dann versinkt er vor jenem der Jünglinge fröhliche Arbeit:
Also vor Tydeus' Sohn enttaumelten dichte Geschwader
Troischen Volks und harreten nicht, wie viel sie auch waren.
Aber sobald ihn schaute der glänzende Sohn des Lykaon, 95
Wie er durchtobte das Feld und umher zerstreute die Scharen,
Richtet' auf Tydeus' Sohn er sofort sein krummes Geschoß hin,
Schnellte dem Stürmenden zu und traf ihn rechts an der Schulter
In sein Panzergelenk; ihm flog das herbe Geschoß durch,
Grad' in die Schulter hinein, und Blut umströmte den Panzer. 100
Jauchzend erhub die Stimme der glänzende Sohn des Lykaon:
Angedrängt, ihr Troer, voll Kriegsmut, Sporner der Rosse!

Denn nun traf's den besten der Danaer! Nimmer, vermut ich,
Wird er es lang aushalten, das starke Geschoß, so in Wahrheit
Mich Zeus' herrschender Sohn zum Streit aus Lykia hertrieb! 105
Jener rief's aufjauchzend; doch nicht bezwang das Geschoß ihn,
Sondern er wich, und gestellt vor den rossebespanneten Wagen,
Redet' er Sthenelos an, den kapaneischen Sprößling:
Auf, o trautester Kapaneiad, und steige vom Wagen,
Daß du hervor aus der Schulter das herbe Geschoß mir entziehest. 110
Jener sprach's; doch Sthenelos sprang von dem Wagen zur Erde,
Trat hinan und entzog den durchdringenden Pfeil aus der Schulter;
Hell durchspritzte das Blut die geflochtenen Ringe des Panzers.
Jetzo betete laut der Rufer im Streit Diomedes:
Höre, des ägiserschütternden Zeus' unbezwungene Tochter! 115
Wenn du mir je und dem Vater mit sorgsamer Liebe genahet
Im feindseligen Streit, so liebe mich nun, o Athene!
Laß mich treffen den Mann und den fliegenden Speer ihn erreichen,
Welcher zuvor mich verwundet und nun frohlockend sich rühmet,
Nicht mehr schau ich lange das Licht der strahlenden Sonne! 120
Also rief er flehend, ihn hörete Pallas Athene.
Leicht ihm schuf sie die Glieder, die Füß' und die Arme von oben;
Nahe nun trat sie hinan und sprach die geflügelten Worte:
Kehre getrost, Diomedes, zum mutigen Kampf mit den Troern;
Denn dir goß ich ins Herz die Kraft und Stärke des Vaters, 125
Unverzagt, wie sie trug der geschildete reisige Tydeus.
Auch das Dunkel entnahm ich den Augen dir, welches sie deckte,
Daß du wohl erkennest den Gott und den sterblichen Menschen.
Drum, so etwa ein Gott herannaht, dich zu versuchen,
Hüte dich, seligen Göttern im Kampf entgegen zu wandeln, 130
Allen sonst; doch käme die Tochter Zeus', Aphrodite,
Her in den Streit, die magst du mit spitzigem Erze verwunden.
Also sprach und enteilte die Herrscherin Pallas Athene.
Aber es flog Diomedes zurück in das Vordergetümmel.
Hatt er zuvor im Herzen geglüht, mit den Troern zu kämpfen, 135
Jetzo ergriff ihn dreimal entflammterer Mut, wie den Löwen,
Welchen der Hirt im Felde, die wolligen Schafe bewachend,
Streifte, doch nicht erschoß, da über den Zaun er hereinsprang
(Jenem erhebt sich der Zorn, und hinfort kann keiner ihm wehren,

Sondern er dringt in die Ställe hinein, die Verlassenen scheuchend;
Und nun liegen gehäuft die Blutenden übereinander;
Aber voll Wut entspringt er dem hochumschränkten Gehege):
Also drang in die Troer voll Wut der Held Diomedes.
  Jetzo rafft' er Astynoos hin und den Herrscher Hypeiron,
Ihn an der Warze der Brust mit eherner Lanze durchbohrend; 145
Jenem schwang er ins Schultergelenk des gewaltigen Schwertes
Hieb, daß vom Halse die Schulter sich sonderte und von dem Rücken.
Diese verließ und zu Abas enteilet' er und Polyeidos,
Beid Eurydamas' Söhne, des traumauslegenden Greises.
Doch den Scheidenden hatte der Greis nicht Träume gedeutet, 150
Sondern es raubt' ihr Geschmeide der starke Held Diomedes.
Drauf den Xanthos und Thoon verfolget' er, Söhne des Phänops,
Beide spät ihm geboren, und schwach vom traurigen Alter,
Zeugt' er kein anderes Kind, sein Eigentum zu ererben.
Jener entwaffnete nun, ihr süßes Leben vertilgend, 155
Beid und ließ den Vater in Gram und finsterer Schwermut
Dort, dieweil nicht lebend sie heim aus dem Treffen ihm kehrten,
Freudig begrüßt, und das Erb eindringende Fremde sich teilten.
  Jetzo zween aus Priamos' Blut, des Dardanionen,
Traf er auf einem Geschirr, den Chromios und den Echemon; 160
Und wie ein Löw in die Rinder sich stürzt und den Nacken der Starke
Abknirscht, oder der Kuh, die Laubgehölze durchweiden:
Also beide zugleich warf Tydeus' Sohn aus dem Wagen
Schrecklich herab mit Gewalt, und hierauf nahm er die Rüstung;
Doch das Gespann entführten die Seinigen ihm zu den Schiffen. 165
  Jenen sah Äneias umher verdünnen die Schlachtreihn;
Flugs durcheilt' er den Kampf und den klirrenden Sturm der Geschosse,
Rings nach Pandaros forschend, dem Göttlichen, ob er ihn fände.
Jetzo fand er den starken untadligen Sohn des Lykaon,
Trat nun hinan vor jenen und redete, also beginnend: 170
  Pandaros, wo dein Bogen und wo die gefiederten Pfeile
Und dein Ruhm, den weder allhier ein anderer teilet,
Noch in Lykia einer dir abzugewinnen sich rühmet?
Hebe die Hände zu Zeus und sende dem Mann ein Geschoß hin,
Der da umher so schaltet und schon viel Böses den Troern 175
Stiftete, weil er vieler und tapferer Knie gelöset!

Ist er nicht etwa ein Gott, der im Zorn heimsuchet die Troer,
Rächend der Opfer Schuld; denn hart ist die Rache der Götter.
Ihm antwortete drauf der glänzende Sohn des Lykaon:
Edler Fürst, Äneias, der erzgepanzerten Troer, 180
Gleich des Tydeus Sohne, dem Feurigen, acht ich ihn völlig;
Denn ich erkenne den Schild und die längliche Kuppel des Helmes,
Auch sein Rossegeschirr; doch vielleicht auch mag er ein Gott sein.
Ist der Mann, den ich sage, der feurige Sohn des Tydeus,
Traun, nicht ohne Götter ergrimmt' er so, sondern ihm nahe 185
Steht ein Unsterblicher dort, ein Gewölk um die Schultern sich hüllend,
Der auch das schnelle Geschoß abwendete, welches ihm zuflog.
Denn ihm sandt ich bereits ein Geschoß und traf ihm die Schulter
Rechts, daß hinein es drang, das Panzergelenk ihm durchbohrend;
Und ich hofft, ihn hinab zu beschleunigen zum Aidoneus. 190
Dennoch bezwang ich ihn nicht. Ein Gott muß wahrlich erzürnt sein.
Auch nicht hab ich die Ross' und ein schnelles Geschirr zu besteigen,
Sondern ich ließ in Lykaons Palast elf zierliche Wagen,
Stark und neu vom Künstler gefügt, mit Teppichen ringsum
Überhängt; und bei jeglichem stehn zweispännige Rosse 195
Müßig, mit nährendem Spelt und gelblicher Gerste gesättigt.
Dringend ermahnete zwar der grauende Krieger Lykaon
Mich, den Scheidenden, dort in der schöngebaueten Wohnung,
Daß ich erhöht im Sessel des rossebespanneten Wagens
Trojas Schar anführte zum Ungestüme der Feldschlacht; 200
Aber ich hörete nicht (wie heilsam, hätt ich gehöret!),
Schonend des edlen Gespanns, daß mir's nicht darbte der Nahrung
Bei umzingeltem Volk, da es reichliches Futter gewohnt war.
Also kam ich zu Fuß gen Ilios, ohne die Rosse,
Nur dem Bogen vertrauend; allein nichts sollt er mir helfen! 205
Denn schon zween umher der edleren Helden erreicht ich,
Tydeus' Sohn und des Atreus Sohn; und beiden hervordrang
Helles Blut aus der Wunde; doch reizt ich beide nur stärker.
Zur unseligen Stund enthob ich Bogen und Köcher
Jenes Tages dem Pflock, da nach Ilios' lieblicher Feste 210
Trojas Schar ich führte, zu Gunst dem erhabenen Hektor.
Werd ich hinfort heimkehren und wiedersehn mit den Augen
Vatergefild und Weib und die hohe gewölbete Wohnung:

Schleunig haue mir dann das Haupt von der Schulter ein Fremdling,
Wo nicht dieses Geschoß in loderndes Feuer ich werfe, 215
Kurz in den Händen geknickt, daß ein nichtiger Tand mich begleitet!
Aber Äneias sprach, der Troer Fürst, ihm erwidernd:
Freund, nicht also geredet! Zuvor wird dieses nicht anders,
Ehe dem Mann wir beide mit Kriegesrossen und Wagen
Kühn entgegengerannt und mit unserer Wehr ihn versuchet. 220
Auf denn, zu meinem Geschirr erhebe dich, daß du erkennest,
Wie doch troische Rosse gewandt sind, durch die Gefilde
Dort zu sprengen und dort, in Verfolgungen und in Entfliehung.
Uns auch wohl in die Stadt erretten sie, wenn ja von neuem
Zeus ihm Ehre verleiht, des Tydeus Sohn Diomedes. 225
Auf denn, die Geißel sofort und die purpurschimmernden Zügel
Nimm; ich selbst verlasse die Ross' und warte des Kampfes.
Oder begegn ihm du, und mir sei die Sorge der Rosse.
Ihm antwortete drauf der glänzende Sohn des Lykaon:
Lenke du selbst, Äneias, dein Rossegespann mit den Zügeln. 230
Hurtiger mögen, gewohnt des Lenkenden, jen' uns entreißen
Auf dem gebogenen Geschirr, wann wieder verfolgt der Tydeide,
Daß sie uns nicht abschweifen umhergescheucht, und dem Schlachtfeld
Uns unwillig enttragen, des Eigeners Stimme vermissend;
Aber dahergestürmt der Sohn des mutigen Tydeus 235
Uns dann beid erschlag und entführe die stampfenden Rosse.
Darum lenke du selbst dein Wagengeschirr und die Rosse;
Jenem will ich, so er kommt, mit spitziger Lanze begegnen.
Also redeten beid, und den künstlichen Wagen besteigend,
Sprengten auf Tydeus' Sohn sie daher mit hurtigen Rossen. 240
Sie nahm Sthenelos wahr, der kapaneische Krieger,
Wandte sich schnell zum Tydeiden und sprach die geflügelten Worte:
Tydeus' Sohn Diomedes, du meiner Seele Geliebter,
Schau, zween tapfere Männer auf dich herstürmen zum Kampfe,
Beid unermeßlicher Kraft: der dort, wohlkundig des Bogens, 245
Pandaros, welcher den Sohn des Lykaon rühmend sich nennet,
Weil Äneias ein Sohn des hochbeherzten Anchises
Trotzt entsprossen zu sein von der Tochter Zeus' Aphrodite.
Laß uns schnell im Wagen entfliehn und wüte mir so nicht
Unter dem Vordergewühl, daß nicht dein Leben dir schwinde. 250

Finster schaut' und begann der starke Held Diomedes:
Nichts von Flucht mir gesagt; denn schwerlich möcht ich gehorchen!
Mir nicht ist's anartend, zurückzubeben im Kampfe
Oder hinab mich zu schmiegen; noch fest mir dauret die Stärke!
Mich verdreußt's, im Wagen zu stehn; vielmehr, wie ich hier bin, 255
Wandl ich gegen sie an; Furcht wehret mir Pallas Athene.
Nie trägt jene zurück ihr Gespann schnellfüßiger Rosse
Beid aus unseren Händen, wofern auch einer entrinnet.
Eines verkünd ich dir noch und du bewahr es im Herzen:
Wenn ja den Ruhm mir gewährt die ratende Göttin Athene, 260
Beide sie hinzustrecken, dann unsere hurtigen Rosse
Hemme zurück, das Gezäum am Sesselrande befestigt;
Und zu Äneias' Rossen enteile mir, daß du sie wegführst
Aus der Troer Gewühl zu den hellumschienten Achaiern.
Jenes Geschlechts sind diese, das Zeus Kronion dem Tros einst 265
Gab zum Entgelte des Sohns Ganymedes: edel vor allen
Rossen, so viel umstrahlet das Tageslicht und die Sonne.
Jenes Geschlechts entwandte der Völkerfürst Anchises,
Ohne Laomedons Kunde die eigenen Stuten vermählend,
Welche darauf sechs Füllen in seinem Palast ihm gebaren. 270
Vier von jenen behaltend ernähret' er selbst an der Krippe,
Diese gab er Äneias, dem Sohn, zween stürmende Renner.
Könnten wir dies' erbeuten, dann würd ein herrlicher Ruhm uns!
Also redeten jen' im Wechselgespräch miteinander.
Schnell nun nahten sie dort, die hurtigen Rosse beflügelnd. 275
Gegen ihn rief nun zuerst der glänzende Sohn des Lykaon:
Feuriger, hochbeherzter, du Sohn des strahlenden Tydeus,
Nicht das herbe Geschoß, das der Bogen schnellte, bezwang dich;
Aber anjetzt mit dem Speere versuch ich es, ob er mir treffe.
Sprach's, und im Schwung entsandt er die weithinschattende Lanze;
Und sie traf auf den Schild des Königes, aber hindurch flog
Stürmend die eherne Spitz' und schmetterte gegen den Panzer.
Jauchzend erhub die Stimme der glänzende Sohn des Lykaon:
Ha, das traf doch hindurch in die Weiche dir! Nimmer, vermut ich,
Wirst du es lang aushalten, und großen Ruhm mir gewährst du! 285
Drauf begann unerschrocken der starke Held Diomedes:
Nicht getroffen, gefehlt! Doch schwerlich werdet ihr, mein ich,

Eher zur Ruh hingehn, bis wenigstens einer entfallend
Ares mit Blute getränkt, den unaufhaltsamen Krieger!
  Sprach's und entsandte den Speer; ihn richtete Pallas Athene 290
Grad am Aug in die Nas, und die weißen Zähn' ihm durchdrang sie;
Hinten zugleich die Zunge zerschnitt das starrende Erz ihm,
Daß die Spitz ihm entfuhr am äußersten Ende des Kinnes.
Und er entsank dem Geschirr, und es rasselten um ihn die Waffen,
Regen Gelenks, weitstrahlend; und seitwärts zuckten die Rosse, 295
Mutig und rasch; ihn aber verließ dort Atem und Stärke.
Aber es stürmt' Äneias mit Schild und ragendem Speer an,
Sorgend, daß ihm wegzögen den toten Freund die Achaier.
Rings umwandelt' er ihn wie ein Löw in trotzender Kühnheit;
Vor ihn streckt' er die Lanz und den Schild von geründeter Wölbung,
Ihn zu erschlagen bereit, wer nur annahte zu jenem,
Mit graunvollem Geschrei. Da ergriff den gewaltigen Feldstein
Tydeus' Sohn, so schwer, daß nicht zween Männer ihn trügen,
Wie nun Sterbliche sind; doch er schwang ihn allein und behende.
Hiermit traf er Äneias das Hüftgelenk, wo des Schenkels 305
Bein in der Hüfte sich dreht, das auch die Pfanne genannt wird;
Und er zermalmt' ihm die Pfann und zerriß ihm beide die Sehnen;
Rings auch entblößte die Haut der zackige Stein, und der Held sank
Vorwärts hin auf das Knie und stemmte die nervichte Rechte
Gegen die Erd; und die Augen umzog die finstere Nacht ihm. 310
  Dort nun wär er gestorben, der Völkerfürst Äneias,
Wenn nicht schnell es bemerkt die Tochter Zeus', Aphrodite,
Die dem Anchises vordem ihn gebar bei der Herde der Rinder.
Diese, den trautesten Sohn mit Lilienarmen umschlingend,
Breitet' ihm vor die Falte des silberhellen Gewandes 315
Gegen der Feinde Geschoß, daß kein Gaultummler Achaias
Jenem die Brust mit Erze durchbohrt' und das Leben entrisse.
Also den trautesten Sohn enttrug sie hinweg aus der Feldschlacht.
  Doch nicht Kapaneus' Sohn war sorglos jenes Vertrages,
Welchen ihm anbefahl der Rufer im Streit Diomedes, 320
Sondern er hemmt' abwärts sein Gespann starkhufiger Rosse
Außer dem Sturm, das Gezäum am Sesselrande befestigt;
Schnell dann Äneias' Rosse, die schöngemähnten, entführt' er
Aus der Troer Gewühl zu den hellumschienten Achaiern;

Gab sie darauf dem Genossen Deipylos, den er vor allen 325
Jugendfreunden geehrt, weil fügsamen Sinnes sein Herz war,
Daß zu den Schiffen hinab er sie führete. Selber der Held dann
Stieg in das eigne Geschirr und ergriff die prangenden Zügel,
Lenkte dann schnell zum Tydeiden die mächtig stampfenden Rosse
Freudigen Mutes. Der folgte mit grausamem Erze der Kypris, 330
Weil er erkannt, sie erschein unkriegerisch, keine der andern
Göttinnen, welche der Sterblichen Schlacht obwaltend durchwandeln,
Weder Athenens Macht noch der Städt' Unholdin Enyo.
Als er nunmehr sie erreicht, durch Schlachtgetümmel verfolgend,
Jetzo die Lanze gestreckt, der Sohn des erhabenen Tydeus, 335
Traf er daher sich schwingend mit eherner Spitze die Hand ihr,
Zart und weich; und sofort in die Haut ihr stürmte die Lanze
Durch die ambrosische Hülle, die ihr Charitinnen gewebet,
Nah am Gelenk in der Fläche; da rann ihr unsterbliches Blut hin,
Klarer Saft, wie den Wunden der seligen Götter entfließet; 340
Denn nicht essen sie Brot, noch trinken sie funkelnden Weines;
Blutlos sind sie daher und heißen unsterbliche Götter.
Laut nun schrie die Göttin und warf zur Erde den Sohn hin.
Aber ihn in den Händen errettete Phöbos Apollon,
Hüllend in dunkles Gewölk, daß kein Gaultummler Achaias 345
Jenem die Brust mit Erze durchbohrt' und das Leben entrisse.
Jetzo erhub die Stimme der Rufer im Streit Diomedes:
Weiche zurück, Zeus' Tochter, aus Männerkampf und Entscheidung!
Nicht genug, daß du Weiber von schwachem Sinne verleitest,
Wo du hinfort in den Krieg dich einmengst? Wahrlich ich meine, 350
Schaudern sollst du vor Krieg, wenn du fern nur nennen ihn hörest!
Jener sprach's; und verwirrt enteilte sie, Qualen erduldend.
Iris nahm und enttrug sie windschnell aus dem Getümmel,
Ach, vom Schmerze betäubt und die schöne Hand so gerötet!
Jetzo fand sie zur Linken der Schlacht den tobenden Ares 355
Sitzend, in Nacht die Lanze gehüllt und die hurtigen Rosse.
Jen' auf die Knie hinfallend vor ihrem teuersten Bruder,
Bat und flehete sehr um die goldgeschirreten Rosse:
Teuerster Bruder, schaffe mich weg und gib mir die Rosse,
Daß zum Olympos ich komm, allwo die Unsterblichen wohnen. 360
Heftig schmerzt mich die Wunde; mich traf ein sterblicher Mann dort,

Tydeus' Sohn, der anjetzt wohl Zeus den Vater bekämpfte.
Jene sprach's, und er gab die goldgeschirreten Rosse.
Und sie trat in den Sessel, ihr Herz voll großer Betrübnis.
Neben sie trat dann Iris und faßt' in den Händen die Zügel; 365
Treibend schwang sie die Geißel, und rasch hinflogen die Rosse.
Bald erreichten sie dann die seligen Höhn des Olympos.
Dort nun hemmte die Rosse die windschnell eilende Iris,
Schirrte sie ab vom Wagen und reicht' ambrosische Nahrung.
Aber mit Wehmut sank in Dionens Schoß Aphrodite: 370
Jene mütterlich hielt die göttliche Tochter umarmend,
Streichelte sie mit der Hand und redete, also beginnend:
Wer mißhandelte dich, mein Töchterchen, unter den Göttern
Sonder Scheu, als hättest du öffentlich Frevel verübet?
Ihr antwortete drauf die holdanlächelnde Kypris: 375
Tydeus' Sohn dort traf mich, der stolze Held Diomedes,
Weil ich den lieben Sohn aus dem Kampf enttrug, den Äneias,
Welcher mir vor allen geliebt ist unter den Menschen.
Nicht ist's mehr der Troer und Danaer schreckliche Feldschlacht,
Sondern es nahn die Achaier sogar Unsterblichen kämpfend! 380
Ihr antwortete drauf die herrliche Göttin Dione:
Dulde, du liebes Kind, und fasse dich, herzlich betrübt zwar!
Viele ja duldeten schon, wir Götter umher des Olympos,
Gram von sterblichen Menschen, indem wir einander gekränket.
Ares ertrug's, als jenen die Riesenbrut des Aloeus, 385
Otos samt Ephialtes, in schmerzenden Banden gefesselt.
Dreizehn lag er der Mond' umschränkt vom ehernen Kerker,
Und er verschmachtete schier, der unersättliche Krieger,
Wenn nicht der Brut Stiefmutter, die reizende Eeriböa,
Solches dem Hermes gesagt; der stahl von dannen den Ares, 390
Kraftlos schon und ermattet, denn hart bezwang ihn die Fessel.
Here auch trug's, als einst Amphitryons mächtiger Sohn ihr
Mit dreischneidigem Pfeil an der rechten Seit in den Busen
Traf; da hätte sie fast unheilbare Schmerzen empfangen.
Selbst auch Aides trug's, der gewaltige Schattenbeherrscher, 395
Als ihn eben der Mann, der Sohn des Ägiserschüttrers,
Unten am Tor der Toten mit schmerzendem Pfeile verwundet.
Aber er stieg zum Hause des Zeus und dem hohen Olympos,

Trauernd das Herz, durchdrungen von wütender Pein; denn geheftet
War in der mächtigen Schulter der Pfeil und quält' ihm die Seele. 400
Doch ihm legt' auf die Wunde Päeon lindernden Balsam,
Und er genas; denn nicht war sterbliches Los ihm beschieden.
Kühner, entsetzlicher Mann, der frech, nicht achtend des Frevels,
Sein Geschoß auf Götter gespannt, des Olympos Bewohner!
Jenen erregte dir Zeus' blauäugige Tochter Athene. 405
Tor! er erwog nicht solches, der Sohn des mutigen Tydeus,
Daß nicht lange besteht, wer wider Unsterbliche kämpfet,
Daß nicht Kinder ihm einst an den Knien: mein Väterchen! stammeln,
Ihm, der gekehrt aus Krieg und schreckenvoller Entscheidung.
Darum hüte sich jetzt, wie tapfer er sei, Diomedes, 410
Daß nicht stärker denn du ein anderer gegen ihn kämpfe;
Daß nicht Ägialeia, die sinnige Tochter Adrastos',
Einst aus dem Schlaf aufschluchzend die Hausgenossen erwecke,
Schwermutsvoll um den Jugendgemahl, den besten Achaier,
Sie, das erhabene Weib von Tydeus' Sohn Diomedes! 415

Sprach's und trocknete jener mit beiden Händen die Wunde;
Heil ward jetzo die Hand, und besänftiget ruhten die Schmerzen.
Aber es schauten daher Athen' und die Herrscherin Here,
Und mit stichelnden Worten erregten sie Zeus Kronion.
Also redete Zeus' blauäugige Tochter Athene: 420

Vater Zeus, ob du solches verargen mir wirst, was ich sage?
Sicher bewog nun Kypris ein schönes achaiisches Weiblein,
Mitzugehn zu den Troern, die jetzt unmäßig sie liebet;
Dort vielleicht am Gewande der holden Achaierin streichelnd,
Hat sie mit goldener Spange die zarte Hand sich geritzet. 425

Lächelnd vernahm's der Vater des Menschengeschlechts und der
Rief sie heran und sprach zur goldenen Aphrodite: [Götter,

Töchterchen, dein Geschäft sind nicht die Werke des Krieges.
Ordne du lieber hinfort anmutige Werke der Hochzeit.
Diese besorgt schon Ares, der Stürmende, und Athenäa. 430

Also redeten jen' im Wechselgespräch miteinander.
Dort auf Äneias stürzte der Rufer im Streit Diomedes,
Wissend zwar, daß selber Apollons Hand ihn bedeckte.
Doch nicht scheut' er den Gott, den gewaltigen, sondern begierig
Strebt' er zu töten den Held und die prangende Rüstung zu rauben.

Dreimal stürzt' er hinan, voll heißer Begier, zu ermorden,
Dreimal erregte mit Macht den leuchtenden Schild ihm Apollon.
Als er das viertemal drauf anstürmete, stark wie ein Dämon,
Rief mit schrecklichem Drohn der treffende Phöbos Apollon:
Hüte dich, Tydeus' Sohn, und weiche mir! Nimmer den Göttern
Wage dich gleich zu achten; denn gar nicht ähnlichen Stammes
Sind unsterbliche Götter und erdumwandelnde Menschen!
Jener sprach's; da entwich mit zauderndem Schritt Diomedes,
Scheuend den furchtbaren Zorn des treffenden Phöbos Apollon.
Doch den Äneias enttrug dem Schlachtgetümmel Apollon, 445
Wo sein Tempel ihm stand auf Pergamos' heiliger Höhe.
Sein dort pflegeten Leto und Artemis, froh des Geschosses,
Drinnen im heiligsten Raum, ihm Kraft und Herrlichkeit schenkend.
Jener schuf ein Gebild, der Gott des silbernen Bogens,
Selbst dem Äneias gleich an Gestalt und jeglicher Rüstung; 450
Und um das Bild die Troer und hochbeherzten Achaier
Haueten wild einander umher an den Busen die Stierhaut
Schöngeründeter Schild' und leichtgeschwungener Tartschen.
Doch zum tobenden Ares begann nun Phöbos Apollon:
Ares, o Ares voll Mord, Bluttriefender, Mauernzertrümmrer! 455
Möchtest du nicht den Mann aus der Schlacht hingehend vertreiben,
Tydeus' Sohn, der anjetzt wohl Zeus, den Vater, bekämpfte?
Kypris traf er zuerst, die Hand am Knöchel verwundend,
Aber darauf mich selber bestürmet' er, stark wie ein Dämon!
Dieses gesagt, ging jener, auf Pergamos' Höhe sich setzend. 460
Aber die Troer durcheilt' und ermunterte Ares, der Wütrich,
Akamas gleich an Gestalt, dem rüstigen Führer der Thraker.
Jetzt des Priamos Söhnen, den gottbeseligten, rief er:
O ihr, Priamos' Söhne, des gottbeseligten Herrschers,
Bis wie lang erlaubt ihr das Morden des Volks den Achaiern? 465
Bis vielleicht um der Stadt schönprangende Tore gekämpft wird?
Liegt doch der Mann, den gleich wir geehrt dem göttlichen Hektor,
Dort Äneias, der Sohn des hochgesinnten Anchises!
Aber wohlan, dem Getümmel entreißt den edlen Genossen!
Jener rief's und erregte den Mut und die Herzen der Männer. 470
Jetzo begann Sarpedon und schalt den göttlichen Hektor:
Hektor, wohin entflohe der Mut dir, den du zuvor trugst?

Schirmen auch ohne Volk und Verbündete wolltest du Troja,
Du allein mit den Schwägern und deinen leiblichen Brüdern;
Keinen davon nun kann ich umherschaun oder erblicken, 475
Sondern geschmiegt sind alle wie scheue Hund' um den Löwen;
Doch wir tragen die Schlacht, die wir als Berufene mitgehn.
Auch ich selbst, ein Bundesgenoß, sehr ferne ja kam ich
Her aus dem Lykierland an Xanthos' wirbelnden Fluten,
Wo ein geliebtes Weib und ein zarter Sohn mir zurückblieb, 480
Auch der Habe so viel, als nur ein Darbender wünschet.
Aber auch so ermahn ich die Lykier, eifere selbst auch,
Meinem Mann zu begegnen, wiewohl nichts solches mir hier ist,
Welches hinweg mir trüg ein Danaer oder entführte.
Doch du stehst da selber, und auch nicht andere treibst du, 485
Auszuharren im Volk und Schutz zu schaffen den Weibern.
Daß nur nicht, wie gefangen im weiteinschließenden Zuggarn,
Ihr feindseligen Männern zu Raub und Beute dahinsinkt,
Welche sie bald austilgten, die Stadt voll prangender Häuser!
Dir ja gebührt's, das alles bei Tag und Nacht zu besorgen, 490
Flehend umher den Fürsten der fernberufenen Helfer,
Rastlos hier zu bestehn und nicht zu drohen mit Vorwurf!
  Also sprach Sarpedon, das Herz verwundend dem Hektor.
Schnell vom Wagen herab mit den Rüstungen sprang er zur Erde.
Schwenkend die spitzigen Lanzen, durchwandelt' er alle Geschwader,
Rings ermahnend zum Kampf, und erweckte die tobende Feldschlacht.
Jene nun wandten die Stirn und begegneten kühn den Achaiern;
Argos' Volk dort harrte, gedrängt in Scharen und furchtlos.
Doch wie der Wind hinträget die Spreu durch heilige Tennen
Unter der Wurfeler Schwung, wann die gelbgelockte Demeter 500
Sondert die Frucht und die Spreu im Hauch andrängender Winde
(Fern dann häuft das weiße Gestöber sich): also umzog nun
Weiß von oben der Staub die Danaer, den durch die Heerschar
Hoch zum ehernen Himmel emporgeschlagen die Rosse,
Wieder zum Kampf anrennend, da rings umwandten die Lenker. 505
Rasch mit der Hände Gewalt vorstrebten sie. Aber in Nacht nun
Hüllte der tobende Ares die Schlacht, zum Schirme den Troern,
Wandelnd um jegliche Schar, und richtete aus die Ermahnung,
Was ihn Phöbos Apollon mit goldenem Schwerte geheißen,

Trojas Volke den Mut zu erhöhn, als Pallas Athene 510
Scheiden er sah, die dort als Helferin ging den Achaiern.
Jener entsandt' Äneias nunmehr aus des prangenden Tempels
Heiligtum und erfüllte mit Kraft den Hirten der Völker.
Plötzlich trat zu den Seinen der Herrliche; aber mit Freude
Schaueten sie, daß lebend und unverletzt er daherging 515
Und voll tapferen Mutes; allein ihn fragete keiner;
Denn es verbot das Geschäft, das sonst Apollon erregte,
Ares der Würger zugleich und die rastlos lechzende Eris.
Aber die Ajas beid und Odysseus samt Diomedes
Trieben daher zum Kampfe die Danaer, welche von selbst auch 520
Weder dem Drang der Troer erzitterten, weder dem Feldruf;
Sondern sie harreten fest, dem Gewölk gleich, welches Kronion
Stellt' in ruhiger Luft auf hochgescheitelten Bergen,
Unbewegt, weil schlummert des Boreas Wut und der andern
Vollandrängenden Winde, die bald die schattigen Wolken 525
Mit lautbrausendem Hauche zerstreut auseinander dahinwehn:
Also standen dem Feind die Danaer ruhig und furchtlos.
Atreus' Sohn durcheilte die Heerschar, vieles ermahnend:
Seid nun Männer, o Freund', und erhebt euch tapferen Herzens!
Ehret euch selbst einander im Ungestüme der Feldschlacht! 530
Denn wo sich ehrt ein Volk, stehn mehrere Männer denn fallen.
Doch den Fliehenden wird nicht Ruhm gewährt noch Errettung!
Rief's und entsandte den Speer mit Gewalt; und im vorderen Treffen
Streckt' er Deikoon hin, den Freund des edlen Äneias,
Pergasos' Sohn, den hoch wie Priamos' Söhne die Troer 535
Ehrten; denn rasch war jener, im Vorderkampfe zu kämpfen.
Diesem traf mit der Lanze den Schild Agamemnon der Herrscher,
Und nicht hemmete jener den Speer; durchstürmte das Erz ihm
Unten hinein in den Bauch, den künstlichen Gurt ihm durchbohrend.
Dumpf hinkracht' er im Fall, und es rasselten um ihn die Waffen. 540
Jetzo entrafft' Äneias der Danaer tapferste Männer,
Krethon samt dem Bruder Orsilochos, Söhne Diokles'.
Aber der Vater wohnt' in der schöngebaueten Fähre,
Reich an Lebensgut, und erwuchs vom Geschlecht des Alpheios,
Welcher den breiten Strom hinrollt durch der Pylier Äcker, 545
Der den Orsilochos zeugt', ein großes Volk zu beherrschen;

Aber Orsilochos zeugte den hochgesinnten Diokles,
Und dem Diokles wurden die Zwillingssöhne geboren,
Krethon und Orsilochos beid, allkundig des Streites.
Beid als Jünglinge nun in dunkelen Schiffen des Meeres 550
Folgeten Argos' Heere zum Kampf mit den Reisigen Trojas,
Ruhm für Atreus' Söhn' Agamemnon und Menelaos
Suchend im Streit; nun hüllte sie dort des Todes Verhängnis.
Wie zween freudige Löwen zugleich auf ragenden Berghöhn
Wuchsen, genährt von der Mutter, in dunkeler Tiefe des Waldes 555
(Jetzo Rinder umher und gemästete Schafe sich raubend,
Weit der Männer Gehege verwüsten sie; bis sie nun selber
Fallen durch Menschenhand, von spitzigem Erze getötet):
So voll Kraft, von Äneias' gewaltigen Händen besieget,
Sanken die zween, gleich Tannen mit hochaufsteigenden Wipfeln. 560
Ihren Fall betraurte der Rufer im Streit Menelaos.
Rasch durch das Vordergewühl, mit strahlendem Erze gewappnet,
Nahet' er, schwenkend den Speer; und das Herz ermuntert' ihm Ares,
Weil er hofft', ihn gestreckt von Äneias' Händen zu schauen.
Als ihn Antilochos sahe, der Sohn des erhabenen Nestor, 565
Eilt' er durchs Vordergewühl; denn er sorgt' um den Hirten der Völker,
Daß er blieb' und dem Volke vereitelte alle die Arbeit.
Beide schon die Arm' und die erzgerüsteten Lanzen
Hielten sie gegeneinander gewandt, in Begierde des Kampfes.
Aber Antilochos trat dem Völkerhirten zur Seite, 570
Und nicht harrt' Äneias, obgleich ein rüstiger Kämpfer,
Als er sah zween Männer voll Muts miteinander beharrend.
Jene, nachdem sie die Toten zum Volk der Achaier gezogen,
Ließen dort die Armen gelegt in die Hände der Freunde;
Doch sie selber gewandt, arbeiteten wieder im Vorkampf. 575
Ihnen sank Pylämenes nun, dem Ares vergleichbar,
Fürst der Paphlagonen, der schildgewappneten Streiter,
Welchen des Atreus Sohn, der streitbare Held Menelaos,
Stach, wie er stand, mit der Lanz am Schlüsselbein ihn durchbohrend.
Aber Antilochos warf den zügellenkenden Diener 580
Mydon, Atymnios' Sohn, da er wandte die stampfenden Rosse,
Grad an des Armes Gelenk mit dem Feldstein, daß ihm die Zügel,
Schimmernd von Elfenbein, in den Staub des Gefildes entsanken;

Doch Antilochos naht' und hieb ihm das Schwert in die Schläfe.
Und er entsank aufröchelnd dem schöngebildeten Sessel 585
Häuptlings hinab in den Staub, auf Scheitel gestellt und Schultern.
Also stand er lange, vom lockeren Sande gehalten,
Bis anstoßend die Ross' in den Staub hinwarfen den Leichnam;
Denn sie trieb mit der Geißel Antilochos zu den Achaiern.

Jetzt wie sie Hektor ersah durch die Ordnungen, stürmt' er auf jene
Her mit Geschrei; ihm folgten zugleich Heerscharen der Troer,
Tapfere. Dort ging Ares voran und die grause Enyo,
Diese Getös herbringend und unermeßlichen Aufruhr;
Ares dort, in den Händen die schreckliche Lanze bewegend,
Wandelte bald vor Hektor einher, bald folget' er jenem. 595
Ihn erblickt' aufschauend der Rufer im Streit Diomedes.
So wie ein Mann, unkundig der Fremdlinge Fluren durchwandernd,
Steht am Rand des reißenden Stroms, der ins Meer sich ergießet,
Starr voll Schaum hinbrausen ihn sieht und in Eile zurückkehrt:
Also entriß der Tydeid' in Eile sich, sprach dann zum Volke: 600

Freunde, wie sehr erstaunen wir doch dem göttlichen Hektor,
Ihm als Lanzenschwinger und unerschrockenen Krieger?
Geht bei ihm doch immer ein Gott und wehrt dem Verderben!
Jetzt auch naht' ihm Ares, der dort wie ein Sterblicher wandelt!
Auf denn, gegen die Troer zurückgewendet das Antlitz, 605
Weichen wir, nicht verlangend den Kampf mit unsterblichen Göttern!

Jener sprach's, und die Troer in Schlachtreihn wandelten näher.
Aber Hektor erschlug zween streiterfahrene Männer,
Beid auf einem Geschirr, Anchialos und Menesthes.
Ihren Fall betrauerte der Telamonier Ajas. 610
Näher trat er hinan und schwang die eherne Lanze;
Selagos' Sohn dort traf er, Amphios, welcher in Päsos
Wohnete, güterreich und feldreich; doch das Verhängnis
Führt' ihn, Helfer zu sein, dem Priamos her und den Söhnen.
Diesen traf am Gurte der Telamonier Ajas, 615
Daß ihm tief in den Bauch eindrang die ragende Lanze;
Dumpf hinkracht' er im Fall. Da naht' ihm der leuchtende Ajas,
Rasch die Wehr zu entziehn; doch es schütteten Speere die Troer,
Blinkend und scharfgespitzt, und den Schild umstarreten viele.
Jetzo den Fuß anstemmend, die eherne Lanz aus dem Leichnam 620

Zog er heraus, doch nicht vermocht er die prangende Rüstung
Auch von der Schulter zu nehmen; denn dicht umstürmten Geschoss' [ihn.
Furcht nun gebot der mächtige Kreis hochherziger Troer,
Welche viel und tapfer ihm droheten, Speere bewegend;
Welche, wie groß der Held, wie gewaltig er war und wie ruhmvoll,
Dennoch zurück ihn drängten; er wich voll jäher Bestürzung.
So arbeiteten jen' im Ungestüme der Feldschlacht.
Aber den Herakleiden Tlepolemos, groß und gewaltig,
Trieb auf Sarpedon daher, den göttlichen, böses Verhängnis.
Als sie nunmehr sich genahet, die Eilenden gegeneinander, 630
Sohn zugleich und Enkel des schwarzumwölkten Kronion,
Jetzo hub Tlepolemos an und redete also:
Herrscher des Lykiervolks Sarpedon, rede, was zwang dich,
Hier in Angst zu vergehn, ein Mann unkundig des Streites?
Unwahr preisen sie dich ein Geschlecht des Ägiserschüttrers 635
Zeus; denn sehr gebricht dir die Heldentugend der Männer,
Welche von Zeus abstammten in vorigen Menschengeschlechtern!
Welch ein anderer war die hohe Kraft Herakles',
Wie man erzählt, mein Vater, der trotzende, löwenbeherzte,
Welcher auch hieher kam, Laomedons Rosse zu fordern, 640
Von sechs Schiffen allein und wenigem Volke begleitet,
Aber die Stadt verödet und leer die Gassen zurückließ!
Du bist feig im Herzen und führst hinsterbende Völker;
Und nicht wirst du den Troern, so scheinet es, Hilfe gewähren,
Kommend aus Lykiens Flur, auch nicht, wenn du tapferer wärest, 645
Sondern von mir bezwungen zu Aides' Pforten hinabgehn!
Drauf begann Sarpedon, der Lykier Fürst, ihm erwidernd:
Zwar, Tlepolemos, jener verwüstete Ilios' Feste,
Um des erhabenen Helden Laomedons freyelnde Torheit,
Weil er für Wohltat ihn mit heftiger Rede bedrohend, 650
Nicht die Rosse verliehn, weshalb er ferne gekommen.
Doch dir meld ich allhier den Tod und das schwarze Verhängnis,
Durch mich selbst dir bestimmt; von meiner Lanze gebändigt,
Gibst du mir Ruhm und die Seele dem Sporner der Gäul' Aidoneus.
Also sprach Sarpedon, und hoch mit eschenem Wurfspieß 655
Drohte Tlepolemos her, und zugleich entstürmeten beider
Lange Geschosse der Hand. Es traf dem Gegner Sarpedon

Grad in den Hals, daß hinten die Spitz ihm schrecklich hervordrang;
Schnell umhüllt' ihm die Augen ein mitternächtliches Dunkel.
Aber Tlepolemos traf den linken Schenkel Sarpedons 660
Mit dem gewaltigen Speer, und hindurch flog strebend die Spitze,
Bis an den Knochen gedrängt, nur den Tod noch hemmte der Vater.
Jetzo den göttlichen Held Sarpedon führeten hebend
Edle Freund' aus dem Kampf, doch die ragende Lanze beschwert' ihn,
Nachgeschleift; denn keiner bemerkte sie oder besann sich, 665
Daß er dem Schenkel entzöge den Wurfspieß, leichter zu wandeln,
Unter der Hast; so in Eil arbeiteten seine Besorger.
Auch Tlepolemos trugen die hellumschienten Achaier
Schnell aus dem Kampfe zurück. Dies sah der edle Odysseus,
Voll ausdauernder Kraft, und bewegt ward innig das Herz ihm. 670
Und er erwog hinfort in des Herzens Geist und Empfindung,
Ob er zuvor Zeus' Sohn, des donnerfrohen, verfolgte
Oder mehreren dort der Lykier raubte das Leben.
Aber Odysseus nicht, dem Erhabenen, gönnte das Schicksal,
Zeus' gewaltigen Sohn mit scharfem Erz zu erlegen; 675
Drum in das Volk der Lykier trieb den Mut ihm Athene.
Dort den Köranos rafft' er, den Chromios und den Alastor,
Halios auch und Alkandros und Prytanis, auch den Noemon.
Und noch mehr der Lykier schlug der edle Odysseus,
Wenn nicht schnell ihn bemerkt' der helmumflatterte Hektor. 680
Rasch durch das Vordergewühl, mit strahlendem Erze gewappnet,
Kam er, ein Graun der Achaier; doch froh des nahenden Freundes
Ward Zeus' Sohn Sarpedon und sprach mit trauriger Stimme:
Laß nicht, Priamos' Sohn, mich nun zum Raub den Achaiern
Liegen, verteidige mich! Dann mög auch fliehen mein Leben 685
Dort in euerer Stadt, dieweil ja nicht mir verhängt ward,
Heimgekehrt in mein Haus, zum lieben Lande der Väter,
Einst mein liebendes Weib und den zarten Sohn zu erfreuen!
Jener sprach's, ihm erwiderte nichts der gewaltige Hektor,
Sondern er stürmte vorbei, voll heißer Begier, wie er eilig 690
Wegdrängt' Argos' Volk und vielen noch raubte das Leben.
Aber den göttlichen Held Sarpedon legten die Freunde
Unter des ägiserschütternden Zeus weitprangende Buche.
Dort nun zog ihm hervor den eschenen Speer aus dem Schenkel

Pelagon, tapfer und stark, der ihm ein trauter Genoß war. 695
Und ihn verließ sein Geist, und Nacht umzog ihm die Augen.
Doch nun atmet' er auf, und kühlende Hauche des Nordwinds
Wehten umher Erfrischung dem matt arbeitenden Leben.
 Argos' Volk, von Ares gedrängt und dem strahlenden Hektor,
Wandte sich weder hinab zu den dunkelen Schiffen des Meeres, 700
Noch auch strebt' es entgegen den Streitenden, sondern allmählich
Wichen sie, als sie vernahmen im Heer der Troer den Ares.
 Welchen entblößte zuerst und welchen zuletzt des Geschmeides
Hektor zugleich, des Priamos Sohn, und der eherne Ares?
Teuthras, den göttlichen Held, und den Rossetummler Orestes, 705
Drauf den Önomaos auch und Ätoliens Kämpfer, den Trechos,
Helenos, Önops' Sohn, und Oresbios, rüstig im Leibgurt,
Der einst Hyle bewohnt, des Reichtums sorgsamer Hüter,
Wo am See Kephissis er bauete, und ihm benachbart
Viel der böotischen Männer, der Segensflur sich erfreuend. 710
 Aber nunmehr bemerkte die lilienarmige Here
Argos' Volk hinsinkend in schreckenvoller Entscheidung,
Wandte sich schnell zur Athen' und sprach die geflügelten Worte:
 Weh mir, des ägiserschütternden Zeus unbezwungene Tochter!
Traun, ein eitles Wort verhießen wir einst Menelaos, 715
Heimzugehn ein Vertilger der festummauerten Troja,
Wenn wir so zu wüten dem tobenden Ares vergönnen!
Aber wohlan, auch selber gedenken wir stürmenden Mutes!
 Sprach's, und willig gehorcht' ihr Zeus' blauäugige Tochter.
Jene nun eilt' anschirrend die goldgezügelten Rosse, 720
Here, die heilige Göttin, erzeugt vom gewaltigen Kronos.
Hebe fügt' um den Wagen alsbald die geründeten Räder,
Eherne, mit acht Speichen, umher an die eiserne Achse.
Gold ist ihnen der Kranz, unalterndes; aber umher sind
Eherne Schienen gelegt, anpassende, Wunder dem Anblick. 725
Silbern glänzen die Naben in schönumlaufender Ründung.
Dann in goldenen Riemen und silbernen schwebet der Sessel
Ausgespannt und umringt mit zween umlaufenden Rändern.
Vornhin streckt aus Silber die Deichsel sich, aber am Ende
Band sie das goldene Joch, das prangende, dem sie die Seile, 730
Schön und golden, umschlang. In das Joch nun fügete Here

Ihr schnellfüßig Gespann und brannte nach Streit und Getümmel.
Aber Pallas Athene, des Ägiserschütterers Tochter,
Ließ hingleiten das feine Gewand im Palaste des Vaters,
Buntgewirkt, das sie selber mit künstlicher Hand sich bereitet. 735
Drauf in den Panzer gehüllt des schwarzumwölkten Kronions,
Nahm sie das Waffengeschmeide zur tränenbringenden Feldschlacht.
Siehe, sie warf um die Schulter die Ägis, prangend mit Quästen,
Fürchterlich, rund umher mit drohendem Schrecken umkränzet.
Drauf ist Streit, drauf Stärke und drauf die starre Verfolgung, 740
Drauf das gorgonische Haupt, des entsetzlichen Ungeheuers,
Schreckenvoll und entsetzlich, das Graun des donnernden Vaters!
Auch umschloß sie das Haupt mit des Helms viergipflichter Kuppel,
Golden und groß, die Streiter aus hundert Städten zu decken.
Jetzt in den flammenden Wagen erhub sie sich, nahm dann die Lanze,
Schwer und groß und gediegen, womit sie die Scharen der Helden
Bändiget, welchen sie zürnt, die Tochter des schrecklichen Vaters.
Here beflügelte dann mit geschwungener Geißel die Rosse,
Und aufkrachte von selbst des Himmels Tor, das die Horen
Hüteten, welchen der Himmel vertraut ward und der Olympos, 750
Daß sie die hüllende Wolk itzt öffneten, jetzo verschlössen.
Dort nun lenkten sie durch die leichtgesporneten Rosse.
Jetzo fanden sie Zeus, der entfernt von anderen Göttern
Saß auf dem obersten Gipfel des vielgezackten Olympos.
Dort nun hemmt' ihr Gespann die lilienarmige Here, 755
Und den erhabenen Zeus befragte sie, also beginnend:
Zürnst du nicht, Vater Zeus, den gewaltigen Taten des Ares,
Wie er verderbt ein so großes und herrliches Volk der Achaier,
Frech, nicht der Ordnung gemäß? Mich schmerzet es! Aber in Ruhe
Freuen sich Kypris zugleich und der Gott des silbernen Bogens, 760
Welche den Wüterich reizten, der keine Gerechtigkeit kennet!
Vater Zeus, ob du des mir ereifertest, wenn ich den Ares [scheuchte?
Schlagend mit traurigem Schlag hinweg aus dem Kampfe ver-
Ihr antwortete drauf der Herrscher im Donnergewölk Zeus:
Frisch nur, gereizt auf jenen die Siegerin Pallas Athene, 765
Die am meisten ihn pflegt in bitteren Schmerz zu versenken!
Jener sprach's, ihm gehorchte die lilienarmige Here.
Treibend schwang sie die Geißel, und rasch hinflogen die Rosse

Zwischen der Erd einher und dem sternumleuchteten Himmel.
Weit wie die dunkelnde Fern ein Mann durchspäht mit den Augen, 770
Sitzend auf hoher Wart, in das finstere Meer hinschauend:
So weit heben im Sprung sich der Göttinnen schallende Rosse.
Aber nachdem sie Troja erreicht und die doppelte Strömung,
Wo des Simois Flut sich vereiniget und des Skamandros,
Jetzo hemmt' ihr Gespann die lilienarmige Here, 775
Abgelöst vom Wagen, und breitete dichtes Gewölk aus;
Aber Ambrosia sproß der Simois jenen zur Weide.
Sie nun eilten dahin gleich schüchternen Tauben am Gange,
Beid entbrannt, zu helfen den Männerscharen von Argos.
Als sie nunmehr hinkamen, allwo die meisten und stärksten 780
Standen um Tydeus' Sohn, den gewaltigen Rossebezähmer,
Dichtgedrängt, blutgierig wie raubverschlingende Löwen
Oder wie Eber des Waldes von nicht unkriegrischer Stärke,
Jetzo stand sie und rief nun, die lilienarmige Here,
Stentorn gleich, dem Starken, an Brust und eherner Stimme, 785
Dessen Ruf laut tönte wie fünfzig anderer Männer:
Schande doch, Argos' Volk, ihr Verworfenen, trefflich an Bildung!
Weil noch mit in die Schlacht einging der edle Achilleus,
Wageten nie die Troer aus Dardanos' schirmenden Toren
Vorzugehn; denn sie scheuten Achilleus' mächtige Lanze! 790
Nun ist ferne der Stadt bei den räumigen Schiffen ihr Schlachtfeld!
Jene rief's und erregte den Mut und die Herzen der Männer.
Aber zu Tydeus' Sohn enteilete Pallas Athene,
Und sie fand den Herrscher am rossebespanneten Wagen,
Wie er die Wund abkühlte, die Pandaros' Pfeil ihm gebohret. 795
Denn ihn quälte der Schweiß und der Druck des breiten Gehenkes
An dem geründeten Schild, und kraftlos starrte die Hand ihm.
Jetzo hob er den Riemen und wischte sich dunkeles Blut ab.
Aber das Joch der Rosse berührt' und sagte die Göttin:
Wenig gleicht dem Erzeuger der Sohn des mutigen Tydeus! 800
Tydeus dort war klein von Gestalt nur, aber ein Krieger!
Selbst einmal, da ich jenem den Kampf nicht wollte verstatten
Noch ausschweifenden Trotz, da er einging fern von Achaiern,
Abgesandt in Thebe, zu häufigen Kadmeionen
(Ruhig hieß ich ihn sitzen am Feiermahl im Palaste): 805

Dennoch zeigt' er den Mut voll Ungestüms, wie beständig,
Rief die Kadmeier zu Kämpfen hervor, und in jeglichem siegt' er
Sonder Müh. So mächtig als Helferin naht' ich ihm selber.
Zwar auch deiner walt ich mit Hilf und schirmender Obhut,
Und zu freudigem Kampf ermahn ich dich wider die Troer; 810
Doch dir starren vielleicht von stürmischer Arbeit die Glieder,
Oder dich lähmt auch Furcht, die entseelende! Nimmer in Zukunft
Scheinst du von Tydeus erzeugt, dem feurigen Sohne des Öneus!
Ihr antwortete drauf der starke Held Diomedes:
Wohl erkenn ich dich, Göttin, des Ägiserschütterers Tochter, 815
Drum verkünd ich dir frei und unverhohlen die Wahrheit.
Weder lähmt mich die Furcht, die entseelende, weder die Trägheit,
Sondern annoch gedenk ich, o Herrscherin, deines Gebotes:
Niemals seligen Göttern im Kampf entgegenzuwandeln,
Allen sonst; doch käme die Tochter Zeus', Aphrodite, 820
Her in den Streit, die möcht ich mit spitzigem Erze verwunden.
Darum weich anjetzo ich selber zurück und ermahn auch
Andre von Argos' Volk, sich hieher alle zu sammeln;
Denn ich erkenne den Ares, der dort das Treffen durchwaltet.
Drauf antwortete Zeus' blauäugige Tochter Athene: 825
Tydeus' Sohn, Diomedes, du meiner Seele Geliebter,
Fürchte du weder den Ares hinfort noch einen der andern
Götter umher, so mächtig als Helferin nah ich dir selber!
Mutig zuerst auf Ares gelenkt die stampfenden Rosse!
Dann verwund in der Näh und scheu nicht Ares, den Wütrich, 830
Jenen Rasenden dort, den verderbenden Andrenumandren!
Ihn, der neulich mir selbst und zugleich der Here gelobte,
Trojas Volk zu bekämpfen und beizustehn den Argeiern,
Aber anjetzt die Troer verteidiget, jener vergessend!
Jene sprach's, und sofort den Sthenelos trieb sie vom Wagen, 835
Ihn mit der Hand abreißend; und nicht unwillig entsprang er.
Doch sie trat in den Sessel zum edlen Held Diomedes,
Heiß in Begierde des Kampfs; laut stöhnte die buchene Achse,
Lastvoll, tragend den tapfersten Mann und die schreckliche Göttin.
Geißel sofort und Zügel ergriff nun Pallas Athene, 840
Eilt' und lenkt' auf Ares zuerst die stampfenden Rosse.
Jener entwaffnete dort der Ätolier tapfersten Krieger,

Periphas, groß und gewaltig, Ochesions' edlen Erzeugten;
Diesen entwaffnete Ares, der Blutige. Aber Athene
Barg sich in Aides Helm, damit nicht Ares sie sähe. 845
Als nun der mordende Ares ersah Diomedes den Edlen,
Ließ er Periphas schnell, den Gewaltigen, dort in dem Staube
Liegen, allwo er zuerst des Erschlagenen Seele geraubet,
Eilte dann grade daher auf den reisigen Held Diomedes.
Als sie nunmehr sich genaht, die Eilenden, gegeneinander, 850
Vor dann streckte der Gott sich über das Joch und die Zügel
Mit erzblinkender Lanz, in Begier, ihm die Seele zu rauben.
Doch mit der Hand sie ergreifend, die Herrscherin Pallas Athene
Stieß sie hinweg vom Sessel, daß nichtigen Schwungs sie vorbeiflog.
Jetzo erhub sich auch jener, der Rufer im Streit Diomedes, 855
Mit erzblinkender Lanz, und es drängte sie Pallas Athene
Gegen die Weiche des Bauchs, wo die eherne Binde sich anschloß;
Dorthin traf und zerriß ihm die schöne Haut Diomedes,
Zog dann die Lanze zurück. Da brüllte der eherne Ares,
Wie wenn zugleich neuntausend daherschrien, ja zehntausend 860
Rüstige Männer im Streit, zu schrecklichem Kampf sich begegnend.
Rings nun erbebte das Volk der Troer umher und Achaier,
Voll von Angst; so brüllte der rastlos wütende Ares.
Jetzo, wie hoch aus Wolken umnachtetes Dunkel erscheinet,
Wenn nach drückender Schwül ein Donnersturm sich erhebet, 865
Also dem Held Diomedes erschien der eherne Ares.
Als er in Wolken gehüllt auffuhr zum erhabenen Himmel.
Eilenden Schwungs erreicht' er die seligen Höhn des Olympos.
Dort nun saß er bei Zeus dem Donnerer, traurigen Herzens,
Zeigte das göttliche Blut, das niedertroff aus der Wunde; 870
Und er begann wehklagend und sprach die geflügelten Worte:
Zürnst du nicht, Vater Zeus, die gewaltigen Taten erblickend?
Stets hoch haben wir Götter die bitterste Qual zu erdulden,
Einer vom Rat des andern und Gunst den Menschen gewährend!
Doch dir streiten wir alle, denn dein ist die rasende Tochter, 875
Die, zu verderben entbrannt, nur frevle Taten ersinnet!
Alle die anderen Götter, so viel den Olympos bewohnen,
Folgen dir untertan und huldigen deinem Gebote,
Jene nur, weder mit Worten bezähmst du sie, weder mit Taten,

Sondern vergönnst, weil selbst die verderbende Tochter du zeugtest,
Welche nun den Tydeiden, den stolzen Held Diomedes,
Reizte, daherzuwüten auf uns unsterbliche Götter!
Kypris traf er zuerst, die Hand am Knöchel verwundend,
Aber darauf mich selber bestürmet' er, stark wie ein Dämon!
Nur mit eilenden Füßen entrann ich ihm. Lange vielleicht noch 885
Räng ich dort mit Qualen im gräßlichen Leichengewimmel,
Oder ich lebt ein Krüppel, entstellt von des Erzes Verwundung!
  Finster schaut' und begann der Herrscher im Donnergewölk Zeus:
Hüte dich, Andrerumandrer, mir hier zur Seite zu winseln!
Ganz verhaßt mir bist du vor allen olympischen Göttern! 890
Stets doch hast du den Zank nur geliebt und die Kämpf und die Schlach-
Gleich der Mutter an Trotz und unerträglichem Starrsinn, [ten,
Heren, welche mir kaum durch Worte gebändiget nachgibt!
Auch ihr Rat, wie ich mein, hat dieses Weh dir bereitet;
Aber ich kann nicht länger es ansehn, daß du dich quälest. 895
Bist du doch meines Geschlechts und mir gebar dich die Mutter.
Hätt ein anderer Gott dich erzeugt, heilloser Verderber,
Traun, du lägest vorlängst tief unter den Uranionen.
  Also Zeus, und gebot dem Päeon, jenen zu heilen.
Ihm nun legt' auf die Wunde Päeon lindernden Balsam, 900
Und er genas; denn nicht war sterbliches Los ihm beschieden.
Schnell wie die weiße Milch von Feigenlabe gerinnet,
Flüssig zuvor, wann in Eil umher sie dreht der Vermischer:
Also schloß sich die Wunde sofort dem tobenden Ares.
Jetzo badet' ihn Hebe und hüllt' ihm schöne Gewand um, 905
Und er saß bei Kronion dem Donnerer, freudigen Trotzes.
  Heim nun kehreten jen' in Zeus des Allmächtigen Wohnung,
Here von Argos zugleich und Athen' Alalkomenens Göttin,
Als sie gehemmt den Verderber, den männermordenden Ares.

VI. GESANG

Die Achaier im Vorteil. Hektor eilt in die Stadt, damit seine Mutter Hekabe zur Athene flehe. Glaukos und Diomedes erkennen sich als Gastfreunde. Hekabe mit den edlen Troerinnen fleht. Hektor ruft den Paris zur Schlacht zurück. Er sucht seine Andromache zu Hause und findet sie auf dem skäischen Tore. Er kehrt mit Paris in die Schlacht.

Einsam war der Troer und Danaer schreckliche Feldschlacht.
Viel nun hierhin und dort durchtobte der Kampf das Gefilde,
Ungestüm aufeinander gewandt erzblinkende Lanzen,
Innerhalb des Simois her und des strömenden Xanthos.
Ajas der Telamonide zuerst, Schutzwehr der Achaier, 5
Brach die Schar der Troer und schaffte Licht den Genossen,
Treffend den Mann, der der beste des thrakischen Volkes einherging,
Ihn, des Eusoros Sohn, den Akamas, groß und gewaltig.
Diesem traf er zuerst den umflatterten Kegel des Helmes,
Daß er die Stirne durchbohrt'; hineindrang tief in den Schädel 10
Jenem die eherne Spitz, und Nacht umhüllt' ihm die Augen.
Drauf den Axylos erschlug der Rufer im Streit Diomedes,
Teuthrans Sohn; er wohnt' in der schöngebauten Arisbe,
Reich an Lebensgut; auch war er geliebt von den Menschen,
Weil er alle mit Lieb herbergete, wohnend am Heerweg. 15
Doch nicht einer davon entfernt' ihm das grause Verderben,
Vor ihn selbst hintretend; es tötete beide der Krieger,
Ihn und den Kampfgenossen Kalesios, der des Gespannes
Lenker ihm war, und zugleich versanken sie unter die Erde.
Aber Euryalos nahm des Opheltios Waffen und Dresos'; 20
Drauf den Äsepos ereilt' er und Pedasos, die mit der Nais
Abarbarea einst der edle Bukolion zeugte;
Aber Bukolion war Laomedons Sohn, des Erhabnen,
Seines Geschlechts der erste; doch heimlich gebar ihn die Mutter.
Hütend vordem der Schafe, gewann er Lieb und Umarmung, 25
Und befruchtet gebar ihm Zwillingssöhne die Nymphe.
Beiden löste nunmehr die Kraft und die strebenden Glieder
Er, der Mekisteiad, und entzog den Schultern die Rüstung.
Auch den Astyalos schlug der streitbare Held Polypötes,
Und den Pedytes bezwang, den Perkosier, stürmend Odysseus 30
Mit erzblinkender Lanz und Teukros den Held Aretaon.

Nestors mutiger Sohn Antilochos warf den Ableros
Hin und den Elatos hin der Völkerfürst Agamemnon;
Dieser bewohnt' an des Stroms Satniois grünenden Ufern
Pedasos' luftige Stadt; den Phylakos traf, da er hinfloh, 35
Leitos, und Eurypylos nahm des Melanthios Rüstung.
Doch den Adrastos erhaschte der Rufer im Streit Menelaos
Lebend anjetzt, denn die Rosse durchsprengten ihm scheu das Gefilde;
Aber die Füß' im Zweige der Tamariske verwickelnd,
Brachen sie vorn die Deichsel des krummen Geschirrs und enteilten 40
Selber zur Stadt, wo noch andre verwilderte Rosse hinaufflohn.
Jener entsank dem Sessel und taumelte neben dem Rade
Vorwärts hin in den Staub auf das Antlitz. Siehe, da naht' ihm
Atreus' Sohn Menelaos mit weithinschattender Lanze.
Aber Adrastos umschlang ihm die Knie und jammerte flehend: 45
Fahe mich, Atreus' Sohn, und nimm dir würdige Lösung.
Viel der Kleinode hegt der begüterte Vater im Hause,
Erz und Goldes genug und schöngeschmiedetes Eisen.
Hievon reicht mein Vater dir gern unermeßliche Lösung,
Wenn er mich noch lebend vernimmt bei den Schiffen Achaias. 50
Jener sprach's, und diesem das Herz im Busen bewegt' er.
Und schon war er bereit, ihn dem Kampfgenossen zu geben,
Der zu den hurtigen Schiffen ihn führete. Doch Agamemnon
Eilete laufend heran, und laut ihn scheltend begann er:
Trautester, o Menelaos, warum doch sorgest du also 55
Jener? Ja, herrliche Taten geschahn dir daheim von den Männern
Trojas! Keiner davon entfliehe nun grausem Verderben,
Keiner nun unserem Arm! Auch nicht im Schoße das Knäblein,
Welches die Schwangere trägt, auch das nicht! Alles zugleich nun
Sterbe, was Ilios nährt, hinweggerafft und vernichtet! 60
Also sprach und wandte des Bruders Herz Agamemnon,
Denn sein Wort war gerecht, und er stieß den edlen Adrastos
Weg mit der Hand. Da bohrt' ihm der Völkerfürst Agamemnon
Seine Lanz in den Bauch, und er kehrte sich. Atreus' Sohn dann
Stemmte die Fers auf die Brust und zog den eschenen Speer aus. 65
Nestor anjetzt ermahnte mit lautem Ruf die Argeier:
Freund', ihr Helden des Danaerstamms, o Genossen des Ares,
Daß nun keiner, zu Raub und zu Beute gewandt, mir dahinten

Zaudere, um das meiste hinab zu den Schiffen zu tragen!
Laßt uns töten die Männer! Nachher auch könnt ihr geruhig 70
Leichnamen durch das Gefild ausziehn ihr Waffengeschmeide.
Jener sprach's und erregte den Mut und die Herzen der Männer.
Bald nun wären die Troer vor Argos' kriegerischen Söhnen
Ilios zugeflohn, durch Ohnmacht alle gebändigt,
Aber schnell zu Äneias und Hektor redete nahend 75
Helenos, Priamos' Sohn, der kundigste Vogeldeuter:
Hektor du und Äneias, denn euch belastet die meiste
Kriegsarbeit der Troer und Lykier, weil ihr die Besten
Seid zu jeglichem Zweck, mit Kraft gerüstet und Weisheit:
Steht allhier und hemmet das Volk zurück vor den Toren, 80
Rings das Gedräng umwandelnd, bevor in die Arme der Weiber
Fliehend sich jene gestürzt, dem höhnenden Feinde zum Jubel!
Aber nachdem ihr umher die Ordnungen wieder ermuntert,
Wollen wir selbst, hier bleibend, der Danaer Scharen bekämpfen,
Hart bedrängt wie wir sind; denn Not gebietet ja solches. 85
Hektor, du geh indessen gen Ilios, sage dann eilend
Unserer Mutter es an. Sie, edlere Weiber versammelnd
Hoch auf die Burg, zum Tempel der Herrscherin Pallas Athene,
Öffne dort mit dem Schlüssel die Pforte des heiligen Hauses,
Und das Gewand, so ihr das köstlichste scheint und das größte 90
Aller umher im Palast und ihr das geliebteste selber,
Lege sie hin auf die Knie der schöngelockten Athene.
Und gelob, in dem Tempel ihr zwölf untadlige Kühe,
Jährige, ungezähmte, zu heiligen, wenn sie der Stadt sich
Und der troischen Fraun und zarten Kinder erbarmet, 95
Wenn sie des Tydeus Sohn von der heiligen Ilios abwehrt,
Jenen Stürmer der Schlacht, den gewaltigen Schreckengebieter,
Den ich fürwahr den Stärksten im Volk der Danaer achte!
Selbst vor Achilleus nicht, dem Herrschenden, zagten wir also,
Welcher doch Sohn der Göttin gepriesen wird! Jener, wie heftig 100
Wütet er! Keiner vermag an Gewalt ihm gleich sich zu stellen!
Jener sprach's; doch Hektor gehorcht' unverdrossen dem Bruder.
Schnell vom Wagen herab mit den Rüstungen sprang er zur Erde;
Schwenkend die spitzigen Lanzen, durchwandelt' er alle Geschwader,
Rings ermahnend zum Kampf, und erweckte die tobende Feldschlacht.

Jene nun wandten die Stirn und begegneten kühn den Achaiern.
Argos' Söhn' itzt wichen zurück und ruhten vom Morde,
Wähnend, es sei ein unsterblicher Gott vom sternichten Himmel
Niedergeeilt, zu helfen den schnell umkehrenden Troern.
Hektor anjetzt ermahnte mit lautem Rufe die Troer: 110
Trojas mutige Söhn' und fernberufene Helfer!
Seid nun Männer, o Freund', und gedenkt des stürmenden Mutes,
Während ich selbst hinwandle gen Ilios und die erhabnen
Greise des Rats anmahne, zugleich auch unsere Weiber,
Daß sie den Himmlischen flehn und Sühnhekatomben verheißen. 115
Dieses gesagt, enteilte der helmumflatterte Hektor.
Oben schlug ihm den Nacken und tief die Knöchel des schwarzen
Felles Rand, der rings am genabelten Schild ihm umherlief.
Glaukos nun, des Hippolochos Sohn, und der Held Diomedes
Kamen hervor aus den Heeren gerannt in Begierde des Kampfes. 120
Als sie nunmehr sich genaht, die Eilenden, gegeneinander,
Redete also zuerst der Rufer im Streit Diomedes:
Wer doch bist du, Edler, der sterblichen Erdebewohner?
Nie ersah ich ja dich in männerehrender Feldschlacht
Vormals, aber anjetzt erhebst du dich weit vor den andern, 125
Kühnes Muts, da du meiner gewaltigen Lanze dich darstellst.
Meiner Kraft begegnen nur Söhn' unglücklicher Eltern!
Aber wofern du ein Gott herabgekommen vom Himmel,
Nimmer alsdann begehr ich mit himmlischen Mächten zu kämpfen.
Nicht des Dryas Erzeugter einmal, der starke Lykurgos, 130
Lebete lang, als gegen des Himmels Mächt' er gestrebet,
Welcher vordem Dionysos' des Rasenden Ammen verfolgend
Scheucht' auf dem heiligen Berge Nysseion; alle zugleich nun
Warfen die laubigen Stäbe dahin, da der Mörder Lykurgos
Wild mit dem Stachel sie schlug; auch selbst Dionysos voll Schreckens
Taucht' in die Woge des Meers, und Thetis nahm in den Schoß ihn,
Welcher erbebt', angstvoll vor der drohenden Stimme des Mannes.
Jenem zürnten darauf die ruhig waltenden Götter,
Und ihn blendete Zeus der Donnerer; auch nicht lange
Lebt' er hinfort; denn verhaßt war er allen unsterblichen Göttern. 140
Nicht mit seligen Göttern daher verlang ich zu kämpfen.
Wenn du ein Sterblicher bist und genährt von Früchten des Feldes,

Komm dann heran, daß du eilig das Ziel des Todes erreichest.
  Ihm antwortete drauf Hippolochos' edler Erzeugter:
Tydeus' mutiger Sohn, was fragst du nach meinem Geschlechte? 145
Gleich wie Blätter im Walde, so sind die Geschlechter der Menschen,
Einige streut der Wind auf die Erd hin, andere wieder
Treibt der knospende Wald, erzeugt in des Frühlinges Wärme;
So der Menschen Geschlecht; dies wächst und jenes verschwindet.
Soll ich dir aber auch dieses verkündigen, daß du erkennest 150
Unserer Väter Geschlecht, wiewohl es vielen bekannt ist:
Ephyra heißt die Stadt in der rossenährenden Argos,
Wo einst Sisyphos war, der schlaueste unter den Männern,
Sisyphos, Äolos' Sohn; der zeugte sich Glaukos zum Sohne,
Glaukos darauf erzeugte den herrlichen Bellerophontes, 155
Welchem Schönheit die Götter und reizende Männerstärke
Schenketen. Aber Prötos ersann ihm Böses im Herzen,
Der aus dem Land ihn vertrieb, dieweil er mächtig beherrschte
Argos' Volk und Zeus ihm Gewalt und Zepter vertrauet.
Jenem entbrannt Anteia, des Prötos edle Gemahlin, 160
Daß sie in heimlicher Lieb ihm nahete; doch er gehorcht' ihr
Nicht, der edelgesinnte verständige Bellerophontes.
Jetzo mit Lug erschien sie und sprach zum Könige Prötos:
  Tod dir, oder, o Prötos, erschlage du Bellerophontes,
Welcher frech zu Liebe mir nahete, wider mein Wollen. 165
  Jene sprach's, und der König ereiferte, solches vernehmend.
Dennoch vermied er den Mord; denn graunvoll war der Gedank ihm.
Aber er sandt ihn gen Lykia hin, und traurige Zeichen
Gab er ihm, Todesworte, geritzt auf gefaltetem Täflein,
Daß er dem Schwäher die Schrift darreicht' und das Leben verlöre. 170
Jener wandelte hin, im Geleit obwaltender Götter.
Als er nunmehr gen Lykia kam und den strömenden Xanthos,
Ehrt' ihn gewogenen Sinns der weiten Lykia König,
Gab neuntägigen Schmaus und erschlug neun Stiere zum Opfer.
Aber nachdem zum zehnten die rosige Eos emporstieg, 175
Jetzo fragt' er den Gast und hieß ihn zeigen das Täflein,
Welches ihm sein Eidam, der herrschende Prötos, gesendet.
Als er nunmehr vernommen die Todesworte des Eidams,
Hieß er jenen zuerst die ungeheure Chimära

Töten, die göttlicher Art, nicht menschlicher, dort emporwuchs: 180
Vorn ein Löw und hinten ein Drach und Geiß in der Mitte,
Schrecklich umher aushauchend die Macht des lodernden Feuers.
Doch er tötete sie, der Unsterblichen Zeichen vertrauend.
Weiter darauf bekämpft' er der Solymer ruchbare Völker;
Diesen nannt er den härtesten Kampf, den er kämpfte mit Männern.
Drauf zum dritten erschlug er die männliche Hord Amazonen.
Aber dem Kehrenden auch entwarf er betrügliche Täuschung:
Wählend die tapfersten Männer des weiten Lykierlandes,
Legt' er ihm Hinterhalt, allein nicht kamen sie heimwärts.
Alle vertilgte sie dort der untadlige Bellerophontes. 190
Als er nunmehr erkannte den Held aus göttlichem Samen,
Hielt er dort ihn zurück und gab ihm die blühende Tochter,
Gab ihm auch die Hälfte der Königsehre zum Anteil.
Auch die Lykier maßen ihm auserlesene Güter,
Schön an Ackergefild und Pflanzungen, daß er sie baute. 195
Jene gebar drei Kinder dem feurigen Bellerophontes,
Erst Isandros, Hippolochos dann und Laodameia.
Laodameia ruht' in Zeus' des Kroniden Umarmung,
Und sie gebar Sarpedon, den götterähnlichen Streiter.
Aber nachdem auch jener den Himmlischen allen verhaßt ward, 200
Irrt' er umher einsam, sein Herz von Kummer verzehret,
Durch die aleische Flur, der Sterblichen Pfade vermeidend.
Seinen Sohn Isandros ermordete Ares, der Wütrich,
Als er kämpft' in der Schlacht mit der Solymer ruchbaren Völkern.
Artemis raubt' ihm die Tochter, die Lenkerin goldener Zügel, 205
Aber Hippolochos zeugete mich, ihn rühm ich als Vater.
Dieser sandt in Troja mich her und ermahnte mich sorgsam,
Immer der erste zu sein und vorzustreben vor andern,
Daß ich der Väter Geschlecht nicht schändete, welches die ersten
Männer in Ephyra zeugt' und im weiten Lykierlande. 210
Sieh, aus solchem Geschlecht und Blute dir rühm ich mich jetzo.

Sprach's, doch freudig vernahm es der Rufer im Streit Diomedes.
Eilend steckt' er die Lanz in die nahrungsprossende Erde,
Und mit freundlicher Rede zum Völkerhirten begann er:
Wahrlich, so bist du mir Gast aus Väterzeiten schon vormals! 215
Öneus, der Held, hat einst den untadligen Bellerophontes

Gastlich im Hause geehrt und zwanzig Tage geherbergt.
Jen' auch reichten einander zum Denkmal schöne Geschenke.
Öneus' Ehrengeschenk war ein Leibgurt, schimmernd von Purpur,
Aber des Bellerophontes ein goldener Doppelbecher; 220
Und ihn ließ ich scheidend zurück in meinem Palaste.
Tydeus' gedenk ich nicht mehr; denn noch ein stammelnder Knabe
Blieb ich daheim, da vor Thebe das Volk der Achaier vertilgt ward.
Also bin ich nunmehr dein Gastfreund mitten in Argos,
Du in Lykia mir, wann jenes Land ich besuche; 225
Drum mit unseren Lanzen vermeiden wir uns im Getümmel.
Viel ja sind der Troer mir selbst und der rühmlichen Helfer,
Daß ich töte, wen Gott mir gewährt und die Schenkel erreichen;
Viel auch dir der Achaier, daß, welchen du kannst, du erlegest.
Aber die Rüstungen beide vertauschen wir, daß auch die andern 230
Schaun, wie wir Gäste zu sein aus Väterzeiten uns rühmen.

Also redeten jen', und herab von den Wagen sich schwingend,
Faßten sie beid einander die Händ' und gelobten sich Freundschaft.
Doch den Glaukos erregete Zeus, daß er ohne Besinnung
Gegen den Held Diomedes die Rüstungen, goldne mit ehrnen, 235
Wechselte, hundert Farren sie wert, neun Farren die andern.

Als nun Hektor erreicht' das skäische Tor und die Buche,
Jetzt umeilten ihn rings die troischen Weiber und Töchter,
Forschend dort nach Söhnen, nach Brüdern dort und Verwandten,
Und den Gemahlen im Heer. Er ermahnte sie, alle die Götter 240
Anzuflehn; doch vielen war Weh und Jammer verhänget.

Als er den schönen Palast des Priamos jetzo erreichte,
Der mit gehauenen Hallen geschmückt war (aber im Innern
Waren fünfzig Gemächer aus schöngeglättetem Marmor,
Dicht aneinander gebaut; es ruheten drinnen des Königs 245
Priamos Söhn' umher, mit blühenden Gattinnen wohnend;
Aber den Töchtern waren zur anderen Seite des Hofes
Zwölf gewölbte Gemächer aus schöngeglättetem Marmor,
Dicht aneinander gebaut; es ruheten drinnen des Königs
Priamos Eidam' umher, mit züchtigen Gattinnen wohnend): 250
Dort begegnete Hektor der gern austeilenden Mutter,
Die zu Laodike ging, der holdesten Tochter an Bildung.
Jene faßt' ihm die Hand und redete, also beginnend:

Lieber Sohn, wie kommst du, das wütende Treffen verlassend?
Hart uns drängen fürwahr die entsetzlichen Männer Achaias, 255
Kämpfend um unsere Stadt; daß nun dein Herz dich hierher trieb,
Deine Hände zu Zeus von Ilios' Burg zu erheben!
Aber verzeuch, bis ich jetzo des süßen Weines dir bringe,
Daß du Zeus dem Vater zuvor und den anderen Göttern
Sprengest, und dann auch selber des Labetrunks dich erfreuest. 260
Denn dem ermüdeten Mann ist der Wein ja kräftige Stärkung,
So wie du dich ermüdet, im Kampf für die Deinigen stehend.
Ihr antwortete drauf der helmumflatterte Hektor:
Nicht des süßen Weins mir gebracht, ehrwürdige Mutter,
Daß du nicht mich entnervst und des Muts und der Kraft ich vergesse,
Ungewaschener Hand Zeus dunkelen Wein zu sprengen,
Scheu ich mich; nimmer geziemt's, den schwarzumwölkten Kronion
Anzuflehn, mit Blut und Kriegesstaube besudelt.
Aber wohlan, zum Tempel der Siegerin Pallas Athene
Gehe mit Räucherwerk hin, die edleren Weiber versammelnd; 270
Und das Gewand, so dir das köstlichste scheint und das größte
Aller umher im Palast, und dir das geliebteste selber,
Solches leg auf die Knie der schöngelockten Athene
Und gelob, in dem Tempel ihr zwölf untadlige Kühe,
Jährige, ungezähmte, zu heiligen, wenn sie der Stadt sich 275
Und der troischen Fraun und zarten Kinder erbarmet;
Wenn sie des Tydeus Sohn von der heiligen Ilios abwehrt,
Jenen Stürmer der Schlacht, den gewaltigen Schreckengebieter.
Auf denn, gehe zum Tempel der Siegerin Pallas Athene
Du, dieweil zu Paris ich wandele, jenen zu rufen, 280
Ob er vielleicht noch achte des Rufenden. O daß die Erd ihn
Lebend verschläng! Ihn erschuf zum Verderben der Gott des Olympos
Trojas Volk und Priamos selbst und den Söhnen des Herrschers.
Säh ich jenen versinken, hinab in Aides' Wohnung,
Dann vergäß ich im Herzen des unerfreulichen Elends! 285
Jener sprach's, und die Mutter, ins Haus sich wendend, beschied dort
Mägd' in die Stadt; und sie riefen die Schar der edleren Weiber.
Selbst dann stieg sie hinab in die lieblich duftende Kammer,
Wo sie die schönen Gewande verwahrete, reich an Erfindung,
Werke sidonischer Fraun, die der göttliche Held Alexandros 290

Selbst aus Sidon gebracht, weithin die Wogen durchschiffend,
Als er Helena heim, die Edelentsprossene, führte.
Deren enthub itzt Hekabe eins zum Geschenk der Athene,
Welches das größeste war und das schönste zugleich an Erfindung;
Hell wie ein Stern, so strahlt' es, und lag am untersten aller. 295
Und sie enteilt'; ihr folgten gedrängt die edleren Weiber.
Als sie nunmehr auf der Burg den Tempel erreicht' der Athene,
Öffnete jenen die Pforte die anmutvolle Theano,
Kisseus' Tochter, vermählt dem Gaulbezähmer Antenor,
Welche die Troer geweiht zur Priesterin Pallas Athenens. 300
All erhuben die Hände mit jammerndem Laut zur Athene;
Aber es nahm das Gewand die anmutvolle Theano,
Legt' es hin auf die Knie der schöngelockten Athene,
Flehete dann gelobend zu Zeus' des allmächtigen Tochter:
Pallas Athene voll Macht, Stadtschirmerin, edelste Göttin! 305
Brich doch jetzo den Speer Diomedes'; aber ihn selber
Laß auf das Antlitz gestürzt vor dem skäischen Tore sich wälzen!
Daß wir jetzo sofort zwölf stattliche Küh' in dem Tempel,
Jährige, ungezähmte, dir heiligen, wenn du der Stadt dich
Und der troischen Fraun und zarten Kinder erbarmest! 310
Also sprach sie betend; es weigerte Pallas Athene.
Während sie dort nun flehten zu Zeus des Allmächtigen Tochter,
Wandelte Hektor dahin zum schönen Palast Alexandros',
Welchen er selbst sich erbaut mit den kunsterfahrensten Männern
Aller umher in Troja, dem Land hochscholliger Äcker. 315
Diese bereiteten ihm das Gemach und den Saal und den Vorhof,
Hoch auf der Burg und nahe bei Priamos' Wohnung und Hektors.
Dort hinein ging Hektor, der Göttliche, und in der Rechten
Trug er den Speer, elf Ellen an Läng, und vorn an dem Schafte
Blinkte die eherne Schärf, umlegt mit goldenem Ringe. 320
Ihn im Gemach dort fand er, die stattlichen Waffen durchforschend,
Panzer und Schild, und glättend das Horn des krummen Geschosses.
Aber Helena saß, die Argeierin, unter den Weibern
Emsig, den Mägden umher anmutige Werke gebietend.
Hektor schalt ihn erblickend und rief die beschämenden Worte: 325
Sträflicher, nicht geziemt' es, so unmutsvoll zu ereifern!
Siehe, das Volk verschwindet, um Stadt und türmende Mauer

Kämpfend, und deinethalb ist Feldgeschrei und Getümmel
Rings entbrannt um die Feste! Du zanktest ja selbst mit dem andern,
Welchen du wo saumselig ersähst zur traurigen Feldschlacht. 330
Auf denn, ehe die Stadt in feindlicher Flamme verlodre!
  Ihm antwortete drauf der göttliche Held Alexandros:
Hektor, dieweil du mit Recht mich tadeltest, nicht mit Unrecht,
Darum sag ich dir an; doch du vernimm es und höre:
Gar nicht wider die Troer so unmutsvoll und ereifert 335
Saß ich hier im Gemach; zum Grame nur wollt ich mich wenden.
Doch nun hat mich die Gattin mit freundlichen Worten beredet,
Auszugehn in die Schlacht; auch scheinet es also mir selber
Besser hinfort zu sein; denn es wechselt der Sieg um die Männer.
Aber verzeuch, bis ich jetzo in Kriegesgerät mich gehüllet, 340
Oder geh, so folg ich und hoffe dich bald zu erreichen.
  Jener sprach's, ihm erwiderte nichts der gewaltige Hektor.
Aber Helena sprach mit hold liebkosenden Worten:
  O mein Schwager, des schnöden, des unheilstiftenden Weibes!
Hätte doch jenes Tags, da zuerst mich die Mutter geboren, 345
Ungestüm ein Orkan mich entführt auf ein ödes Gebirg hin
Oder hinab in die Wogen des weitaufrauschenden Meeres,
Daß mich die Woge verschläng, eh solche Taten geschahen!
Aber nachdem dies Übel im Rat der Götter verhängt ward,
Wär ich wenigstens doch des besseren Mannes Gemahlin, [schen!
Welcher empfände die Schmach und die kränkenden Reden der Men-
Dem ist jetzo kein Herz voll Männlichkeit, noch wird hinfort ihm
Solches verliehn, und ich meine, genießen werd er der Früchte!
Aber o komm doch herein und setze dich hier auf den Sessel,
Schwager, dieweil dir am meisten die Arbeit liegt an der Seele 355
Um mich schändliches Weib und die Freveltat Alexandros',
Welchen ein trauriges Los Zeus sendete, daß wir hinfort auch
Bleiben umher ein Gesang der kommenden Menschengeschlechter!
  Ihr antwortete drauf der helmumflatterte Hektor:
Heiße mich, Helena, nicht so freundlich sitzen, ich darf nicht; 360
Denn schon dringt mir das Herz mit Heftigkeit, daß ich den Troern
Helfe, die sehnsuchtsvoll nach mir Abwesendem umschaun.
Aber du muntere diesen nur auf, auch treib er sich selber,
Daß er noch in den Mauern der Stadt mich wieder erreiche.

Denn ich will in mein Haus zuvor eingehn, um zu schauen 365
Mein Gesind und das liebende Weib und das stammelnde Söhnlein.
Denn wer weiß, ob ich wieder zurück zu den Meinigen kehre
Oder jetzt durch der Danaer Hand mich die Götter bezwingen.
Dieses gesagt, enteilte der helmumflatterte Hektor.
Bald erreicht' er darauf die wohlgebauete Wohnung. 370
Doch nicht fand er die schöne Andromache dort in den Kammern,
Sondern zugleich mit dem Kind und der Dienerin, schönen Gewandes,
Stand sie annoch auf dem Turm und jammerte, seufzend und weinend.
Als nun Hektor daheim nicht fand die untadlige Gattin,
Trat er zur Schwelle hinan und rief den Mägden des Hauses: 375
Auf wohlan, ihr Mägde, verkündiget schnell mir die Wahrheit:
Wohin ging die schöne Andromache aus dem Palaste?
Ob sie zu Schwestern des Manns, ob zu stattlichen Frauen der Schwäger
Oder zum Haus Athenens sie eilete, wo auch die andern
Lockigen Troerinnen die schreckliche Göttin versöhnen? 380
Ihm antwortete drauf die emsige Schaffnerin also:
Hektor, weil du gebeutst, die Wahrheit dir zu verkünden: [Schwäger
Nicht zu den Schwestern des Manns, noch zu stattlichen Frauen der
Oder zum Haus Athenens enteilte sie, wo auch die andern
Lockigen Troerinnen die schreckliche Göttin versöhnen, 385
Sondern den Turm erstieg sie von Ilios, weil sie gehöret,
Daß der Achaier Macht siegreich die Troer bestürme.
Eben geht sie hinaus mit eilendem Schritte zur Mauer,
Einer Rasenden gleich, und die Wärterin trägt ihr das Kind nach.
Also sprach zu Hektor die Schaffnerin, schnell aus der Wohnung 390
Eilt' er den Weg zurück durch die wohlbebaueten Gassen.
Als er das skäische Tor, die gewaltige Feste durchwandelnd,
Jetzo erreicht', wo hinaus sein Weg ihn führt' ins Gefilde,
Kam die reiche Gemahlin Andromache eilenden Laufes
Gegen ihn her, des edlen Eetions blühende Tochter 395
(Denn Eetion wohnt' am waldigen Hange des Plakos,
In der plakischen Thebe, Kilikiens Männer beherrschend,
Und er vermählte die Tochter dem erzumschimmerten Hektor).
Diese begegnet' ihm jetzt; die Dienerin aber, ihr folgend,
Trug an der Brust das zarte, noch ganz unmündige Knäblein, 400
Hektors einzigen Sohn, dem schimmernden Sterne vergleichbar.

Hektor nannte den Sohn Skamandrios, aber die andern
Nannten Astyanax ihn; denn allein schirmt' Ilios Hektor.
Siehe, mit Lächeln blickte der Vater still auf das Knäblein;
Aber neben ihn trat Andromache, Tränen vergießend, 405
Drückt' ihm freundlich die Hand und redete, also beginnend:
Trautester Mann, dich tötet dein Mut noch! Und du erbarmst dich
Nicht des stammelnden Kindes noch mein, des elenden Weibes.
Ach, bald Witwe von dir! Denn dich töten gewiß die Achaier,
Alle daher dir stürmend! Allein mir wäre das beste, 410
Deiner beraubt, in die Erde hinabzusinken; denn weiter
Ist kein Trost mir übrig, wenn du dein Schicksal vollendest,
Sondern Weh! Und ich habe nicht Vater mehr noch Mutter!
Meinen Vater erschlug ja der göttliche Streiter Achilleus
Und verheerte die Stadt, von kilikischen Männern bevölkert, 415
Thebe mit ragendem Tor; den Eetion selber erschlug er,
Doch nicht nahm er die Waffen, denn graunvoll war der Gedank' ihm,
Sondern verbrannte den Held mit dem künstlichen Waffengeschmeide,
Häufte darauf ihm ein Mal, und rings mit Ulmen umpflanzten's
Bergbewohnende Nymphen, des Ägiserschütterers Töchter. 420
Sieben waren der Brüder mir dort in unserer Wohnung;
Diese wandelten all am selbigen Tage zum Ais;
Denn sie all erlegte der mutige Renner Achilleus
Bei weißwolligen Schafen und schwerhinwandelnden Rindern.
Meine Mutter, die Fürstin am waldigen Hange des Plakos, 425
Führet' er zwar hieher mit anderer Beute des Krieges;
Doch befreit' er sie wieder und nahm unendliche Lösung;
Aber sie starb durch Artemis' Pfeil im Palaste des Vaters.
Hektor, siehe du bist mir Vater jetzo und Mutter
Und mein Bruder allein, o du mein blühender Gatte! 430
Aber erbarme dich nun und bleib allhier auf dem Turme!
Mache nicht zur Waise das Kind und zur Witwe die Gattin!
Stelle das Heer dorthin bei dem Feigenbaume; denn dort ist
Leichter die Stadt zu ersteigen und frei die Mauer dem Angriff.
Dreimal haben ja dort es versucht die tapfersten Krieger, 435
Kühn um die Ajas beid und den hohen Idomeneus strebend,
Auch um des Atreus Söhn' und den starken Held Diomedes,
Ob nun jenen vielleicht ein kundiger Seher geweissagt

Oder auch selbst ihr Herz aus eigener Regung sie antreibt.
Ihr antwortete drauf der helmumflatterte Hektor: 440
Mich auch härmt das alles, o Trauteste, aber ich scheue
Trojas Männer zu sehr und die saumnachschleppenden Weiber,
Wenn ich hier, wie ein Feiger, entfernt das Treffen vermeide.
Auch verbeut es mein Herz; denn ich lernete, tapferen Mutes
Immer zu sein und voran mit Trojas Helden zu kämpfen, 445
Schirmend zugleich des Vaters erhabenen Ruhm und den meinen!
Zwar das erkenn ich gewiß in des Herzens Geist und Empfindung:
Einst wird kommen der Tag, da die heilige Ilios hinsinkt,
Priamos selbst und das Volk des lanzenkundigen Königs.
Doch nicht kümmert mich so der Troer künftiges Elend, 450
Nicht der Hekabe selbst, noch Priamos' auch, des Beherrschers,
Noch der Brüder umher, die dann, so viel und so tapfer,
All in den Staub hinsinken, von feindlichen Händen getötet,
Als wie dein's, wenn ein Mann der erzumschirmten Achaier
Weg die Weinende führt, der Freiheit Tag dir entreißend; 455
Wenn du in Argos webst für die Herrscherin oder auch mühsam
Wasser trägst aus dem Quell Hypereia oder Messeis,
Sehr unwilligen Muts; doch hart belastet der Zwang dich!
Künftig sagt dann einer, die Tränenvergießende schauend:
Hektors Weib war diese, des tapfersten Helden im Volke 460
Rossebezähmender Troer, da Ilios' Stadt sie umkämpften!
Also spricht man hinfort, und neu erwacht dir der Kummer,
Solchen Mann zu vermissen, der retten dich könnt aus der Knecht-
Aber es decke mich Toten der aufgeworfene Hügel, [schaft!
Eh ich deines Geschreies vernehm und deiner Entführung! 465
Also der Held, und hin nach dem Knäblein streckt' er die Arme.
Aber zurück an den Busen der schöngegürteten Amme
Schmiegte sich schreiend das Kind, erschreckt von dem liebenden Vater,
Scheuend des Erzes Glanz und die flatternde Mähne des Busches,
Welchen es fürchterlich sah von des Helmes Spitze herabwehn. 470
Lächelnd schaute der Vater das Kind und die zärtliche Mutter.
Schleunig nahm vom Haupte den Helm der strahlende Hektor,
Legete dann auf die Erde den schimmernden; aber er selber
Küßte sein liebes Kind und wiegt' es sanft in den Armen.
Dann erhob er die Stimme zu Zeus und den anderen Göttern: 475

Zeus und ihr anderen Götter, o laßt doch dieses mein Knäblein
Werden dereinst wie ich selbst, vorstrebend im Volke der Troer,
Auch so stark an Gewalt, und Ilios mächtig beherrschen!
Und man sage hinfort: der ragt noch weit vor dem Vater,
Wann er vom Streit heimkehrt, mit der blutigen Beute beladen 480
Eines erschlagenen Feinds! Dann freue sich herzlich die Mutter!
Jener sprach's und reicht' in die Arme der liebenden Gattin
Seinen Sohn, und sie drückt' ihn an ihren duftenden Busen,
Lächelnd mit Tränen im Blick; und ihr Mann voll inniger Wehmut
Streichelte sie mit der Hand und redete, also beginnend: 485
Armes Weib, nicht mußt du zu sehr mir trauern im Herzen!
Keiner wird gegen Geschick hinab mich senden zum Ais;
Doch dem Verhängnis entrann wohl nie der Sterblichen einer,
Edel oder geringe, nachdem er einmal gezeugt ward.
Doch, zum Gemach hingehend, besorge du deine Geschäfte, 490
Spindel und Webestuhl, und gebeut den dienenden Weibern,
Fleißig am Werke zu sein. Der Krieg gebühret den Männern
Allen und mir am meisten, die Ilios' Feste bewohnen.
Als er dieses gesagt, da erhob der strahlende Hektor
Seinen umflatterten Helm, und es ging die liebende Gattin 495
Heim, oft rückwärts gewandt und häufige Tränen vergießend.
Bald erreichte sie nun die wohlgebauete Wohnung
Hektors, des Männervertilgers, und fand die Mägd' in der Kammer,
Viel an der Zahl, und allen erregte sie Kummer und Tränen.
Lebend noch ward Hektor beweint in seinem Palaste; 500
Denn sie glaubten gewiß, er kehre nie aus der Feldschlacht
Wieder heim, der Achaier gewaltigen Händen entrinnend.
Paris auch zauderte nicht in der hochgewölbeten Wohnung,
Sondern sobald er in Waffen von strahlendem Erz sich gehüllet,
Eilt' er daher durch die Stadt, den hurtigen Füßen vertrauend. 505
Wie wenn im Stall ein Roß, mit Gerste genährt an der Krippe,
Mutig die Halfter zerreißt und stampfenden Laufs in die Felder
Eilt, zum Bade gewöhnt des lieblich wallenden Stromes
(Trotzender Kraft, hoch trägt es das Haupt, und rings an den Schultern
Fliegen die Mähnen umher; doch stolz auf den Adel der Jugend 510
Tragen die Schenkel es leicht zur bekannteren Weide der Stuten):
Also wandelte Paris daher von Pergamos' Höhe,

Priamos' Sohn, umstrahlt von Waffenglanz, wie die Sonne,
Freudigen Muts, und es flogen die Schenkel ihm. Eilend nun hatt er
Hektor, den Bruder, erreicht, den Erhabenen, als er sich wenden 515
Wollte vom Ort, wo vertraulich mit seinem Weib er geredet.
Also begann zu jenem der göttliche Held Alexandros:
Wahrlich, mein älterer Bruder, dich Eilenden hielt ich zu lange
Zaudernd auf und kam nicht ordentlich, wie du befahlest.
Ihm antwortete drauf der helmumflatterte Hektor: 520
Guter, dir darf kein sterblicher Mann, der Billigkeit achtet,
Tadeln die Werke der Schlacht, du bist ein tapferer Streiter.
Oft nur säumest du gern und willst nicht. Aber es kränkt mir
Innig das Herz, von dir die schmähliche Rede zu hören
Unter dem troischen Volk, das um dich so manches erduldet. 525
Komm, dies wollen hinfort wir berichtigen, wann uns einmal Zeus
Gönnen wird, des Himmels unendlich waltenden Göttern
Dankend den Krug zu stellen der Freiheit in dem Palaste,
Weil wir aus Troja verjagt die hellumschienten Achaier.

VII. GESANG

Athene und Apollon, die Schlacht zu enden, heißen Hektor den tapfersten Achaier zum Zweikampf fordern. Unter neun Fürsten trifft das Los den Ajas, Telamons Sohn. Die Nacht trennt die Kämpfer. Nestor in Agamemnons Gezelt rät Stillstand, um die Toten zu verbrennen, und Verschanzung des Lagers. Antenor in Ilios rät, die Helena zurückzugeben, welches Paris verwirft. Am Morgen läßt Priamos die Achaier um Stillstand bitten. Bestattung der Toten. Verschanzung des Lagers und Poseidons Unwille. In der Nacht unglückliche Zeichen von Zeus.

Dieses gesagt, durcheilte das Tor der strahlende Hektor,
Auch Alexandros, der Bruder, enteilete; aber ihr Herz war
Beiden entbrannt, zu kämpfen den tapferen Kampf der Entscheidung.
Wie wenn ein Gott den Schiffern nach sehnlichem Harren den Fahr-
Sendet, nachdem arbeitend mit schöngeglätteten Rudern [wind
Lange das Meer sie geregt und müd hinsanken die Glieder:
Also erschienen sie dort den sehnlich harrenden Troern.
Jeder entrafft': er nun den Menesthios, jenes Beherrschers
Areithoos' Sohn, den der Keulenschwinger in Arne
Areithoos zeugt' und die herrliche Philomedusa. 10

Aber Hektor durchschoß dem Eioneus unter des Helmes
Ehernem Rand mit dem Speere den Hals und löst' ihm die Glieder.
Glaukos, Hippolochos' Sohn, der lykischen Männer Gebieter,
Traf den Iphinoos jetzt im Sturme der Schlacht mit dem Wurfspieß,
Dexias' Sohn, da das schnelle Gespann er bestieg, in die Schulter, 15
Und er entsank vom Wagen zur Erd; ihm erschlafften die Glieder.
Doch als jene bemerkt' die Herrscherin Pallas Athene,
Argos' Volk hinraffend im Ungestüme der Feldschlacht,
Stürmenden Schwungs entflog sie den Felsenhöhn des Olympos
Hin zu Ilios' Stadt. Entgegen ihr eilet' Apollon, 20
Schauend von Pergamos' Zinne, den Troern gönnend den Siegsruhm.
Jetzt begegneten sich die Unsterblichen dort an der Buche,
Und zur Athene begann Zeus' Sohn, der Herrscher Apollon:
Warum so voller Begier, o Zeus' des Allmächtigen Tochter,
Kamst du anjetzt vom Olympos? Wie, treibt dich der heftige Eifer,
Daß du vielleicht den Achaiern der Schlacht abwechselnden Sieg nun
Gebest? Denn nicht der Troer, der fallenden, jammert dich jemals!
Aber gehorchtest du mir, was weit zuträglicher wäre,
Jetzt dann ließen wir ruhn den feindlichen Kampf der Entscheidung
Heut; doch künftig erneu'n sie die Feldschlacht, bis sie das Schicksal
Ilios' endlich erreicht, dieweil es also im Herzen
Euch Göttinnen gefällt, die hohe Stadt zu verwüsten.
Drauf antwortete Zeus' blauäugige Tochter Athene:
Also sei's, Ferntreffer; denn dies auch selber gedenkend,
Kam ich anjetzt vom Olympos zu Troern herab und Achaiern. 35
Aber wohlan, wie strebst du den Kampf der Männer zu stillen?
Ihr antwortete drauf Zeus' Sohn, der Herrscher Apollon:
Hektor erhöhn wir den Mut, dem gewaltigen Rossebezähmer,
Ob er einzeln vielleicht der Danaer einen hervorruft,
Gegen ihn anzukämpfen in schreckenvoller Entscheidung, 40
Und ob dann unwillig die erzumschienten Achaier
Einen allein hersenden zum Kampf mit dem göttlichen Hektor.
Jener sprach's, ihm gehorchte die Herrscherin Pallas Athene.
Helenos aber vernahm, des Priamos Sohn, in der Seele
Jenen Rat, der beider Unsterblichen Sinne gefallen; 45
Eilend trat er zu Hektor hinan und redete also:
Hektor, Priamos' Sohn, an Ratschluß gleich dem Kronion,

Willst du jetzt mir gehorchen? Dein liebender Bruder ja bin ich.
Heiße die anderen ruhn, die Troer umher und Achaier;
Selbst dann rufe hervor den tapfersten aller Achaier, 50
Gegen dich anzukämpfen in schreckenvoller Entscheidung;
Denn noch nicht dir fällt es, den Tod und das Schicksal zu dulden.
Also vernahm ich die Stimme der ewigwährenden Götter.
Jener sprach's; doch Hektor erfreute sich hoch ob der Rede,
Trat dann hervor in die Mitt und hemmte die troischen Haufen, 55
Haltend die Mitte des Speers; und still nun standen sie alle.
Auch Agamemnon setzte die hellumschienten Achaier.
Aber Pallas Athen' und der Gott des silbernen Bogens
Setzten sich beid, an Gestalt wie zween hochfliegende Geier,
Auf die erhabene Buche des ägiserschütternden Vaters, 60
Froh, die Männer zu schaun; und die Ordnungen saßen gedrängt nun,
Dicht von Schilden und Helmen und ragenden Lanzen umstarret.
So wie unter dem West hinschauert ins Meer ein Gekräusel,
Wann er zuerst andrängt und dunkler die Flut sich erhebet,
Also saßen geschart die Achaier umher und die Troer 65
Durch das Gefild, und Hektor begann in der Mitte der Völker:
Hört mein Wort, ihr Troer und hellumschiente Achaier,
Daß ich rede, wie mir das Herz im Busen gebietet.
Unseren Bund hat Zeus der Erhabene nicht vollendet,
Sondern bösen Entschluß verhänget er beiderlei Völkern, 70
Bis entweder ihr selbst einnehmt die getürmete Troja
Oder vor uns ihr erliegt bei den meerdurchwandelnden Schiffen.
Euch ja sind im Heere die tapfersten Helden Achaias.
Wem nun solcher das Herz mit mir zu kämpfen gebietet,
Hieher tret er hervor, mit dem göttlichen Hektor zum Vorkampf! 75
Also beding ich das Wort, und Zeug uns werde Kronion.
Wenn mich jener erlegt mit ragender Spitze des Erzes,
Trag er den Raub des Geschmeides hinab zu den räumigen Schiffen;
Aber den Leib entsend er gen Ilios, daß in der Heimat
Trojas Männer und Fraun des Feuers Ehre mir geben. 80
Wenn ich jenen erleg und Ruhm mir gewähret Apollon,
Trag ich den Raub des Geschmeides in Ilios' heilige Feste,
Daß ich ihn häng an den Tempel des treffenden Phöbos Apollon;
Doch der Erschlagene kehrt zu den schöngebordeten Schiffen,

Daß mit Pracht ihn bestatten die hauptumlockten Achaier 85
Und ihm ein Grab aufschütten am breiten Hellespontos.
Künftig sagt dann einer der spätgeborenen Menschen,
Im vielrudrigen Schiffe zum dunkelen Meer hinsteuernd:
Seht das ragende Grab des längst gestorbenen Mannes,
Der einst tapfer im Streit hinsank dem göttlichen Hektor! 90
Also spricht er hinfort, und mein ist ewiger Nachruhm.
Jener sprach's; doch alle verstummten umher und schwiegen;
Schimpflich war's zu weigern und anzunehmen gefahrvoll.
Endlich stand Menelaos empor und redete also,
Strafend mit herbem Verweis, und schwer erseufzt' er im Herzen: 95
Weh mir, drohende Prahler, Achairinnen, nicht mehr Achaier!
Traun, doch Schmach ist solches und unauslöschliche Schande,
Wenn kein Danaer nun dem Hektor wagt zu begegnen!
Aber o mögt ihr all in Wasser und Erd euch verwandeln,
Wie ihr umher dasitzet, so herzlos jeder und ruhmlos! 100
Selber dann gürt ich jenem zum Kampfe mich! Oben im Himmel
Hangen des Siegs Ausgäng' an der Hand der unsterblichen Götter!
Jener sprach's und hüllte das stattliche Waffengeschmeid um.
Jetzo war, Menelaos, des Lebens Ziel dir genahet
Unter Hektors Händen, der weit an Kraft dich besiegte, 105
Hätten dich nicht auffahrend gehemmt die König' Achaias.
Selbst auch Atreus' Sohn, der Völkerfürst Agamemnon,
Faßt' ihm die rechte Hand und redete, also beginnend:
Nimm doch Bedacht, Menelaos, du Göttlicher! Wenig bedarfst du
So unbedachtsamer Wut; drum fasse dich, herzlich betrübt zwar, 110
Und wetteifere nicht, den stärkeren Mann zu bekämpfen,
Hektor, Priamos' Sohn, vor dem auch andere zittern!
Ihm hat Achilleus selbst in der männerehrenden Feldschlacht
Schaudernd stets sich genaht, der doch viel stärker wie du ist.
Du denn setze dich nun, zur Schar der Deinigen wandelnd; 115
Diesem zum Kampf erhebt sich ein anderer wohl der Achaier.
Mög er auch furchtlos sein, auch unersättlich des Krieges,
Doch wird, mein ich, er froh die ermüdeten Knie beugen,
Wenn er entrinnt dem blutigen Kampf und der ernsten Entscheidung!
Also sprach und wandte des Bruders Herz Agamemnon, 120
Denn sein Wort war gerecht; er gehorcht' ihm, und die Genossen

Zogen ihm freudig nunmehr den Waffenschmuck von den Schultern.
Aber Nestor erhub sich in Argos' Volk und begann so:
Wehe, wie großes Leid dem achaiischen Lande herannaht!
Weinen ja würde vor Schmerz der graue reisige Peleus, 125
Rühmlich die Myrmidonen mit Rat und Rede beherrschend;
Der einst herzlich erfreut mich fragt' in seinem Palaste,
Rings nach aller Argeier Geschlecht und Zeugungen forschend!
Hört' er nun, wie sie alle sich scheu hinschmiegen vor Hektor,
Flehend würd er die Händ empor zu den Himmlischen heben, 130
Daß aus den Gliedern der Geist einging' in Aides' Wohnung!
Wenn ich, o Vater Zeus und Pallas Athen' und Apollon,
Grünete so wie einst, da an Keladons reißendem Strome
Kämpfte der Pylier Heer mir Arkadiens Lanzengeübten,
Hart an Pheias Mauern, wo schnell der Jardanos hinströmt! 135
Vorn war jenen im Kampf Ereuthalion, ähnlich den Göttern,
Hell um die Schultern geschmückt mit des Areithoos Rüstung,
Jenes erhabenen Helden, der Keulenschwinger mit Namen
Rings von Männern genannt und schöngegürteten Weibern;
Denn nie trug er Bogen noch ragende Lanz in der Feldschlacht, 140
Sondern trennte die Reihn mit dem Schwung der eisernen Keule.
Diesen erschlug Lykurgos durch Arglist, nicht durch Gewalt ihn,
Lauernd im engen Wege, wo nichts ihm die eiserne Keule
Frommete gegen den Tod; denn zuvor ihm rannte Lykurgos
Mitten die Lanz in den Leib, daß zurück auf den Boden er hinsank. 145
Und er entblößt' ihn der Wehr, die geschenkt der eherne Ares;
Diese trug er selber hinfort im Getümmel des Ares.
Aber nachdem Lykurgos daheim im Palaste gealtert,
Übergab er die Wehr Ereuthalion, seinem Genossen,
Der nun trotzend darauf die Tapfersten alle hervorrief. 150
Doch sie erbebten ihm all und zitterten; keiner bestand ihn.
Mich nur entflammte der Mut voll kühnen Vertrauns zu dem Kampfe,
Unverzagt, doch war an Geburt ich der jüngste von allen.
Und ich kämpft' ihm entgegen, und Ruhm verlieh mir Athene;
Ihn, den größesten nun und gewaltigsten Mann, erschlug ich, 155
Daß weit ausgestreckt er umherlag hiehin und dorthin.
Wär ich so jugendlich noch und ungeschwächten Vermögens,
Traun, bald fände des Kampfs der helmumflatterte Hektor!

Aber von euch ringsher, den tapfersten Helden Achaias,
Keiner auch wagt es getrost, dem Hektor dort zu begegnen! 160
Also schalt der Greis, da erhuben sich neun in der Heerschar.
Erst vor allen erstand der Herrscher des Volks Agamemnon;
Ihm zunächst der Tydeide, der starke Held Diomedes;
Drauf die Ajas zugleich, mit trotzigem Mute gerüstet,
Dann Idomeneus selbst und Idomeneus' Kriegsgenoß auch, 165
Held Meriones, gleich dem männermordenden Ares,
Auch Eurypylos dann, der glänzende Sohn des Euämon,
Thoas auch, der Andrämonid, und der edle Odysseus.
Alle sie waren bereit zum Kampf mit dem göttlichen Hektor.
Doch von neuem begann der gerenische reisige Nestor: 170
Jetzt durchs Los miteinander entscheidet es, welcher bestimmt sei.
Hoch erfreun wird dieser die hellumschienten Achaier,
Aber er wird auch selbst in seinem Herzen sich freuen,
Wenn er entrinnt dem blutigen Kampf und der ernsten Entscheidung.
Jener sprach's, und ein Los bezeichnete jeder sich selber; 175
Alle warfen sie dann in den Helm Agamemnons des Königs.
Aber das Volk hub flehend die Händ' empor zu den Göttern;
Also betete mancher, den Blick gen Himmel gewendet:
Vater Zeus, gib Ajas das Los, o gib's dem Tydeiden
Oder ihm selbst, dem König der golddurchstrahlten Mykene. 180
Also das Volk. Dort schüttelte nun der reisige Nestor,
Und es entsprang dem Helme das Los, das sie selber gewünschet,
Ajas' Los; rings trug es der Herold durch die Versammlung
Rechtshin, allen es zeigend, den edelen Helden Achaias.
Aber nicht erkennend verleugnete solches ein jeder. 185
Doch wie er jenen erreicht, ringsum die Versammlung durchwandelnd,
Der das bezeichnete warf in den Helm, den strahlenden Ajas,
Hielt er unter die Hand und hinein warf's nahend der Herold;
Schnell erkannt er schauend sein Los und freute sich herzlich,
Warf es dann vor die Füße zur Erd hin, also beginnend: 190
Wahrlich, mein ist, Freunde, das Los, und ich freue mich selber
Herzlich, dieweil ich hoffe den Sieg vom göttlichen Hektor.
Aber wohlan, indes ich mit Kriegsgerät mich umhülle,
Fleht ihr alle zu Zeus, dem waltenden Sohne des Kronos,
Vor euch selbst in der Stille, daß nicht die Troer es hören, 195

Oder mit lautem Gebet; denn niemand fürchten wir wahrlich!
Keiner soll durch Gewalt unwillig mit Zwang mich vertreiben,
Noch durch siegende Kunst; denn nicht unkundig des Krieges
Hoff ich in Salamis' Flur geboren zu sein und erzogen!
Jener sprach's, und sie flehten zu Zeus Kronion, dem Herrscher. 200
Also betete mancher, den Blick gen Himmel gewendet:
Vater Zeus, ruhmwürdig und hehr, du Herrscher vom Ida,
Gib nun Ajas den Sieg, daß glänzenden Ruhm er gewinne!
Aber ist auch Hektor dir wert und waltest du seiner,
Gleich dann schmücke sie beide mit Kraft und Ehre des Sieges! 205
Also das Volk, und es deckte mit blinkendem Erze sich Ajas.
Aber nachdem er den Leib ringsum in Waffen gehüllet,
Stürmt' er daher; wie Ares der Ungeheure sich nahet,
Der in die Schlacht eingehet zu Männern, welche Kronion
Trieb zum erbitterten Kampfe der geistverzehrenden Zwietracht: 210
Also erhub sich Ajas, der ragende Hort der Achaier,
Lächelnd mit finsterem Ernste des Antlitzes; und mit den Füßen
Wandelt' er mächtigen Schritts und schwang die erhabene Lanze.
Sein erfreuten sich hoch die Danaer, ringsher schauend;
Aber dem Volk der Troer durchschauderte Schrecken die Glieder. 215
Selbst dem Hektor begann sein Herz im Busen zu schlagen;
Doch nicht konnt er nunmehr wo zurückfliehn, noch sich verbergen
Unter die Haufen des Volks; denn er forderte selber den Zweikampf.
Ajas nahte heran und trug den türmenden Schild vor,
Ehern und siebenhäutig, den Tychios klug ihm vollendet, 220
Hochberühmt in des Leders Bereitungen, wohnend in Hyle;
Dieser schuf ihm den regsamen Schild aus sieben Häuten
Feistgenährter Stier' und umzog zum achten mit Erz sie.
Den nun trug vor der Brust der Telamonier Ajas,
Stellte sich nahe vor Hektor und sprach die drohenden Worte: 225
Hektor, deutlich nunmehr erkennest du, einer mit einem,
Wie sich im Danaervolk noch andere Helden erheben,
Auch nach Peleus' Sohn, dem zermalmenden, löwenbeherzten!
Jener zwar bei den schnellen, gebogenen Schiffen des Meeres
Ruht nun, zürnend im Geist dem Hirten des Volks Agamemnon, 230
Aber auch wir sind Männer, mit Freudigkeit dir zu begegnen,
Und noch viel! Wohlauf, und beginne du Kampf und Entscheidung!

Ihm antwortete drauf der helmumflatterte Hektor:
Ajas, göttlicher Sohn des Telamon, Völkergebieter,
Denke mich nicht durch Trotz, wie ein schwaches Kind, zu versuchen
Oder ein Weib, das nimmer des Kriegs Arbeiten gelernet!
Wohl sind mir die Kämpfe bekannt und die Schlachten der Männer!
Rechtshin weiß ich zu wenden und links zu wenden den Stierschild,
Dürrer Last, um stets unermüdeter Stärke zu kämpfen;
Weiß zu Fuß ihn zu tanzen, den Tanz des schrecklichen Ares, 240
Weiß auch rasch im Getümmel die fliegenden Rosse zu lenken!
Aber nicht ereile mein Speer dich, tapferer Krieger,
Heimlich mit lauernder List, nein öffentlich, ob er dich treffe!
Sprach's, und im Schwung entsandt er die weithinschattende Lanze,
Und sie traf dem Ajas den siebenhäutigen Stierschild 245
Auf das obere Erz, das ihm zum achten umherlag;
Sechs der Schichten durchdrang das spaltende Erz unbezwingbar,
Doch in der siebenten Haut ermattet' es. Wider entsandt ihm
Ajas, der göttliche Held, die weithinschattende Lanze,
Und sie traf dem Hektor den Schild von geründeter Wölbung. 250
Siehe, den strahlenden Schild durchschmetterte mächtig die Lanze,
Auch in das Kunstgeschmeide des Harnisches drang sie geheftet,
Grad hindurch an der Weiche des Bauchs durchschnitt sie den Leibrock
Stürmend; da wand sich jener und mied das schwarze Verhängnis.
Beide dann zogen heraus die ragenden Speer', und zugleich nun 255
Rannten sie an, blutgierig, wie raubverschlingende Löwen
Oder wie der Eber des Waldes von nicht unkriegrischer Stärke.
Priamos' Sohn stieß mächtig den Speer auf die Mitte des Schildes,
Doch nicht brach er das Erz; denn rückwärts bog sich die Spitze.
Ajas stach nun den Schild anlaufend ihm; aber hindurch drang 260
Schmetternd die eherne Lanz und erschütterte jenen im Angriff.
Streifend am Hals hinfuhr sie, und schwarz entspritzte das Blut ihm.
Doch nicht ruhte vom Kampf der helmumflatterte Hektor,
Sondern wich und erhub mit nervichter Rechten den Feldstein,
Der dort lag im Gefilde, den dunkelen, rauhen und großen; 265
Schwang ihn hin, und dem Ajas den siebenhäutigen Stierschild
Traf er gerad auf den Nabel, daß ringsum dröhnend das Erz scholl.
Wieder erhub nun Ajas den noch viel größeren Feldstein,
Sandt ihn daher umschwingend und strengt' unermeßliche Kraft an.

Einwärts brach er den Schild mit dem mühlsteinähnlichen Felsen 270
Und verletzt' ihm die Knie, daß rücklings jener dahinsank,
Fest den Schild in der Hand; doch schnell erhub ihn Apollon.
Jetzt auch hätten mit Schwertern in nahem Kampf sie verwundet,
Wenn nicht zween Herolde, die Boten Zeus' und der Männer,
Eilend genaht, von den Troern und erzumschirmten Achaiern, 275
Dort Idäos und hier Talthybios, beide verständig.
Zwischen die Kämpfenden streckten die Stäbe sie; aber Idäos
Sprach das Wort, der Herold, verständigen Rates erfahren:
Nun nicht mehr, ihr Kinder, des feindlichen Kampfs und Gefechtes!
Beide ja seid ihr geliebt dem Herrscher im Donnergewölk Zeus, 280
Beid auch tapfere Streiter; das schaueten jetzo wir alle.
Doch nun nahet die Nacht; gut ist's, auch der Nacht zu gehorchen.
Gegen ihn rief antwortend der Telamonier Ajas:
Erst den Hektor ermahnt, Idäos, also zu reden,
Weil er selbst zum Kampfe die Tapfersten alle hervorrief. 285
Jener beginn, und gerne gehorch ich dir, wenn er zuerst will.
Ihm antwortete drauf der helmumflatterte Hektor:
Ajas, dieweil dir ein Gott die Kraft und die Größe verliehen
Und den Verstand und im Speere der beste du bist der Achaier,
Laß uns jetzt ausruhen vom feindlichen Kampf der Entscheidung, 290
Heut; doch künftig erneu'n wir die Feldschlacht, bis uns ein Dämon
Trennen wird und geben der Völker einem den Siegsruhm.
Denn nun nahet die Nacht; gut ist's, auch der Nacht zu gehorchen,
Daß du dort bei den Schiffen das Herz der Achaier erfreuest,
Doch vor allem der Freund' und deiner lieben Genossen; 295
Aber ich selbst, heimkehrend in Priamos' Stadt, des Beherrschers,
Trojas Männer erfreu und saumnachschleppende Weiber,
Welche für mich auffliehend an heiliger Stätte sich sammeln;
Laß uns jetzt auch einander mit rühmlichen Gaben beschenken,
Daß man sage hinfort bei Troern und bei Achaiern: 300
Seht, sie kämpften den Kampf der geistverzehrenden Zwietracht,
Und dann schieden sie beid in Freundschaft wieder versöhnet.
Jener sprach's und reicht' ihm das Schwert voll silberner Buckeln
Samt der Scheid in die Hand und dem schöngezierten Gehenke.
Ajas schenkt' ihm dagegen den Leibgurt, schimmernd von Purpur. 305
Also schieden sie beid; es kehrte zum Volk der Achaier

Einer, zum Heer der Troer der andere: jene mit Freude
Schaueten um, daß lebend und unverletzt er daherging,
Ajas' Händen entflohn und unaufhaltsamer Stärke;
Führten ihn dann in die Stadt und glaubeten kaum ihn errettet. 310
Auch den Ajas führten die hellumschienten Achaier
Hin zum Held Agamemnon, der hoch des Sieges erfreut war.
  Als sie nunmehr ins Gezelt um Atreus' Sohn sich versammelt,
Opferte, jenen zum Schmaus, der Völkerfürst Agamemnon
Einen Stier, fünfjährig und feist, dem starken Kronion. 315
Rasch ihn zogen sie ab und zerlegeten alles geschäftig,
Schnitten behend in Stücke das Fleisch und steckten's an Spieße,
Brieten es dann vorsichtig und zogen es alles herunter.
Aber nachdem sie ruhten vom Werk und das Mahl sich bereitet,
Schmausten sie, und nicht mangelt' ihr Herz des gemeinsamen Mahles.
Aber den Ajas ehrt' er mit weithinreichendem Rücken,
Atreus' Heldensohn, der Völkerfürst Agamemnon.
Aber nachdem die Begierde des Tranks und der Speise gestillt war,
Jetzo begann der Greis den Entwurf zu ordnen in Weisheit,
Nestor, der schon eher mit trefflichem Rate genützet. 325
Dieser begann wohlmeinend und redete vor der Versammlung:
  Atreus' Sohn und ihr andern, erhabene Fürsten Achaias,
Viele ja sind gestorben der hauptumlockten Achaier,
Welchen das schwarze Blut um den schönen Strom des Skamandros
Ares der Wütrich vergoß; und die Seelen zum Aides sanken. 330
Darum laß mit dem Morgen den Krieg ausruhn der Achaier,
Daß wir gesamt auf Wagen die Leichname holen, von Rindern
Und Maultieren geführt; alsdann verbrennen wir alle,
Etwas entfernt von den Schiffen, damit einst jeder den Kindern
Bringe den Staub, wann wieder zum Vaterlande wir heimziehn. 335
Einen Hügel am Brand erheben wir, draußen versammelt,
Allen zugleich im Gefild, und neben ihm bauen wir eilig
Hochgetürmt die Mauer, uns selbst und den Schiffen zur Schutzwehr.
Drin auch bauen wir Tore mit wohleinfugenden Flügeln,
Daß bequem durch solche der Weg sei Rossen und Wagen. 340
Draußen umziehn wir sodann mit tiefem Graben die Mauer,
Welcher rings abwehre den reisigen Zug und das Fußvolk,
Daß nicht einst andränge die Macht hochherziger Troer.

Jener sprach's, und umher die Könige riefen ihm Beifall.
Auch die Troer kamen auf Ilios' Burg zur Versammlung, 345
Schreckenvoll und verwirrt, vor Priamos' hohem Palaste,
Und vor ihnen begann der verständige Held Antenor:
Hört mein Wort, ihr Troer, ihr Dardaner und ihr Genossen,
Daß ich rede, wie mir das Herz im Busen gebietet.
Auf, die Argeierin Helena nun und die Schätze mit jener 350
Geben wir Atreus' Söhnen zurück. Nun streiten wir treulos
Gegen den heiligen Bund; drum hoff ich nimmer, daß Wohlfahrt
Unserem Volke gedeihe, bevor wir also gehandelt.
Also redete jener und setzte sich. Wieder erhub sich
Alexandros, der Held, der lockigen Helena Gatte; 355
Dieser erwiderte drauf und sprach die geflügelten Worte:
Keineswegs, Antenor, gefällt mir, was du geredet!
Leicht wohl könntest du sonst ein Besseres raten denn solches!
Aber wofern du wirklich in völligem Ernste geredet,
Traun, dann raubeten dir die Unsterblichen selbst die Besinnung! 360
Jetzo verkünd auch ich den rossebezähmenden Troern,
Grade heraus bekenn ich: das Weib, nie geb ich es wieder,
Aber das Gut, so viel ich aus Argos führt' in die Wohnung,
Will ich gesamt nun erstatten und noch des Meinen hinzutun.
Also redete jener und setzte sich. Wieder erhub sich 365
Priamos, Dardanos' Enkel, an Rat den Unsterblichen ähnlich;
Dieser begann wohlmeinend und redete vor der Versammlung:
Hört mein Wort, ihr Troer, ihr Dardaner und ihr Genossen,
Daß ich rede, wie mir das Herz im Busen gebietet.
Jetzo nehmet das Mahl durch das Kriegsheer, so wie gewöhnlich, 370
Und gedenkt der nächtlichen Hut, und jeder sei wachsam.
Morgen geh Idäos hinab zu den räumigen Schiffen,
Daß er den Fürsten des Volks Agamemnon und Menelaos
Sage die Red Alexandros', um welchen Streit sich erhoben;
Auch dies heilsame Wort dann verkündige: ob sie geneigt sind, 375
Auszuruhn vom Getöse der Feldschlacht, bis wir die Toten
Erst verbrannt; doch künftig erneuen wir, bis uns ein Dämon
Trennen wird und geben der Völker einem den Siegsruhm.
Jener sprach's; da hörten sie aufmerksam und gehorchten.
Ringsum nahm man das Mahl durch das Kriegsheer, Haufen bei Haufen.

Morgens ging Idäos hinab zu den räumigen Schiffen,
Und er fand die Achaier im Rat, die Genossen des Ares,
Neben dem Hinterschiff Agamemnons. Jener, sich nahend,
Trat in den Kreis und begann, der lautaustönende Herold:
  Atreus' Söhn' und ihr andern, erhabene Fürsten Achaias, 385
Priamos sendete mich und die anderen Edlen der Troer,
Daß ich, wär es vielleicht euch angenehm und gefällig,
Sagte die Red Alexandros', um welchen der Streit sich erhoben.
Alles Gut, so viel Alexandros in räumigen Schiffen
Her gen Troja geführt (hätt eher der Tod ihn ereilet!), 390
Will er gesamt euch erstatten und noch des Seinen hinzutun.
Aber die Jugendvermählte von Atreus' Sohn Menelaos
Gibt er nie, wie er sagt, obzwar ihn die Troer ermahnen.
Dieses Wort auch sollt ich verkündigen, ob ihr geneigt seid
Auszuruhn vom Getöse der Feldschlacht, bis wir die Toten 395
Erst verbrannt; doch künftig erneuen wir, bis uns ein Dämon
Trennen wird und geben der Völker einem den Siegsruhm.
  Jener sprach's, doch alle verstummten umher und schwiegen.
Endlich begann vor ihnen der Rufer im Streit Diomedes:
  Daß nur keiner das Gut Alexandros nehme, ja selbst nicht 400
Helena! Wohl ja erkennt, auch wer unmündigen Geistes,
Daß nunmehr den Troern das Ziel des Verderbens daherdroht!
  Jener sprach's; da jauchzten ihm rings die Männer Achaias,
Hoch das Wort anstaunend von Tydeus' Sohn Diomedes.
Jetzo sprach zu Idäos der Völkerfürst Agamemnon: 405
  Selber jetzt, Idäos, vernahmst du das Wort der Achaier,
Welchen Bescheid sie geben; auch mir geliebet es also.
Doch der Toten Verbrennung sei euch mitnichten verweigert.
Nicht ja gebührt Kargheit bei abgeschiedenen Toten,
Daß man, nachdem sie gestorben, mit Glut zu besänftigen eile. 410
Höre den Bund Zeus selber, der donnernde Gatte der Here!
  Jener sprach's, und empor zu den Himmlischen hob er den Zepter.
Aber es kehrt' Idäos zur heiligen Ilios wieder.
Jene noch saßen im Rat, die Troer und Dardanionen,
Alle gedrängt miteinander, und harreten seiner Zurückkunft. 415
Jetzo kam Idäos daher und sagte die Botschaft,
Hingestellt in die Mitte. Da rüsteten jene sich eilig,

Andere, Leichen zu holen, und andere, Holz aus den Wäldern.
Auch die Argeier indes von den schöngebordeten Schiffen
Eileten, Leichen zu holen, und andere, Holz aus den Wäldern. 420
  Aber die Sonn erhellte mit jungem Strahl die Gefilde,
Aus des tiefergoßnen Okeanos ruhiger Strömung
Steigend am Himmel empor. Da begegneten jen' einander.
Schwer nun war's, zu erkennen im Schlachtfeld jeden der Männer,
Doch sie wuschen mit Wasser den blutigen Mord von den Gliedern,
Heiße Tränen vergießend, und huben sie all auf die Wagen.
Aber zu weinen verbot Held Priamos; jene nun schweigend
Legten gehäuft auf die Scheiter die Leichname, traurigen Herzens,
Zündeten an das Feuer und kehrten zur heiligen Troja.
Also auch dort entgegen die hellumschienten Achaier 430
Legten gehäuft auf die Scheiter die Leichname, traurigen Herzens,
Zündeten an das Feuer und kehrten zu räumigen Schiffen.
  Als noch nicht der Morgen erschien, nur grauende Dämmrung,
Jetzo erhub um den Brand sich erlesenes Volk der Achaier.
Einen Hügel umher erhuben sie, draußen versammelt, 435
Allen zugleich im Gefild, und neben ihm bauten sie eilig
Hochgetürmt die Mauer, sich selbst und den Schiffen zur Schutzwehr.
Drin auch bauten sie Tore mit wohleinfugenden Flügeln,
Daß bequem durch solche der Weg war Rossen und Wagen.
Draußen umzogen sie dann mit tiefem Graben die Mauer, 440
Breit umher und groß, und drinnen auch pflanzten sie Pfähle.
So arbeiteten hier die hauptumlockten Achaier.
  Dort die Götter, um Zeus den Wetterleuchtenden sitzend,
Staunten dem großen Werke der erzumschirmten Achaier.
Unter ihnen begann der Erderschüttrer Poseidon: 445
  Vater Zeus, ist irgendein Mensch der unendlichen Erde,
Der zu den Himmlischen noch mit Herz und Sinne sich wende?
Siehest du nicht, wie jetzo die hauptumlockten Achaier
Eine Mauer den Schiffen erbaueten, rings auch den Graben
Führeten, ohn uns Göttern zuvor Hekatomben zu opfern? 450
Nun wird diesen ein Ruhm, so weit der Tag sich verbreitet;
Doch vergessen wird jene, die ich und Phöbos Apollon
Einst um Laomedons Stadt mit ringender Kraft gegründet!
  Unmutsvoll nun begann der Herrscher im Donnergewölk Zeus:

Wehe mir, Erderschüttrer, gewaltiger! Welcherlei Rede! 455
Wenn ja ein anderer noch der Unsterblichen jener Erfindung
Zitterte, der weit schwächer denn du an Arm und Gewalt ist,
Doch dir währet der Ruhm, so weit der Tag sich verbreitet.
Auf wohlan! sobald nun die hauptumlockten Achaier
Heimgekehrt in den Schiffen zum lieben Lande der Väter, 460
Reiße dann ein die Mauer und stürze sie ganz in die Meerflut,
Wieder das große Gestad umher mit Sande bedeckend,
Daß auch die Spur hinschwinde vom großen Bau der Achaier.
  Also redeten jen' im Wechselgespräch miteinander.
Nieder sank nun die Sonn, und der Danaer Werk war vollendet. 465
Rings in den Zelten erschlugen sie Stier' und genossen des Mahles.
Aber viel der Schiffe, mit Wein beladen, aus Lemnos
Landeten, hergesandt vom Jasoniden Euneos,
Welchen Hypsipyle trug dem Völkerhirten Jason.
Atreus' Söhnen allein, Agamemnon und Menelaos, 470
Sandt er edleren Trank zum Geschenk her, tausend der Maße.
Dort nun kauften des Weins die hauptumlockten Achaier;
Andere brachten Erz und andere blinkendes Eisen,
Andere dann Stierhäut' und andere lebende Rinder,
Andre Gefangne der Schlacht, und bereiteten lieblichen Festschmaus.
  Also die Nacht durchharrten die hauptumlockten Achaier
Schmausend; auch dort die Troer in Ilios und die Genossen.
Aber die ganze Nacht sann Unheil Zeus der Erhabne,
Drohend mit Donnergetön; da faßte sie bleiches Entsetzen.
Ringsher Wein aus den Bechern vergossen sie, keiner auch durft ihn
Trinken, bevor er gesprengt dem allmächtigen Sohne des Kronos.
Jeder ruhete dann und empfing die Gabe des Schlafes.

VIII. GESANG

Den versammelten Göttern verbietet Zeus, weder Achaiern noch Troern beizustehn, und fährt zum Ida. Schlacht. Zeus wägt den Achaiern Verderben und schreckt sie mit dem Donner. Here bittet den Poseidon umsonst, den Achaiern zu helfen. Die Achaier in die Verschanzung gedrängt. Agamemnon und ein Zeichen ermuntert sie zum neuen Angriff. Teukros streckt viele mit dem Bogen nieder und wird von Hektor verwundet. Die Achaier von neuem in die Verschanzung getrieben. Here und Athene fahren vom Olympos den Achaiern zu Hilfe. Zeus befiehlt ihnen durch Iris, umzukehren. Er selbst, zum Olympos gekehrt, droht den Achaiern noch größere Niederlage. Hektor mit den siegenden Troern übernachtet vor dem Lager.

Eos im Safrangewand erleuchtete rings nun die Erde,
Als der Donnerer Zeus die Unsterblichen rief zur Versammlung
Auf den obersten Gipfel des vielgezackten Olympos.
Selbst nun begann er den Rat, und die Himmlischen horchten ihm alle:
Hört mein Wort, ihr Götter umher und ihr Göttinnen alle, 5
Daß ich rede, wie mir das Herz im Busen gebietet.
Keine der Göttinnen nun erhebe sich, keiner der Götter,
Trachtend, wie dies mein Wort er vereitele, sondern zugleich ihr
Stimmt ihm bei, daß ich eilig Vollendung schaffe dem Werke!
Wen ich jetzt von den Göttern gesonderten Sinnes erkenne, 10
Daß er geht und Troer begünstiget oder Achaier,
Schmählich geschlagen fürwahr kehrt solcher mir heim zum Olympos!
Oder ich faß und schwing ihn hinab in des Tartaros Dunkel,
Ferne, wo tief sich öffnet der Abgrund unter der Erde,
Den die eiserne Pforte verschleußt und die eherne Schwelle, 15
So weit unter dem Ais, wie über der Erd ist der Himmel!
Dann vernimmt er, wie weit ich der mächtigste sei vor den Göttern!
Auf wohlan, ihr Götter, versucht's, daß ihr all es erkennet:
Eine goldene Kette befestigend oben am Himmel,
Hängt dann all ihr Götter euch an und ihr Göttinnen alle; 20
Dennoch zögt ihr nie vom Himmel herab auf den Boden
Zeus, den Ordner der Welt, wie sehr ihr rängt in der Arbeit!
Aber sobald auch mir im Ernst es gefiele zu ziehen,
Selbst mit der Erd euch zög ich empor und selbst mit dem Meere.
Und die Kette darauf um das Felsenhaupt des Olympos 25
Bänd ich fest, daß schwebend das Weltall hing' in der Höhe!
So weit rag ich vor Göttern an Macht, so weit vor den Menschen!

Jener sprach's, doch alle verstummten umher und schwiegen,
Hoch das Wort anstaunend; denn kraftvoll hatt er geredet.
Endlich erwiderte Zeus' blauäugige Tochter Athene: 30
Unser Vater Kronion, o du, der Gebietenden Höchster,
Wohl ja erkennen auch wir, wie an Macht unbezwinglich du waltest.
Aber es jammern uns der Danaer streitbare Völker,
Welche, das böse Geschick nunmehr vollendend, verschwinden.
Dennoch entziehn wir hinfort dem Gefecht uns, wenn du gebietest; 35
Rat nur wollen wir geben den Danaern, welcher gedeihe,
Daß nicht all hinschwinden vor deinem gewaltigen Zorne.
Lächelnd erwiderte drauf der Herrscher im Donnergewölk Zeus:
Fasse dich, Tritogeneia, mein Töchterchen! Nicht mit des Herzens
Meinung sprach ich das Wort, ich will dir freundlich gesinnt sein! 40
Jener sprach's und schirrt' in das Joch erzhufige Rosse,
Stürmenden Flugs, umwallt von goldener Mähne die Schultern;
Selbst dann hüllt' er in Gold sich den Leib und faßte die Geißel,
Schön aus Golde gewirkt, und trat in den Sessel des Wagens.
Treibend schwang er die Geißel, und rasch hinflogen die Rosse, 45
Zwischen der Erd einher und dem sternumleuchteten Himmel.
Schnell den Ida erreicht' er, den quelligen Nährer des Wildes.
Gargaros, wo ihm pranget ein Hain und duftender Altar.
Dort nun hielt der Vater des Menschengeschlechts und der Götter,
Löste die Rosse vom Wagen und breitete dichtes Gewölk aus. 50
Selber setzt' er nunmehr auf die Höhe sich, freudigen Trotzes,
Und umschaute der Troer Stadt und die Schiffe Achaias.
Jene nun nahmen das Mahl, die hauptumlockten Achaier,
Rasch in den Zelten umher und hüllten sodann ihr Geschmeid um.
So auch dort die Troer in Ilios faßten die Waffen, 55
Weniger zwar, doch entbrannt zum blutigen Kampf der Entscheidung
Durch hartdringende Not; denn es galt für Weiber und Kinder.
Ringsum standen geöffnet die Tor', und es stürzte das Kriegsheer,
Streiter zu Fuß und zu Wagen, hinaus mit lautem Getümmel.
Als sie nunmehr anstrebend auf einem Raum sich begegnet, 60
Trafen zugleich Stierhäut' und Speere zugleich und die Kräfte
Rüstiger Männer in Erz, und die hochgenabelten Schilde
Naheten dichtgedrängt, und umher stieg lautes Getös auf.
Jetzo erscholl Wehklagen und Siegsgeschrei miteinander,

Würgender dort und Erwürgter, und Blut umströmte die Erde. 65
Weil noch Morgen es war und der heilige Tag emporstieg,
Hafteten jegliches Heeres Geschoss', und es sanken die Völker.
Aber nachdem die Sonne den Mittagshimmel erstiegen,
Jetzo streckte der Vater empor die goldene Waage,
Legt' in die Schalen hinein zwei finstere Todeslose, 70
Trojas reisigem Volk und den erzumschirmten Achaiern,
Faßte die Mitt und wog. Da lastete schnell der Achaier
Schicksalstag, daß die Schale zur nahrungsprossenden Erde
Niedersank und der Troer zum weiten Himmel emporstieg.
Laut vom Ida herab nun donnert' er, und sein entbrannter 75
Strahl durchzuckte das Heer der Danaer; jen' ihn erblickend,
Starreten auf, und alle durchschauerte bleiches Entsetzen.
Nicht Idomeneus selber verweilt' itzt, nicht Agamemnon,
Nicht die Ajas wagten zu stehn, die Genossen des Ares.
Nestor allein noch stand, der gerenische Hort der Achaier, 80
Ungern, weil ihm verletzt war ein Roß. Das traf mit dem Pfeile
Alexandros der Held, der lockigen Helena Gatte,
Grad in die Scheitel des Haupts, wo zuerst die Mähne der Rosse
Vorn dem Schädel entwächst und am tödlichsten ist die Verwundung.
Angstvoll bäumt' es empor, weil tief der Pfeil ins Gehirn drang, 85
Und verwirrte die Ross', um das Erz in der Wunde sich wälzend.
Während der Greis die Stränge dem Nebenroß mit dem Schwerte
Abzuhaun sich erhub, kam Hektors schnelles Gespann ihm
Durch die Verfolgung daher, mit dem unerschrockenen Lenker
Hektor! Dort nun hätte der Greis sein Leben verloren, 90
Wenn nicht schnell ihn bemerkt der Rufer im Streit Diomedes.
Furchtbar jetzt ausrufend, ermahnt' er so den Odysseus:
Edler Laertiad, erfindungsreicher Odysseus,
Wohin fliehst du, den Rücken gewandt, wie ein Feiger im Schwarme?
Daß nur keiner den Speer dir Fliehendem heft in die Schulter! 95
Bleib doch und hilf vom Greise den schrecklichen Mann mir entfernen!
Jener sprach's, nicht hörte der herrliche Dulder Odysseus,
Sondern er stürmte vorbei zu den räumigen Schiffen Achaias.
Doch der Tydeid, auch selber allein, drang kühn in den Vorkampf,
Stellte sich nun vor die Rosse des neleiadischen Greises, 100
Und er begann zu jenem und sprach die geflügelten Worte:

Wahrlich, o Greis, sehr hart umdrängen dich jüngere Männer!
Deine Kraft ist gelöst, und mühsames Alter beschwert dich;
Auch ist schwach dein Wagengefährt und ermüdet die Rosse.
Auf denn, zu meinem Geschirr erhebe dich, daß du erkennest, 105
Wie doch troische Rosse gewandt sind, durch die Gefilde
Dort zu sprengen und dort, in Verfolgungen und in Entfliehung,
Die ich jüngst von Äneias errang, dem Schreckengebieter.
Jene laß den Gefährten zur Obhut; wir mit den meinen
Wollen den reisigen Troern entgegengehn, daß auch Hektor 110
Lern, ob mir selber vielleicht auch wüte der Speer in den Händen!
Sprach's; und ihm folgete gern der gerenische reisige Nestor.
Jetzt die nestorischen Rosse besorgeten beide Gefährten,
Sthenelos, tapferen Muts, und Eurymedon, glühend vor Ehrfurcht.
Jene dann traten zugleich in das rasche Geschirr Diomedes'. 115
Nestor faßt' in die Hände die purpurschimmernden Zügel,
Schwang dann die Geißel zum Lauf, und bald erreichten sie Hektor.
Ihm, wie er grad andrang, entsandte den Speer Diomedes;
Und er verfehlt' ihn zwar, doch dem wagenlenkenden Diener,
Jenem Eniopeus, dem Sohn des erhabnen Thebäos, 120
Als er hielt das Gezäum, durchschoß er die Brust an der Warze;
Und er entsank dem Geschirr, und zurück ihm zuckten die Rosse
Fliegenden Laufs; ihm aber erlosch der Geist und die Stärke.
Hektors Seele durchdrang der bittere Schmerz um den Lenker;
Dennoch ließ er ihn dort, wie sehr er traurte des Freundes, 125
Liegen und forscht', ob irgendein mutiger Lenker erschiene.
Und nicht lang ihm entbehrten die Rosse der Hut; denn er fand nun
Iphitos' mutigen Sohn Archeptolemos; eilend ihn hieß er
Steigen ins rasche Geschirr und reicht' in die Hand ihm die Zügel,
Jetzt wär entschieden der Kampf und unheilbare Taten vollendet
Und sie zusammengescheucht in Ilios, gleich wie die Lämmer,
Schauete nicht der Vater des Menschengeschlechts und der Götter.
Furchtbar erscholl sein Donner daher, und der leuchtende Strahl schlug
Schmetternd hinab in den Grund vor dem raschen Gespann Diomedes';
Schrecklich lodert' empor die schweflichte Flamme des Himmels,
Und wild bebten in Angst die Rosse zurück vor dem Wagen.
Nestors Hand entsanken die purpurschimmernden Zügel,
Und er erschrak im Herzen und sprach zum Held Diomedes:

Tydeus' Sohn, auf, wende zur Flucht die stampfenden Rosse!
Oder erkennest du nicht, daß Zeus nicht Sieg dir gewähret? 140
Jetzo zwar wird jener von Zeus Kronion verherrlicht,
Heut, doch künftig werden wir selbst auch, wenn's ihm gelüstet,
Wieder geehrt! Darf keiner doch Zeus' Ratschlüsse verhindern,
Nicht der Gewaltigste selbst; denn er ist mächtig vor allen!
Ihm antwortete drauf der Rufer im Streit Diomedes: 145
Wahrlich, o Greis, du hast wohlziemende Worte geredet;
Aber ein heftiger Schmerz durchdringt mir die Tiefe des Herzens!
Hektor sagt nun hinfort in des troischen Volkes Versammlung:
Tydeus' Sohn ist vor mir hinabgeflohn zu den Schiffen!
Also trotzt er hinfort; dann reiße sich weit mir die Erd auf! 150
Ihm antwortete drauf der gerenische reisige Nestor:
Wehe mir, Tydeus' Sohn, des Feurigen, welcherlei Rede!
Denn wofern dich Hektor auch feig einst nennet und kraftlos,
Niemals glauben ihm doch die Troer und Dardanionen,
Oder die Fraun der Troer, der schildgewappneten Streiter, 155
Welchen umher in den Staub die blühenden Männer du strecktest.
Jener sprach's und wandte zur Flucht die stampfenden Rosse
Durch die Verfolgung zurück; nach stürmeten Troer und Hektor
Mit graunvollem Geschrei und schütteten herbe Geschosse.
Aber es rief lauttönend der helmumflatterte Hektor: 160
Tydeus' Sohn, dich ehrten die reisigen Helden Achaias
Hoch an Sitz und an Fleisch und vollgegossenen Bechern.
Künftig verachten sie dich; wie ein Weib erscheinest du jetzo!
Fort, du zagendes Mädchen! Denn nie, mich selber vertreibend,
Steigst du die Mauern hinan von Ilios oder entführest 165
Uns die Weiber im Schiff; zuvor dir send ich den Dämon!
Jener sprach's; da erwog mit wankendem Sinn Diomedes,
Ob er die Ross' umlenkt' und kühn entgegen ihm kämpfte.
Dreimal sann er umher in des Herzens Geist und Empfindung,
Dreimal erscholl vom Ida das Donnergetön des Kronion, 170
Trojas Volk ankündend der Schlacht abwechselnden Siegsruhm.
Hektor anjetzt ermahnte mit lautem Rufe die Troer:
Troer, und Lykier ihr, und Dardaner, Kämpfer der Nähe,
Seid nun Männer, o Freund', und gedenkt des stürmenden Mutes!
Denn ich erkenne, wie mir voll Huld zuwinkte Kronion 175

Sieg und erhabenen Ruhm, doch Schmach den Achaiern und Unheil.
Törichte, welche nunmehr zum Schutz sich erfanden die Mauer,
Schwach und verachtenswert, die nichts vor meiner Gewalt ist;
Denn mir springen die Rosse mit Leichtigkeit über den Graben!
Aber sobald ich dort den gebogenen Schiffen genahet, 180
Dann gedenke man wohl für brennendes Feuer zu sorgen,
Daß ich die Schiff' anzünde mit Glut und sie selber ermorde,
Argos' Söhn' um die Schiffe, betäubt im Dampfe des Brandes!
Jener sprach's, und die Ross' ermahnet' er, laut ausrufend:
Xanthos, und du Podargos, und mutiger Lampos und Äthon, 185
Jetzt die reichliche Pflege vergeltet mir, welche mit Sorgfalt
Euch Andromache gab, des hohen Eetions Tochter,
Da sie zuerst vor euch den lieblichen Weizen geschüttet,
Auch des Weines gemischt, nach Herzenswunsche zu trinken,
Eher denn mir, der doch ihr blühender Gatte sich rühmet! 190
Auf denn mit großer Gewalt, und verfolget sie, daß wir erobern
Nestors strahlenden Schild, des Ruhm nun reichet zum Himmel:
Golden sei die Wölbung umher und die Stangen des Schildes.
Auch herab von der Schulter dem reisigen Held Diomedes
Jenen künstlichen Harnisch, den selbst Hephästos geschmiedet! 195
Würd uns solches ein Raub, dann hofft ich wohl, die Achaier
Möchten die Nacht noch steigen in leichthinsegelnde Schiffe!
Also jauchzet' er laut; da zürnt' ihm die Herrscherin Here,
Wandte sich heftig im Thron und erschütterte weit den Olympos.
Drauf zu Poseidaon, dem mächtigen Gotte, begann sie: 200
Wehe mir, Erderschüttrer, Gewaltiger, wenden auch dir nicht
Argos' sinkende Scharen das Herz im Busen zu Mitleid?
Bringen sie doch gen Ägä und Helike dir der Geschenke
Viel und erfreuende stets! O gönne du ihnen den Sieg nun!
Denn wenn wir nur wollten, der Danaer sämtliche Helfer, 205
Trojas Volk wegdrängen und Zeus dem Donnerer steuern,
Traun, bald säß er daselbst sich einsam härmend auf Ida!
Unmutsvoll nun begann der Erderschüttrer Poseidon:
Welch ein Wort, o Here, Verwegene, hast du geredet!
Nimmermehr verlang ich mit Zeus Kronion zu kämpfen, 210
Ich und die anderen hier; denn er ist mächtig vor allen!
Also redeten jen' im Wechselgespräch miteinander.

Dort, so weit von den Schiffen zum Wall und Graben sich hinstreckt,
Voll war's rings von Rossen und schildgewappneten Männern,
Dichtgedrängt; denn es drängte, dem stürmenden Ares vergleichbar,
Hektor, Priamos' Sohn, nachdem Zeus Ruhm ihm gewährte.
Und nun hätt er verbrannt in lodernder Flamme die Schiffe,
Legete nicht Agamemnon ins Herz die erhabene Here,
Ihm, der auch selbst umeilte, die Danaer schnell zu ermuntern.
Schleunig ging er hinab der Danaer Schiff' und Gezelte, 220
Haltend in nervichter Hand den großen purpurnen Mantel.
Und er betrat des Odysseus' gewaltiges dunkeles Meerschiff,
Welches die Mitt einnahm, daß beiderseits sie vernähmen.
Dort zu Ajas' Gezelten hinab, des Telamoniden,
Dort zu des Peleionen, die beid an den Enden ihr Schiffheer 225
Aufgestellt, hochtrotzend auf Mut und Stärke der Hände.
Laut erscholl sein durchdringender Ruf in das Heer der Achaier:
Schande doch, Argos' Volk, ihr Verworfenen, trefflich an Bildung!
Wo ist jetzo der Ruhm, da wir uns Tapfere priesen,
Was ihr vordem in Lemnos mit nichtiger Rede geprahlet, 230
Schmausend das viele Fleisch der hochgehörneten Rinder
Und ausleerend die Krüge, zum Rand mit Weine gefüllet?
Gegen hundert der Troer, ja selbst zweihundert vermaß sich
Jeder im Kampfe zu stehn! Nicht einem auch gelten wir jetzo,
Hektor, der bald die Schiffe verbrennt in loderndem Feuer! 235
Hast du, o Vater Zeus, je einen gewaltigen König
So beladen mit Fluch und des herrlichen Ruhms ihn beraubet?
Weißt du doch, wie ich nie vor deinem prangenden Altar
Im vielrudrigen Schiff hinsteuerte, als ich hieherkam;
Nein, auf allen verbrannt ich der Stiere Fett und die Schenkel, 240
Wünschend hinwegzutilgen die festummauerte Troja.
Aber, o Zeus, gewähre mir doch nur dieses Verlangen:
Laß uns wenigstens selber errettet sein und entfliehen
Und nicht so hinsinken vor Trojas Macht die Achaier!
Jener sprach's, da jammerte Zeus des weinenden Königs, 245
Und er winkt' ihm Errettung der Danaer, nicht ihr Verderben.
Schnell den Adler entsandt er, die edelste Vorbedeutung;
Dieser trug in den Klauen ein Kind der flüchtigen Hindin,
Und vor Zeus' Altar, den prangenden, warf er das Hirschkalb,

Wo dem enthüllenden Zeus die Danaer pflegten zu opfern. 250
Jene, sobald sie gesehn, wie von Zeus herschwebte der Vogel,
Drangen gestärkt in der Troer Gewühl und entbrannten vor Streitlust.
Keiner rühmte sich nun, so viel auch Danaer waren,
Daß vor Tydeus' Sohn er gelenkt die hurtigen Rosse,
Vorgesprengt aus dem Graben, und kühn entgegen gekämpfet; 255
Sondern zuerst den Troern ermordet' er einen der Kämpfer,
Phradmons Sohn Agelaos; zur Flucht dort wandt' er die Rosse.
Doch dem Gewendeten stieß der Tydeide den Speer in den Rücken
Zwischen der Schulterbucht, daß vorn aus dem Busen er vordrang;
Und er entsank dem Geschirr, und es rasselten um ihn die Waffen. 260
Hinter ihm Atreus' Söhn' Agamemnon und Menelaos,
Drauf die Ajas zugleich, mit trotzigem Mute gerüstet,
Dann Idomeneus selbst und Idomeneus' Kriegesgenoß auch,
Held Meriones, gleich dem männermordenden Ares,
Auch Eurypylos dann, der glänzende Sohn des Euämon; 265
Teukros auch kam der neunte, gespannt den schnellenden Bogen,
Hinter des Ajas' Schilde gestellt, des Telamoniden.
Oft daß Ajas den Schild ihm hinweghob, aber der Held dort
Schaut' umher, und sobald sein Todesgeschoß im Getümmel
Traf, dann taumelte jener dahin, sein Leben verhauchend; 270
Doch er eilte zurück, wie ein Kind an die Mutter sich schmieget,
Nah an Ajas gedrängt, der mit strahlendem Schild ihn bedeckte.
Wen nun traf von den Troern zuerst der untadlige Teukros?
Erst den Orsilochos traf er und Ormenos, auch Ophelestes,
Dätor und Chromios auch und den göttlichen Held Lykophontes, 275
Auch Polyämons Sohn Hamopaon, auch Melanippos:
All aneinander gestürzt zur nahrungsprossenden Erde.
Ihn nun sah mit Freude der Völkerfürst Agamemnon,
Wie er mit starkem Geschoß die troischen Reihen vertilgte.
Nahe trat er hinan und sprach zu jenem die Worte: 280
Teukros, edelster Freund, Telamonier, Völkergebieter,
Triff so fort und werde der Danaer Licht und des Vaters
Telamon auch, der in Liebe dich nährete, als du ein Kind warst,
Und, der Dienerin Sohn, dich pflegt' in seinem Palaste;
Ihn, den Entferneten nun, erhebe zu glänzendem Ruhme! 285
Denn ich verkündige dir, und das wird wahrlich vollendet:

Wenn mir solches gewährt der Donnerer Zeus und Athene,
Ilios auszutilgen, die Stadt voll prangender Häuser,
Werd ich zuerst nach mir die geehrteste Gabe dir reichen,
Ob es ein Dreifuß sei, ob ein rasches Gespann mit dem Wagen 290
Oder ein blühendes Weib, das dir dein Lager besteige.
Jener sprach's, ihm erwiderte schnell der untadlige Teukros:
Atreus' Sohn, Ruhmvoller, warum, da ich selber ja strebe,
Treibst du mich an? Nichts wahrlich, so viel die Kraft mir gewähret,
Zauder ich, sondern seitdem gen Ilios jene wir drängen, 295
Hab ich feindliche Männer mit zielendem Bogen getötet.
Acht schon hab ich versandt der langgespitzten Geschosse,
Und sie hafteten all in streitbarer Jünglinge Leibern.
Jenen nur nicht vermag ich, den wütenden Hund, zu erreichen!
Sprach's und sandt ein andres Geschoß von der Senne des Bogens,
Grad auf Hektor dahin, mit herzlichem Wunsch, ihn zu treffen.
Und er verfehlt' ihn zwar, doch den edlen Gorgythion traf er,
Priamos' tapferen Sohn, ihm die Brust mit dem Pfeile durchbohrend,
Welchen ein Nebenweib, aus Äsyme gewählt, ihm geboren,
Kastianeira die Schön, an Gestalt den Göttinnen ähnlich. 305
So wie der Mohn zur Seite das Haupt neigt, welcher im Garten
Steht, von Wuchs belastet und Regenschauern des Frühlings,
Also neigt' er zur Seite das Haupt, vom Helme beschweret.
Teukros sandt ein andres Geschoß von der Senne des Bogens
Grad auf Hektor dahin, mit herzlichem Wunsch, ihn zu treffen. 310
Aber auch jetzt verfehlt' er; denn seitwärts wandt es Apollon.
Archeptolemos nur, dem mutigen Lenker des Hektor,
Als er sprengt' in die Schlacht, durchschoß er die Brust an der Warze:
Und er entsank dem Geschirr, und zurück ihm zuckten die Rosse
Fliegenden Laufs; ihm aber erlosch der Geist und die Stärke. 315
Hektors Seele durchdrang der bittere Schmerz um den Lenker,
Dennoch ließ er ihn dort, wie sehr er traurte des Freundes.
Schnell nun hieß er den Bruder Kebriones, der ihm genaht war,
Nehmen der Rosse Gezäum, und nicht unwillig gehorcht' er.
Aber er selbst entschwang sich dem glänzenden Sessel des Wagens 320
Mit graunvollem Geschrei und faßt' in der Rechte den Feldstein,
Drang dann grad auf Teukros, in heißer Begier ihn zu treffen.
Jener hatt aus dem Köcher ein herbes Geschoß sich gewählet

Und auf die Senne gefügt, da traf der gewaltige Hektor,
Als er die Senn anzog, ihn am Schlüsselbein auf die Achsel, 325
Zwischen Hals und Brust, wo am tödlichsten ist die Verwundung.
Dort den Strebenden traf er mit zackigem Stein des Gefildes
Und zerriß ihm die Senn; es erstarrte die Hand an dem Knöchel,
Und er entsank hinkniend; es glitt aus der Hand ihm der Bogen.
Doch nicht Ajas vergaß des hingesunkenen Bruders, 330
Sondern umging ihn in Eile, mit großem Schild ihn bedeckend.
Schnell dann bückten sich her zween auserwählte Genossen,
Echios' Sohn Mekisteus zugleich und der edle Alastor,
Die zu den räumigen Schiffen den Schweraufstöhnenden trugen.
Wieder erhob die Troer mit Mut der olympische König. 335
Grade zurück an den Graben verdrängten sie nun die Achaier;
Hektor drang mit den ersten voran, wutfunkelnden Blickes.
So wie ein Hund den Eber des Bergwalds oder den Löwen
Kühn mit dem Rachen erhascht, den hurtigen Füßen vertrauend,
Hinten an Hüft und Lend, und stets des Gewendeten achtet: 340
Also verfolgt' itzt Hektor die hauptumlockten Achaier,
Immerdar hinstreckend den äußersten; und sie entflohen.
Aber nachdem sie die Pfähle hindurch und den Graben geeilet,
Fliehend, und manchen gestürzt die mordenden Hände der Troer,
Jetzo hemmeten jene sich dort bei den Schiffen beharrend 345
Und ermahnten einander, und rings mit erhobenen Händen
Betete laut ein jeder zu allen unsterblichen Göttern.
Hektor tummelt' umher das Gespann schönmähniger Rosse,
Graß wie Gorgo an Blick und der männermordende Ares.

Jene nun sah erbarmend die lilienarmige Here, 350
Wandte sich schnell zur Athen' und sprach die geflügelten Worte:

Weh mir, o Tochter Zeus' des Donnerers, wollen wir noch nicht
Retten das sterbende Volk der Danaer, auch nur zuletzt noch,
Welche, das böse Geschick nunmehr vollendend, verschwinden
Unter des einen Gewalt? Da wütet er ganz unerträglich, 355
Hektor, Priamos' Sohn, und viel schon tat er des Frevels!

Drauf antwortete Zeus' blauäugige Tochter Athene:
Wohl schon hätte mir dieser den Mut und die Seele verloren,
Unter der Hand der Argeier vertilgt im heimischen Lande;
Aber es tobt mein Vater mit übelwollendem Herzen, 360

Grausam und stets unbillig und jeden Entschluß mir vereitelnd.
Nicht gedenkt er mir dessen, wie oft vordem ich den Sohn ihm
Rettete, wann er gequält von Eurystheus' Kämpfen sich härmte.
Auf zum Himmel weinte der Duldende; aber es sandt ihm
Mich zur Helferin schnell von des Himmels Höhe Kronion. 365
Hätt ich doch solches gewußt im forschenden Rate des Herzens,
Als er hinab in Ais' verriegelte Burg ihn gesendet,
Daß er dem Dunkel entführte den Hund des graulichen Gottes!
Niemals wär er entronnen dem stygischen Strom des Entsetzens!
Nun bin ich ihm verhaßt; doch den Rat der Thetis vollführt er, 370
Welche die Knie ihm geherzt und die Hand zum Kinn ihm erhoben,
Flehend, daß Ruhm er gewähre dem Städteverwüster Achilleus.
Aber er nennt mich einmal blauäugiges Töchterchen wieder!
Auf, und schirr uns sofort das Gespann starkhufiger Rosse,
Weil ich selbst, in den Saal des ägiserschütternden Vaters 375
Gehend, zum Kampf anlege die Rüstungen, daß ich erkenne,
Ob uns Priamos' Sohn, der helmumflatterte Hektor, [fens.
Freuen sich wird, wenn ich plötzlich erschein in den Pfaden des Tref-
Traun, wohl mancher der Troer wird sättigen Hund' und Gevögel
Seines Fettes und Fleisches, gestreckt bei den Schiffen Achaias! 380
Sprach's, und willig gehorcht' ihr die lilienarmige Here.
Jene nun eilt' anschirrend die goldgezügelten Rosse,
Here, die heilige Göttin, erzeugt vom gewaltigen Kronos.
Aber Pallas Athene, des Ägiserschütterers Tochter,
Ließ hinsinken das feine Gewand im Palaste des Vaters, 385
Buntgewirkt, das sie selber mit künstlicher Hand sich bereitet.
Drauf in den Panzer gehüllt des schwarzumwölkten Kronions,
Nahm sie das Waffengeschmeide zur tränenbringenden Feldschlacht.
Jetzt in den flammenden Wagen erhub sie sich, nahm dann die Lanze,
Schwer und groß und gediegen, womit sie die Scharen der Helden 390
Bändiget, welchen sie zürnt, die Tochter des schrecklichen Vaters.
Here beflügelte nun mit geschwungener Geißel die Rosse,
Und aufkrachte von selbst des Himmels Tor, das die Horen
Hüteten, welchen der Himmel vertraut ward und der Olympos,
Daß sie die hüllende Wolk itzt öffneten, jetzo verschlössen. 395
Dort nun lenkten sie durch die leichtgesporneten Rosse.
Aber da Zeus vom Ida sie schauete, heftig ergrimmt' er;

Drauf als Botin entsandt er die goldgeflügelte Iris:
 Eile mir, hurtige Iris, und wende sie, ehe daher sie
Kommen; denn unsanft möchten im Kampf wir einander begegnen!
Denn ich verkündige dir, und das wird wahrlich vollendet:
Lähmen werd ich jenen die hurtigen Ross' an dem Wagen,
Stürzen sie selbst vom Sessel herab und den Wagen zerschmettern!
Nicht auch einmal in zehn umrollender Jahre Vollendung
Würden die Wunden geheilt, womit mein Strahl sie gezeichnet, 405
Daß mir erkenn Athene den schrecklichen Kampf mit dem Vater!
Minder erregt mir Here des Unmuts oder des Zornes;
Stets ja war sie gewohnt, daß sie einbrach, was ich beschlossen!
 Jener sprach's; doch Iris, die windschnell eilende Botin,
Flog von Idas Gebirg einher zum großen Olympos. 410
Jetzt am vordersten Tor des vielgebognen Olympos
Hielt sie die Kommenden an und sprach die Worte Kronions:
 Sagt mir, wohin so eifrig? Was wütet das Herz euch im Busen?
Nicht verstattet euch Zeus, der Danaer Volke zu helfen.
Denn so droht' euch jetzo der Donnerer, wo er's vollendet: 415
Lähmen werd er euch beiden die hurtigen Ross' an dem Wagen,
Stürzen euch selbst vom Sessel herab und den Wagen zerschmettern.
Nicht auch einmal in zehn umrollender Jahre Vollendung
Würden die Wunden geheilt, womit sein Strahl euch gezeichnet,
Daß du erkennst, Athene, den schrecklichen Kampf mit dem Vater. 420
Minder erregt ihm Here des Unmuts oder des Zornes;
Stets ja war sie gewohnt, daß sie einbrach, was er beschlossen.
Aber Entsetzliche du, Schamloseste, wenn du in Wahrheit
Wagst, zum Kampfe mit Zeus den gewaltigen Speer zu erheben!
 Also sprach und entflog die leichthinschwebende Iris. 425
Aber Here begann und sprach zu Pallas Athene:
 Weh mir, o Tochter Zeus' des Donnerers! Länger fürwahr nicht
Duld ich es, daß wir Zeus um sterbliche Menschen bekämpfen!
Mag ein anderer sinken in Staub und ein anderer leben,
Welchen es trifft! Doch jener, nach eigenem Rate beschließend, 430
Richte den Streit der Troer und Danaer, wie es ihm ansteht!
 Sprach's und lenkte zurück das Gespann starkhufiger Rosse.
Dort nun lösten die Horen die schöngemähneten Rosse;
Diese banden sie fest, zu ambrosischen Krippen geführet,

Stellten darauf den Wagen empor an schimmernde Wände. 435
Jene selbst dann setzten auf goldene Sessel sich nieder,
Unter die anderen Götter, ihr Herz voll großer Betrübnis.
Aber Zeus vom Ida im schöngeräderten Wagen
Trieb zum Olympos die Ross' und kam zu der Götter Versammlung.
Dort nun löst' ihm die Rosse der Erderschüttrer Poseidon, 440
Hub aufs Gestell den Wagen empor und umhüllt' ihn mit Leinwand.
Er, dem goldenen Throne genaht, der Ordner der Welt, Zeus,
Setzte sich; unter dem Gang erbebten die Höhn des Olympos.
Jene, getrennt von Zeus und allein, Athenäa und Here
Saßen und wageten nichts zu verkündigen oder zu fragen. 445
Aber er selbst vernahm es in seinem Geist und begann so:
Warum seid ihr also betrübt, Athenäe und Here?
Doch nicht lange bemüht' euch die männerehrende Feldschlacht,
Trojas Volk zu verderben, das heftigen Groll euch erregt hat!
Alle, so weit ich rag an Gewalt und unnahbaren Händen, 450
Möchten mich nicht abwehren, die Götter gesamt im Olympos!
Doch euch bebten ja eher vor Angst die reizenden Glieder,
Eh ihr den Krieg noch gesehn und die schrecklichen Taten des Krieges.
Denn ich verkündige nun, und wahrlich wär es vollendet:
Nimmer in eurem Geschirre, vom Schlag der Donner verwundet, 455
Wärt ihr gekehrt zum Olympos, dem Sitz der unsterblichen Götter!
Jener sprach's, da murrten geheim Athenäa und Here.
Nahe sich saßen sie dort, nur Unheil sinnend den Troern.
Jene nunmehr blieb schweigend und redete nichts, Athenäa,
Eifernd dem Vater Zeus, und ihr tobte das Herz in Erbittrung. 460
Here nur konnte den Zorn nicht bändigen, sondern begann so:
Welch ein Wort, Kronion, du Schrecklicher, hast du geredet!
Wohl ja erkennen auch wir, wie an Macht unbezwinglich du waltest,
Aber es jammern uns der Danaer streitbare Völker,
Welche, das böse Geschick nunmehr vollendend, verschwinden. 465
Dennoch entziehn wir hinfort dem Gefecht uns, wenn du gebietest;
Rat nur wollen wir geben den Danaern, welcher gedeihe,
Daß nicht all hinschwinden vor deinem gewaltigen Zorne.
Ihr antwortete drauf der Herrscher im Donnergewölk Zeus:
Morgen gewiß noch mehr, du hoheitblickende Here, 470
Wirst du schaun, so du willst, den überstarken Kronion

Tilgen ein großes Heer von Achaias Lanzengeübten.
Denn nicht ruhn soll eher vom Streit der gewaltige Hektor,
Eh sich erhebt bei den Schiffen der mutige Renner Achilleus,
Jenes Tags, wann dort sie zusammengedrängt um die Steuer 475
Kämpfen in schrecklicher Eng um den hingesunknen Patroklos.
Also sprach das Verhängnis! Doch dein, der Zürnenden, acht ich
Nichts, und ob du im Zorn an die äußersten Enden entflöhest
Alles Lands und des Meers, wo Japetos drunten und Kronos
Sitzen, von Helios nie, dem leuchtenden Sohn Hyperions, 480
Noch von Winden erfreut; denn tief ist der Tartaros ringsum! [wenig
Nicht, ob auch dort hinschweifend du wandertest, nicht auch ein
Acht ich der Tobenden doch, weil nichts schamloser denn du ist!
Sprach's; ihm erwiderte nichts die lilienarmige Here.
Doch zum Okeanos sank des Helios leuchtende Fackel, 485
Ziehend die dunkele Nacht auf die nahrungsprossende Erde.
Ungern sahn die Troer das tauchende Licht; doch erfreulich
Kam und herzlich erwünscht die finstere Nacht den Achaiern.
Jetzo berief die Troer zum Rat der strahlende Hektor,
Abgewandt von den Schiffen zum wirbelnden Strome sie führend, 490
Wo noch rein das Gefild aus umliegenden Leichen hervorschien.
Alle, den Wagen entstiegen zur Erd hin, hörten die Rede,
Welche nun Hektor begann, der Göttliche; und in der Rechten
Trug er den Speer, elf Ellen an Läng, und vorn an dem Schafte
Blinkte die eherne Schärf, umlegt mit goldenem Ringe; 495
Hierauf lehnte sich jener und sprach die geflügelten Worte:
Hört mein Wort, ihr Troer, ihr Dardaner und ihr Genossen!
Jetzo hofft ich, verderbend die Schiff' und alle Achaier,
Siegreich heimzukehren zu Ilios' luftigen Höhen;
Doch uns ereilte die Nacht, die jetzt am meisten gerettet 500
Argos' Volk und die Schiff' am wogenden Strande des Meeres.
Aber wohlan, jetzt wollen der finsteren Nacht wir gehorchen
Und das Mahl uns bereiten. Die schöngemähneten Rosse
Löst aus dem Joch der Geschirr' und reicht vorschüttend das Futter.
Doch aus der Stadt führt Rinder zum Schmaus und gemästete Schafe
Eilend daher, auch Wein, den herzerfreuenden, bringt uns
Reichlich und Brot aus den Häusern und Holz auch leset in Menge,
Daß wir die ganze Nacht bis zum dämmernden Schimmer der Eos

Feuer brennen durchs Heer und der Glanz den Himmel erreiche;
Daß nicht gar im Finstern die hauptumlockten Achaier 510
Uns zu entfliehn versuchen auf weitem Rücken des Meeres,
Wenigstens nicht in Muße die Schiff' und ruhig besteigen;
Nein, daß mancher von jenen daheim die Wunde des Pfeiles
Oder des scharfen Speers sich lindere, welche den Flüchtling,
Springend ins Schiff, noch ereilte, damit auch andre sich scheuen, 515
Gegen die reisigen Troer das Weh des Krieges zu tragen.
Aber ruft durch die Stadt, ihr Herolde, Freunde Kronions,
Daß die blühenden Knaben und silberhaarigen Greise
Rings um die Stadt sich lagern, auf gottgebaueten Türmen.
Aber die zarten Fraun, umher in den Wohnungen jede, 520
Brennen ein mächtiges Feuer, und wachsame Hut sei beständig,
Daß nicht schlau einbreche der Feind, da die Krieger entfernt sind.
Also sei's, wie ich red, ihr edelmütigen Troer,
Und gesagt ist das Wort, das jetzt ich heilsam geachtet.
Morgen werd ich das andre den reisigen Troern verkünden. 525
Flehend wünsch ich und hoffe zu Zeus und den anderen Göttern,
Endlich hinwegzutreiben die wütenden Hunde des Schicksals,
Welche das Schicksal gebracht auf dunkelen Schiffen des Meeres.
Auf, und laßt uns die Nacht das Heer sorgfältig bewachen;
Aber früh am Morgen, mit ehernen Waffen gerüstet, 530
Gegen die räumigen Schiff' erheben wir stürmenden Angriff.
Dann will ich sehn, ob Tydeus' gewaltiger Sohn Diomedes
Mich von den Schiffen zur Mauer hinwegdrängt oder ich selbst ihn
Töte mit meinem Erz und blutige Waffen erbeute.
Morgen zeig uns der Held die Tapferkeit, ob er vor meiner 535
Nahenden Lanze besteht. Doch unter den vordersten, mein ich,
Sinkt er dem Stoße der Hand und viel umher der Genossen,
Wann uns Helios morgen emporstrahlt. O so gewiß nur
Möcht ich unsterblich sein und blühn in ewiger Jugend,
Ehrenvoll, wie geehrt wird Athene selbst und Apollon, 540
Als der kommende Tag ein Unheil bringt den Argeiern!

Also redete Hektor, und laut herriefen die Troer.
Sie nun lösten die Rosse, die schäumenden, unter dem Joche,
Banden sie dann mit Riemen am eigenen Wagen ein jeder.
Schnell nun führte man Rinder zum Schmaus und gemästete Schafe

Her aus der Stadt, auch Wein, den herzerfreuenden, trug man
Reichlich und Brot aus den Häusern, und Holz auch las man in Menge.
Und man brachte den Göttern vollkommene Festhekatomben,
Und dem Gefild entwallte der Opferduft in den Himmel,
Süßen Geruchs; doch verschmäheten ihn die seligen Götter, 550
Abgeneigt; denn verhaßt war die heilige Ilios jenen,
Priamos selbst und das Volk des lanzenkundigen Königs.
Sie dort, mutig und stolz, in des Kriegs Abteilung gelagert,
Saßen die ganze Nacht, und es loderten häufige Feuer.
Wie wenn hoch am Himmel die Stern' um den leuchtenden Mond her
Scheinen in herrlichem Glanz, wann windlos ruhet der Äther
(Hell sind rings die Warten der Berg' und die zackigen Gipfel,
Täler auch, aber am Himmel eröffnet sich endlos der Äther;
Alle nun schaut man die Stern', und herzlich freut sich der Hirte):
So viel zwischen des Xanthos Gestad und den Schiffen Achaias 560
Loderten, weit erscheinend vor Ilios, Feuer der Troer.
Tausend Feuer im Feld entflammten sie; aber an jedem
Saßen fünfzig der Männer, im Glanz des lodernden Feuers.
Doch die Rosse, mit Spelt und gelblicher Gerste genähret,
Standen bei ihrem Geschirr, die goldene Früh erwartend. 565

IX. GESANG

Agamemnon beruft die Fürsten und rät zur Flucht. Diomedes und Nestor widerstehen. Wache am Graben. Die Fürsten, von Agamemnon bewirtet, ratschlagen. Auf Nestors Rat sendet Agamemnon, um Achilleus zu versöhnen, den Phönix, Ajas, Telamons Sohn, und Odysseus, mit zween Herolden. Achilleus empfängt sie gastfrei, aber verwirft die Anträge und behält den Phönix zurück. Die anderen bringen die Antwort in Agamemnons Zelt. Diomedes ermahnt zur Beharrlichkeit, und man geht zur Ruhe.

So dort wachten die Troer vor Ilios. Doch die Achaier
Ängstete grauliche Flucht, des starrenden Schreckens Genossin,
Und unduldsamer Schmerz durchdrang die Tapfersten alle.
Wie zween Winde des Meers fischwimmelnde Fluten erregen,
Nord und sausender West, die beid' aus Thrakia herwehn, 5
Kommend in schleuniger Wut, und sogleich nun dunkles Gewoge
Hoch sich erhebt, und häufig ans Land sie schütten das Meergras:

Also zerriß Unruhe das Herz der edlen Achaier.
Atreus' Sohn, von unendlichem Gram in der Seele verwundet,
Wandelt' umher, Herolden von tönender Stimme gebietend, 10
Jeglichen Mann mit Namen zur Ratsversammlung zu rufen,
Doch nicht laut; auch selbst arbeitet' er unter den ersten.
Jetzo saßen im Rat die Bekümmerten, und Agamemnon
Stand voll Tränen empor, der schwärzlichen Quelle vergleichbar,
Die aus jähem Geklipp hergeußt ihr dunkles Gewässer. 15
Also schwer aufseufzend vor Argos' Söhnen begann er:
Freunde, des Volks von Argos erhabene Fürsten und Pfleger,
Hart hat Zeus der Kronid in schwere Schuld mich verstricket!
Grausamer, welcher mir einst mit gnädigem Winke gelobet,
Heimzugehn ein Vertilger der festummauerten Troja. 20
Doch nun sann er verderblichen Trug und heißet mich ruhmlos
Wieder gen Argos kehren, nachdem viel Volks mir dahinstarb.
Also gefällt's nun wohl dem hocherhabnen Kronion,
Der schon vielen Städten das Haupt zu Boden geschmettert
Und noch schmettern es wird; denn sein ist siegende Allmacht. 25
Aber wohlan, wie ich rede das Wort, so gehorchet mir alle:
Laßt uns fliehn in den Schiffen zum lieben Lande der Väter;
Nie erobern wir doch die weitdurchwanderte Troja!
Jener sprach's, doch alle verstummten umher und schwiegen;
Lange saßen verstummt die bekümmerten Männer Achaias. 30
Endlich begann vor ihnen der Rufer im Streit Diomedes:
Atreus' Sohn, gleich muß ich dein törichtes Wort dir bestreiten,
Wie es gebührt, o König, im Rat; du zürne mir des nicht.
Zwar mir schmähtest du jüngst die Tapferkeit vor den Achaiern,
Mutlos sei ich und ganz unkriegerisch; aber das alles 35
Wissen nun Argos' Söhne, die Jünglinge sowie die Greise.
Dir gab eins nur von beiden der Sohn des verborgenen Kronos:
Nur mit dem Zepter der Macht geehrt zu werden vor allen;
Doch nicht Tapferkeit gab er, die edelste Stärke der Menschen!
Wunderbarer, du glaubtest im Ernst, die Männer Achaias 40
Wären so gar unkriegrisch und mutlos, wie du geredet?
Doch wenn dir selber das Herz so eifrig drängt nach der Heimkehr,
Wandere! Frei ist der Weg und nahe die Schiff' an dem Meerstrand
Aufgestellt, die in Menge dir hergefolgt von Mykene.

Aber die anderen bleiben, die hauptumlockten Achaier, 45
Bis wir zerstört die Feste des Priamos! Wollen auch jene,
Laß sie entfliehn in den Schiffen zum lieben Lande der Väter!
Ich dann und Sthenelos kämpfen und ruhn nicht, bis wir das Schicksal
Ilios' endlich erreicht; denn ein Gott geleitet' uns hieher!
Jener sprach's; da jauchzten ihm rings die Männer Achaias, 50
Hoch das Wort anstaunend von Tydeus' Sohn Diomedes.
Jetzo erstand vor ihnen und sprach der reisige Nestor:
Tydeus' Sohn, wohl bist du der tapferste Krieger im Schlachtfeld,
Auch im Rat erscheinst du von deinem Alter der beste.
Keiner mag dir tadeln das Wort von allen Achaiern, 55
Noch entgegen dir reden; nur ward nicht vollendet das Wort dir.
Zwar auch bist du ein Jüngling und könntest sogar mein Sohn sein,
Selber der jüngst an Geburt! Allein du sprichst mit Verstande
Unter den Fürsten des Heers, da der Sache gemäß du geredet.
Aber wohlan, ich selber, der höherer Jahre sich rühmet, 60
Will ausreden das Wort und endigen; schwerlich auch wird mir
Einer die Rede verschmähn, auch nicht Agamemnon der Herrscher.
Ohne Geschlecht und Gesetz, ohn eigenen Herd ist jener,
Wer des heimischen Kriegs sich erfreut, des entsetzlichen Scheusals!
Aber wohlan, jetzt wollen der finsteren Nacht wir gehorchen 65
Und das Mahl uns bereiten. Allein die Hüter der Scharen
Gehn hinaus und lagern am Graben sich, außer der Mauer.
Solches nun befehl ich den Jünglingen. Aber du führ uns,
Atreus' Sohn, ins Gezelt; denn du bist Obergebieter.
Gib den Geehrten ein Mahl; dir gleich ist solches, nicht ungleich. 70
Voll sind dir die Gezelte des Weins, den der Danaer Schiffe
Täglich aus Thrakia her auf weitem Meere dir bringen;
Dir ist aller Bewirtung genug, der du vieles beherrschest.
Sind dann viele gesellt, so gehorch ihm, welcher den besten
Rat zu raten vermag; denn not ist allen Achaiern 75
Kluger und heilsamer Rat, da die Feind' uns nahe den Schiffen
Brennen der Feuer so viel! Wer mag wohl dessen erfreut sein?
Diese Nacht wird vertilgen das Kriegsheer oder erretten!
Jener sprach's, da hörten sie aufmerksam und gehorchten.
Schnell zur Hut enteilten gewappnete Männer dem Lager, 80
Dort um Nestors Sohn, den Hirten des Volks Thrasymedes,

Dort um Askalaphos her und Jalmenos, Söhne des Ares,
Auch um Meriones dort, um Deipyros auch und den edlen
Aphareus, auch um Kreions erhabenen Sohn Lykomedes.
Sieben geboten der Hut, und hundert Jünglinge jedem 85
Folgten gereiht, in den Händen die ragenden Speere bewegend.
Zwischen dem Graben umher und der Mauer setzten sich jene;
Dort entflammten sie Feuer und rüsteten jeder die Nachtkost.
  Atreus' Sohn nun führte die edleren Fürsten Achaias
All ins Gezelt und empfing sie mit herzerfreuendem Schmause. 90
Und sie erhoben die Hände zum leckerbereiteten Mahle.
Aber nachdem die Begierde des Tranks und der Speise gestillt war,
Jetzo begann der Greis den Entwurf zu ordnen in Weisheit,
Nestor, der schon eher mit trefflichem Rate genützet;
Dieser begann wohlmeinend und redete vor der Versammlung; 95
  Atreus' Sohn, Ruhmvoller, du Völkerfürst Agamemnon,
Dir soll beginnen das Wort, dir endigen, weil du so vielen
Völkern mächtig gebeutst und dir Zeus selber verliehn hat
Zepter zugleich und Gesetz, daß aller Wohl du beratest.
Drum ziemt dir's vor allen, zu reden ein Wort und zu hören, 100
Auch zu vollziehn dem andern, wem sonst sein Herz es gebietet,
Daß er rede zum Heil; denn du entscheidest, was sein soll.
Aber ich selbst will sagen, wie mir's am heilsamsten dünket.
Denn kein anderer mag wohl besseren Rat noch ersinnen,
Als mein Herz ihn bewahrt, nicht vormals oder anjetzt auch, 105
Seit dem Tag, da du, Liebling des Zeus, die schöne Briseis
Aus dem Gezelt entführtest dem zürnenden Peleionen;
Nicht nach unserem Sinne fürwahr; denn ich habe mit großem
Ernste dich abgemahnt. Doch du, hochherzigen Geistes,
Hast den tapfersten Mann, den selbst die Unsterblichen ehrten, 110
Schmählich entehrt; denn du nahmst sein Geschenk ihm. Aber auch jetzo
Sinnt umher, wie wir etwa sein Herz versöhnend bewegen
Durch gefällige Gaben und sanft einnehmende Worte.
  Ihm antwortete drauf der Herrscher des Volks Agamemnon:
Greis, nicht unwahr hast du mir meine Fehle gerüget. 115
Ja ich fehlt und leugn es auch nicht. Traun, vielen der Völker
Gleicht an Stärke der Mann, den Zeus im Herzen sich auskor,
Wie nun jenen er ehrt' und niederschlug die Achaier.

Aber nachdem ich gefehlt, dem schädlichen Sinne gehorchend,
Will ich gern es vergelten und biet unendliche Sühnung. 120
Allen umher nun will ich die herrlichen Gaben benennen:
Zehn Talente des Goldes, dazu dreifüßiger Kessel
Sieben, vom Feuer noch rein, und zwanzig schimmernde Becken;
Auch zwölf mächtige Rosse, gekrönt mit Preisen des Wettlaufs.
Wohl nicht dürftig wäre der Mann, dem so vieles geworden, 125
Und nicht arm an Schätzen des hochgepriesenen Goldes,
Als mir Siegskleinode gebracht die stampfenden Rosse!
Sieben Weiber auch geb ich, untadlige, kundig der Arbeit,
Lesbische, die, da er Lesbos die blühende selber erobert,
Ich mir erkor, die an Reiz der Sterblichen Töchter besiegten. 130
Diese nun geb ich ihm; es begleite sie, die ich entführet,
Brises' Tochter zugleich, und mit heiligem Eide beschwör ich's,
Daß ich nie ihr Lager verunehrt, noch ihr genahet,
Wie in der Menschen Geschlecht der Mann dem Weibe sich nahet.
Dieses empfang er alles sogleich. Wenn aber hinfort uns 135
Priamos' mächtige Stadt die Götter verleihn zu erobern,
Reichlich soll er sein Schiff mit Gold und Erz belasten,
Selbst einsteigend, wann einst wir Danaer teilen den Siegsraub.
Auch der troischen Weiber erwähle sich zwanzig er selber,
Die nach Helena dort, der Argeierin, prangen an Schönheit. 140
Wann zum achaiischen Argos, dem Segenslande, wir heimziehn,
Soll er mein Eidam sein, und ich ehr ihn gleich dem Orestes,
Der mein einziger Sohn aufblüht in freudiger Fülle.
Drei sind mir der Töchter in wohlverschlossener Wohnung;
Deren wähl er sich eine, Chrysothemis, Iphianassa 145
Oder Laodike auch, und führ umsonst die Erkorne
Heim in des Peleus Haus; ich geb ihm selber noch Brautschatz,
Reichlichen, mehr als je ein Mann der Tochter gegeben.
Sieben geb ich ihm dort der wohlbevölkerten Städte:
Enope und Kardamyle auch und die grasige Hire, 150
Pherä, die heilige Burg, und die grünenden Aun um Antheia,
Auch Äpeia, die schön, und Pedasos, fröhlich des Weinbaus.
Alle sind nah am Meere, begrenzt von der sandigen Pylos,
Und es bewohnen sie Männer, an Schafen reich und an Rindern,
Welche hoch mit Geschenk wie einen Gott ihn verehrten 155

Und, dem Zepter gehorchend, ihm steuerten reichliche Schatzung.
Dieses vollend ich jenem, sobald er sich wendet vom Zorne.
Zähm er sich! Aides ist unbiegsam und unversöhnlich,
Aber den Sterblichen auch der verhaßteste unter den Göttern.
Mir nachstehn doch sollt er, so weit ich höher an Macht bin 160
Und so weit ich älter an Lebensjahren mich rühme.
Ihm antwortete drauf der gerenische reisige Nestor:
Atreus' Sohn, Ruhmvoller, du Völkerfürst Agamemnon,
Nicht verächtliche Gaben gewährst du dem Herrscher Achilleus.
Auf denn, erlesene Männer entsenden wir, eilenden Schrittes 165
Hinzugehn ins Gezelt des Peleiaden Achilleus.
Oder wohlan, ich selber erwähle sie, und sie gehorchen.
Phönix gehe zuerst, der Liebling des Zeus, als Führer,
Dann auch Ajas der Große zugleich und der edle Odysseus.
Aber Hodios folg und Eurybates ihnen als Herold. 170
Sprengt nun mit Wasser die Händ' und ermahnt zur Stille der Andacht,
Daß wir Zeus den Kroniden zuvor anflehn um Erbarmung.
Jener sprach's; und allen gefiel die Rede des Königs.
Eilend sprengten mit Wasser die Herold' ihnen die Hände;
Jünglinge füllten sodann die Krüge zum Rand mit Getränke, 175
Wandten von neuem sich rechts und verteileten allen die Becher.
Als sie des Tranks nun gesprengt und nach Herzenswunsche getrunken,
Eilten sie aus dem Gezelte von Atreus' Sohn Agamemnon.
Viel ermahnte sie noch der gerenische reisige Nestor,
Jeglichem Mann zuwinkend, allein vor allen Odysseus, 180
Eiferig doch zu bereden den herrlichen Peleionen.
Beide nun gingen am Ufer des weitaufrauschenden Meeres,
Beteten viel und gelobten dem Erdumgürter Poseidon,
Daß sie doch leicht gewönnen den hohen Sinn des Achilleus.
Als sie die Zelt' und Schiffe der Myrmidonen erreichten, 185
Fanden sie ihn, erfreuend sein Herz mit der klingenden Leier,
Schön und künstlich gewölbt, woran ein silberner Steg war,
Die aus der Beut er gewählt, da Eetions Stadt er vertilget;
Hiermit erfreut' er sein Herz und sang Siegstaten der Männer.
Gegen ihn saß Patroklos allein und harrete schweigend 190
Dort auf Äakos' Enkel, bis seinen Gesang er vollendet.
Beid itzt gingen daher und voran der edle Odysseus,

Nahten und standen vor ihm; bestürzt nun erhub sich Achilleus
Samt der Leier zugleich, verlassend den Sitz, wo er ruhte.
Auch Patroklos erhub sich, sobald er sahe die Männer. 195
Beid an der Hand anfassend begann der Renner Achilleus:
Freude mit euch! Willkommen ihr Teuersten! Zwar ist gewiß Not!
Doch auch dem Zürnenden kommt ihr geliebt vor allen Achaiern.
Also sprach und führte hinein der edle Achilleus,
Setzte sie dann auf Sessel und Teppiche, schimmernd von Purpur. 200
Eilend sprach er darauf zu Patroklos, der ihm genaht war:
Einen größeren Krug, Menötios' Sohn, uns gestellet!
Misch auch stärkeren Wein, und jeglichem reiche den Becher;
Denn die wertesten Männer sind unter mein Dach nun gekommen.
Jener sprach's, da gehorchte dem lieben Freunde Patroklos. 205
Selbst nun stellt' er die mächtige Bank im Glanze des Feuers,
Legte darauf den Rücken der feisten Zieg und des Schafes,
Legt' auch des Mastschweins Schulter darauf voll blühenden Fettes.
Aber Automedon hielt und es schnitt der edle Achilleus;
Wohl zerstückt' er das Fleisch und steckt' es alles an Spieße. 210
Mächtige Glut entflammte Menötios' göttlicher Sohn itzt.
Als nun die Loh ausbrannt und des Feuers Blume verwelkt war,
Breitet' er hin die Kohlen und richtete drüber die Spieße,
Sprengte mit heiligem Salz und dreht' auf stützenden Gabeln.
Als er nunmehr es gebraten und hin auf Borde geschüttet, 215
Teilte Patroklos das Brot in schöngeflochtenen Körben
Rings um den Tisch, und das Fleisch verteilete selber Achilleus;
Setzte sich dann entgegen dem göttergleichen Odysseus
Dort an der anderen Wand und gebot, daß Patroklos den Göttern
Opferte; dieser gehorcht' und warf die Erstling' ins Feuer. 220
Und sie erhoben die Hände zum leckerbereiteten Mahle.
Aber nachdem die Begierde des Tranks und der Speise gestillt war,
Jetzt winkt' Ajas dem Phönix. Das sah der edle Odysseus,
Füllte mit Wein den Becher und trank dem Peleiden mit Handschlag:
Heil dir, Peleid! Es mangelt uns nicht des gemeinsamen Mahles,
Weder dort im Gezelt um Atreus' Sohn Agamemnon,
Noch auch jetzo allhier; denn genug des Erfreuenden stehet
Hier zum Schmaus. Doch nicht nach lieblichem Mahle verlangt uns,
Sondern das große Weh, du Göttlicher, ringsum schauend,

Zagen wir! Jetzo gilt's, ob errettet sind oder verloren 230
Uns die gebogenen Schiffe, wo du nicht mit Stärke dich gürtest!
Nahe den Schiffen bereits und der Mauer drohn sie gelagert,
Trojas mutige Söhn' und die fernberufenen Helfer, [man,
Ringsum Feuer entflammend durchs Heer; und es hemme sie, trotzt
Nichts annoch, sich hinein in die dunkelen Schiffe zu stürzen. 235
Ihnen gewährt auch Zeus rechtshin erscheinende Zeichen
Seines Strahls; doch Hektor, die funkelnden Augen voll Mordlust,
Wütet daher, und vertrauend dem Donnerer, achtet er nichts mehr,
Weder Menschen noch Gott; so treibt ihn der Taumel des Wahnsinns.
Sehnlich wünscht er, daß bald der heilige Morgen erscheine; 240
Denn er verheißt von den Schiffen zu haun die prangenden Schnäbel,
Sie dann selbst zu verbrennen in stürmender Flamm und zu morden
Argos' Söhn' um die Schiffe, betäubt im Dampfe des Brandes.
Doch nun sorg ich im Herzen und fürchte mich, daß ihm die Drohung
Ganz vollenden die Götter und uns das Schicksal verhängt sei, 245
Hinzusterben in Troja, entfernt von der fruchtbaren Argos.
Aber wohlauf, wenn das Herz dir gebeut, die Männer Achaias
Jetzt, auch spät, zu befrein aus der drängenden Troer Getümmel!
Siehe, dich selbst hinfort bekümmert es, aber umsonst ja
Sucht man geschehenem Übel noch Besserung; lieber zuvor nun 250
Sinn umher, wie du wendest den schrecklichen Tag der Achaier.
Ach, mein Freund, wie sehr ermahnte dich Peleus der Vater
Jenes Tags, da aus Phthia zu Atreus' Sohn er dich sandte:
Lieber Sohn, Siegsstärke wird dir Athenäa und Here
Geben, wenn's ihnen gefällt, nur bändige du dein erhabnes, 255
Stolzes Herz in der Brust; denn freundlicher Sinn ist besser.
Meide den bösen Zank, den verderblichen, daß dich noch höher
Ehre das Volk der Argeier, die Jünglinge sowie die Greise.
Also ermahnte der Greis, du vergaßest es. Aber auch jetzt noch
Ruh und entsage dem Zorne, dem kränkenden! Sieh, Agamemnon
Beut dir würdige Gaben, sobald du dich wendest vom Zorne.
Willst du, so höre mich an, damit ich dir alles erzähle,
Was dir dort im Gezelt zur Gabe verhieß Agamemnon:
Zehn Talente des Goldes, dazu dreifüßiger Kessel
Sieben, vom Feuer noch rein, und zwanzig schimmernde Becken; 265
Auch zwölf mächtige Rosse, gekrönt mit Preisen des Wettlaufs.

Wohl nicht dürftig wäre der Mann, dem so vieles geworden,
Und nicht arm an Schätzen des hochgepriesenen Goldes,
Als Agamemnons Rosse der Siegskleinode gewannen.
Sieben Weiber auch gibt er, untadlige, kundig der Arbeit, 270
Lesbische, die, da du Lesbos die blühende selber erobert,
Er sich erkor, die an Reiz der Sterblichen Töchter besiegten.
Diese nun gibt er dir, es begleite sie, die er entführet,
Brises' Tochter zugleich, und mit heiligem Eide beschwört er's,
Daß er nie ihr Lager verunehrt noch ihr genahet, 275
Wie in der Menschen Geschlecht der Mann dem Weibe sich nahet.
Dieses empfängst du alles sogleich. Wenn aber hinfort uns
Priamos' mächtige Stadt die Götter verleihn zu erobern,
Reichlich sollst du dein Schiff mit Gold und Erz belasten,
Selbst einsteigend, wenn einst wir Danaer teilen den Siegsraub. 280
Auch der troischen Weiber erwähle du zwanzig dir selber,
Die nach Helena dort, der Argeierin, prangen an Schönheit.
Wann zum achaiischen Argos, dem Segenslande, wir heimziehn,
Sollst du sein Eidam sein, und er ehrt dich gleich dem Orestes,
Der sein einziger Sohn aufblüht in freudiger Fülle. 285
Drei sind ihm der Töchter in wohlverschlossener Wohnung,
Deren wähle dir eine, Chrysothemis, Iphianassa
Oder Laodike auch, und führ umsonst die Erkorne
Heim in des Peleus Haus; er gibt dir selber noch Brautschatz,
Reichlichen, mehr als je ein Mann der Tochter gegeben. 290
Sieben gibt er dir dort der wohlbevölkerten Städte:
Enope und Kardamyle auch und die grasige Hire,
Pherä, die heilige Burg, und die grünenden Aun um Antheia,
Auch Äpeia, die schön', und Pedasos, fröhlich des Weinbaus.
Alle sind nah am Meere, begrenzt von der sandigen Pylos; 295
Und es bewohnen sie Männer, an Schafen reich und an Rindern,
Welche hoch mit Geschenk wie einen Gott dich verehrten
Und, dem Zepter gehorchend, dir steuerten reichliche Schatzung.
Dieses vollendet er dir, sobald du dich wendest vom Zorne.
Aber wenn Atreus' Sohn zu sehr dir im Herzen verhaßt ist, 300
Er und sein' Geschenk', o so schau der andern Achaier
Drängende Not mit Erbarmen im Heer, das wie einen der Götter
Ehren dich wird; denn wahrlich, erhabenen Ruhm dir gewännst du,

Hektor entrafftest du nun! Denn nahe dir wagt' er zu kommen
Voll unsinniger Wut, da er wähnt, nicht einer auch gleiche 305
Ihm in der Danaer Volk, so viel hertrugen die Schiffe.
Ihm antwortete drauf der mutige Renner Achilleus:
Edler Laertiad, erfindungsreicher Odysseus,
Sieh, ich muß die Rede nur grad und frank dir verweigern,
So wie im Herzen ich denk und wie's unfehlbar geschehn wird, 310
Daß ihr mir nicht vorjammert, von hier und dort mich belagernd.
Denn mir verhaßt ist jener, so sehr wie des Aides Pforten,
Wer ein andres im Herzen verbirgt und ein anderes redet.
Aber ich selbst will sagen, wie mir's am heilsamsten dünket.
Weder des Atreus Sohn Agamemnon soll mich bereden 315
Noch die andern Achaier, dieweil ja nimmer ein Dank war,
Stets unverdrossenen Kampf mit feindlichen Männern zu kämpfen!
Gleich ist des Bleibenden Los und sein, der mit Eifer gestritten;
Gleicher Ehre genießt der feig und der tapfere Krieger;
Gleich auch stirbt der Träge dahin und wer vieles getan hat. 320
Nichts ja frommt es mir selbst, da ich Sorg und Kummer erduldet,
Stets die Seele dem Tod entgegentragend im Streite.
So wie den nackenden Vöglein im Nest herbringet die Mutter
Einen gefundenen Bissen, wenn ihr auch selber nicht wohl ist,
Also hab ich genug unruhiger Nächte durchwachet, 325
Auch der blutigen Tage genug durchstrebt in der Feldschlacht,
Tapfere Männer bestreitend, um jenen ein Weib zu erobern!
Zwölf schon hab ich mit Schiffen bevölkerte Städte verwüstet
Und elf andre zu Fuß umher in der scholligen Troja;
Dort aus allen erkor ich der Kleinode viel und geehrte 330
Mir voraus und brachte sie all Agamemnon zur Gabe,
Atreus' Sohn; er, ruhend indes bei den rüstigen Schiffen,
Nahm die Schätz' und verteilt' ein weniges, vieles behielt er.
Dennoch gab er den Helden und Königen Ehrengeschenke,
Die noch jeder verwahrt; nur mir von allen Achaiern 335
Nahm er's und hat das reizende Weib, womit er der Wollust
Pflegen mag! Was bewog denn zum Kriegszug gegen die Troer
Argos' Volk? Was führt' er hieher die versammelten Streiter,
Atreus' Sohn? War's nicht der lockigen Helena wegen?
Lieben allein denn jene die Fraun von den redenden Menschen, 340

Atreus' Söhn'? Ein jeglicher Mann, der edel und weis ist,
Liebt und pflegt die Seine mit Zärtlichkeit, so wie ich jene
Auch von Herzen geliebt, wiewohl mein Speer sie erbeutet.
Nun er mir aus den Händen den Siegslohn raubte mit Arglist,
Nie versuch er hinfort mich Kundigen! Nimmer ihm trau ich! 345
Sondern mit dir, Odysseus, und anderen Völkergebietern
Sinn er nach, von den Schiffen die feindliche Glut zu entfernen.
Wahrlich schon sehr vieles vollendet' er ohne mein Zutun,
Schon die Mauer erbaut' er und leitete draußen den Graben
Breit umher und groß, und drinnen auch pflanzet' er Pfähle; 350
Dennoch kann er ja nicht die Gewalt des mordenden Hektors
Bändigen! Aber da ich im Danaervolke noch mitzog,
Niemals wagt' es Hektor, entfernt von der Mauer zu kämpfen,
Sondern nur zum skäischen Tor und der Buche gelangt' er,
Wo er einst mich bestand und kaum mir entfloh vor dem Angriff. 355
Nun mir nicht es gefällt, mit dem göttlichen Hektor zu kämpfen,
Bring ich morgen ein Opfer für Zeus und die anderen Götter;
Wohl dann belad ich die Schiff', und nachdem ich ins Meer sie gezogen,
Wirst du schaun, so du willst und solcherlei Dinge dich kümmern,
Schwimmen im Morgenrot auf dem flutenden Hellespontos 360
Meine Schiff' und darin die emsig rudernden Männer;
Und wenn glückliche Fahrt der Gestaderschüttrer gewähret,
Möcht ich am dritten Tag in die schollige Phthia gelangen.
Vieles hab ich daheim, das ich hieher wandernd zurückließ,
Anderes auch von hier, des rötlichen Erzes und Goldes, 365
Schöngegürtete Weiber zugleich und grauliches Eisen [geben,
Bring ich, durchs Los mir beschert; doch den Siegslohn, der ihn ge-
Nahm ihn mir selbst hochmütig, der Völkerfürst Agamemnon,
Atreus' Sohn! Das alles verkünd ihm, so wie ich sage,
Öffentlich, daß auch die andern im Volk der Achaier ergrimmen, 370
Wenn er vielleicht noch einen der Danaer hofft zu betrügen,
Jener in Unverschämtheit Gehüllete! Schwerlich indes mir
Wagt er hinfort, auch frech wie ein Hund, ins Antlitz zu schauen;
Nimmer ihm werd ich zu Rat mich vereinigen, nimmer zu Taten!
Einmal betrog er mich nun und frevelte, nimmer hinfort wohl 375
Täuscht sein tückisches Wort, er begnüge sich! Sondern geruhig
Wandr er dahin; denn ihm raubte der waltende Zeus die Besinnung.

Greul sind mir seine Geschenk', und ich acht ihn selber nicht so viel!
Nein, und böt er mir zehnmal und zwanzigmal größere Güter,
Als was jetzo er hat und was er vielleicht noch erwartet; 380
Böt er sogar die Güter Orchomenos' oder was Thebe
Hegt, Ägyptos' Stadt, wo reich sind die Häuser an Schätzen
(Hundert hat sie der Tor', und es ziehn zweihundert aus jedem
Rüstige Männer zum Streit mit Rossen daher und Geschirren):
Böt er mir auch so viel, wie des Sandes am Meer und des Staubes,
Dennoch nimmer hinfort bewegte mein Herz Agamemnon,
Eh er mir ausgebüßt die seelenkränkende Schmähung!
Keine Tochter begehr ich von Atreus' Sohn Agamemnon,
Trotzte sie auch an Reiz der goldenen Aphrodite,
Wäre sie klug wie Pallas Athen' an künstlicher Arbeit; 390
Dennoch begehr ich sie nicht! Er wähle sich sonst der Achaier
Einen, der ihm gemäß und der auch höher an Macht ist.
Denn erhalten die Götter mich nur und gelang ich zur Heimat,
Dann wird Peleus selbst ein edeles Weib mir vermählen.
Viel der Achaierinnen sind rings in Hellas und Phthia, 395
Töchter erhabener Fürsten, die Städt' und Länder beherrschen,
Hievon, die mir gefällt, erwähl ich zur trauten Gemahlin.
Dort auch trachtet mir oft des mutigen Herzens Verlangen,
Einer Ehegenossin vermählt, in gefälliger Eintracht,
Mich der Güter zu freun, die Peleus, der Greis, sich gesammelt. 400
Nichts sind gegen das Leben die Schätze mir; nichts, was vordem auch
Ilios barg, wie man sagt, die Stadt voll prangender Häuser,
Einst, als blühte der Fried, eh die Macht der Achaier daherkam;
Noch, was die steinerne Schwelle des Treffenden drinnen bewahret,
Phöbos Apollons Schatz, in Pythos' klippichten Feldern. 405
Beutet man doch im Kriege gemästete Rinder und Schafe
Und gewinnt Dreifüß' und braungemähnete Rosse;
Aber des Menschen Geist kehrt niemals, weder erbeutet
Noch erlangt, nachdem er des Sterbenden Lippen entflohn ist.
Meine göttliche Mutter, die silberfüßige Thetis, 410
Sagt, mich führe zum Tod ein zweifach endendes Schicksal.
Wenn ich allhier verharrend die Stadt der Troer umkämpfe,
Hin sei die Heimkehr dann; doch blühe mir ewiger Nachruhm.
Aber wenn heim ich kehre zum lieben Lande der Väter,

Dann sei verwelkt mein Ruhm, doch weithin reiche des Lebens 415
Dauer, und nicht frühzeitig ans Ziel des Todes gelang ich.
Auch den übrigen möcht ich ein ratsames Wort zureden,
Heim in den Schiffen zu gehn; nie findet ihr doch der erhabnen
Ilios Untergang; denn der waltende Zeus Kronion
Deckt sie mit schirmender Hand; und mutvoll trotzen die Völker. 420
Aber ihr nun geht, den edelen Fürsten Achaias
Botschaft anzusagen, das Ehrenamt der Geehrten,
Daß sie anderen Rat und besseren jetzo ersinnen,
Welcher die Schiff' errette zugleich und das Volk der Achaier
Bei den geräumigen Schiffen; denn nicht ist jener gedeihlich, 425
Welchen sie jetzt ausdachten, da ich im Zorne beharre.
Phönix indes mag bleibend bei uns zur Ruhe sich legen,
Daß er mit mir heimschiffe zum lieben Lande der Väter,
Morgen, wenn's ihm gefällt; denn nicht aus Zwang soll er mitgehn.
Jener sprach's, doch alle verstummten umher und schwiegen. 430
Hoch das Wort anstaunend; denn kraftvoll hatt er geredet.
Endlich begann vor ihnen der graue reisige Phönix
Mit vordringenden Tränen, besorgt um der Danaer Schiffe:
Hast du die Heimkehr denn im Geiste dir, edler Achilleus,
Vorgesetzt und entsagst du durchaus, vom vertilgenden Feuer 435
Unsere Schiffe zu retten, da Zorn dein Herz dir erfüllet,
O wie könnt ich von dir, mein Sohn, verlassen noch weilen,
Einsam? Mich sandte mit dir der graue reisige Peleus
Jenes Tags, da aus Phthia zu Atreus' Sohn er dich sandte,
Noch sehr jung, unkundig des allverheerenden Krieges 440
Und ratschlagender Reden, wodurch sich Männer hervortun.
Darum sandt er mich her, um dich das alles zu lehren,
Beides, beredt in Worten zu sein und rüstig in Taten.
Also könnt ich von dir, mein trauter Sohn, mich unmöglich
Trennen, und gäbe mir auch ein Himmlischer selbst die Verheißung,
Mich vom Alter enthüllt zum blühenden Jüngling zu schaffen,
So wie ich Hellas verließ, das Land der rosigen Jungfraun,
Fliehend des Vaters Zank, des Ormeniden Amyntor,
Der um die Lagergenossin, die schöngelockte, mir zürnte.
Diese liebt' er im Herzen, die ehliche Gattin entehrend, 450
Meine Mutter. Doch stets umschlang sie mir flehend die Knie,

Jene zuvor zu beschlafen, daß gram sie würde dem Greise.
Ihr gehorcht' ich und tat's. Doch sobald es merkte der Vater,
Rief er mit gräßlichem Fluch der Erinnyen furchtbare Gottheit,
Daß nie sitzen ihm möcht auf seinen Knien ein Söhnlein, 455
Von mir selber gezeugt; und den Fluch vollbrachte der grause
Unterirdische Zeus und die schreckliche Persephoneia.
Erst zwar trieb mich der Zorn, mit scharfem Erz ihn zu töten;
Doch der Unsterblichen einer bezähmte mich, welcher ins Herz mir
Legte des Volks Nachred und die Schmähungen unter den Menschen,
Daß nicht rings die Achaier den Vatermörder mich nennten.
Jetzo durchaus nicht länger ertrug's mein Herz in dem Busen,
Daß vor dem zürnenden Vater ich dort umging in der Wohnung.
Häufig zwar umringten mich Jugendfreund' und Verwandte,
Welche mit vielem Flehn zurück im Hause mich hielten; 465
Viele gemästete Schaf' und viel schwerwandelndes Hornvieh
Schlachteten sie, und manches mit Fett umblühete Mastschwein
Sengten sie ausgestreckt in der lodernden Glut des Hephästos;
Viel auch wurde des Weines geschöpft aus den Krügen des Greises.
Neun der Nächte bei mir verweileten jene beständig, 470
Wechselnd die Hut umeinander, und nie erloschen die Feuer,
Eins am Tor in der Halle des festummauerten Vorhofs,
Eins auf des Hauses Flur, vor der Doppelpforte der Kammer.
Aber nachdem die zehnte der finsteren Nächte gekommen,
Jetzt erbrach ich der Kammer mit Kunst gefügete Pforte, 475
Eilte hinaus und erstieg die feste Mauer des Vorhofs
Leicht, von keinem der Hüter bemerkt und der wachenden Weiber;
Sprang dann hinab und entfloh durch Hellas' weite Gefilde,
Bis ich zur scholligen Phthia, voll wimmelnder Auen, gekommen,
Hin zum Könige Peleus, der gern und freundlich mich aufnahm 480
Und mich geliebt, wie ein Vater den einzigen Sohn nur liebet,
Den er im Alter gezeugt, sein großes Gut zu ererben.
Jener machte mich reich und gab mir ein Volk zu verwalten,
Fern an der Grenze von Phthia, der Doloper mächtige Herrschaft.
Dich auch macht ich zum Manne, du göttergleicher Achilleus, 485
Liebend mit herzlicher Treu; auch wolltest du nimmer mit andern
Weder zum Gastmahl gehn noch daheim in den Wohnungen essen,
Eh ich selber dich nahm, auf meine Knie dich setzend

Und die zerschnittene Speise dir reicht' und den Becher dir vorhielt.
Oftmals hast du das Kleid mir vorn am Busen befeuchtet, 490
Wein aus dem Munde verschüttend in unbehilflicher Kindheit.
Also hab ich so manches durchstrebt und so manches erduldet,
Deinethalb; ich bedachte, wie eigene Kinder die Götter
Mir versagt, und wählte, du göttergleicher Achilleus,
Dich zum Sohn, daß du einst vor traurigem Schicksal mich schirmtest.
Zähme dein großes Herz, o Achilleus! Nicht ja geziemt dir
Unerbarmender Sinn; oft wenden sich selber die Götter,
Die doch weit erhabner an Herrlichkeit, Ehr und Gewalt sind.
Diese vermag durch Räuchern und demutsvolle Gelübde,
Durch Weinguß und Gedüft der Sterbliche umzulenken, 500
Flehend, nachdem sich einer versündiget oder gefehlet.
Denn die reuigen Bitten sind Zeus' des Allmächtigen Töchter,
Welche lahm und runzlig und scheelen Blicks einhergehn
Und stets hinter der Schuld den Gang zu beschleunigen streben.
Aber die Schuld ist frisch und hurtig zu Fuß; denn vor allen 505
Weithin läuft sie voraus, und zuvor in jegliches Land auch
Kommt sie, schadend den Menschen; doch jen' als Heilende folgen.
Wer nun mit Scheu aufnimmt die nahenden Töchter Kronions,
Diesem helfen sie sehr und hören auch seines Gebetes.
Doch wenn einer verschmäht und trotzigen Sinnes sich weigert, 510
Jetzo flehn die Bitten, zu Zeus Kronion gewendet,
Daß ihm folge die Schuld, bis er durch Schaden gebüßet.
Aber gewähr, Achilleus, auch du den Töchtern Kronions
Ehre, die auch andrer und Tapferer Herz gebeugt hat.
Denn wofern nicht Gaben er böt und künftig verhieße, 515
Atreus' Sohn, und stets in feindlichem Sinne beharrte,
Nimmer fürwahr begehrt' ich, daß, leicht wegwerfend den Zorn, du
Argos' Volk abwehrtest die Not, wie sehr sie's bedürften.
Doch nun gibt er ja vieles sogleich, und andres verheißt er;
Sandt auch, dich zu erflehn, daher die edelsten Männer, 520
Die er in Argos' Volk auswählete, weil sie die liebsten
Aller Achaier dir sind. Du verschmäh nicht diesen die Rede
Oder den Gang. Nicht war ja zuvor unbillig dein Zürnen.
Also hörten wir auch in der Vorzeit rühmen die Männer
Göttlichen Stamms, wenn einer zu heftigem Zorn sich ereifert', 525

Doch versöhnten sie Gaben und mild zuredende Worte.
Einer Tat gedenk ich von alters her, nicht von neulich,
Wie sie geschah; ich will sie vor euch, ihr Lieben, erzählen.
Mit den Kureten stritt der Ätolier mutige Heerschar
Einst um Kalydons Stadt, und sie würgten sich untereinander; 530
Denn die Ätolier kämpften für Kalydons liebliche Feste,
Weil der Kureten Volk sie mit Krieg zu verheeren entbrannt war.
Artemis sandte das Weh, die goldenthronende Göttin,
Zürnend, daß ihr kein Opfer der Ernt auf fruchtbarem Acker
Öneus bracht; ihm genossen die Himmlischen all Hekatomben, 535
Ihr nur opfert' er nicht, der Tochter Zeus' des Erhabnen,
Achtlos oder vergessend; doch groß war seine Verschuldung.
Jene darauf voll Zorns, die Unsterbliche, froh des Geschosses,
Reizt' ihm ein borstenumstarrt Waldschwein mit gewaltigen Hauern,
Das viel Böses begann, des Öneus Äcker durchstürmend. 540
Viel hochragende Bäume hinab warf's übereinander
Samt den Wurzeln zur Erd und samt den Blüten des Obstes.
Endlich erschlug den Verderber des Öneus Sohn Meleagros,
Der aus vielen Städten die mutigsten Jäger und Hunde
Sammelte; denn nie hätt er mit kleinerer Schar es bezwungen, 545
Jenes Gewild, das viel auf die traurigen Scheiter geführet.
Artemis aber erregt' ein großes Getös und Getümmel
Über des Ebers Haupt und borstenstarrende Hülle
Zwischen dem Volk der Kureten und hochgesinnten Ätoler.
Weil nunmehr Meleagros der Streitbare mit in die Feldschlacht 550
Zog, traf stets die Kureten das Unheil, und sie vermochten
Nicht mehr außer der Mauer zu stehn, so viel sie auch waren.
Doch da von Zorn Meleagros erfüllt ward, welcher auch andern
Oft anschwellt im Busen das Herz, den Verständigsten selber,
Jener nunmehr, Groll tragend der leiblichen Mutter Althäa, 555
Ruhte daheim bei der Gattin, der rósigen Kleopatra,
Die von der raschen Marpissa erwuchs, der Tochter Euenos',
Und dem gewaltigen Idas, dem tapfersten Erdebewohner
Jener Zeit; denn selbst auf den herrschenden Phöbos Apollon
Hatt er den Bogen gespannt um das leichthinwandelnde Mägdlein.
Jene ward im Palaste darauf von Vater und Mutter
Mit Zunamen genannt Alkyone, weil ihr die Mutter,

Einst das Jammergeschick der Alkyon' traurig erduldend,
Weinete, da sie entführt' der treffende Phöbos Apollon.
Bei ihr ruhete jener, das Herz voll nagenden Zornes, 565
Hart gekränkt ob der Mutter Verwünschungen, welche die Götter
Angefleht, viel seufzend, um ihres Bruders Ermordung;
Viel mit den Händen auch schlug sie die nahrungsprossende Erde,
Rufend zu Aides' Macht und der schrecklichen Persephoneia,
Hingesenkt auf die Knie, und netzte sich weinend den Busen, 570
Tod zu senden dem Sohn; und die wütende grause Erinnys
Hört' aus dem Erebos sie, das nachtdurchwandelnde Scheusal.
Schnell nun erscholl um die Tore der feindliche Sturm, und die Türme
Rasselten laut vom Geschoß. Da kamen Ätoliens Greise
Flehend zu ihm und sandten die heiligsten Priester der Götter, 575
Daß er zum Kampf auszög, ein großes Geschenk ihm verheißend.
Wo die fetteste Flur der lieblichen Kalydon prange,
Dort geboten sie ihm, ein stattliches Gut sich zu wählen,
Fünfzig Morgen umher, die Hälft an Rebengefilde
Und die Hälft unbeschattetes Land für die Saat zu durchschneiden. 580
Viel auch flehet' ihm selbst der graue reisige Öneus,
Steigend hinan die Schwelle der hochgewölbeten Kammer,
Schütternd die festeinfugende Pfort und jammernd zum Sohne,
Viel auch die Schwestern zugleich und die ehrfurchtwürdige Mutter
Fleheten ihm, doch mehr nur verweigert' er; viel auch die Freunde,
Welche stets vor allen geliebt ihm waren und teuer.
Dennoch konnten sie nicht sein Herz im Busen bewegen,
Bis schon häufig die Kammer Geschoß traf, schon auf die Türme
Klomm der Kureten Volk und die Stadt rings flammte von Feuer.
Jetzo bat den Helden die schöngegürtete Gattin, 590
Flehend mit Jammerton, und nannt ihm alle das Elend,
Das unglückliche Menschen umringt in eroberter Feste:
Wie man die Männer erschlägt und die Stadt mit Flammen verwüstet,
Auch die Kinder entführt und die tiefgegürteten Weiber.
Jetzt ward rege sein Herz, da so schreckliche Taten er hörte. 595
Eilend ging er und hüllte das strahlende Waffengeschmeid um.
Also wandt er nunmehr den bösen Tag der Ätoler,
Folgend dem eigenen Mut; doch gaben sie nicht die Geschenk' ihm,
Viel und köstlichen Wertes, umsonst nun wandt er das Übel.

Nicht so denke du mir, mein Trautester; laß dir den Dämon 600
Nicht dorthin verleiten das Herz! Weit schlechter ja wär es,
Wenn du die brennenden Schiffe verteidigtest! Nein, für Geschenke
Komm; dann ehren dich rings wie einen Gott die Achaier. [gehst,
Doch wenn sonder Geschenk in die mordende Schlacht du hinein-
Nicht mehr gleich wird Ehre dir sein, wie mächtig du obsiegst. 605
Ihm antwortete drauf der mutige Renner Achilleus:
Phönix, mein alter Vater, du Göttlicher, wenig bedarf ich
Jener Ehr, ich meine, daß Zeus' Ratschluß mich geehret!
Diese daurt bei den Schiffen der Danaer, weil mir der Atem
Meinen Busen noch hebt und Kraft in den Knien sich reget. 610
Eines verkünd ich dir noch, und du bewahr es im Herzen:
Störe mir nicht die Seele mit jammernder Klag und Betrübnis,
Atreus' Heldensohn zu begünstigen. Wenig geziemt dir's,
Daß du ihn liebst; du möchtest in Haß die Liebe mir wandeln.
Besser daß du mit mir den kränkst, der mich selber gekränket! 615
Gleich mir herrsche hinfort und empfang die Hälfte der Ehre.
Diese verkünden es schon; du lege dich auszuruhen
Hier auf weichem Lager. Sobald der Morgen sich rötet,
Halten wir Rat, ob wir kehren zum Unsrigen oder noch bleiben.
Sprach's und gebot dem Patroklos geheim mit deutenden Wimpern,
Phönix ein wärmendes Bett zu beschleunigen, daß sie der Heimkehr
Schnell aus seinem Gezelt sich erinnerten. Eilend begann nun
Ajas, der göttliche Sohn des Telamon, vor der Versammlung:
Edler Laertiad, erfindungsreicher Odysseus,
Laß uns gehn, denn schwerlich, so scheint's, wird jetzo der Endzweck
Unseres Weges erreicht; zu verkündigen aber in Eile
Ziemt's das Wort den Achaiern, wiewohl es wenig erfreuet;
Denn sie sitzen gewiß und erwarten uns. Aber Achilleus
Trägt ein Herz voll Stolzes und Ungestüms in dem Busen!
Grausamer! Nichts bewegt ihn die Freundschaft seiner Genossen, 630
Die wir stets bei den Schiffen ihn hochgeehrt vor den andern.
Unbarmherziger Mann! Sogar für des Bruders Ermordung
Oder des toten Sohns empfing wohl mancher die Sühnung;
Dann bleibt jener zurück in der Heimat, vieles bezahlend;
Aber bezähmt wird diesem der Mut des erhabenen Herzens, 635
Wann er die Sühnung empfing. Allein dir gaben ein hartes,

Unversöhnliches Herz die Unsterblichen, wegen des einen
Mägdleins! Bieten wir dir doch sieben erlesene Jungfraun,
Auch viel andres dazu! O sei doch erbarmenden Herzens!
Ehr auch den heiligen Herd; wir sind dir Gäste des Hauses 640
Aus der Danaer Volk und achten es groß, vor den andern
Nahe verwandt dir zu sein und die wertesten aller Achaier.

Ihm antwortete drauf der mutige Renner Achilleus:
Ajas, göttlicher Sohn des Telamon, Völkergebieter,
Alles hast du beinahe mir selbst aus der Seele geredet; 645
Aber es schwillt mein Herz von Galle mir, wenn ich des Mannes
Denke, der mir so schnöde vor Argos' Volke getan hat,
Atreus' Sohn, als wär ich ein ungeachteter Fremdling.
Ihr demnach geht hin und verkündiget dort die Botschaft.
Denn nicht eher gedenk ich des Kampfs und der Männerermordung,
Ehe des waltenden Priamos Sohn, der göttliche Hektor,
Schon die Gezelt' und Schiffe der Myrmidonen erreicht hat,
Argos' Volk hinmordend und Glut in den Schiffen entflammet.
Doch wird, hoff ich, bei meinem Gezelt und dunkelen Schiffe
Hektor, wie eifrig er ist, sich wohl enthalten des Kampfes. 655

Jener sprach's, und jeglicher nahm den doppelten Becher,
Sprengt' und ging, zu den Schiffen gewandt; sie führet Odysseus.
Aber Patroklos befahl den Genossen umher und den Mägden,
Phönix ein wärmendes Bett zu beschleunigen, ohne Verweilen.
Ihm gehorchten die Mägd' und breiteten emsig das Lager, 660
Wollige Vlies' und die Deck und der Leinwand zarteste Blume.
Dort nun ruhte der Greis, die heilige Früh erwartend.
Aber Achilleus schlief im innern Gemach des Gezeltes,
Und ihm ruhte zur Seit ein rosenwangiges Mägdlein,
Das er in Lemnos gewann, des Forbas Kind, Diomede. 665
Auch Patroklos legt' ihm entgegen sich; aber zur Seit ihm
Iphis, hold und geschmückt, die der Peleion ihm geschenket,
Als er Skyros bezwang, die erhabene Stadt des Enyeus.

Jene, nachdem sie erreicht die Kriegsgezelt' Agamemnons,
Grüßte mit goldenen Bechern die Schar der edlen Achaier, 670
Andere anderswoher entgegeneilend und fragend.
Aber zuerst erforschte der Völkerfürst Agamemnon:

Sprich, preisvoller Odysseus, erhabener Ruhm der Achaier,

Will er vielleicht abwehren die feindliche Glut von den Schiffen?
Oder versagt er und nähret den Zorn des erhabenen Herzens? 675
Ihm antwortete drauf der herrliche Dulder Odysseus:
Atreus' Sohn, ruhmvoller, du Völkerfürst Agamemnon,
Noch will jener den Zorn nicht bändigen, sondern nur höher
Schwillt ihm der Mut; dein achtet er nicht, noch deiner Geschenke.
Selber heißet er dich mit Argos' Söhnen erwägen, 680
Wie du die Schiffe zu retten vermögst und das Volk der Achaier.
Aber er selber droht, sobald der Morgen sich rötet,
Nieder ins Meer zu ziehen die schöngebordeten Schiffe.
Auch den übrigen möcht er ein ratsames Wort zureden,
Heim in den Schiffen zu gehn. Nie findet ihr doch der erhabnen 685
Ilios Untergang; denn der waltende Zeus Kronion
Deckt sie mit schirmender Hand, und mutvoll trotzen die Völker.
Also sprach er; auch diese bezeugen es, welche mir folgten,
Ajas und beid Herolde zugleich, die verständigen Männer.
Phönix, der Greis, blieb dort und legte sich; denn so gebot er: 690
Daß er mit ihm heimschiffe zum lieben Lande der Väter
Morgen, wenn's ihm gefällt, denn nicht aus Zwang soll er mitgehn.
Jener sprach's, doch alle verstummten umher und schwiegen,
Hoch das Wort anstaunend; denn kraftvoll hatt er geredet.
Lange saßen verstummt die bekümmerten Männer Achaias. 695
Endlich begann vor ihnen der Rufer im Streit Diomedes:
Atreus' Sohn, ruhmvoller, du Völkerfürst Agamemnon,
Hättest du nie doch gefleht dem untadligen Peleionen,
Reiche Geschenk' ihm verheißend! Denn stolz ist jener ja so schon,
Und nun hast du noch mehr im stolzen Sinn ihn bekräftigt. 700
Doch fürwahr ich denke, wir lassen ihn, ob er hinweggeht
Oder bleibt. Dann wird er zur Feldschlacht wieder mit ausziehn,
Wann sein Herz im Busen gebeut und ein Gott ihn erreget.
Aber wohlan, wie ich rede das Wort, so gehorchet mir alle:
Jetzo geht zur Ruhe, nachdem ihr das Herz euch erfreuet 705
Nährender Kost und Weines; denn Kraft ist solches und Stärke.
Aber sobald nun Eos mit Rosenfingern emporstrahlt,
Ordne du schnell vor den Schiffen die Reisigen sowie das Fußvolk,

Muntre sie auf, und kühn mit den vordersten kämpfe du selber.
Jener sprach's, und umher die Könige riefen ihm Beifall, 710
Hoch das Wort anstaunend von Tydeus' Sohn Diomedes.
Als sie des Tranks nun gesprengt, da kehrten sie heim in die Zelte;
Jeder ruhete dort und empfing die Gabe des Schlafes.

X. GESANG

Der schlaflose Agamemnon und Menelaos wecken die Fürsten. Sie sehen nach der Wache und besprechen sich am Graben. Diomedes und Odysseus, auf Kundschaft ausgehend, ergreifen und töten den Dolon, welchen Hektor zum Spähen gesandt. Von ihm belehrt, töten sie im troischen Lager den neugekommenen Rhesos mit zwölf Thrakiern und entführen des Rhesos Rosse.

Alle sonst bei den Schiffen, die edleren Helden Achaias,
Schliefen die ganze Nacht, von sanftem Schlummer gefesselt;
Nur nicht Atreus' Sohne, dem Hirten des Volks Agamemnon,
Nahte der süße Schlaf, da vieles im Geist er bewegte.
Wie wenn der Donnerer blitzt, der Gemahl der lockigen Here, 5
Vielen Regen bereitend, unendlichen, oder auch Hagel
Oder ein Schneegestöber, das weiß die Gefilde bedecket,
Oder des Kriegs weit offenen Schlund, des bitteren Unheils:
So vielfältig erseufzt' im Innersten nun Agamemnon
Tief aus dem Herzen empor, und Angst durchbebte die Brust ihm. 10
Siehe, sooft er das Feld, das troische, weit umschaute,
Staunt' er über die Feuer, wieviel vor Ilios brannten,
Über der Flöten und Pfeifen Getön und der Menschen Getümmel.
Aber sooft zu den Schiffen er sah und dem Volk der Achaier,
Viel alsdann aus dem Haupt mit den Wurzeln rauft' er sich Haare, 15
Hoch aufflehend zu Zeus; und das edele Herz ihm durchdrang Weh.
Dieser Gedank erschien dem Zweifelnden endlich der beste:
Erst zu Nestor zu gehn, dem neleiadischen König,
Ob er mit jenem vielleicht unsträflichen Rat aussönne,
Welcher das Bös abwehrte von allem Volk der Achaier. 20
Aufrecht nun umhüllt' er die Brust mit wolligem Leibrock,
Unter die glänzenden Füß' auch band er sich stattliche Sohlen,
Warf dann das blutige Fell des gewaltigen Leun um die Schultern,

Falb und groß, das die Knöchel erreicht', und faßte die Lanze.
So auch war Menelaos in bebender Angst, und niemals 25
Ruht' ihm Schlaf auf den Augen, dem Sinnenden, was doch verhängt
Argos' tapferem Volk, das um ihn durch weites Gewässer [sei
Kam in der Troer Gefild', unverdrossenem Streite sich bietend.
Erst nun ein Pardelvlies um den breiten Rücken sich hüllt' er,
Zottig und bunt gefleckt, dann barg er das Haupt in des Helmes 30
Ehernen Schirm und faßte den Speer mit nervichter Rechter.
Schnell dann ging er zu wecken den herrschenden Bruder, der mächtig
Allen Achaiern gebot, wie ein Gott im Volke geehret.
Ihn nun fand er, die Schultern mit strahlender Rüstung sich deckend,
Hinten am dunkelen Schiff, und herzlich erwünscht ihm erschien er. 35
Jetzo begann zuerst der Rufer im Streit Menelaos:
Warum wappnest du dich, mein Älterer? Soll zu den Troern
Dir hingehen ein Freund, zu erkundigen? Aber ich fürchte
Sehr im Geist, daß keiner zu solcher Tat sich erbiete,
Hin zum feindlichen Heer als Spähender einsam zu wandeln 40
Durch die ambrosische Nacht; der müßt ein entschlossener Mann sein!
Gegen ihn rief antwortend der Völkerfürst Agamemnon:
Rat bedürfen wir beide, du Göttlicher, o Menelaos,
Wohlersonnenen Rat, der Sicherheit schaff und Errettung
Argos' Volk und den Schiffen, dieweil Zeus' Herz sich gewandt hat. 45
Wahrlich, zu Hektors Opfer hat mehr sein Herz er geneiget!
Denn nie sah ich vordem, noch höret ich je erzählen,
Daß der Wunder so viel ein Mann am Tage vollendet,
Als nun Hektor getan, Zeus' Liebling, am Volk der Achaier,
Selber für sich, obzwar nicht Gott ihn zeugte noch Göttin. 50
Aber er tat, des wahrlich mit Schmerz die Argeier gedenken,
Spät und lange hinfort; so häuft' er das Weh den Achaiern!
Eile mir, Ajas nun und Idomeneus herzurufen,
Hurtigen Laufs zu den Schiffen, weil ich zum göttlichen Nestor
Wandl und aufzustehn ihn ermuntere; ob er geneigt sei, 55
Hin zur heiligen Schar der Wächter zu gehn und zu ordnen.
Ihm gehorchen sie wohl am freudigsten; denn sein Sohn ist
Führer der Hut mit Meriones dort, des kretischen Königs
Waffenfreund; denn diesen vertraueten wir sie am meisten.
Ihm antwortete drauf der Rufer im Streit Menelaos: 60

Was denn ist dein Will und die Absicht deines Gebotes?
Bleib ich dort mit jenen und warte dein, bis du hinkommst?
Oder lauf ich dir nach, sobald ich's jenen verkündigt?
  Wiederum antwortete drauf Agamemnon der Herrscher:
Bleibe dort, vielleicht verfehlten wir sonst einander 65
Irrend in Nacht; denn viel durchkreuzen ja Wege das Lager.
Rufe, wohin du gehst, und ermuntere rings zu wachen,
Jeglichen Mann nach Geschlecht mit Vaternamen benennend,
Jeglichem Ehr erweisend, und nicht erhebe dich vornehm.
Laß uns vielmehr arbeiten wie andere! Also verhängt' es 70
Zeus bei unsrer Geburt, dies lastende Weh uns bereitend!
  Jener sprach's und entsandte den wohl ermahneten Bruder;
Eilete dann, um Nestor, den Völkerhirten, zu wecken.
Diesen fand er dort am Gezelt und dunkelen Schiffe,
Ruhend im weichen Bett, und neben ihm prangte die Rüstung: 75
Schild und strahlender Helm und zwo erzblinkende Lanzen;
Neben ihm prangt' auch der Gurt, der künstliche, welcher den Alten
Gürtete, wann zur mordenden Schlacht er gewappnet einherzog,
Führend das Volk; denn er achtete nicht des traurigen Alters.
Jetzo erhob er das Haupt, auf den Ellenbogen sich stützend, 80
Rief dem Atreiden zu und fragt' ihn, also beginnend:
  Wer bist du, der einsam des Lagers Schiffe durchwandelt,
Jetzt in der finsteren Nacht, da andere Sterbliche schlafen?
Ob du einen der Freund' umhersuchst oder ein Maultier?
Red und nahe mir nicht ein Schweigender! Wessen bedarfst du? 85
  Ihm antwortete drauf der Herrscher des Volks Agamemnon:
Nestor, Neleus' Sohn, du erhabener Ruhm der Achaier,
Kenne doch Atreus' Sohn Agamemnon, welchen vor allen
Zeus in unendlichen Jammer versenkt hat, weil mir der Atem
Meinen Busen noch hebt und Kraft in den Knien sich reget. 90
So nun irr ich, dieweil kein ruhiger Schlaf mir die Augen
Zuschließt, sondern der Krieg und die Not der Achaier mich kümmert.
Denn ich sorge mit Angst um die Danaer; hin ist der feste
Mut und alle Besinnung dahin; es entfliegt aus dem Busen
Mir das klopfende Herz, und es zittern mir unten die Glieder! 95
Aber sinnst du auf Tat, da auch dir nicht nahet der Schlummer,
Laß zu den Hütern nunmehr uns hinabgehn, daß wir erkennen,

Ob sie vielleicht, entkräftet von Kriegsarbeit und Ermüdung,
Sich zum Schlummer gelegt und ganz der Wache vergessen.
Denn das feindliche Heer ist nah uns; keiner ja weiß es, 100
Ob nicht selbst in der Nacht sie anzugreifen beschließen.
Ihm antwortete drauf der gerenische reisige Nestor:
Atreus' Sohn, Ruhmvoller, du Völkerfürst Agamemnon,
Nie wird doch dem Hektor ein jeglicher Wunsch von Kronion
Gänzlich erfüllt, den er jetzt sich erträumete, sondern ihn, hoff ich, 105
Drängen der Sorgen hinfort noch mehrere, wenn nur Achilleus
Von dem verderblichen Zorn die erhabene Seele gewendet.
Gern begleit ich dich nun, doch laß uns auch andere wecken:
Tydeus' Sohn, den Schwinger des Speers, und den edlen Odysseus,
Ajas den Schnellen zugleich und Phyleus' tapferen Sprößling. 110
Wenn auch einer geschwind hinwandelte, jene zu rufen,
Ajas, Telamons Sohn, und Idomeneus, Kretas Beherrscher,
Deren Schiffe ja stehn am fernesten, nicht in der Nähe.
Aber ihn, den geliebten und edlen Freund Menelaos, [ich's,
Schelt ich fürwahr, und wiewohl du mir eifertest, nimmer verberg
Daß er schläft und allein dir zugewendet die Arbeit.
Ziemt' es ihm doch, arbeitend die sämtlichen Fürsten Achaias
Anzuflehn; denn die Not umdrängt uns, ganz unerträglich!
Wiederum antwortete drauf Agamemnon der Herrscher:
Greis, zu anderer Zeit verstatt ich dir, jenen zu tadeln, 120
Denn oft säumt mein Bruder und geht ungern an die Arbeit,
Nicht von Trägheit besiegt noch Unverstande des Geistes,
Sondern auf mich herschauend und mein Beginnen erwartend.
Doch nun wacht' er früher vom Schlaf und besuchte mich selber,
Und ich sandt ihn umher, daß er forderte, welche du wünschest. 125
Gehen wir denn! Sie finden wir sicherlich dort bei den Hütern
Außer dem Tor, wo ich ihnen bedeutete, sich zu versammeln.
Ihm antwortete drauf der gerenische reisige Nestor:
So wird kein Achaier hinfort ihm zürnen noch ungern
Folgen, sobald er einen zur Arbeit treibt und ermuntert. 130
Dieses gesagt, umhüllt' er die Brust mit wolligem Leibrock;
Unter die glänzenden Füß' auch band er sich stattliche Sohlen,
Um sich schnallt' er darauf den purpurschimmernden Mantel,
Doppelt und weit gefaltet, umblüht von der Wolle Gekräusel;

Nahm auch die mächtige Lanze, gespitzt mit der Schärfe des Erzes, 135
Eilte dann längs den Schiffen der erzumschirmten Achaier.
Jetzo zuerst den Odysseus, an Ratschluß gleich dem Kronion,
Weckte der Greis aus dem Schlaf, der gerenische reisige Nestor,
Lauten Rufs, doch jenem erscholl zum Herzen die Stimme;
Und er kam aus dem Zelt und sprach zu ihnen die Worte: 140
Warum irrt ihr so einsam, des Lagers Schiffe durchwandelnd,
Durch die ambrosische Nacht? Was doch für Not, die euch antreibt?
Ihm antwortete drauf der gerenische reisige Nestor:
Edler Laertiad, erfindungsreicher Odysseus,
Zürne nicht, denn große Bekümmernis drängt die Achaier. 145
Komm denn und wecke mit uns noch andere, welchen es ziemet,
Heilsamen Rat zu raten, der Heimkehr oder des Kampfes.
Jener sprach's; da eilt' ins Gezelt der weise Odysseus,
Warf den prangenden Schild um die Schulter sich, folgte dann jenen.
Schnell nun kamen sie hin, wo Tydeus' Sohn Diomedes 150
Draußen lag am Gezelt mit den Rüstungen; auch die Genossen
Schliefen umher, auf den Schilden das Haupt, und jegliches Lanze
Ragt' auf des Schaftes Spitz emporgerichtet, und fernhin
Strahlte das Erz wie die Blitze des Donnerers. Aber der Held selbst
Schlummerte, hingestreckt auf die Haut des geweideten Stieres; 155
Auch war unter dem Haupt ein schimmernder Teppich gebreitet.
Nahend weckt' ihn vom Schlaf der gerenische reisige Nestor, [litz:
Rührend den Fuß mit der Fers, und ermuntert ihn, scheltend ins Ant-
Wache doch, Tydeus' Sohn! Was schlummerst du ruhig die Nacht durch?
Hörtest du nicht, wie die Troer sich dort auf dem Hügel des Feldes
Lagerten, nahe den Schiffen, und weniger Raum sie entfernet!
Also der Greis; doch schleunig erstand aus dem Schlaf Diomedes;
Und er begann zu jenem und sprach die geflügelten Worte:
Allzu emsiger Greis, du ruhst auch nimmer von Arbeit!
Sind nicht andere noch und jüngere Männer Achaias, 165
Welchen es mehr obläge, der Könige jeden zu wecken,
Rings durchwandelnd das Heer? Du übertreibst es, o Alter!
Ihm antwortete drauf der gerenische reisige Nestor:
Wahrlich, o Freund, du hast wohlziemende Worte geredet.
Selber hab ich ja Söhn' und treffliche, hab auch der Völker 170

Sonst genug, daß mir einer umhergehn könnte zu rufen.
Aber viel zu große Bekümmernis drängt die Achaier!
Denn nun steht es allen fürwahr auf der Schärfe des Messers:
Schmählicher Untergang den Achaiern oder auch Leben!
Auf denn, Ajas den Schnellen und Phyleus' tapferen Sprößling 175
Wecke vom Schlaf; du bist ja der jüngere, daurt dich mein Alter.

Sprach's; und sogleich warf jener das Löwenfell um die Schultern,
Falb und groß, das die Knöchel erreicht', und faßte die Lanze;
Hin dann eilte der Held und erweckt' und brachte die andern.

Als sie nunmehr der Hüter versammelte Scharen erreichten, 180
Fanden sie auch nicht schlafen die edelen Führer der Scharen,
Sondern munter und wach mit den Rüstungen saßen sie alle.
So wie die Hund' unruhig die Schaf' im Gehege bewachen,
Hörend das Wutgebrüll des Untiers, das aus der Waldung
Herkommt durch das Gebirg, umtönt von lautem Getümmel 185
Treibender Männer und Hund' (entflohn ist ihnen der Schlummer):
Also entfloh auch jenen der süße Schlaf von den Wimpern,
Welche die Nacht durchwachten, die schreckliche, stets nach dem
Hingewandt, ob sie etwa die kommenden Troer vernähmen. [Felde
Diese sah mit Freude der Greis und redete Stärkung; 190
Und er begann zu ihnen und sprach die geflügelten Worte:

Recht so, trauteste Kinder, seid wachsam; keinen besiege
Nun der Schlaf, daß nicht zur Freude wir werden den Feinden!

Jener sprach's, und den Graben durcheilet' er; aber ihm folgten
Argos' Könige nach, so viel zum Rat sich versammelt. 195
Auch Meriones folgt' und Nestors edler Erzeugter
Ihnen zugleich; denn sie selber beriefen sie mit zur Beratung.
Jetzt nachdem sie den Graben durchwandelten, setzten sich alle,
Wo noch rein das Gefild aus umliegenden Leichen hervorschien;
Dort wo der stürmende Hektor sich wendete von der Argeier 200
Blutigem Mord, als schon die finstere Nacht sie umhüllte,
Dort nun setzten sich jen' und redeten untereinander.
Also begann das Gespräch der gerenische reisige Nestor:

Freund', o möchte nicht jetzt ein Mann vertrauen der Kühnheit
Seines entschlossenen Muts, zu den edelmütigen Troern 205
Hinzugehn, ob er einen der äußersten etwa erhaschte
Oder vielleicht ein Gespräch der feindlichen Männer behorchte,

Was sie jetzo im Rat abredeten; ob sie gedenken,
Fern allhier zu bleiben von Ilios oder zur Stadt nun
Heim von den Schiffen zu kehren, nachdem sie besiegt die Achaier?
Dieses erforscht' er alles vielleicht und kehrte zu uns dann
Unverletzt; groß wäre der Ruhm ihm unter dem Himmel
Rings in der Menschen Geschlecht, auch lohnten ihm edle Geschenke.
Denn so viel den Schiffen umher gebieten der Herrscher,
Deren sollt ein jeder ein schwarzes Schaf ihm verehren, 215
Samt dem saugenden Lamm; kein Eigentum wär ihm vergleichbar;
Auch zu jeglichem Fest und Gastmahl würd er geladen.
Jener sprach's; doch alle verstummten umher und schwiegen.
Jetzo begann vor ihnen der Rufer im Streit Diomedes:
Nestor, mich reizt mein Mut und das Herz voll freudiger Kühnheit,
Einzugehn in das Heer der nahe gelagerten Troer.
Doch wenn ein anderer Mann zugleich mir folgte, dann wäre
Mehr der Zuversicht und des unerschrockenen Mutes.
Wo zween wandeln zugleich, da bemerkt der ein und der andre
Schneller, was heilsam sei; doch der einzelne, ob er bemerket, 225
Ist doch langsamer stets sein Sinn und schwach die Entschließung.
Jener sprach's, und viel erboten sich schnell dem Tydeiden:
Willig waren die Ajas zugleich, die Genossen des Ares,
Willig Meriones auch, sehr willig der Sohn des Nestor,
Willig der Atreione, der Schwinger des Speers Menelaos; 230
Willig war auch Odysseus, der Duldende, unter die Troer
Einzugehn; denn er trug ein wagendes Herz in dem Busen.
Jetzo begann vor ihnen der Völkerfürst Agamemnon:
Tydeus' Sohn Diomedes, du meiner Seele Geliebter,
Selbst nunmehr zum Genossen erwähle dir, welchen du wünschest, 235
Aller umher den besten, dieweil so viele bereit sind.
Doch nicht täusche das Herz die Ehrfurcht, daß du den bessern
Übergehst und den schlechtern aus blöder Scheu dir gesellest,
Schauend auf edleren Stamm und wer erhabner an Macht sei.
Jener sprach's; denn er sorgt' um den bräunlichen Held Menelaos.
Jetzo begann von neuem der Rufer im Streit Diomedes:
Wenn ihr nun den Genossen mir selbst zu wählen gebietet,
Wie vergäße doch ich des göttergleichen Odysseus,
Dem so entschlossen der Mut und das Herz voll freudiger Kühnheit

Ragt in jeder Gefahr. Denn es liebt ihn Pallas Athene. 245
Wenn mich dieser begleitet, sogar aus flammendem Feuer
Kehrten wir beide zurück, weil keiner ihm gleicht an Erfindung.
Ihm antwortete drauf der herrliche Dulder Odysseus:
Tydeus' Sohn, nicht darfst du so sehr mich rühmen noch tadeln,
Denn vor kundigen Männern von Argos redest du solches. 250
Gehen wir denn! Schnell eilet die Nacht und nah ist der Morgen.
Weit schon rückten die Stern', und das meiste der Nacht ist vergangen;
Um zwo Teile bereits, nur der dritte Teil ist noch übrig.
Dieses gesagt, verhüllten sich beid in schreckliche Rüstung.
Tydeus' Sohne nun gab der streitbare Held Thrasymedes 255
Sein zweischneidiges Schwert (denn das eigene blieb bei den Schiffen),
Auch den Schild und bedeckt' ihm das Haupt mit dem Helme von Stier-
Sonder Kegel und Busch, der auch Sturmhaube genannt wird, [haut,
Und ohn Erz die Scheitel der blühenden Jünglinge schirmet.
Aber Meriones gab dem Odysseus Bogen und Köcher 260
Samt dem Schwert und bedeckte des Königes Haupt mit dem Helme,
Auch aus Leder geformt: inwendig mit häufigen Riemen
Wölbt' er sich, straff durchspannt, und auswärts schienen die Hauer
Vom weißzahnigen Schwein und starreten hiehin und dorthin,
Schön und künstlich gereiht, und ein Filz war drinnen befestigt. 265
Einst aus Eleon hatt Autolykos diesen erbeutet,
Stürmend den festen Palast des Hormeniden Amyntor;
Jener gab dem Kytherer Amphidamas ihn gen Skandeia,
Aber Amphidamas gab zum Gastgeschenk ihn dem Molos;
Dieser gab ihn Meriones drauf, dem Sohne, zu tragen, 270
Und nun barg er umher Odysseus' Haupt zur Beschützung.
Jetzo, nachdem sich beid in schreckliche Rüstung gehüllet,
Eilten sie hin und verließen die edelen Helden Achaias.
Ihnen naht' ein Reiher, gesandt von Pallas Athene,
Rechtsher fliegend am Weg; ihn sahen sie nicht mit den Augen 275
Durch die finstere Nacht, nur ward sein Tönen gehöret.
Freudig vernahm Odysseus den Flug und rief zu Athene:
Höre mich, Tochter Zeus' des Donnerers, die du beständig
Mich in allen Gefahren verteidigest und, wo ich hingeh,
Meiner gedenkst. Auch jetzo gewähre mir Lieb, o Athene! 280
Laß uns wohl zu den Schiffen und ruhmvoll wieder gelangen,

Täter erhabener Tat, die Kummer schaffe den Troern!
Ihm zunächst auch flehte der Rufer im Streit Diomedes:
Höre du jetzt auch mich, o Zeus' unbezwungene Tochter!
Folge mir, wie du dem Vater gefolgt, dem göttlichen Tydeus, 285
Als er gen Thebe ging, ein Gesendeter von den Achaiern.
Jen' am Asopos verlassend, die erzumschirmten Achaier,
Bracht er freundliche Worte den kriegrischen Kadmeionen
Dorthin; doch umkehrend vollendet' er schreckliche Taten,
Mit dir, heilige Göttin, da ihm willfährig du beistandst. 290
So nun wollest du mir auch beistehn und mich behüten!
Dir gelob ich ein jähriges Rind, breitstirnig und fehllos,
Ungezähmt, das nimmer ein Mann zum Joche gebändigt;
Dieses gelob ich zum Opfer, mit Gold die Hörner umziehend.
Also flehten sie dort; sie hörete Pallas Athene. 295
Drauf nachdem sie gefleht zu Zeus' des Allmächtigen Tochter,
Gingen sie schnell, zween Löwen an Mut, im nächtlichen Dunkel
Hin durch Mord, durch Leichen, durch Rüstungen hin und Schlacht- [blut.
Auch nicht ließ dort Hektor die edelmütigen Troer
Ausruhn, sondern berief die Edelsten nun zur Versammlung, 300
Alle des troischen Volks erhabene Fürsten und Pfleger.
Als sich jene gesetzt, entwarf er die weise Beratung:
Wer doch möchte die Tat mir übernehmend gewähren,
Um ein großes Geschenk, das ihm zum Lohne genug sei?
Einen Wagen ihm geb ich und zween hochwiehernde Rosse, 305
Welche die edelsten sei'n bei den rüstigen Schiffen Achaias,
Wer auch immer es wagt und selbst den Ruhm sich erstrebet,
Hinzugehn zu den Schiffen der Danaer und zu erforschen,
Ob sie stets noch bewachen die rüstigen Schiffe wie vormals,
Oder ob sie vielleicht, von unseren Händen bezähmet, 310
Schon die Flucht miteinander beschleunigen und sich enthalten,
Nächtliche Hut zu versehn, entnervt von der schrecklichen Arbeit.
Jener sprach's, doch alle verstummten umher und schwiegen.
Aber im troischen Volk war Dolon, Sohn des Eumedes,
Eines göttlichen Herolds, an Golde reich und an Erze; 315
Zwar ein häßlicher Mann von Gestalt, doch ein hurtiger Läufer,
Und der einzige Sohn mit fünf aufwachsenden Schwestern.
Dieser begann hintretend im Rat der Troer zu Hektor:

Hektor, mich reizt mein Mut und das Herz voll freudiger Kühnheit,
Hinzugehn zu den Schiffen der Danaer und zu erforschen. 320
Aber wohlan, den Zepter erhebe mir, heilig beschwörend,
Daß du jenes Gespann und den erzumschimmerten Wagen
Schenken mir willst, das ihn trägt, den untadligen Peleionen.
Nicht umsonst auch werd ich dir spähn, noch gegen Erwartung.
Denn so weit ihr Lager durchwander ich, bis ich erreiche 325
Selbst Agamemnons Schiff, wo vielleicht sein werden die Fürsten,
Heilsamen Rat zu raten der Heimkehr oder des Kampfes.
Jener sprach's, doch Hektor erhub den Zepter und schwur ihm:
Höre den Schwur Zeus selber, der donnernde Gatte der Here!
Nie soll jenes Gespann ein anderer lenken der Troer, 330
Sondern dir verheiß ich daherzuprangen beständig!
Also der Held, und beschwur Meineid und reizete jenen.
Eilend hängt' er darauf das krumme Geschoß um die Schulter,
Hüllete dann sich umher ein graugezotteltes Wolfsfell,
Fügte den Otterhelm auf das Haupt und faßte den Wurfspieß, 335
Eilete dann zu den Schiffen der Danaer. Aber ihm ward nicht
Wiederkehr von den Schiffen, um Hektorn Kunde zu bringen.
Als er nunmehr verlassen der Ross' und der Männer Getümmel,
Ging er den Weg mit Begier. Allein der edle Odysseus
Merkte des Nahenden Gang und sprach zum Sohne des Tydeus: 340
Siehe doch, Diomedes, da kommt ein Mann aus dem Lager!
Will er vielleicht auskundend zu unseren Schiffen herannahn
Oder einen berauben der Leichname hier auf dem Schlachtfeld?
Aber wir lassen ihn erst vorübergehn im Gefilde
Wenig, und dann verfolgen wir ihn und erhaschen den Flüchtling 345
Eilenden Laufs. Doch wenn er zuvor uns rennt mit den Füßen,
Immer dann zu den Schiffen vom Lager hinweg ihn gescheuchet,
Mit anstürmendem Speer, daß nicht zur Stadt er entrinne.
Also besprachen sich beid und bargen sich außer dem Wege,
Unter den Toten geschmiegt; und vorbei lief jener bedachtlos. 350
Als er so weit sich entfernt, wie ein Joch Maultier' an des Ackers
Ende gewinnt (denn sie gehn vor langsam folgenden Stieren,
Mutig die Brach entlang mit starkem Pflug zu durchfurchen):
Schnell nun liefen sie nach, und er stand, das Getöse vernehmend;
Denn er vermutet' im Geist, zurückberufende Freunde 355

Kämen aus Trojas Volk, ihm nachgesendet von Hektor.
Aber so weit nur entfernt wie ein Speerwurf oder noch minder,
Kannt er die Männer als Feind', und die hurtigen Knie bewegend
Floh er dahin; doch jene verfolgeten angestrenget.
Wie wenn zween scharfzahnige Hund', erfahren der Wildjagd, 360
Dringender Eil hintreiben ein Hirschkalb oder den Hasen
Durch dickwaldige Räum' und voran der Quäkende rennet:
Also trieb der Tydeid und der Städteverwüster Odysseus
Jenen in dringender Eil, hinweg von dem Lager ihn scheuchend.
Aber nachdem schon nahe der Danaer Hut er gekommen, 365
Fliehend hinab zu den Schiffen, mit Zorn nun erfüllt Athenäa
Tydeus' Sohn, daß keiner der erzumschirmten Achaier
Früheren Wurfs sich rühmt' und er selbst der zweite nur käme;
Drohend erhub er die Lanz und rief, der Held Diomedes:
Steh da, oder ich werfe die Lanze dir! Schwerlich noch wirst du 370
Lange dem schrecklichen Tod aus meinen Händen entfliehen!
Sprach's, und im Schwung entsandt er den Speer und fehlte mit Vor-
Rechtshin über die Schulter ihm flog des geglätteten Speeres [satz,
Erz in den Boden hinein; und er stand nun, starr vor Schrecken,
Bebend das Kinn, und es klappten ihm laut in dem Munde die Zähne,
Blaß sein Gesicht vor Angst. Jetzt nahten sie keuchend und hielten
Beid an den Händen ihn fest, doch er mit Tränen begann so:
Faht mich, dann erkauf ich mich frei. Mir lieget daheim ja
Erz und Goldes genug und schöngeschmiedetes Eisen.
Hievon reicht mein Vater dir gern unendliche Lösung, 380
Wenn er mich noch lebend vernimmt bei den Schiffen Achaias.
Ihm antwortete drauf der erfindungsreiche Odysseus:
Sei getrost, kein Todesgedank umschwebe das Herz dir!
Aber sage mir jetzt und verkündige lautere Wahrheit:
Warum gehst du allein vom Lager hinab zu den Schiffen, 385
Jetzt in der finsteren Nacht, da andere Sterbliche schlafen?
Willst du einen berauben der Leichname hier auf dem Schlachtfeld?
Oder sandte dich Hektor, daß wohl bei den Schiffen du alles
Spähetest? Oder bewog dein eigenes Herz dich zu gehen?
Ihm antwortete Dolon darauf, und ihm bebten die Glieder: 390
Ach, zu Jammer und Weh verleitete Hektor das Herz mir,
Welcher des tadellosen Achilleus stampfende Rosse

Mir zum Geschenke verhieß und den erzumschimmerten Wagen,
Und mir befahl, durchwandelnd der Nacht stillfliehendes Dunkel,
Hinzugehn zu den Schiffen der Danaer und zu erforschen, 395
Ob ihr stets noch bewacht die rüstigen Schiffe wie vormals,
Oder ob ihr vielleicht, von unseren Händen bezähmet,
Schon die Flucht miteinander beschleuniget und euch enthaltet,
Nächtliche Hut zu versehn, entnervt von der schrecklichen Arbeit.
Lächelnd erwiderte drauf der erfindungsreiche Odysseus: 400
Traun, nach großem Geschenk hat dir die Seele gelüstet,
Nach des Peleiden Gespann, des feurigen! Schwer sind die Rosse
Jedem sterblichen Manne zu bändigen oder zu lenken,
Außer Achilleus selbst, den gebar die unsterbliche Mutter.
Aber sage mir jetzt und verkündige lautere Wahrheit: 405
Wo verließest du Hektor, den Hirten des Volks, da du weggingst?
Wo sind ihm die Geräte des Kriegs? Wo stehn ihm die Rosse?
Auch die anderen Troer, wie wachen sie oder wie ruhn sie?
Sag auch, was sie im Rat abredeten: ob sie gedenken,
Fern allhier zu bleiben von Ilios oder zur Stadt nun 410
Heim von den Schiffen zu kehren, nachdem sie besiegt die Achaier.
Ihm antwortete Dolon darauf, der Sohn des Eumedes:
Gern will ich dir dieses nach lauterer Wahrheit verkünden.
Hektor berief nun alle des Heers ratgebende Fürsten,
Rat mit ihnen zu halten am Mal des göttlichen Ilos, 415
Abgewandt vom Geräusch. Doch die Wachen, o Held, die du forschest?
Keine gesonderte schirmt das Kriegsheer oder bewacht es.
Rings, wo Troer sich Glut anzündeten, welchen es not ist,
Diese warten der Hut und ermahnen sich untereinander,
Wach zu sein. Hingegen die fernberufenen Helfer 420
Ruhn im Schlaf, den Troern es überlassend zu wachen;
Denn nicht jenen sind Kinder und Gattinnen hier in der Nähe.
Ihm antwortete drauf der erfindungsreiche Odysseus:
Wie denn, etwa vermischt mit Trojas reisigen Männern
Schlafen sie? Oder allein? Dies sage mir, daß ich es wisse. 425
Ihm antwortete darauf, der Sohn des Eumedes:
Gern will ich auch dieses nach lauterer Wahrheit verkünden.
Meerwärts ruhn mit den Karen päonische Krümmer des Bogens,
Leleger auch, Kaukonen zunächst und edle Pelasger;

Gegen Thymbra der Lykier Volk und trotzige Myser, 430
Phrygiens reisige Schar und Mäoniens Rossebezähmer.
Aber warum dies alles von mir umständlich erforschen?
Denn wofern ihr begehrt, ins troische Lager zu wandeln,
Dort am Ende des Heers sind neu ankommende Thraker,
Hingestreckt um Eioneus' Sohn, den herrschenden Rhesos, 435
Dessen Rosse die schönsten und größesten, die ich gesehen,
Weißer denn blendender Schnee und hurtigen Laufs wie die Winde.
Auch sein Geschirr ist köstlich mit Gold und Silber geschmücket.
Rüstungen, auch aus Golde, gewaltige, Wunder dem Anblick,
Trägt er daher; kaum ziemt es den sterblichen Erdebewohnern 440
Solches Gerät zu tragen, vielmehr unsterblichen Göttern.
Doch nun führt mich hinab zu des Meers schnellwandelnden Schiffen
Oder laßt mich allhier in grausamen Banden gefesselt,
Bis ihr zurückgekehrt und mich erkannt aus Erfahrung,
Ob ich vor euch die Wahrheit verkündiget oder nicht also. 445

Finster schaut' und begann der starke Held Diomedes:
Nur nicht Flucht, o Dolon, erwarte mir jetzo im Herzen,
Gabst du auch guten Bescheid, da in unsere Hände du kamest!
Denn wofern wir anjetzt dich löseten oder entließen,
Traun, du kämst auch hinfort zu den rüstigen Schiffen Achaias, 450
Sei es um auszuspähn, sei's öffentlich uns zu bekämpfen.
Doch so von meiner Hand du besiegt dein Leben verlierest,
Nimmermehr dann magst du beleidigen uns Argeier.

Sprach's, und bereit war jener, das Kinn mit nervichter Rechter
Rührend, ihn anzuflehn; doch tief in den Nacken ihm schwang er
Schnell das erhobene Schwert und durchschnitt ihm beide die Sehnen,
Daß des Redenden Haupt mit dem Staub hinrollend vermischt ward.
Hierauf nahmen ihm jene den Otterhelm von der Scheitel,
Auch sein krummes Geschoß, den ragenden Speer und das Wolfsfell.
Alles nunmehr zu Zeus' siegprangender Tochter erhub es 460
Hoch Odysseus der Held und rief anbetend die Worte:

Freue dich des, o Göttin, denn dich zuerst im Olympos
Rufen wir an vor allen Unsterblichen! Aber auch jetzo
Leit uns hin zum Lager der thrakischen Männer und Rosse!

Also betet' er laut und legete hebend die Rüstung 465
Auf des Gefilds Tamarisk, und dabei zum deutlichen Merkmal

Legt' er gesammeltes Rohr und brach Tamariskengezweig ab,
Daß sie des Orts nicht fehlten, zurück durch Finsternis kehrend.
Vorwärts gingen sie nun, durch Rüstungen hin und Schlachtblut;
Schnell zu der thrakischen Männer Gedräng itzt kamen sie wandelnd.
Jene schliefen entnervt von der Arbeit; aber bei ihnen
Prangten gestreckt zur Erde die Rüstungen, schön nach der Ordnung
Dreifach gereiht, und bei jedem die stampfenden Doppelgespanne.
Rhesos schlief in der Mitt, und bei ihm die hurtigen Rosse
Standen, mit Riemen gehemmt, am hintersten Ringe des Wagens.
Diesen ersah Odysseus zuerst und zeigt' ihn dem Freunde:

Dies ist dir, Diomedes, der Mann, und dieses die Rosse,
Welche zuvor uns Dolon bezeichnete, den wir getötet.
Aber wohlan, nun zeige die Tapferkeit; denn dir geziemt nicht,
Hier untätig zu stehn mit den Rüstungen! Löse die Rosse; 480
Oder du töte die Männer und mir sei die Sorge der Rosse.

Sprach's; doch jenen beseelte mit Mut Zeus' Tochter Athene.
Rings nun würgt' er umher, und schreckliches Röcheln erhub sich
Unter dem mordenden Schwert, und gerötet von Blut war der Boden.
So wie ein Löw, antreffend die ungehütete Herde 485
Ziegen oder auch Schafe, mit grimmigem Mut sich hineinstürzt:
Also die thrakischen Männer durchwandelte dort Diomedes,
Bis er zwölf nun ermordet. Allein der kluge Odysseus,
Welchen Mann der Tydeide mit hauendem Schwerte getötet,
Solchen zog Odysseus zurück, am Fuß ihn ergreifend; 490
Denn er bedacht' im Geist, wie die schöngemähneten Rosse
Leicht hindurch ihm gingen und nicht anstutzend erbebten,
Über Tote zu schreiten, noch ungewohnt des Ermordens.
Aber nachdem den König der Held Diomedes erreichet,
Zum dreizehnten auch ihm das süße Leben entriß er; 495
Und schwer atmet' er auf; ein schrecklicher Traum zu dem Haupte
Stand ihm die Nacht des Öneiden Sohn, durch den Rat der Athene.
Emsig löst' Odysseus indes die stampfenden Rosse,
Band sie mit Riemen vereint und trieb sie hinweg aus dem Haufen,
Mit dem Geschoß anschlagend; denn nicht die schimmernde Geißel
Hatt er zu nehmen bedacht aus dem künstlichen Sessel des Wagens.
Jetzo pfiff er leis und warnte den Held Diomedes.

Jener blieb und sann, was kühner annoch er begönne:
Ob er den Wagen zugleich, wo die glänzenden Rüstungen lagen,
Zög an der Deichsel hinweg, ob hinaustrüg, hoch ihn erhebend, 505
Oder mehreren dort der Thrakier raubte das Leben.
Als er dieses im Geist umhersann, siehe, da naht' ihm
Pallas Athen' und begann zum edlen Held Diomedes:
Denke der Wiederkehr, o Sohn des erhabenen Tydeus,
Zu den geräumigen Schiffen, daß nicht du ein Fliehender kommest,
Wenn vielleicht auch die Troer erweckt der Unsterblichen einer!
Jene sprach's; da erkannte der Held die Stimme der Göttin.
Eilend bestieg er ein Roß; da schlug mit dem Bogen Odysseus
Beid, und sie flogen daher zu den rüstigen Schiffen Achaias.
Aber nicht achtlos lauschte der Gott des silbernen Bogens, 515
Als er sah, wie Athene zu Tydeus' Sohn sich gesellet;
Zürnend ihr, drang er sofort in des troischen Heeres Getümmel,
Und den Thrakierfürsten Hippokoon weckt' er vom Schlummer,
Rhesos' tapferen Sippen. Doch er, dem Lager entfahrend,
Als er den Ort leer sah, wo die hurtigen Rosse gestanden, 520
Und noch zappelnd die Männer in schreckenvoller Ermordung,
Laut wehklagt' er nunmehr und rief dem lieben Genossen.
Aber die Troer mit Lärm und unermeßlichem Aufruhr
Stürzten heran und schauten erstarrt die entsetzlichen Taten,
Was doch die Männer verübt, die entflohn zu den räumigen Schiffen.

Als sie den Ort nun erreicht, wo sie Hektors Späher getötet,
Hemmte die hurtigen Rosse der Held, Zeus' Liebling Odysseus;
Doch zur Erd entsprang der Tydeid, und die blutige Rüstung
Reicht' er Odysseus' Händen und stieg auf den Rücken des Rosses.
Jener schlug mit dem Bogen, und rasch hinflogen die Rosse 530
Zu den geräumigen Schiffen; denn dorthin wünschten sie herzlich.
Nestor hörte zuerst die stampfenden Huf' und begann so:
Freunde, des Volks von Argos erhabene Fürsten und Pfleger,
Irr ich oder ist Wahrheit mein Wort? Doch die Seele gebeut mir's.
Schnell hertrabender Rosse Gestampf umtönt mir die Ohren. 535
Wenn doch Odysseus jetzt und der starke Held Diomedes
Hurtig daher von den Troern beflügelten stampfende Rosse!
Aber ich sorg im Herzen und fürchte mich, was sie betroffen,

Argos' tapferste Helden, im lärmenden Troergetümmel!
Noch nicht ganz war geredet das Wort, da kamen sie selber, 540
Und sie schwangen herab auf die Erde sich; jene mit Freude
Reichten die Hände zum Gruß und redeten freundliche Worte.
Doch vor allen begann der gerenische reisige Nestor:
Sprich, preisvoller Odysseus, erhabener Ruhm der Achaier,
Wie doch diese Ross' ihr erbeutetet? Ob ihr ins Lager 545
Eindrangt oder vielleicht ein begegnender Gott sich euch darbot?
Wunderbar gleicht ihr Schimmer den leuchtenden Sonnenstrahlen!
Stets zwar schalt ich im troischen Heer und zaudere, mein ich,
Niemals gern bei den Schiffen, wiewohl ein grauender Krieger;
Doch nie hab ich Rosse wie die gesehn noch bemerket! 550
Aber gewiß hat euch ein begegnender Gott sie verliehen,
Denn es liebt euch beide der Herrscher im Donnergewölk Zeus
Und des allmächtigen Zeus blauäugige Tochter Athene.
Ihm antwortete drauf der erfindungsreiche Odysseus:
Nestor, Neleus' Sohn, du erhabener Ruhm der Achaier, 555
Leicht kann wahrlich ein Gott noch schönere Rosse denn diese,
Wenn's ihm gefällt, darbieten; denn weit gewaltiger sind sie!
Diese, Greis, wie du fragst, sind neuankommende Rosse,
Thrakische, deren Gebieter der tapfere Held Diomedes
Tötete, zwölf auch umher der edelsten Kriegesgefährten. 560
Zum dreizehnten annoch erschlugen wir, nahe den Schiffen,
Einen spähenden Mann, der Kundschaft unseres Heeres
Forschte, von Hektor gesandt und den anderen Fürsten der Troer.
Sprach's und lenkte den Graben hindurch die stampfenden Rosse,
Jauchzenden Muts; ihn begleiteten froh die andern Achaier. 565
Als sie nunmehr erreichten das schöne Gezelt Diomedes',
Banden sie dort die Rosse mit wohlgeschnittenen Riemen
Fest an die Kripp, allwo die anderen Rosse des Königs
Standen, geflügelten Laufs, mit lieblichem Weizen sich nährend.
Aber Odysseus legte die blutige Beute des Dolon 570
Hinten ins Schiff, bis sie könnten ein Dankfest weihn der Athene.
Drauf entwuschen sich beide den vielen Schweiß, in die Meerflut
Eingetaucht, von den Beinen, vom Hals umher und den Schenkeln.
Aber nachdem die Woge den vielen Schweiß der Arbeit

Ganz den Gliedern entspült und ihr mutiges Herz sich erlabet, 575
Stiegen sie ein zum Bad in schöngeglättete Wannen.
Beide vom Bad erwärmt und gesalbt mit geschmeidigem Öle,
Saßen zum Frühmahl jetzt; und aus vollem Kruge sich schöpfend,
Gossen sie aus vor Athene des herzerfreuenden Weines.

XI. GESANG

Am Morgen rüstet sich Agamemnon und führt zur Schlacht. Hektor ihm entgegen. Vor Agamemnons Tapferkeit fliehn die Troer. Zeus vom Ida sendet dem Hektor Befehl, bis Agamemnon verwundet sei, den Kampf zu vermeiden. Der verwundete Agamemnon entweicht und Hektor dringt vor. Verwundet kehrt Diomedes zu den Schiffen; dann Odysseus, von Ajas aus der Umzingelung gerettet; dann Machaon und Eurypylos. Zu Nestor, der mit Machaon vorbeifuhr, sendet Achilleus den Patroklos zu fragen, wer der Verwundete sei. Patroklos, durch Nestors Rede gerührt, begegnet dem Eurypylos, führt ihn voll Mitleid ins Zelt und verbindet ihn.

Eos nunmehr aus dem Lager des hochgesinnten Tithonos
Hub sich, Göttern das Licht und sterblichen Menschen zu bringen.
Zeus nun sandte daher zu den rüstigen Schiffen Achaias
Eris, die schreckliche Göttin, das Zeichen des Kampfs in den Händen.
Und sie betrat des Odysseus gewaltiges dunkeles Meerschiff, 5
Welches die Mitt einnahm, daß beiderseits sie vernähmen,
Dort zu Ajas Gezelten hinab, des Telamoniden,
Dort zu des Peleionen, die beid an den Enden ihr Schiffheer
Aufgestellt, hochtrotzend auf Mut und Stärke der Hände.
Hier nun stand die Göttin und schrie, machtvoll und entsetzlich, 10
Laut an Achaias Heer und rüstete jeglichen Mannes
Busen mit Kraft, rastlos im Streite zu stehn und zu kämpfen.
Allen sofort schien süßer der Krieg, als wiederzukehren
In den gebogenen Schiffen zum lieben Lande der Väter.
Atreus' Sohn auch rief und ermahnete, schnell sich zu gürten, 15
Argos' Volk; auch deckt' er sich selbst mit blendendem Erze.
Eilend fügt' er zuerst um die Beine sich bergende Schienen
Blank und schön, anschließend mit silberner Knöchelbedeckung;
Weiter umschirmt' er die Brust ringsher mit dem ehernen Harnisch,
Welchen Kinyras einst zum Gastgeschenk ihm verliehen. 20
Denn er vernahm in Kypros den großen Ruf der Achaier,

Daß sie vereint gen Troja hinaufzuschiffen beschlossen;
Darum schenkt' er ihm jenen, gefällig zu sein dem Beherrscher.
Ringsum wechselten zehn blauschimmernde Streifen des Stahles,
Zwölf aus funkelndem Gold und zwanzig andre des Zinnes; 25
Auch drei bläuliche Drachen erhuben sich gegen den Hals ihm
Beiderseits, voll Glanz wie Regenbogen, die Kronos'
Sohn in die Wolken gestellt, den redenden Menschen zum Zeichen.
Hierauf warf er das Schwert um die Schulter sich; goldene Buckeln
Leuchteten über das Heft, und die Kling umhüllte die Scheide 30
Silberhell, am Gehenk von strahlendem Golde befestigt.
Drauf den gewaltigen Schild, den ringsbedeckenden, hub er,
Schön von Kunst; ihm liefen umher zehn eherne Kreise.
Auch umblinkten ihn zwanzig von Zinn gewölbete Nabel,
Weiß, und der mittlere war von dunkeler Bläue des Stahles. 35
Auch die Schreckensgestalt der Gorgo drohete schlängelnd
Mit wutfunkelndem Blick, und umher war Graun und Entsetzen.
Silbern war des Schildes Gehenk, und gräßlich auf diesem
Schlängelt' ein bläulicher Drache dahin; drei Häupter des Scheusals
Waren umhergekrümmt, aus einem Halse sich windend. 40
Drauf umschloß er das Haupt mit des Helms viergipflichter Kuppel,
Von Roßhaaren umwallt, und fürchterlich winkte der Helmbusch.
Auch zwo mächtige Lanzen, gespitzt mit der Schärfe des Erzes,
Faßte der Held, daß ferne das Erz zum erhabenen Himmel
Leuchtete. Laut her donnerten nun Athenäa und Here, 45
Hoch zu ehren den König der golddurchstrahlten Mykene.

Jetzo gebot ein jeder dem eigenen Wagenlenker,
Dort am Graben die Ross' in geordneter Reihe zu halten.
Aber die Streiter zu Fuß, mit ehernen Waffen gerüstet,
Drangen voran, und laut erscholl ihr Geschrei in der Dämmrung. 50
Vor den Reisigen zogen sie nun, am Graben geordnet;
Nahe folgeten dann die Reisigen. Aber Getümmel
Tobte durchs Heer, von Kronion erregt, der hoch aus dem Äther
Tau mit Blute gesprengt ausschüttete; denn er gedachte
Viele tapfere Häupter hinabzusenden zum Ais. 55

Jenseits hielten die Troer geschart auf dem Hügel des Feldes;
Hektor der Große gebot und der edle Polydamas jenen,
Auch Äneias, geehrt wie ein Gott im Volke der Troer,

Polybos auch und Agenor der Held und der mutige Jüngling
Akamas, Göttern gleich, drei tapfere Söhn' Agenors. 60
Hektor durchging die ersten mit rundgewölbetem Schilde.
So wie aus Nachtgewölk ein Stern zum Verderben hervorblickt,
Strahlend umher, dann wieder sich taucht in schattende Wolken:
Also erschien itzt Hektor, die vordersten rings durchwandelnd
Jetzo im äußersten Zug, und ordnete; ganz in dem Erze 65
Leuchtet' er, ähnlich dem Strahl des ägiserschütternden Vaters.
Siehe, nunmehr wie Schnitter, entgegenstrebend einander,
Grade das Schwad hinmähn auf der Flur des begüterten Mannes,
Weizen oder auch Gerst, und die sinkenden Bunde sich häufen:
Also stürmten die Troer und Danaer gegeneinander, 70
Mordend, nicht hier noch dort der verderblichen Flucht sich erinnernd.
Haupt an Haupt drang alles zur Feldschlacht, und wie die Wölfe
Tobten sie. Froh nun schaute die jammererregende Eris;
Denn sie allein war noch der Unsterblichen unter den Streitern,
Und kein anderer Gott gesellte sich, sondern geruhig 75
Saßen sie all in den eignen Behausungen, dort wo für jeden
Prangt' ein schöner Palast auf den steigenden Höhn des Olympos.
Alle tadelten sie den schwarzumwölkten Kronion,
Weil er beschloß, den Troern des Sieges Ruhm zu verleihen.
Doch nicht achtete dessen der Donnerer; ferne gesondert 80
Schied er hinweg von den andern und setzte sich, freudigen Trotzes,
Weit umschauend der Troer Stadt und die Schiffe Achaias,
Und den Glanz des Erzes und Würgende rings und Erwürgte.
Weil noch Morgen es war und der heilige Tag emporstieg,
Hafteten jeglichen Heeres Geschoss', und es sanken die Völker. 85
Doch wenn ein Mann, holzhauend im Forst, sein Mahl sich bereitet
An des Gebirges Abhängen, nachdem er die Arme gesättigt,
Ragende Bäume zu haun, und Unlust drang in die Seele,
Und nach erquickender Kost sein Herz vor Verlangen ihm schmachtet:
Jetzo mit Kraft durchbrachen die Danaer kühn die Geschwader, 90
Rufend den Freunden umher in den Ordnungen. Sieh, Agamemnon
Stürmte voran und entraffte den Völkerhirten Bianor,
Ihn, und darauf den Genossen, den Wagenlenker Oileus.
Dieser schwang sich herab vom Wagengeschirr und bestand ihn;
Doch in des grad Anstrebenden Stirn mit spitziger Lanze 95

Stach er, und nicht verwehrte des Helms erzlastende Kuppel,
Sondern sie drang durch Erz und Schädel ihm und sein Gehirn ward
Ganz mit Blute vermischt; so bändigt' er jenen im Angriff.
  Sie nun ließ er daselbst, der Völkerfürst Agamemnon,
Nackt die schimmernden Brüste nach abgehülleten Panzern, 100
Eilte sodann auf Isos und Antiphos, gierig des Mordes,
Söhne des Priamos beid, unecht und ehelich, beide
Stehend in einem Geschirr. Der Bastard lenkte die Zügel,
Antiphos stand zum Kampfe, der Herrliche; sie, die Achilleus
Einst auf Idas Höhn mit weidenen Gerten gefesselt, 105
Als er hütend der Schafe sie fand, und um Lösung befreiet.
Aber des Atreus Sohn, der Völkerfürst Agamemnon,
Jenem über der Warze durchschoß er die Brust mit der Lanze;
Antiphos haut' er am Ohr mit dem Schwert und stürzt' ihn vom Wagen.
Schnell entzog er darauf der Getöteten prangende Rüstung, 110
Kennend beid; er sah sie vordem bei den rüstigen Schiffen,
Als sie vom Ida geführt der mutige Renner Achilleus.
So wie ein Leu der Hindin noch unbehilfliche Kinder
Leicht nacheinander zermalmt, mit mächtigen Zähnen sie fassend,
Wann er im Lager sie traf und ihr blühendes Leben entreißet 115
(Jene, wie nahe sie ist, vermag nicht ihnen zu helfen,
Denn ihr selbst erbeben von schrecklicher Angst die Gebeine;
Eilenden Laufs entflieht sie durch dichtes Gebüsch und durch Waldung,
Rastlos, triefend von Schweiß vor der Wut des mächtigen Raubtiers):
Also konnt itzt keiner des troischen Volks vom Verderben 120
Jene befrein; auch selber vor Argos' Söhnen entflohn sie.
  Jetzo den kriegesfrohen Hippolochos und den Pisandros,
Beid Antimachos' Söhne, des waltenden, welcher am meisten
Drang, vom Gold Alexandros', den glänzenden Gaben, betöret,
Helena nicht zu geben dem bräunlichen Held Menelaos: 125
Dessen Söhne nun traf der Völkerfürst Agamemnon,
Beid auf einem Geschirr, die hurtigen Rosse bezähmend;
Denn es entflohn den Händen die purpurschimmernden Zügel,
Und sie tummelten wild. Da stürzt' er heran wie ein Löwe,
Atreus' Sohn, und sie flehten ihm hingeschmiegt vom Wagen: 130
  Fah uns, Atreus' Sohn, und nimm dir würdige Lösung.
Viel der Kleinode ruhn in Antimachos' hohem Palaste,

Erz und Goldes genug und schöngeschmiedetes Eisen.
Hievon reicht der Vater dir gern unermeßliche Lösung,
Wenn er uns noch lebend vernimmt bei den Schiffen Achaias. 135
Also fleheten sie mit freundlichen Worten den König
Weinend an; da erscholl die unbarmherzige Stimme:
Hat Antimachos denn, der waltende Held, euch gezeuget,
Welcher im Rat einst hieß, daß Trojas Volk Menelaos,
Als er gesandt hinkam mit dem göttergleichen Odysseus, 140
Dort erschlüg und sie nicht heimsendete zu den Achaiern:
Auf, so büßt mir jetzo des Vaters schändlichen Frevel.
Sprach's und stürzte Pisandros vom Wagengeschirr auf die Erde,
Werfend den Speer in die Brust, daß zurück auf den Boden er hinsank.
Aber Hippolochos sprang von dem Sitz; da erschlug er ihn unten, 145
Weg mit dem Schwerte die Händ' und das Haupt von der Schulter ihm hauend;
Ließ dann rollen den Rumpf, wie ein Mörser gewälzt im Getümmel.
Jene verließ er, und dort, wo am dichtesten drängten die Haufen,
Stürzt' er hinein, begleitet von hellumschienten Achaiern.
Fußvolk mordete nun Fußvolk, das gezwungen zurückfloh, 150
Reisige nun der Reisigen Schar (und wölkender Staub stieg
Aus dem Gefild, erregt von den donnernden Hufen der Rosse),
Tötendes Erz nachschwingend. Doch Atreus' Sohn Agamemnon,
Immer verfolgt' er mordend und rief den Männer von Argos.
Wie wenn vertilgendes Feuer in nie gehauene Waldung 155
Fällt, dann wirbelnd der Sturm es umherträgt und bis zur Wurzel
Stämm' und Gezweig hinsinken, gerafft von des Feuerorkans Wut:
Also vor Atreus' Sohn Agamemnon sanken die Häupter
Fliehender Troer umher, und viel hochwiehernde Rosse
Rasselten, leer die Geschirre, dahin durch die Pfade des Treffens, 160
Ihrer untadligen Lenker beraubt, die zerstreut im Gefilde
Lagen, den Geiern anitzt weit lieblicher als den Vermählten.
Hektor entzog aus Geschossen der Donnerer und aus dem Staube,
Aus dem Gewürge der Schlacht, aus strömendem Blut und Getümmel.
Doch ihm folgt' Agamemnon, mit Macht die Achaier ermunternd. 165
Jene flohn zu dem Male des alten dardanischen Ilos
Mitten durch das Gefild, an dem Feigenbaume vorüber
Sehnsuchtsvoll nach der Stadt; doch stets lautschreiend verfolgt' er,

Atreus' Sohn, mit Blut die unnahbaren Hände besudelt.
Als sie nunmehr dem skäischen Tor und der Buche genahet, 170
Standen sie endlich still und erwarteten einer den andern.
Stets durchs Gefild her stürzten die Flüchtlinge, scheu wie die Rinder,
Welche der Löwe verscheucht in dämmernder Stunde des Melkens,
Alle zugleich (doch der einen erscheint das grause Verderben;
Ihr nun bricht er den Nacken, mit mächtigen Zähnen sie fassend 175
Erst, dann schlürft er das Blut und die Eingeweide hinunter):
Also verfolgte sie Atreus' gewaltiger Sohn Agamemnon,
Immerdar hinstreckend den äußersten; und sie entflohen.
Vorwärts taumelten viel und rückwärts viele vom Wagen
Unter der Hand des Atreiden; so tobt' er voran mit der Lanze. 180
Aber da bald er nunmehr zur Stadt und türmenden Mauer
Nahete, siehe, der Vater des Menschengeschlechts und der Götter
Setzte sich nun auf den Gipfel des quellenströmenden Ida,
Nieder vom Himmel gesenkt, den flammenden Blitz in den Händen.
Schnell nun entsandt er als Botin die goldgeflügelte Iris: 185
Eile mir, hurtige Iris, dem Hektor das Wort zu verkünden.
Weil er sieht, daß annoch der Völkerhirt Agamemnon
Tobt in dem Vordergewühl und die Reihn der Männer vertilget,
Weich er selber zurück; doch dem anderen Volke gebiet er,
Gegen den Feind zu kämpfen im Ungestüme der Feldschlacht. 190
Aber sobald ein Speer ihn verwundete oder ein Pfeilschuß,
Daß er den Wagen besteigt, dann rüst ich jenen mit Stärke,
Niederzuhaun, bis er naht den schöngebordeten Schiffen,
Bis die Sonne sich senkt und heiliges Dunkel heraufzieht.
Jener sprach's; ihm gehorchte die windschnell eilende Iris, 195
Schwebte von Idas Höhn zur heiligen Ilios nieder,
Fand des waltenden Priamos Sohn, den göttlichen Hektor,
Stehn auf rossebespanntem und wohlgefügetem Wagen;
Nahe dann trat und begann die leichthinschwebende Iris:
Hektor, Priamos' Sohn, dem Zeus an Rate vergleichbar, 200
Zeus entsendete mich, dir dieses Wort zu verkünden.
Weil du siehst, daß annoch der Völkerhirt Agamemnon
Tobt in dem Vordergewühl und die Reihn der Männer vertilget,
Weiche du selber zurück, doch gebeut dem anderen Volke,
Gegen den Feind zu kämpfen im Ungestüme der Feldschlacht. 205

Aber sobald ein Speer ihn verwundete oder ein Pfeilschuß,
Daß er den Wagen besteigt, dann rüstet er dich mit Stärke,
Niederzuhaun, bis du nahst den schöngebordeten Schiffen,
Bis die Sonne sich senkt und heiliges Dunkel heraufzieht.
Also sprach und entflog die leichthinschwebende Iris. 210
Hektor vom Wagen herab mit den Rüstungen sprang auf die Erde.
Schwenkend die spitzigen Lanzen, durchwandelt' er alle Geschwader,
Rings ermahnend zum Kampf, und erweckte die tobende Feldschlacht.
Jene nun wandten die Stirn und begegneten kühn den Achaiern.
Argos' Söhn' auch drüben verstärkten die Macht der Geschwader, 215
Neu begann das Gefecht; eindrangen sie, doch Agamemnon
Stürmte voraus, denn er wollte der Vorderste kämpfen vor allen.
Sagt mir anitzt, ihr Musen, olympische Höhen bewohnend:
Welcher kam zuerst Agamemnons Händen entgegen
Unter den Troern selbst und den rühmlichen Bundesgenossen? 220
Erst Antenors Sohn Iphidamas, groß und gewaltig,
Aufgenährt in Thrake, der scholligen Mutter der Schafe.
Kisseus der Ahn erzog ihn als Kind in seinem Palaste,
Welcher Theano gezeugt, Iphidamas' rosige Mutter.
Aber nachdem er das Ziel der rühmlichen Jugend erreichet, 225
Jetzo behielt ihn der Ahn und gab ihm die blühende Tochter.
Neuvermählt dann folgt' er dem großen Ruf der Achaier
Aus dem Gemach, mit zwölf schönprangenden Schiffen des Meeres;
Ließ darauf in Perkope zurück die schwebenden Schiffe,
Aber zu Fuß hinwandelnd erreicht' er Ilios' Mauern. 230
Dieser begegnete jetzt des Atreus Sohn' Agamemnon.
Als nunmehr sich genaht die Eilenden gegeneinander,
Jetzo verfehlt' Agamemnon und seitwärts flog ihm die Lanze.
Aber Iphidamas stieß auf den Gurt ihm, unter dem Panzer,
Kraftvoll, drängte dann nach, der nervichten Rechten vertrauend. 235
Dennoch nicht durchbohrt' er den schöngetriebenen Gürtel,
Sondern, vom Silber gehemmt, verbog wie Blei sich die Spitze.
Schleunig ergriff die Lanze der herrschende Held Agamemnon,
Zog sie heran mit Gewalt, wie ein Berglöw, und aus der Hand ihm
Riß er sie, schwang in den Nacken das Schwert und löst' ihm die Glieder.
Also sank er daselbst und schlief den ehernen Schlummer,
Mitleidswert, von der Gattin getrennt, für die Seinigen kämpfend,

Ihr, die jugendlich nicht ihm belohnt die großen Geschenke;
Hundert Rinder schenkt' er zuerst und gelobte dem Schwäher
Tausend Ziegen und Schaf' aus seinen unzähligen Herden. 245
Ihn entwaffnete jetzt des Atreus Sohn Agamemnon,
Trug dann einher durch der Danaer Reihn die prangende Rüstung.
Aber da jetzt ihn Koon ersah, der gepriesenste Kämpfer,
Er, Antenors älterer Sohn, da umhüllt' ihm die Augen
Überschwenglicher Gram um den hingesunkenen Bruder. 250
Seitwärts genaht mit dem Speer und unbemerkt Agamemnon,
Stach er ihm in die Mitte des Arms, dicht unter der Beugung,
Daß ihn grade durchdrang die schimmernde Spitze des Erzes.
Schauer ergriff nun plötzlich den herrschenden Held Agamemnon;
Dennoch rastet' er nicht vom Kampf und Schlachtengetümmel, 255
Sondern er stürzt' auf Koon mit sturmgenährter Lanze.
Jener zog den Iphidamas nun, den leiblichen Bruder,
Eifrig am Fuße gefaßt, und rief den Tapfersten allen.
Doch wie er zog im Gedränge, verwundet ihn unter dem Schilde
Jener mit erzgerüstetem Schaft und löst' ihm die Glieder; 260
Hieb dann über dem Bruder das Haupt von der Schulter, ihm nahend.
So vom Atreiden besiegt, dem Könige, fanden Antenors
Beide Söhn' ihr Verhängnis und sanken in Aides' Wohnung.
Aber jener durchflog noch andere Scharen der Männer,
Mordend mit Lanz und Schwert und gewaltigen Steinen des Feldes,
Weil ihm das Blut noch warm aus offener Wund hervordrang.
Aber sobald ihm stockte das Blut in erharschender Wunde,
Heftiger Schmerz nun faßte den Heldenmut Agamemnons.
Wie der Gebärerin Seele der Pfeil des Schmerzes durchdringet,
Herb und scharf, den gesandt hartringende Eileithyen, 270
Sie, der Here Töchter, von bitteren Wehen begleitet:
Also faßte der Schmerz den Heldenmut Agamemnons.
Und er sprang in den Sessel, dem Wagenlenker gebietend, [ihm.
Schnell zu den Schiffen zu kehren; denn unmutsvoll war das Herz
Laut nun scholl sein durchdringender Ruf in das Heer der Achaier: 275
Freunde, des Volks von Argos erhabene Fürsten und Pfleger,
Ihr nun hemmt zurück von den meerdurchwandelnden Schiffen
Diesen entsetzlichen Streit, da mir Zeus' waltende Vorsicht
Nicht gewährt, die Troer den ganzen Tag zu bekämpfen!

Sprach's. Da geißelte jener die schöngemähneten Rosse 280
Hin zu den räumigen Schiffen, und nicht unwillig entflohn sie.
Beide mit schäumender Brust und besprengt von unten mit Staube
Trugen sie fern aus der Schlacht den qualenduldenden König.
Aber wie Hektor ersah, daß Atreus' Sohn sich entfernte,
Rief er den Troern zugleich und Lykiern, laut ermahnend: 285
Troer und Lykier ihr und Dardaner, Kämpfer der Nähe,
Seid nun Männer, o Freund', und gedenkt des stürmenden Mutes!
Fern ist der tapferste Mann, und mir gibt herrlichen Siegsruhm
Zeus der Kronid! Auf, grade gelenkt die stampfenden Rosse
Gegen der Danaer Helden, daß höheren Ruhm ihr gewinnet! 290
Jener sprach's und erregte zu Mut und Stärke die Männer.
Wie wenn oft ein Jäger die Schar weißzahniger Hunde
Reizt auf den grimmigen Eber des Waldtals oder den Löwen,
So auf die Danaer reizte die edelmütigen Troer
Hektor, Priamos' Sohn, dem mordenden Ares vergleichbar. 295
Selbst voll trotzenden Muts, durchwandelt' er vorn das Getümmel,
Stürzte sich dann in die Schlacht wie ein hochherbrausender Sturm-
Der in gewaltigem Sturz die dunkelen Wogen empöret. [wind.
Welchen streckte zuerst und welchen zuletzt in den Staub hin
Hektor, Priamos' Sohn, da ihm Zeus Ehre verliehen? 300
Erst Assäos den Held, Autonoos dann und Opites,
Dolops, Klytios' Sohn, und Opheltios, auch Agelaos,
Oros, Äsymnos sodann und Hipponoos, freudig zur Feldschlacht.
Diese Gebieter entrafft' er den Danaern, würgte dann weiter
Unter dem Volk, wie der West auseinander wirrt die Gewölke 305
Vom blaßschauernden Süd, mit dichtem Sturm sie verdrängend
(Häufig wälzt hochbrandend die Woge sich, aber emporspritzt
Weißer Schaum, vor dem Stoße der vielfachzuckenden Windsbraut):
So rings stürzten vor Hektor bezwungene Häupter des Volkes.
Jetzt wär entschieden der Kampf und unheilbare Taten vollendet 310
Und in die Schiffe gedrängt das fliehende Heer der Achaier,
Hätte nicht den Tydeiden ermahnt der Dulder Odysseus:
Tydeus' Sohn, wie vergessen wir doch des stürmenden Mutes?
Auf, tritt näher, mein Freund, steh neben mir! Schande ja wär es,
Wenn er die Schiff' einnähme, der helmumflatterte Hektor! 315
Ihm antwortete drauf der starke Held Diomedes:

Gerne beharr ich allhier und dulde noch; aber nur wenig
Fruchtet unsere Kraft; denn der Herrscher im Donnergewölk Zeus
Will die Troer mit Sieg verherrlichen vor den Achaiern!
Sprach's und warf Thymbräos vom Wagen herab auf die Erde, 320
Links durchschmetternd die Brust mit dem Wurfspieß; aber Odysseus
Traf den edlen Molion, des Königes Wagengenossen.
Jene ließen sie dort ausruhn von der kriegrischen Arbeit,
Drangen hinein ins Getümmel und wüteten. Wie wenn die Eber
Unter die Hunde der Jagd hochtrotzenden Mutes sich stürzen: 325
Also durchtobten den Feind die Gewendeten; und die Achaier
Freuten sich aufzuatmen, gescheucht von dem göttlichen Hektor.
Jetzt war erhascht ein Geschirr; zween tapferste Männer des Volkes
Trug es, von Merops erzeugt, dem Perkosier, welcher vor allen
Fernes Geschick wahrnahm und nie den Söhnen verstattet, 330
Einzugehn in den Krieg, den verderblichen; aber sie hörten
Nicht sein Wort, denn sie führte des dunkelen Todes Verhängnis.
Diesen kam der Tydeide, der Schwinger des Speers Diomedes,
Raubete Geist und Leben und trug die prangende Rüstung.
Doch des Hippodamas Wehr und Hypeirochos' nahm sich Odysseus.
Nun ließ schweben die Schlacht im Gleichgewichte Kronion,
Schauend von Idas Höhn; und sie würgten sich untereinander.
Siehe, den Päoniden Agastrophos traf Diomedes,
Stoßend mit eherner Lanz, am Hüftbein, denn sein Gespann war
Nicht ihm nah zu entfliehn; so groß war des Geistes Betörung! 340
Abwärts hielt der Genoß den Wagen ihm; aber er selber
Tobte zu Fuß durch das Vordergewühl, bis sein Leben dahin war.
Doch wie sie Hektor ersah durch die Ordnungen, stürmt' er auf jene
Her mit Geschrei; ihm folgten zugleich Heerscharen der Troer.
Ihn erblickt' aufschauend der Rufer im Streit Diomedes, 345
Wandte sich schnell und begann zu Odysseus, der ihm genaht war:
Schau, dort wälzt das Verderben sich her, der gewaltige Hektor!
Aber wohlan, wir bleiben und widerstehn unerschüttert!
Sprach's, und im Schwung entsandt er die weithinschattende Lanze,
Traf und verfehlete nicht, auf das Haupt dem Kommenden zielend,
Oben die Kuppel des Helms, doch prallte das Erz von dem Erze,
Eh es die schöne Haut ihm berührt'; denn es wehrte der Helm ab,
Dreifach, länglich gespitzt, ihm geschenkt von Phöbos Apollon.

Hektor flog unermeßlich zurück, in die Scharen sich mischend,
Und er entsank hinkniend und stemmte die nervichte Rechte 355
Gegen die Erd, und die Augen umzog die finstere Nacht ihm.
Aber indes der Tydeide den Schwung der Lanze verfolgte,
Fern durch das Vordergewühl, wo sie nieder ihm schoß in den Boden,
Kehrete Hektors Geist, und schnell in den Sessel sich schwingend,
Jagt' er hinweg ins Gedräng und vermied das schwarze Verhängnis.
Doch mit dem Speer nachstürmend, begann der Held Diomedes:
Wieder entrannst du dem Tode, du Hund! Schon nahte Verderben
Über dein Haupt, allein dich errettete Phöbos Apollon,
Den du gewiß anflehst, ins Geklirr der Geschosse dich wagend!
Doch bald mein ich mit dir zu endigen, künftig begegnend, 365
Würdiget anders auch mich ein unsterblicher Gott zu begleiten!
Jetzo eil ich umher zu den übrigen, wen ich erhasche!
Sprach's, und Päons Sohne, dem Tapferen, raubt' er die Rüstung.
Aber der Held Alexandros, der lockigen Helena Gatte,
Richtet' auf Tydeus' Sohn das Geschoß, den Hirten der Völker, 370
Hinter die Säule geschmiegt auf dem männerbereiteten Grabmal
Ilos' des Dardaniden, des vormals waltenden Greises.
Jener entriß dem starken Agastrophos eilend des Panzers [Schultern,
Künstlichen Schmuck von der Brust und den mächtigen Schild von den
Samt dem gewichtigen Helm. Da zog er den Bügel des Hornes, 375
Schoß und traf, nicht umsonst den Pfeil von der Nerve versendend,
Unten den rechten Fuß; und das Erz, durch die Sohle gedrungen,
Bohrt' in den Boden hinein. Doch er mit behaglicher Lache
Sprang aus dem Hinterhalt und rief lautjauchzend die Worte:
Ha, das traf! Nicht umsonst mir entflog das Geschoß! O wie gerne
Hätt ich die Weiche des Bauchs dir durchbohrt und das Leben entris-
Dann vermöchten die Troer nun aufzuatmen von Drangsal, [sen!
Welche du wild hinscheuchst wie ein Leu die meckernden Ziegen!
Drauf begann unerschrocken der starke Held Diomedes:
Lästerer, Bogenschütz, pfeilprangender, Mädchenbeäugler! 385
Wenn du mit offener Gewalt in Rüstungen wider mich kämest,
Wenig frommte dir wohl dein Geschoß und die häufigen Pfeile.
Jetzt da du leicht den Fuß mir ritzetest, prahlest du eitel.
Nichts gilt mir's, als träf ein Mädchen mich oder ein Knäblein!
Kraftlos spielt das Geschoß des nichtgeachteten Weichlings! 390

Traun, wohl anders von mir, und ob nur ein wenig es fasse,
Dringt ein scharfes Geschoß, und sofort zu den Toten gesellt es!
Seiner Vermählten daheim sind umher zerrissen die Wangen
Und die Kinder verwaist; mit Blut die Erde befleckend,
Modert er, und des Gevögels umschwärmt ihn mehr denn der Weiber!
  Jener sprach's; doch Odysseus, der Lanzenschwinger, sich nahend,
Trat vor ihn; nun saß er geschirmt und zog sich den schnellen
Pfeil aus dem Fuß, und der Schmerz durchdrang ihm heftig die Glie-
Und er sprang in den Sessel, dem Wagenlenker gebietend, [der.
Schnell zu den Schiffen zu kehren; denn unmutsvoll war das Herz ihm.
  Einsam war nun Odysseus, der Lanzenschwinger, und niemand
Harrt' um ihn der Achaier; denn Furcht verscheuchte sie alle.
Tief erseufzt' er und sprach zu seiner erhabenen Seele:
  Wehe, was soll mir geschehn! O Schande doch, wenn ich entflöhe,
Fort durch Menge geschreckt! Doch entsetzlicher, wenn sie mich fingen
Einsam hier; denn die andern der Danaer scheuchte Kronion!
Aber warum bewegte das Herz mir solche Gedanken?
Weiß ich ja doch, daß Feige von dannen gehn aus dem Kampfe!
Doch wer edel erscheint in der Feldschlacht, diesem gebührt es,
Tapfer den Feind zu bestehn, er treffe nun oder man treff ihn! 410
  Als er solches erwog in des Herzens Geist und Empfindung,
Zogen bereits die Troer heran in geschildeten Schlachtreihn;
Und sie umschlossen ihn rings, ihr Unheil selber umzingelnd.
Wie auf den Eber umher die Hund' und die blühenden Jäger
Stürzen (er wandelt hervor aus tiefverwachsenem Dickicht, 415
Wetzend den weißen Zahn im zurückgebogenen Rüssel;
Rings nun stürmen sie an, und wild mit klappenden Hauern
Wütet er; dennoch bestehn sie zugleich, wie schrecklich er drohet):
Also dort um Odysseus den Göttlichen stürzten sich ringsher
Troer. Doch jener zuerst dem untadligen Deiopites 420
Stach er die Schulter von oben, mit spitziger Lanz ihn ereilend:
Auch den Thoon darauf und Ennomos streckt' er in Blut hin;
Auch dem Chersidamas rannt' er, der schnell vom Wagen herabsprang,
Unter dem bucklichten Schild den scharfen Speer in den Nabel
Tief; und er sank in den Staub, mit der Hand den Boden ergreifend.
Jene verließ er, und Hippasos' Sohn mit der Lanze durchstach er,
Charops, den leiblichen Bruder des wohlentsprossenen Sokos.

Ihm ein Helfer zu sein, wie ein Gott, kam Sokos gewandelt;
Nahe trat er hinan und sprach zu jenem die Worte:
O preisvoller Odysseus, an List unerschöpft und an Arbeit, 430
Heut ist entweder dein Ruhm, daß Hippasos' Söhne du beide,
Solche Männer, dahingestreckt und die Waffen erbeutet,
Oder, von meiner Lanze durchbohrt, verlierst du das Leben!
Jener sprach's und stieß auf des Schildes geründete Wölbung.
Siehe, den strahlenden Schild durchschmetterte mächtig die Lanze;
Auch in das Kunstgeschmeide des Harnisches drang sie geheftet,
Ganz dann entriß sie die Haut von den Rippen ihm; aber Athene
Wehrte dem Erz zu dringen ins Eingeweide des Mannes.
Doch wie Odysseus erkannt, nicht tödlich sei das Geschoß ihm,
Wich er ein wenig zurück und sprach zu Sokos die Worte: 440
Unglückseliger, traun, dich ergreift nun grauses Verderben!
Zwar mich hast du gehemmt, der Troer Volk zu bekämpfen,
Doch dir meld ich allhier den Tod und das schwarze Verhängnis,
Diesen Tag dir bestimmt; von meiner Lanze gebändigt,
Gibst du mir Ruhm und die Seele dem Sporner der Gäul' Aidoneus.
Sprach's, und jener zur Flucht hinweggewendet enteilte.
Doch dem Gewendeten schoß er den ehernen Speer in den Rücken,
Zwischen der Schulterbucht, daß vorn aus dem Busen er vordrang;
Dumpf hinkracht' er im Fall, und es rief frohlockend Odysseus:
Sokos, Hippasos' Sohn, des feurigen Rossebezähmers, 450
Siehe, der endende Tod erhaschte dich, und du entrannst nicht!
Wehe dir, nicht dein Vater und deine liebende Mutter
Drücken die Augen dir zu, dem Sterbenden, sondern des Raubes
Vögel zerhacken dich bald, mit den Fittichen froh dich umflatternd!
Sterb auch ich, dann schmücken mein Grab die edlen Achaier! 455
Jener sprach's, und den mächtigen Speer des erhabenen Sokos
Zog er hervor aus der Wund und dem hochgenabelten Schilde.
Blut nun schoß dem entzogenen nach und schwächte das Herz ihm.
Doch wie die mutigen Troer das Blut des Königes schauten,
Riefen sie laut einander und wandelten gegen ihn alle. 460
Aber Odysseus wich dem Gedräng und schrie zu den Freunden.
Dreimal schrie er empor, wie die Brust aushallet des Mannes,
Dreimal vernahm das Geschrei der streitbare Held Menelaos.
Schnell begann er und sprach zu Ajas, der ihm genaht war:

Ajas, göttlicher Sohn des Telamon, Völkergebieter, 465
Eben umscholl Odysseus' des Duldenden fernes Geschrei mich,
Jenem gleich, als drängten den einsam Verlassenen etwa
Troer, den Weg abschneidend im Ungestüme der Feldschlacht.
Auf, wir gehn durchs Getümmel; denn ihm zu helfen geziemt uns.
Daß nur nichts ihm begegne, dem Einsamen unter den Troern, 470
Stark wie er sei, und schmerzlich der Danaer Volk ihn vermisse!
Sprach's und ging; ihm folgte der götterähnliche Streiter.
Und sie erreichten Odysseus den herrlichen; um ihn gedrängt war
Troergewühl. So wie oft rotgelbe Schakal' im Gebirge
Um den gehörneten Hirsch, den verwundeten, welchen ein Jäger 475
Traf mit der Senne Geschoß (ihm zwar entrann er im Laufe
Fliehend, dieweil warm strömte das Blut und die Knie sich regten;
Aber sobald nun der Schmerz des geflügelten Pfeils ihn gebändigt,
Dann zerreißen Schakal' im Gebirg ihn, gierig des Fleisches,
Tief im schattigen Hain; doch ein Leu, vom Dämon gesendet, 480
Naht grimmvoll; es entfliehn die Schakal', und jener verschlingt nun):
Also dort um Odysseus, den feurigen Held voll Erfindung,
Drangen viel der Troer und tapfere. Aber der Held schwang
Seine Lanz und wehrte dem grausamen Todestage.
Ajas, jetzo genaht, den türmenden Schild vortragend, 485
Trat zu ihm, und die Troer entzitterten hiehin und dorthin.
Jenen führt' an der Hand der streitbare Held Menelaos
Aus dem Gewühl, bis die Rosse der Wagengenoß ihm genähert.
Ajas sprang in der Troer Gedräng und entraffte Doryklos,
Priamos' Nebensohn; und darauf auch den Pandokos stürzt' er, 490
Stürzte Lysandros dahin und Pyrasos und den Pylartes.
Wie wenn hochgeschwollen ein Strom in das Tal sich ergießet
Strudelnd im Herbst vom Gebirg, indem Zeus' Regen ihn fortdrängt
(Viel der dorrenden Eichen alsdann, viel Kiefergehölz auch
Wälzt er hinab und viel des trübenden Schlamms in die Salzflut): 495
Also durchtobt' hinstürzend das Feld der strahlende Ajas,
Bahn durch Männer sich hauend und Reisige. Aber noch hört' es
Hektor nicht; denn er kämpft' an der linken Seite des Treffens,
Längs dem Gestade des Stroms Skamandros, dort wo am meisten
Taumelten Häupter der Männer und graunvoll brüllte der Schlachtruf
Um den erhabnen Idomeneus her und den mutigen Nestor.

Hektor schaltete dort mit den Danaern; schreckliche Taten
Übt' er mit Speer und Wagen, der Jünglinge Reihen verwüstend.
Dennoch wären ihm nicht Achaias Helden gewichen,
Hätte nicht Alexandros, der lockigen Helena Gatte, 505
Mitten im Streite gehemmt den Völkerhirten Machaon,
Mit dreischneidigem Pfeil ihm rechts die Schulter verwundend.
Seinethalb erschraken die mutbeseelten Achaier,
Sorgend, es möchte der Feind in gewendeter Schlacht ihn ermorden.
Und Idomeneus sprach zum göttlichen Nestor in Eile: 510
Nestor, Neleus' Sohn, du erhabener Ruhm der Achaier,
Hurtig, betritt dein Wagengeschirr; auch betret es Machaon
Neben dir; dann zu den Schiffen gelenkt die stampfenden Rosse!
Denn ein heilender Mann ist wert wie viele zu achten,
Der ausschneidet den Pfeil und mit lindernder Salbe verbindet. 515
Sprach's, und ihm folgete gern der gerenische reisige Nestor.
Schnell betrat er sein Wagengeschirr, auch betrat es Machaon,
Er, Asklepios' Sohn, des unvergleichbaren Arztes.
Treibend schwang er die Geißel, und rasch hinflogen die Rosse
Zu den geräumigen Schiffen; denn dorthin wünschten sie herzlich. 520
Aber Kebriones sah der troischen Männer Getümmel,
Hektors Wagengenoß, und redete, also beginnend:
Hektor, wir beide sind hier mit Danaerscharen beschäftigt,
Fern am Ende der brüllenden Schlacht; doch die übrigen Troer
Tummeln dort durcheinander gewirrt, die Gespann' und sie selber. 525
Ajas durchtobt das Gewühl, der Telemonid; ich erkenn ihn,
Denn breit ragt sein Schild an der Schulter ihm. Wenn wir denn itzo
Dorthin Ross' und Wagen beflügelten, wo nun am meisten
Streiter zu Fuß und zu Wagen, im schrecklichen Kampf sich begegnend,
Rings einander ermorden, und graunvoll brüllet der Schlachtruf! 530
Sprach's und geißelte rasch das Gespann schönmähnichter Rosse
Mit hellknallendem Schwung; doch sie, der Geißel gehorchend,
Trugen das schnelle Geschirr durch Troer dahin und Achaier,
Stampfend auf bäuchige Schild' und Leichname; unten besudelt
Troff die Achse von Blut und die zierlichen Ränder des Sessels, 535
Welchen jetzt von der Hufe Gestampf anspritzten die Tropfen,
Jetzt von der Räder Beschlag. So strebte der Held in der Männer
Dichtes Gewühl, zu zerstreuen, wo er stürmete! Grauses Getümmel

Bracht er dem Volk der Achaier und rastete wenig vom Speere.
Aber stets durchflog er der anderen Männer Geschwader, 540
Mordend mit Lanz und Schwert und gewaltigen Steinen des Feldes;
Ajas nur vermied er im Kampf, den Telamoniden;
Denn ihm eiferte Zeus, wann den stärkeren Mann er bekämpfte.
Zeus der Allmächtige sandte nun Furcht in die Seele des Ajas.
Starrend stand und warf er den lastenden Schild auf die Schulter, 545
Flüchtete dann, umschauend im Männergewühl, wie ein Raubtier,
Rückwärts häufig gewandt, mit langsam wechselnden Knien.
Wie wenn den gelblichen Leun vom verschlossenen Rindergehege
Oftmals Hund' abscheuchen und landbewohnende Männer,
Welche nicht ihm gestatten, das Fett der Rinder zu rauben, 550
Ganz durchwachend die Nacht (er dort, nach Fleische begierig,
Rennt grad an, doch er wütet umsonst; denn häufige Speere
Fliegen ihm weit entgegen, von mutigen Händen geschleudert,
Auch hellodernde Bränd', und er zuckt im stürmenden Angriff,
Scheidet dann frühmorgens hinweg mit bekümmertem Herzen): 555
Also ging nun Ajas mit traurendem Geist von den Troern,
Sehr ungern, denn er sorgte voll Angst um der Danaer Schiffe.
Wie wenn am Feld ein Esel geführt obsieget den Knaben
Trägen Gangs, auf welchem schon viel der Stecken zertrümmert
(Aber er frißt eindringend die tiefe Saat, und die Knaben 560
Schlagen umher mit Stecken; doch schwach ist die Stärke der Kinder,
Und sie vertreiben ihn kaum, nachdem er mit Fraß sich gesättigt):
Also schwärmt' um den Held, den Telamonier Ajas,
Mutiger Troer Gewühl und fernberufener Helfer,
Die auf den Schild die Lanzen ihm schmetterten, immer verfolgend.
Aber bald gedachte der Held des stürmenden Mutes,
Wieder das Antlitz gewandt, und zwang die dichten Geschwader
Reisiger Troer zurück; bald kehrt' er von neuem zur Flucht um.
Allen indes verwehrt' er den Weg zu den rüstigen Schiffen,
Denn er selbst, in der Troer und Danaer Mitte sich stellend, 570
Wütete; aber die Speere, von mutigen Händen geschleudert,
Hafteten teils anprallend im siebenhäutigen Stierschild,
Viel auch im Zwischenraume, den schönen Leib nicht erreichend,
Standen empor aus der Erde, voll Gier, im Fleische zu schwelgen.
Als ihn Eurypylos jetzt, der glänzende Sohn des Euämon, 575

Schauete, dicht umdrängt vom Ungestüm der Geschosse,
Stand er zu jenem genaht und schwang den blinkenden Wurfspieß
Und traf Phausias' Sohn, den Hirten des Volks Apisaon,
Unter der Brust in die Leber, und stracks ihm löst' er die Glieder.
Schnell dann sprang er hinzu und raubte die Wehr von den Schultern.
Aber sobald ihn ersah der göttliche Held Alexandros,
Wie er die Waffen entzog dem Getöteten, spannt' er den Bogen
Gegen Eurypylos schnell und schoß in die Lende den Pfeil ihm
Rechts hinein; und das Rohr brach ab und beschwert' ihm die Lende.
Schnell in der Freunde Gedräng' entzog er sich, meidend das Schicksal.
Und es erscholl sein durchdringender Ruf in das Heer der Achaier:
Freunde, des Volks von Argos erhabene Fürsten und Pfleger,
Steht, die Stirne gewandt, und schirmt vor dem grausamen Tage
Ajas, der hart von Geschossen bedrängt wird! Schwerlich entrinnt er
Jetzt dem grimmen Getöse der Feldschlacht! Aber o stellt euch 590
Gegen den Feind um Ajas, den mächtigen Telamoniden!
So der verwundete Held Eurypylos; und die Genossen
Stellten sich nah um ihn, die Schilde gelehnt an die Schultern,
Alle die Lanzen erhöht. Daher nun wandelte Ajas,
Stand dann zum Feinde gekehrt, da der Seinigen Schar er erreichte. 595
Also kämpften sie dort, gleich lodernden Feuerflammen.
Nestor indes enttrugen der Schlacht die neleischen Stuten,
Schäumend in Schweiß, und brachten den Völkerhirten Machaon.
Jenen sah und erkannte der mutige Renner Achilleus;
Denn er stand auf dem Hinterverdeck des gewaltigen Meerschiffs, 600
Schauend die Kriegsarbeit und die tränenwerte Verfolgung.
Schnell zu seinem Genossen Patrokleus redet' er jetzo,
Rufend vom Schiffe daher; doch jener im Zelt es vernehmend,
Kam gleich Ares hervor, dies war des Wehes Beginn ihm.
Eilend sprach zu jenem Menötios' tapferer Sprößling: 605
Warum rufest du mir, o Achilleus? Wessen bedarfst du?
Ihm antwortete drauf der mutige Renner Achilleus:
Edler Menötiad, o meiner Seele Geliebter,
Bald wohl nahn, vermut ich, zu meinen Knien die Achaier,
Anzuflehn; denn die Not umdränget sie ganz unerträglich. 610
Aber o geh, Patroklos, du Göttlicher, forsche von Nestor,
Welchen verwundeten Mann er dort herführt aus dem Treffen.

Zwar von hinten erschien er Machaon ganz an Gestalt gleich,
Ihm des Asklepios Sohn, allein nicht sah ich das Antlitz,
Denn mir stürmten die Rosse vorbei im geflügelten Laufe. 615
Jener sprach's; und Patroklos, dem lieben Freunde gehorchend,
Eilte dahin zu den Zelten und rüstigen Schiffen Achaias.
Jene, sobald sie das Zelt des Neleiaden erreichten,
Stiegen sie selbst vom Wagen zur nahrungsprossenden Erde;
Aber die Rosse löst' Eurymedon, Diener des Greises, 620
Von dem Geschirr. Sie aber, den Schweiß der Gewande zu kühlen,
Stellten sich gegen den Wind am luftigen Meergestade,
Gingen darauf ins Gezelt und setzten sich nieder auf Sessel.
Weinmus mengte nun ihnen die lockige Hekamede,
Die aus Tenedos brachte der Greis, wie Achilleus sie einnahm, 625
Tochter des hochgesinnten Arsinoos, die die Achaier
Ihm erwählt, dieweil er im Rat vorragte vor allen.
Diese rückte zuerst die schöne geglättete Tafel
Mit stahlblauem Gestell vor die Könige; mitten darauf dann
Stand ein eherner Korb mit trunkeinladenden Zwiebeln, 630
Gelblicher Honig dabei und die heilige Blume des Mehles;
Auch ein stattlicher Kelch, den der Greis mitbrachte von Pylos,
Welchen goldene Buckeln umschimmerten, aber der Henkel
Waren vier und umher zwo pickende Tauben an jedem,
Schön aus Golde geformt; zwei waren auch unten der Boden. 635
Mühsam hob ein andrer den schweren Kelch von der Tafel,
War er voll; doch Nestor der Greis erhob ihn nur spielend.
Hierin mengte das Weib, an Gestalt den Göttinnen ähnlich,
Ihnen des pramnischen Weins und rieb mit eherner Raspel
Ziegenkäse darauf, mit weißem Mehl ihn bestreuend, 640
Nötigte dann zu trinken vom wohlbereiteten Weinmus.
Beide, nachdem sie im Tranke den brennenden Durst sich gelöschet,
Freueten sich des Gesprächs und redeten viel miteinander.
Jetzo stand an der Pforte Patroklos, ähnlich den Göttern.
Als ihn erblickte der Greis, da entsprang er dem schimmernden Sessel,
Führt' ihn herein an der Hand und nötigte freundlich zum Sitze.
Doch Patroklos versagt' es dem Greis und erwiderte also:
Nötige nicht zum Sitze, du göttlicher Greis, denn ich darf nicht.
Ehrfurcht fordert und Scheu, der mich gesendet zu forschen,

Welchen Verwundeten dort du herführst. Aber ich selber 650
Kenn ihn schon, denn ich sehe den Völkerhirten Machaon.
Jetzo, das Wort zu verkünden, enteil ich zurück zum Achilleus,
Wohl ja kennest auch du, ehrwürdiger Alter, des Mannes
Heftigen Sinn, der leicht Unschuldige selber beschuldigt.
Ihm antwortete drauf der gerenische reisige Nestor: 655
Was doch kümmern so sehr Achilleus' Herz die Achaier,
Welche bereits das Geschoß verwundete? Aber er weiß nicht,
Welch ein Weh sich erhub durch das Kriegsheer! Alle die Tapfern
Liegen umher bei den Schiffen, mit Wurf und Stoße verwundet!
Wund von Geschoß ist Tydeus' Sohn, der Held Diomedes; 660
Wund von der Lanz' Odysseus, der Herrliche, und Agamemnon;
Auch Eurypylos traf ein fliegender Pfeil in die Lende.
Diesen anderen bracht ich selber nur jüngst aus der Feldschlacht,
Als der Senne Geschoß ihn verwundete. Aber Achilleus
Hegt, zwar tapfer, mit uns nicht Mitleid oder Erbarmung! 665
Harrt er vielleicht, bis erst die rüstigen Schiff' am Gestade,
Trotz der Achaiermacht, in feindlicher Flamme verlodern
Und wir selbst hinbluten der Reihe nach? Nicht ja besteht mir
Kraft, wie vordem sie gestrebt in den leichtgebogenen Gliedern!
Wär ich so jugendlich noch und ungeschwächten Vermögens, 670
Wie als einst der Eleier und Pylier Streit sich erhoben
Über den Rinderraub, da ich den Itymoneus hinwarf,
Ihn den tapferen Sohn des Hypeirochos, wohnend in Elis,
Und mir Entschädigung nahm. Er stritt, die Rinder uns wehrend;
Aber ihn traf im Vordergewühl mein stürmender Wurfspieß, 675
Daß er sank und in Angst sein ländliches Volk sich zerstreute.
Viel und reichliche Beute gewannen wir rings aus den Feldern:
Fünfzig Herden der Rinder umher, der weidenden Schafe
Ebensoviel, auch der Schweine so viel und der streifenden Ziegen;
Auch der bräunlichen Rosse gewannen wir hundertundfünfzig, 680
Stuten all, und viele von saugenden Füllen begleitet.
Weg nun trieben wir jene hinein zur neleischen Pylos,
Nachts in die Stadt ankommend, und herzlich freute sich Neleus,
Daß mir Jünglinge schon so viel Kriegsbeute beschert war.
Herolde riefen nunmehr, sobald der Morgen emporstieg, 685
Jeden herbei, wem Schuld in der heiligen Elis gebührte.

Aber des Pyliervolks versammelte Obergebieter
Teileten aus; denn vielen gebührete Schuld von Epeiern,
Seit wir wenigen dort in Drangsal Pylos bewohnet.
Denn uns drängt' hinkommend die hohe Kraft Herakles' 690
Einige Jahre zuvor und erschlug die tapfersten Männer.
Siehe, wir waren zwölf untadlige Söhne des Neleus;
Davon blieb ich allein, die anderen sanken getötet.
Drum verachteten uns die erzumschirmten Epeier,
Und voll Übermutes verübten sie mancherlei Frevel. 695
Draus nun wählte der Greis sich eine Herde der Rinder,
Eine von Schafen gedrängt, drei Hunderte samt den Hirten;
Weil auch ihm viel Schuld in der heiligen Elis gebührte,
Vier siegprangende Rosse zusamt dem Wagengeschirre,
Zum Wettrennen gesandt; denn ein Dreifuß war zur Belohnung 700
Aufgestellt; da behielt der Völkerfürst Augeias
Jene zurück und entsandte den trauernden Wagenlenker.
So zum Zorne gereizt durch Wort' und Taten des Frevels,
Wählte sich vieles der Greis; das übrige gab er dem Volke,
Gleichgeteilt, daß keiner ihm leer der Beute hinwegging. 705
Wir vollendeten nun ein jegliches, und um die Stadt her
Weihten wir Opfer des Danks. Doch schnell am dritten der Tage
Kamen die Feind' unzählbar, sie selbst und stampfende Rosse,
Alle geschart; auch kamen die zween Molionen gerüstet,
Kinder annoch und wenig geübt zum herzhaften Angriff. 710
Eine Stadt Thryoessa erhebt sich auf felsichtem Hügel
Fern an Alpheios' Strom, die heilige Elis begrenzend;
Diese bekämpfte der Feind, sie auszutilgen verlangend.
Doch wie sie ganz das Gefild umschwärmeten, kam uns Athene
Schnell als Botin daher vom Olympos, uns zu bewaffnen, 715
Nachts, und nicht unwillig erhuben sich Pylos' Bewohner,
Sondern mit freudigem Mut zu der Feldschlacht. Mir nur verwehrte
Neleus, mitzugehn in den Streit, und barg mir die Rosse;
Denn noch wähnt' er mich nicht zu Kriegsarbeiten gewitzigt.
Dennoch strahlt ich hervor in unserer Reisigen Scharen, 720
Ohne Gespann, auch zu Fuß; so trieb in den Kampf mich Athene.
Aber es rollt' ein Strom Minyeios nieder zur Salzflut,
Dicht an Aren'; hier harreten wir der heiligen Frühe,

Pylos' reisige Schar, und daher floß Menge des Fußvolks.
Drauf mit gesamter Macht in wohlgerüstetem Heerzug 725
Kamen wir mittags hin zum heiligen Strom Alpheios.
Allda brachten wir Zeus dem allmächtigen prangende Opfer,
Einen Stier dem Alpheios und einen Stier dem Poseidon,
Eine Kuh von der Herde für Zeus' blauäugige Tochter,
Nahmen die Abendkost durch das Kriegsheer, Haufen bei Haufen, 730
Legten uns dann zur Ruh, in eigener Rüstung ein jeder,
Längs dem Ufer des Stroms. Die hochgesinnten Epeier
Standen bereits um die Stadt, sie hinwegzutilgen verlangend;
Aber sie fanden zuvor des Ares schreckliche Arbeit.
Denn als leuchtend die Sonn emporstieg über die Erde, 735
Rannten wir an zum Gefecht und fleheten Zeus und Athenen.
Als nun die Schlacht anhub der Pylier und Epeier,
Rafft ich den ersten der Feind' und nahm die stampfenden Rosse
Mulios', kühn und gewandt, der ein Eidam war des Augeias,
Seiner ältesten Tochter vermählt, Agamede der blonden, 740
Die Heilkräuter verstand, so viel rings nähret die Erde.
Ihn, wie er gegen mich kam, mit eherner Lanze durchbohrt ich,
Und er entsank in den Staub; und ich, in den Sessel mich schwingend,
Stand nun im Vordergewühl. Die hochgesinnten Epeier
Zitterten ängstlich umher, da den Mann hinfallen sie sahen, 745
Ihn, der führend den reisigen Zug, vorstrebt' in der Feldschlacht.
Aber ich stürmt in die Feinde, dem dunkelen Donnerorkan gleich;
Fünfzig gewann ich der Wagen, und zween Kriegsmänner um jeden
Knirschten den Staub mit den Zähnen, von meiner Lanze gebändigt.
Aktors Söhn' auch hätt ich gestreckt, die zween Molionen, 750
Hätte nicht ihr Vater, der Erderschüttrer Poseidon,
Schnell dem Gefecht sie entrückt, ringsher in Nebel sie hüllend.
Jetzo gewährete Zeus den Pyliern herrliche Siegsmacht;
Denn stets folgeten wir durch schildbestreuete Felder,
Niederhauend den Feind und stattliche Rüstungen sammelnd, 755
Bis wir zum Weizengefilde Buprasion trieben die Rosse
Und zum olenischen Fels und wo Alesions Hügel
Wird genannt, wo zurück uns wendete Pallas Athene.
Dort verließ ich den letzten Erschlagenen; und die Achaier
Lenkten das schnelle Gespann von Buprasion wieder gen Pylos, 760

Preisend mit Dank von den Himmlischen Zeus, von den Sterblichen Nestor.
So war ich, ja ich war's! in der Feldschlacht! Aber Achilleus
Hegt der Tugend Genuß sich allein nur! Wahrlich, mit Tränen
Wird er hinfort es bejammern, nachdem das Volk uns vertilgt ist!
Ach mein Freund, wohl hat dich Menötios also ermahnet 765
Jenes Tags, da aus Phthia zu Atreus' Sohn er dich sandte;
Denn wir beide darinnen, ich selbst und der edle Odysseus,
Hörten all im Gemach die Ermahnungen, die er dir mitgab.
Siehe, wir kamen dahin zu Peleus' schönem Palaste,
Völker umher versammelnd im fruchtbaren Land Achaias, 770
Und wir fanden den Held Menötios dort im Palaste,
Dich und Achilleus zugleich. Der alte reisige Peleus
Brannte dem Donnerer Zeus die fetten Schenkel des Stieres
In dem umschlossenen Hof und hielt den goldenen Becher,
Sprengend den funkelnden Wein in die heilige Flamme des Opfers.
Ihr bereitetet beide das Stierfleisch. Jetzo erschienen
Wir an der Pforte des Hofs; bestürzt nun erhub sich Achilleus,
Führt' uns herein an der Hand und nötigte freundlich zum Sitze;
Wohl dann bewirtet' er uns nach heiliger Sitte des Gastrechts.
Aber nachdem wir der Kost uns gesättiget und des Getränkes, 780
Jetzo begann ich die Red, euch mitzugehen ermahnend;
Ihr auch wolltet es gern, und viel euch geboten die Väter.
Peleus, der graue Held, ermahnete seinen Achilleus,
Immer der Erste zu sein und vorzustreben vor andern.
Aber dich ermahnte Menötios, Aktors Erzeugter: 785
Lieber Sohn, an Geburt ist zwar erhabner Achilleus,
Älter dafür bist du, doch ihm ward größere Stärke;
Aber du hilf ihm treulich mit Rat und kluger Erinnrung
Und sei Lenker dem Freund; er folgt dir gerne zum Guten.
Also ermahnte der Greis; du vergaßest es. Aber auch jetzt noch 790
Sage dies Achilleus, dem Feurigen, ob er gehorche.
Denn wer weiß, ob vielleicht durch göttliche Hilf ihn beweget
Dein Zuspruch! Gut immer ist redliche Warnung des Freundes.
Aber wofern im Herzen ein Götterspruch ihn erschrecket
Und im Worte von Zeus die göttliche Mutter gemeldet, 795
Send er zum wenigsten dich, und der Myrmidonen Geschwader

Folge zugleich, ob du etwa ein Licht der Danaer werdest.
Dir auch geb er das Waffengeschmeid im Kampfe zu tragen,
Ob, dich für ihn ansehend, vielleicht vom Kampfe die Troer
Abstehn und sich erholen die kriegerischen Männer Achaias 800
Ihrer Angst, wie klein sie auch sei, die Erholung des Krieges.
Leicht auch könnt ihr, noch frisch, die ermüdeten Männer im Angriff
Rückwärts drängen zur Stadt, von den Schiffen hinweg und Gezelten.
Also der Greis, und jenem das Herz im Busen bewegt' er;
Schnell durchlief er die Schiffe zum Äakiden Achilleus. 805
Aber nachdem zu den Schiffen des göttergleichen Odysseus
Laufend Patroklos genaht, wo der Volkskreis und der Gerichtsplatz
War, wo rings auch Altäre gebaut den unsterblichen Göttern,
Traf er Eurypylos dort, den glänzenden Sohn des Euämon,
Welcher hart verwundet daher mit dem Pfeil in der Lende 810
Mühsam hinkt' aus der Schlacht; herab ihm strömte der Angstschweiß
Häufig von Schulter und Haupt, und hervor aus der schmerzenden
Rieselte schwarzes Blut, doch blieb ihm die Stärke des Geistes. [Wunde
Mitleidsvoll erblickt' ihn Menötios' tapferer Sprößling,
Und er begann wehklagend und sprach die geflügelten Worte: 815
Weh euch, weh, der Achaier erhabene Fürsten und Pfleger!
Solltet ihr so, den Freunden entfernt und dem Vatergefilde,
Nähren mit weißem Fett in Troja hurtige Hunde?
Aber verkündige mir, Eurypylos, göttlicher Kämpfer,
Ob noch bestehn die Achaier dem übergewaltigen Hektor 820
Oder bereits hinsinken, von seiner Lanze gebändigt?
Und der verständige Sohn des Euämon sagte dagegen:
Nichts mehr, göttlicher Held Patrokleus, schafft den Achaiern
Heil; bald werden sie all um die dunkelen Schiffe gestreckt sein!
Denn sie alle bereits, die vordem die Tapfersten waren, 825
Liegen umher bei den Schiffen, mit Wurf und Stoße verwundet
Unter der Hand der Troer, die stets anwachsen an Stärke!
Aber errette du mich, zum dunkelen Schiffe mich führend;
Schneid aus der Lende den Pfeil und rein mit laulichem Wasser
Wasche das schwärzliche Blut; auch lege mir lindernde Salb auf, 830
Heilsame, welche du selbst von Achilleus, sagt man, gelernet.
Ihm, den Cheiron gelehrt, der gerechteste aller Kentauren.
Denn die Ärzte des Heers, Podaleirios und Machaon,

Einer wird im Gezelt an seiner Wunde, vermut ich,
Selber anjetzt bedürftig des wohlerfahrenen Arztes 835
Liegen, der andr im Gefilde besteht die wütende Schlacht noch.
Ihm antwortete drauf Menötios' tapferer Sprößling:
Wie kann solches geschehn? Was machen wir, Sohn des Euämon?
Eilend muß ich Achilleus, dem Feurigen, melden die Botschaft,
Welche mir Nestor befahl, der gerenische Hort der Achaier. 840
Dennoch werd ich nimmer dich hier verlassen im Schmerze!
Sprach's, und unter der Brust den Völkerhirten, umfassend,
Führt' er ins Zelt; ein Genoß dort breitete Felle der Stier' aus.
Hierauf streckt' ihn der Held und schnitt mit dem Messer den scharfen
Schmerzenden Pfeil aus der Lend, auch rein mit laulichem Wasser
Wusch er das schwärzliche Blut; dann streut' er die bittere Wurzel
Drauf, mit den Händen zermalmt, die lindernde, welche die Schmerzen
Alle bezwang; und es stockte das Blut in erharschender Wunde.

XII. GESANG

Künftige Vertilgung der Mauer. Die Achaier eingetrieben. Hektor, wie Polydamas riet, läßt die Reisigen absteigen und in fünf Ordnungen anrücken. Nur Asios mit seiner Schar fährt auf das linke Tor, welches zween Lapithen verteidigen. Ein unglücklicher Vogel erscheint den Troern; Polydamas warnt den Hektor umsonst, Zeus sendet den Achaiern einen stäubenden Wind entgegen. Hektor stürmt die Mauer, und die beiden Ajas ermuntern zur Gegenwehr. Sarpedon und Glaukos nahn dem Turme des Menestheus, dem Telamons Söhne zu Hilfe eilen. Glaukos entweicht verwundet; Sarpedon reißt die Brustwehr herab. Hektor zersprengt ein Tor mit einem Steinwurf, worauf die Troer zugleich über die Mauer und durch das Tor eindringen.

Also heilt' im Gezelte Menötios' tapferer Sprößling
Jetzt den Eurypylos dort, den verwundeten. Aber es kämpften
Argos' Söhn' und die Troer mit Heerskraft. Siehe, nicht länger
Sollte der Graben beschirmen die Danaer oder die Mauer,
Welche sie breit um die Schiff' auftürmeten, rings dann den Graben 5
Leiteten; denn nicht brachten sie Festhekatomben den Göttern,
Daß ihr Werk die rüstigen Schiff' und erbeuteten Schätze
Drinnen bewahrt' im Lager; zum Trotz den unsterblichen Göttern
Ward es gebaut, drum stand's nicht lange Zeit unerschüttert.
Denn weil Hektor lebend noch war, noch zürnet' Achilleus 10

Und unzerrüttet die Stadt des herrschenden Priamos ragte,
Ebensolang auch bestand der Danaer mächtige Mauer;
Aber nachdem gestorben der Troer tapferste Helden,
Mancher auch der Argeier vertilgt war, mancher noch übrig,
Und nun Priamos' Stadt hinsank im zehnten der Jahre, 15
Dann die Argeier in Schiffen zur Heimat wiedergekehret:
Jetzo beschloß Poseidaon im Rat und Phöbos Apollon,
Wegzutilgen den Bau, der Ströme Gewalt hinlenkend.
Alle die hoch vom Idagebirg in das Meer sich ergießen,
Rhodios und Karesos, Heptaporos auch und Granikos, 20
Rhesos auch und Äsepos zugleich und der edle Skamandros,
Simois auch, wo gehäuft Stierschild' und gekegelte Helme
Sanken hinab in den Staub und das Göttergeschlecht der Heroen:
Allen zugleich nun wandte die Mündungen Phöbos Apollon
Gegen den Bau, neun Tage beströmt' er ihn, während herab Zeus 25
Regnete, schneller ins Meer die umflutete Mauer zu wälzen.
Aber der Erderschütterer selbst, in den Händen den Dreizack,
Ging voran und stürzt' aus dem Grunde gewühlt in die Wogen
Alle Blöck' und Steine, die mühsam gelegt die Achaier,
Schleift' und ebnet' es rings am reißenden Hellespontos 30
Und umhüllte mit Sand weithin das große Gestade,
Wo er die Mauer vertilgt'; dann wandt er zurück in das Flutbett
Jeglichen Strom, wo zuvor er ergoß sein schönes Gewässer.
Also sollte hinfort Poseidons Macht und Apollons
Taten tun. Doch jetzo war Schlacht und Getümmel entbrannt rings
Um den gewaltigen Bau, und der Türme geworfene Balken
Donnerten. Argos' Volk, von Kronions Geißel gebändigt,
Drängte sich eingehegt bei den schwarzen gebogenen Schiffen,
Bange vor Hektors Wut, des stürmenden Schreckengebieters.
Jener stritt wie zuvor mit dem Ungestüm des Orkanes. 40
Wie wenn im Kreise der Hund' und rüstigen Jäger ein Waldschwein
Ringsher oder ein Löwe sich dreht, wutfunkelnden Blickes
(Jene dort, miteinander in Heerschar wohlgeordnet,
Stehn ihm entgegengewandt, und es fliegen geschwungene Spieße
Häufig daher aus den Händen; doch sein ruhmatmendes Herz kennt 45
Weder Furcht noch Entfliehn, und Tapferkeit tötet ihn endlich;
Vielfach drehet er sich, die Reihn der Männer erforschend,

Und wo er grad andringt, da weichen ihm Reihen der Männer):
So im Gewühl ging Hektor umhergewandt und ermahnte
Über den Graben zu sprengen die Seinigen. Aber nicht wagten's 50
Ihm die Rosse, geflügelten Laufs; sie wieherten laut auf,
Stehend am äußersten Bord; denn zurück sie schreckte des Grabens
Breite, zum Sprung hinüber nicht schmal genug, noch zum Durch-
Leichtgebahnt; denn ein jäh abhängiges Ufer erhob sich [gang
Rings an jeglicher Seit, auch war mit spitzigen Pfählen 55
Obenher er bepflanzt, die Achaias Söhne gestellet,
Dichtgereiht und mächtig, zur Abwehr feindlicher Männer.
Schwerlich vermocht ein Roß, an den rollenden Wagen gespannet,
Überzugehn, Fußvölker nur eiferten, ob sie vermöchten.
Aber Polydamas sprach, dem trotzigen Hektor sich nahend: 60
Hektor und ihr, der Troer Gewaltige und der Genossen,
Torheit ist's, durch den Graben die hurtigen Rosse zu treiben.
Viel zu schwer ist wahrlich der Weg, denn spitzige Pfähle
Stehn ja umher und daran der Danaer mächtige Mauer.
Dort lenkt keiner hinab der Reisigen, keiner besteht auch 65
Unten den Kampf; hin sänken sie all, in der Enge verwundet.
Denn wofern nun ganz im vertilgenden Zorne sie heimsucht
Der hochdonnernde Zeus und den Troern Hilfe gewähret,
Traun, dann wünscht ich selber aufs schleunigste solches vollendet,
Daß hier ruhmlos stürben von Argos fern die Achaier. 70
Wenn sie jedoch umkehrten und Rückverfolgung begönne
Von den Schiffen daher, in des Grabens Tief uns verdrängend:
Nimmer käm, ich fürcht' es, auch nicht ein Bote von dannen,
Wieder gen Troja zurück, vor der Wut der gewandten Achaier.
Aber wohlan, wie ich rede das Wort, so gehorchet mir alle. 75
Laßt die Ross' am Graben, gehemmt von den Wagengenossen;
Wir dann, Streiter zu Fuß, mit ehernen Waffen gerüstet,
Drängen uns all um Hektor und folgen ihm. Doch die Achaier
Stehn uns nicht, wenn jenen das Ziel des Verderbens daherdroht.
So des Polydamas Rat; den unschädlichen billigte Hektor. 80
Schnell vom Wagen herab mit den Rüstungen sprang er zur Erde.
Auch nicht blieben im Wagen die anderen Troer versammelt,
Sondern sie stürmten herab, da sie sahn den göttlichen Hektor.
Jetzo gebot ein jeder dem eigenen Wagenlenker,

Dort am Graben die Ross' in geordneter Reihe zu halten; 85
Selber darauf sich teilend, in fünf Heerscharen geordnet,
Gingen sie wohlgereiht und folgeten ihren Gebietern.
Hektor selbst und der edle Polydamas führten die Ordnung,
Welche die meisten enthielt und tapfersten, alle begierig,
Durch die Mauer zu brechen und kühn um die Schiffe zu kämpfen. 90
Auch Kebriones folgte der dritte noch, und dem geringern
Blieb, an Kebriones' Statt, nun Hektors Wagen vertrauet.
Paris gebot der zweiten, Alkathoos auch und Agenor.
Helenos führte die dritt und Deiphobos, göttlicher Bildung,
Beide des Priamos Söhn'; auch Asios führte mit jenen, 95
Asios, Hyrtakos' Sohn, den hergebracht aus Arisbe
Rosse, glänzend und groß, vom heiligen Strom Selleis.
Aber der vierten herrscht' Äneias voran, des Anchises
Starker Sohn, zugleich ihm Antenors tapfere Söhne,
Akamas und Archilochos beid, allkundig des Streites. 100
Endlich gebot Sarpedon den rühmlichen Bundesgenossen,
Der sich den Glaukos gesellt' und den kriegerischen Asteropöos,
Denn sie dünkten ihm beide die Tapfersten sonder Vergleichung
Aller umher, nach ihm selbst; er ragete weit vor den andern.
Als sie nunmehr sich zusammengedrängt mit Schilden von Stierhaut,
Eilten sie freudigen Muts auf die Danaer, hoffend, nicht obstehn
Würden sie, sondern bald um die dunkelen Schiffe gestreckt sein.
Alle sonst, die Troer und fernberufenen Helfer,
Waren Polydamas' Rate, des Tadellosen, gefolget;
Nur nicht Asios wollte, des Hyrtakos Sohn, der Gebieter, 110
Dort verlassen die Ross' und den wagenlenkenden Diener,
Sondern er drang mit ihnen zugleich an die rüstigen Schiffe.
Törichter! Ach nicht sollt er, die schrecklichen Keren vermeidend,
Samt dem Gespann und Wagen in stolzem Triumph von den Schiffen
Wiederum heimkehren zu Ilios' luftigen Höhen; 115
Denn ihn umhüllte zuvor das grauenvolle Verhängnis
Unter Idomeneus' Lanze, des herrlichen Deukalionen.
Denn er wandt in die Schiffe zur Linken sich, wo die Achaier
Aus dem Gefild einzogen mit hurtigen Rossen und Wagen;
Dorthin lenkt' er hindurch der Rosse Geschirr. Und er fand nicht 120
Vorgestreckt die Flügel des Tors, noch den mächtigen Riegel;

Offen noch hielten es Männer und harreten, ob der Genossen
Einer, dem Treffen entflohn, sich retten wollt in die Schiffe.
Gradan lenkt' er die Rosse, der Wähnende, andere folgten
Nach mit hellem Geschrei; denn die Danaer würden nicht obstehn, 125
Hofften sie, sondern bald um die dunkelen Schiffe gestreckt sein.
Toren! Sie fanden dort zween tapfere Männer am Eingang,
Edelmütige Söhne der speergewohnten Lapithen:
Ihn, Peirithoos' Sohn, den starken Held Polypötes,
Ihn, den Leonteus auch, dem mordenden Ares vergleichbar. 130
Beid an dem Eingang dort des hochgeflügelten Tores
Standen sie. Also stehn hochwipflichte Eichen der Berge,
Welche den Sturm ausharren und Regenschauer beständig,
Eingesenkt mit großen und weithinreichenden Wurzeln:
Also die zween, der Gewalt der mächtigen Arme vertrauend, 135
Harrten dem Angriff kühn des Asios und unerschrocken.
Grad auf die trotzende Mauer, mit wildaufhallendem Feldruf,
Sprengten sie an und erhoben die trockenen Schilde von Stierhaut
Um Held Asios her, um Iamenos her und Orestes,
Akamas, Asios' Sohn, um Önomaos auch und um Thoon. 140
Sie dort hatten zuvor die hellumschienten Achaier
Drinnen im Lager ermahnt, zum mutigen Kampf für die Schiffe;
Aber sobald zur Mauer mit Macht anrennen sie sahen
Trojas Söhn' und erscholl der Danaer Angst und Getümmel,
Brachen sie beid hervor und kämpfeten draußen am Eingang. 145
Gleich zween Ebern an Mut, unbändigen, die in dem Bergwald
Kühn der Männer und Hund' anwandelnde Hetze bestehen;
Seitwärts dahergestürmt, durchschmettern sie rings die Gesträuche,
Weg vom Stamme sie mähend, und wild mit klappenden Hauern
Wüten sie, bis ein Geschoß ihr mutiges Leben vertilget: 150
Also klappt' auch jenen das schimmernde Erz an den Busen
Unter der Feinde Geschoß, denn sie wehrten mit großer Gewalt ab,
Oben dem Volk, der Mauer und eigener Stärke vertrauend.
Jene mit Steinen daher von den wohlgebaueten Türmen
Schleuderten, um sich selbst zu verteidigen und die Gezelte 155
Samt den Schiffen des Meers. Wie des Schnees Gestöber herabfällt,
Welches ein heftiger Wind, die schattigen Wolken erschütternd,
Häufig heruntergießt zur nahrungsprossenden Erde,

Solch ein Schwall von Geschossen entstöberte dort der Achaier
Händen und dort der Troer, und dumpf rings krachten die Helme, 160
Von Mühlsteinen umprallt, und die hochgenabelten Schilde.
Laut nunmehr wehklagte, vor Schmerz die Hüften sich schlagend,
Asios, Hyrtakos' Sohn, und rief unwilligen Herzens:
Vater Zeus, ja wahrlich auch dir gefielen der Falschheit
Täuschungen! Nie doch hätt ich geglaubt, die Helden Achaias 165
Würden bestehn vor unserer Macht und unnahbaren Händen!
Aber sie, wie die Wespen mit regem Leib und die Bienen,
Die am höckrichten Weg ihr Felsennest sich bereitet,
Nicht verlassen ihr Haus in den Höhlungen, sondern den Angriff
Raubender Jäger bestehn im mutigen Kampf für die Kinder, 170
So auch wollen sie nicht, obgleich nur zween, von dem Tore
Abstehn, bis sie entweder erlegt sind oder gefangen!
Sprach's; doch nicht bewegt' er Kronions Herz mit der Rede:
Hektorn nur willfahrte sein Ratschluß Ruhm zu gewähren.
Andere kämpften den Kampf um andere Tore des Lagers. 175
Aber zu schwer ist mir's, wie ein Himmlischer alles zu melden!
Denn ringsum an der Mauer entloderte schrecklich die Flamme
Prasselnder Stein'. Unmutig, allein gezwungen, beschirmten
Argos' Söhne die Schiff', und es trauerten herzlich die Götter
Alle, so viel den Achaiern im Kampf Mithelfende waren. 180
Stürmend begann der Lapithen Gefecht und Waffengetümmel.
Siehe, Peirithoos' Sohn, der starke Held Polypötes,
Schoß auf Damasos' Stirne den Speer durch die eherne Kuppel;
Wenig hemmte das Erz den Stürmenden, sondern hindurchdrang
Schmetternd die eherne Spitz in den Schädel ihm, und sein Gehirn ward
Ganz mit Blute vermischt; so bändigt' er jenen im Angriff.
Weiter darauf den Pylon und Ormenos streckt' er in Blut hin,
Doch den Hippomachos traf des Ares Sprößling Leonteus,
Ihn, des Antimachos Sohn, mit dem Wurfspieß unten am Leibgurt.
Hurtig dann aus der Scheide das scharfe Schwert sich entreißend, 190
Drang er zuerst auf Antiphates ein durch das grause Getümmel,
Schwang in der Näh und hieb, daß zurück auf den Boden er hinsank.
Weiter darauf den Menon, Jamenos dann und Orestes
Streckt' er gehäuft miteinander zur nahrungsprossenden Erde.
Während sie jen' enthüllten des schimmernden Waffengeschmeides,

Folgten dem Hektor dort und Polydamas blühende Männer,
Sie, die meisten an Zahl und tapfersten, alle begierig,
Durch die Mauer zu brechen und rings zu entflammen die Schiffe.
Diese zauderten noch unschlüssigen Rats an dem Graben;
Denn ein Vogel erschien, da sie überzugehn sich entschlossen, 200
Ein hochfliegender Adler, der, links an dem Heere sich wendend,
Eine gerötete Schlang in den Klaun hintrug, unermeßlich,
Lebend annoch und zappelnd, noch nicht vergessend der Streitlust.
Denn dem haltenden Adler durchstach sie die Brust an dem Halse,
Rückwärts gewunden ihr Haupt; er schwang sie hinweg auf die Erde,
Hart von Schmerzen gequält, und sie fiel in die Mitte des Haufens;
Aber er selbst lauttönend entflog im Hauche des Windes.
Starrend sahn die Troer umher die ringelnde Schlange
Liegen im Staub, das Zeichen des ägiserschütternden Vaters.
Aber Polydamas sprach, dem trotzigen Hektor sich nahend: 210

Hektor, du pflegst mich zwar in Versammlungen immer zu tadeln,
Red ich heilsamen Rat; denn traun, mitnichten geziemt es,
Anderer Meinung zu sein, dem Gehorchenden, weder im Rate
Noch in der Schlacht, vielmehr dein Ansehn stets zu vergrößern;
Dennoch sag ich dir jetzo, wie mir's am heilsamsten dünket: 215
Laßt nicht weiter uns gehn, um der Danaer Schiffe zu kämpfen!
Denn so wird, vermut ich, es endigen, wenn ja den Troern
Dieser Vogel erschien, da sie überzugehn sich entschlossen:
Ein hochfliegender Adler, der, links an dem Heere sich wendend,
Eine gerötete Schlang in den Klaun hintrug, unermeßlich 220
Lebend; doch schnell sie entschwang, bevor sein Nest er erreichet
Und nicht vollends sie brachte zum Raub den harrenden Kindern:
So auch wir: wo wir anders durch Mauer und Tor der Achaier
Brechen mit großer Gewalt und vor uns fliehn die Achaier,
Kehren wir nicht in Ordnung den selbigen Weg von den Schiffen, 225
Sondern viel der Troer verlassen wir, die der Achaier
Volk mit dem Erze getötet im mutigen Kampf für die Schiffe.
Also würd ein Seher verkündigen, welcher im Geiste
Kennte der Zeichen Verstand und dem die Völker gehorchten.

Finster schaut' und begann der helmumflatterte Hektor: 230
Keineswegs gefällt mir, Polydamas, was du geredet!
Leicht wohl könntest du sonst ein Besseres raten denn solches!

Aber wofern du wirklich in völligem Ernste geredet,
Traun, dann raubeten dir die Unsterblichen selbst die Besinnung,
Der du befiehlst, zu vergessen des Donnerers Zeus Kronions 235
Ratschluß, welchen er selbst mir zugewinkt und gelobet.
Aber du ermahnest, den weitgeflügelten Vögeln
Mehr zu vertraun. Ich achte sie nicht, noch kümmert mich solches,
Ob sie rechts hinfliegen zum Tagesglanz und zur Sonne
Oder auch links dorthin, zum nächtlichen Dunkel gewendet. 240
Nein, des erhabenen Zeus Ratschluß vertrauen wir lieber,
Der die Sterblichen all und unsterblichen Götter beherrschet!
Ein Wahrzeichen nur gilt: das Vaterland zu erretten!
Doch was zitterst denn du vor Kampf und Waffengetümmel?
Sänken wir anderen auch an den rüstigen Schiffen Achaias, 245
Alle getötet, umher, dir droht kein Schrecken des Todes!
Denn dir ward kein Herz, ausharrend den Feind und die Feldschlacht!
Wo du mir aber dem Kampf dich entziehn wirst oder der andern
Einen vom Krieg abwenden, durch törichte Wort' ihn verleitend,
Schnell von meiner Lanze durchbohrt verlierst du das Leben! 250
Dieses gesagt, ging jener voran; ihm folgten die andern
Mit graunvollem Geschrei. Der donnerfrohe Kronion
Sendete hoch vom Idagebirg unermeßlichen Sturmwind,
Der zu den Schiffen den Staub hinwirbelte, daß den Achaiern
Sank der Mut, doch der Troer und Hektors Ruhm sich erhöhte. 255
Jetzo dem Wink des Gottes und eigener Stärke vertrauend,
Strebten sie durchzubrechen der Danaer mächtige Mauer;
Rissen herab die Zinnen der Türm' und regten die Brustwehr
Und umwühlten mit Hebeln des Baus vorragende Pfeiler,
Welche zuerst die Achaier gestellt, zur Feste den Türmen. 260
Diese wuchtet' ihr Stoß, und sie hofften der schütternden Mauer
Einbruch. Doch nicht wichen die Danaer dort von der Stelle,
Sondern mit starrenden Schilden die Brustwehr rings umzäunend,
Warfen sie Stein' und Geschoss' auf die mauerstürmenden Feinde.
Aber die Ajas, beide das Volk auf den Türmen ermahnend, 265
Wandelten ringsumher und erregten den Mut der Achaier,
Den mit freundlicher Red und den mit harter Bedrohung
Züchtigend, welchen sie ganz im Gefecht nachlässig erblickten:
Freund' im Danaervolk, wer hervorstrebt oder wer mitgeht,

Auch wer dahinten bleibt (denn gar nicht gleich miteinander 270
Schaffen die Männer im Kampf): nun zeigt für alle sich Arbeit!
Auch ihr selber fürwahr erkennet es! Nimmer zurück denn
Wendet euch gegen die Schiffe, die Drohungen hörend des Trotzers,
Sondern voran dringt all und ermahnet euch untereinander!
Ob ja Zeus vergönne, der Donnergott des Olympos, 275
Daß wir, den Streit abwehrend, zur Stadt die Feinde verfolgen!
Also schrien sie beid und erregten den Kampf der Achaier.
Dort, gleichwie Schneeflocken daher in dichtem Gestöber
Fallen am Wintertage, wann Zeus der Herrscher sich aufmacht,
Über die Menschen zu schnein, der Allmacht Pfeile versendend 280
(Ruhn dann heißt er die Wind' und schüttet herab, bis er decket
Rings die Höhn der schroffen Gebirg' und die zackigen Gipfel,
Auch die Gefilde voll Klee und des Landmanns fruchtbare Saaten;
Auch des graulichen Meers Vorstrand und Buchten umfliegt Schnee;
Aber die Wog, anrauschend, verschlinget ihn; alles umher sonst 285
Wird von oben umhüllt, wann gedrängt Zeus' Schauer herabfällt):
So dort flog von Heere zu Heer der Steine Gewimmel,
Welche die Troer hier und die Danaer dort auf die Troer
Schleuderten; und um die Mauer erscholl rings dumpfes Gepolter.
Noch nicht hätten die Troer anjetzt und der strahlende Hektor 290
Durchgebrochen die Pfort und den mächtigen Riegel der Mauer,
Hätte der waltende Zeus nicht seinen Sohn, den Sarpedon,
Auf die Argeier gesandt, wie den Leun auf gehörnete Rinder.
Vor sich trug er den Schild von gleichgeründeter Wölbung,
Schöngehämmert aus Erz, den prangenden, welchen der Wehrschmied
Hämmerte, drinnen gefügt aus häufigen Rinderhäuten
Und um den Rand ringsher mit goldenen Stäben durchzogen;
Diesen sich nun vortragend zum Schirm, zween Speere bewegend,
Eilt' er hinan wie ein Löwe des Bergwalds, welcher des Fleisches
Lang entbehrt und jetzo, gereizt von der mutigen Seele, 300
Eindringt, Schafe zu würgen, auch selbst in ein dichtes Gehege
(Findet er zwar bei ihnen die wachsamen Hirten versammelt,
Die mit Hunden und Spießen umher die Schafe behüten,
Doch nicht ohne Versuch von dem Stall zu entfliehen gedenkt er;
Nein, entweder er raubt, wo er einsprang, oder auch selber 305
Wird er verletzt im Beginn von rüstiger Hand mit dem Wurfspieß):

So dort reizte sein Mut den göttergleichen Sarpedon,
Stürmend der Mauer zu nahn und durchzubrechen die Brustwehr.
Schnell zu Glaukos gewandt, Hippolochos' Sohne, begann er:
  Glaukos, warum doch ehrte man uns so herrlich vor andern 310
Immer an Sitz, an Fleisch und vollgegossenen Bechern,
Heim im Lykierland, umher wie auf Himmlische blickend?
Und was baun wir ein großes Gefild am Ufer des Xanthos,
Prangend mit Obst und Trauben und weizenbesäeten Äckern?
Darum gebührt uns jetzt, in der Lykier Vordergetümmel 315
Dazustehn und hinein in die brennende Schlacht uns zu stürzen,
Daß man also im Volk der gepanzerten Lykier sage:
Wahrlich nicht unrühmlich beherrschen sie Lykiens Söhne,
Unsere Könige hier, mit gemästeten Schafen sich nährend
Und herzstärkendem Wein, dem erlesenen, sondern ihr Mut ist 320
Groß, denn sie kämpfen den Kampf in der Lykier Vordergetümmel!
Trautester, könnten wir ja durch dieses Kampfes Vermeidung
Immerdar fortblühen, unsterblich beid und unalternd,
Weder ich selbst dann stellte mich unter die vordersten Kämpfer,
Noch ermuntert ich dich zur männerehrenden Feldschlacht. 325
Aber da gleichwohl drohn unzählbare Schrecken des Todes
Rings und keiner entflieht der Sterblichen, noch sie vermeidet:
Auf, daß wir anderer Ruhm verherrlichen oder den unsern!
  Jener sprach's; nicht träge war Glaukos darob, noch entzog sich.
Gradan drangen sie beide, die Schar der Lykier führend. 330
  Doch sie ersah aufschauernd des Peteos Sohn Menestheus,
Denn ihm nahten zum Turm sie daher, mit Verderben gerüstet.
Rings umspäht' er den Turm, ob der Danaerfürsten er einen
Schauete, welcher die Not abwendete seinen Genossen.
Jetzo sah er die Ajas, sie beide des Kampfs unersättlich, 335
Dastehn, auch den Teukros, der jüngst vom Gezelte zurückkam,
Nahe sich; doch nicht konnt er mit vollem Ruf sie erreichen
Durch das Getöse der Schlacht; es erscholl zum Himmel der Aufruhr,
Weil die getroffenen Schild' und umflatterten Helm' und die Tore
Donnerten; denn sie all umdrängte man, und die davor nun 340
Stehenden strebten mit Macht sich durchzubrechen den Eingang.
Schnell zu Ajas dahin entsandt er Thootes, den Herold:
  Laufe mir, edler Thootes, in Eil und rufe den Ajas,

Lieber sie beide zugleich; denn weit das beste von allem
Wär es, dieweil hier bald ein gräßliches Morden bevorsteht! 345
Denn hart drängen die Fürsten der Lykier, welche von jeher
Ungestüm anrennen in schreckenvoller Entscheidung!
Aber wofern auch dort die Kriegsarbeit sie beschäftigt,
Komme doch Ajas allein, des Telamons tapferer Sprößling,
Und ihm gesellt sei Teukros, der Held, wohlkundig des Bogens! 350
Jener sprach's; nicht träge vernahm die Worte der Herold,
Sondern enteilt' an der Mauer der erzumschirmten Achaier,
Stand dem mutigen Ajas genaht und redete also:
Ajas beid, Heerführer der erzumschirmten Achaier,
Euch ermahnt des Peteos Sohn, der edle Menestheus, 355
Dort der Kriegesgewalt ein weniges nur zu begegnen.
Lieber ihr beide zugleich; denn weit das beste von allem
Wär es, dieweil dort bald ein gräßliches Morden bevorsteht!
Denn hart drängen die Fürsten der Lykier, welche von jeher
Ungestüm anrennen in schreckenvoller Entscheidung! 360
Aber wofern auch hier die Kriegsarbeit euch beschäftigt,
Komme doch Ajas allein, des Telamons tapferer Sprößling,
Und ihm gesellt sei Teukros, der Held, wohlkundig des Bogens!
Sprach's, und willig gehorchte der Telamonier Ajas.
Schnell zu Oileus' Sohn die geflügelten Worte begann er: 365
Ajas, ihr beid allhier, du selbst und der Held Lykomedes,
Stehet fest und ermahnt die Danaer, tapfer zu streiten.
Aber ich selber gehe, der Arbeit dort zu begegnen;
Schnell dann eil ich zurück, nachdem ich jene verteidigt.
Also sprach und enteilte der Telamonier Ajas. 370
Und ihm gesellt ging Teukros, sein leiblicher Bruder vom Vater,
Auch Pandion zugleich trug Teukros' krummes Geschoß nach,
Als sie dem Turm itzt nahten des hochgesinnten Menestheus,
Drinnen die Mauer entlang zu Bedrängeten nahten sie wahrlich.
Dort an die Brustwehr klommen, dem düsteren Sturme vergleichbar,
Jene, des Lykiervolkes erhabene Fürsten und Pfleger!
Tobend begann nun nahes Gefecht, und es hallte der Schlachtruf.
Ajas, der Heldensohn des Telamon, streckte zuerst nun
Einen Freund des Sarpedon, den hochbeherzten Epikles,
Mit scharfzackigem Marmor gefällt, der drinnen der Mauer 380

Groß an der Brustwehr lag, der oberste. Schwerlich vielleicht wohl
Trüg ihn mit beiden Händen ein Mann, auch in blühender Jugend,
Wie nun Sterbliche sind; doch er schleuderte hoch ihn erhebend,
Brach ihm des Helms viergipflichtes Erz und zerknirschte zugleich ihm
Alle Gebeine des Haupts; und schnell, wie ein Taucher von Ansehn,
Schoß er vom ragenden Turm, und der Geist verließ die Gebeine.
Teukros traf den Glaukos, Hippolochos' edlen Erzeugten,
Mit dem Geschoß, da stürmend der Mauer Höh er hinanstieg,
Wo er ihn sah entblößen den Arm, und hemmte die Streitlust.
Schnell von der Mauer entsprang er geheim, daß nicht ein Achaier, 390
Wenn er die Wund erblickte, mit stolzer Red ihn verhöhnte.
Schmerz durchdrang dem Sarpedon die Brust, als Glaukos hinwegging,
Gleich nachdem er es merkte, doch nicht vergaß er des Kampfes,
Sondern er traf Alkmaon, des Thestors Sohn, mit der Lanze
Stoß und entriß ihm den Schaft; da taumelt' er, folgend der Lanze,
Vorwärts, und ihn umklirrte das Erz der prangenden Rüstung.
Doch Sarpedon, mit großer Gewalt anfassend, die Brustwehr
Zog, und umher nachfolgend entstürzte sie; aber von oben
Ward die Mauer entblößt und öffnete vielen den Zugang.

Ajas sofort und Teukros begegneten; der mit dem Pfeile 400
Traf ihm das Riemengehenk, das hell um den Busen ihm strahlte,
Am ringsdeckenden Schild; allein Zeus wehrte dem Schicksal
Seines Sohns, daß nicht bei den äußersten Schiffen er hinsank.
Ajas stach nun den Schild anlaufend ihm; aber hindurchdrang
Schmetternd die eherne Lanz und erschütterte jenen im Angriff. 405
Weg von der Brustwehr zuckt' er ein weniges, doch nicht gänzlich
Wich er, dieweil sein Herz noch erwartete, Ruhm zu gewinnen.
Laut ermahnt' er gewandt der Lykier göttliche Heerschar:

Lykier, o wie vergesset ihr doch des stürmenden Mutes!
Schwer ja ist's mir allein, und wär ich der tapferste Streiter, 410
Durchzubrechen die Mauer und Bahn zu den Schiffen zu öffnen!
Auf denn, zugleich mir gefolgt! denn mehrerer Arbeit ist besser!

Jener sprach's, und geschreckt von des Königes scheltendem Zuruf,
Rannten sie heftiger an, gedrängt um den waltenden König.
Argos' Söhn' auch drüben verstärkten die Macht der Geschwader 415
Innerhalb der Mauer, und fürchterlich drohte die Arbeit.
Denn es vermochten weder der Lykier tapfere Streiter

Durchzubrechen die Mauer und Bahn zu den Schiffen zu öffnen,
Noch vermochten die Helden der Danaer, Lykiens Söhne
Weg von der Mauer zu drängen, nachdem sie sich einmal genahet. 420
Sondern wie zween Landmänner die Grenz einander bestreiten,
Jeder ein Maß in der Hand (auf gemeinsamer Scheide des Feldes
Stehn sie auf wenigem Raum und zanken sich wegen der Gleichung):
Also trennt' auch jene die Brustwehr; über ihr kämpfend
Haueten wild sie einander umher an den Busen die Stierhaut 425
Schöngeründeter Schild' und leichtgeschwungener Tartschen.
Viel auch wurden am Leib vom grausamen Erze verwundet,
Einige, wann sich wendend im Streit sie den Rücken entblößten
Durch das Gewühl, und manche sogar durch die Schilde von Stierhaut.
Überall von Türmen und Brustwehr rieselte rotes 430
Blut, an jeglicher Seite, der Troer und der Achaier.
Doch nicht schafften sie Flucht der Danaer, sondern sie standen
Gleich. Wie die Waage steht, wenn ein Weib lohnspinnend und redlich
Abwägt Woll und Gewicht und die Schalen beid in gerader
Schwebung hält, für die Kinder den ärmlichen Lohn zu gewinnen: 435
Also stand gleichschwebend die Schlacht der kämpfenden Völker,
Bis nunmehr Zeus höheren Ruhm dem Hektor gewährte,
Priamos' Sohn, der zuerst einstürmt' in der Danaer Mauer.
Laut erscholl sein durchdringender Ruf in die Scharen der Troer:
Auf, ihr reisigen Troer, hinan! Durchbrecht der Argeier 440
Mauer und werft in die Schiffe die schreckliche Flamme des Feuers!
Also ermahnte der Held, und aller Ohren vernahmen's.
Gradan drang zu der Mauer die Heerschar; jene begierig
Klommen empor die Zinnen, geschärfte Speer' in den Händen.
Hektor nun trug aufraffend den Feldstein, welcher am Tore 445
Dastand, draußen gestellt, von unten dick und von oben
Zugespitzt; ihn hätten nicht zween der tapfersten Männer
Leicht zum Wagen hinauf vom Boden gewälzt mit Hebeln,
Wie nun Sterbliche sind; doch er schwang ihn allein und behende,
Denn ihm erleichterte solchen der Sohn des verborgenen Kronos. 450
Wie wenn ein Schäfer behend hinträgt die Wolle des Widders,
Fassend in einer Hand, und wenig die Last ihn beschweret:
Also erhob auch Hektor und trug den Stein zu den Bohlen,
Welche das Tor verschlossen mit dichteinfugender Pforte,

Zweigeflügelt und hoch; und zween sich begegnende Riegel 455
Hielten sie innerhalb, mit einem Bolzen befestigt.
Nah itzt trat er hinan und warf gestemmt auf die Mitte,
Weit gespreizt, daß nicht ein schwächerer Wurf ihm entflöge.
Schmetternd zerbrach er die Angeln umher, und es stürzte der Marmor
Schwer hinein, dumpf krachte das Tor; auch die mächtigen Riegel 460
Hielten ihm nicht, und die Bohlen zerspalteten hiehin und dorthin
Unter des Steines Gewalt. Und es sprang der erhabene Hektor
Furchtbar hinein, wie das Grauen der Nacht; er strahlt' in des Erzes
Schrecklichem Glanz, der ihn hüllt', und zwo hellblinkende Lanzen
Schüttelt' er. Schwerlich hätt ein Begegnender jetzt ihn gehemmet,
Außer ein Gott, da er sprang in das Tor wutfunkelnden Blickes.
Laut ermahnt' er die Troer, umhergewandt im Getümmel,
Über die Mauer zu steigen, und schnell ihm gehorchten die Völker;
Andere drangen zur Mauer und kletterten, andere strömten
Durch die gezimmerte Pforte hinein. Doch es flohn die Achaier 470
Zu den geräumigen Schiffen; es tobt' unermeßlicher Aufruhr.

XIII. GESANG

Kampf um die Schiffe. Poseidon, von Zeus unbemerkt, kommt, die Achaier zu ermuntern. Dem Hektor am erstürmten Tore des Menestheus widerstehen vorzüglich die Ajas. Zur Linken kämpfen am tapfersten Idomeneus und Meriones wider Äneias, Paris und andere. Auf Polydamas' Rat beruft Hektor die Fürsten, daß man vereint kämpfe oder zurückziehe. Verstärkter Angriff.

Zeus, nachdem er die Troer und Hektor bracht an die Schiffe,
Ließ sie nunmehr bei jenen in Arbeit ringen und Elend,
Rastlos fort; dann wandt er zurück die strahlenden Augen,
Seitwärts hinab auf das Land gaultummelnder Thrakier schauend,
Auch nahkämpfender Myser und trefflicher Hippomolgen, 5
Dürftig, von Milch genährt, der gerechtesten Erdebewohner.
Doch auf Troja wandt er nicht mehr die strahlenden Augen;
Denn nicht hofft' er im Geist, der Unsterblichen würde noch einer
Kommen, um Trojas Volk zu verteidigen oder Achaias.
Aber nicht achtlos lauschte der Erderschüttrer Poseidon. 10
Denn er saß, anstaunend die Schlacht und das Waffengetümmel,

Hoch auf dem obersten Gipfel der grünumwaldeten Samos
Thrakiens; dort erschien mit allen Höhn ihm der Ida,
Auch erschien ihm Priamos' Stadt und der Danaer Schiffe.
Dorthin entstieg er dem Meer und sahe mit Gram die Achaier 15
Fallen vor Trojas Macht und ergrimmte vor Zorn dem Kronion.
Plötzlich stieg er herab von dem zackigen Felsengebirge,
Wandelnd mit hurtigem Gang; und es bebten die Höhn und die Wälder
Weit den unsterblichen Füßen des wandelnden Poseidaon.
Dreimal erhob er den Schritt, und das viertemal stand er am Ziele, 20
Ägä, dort, wo ein stolzer Palast in den Tiefen des Sundes
Golden und schimmerreich ihm erbaut ward, stets unvergänglich.
Dorthin gelangt nun, schirrt' er ins Joch erzhufige Rosse,
Stürmenden Flugs, umwallt von goldener Mähne die Schultern;
Selbst dann hüllt' er in Gold sich den Leib und faßte die Geißel, 25
Schön aus Golde gewirkt, und trat in den Sessel des Wagens,
Lenkte dann über die Flut. Die Ungeheuer des Abgrunds
Hüpften umher aus den Klüften, den mächtigen Herrscher erkennend;
Freudig ihm trennte des Meers Gewoge sich, und wie geflügelt
Eilten sie, ohne daß unten die eherne Achse genetzt ward; 30
Hin zu Achaias Schiffen enttrugen im Sprung ihn die Rosse.
Eine geräumige Grott ist tief in den Schlünden des Sundes
Zwischen Tenedos' Höhn und der rauhumstarreten Imbros;
Dorthin stellte die Rosse der Erderschüttrer Poseidon,
Abgespannt vom Geschirr, und reicht' ambrosische Nahrung 35
Ihnen zur Speis; und die Füß' umschlang er mit goldenen Fesseln,
Unzerbrechlich, unlösbar, daß fest auf der Stelle sie harrten,
Bis ihr Herrscher gekehrt. Dann ging er ins Heer der Achaier.
Doch die Troer gedrängt, dem Orkan gleich oder dem Feuer,
Folgeten Priamos' Sohn unersättlicher Gier in den Kampf hin, 40
Brausenden, wüsten Geschreis; denn der Danaer Schiffe zu nehmen,
Hofften sie, und um die Schiffe die Danaer alle zu morden.
Aber der Erderschüttrer, der Landumstürmer Poseidon,
Reizte den Mut der Argeier, des Meers Abgründen entstiegen,
Ähnlich ganz dem Kalchas an Wuchs und gewaltiger Stimme. 45
Erst zu den Ajas begann er, die selbst schon glühten vor Kampflust:
Ihr, o Ajas, vermögt der Danaer Volk zu erretten,
Wenn ihr der Stärke gedenkt und nicht des starrenden Schreckens.

Denn sonst fürcht ich sie nicht, die unnahbaren Hände der Troer,
Welche mit Heereskraft die türmende Mauer erstiegen; 50
Allen schon begegnen die hellumschienten Achaier.
Hier nur sorg ich am meisten und fürchte mich, was uns betreffe,
Wo der Rasende dort wie ein brennendes Feuer voranherrscht,
Hektor, der sich entsprossen von Zeus dem allmächtigen rühmet!
Gäbe doch euch in die Seel ein Unsterblicher diesen Gedanken, 55
Selbst entgegenzustehn mit Gewalt und andre zu reizen!
Traun, wie eifrig er strebt, hinweg von den Schiffen Achaias
Drängtet ihr ihn, wenngleich der Olympier selbst ihn erwecket!
Sprach's und rührte sofort, der umufernde Ländererschüttrer,
Beide mit mächtigem Stab und erfüllte sie tapferen Mutes; 60
Leicht auch schuf er die Glieder, die Füß' und die Arme von oben.
Aber er selbst, wie ein Habicht in hurtigem Flug sich emporschwingt,
Der, von des Felsengebirgs hochschwindelnder Jähe gehoben,
Rasch hinfährt in die Tale, den anderen Vogel verfolgend:
Also schwang sich von jenen der Erderschüttrer Poseidon. 65
Erst von beiden erkannt es der schnelle Sohn des Oileus,
Und zu Ajas sogleich, dem Telamoniden, begann er:
Ajas, dieweil ein Unsterblicher uns von den Höhn des Olympos,
Gleich an Gestalt dem Seher, gebeut bei den Schiffen zu kämpfen
(Denn nicht Kalchas war es, der deutende Vogelschauer; 70
Wohl ja bemerkt ich von hinten der Füße Gang und der Schenkel,
Als er hinweg sich wandte, denn leicht zu erkennen sind Götter):
Jetzo verlangt mir selber der Mut im innersten Herzen,
Stürmischer aufgeregt, zu kämpfen den Kampf der Entscheidung;
Und mir streben von unten die Füß' und die Hände von oben. 75
Ihm antwortete drauf der Telamonier Ajas:
So nun streben auch mir um den Speer die unnahbaren Hände
Ungestüm, und es hebt sich die Seele mir; unten die Füß' auch
Fliegen mir beide von selbst, und Sehnsucht fühl ich, auch einzeln,
Hektor, Priamos' Sohn, den Stürmer der Schlacht, zu bekämpfen! 80
Also redeten jen' im Wechselgespräch miteinander,
Freudig der Kampfbegier, die der Gott in den Herzen entflammet.
Hinten indes erregte die Danaer Poseidaon,
Die bei den rüstigen Schiffen das Herz sich ein wenig erlabten,
Welchen zugleich vom entsetzlichen Kampf hinsanken die Glieder 85

Und auch Gram die Seele belastete, weil sie die Troer
Sahn, die mit Heereskraft die türmende Mauer erstiegen.
Diese dort anschauend, entstürzten sie Tränen den Wimpern,
Hoffnungslos zu entfliehn den Schrecknissen. Aber Poseidon
Kräftigte leicht durchwandelnd den Mut der starken Geschwader. 90
Siehe, zu Teukros zuerst und Leitos trat er ermahnend,
Auch zu Peneleos hin, zu Deipyros auch und zu Thoas,
Dann zu Meriones auch und Antilochos, Helden des Kampfes.
Diese reizte der Gott und sprach die geflügelten Worte:
Schande doch, Argos' Söhn', ihr Jünglinge! Euch ja vertraut ich,
Daß ihr mit tapferem Arm errettetet unsere Schiffe!
Aber wo ihr der Gefahr euch entzieht des verderblichen Kampfes,
Dann ist erschienen der Tag, da der Troer Gewalt uns bezwinget!
Weh mir! Ein großes Wunder erblick ich dort mit den Augen,
Graunvoll, welches ich nimmer auch nur für möglich geachtet: 100
Troer an unseren Schiffen so nahe nun, welche vordem ja
Gleich den Hindinnen waren, den flüchtigen, die in den Wäldern
Beute sind für Schakal' und reißende Pardel und Wölfe,
So in die Irre gescheucht, wehrlos, nicht freudig zum Angriff.
Also wollten die Troer den Mut und die Kraft der Achaier 105
Nimmer vordem ausharren mit Abwehr, auch nur ein wenig.
Nun ist ferne der Stadt bei den räumigen Schiffen ihr Schlachtfeld,
Durch des Gebieters Vergehn und Lässigkeiten der Völker,
Welche, von jenem gekränkt, nicht kühn zu verteidigen streben
Unsre gebogenen Schiffe, vielmehr hinbluten bei ihnen. 110
Aber wird er auch wahrlich mit völligem Rechte beschuldigt,
Atreus' Heldensohn, der Völkerfürst Agamemnon,
Weil er schmählich entehrt den mutigen Renner Achilleus,
Doch nicht uns geziemt es, so abzustehn vom Gefechte!
Auf denn und laßt euch heilen; der Edelen Herzen sind heilbar. 115
Nimmer euch selbst zur Ehre vergeßt ihr des stürmenden Mutes,
Ihr, die Tapfersten alle der Danaer! Schwerlich ja würd ich
Gegen den Mann mich ereifern, der wo dem Gefecht sich entzöge,
Feig und schwach; euch aber verarg ich es wahrlich von Herzen!
Trauteste Freund', ach bald noch größeres Wehe verschafft ihr 120
Durch nachlässigen Sinn! Wohlauf, und gedenket im Herzen
Alle der Scham und der Schand! Ein gewaltiger Kampf ja erhub sich!

Hektor stürmt um die Schiffe, der Rufer im Streit, uns bekämpfend
Fürchterlich, und durchbrach sich das Tor und den mächtigen Riegel!
Also rief und erregte die Danaer Poseidaon. 125
Sieh, um die Ajas beide gestellt nun gingen Geschwader,
Tapfere, die selbst Ares untadelig hätte gefunden,
Auch Athenäa selbst, die Zerstreuerin. Denn der Achaier
Edelste harrten der Troer gefaßt und des göttlichen Hektors,
Lanz an Lanz eindrängend und Schild mit Schild aufeinander, 130
Tartsch an Tartsche gelehnt, an Helm Helm, Krieger an Krieger;
Und die umflatterten Helme der Nickenden rührten geengt sich
Mit hellschimmernden Zacken; so dichtvereint war die Heerschar.
Aber die Speer', unruhig in mutigen Händen beweget,
Zitterten; grad anstrebten sie all und entbrannten von Kampfgier.
Vor auch drangen die Troer mit Heerskraft; aber voranging
Hektor in rascher Begier. Wie ein schmetternder Stein von dem Felsen,
Welchen herab vom Geklipp fortreißt die ergossene Herbstflut,
Brechend mit stürmischem Regen das Band des entsetzlichen Felsens
(Hochher tobt er in hüpfendem Sprung und zerschmetterte Waldung
Kracht, doch stets unaufhaltsam enttaumelt er, bis er erreichet
Ebenen Grund; dann rollt er nicht mehr, wie gewaltig er andrang):
Also droht' auch Hektor zuerst, bis zum Ufer des Meeres
Leicht hindurchzudringen der Danaer Schiff' und Gezelte,
Mordend; allein da nunmehr die geschlossenen Reihen er antraf, 145
Stand er, wie nah er gestrebt. Die begegnenden Männer Achaias,
Zuckend daher die Schwerter und zwiefach schneidenden Lanzen,
Drängten ihn mutig zurück, und er wich voll jäher Bestürzung.
Laut nun scholl sein durchdringender Ruf in die Scharen der Troer:
Troer und Lykier ihr und Dardaner, Kämpfer der Nähe, 150
Haltet euch! Traun, nicht lange bestehn vor mir die Achaier,
Nahen sie gleich miteinander in Heerschar wohlgeordnet;
Sondern bald vor dem Speer entweichen sie, wo mich in Wahrheit
Trieb der erhabenste Gott, der donnernde Gatte der Here!
Jener sprach's und erregte zu Mut und Stärke die Männer. 155
Aber Deiphobos ging voll trotzenden Muts in der Heerschar,
Priamos' Sohn, und trug den gleichgeründeten Schild vor,
Leise bewegend den Schritt und unter dem Schild anwandelnd.
Doch Meriones zielte mit blinkender Lanz ihm entgegen,

Schoß und verfehlete nicht des gewaltigen Schildes von Stierhaut 160
Runden Kreis; nicht jenen durchbohret' er, sondern zuvor ihm
Brach an der Öse der ragende Schaft. Deiphobos aber
Hielt den gewaltigen Schild vom Leibe sich, weil er im Herzen
Scheute Meriones' Speer, des feurigen Helden; doch jener,
Schnell in der Freunde Gedräng entzog er sich, heftig erbittert, 165
Beides zugleich: um den Sieg und den Wurfspieß, welcher ihm abbrach;
Und er enteilt' an den Zelten hinab und den Schiffen Achaias,
Holend den mächtigen Speer, der daheim ihm blieb im Gezelte.

Aber die anderen kämpften, und graunvoll brüllte der Schlachtruf.
Teukros der Telamonid erschlug den tapferen Kämpfer 170
Imbrios, Mentors Sohn, des rossebegüterten Herrschers.
Jener wohnt' in Pedäos, bevor die Achaier gekommen,
Priamos' Nebentochter vermählt, der Medesikaste.
Aber nachdem die Achaier in Ruderschiffen gelandet,
Kam er gen Ilios wieder und ragete hoch vor den Troern; 175
Auch bei Priamos wohnt' er, der gleich ihn ehrte den Söhnen.
Ihn traf Telamons Sohn jetzt unter dem Ohr mit der Lanze
Stoß und entriß ihm den Schaft; da taumelt' er hin wie die Esche,
Welche hoch auf dem Gipfel des weitgesehenen Berges,
Abgehaun mit dem Erz, ihr zartes Gezweig hinabstreckt: 180
So sank jener, umklirrt von dem Erz der prangenden Rüstung.
Teukros lief nun hinan, in Begier, das Geschmeid ihm zu rauben,
Aber im Lauf warf Hektor die blinkende Lanz ihm entgegen.
Zwar er selbst vorschauend vermied den ehernen Wurfspieß
Kaum, doch Amphimachos, Kteatos' Sohn, des Aktorïonen, 185
Als er sich nahte zum Kampf, flog stürmend der Speer in den Busen;
Dumpf hinkracht' er im Fall, und es rasselten um ihn die Waffen.
Hektor lief nun hinan, den Helm, der den Schläfen sich anschloß,
Abzuziehn von Amphimachos' Haupt, des erhabenen Kämpfers,
Aber im Lauf warf Ajas die blinkende Lanz ihm entgegen. 190
Hektors Leib zwar rührte sie nicht, denn er starrete ringsher
Schrecklich in strahlendem Erz; doch den Schild auf den Nabel ihm traf er
Schmetternd und stieß mit großer Gewalt, daß er eilend zurückwich
Von den erschlagenen zween; die zogen hinweg die Achaier.
Ihn, den Amphimachos, trugen Athens streitkundige Fürsten, 195

Stichios samt Menestheus, hinab in das Heer der Achaier,
Imbrios aber die Ajas, entbrannt von stürmendem Mute.
Wie zween Löwen die Geiß, der Gewalt scharfzahniger Hunde
Weggerafft, forttragen durch dichtverwachsene Gesträuche,
Hoch empor von der Erd im blutigen Rachen sie haltend: 200
So nun empor ihn haltend, die zween geharnischten Ajas
Raubten sie dort das Geschmeid; und das Haupt vom zarten Genick ihm
Hieb des Oileus Sohn, um Amphimachos heftig erbittert,
Schwang es dann wie die Kugel umhergedreht ins Getümmel,
Und vor Hektors Füße dahin entrollt' es im Staube. 205
Siehe, von Zorn entbrannte der Meerbeherrscher Poseidon,
Als sein Enkel ihm sank in schreckenvoller Entscheidung;
Und er enteilt' an den Zelten hinab und den Schiffen Achaias,
Trieb die Achaier zum Kampf und bereitete Jammer den Troern.
Ihm begegnete jetzt Idomeneus, kundig der Lanze, 210
Wiedergekehrt vom Genossen, der jüngst ihm aus dem Gefechte
Kam, an der Beugung des Knies mit scharfem Erze verwundet.
Diesen brachten die Freund', und er befahl ihn den Ärzten,
Eilete dann zum Gezelte, denn noch in das Treffen verlangt' er
Einzugehn. Ihm nahend begann der starke Poseidon, 215
Gleich an tönender Stimm Andrämons Sohne, dem Thoas,
Der durch Pleuron umher und Kalydons bergige Felder
Allen Ätolern gebot, wie ein Gott im Volke geehret:
Wo ist, Kretas Beherrscher Idomeneus, alle die Drohung
Hingeflohn, die den Troern Achaias Söhne gedrohet? 220
Aber Idomeneus sprach, der Kreter Fürst, ihm erwidernd:
Thoas, keiner im Volk ist jetzo schuldig, so weit ich
Sehen kann, denn alle verstehn wir den Feind zu bekämpfen;
Keinen fesselt die Furcht, die entseelende, keiner, von Trägheit
Laß, entzieht des Kampfes Gefahren sich, sondern es wird wohl 225
Also beschlossen sein vom allmächtigen Sohne des Kronos,
Daß hier ruhmlos sterben von Argos fern die Achaier.
Thoas, wohlan! Du warst ja vordem ausharrenden Mutes
Und ermahnst auch andre, wo jemand säumen du sahest,
Drum laß jetzo nicht ab und ermuntere jeglichen Streiter! 230
Ihm antwortete drauf der Erderschüttrer Poseidon:
Nimmer kehre der Mann, Idomeneus, nimmer von Troja

Wieder heim, hier werd er zerfleischenden Hunden ein Labsal,
Welcher an diesem Tage den Kampf freiwillig vermeidet!
Aber wohlan, zu den Waffen! Und folge mir! Beiden gebührt nun 235
Tätig zu sein, ob wir Hilfe vielleicht noch schaffen, auch zween nur.
Wirkt doch vereinigte Kraft auch selbst von schwächeren Männern,
Und wir sind ja kundig, mit Tapferen selber zu kämpfen.
Dieses gesagt, enteilte der Gott in der Männer Getümmel.
Aber der Held, nachdem sein schönes Gezelt er erreichet, 240
Hüllt' in stattliche Waffen den Leib und faßte zwo Lanzen,
Eilte dann, ähnlich dem Blitze des Donnerers, welchen Kronion
Hoch mit der Hand herschwang vom glanzerhellten Olympos
(Sterblichen Menschen zum Zeichen, er strahlt mit blendendem Glanze):
Also blitzte das Erz um die Brust des eilenden Königs. 245
Aber Meriones kam, sein edler Genoß, ihm entgegen,
Nah annoch dem Gezelt; denn die eherne Lanze sich holend
Lief er hinab; ihm ruft' Idomeneus' heilige Stärke:
Molos' rüstiger Sohn Meriones, liebster der Freunde,
Warum kamst du, verlassend Gefecht und Waffengetümmel? 250
Traf dich vielleicht ein Geschoß, und quält dich die Wunde des Erzes?
Oder suchest du mich mit Botschaft? Selber gewiß nicht
Auszuruhn im Gezelte verlanget mich, sondern zu kämpfen!
Und der verständige Held Meriones sagte dagegen:
O Idomeneus, Fürst der erzgepanzerten Kreter, 255
Sieh, ich komm, ob dir etwa ein Speer im Gezelte zurückblieb,
Ihn mir holend zum Kampf; denn, den ich hatte, zerbrach ich,
Treffend Deiphobos' Schild, des übergewaltigen Kriegers.
Aber Idomeneus sprach, der Kreter Fürst, ihm erwidernd:
Suchst du Speere, mein Freund, so findest du einen, ja zwanzig 260
Dort in meinem Gezelt an schimmernde Wände gelehnet,
Troische, die von Erschlagnen ich beutete. Denn ich bekenne,
Niemals ferne zu stehn im Kampf mit feindlichen Männern.
Darum hab ich der Speere genug und genabelter Schilde,
Auch der Helm' und der Panzer, umstrahlt von freudigem Schimmer.
Und der verständige Held Meriones sagte dagegen:
Mir auch fehlt's bei meinem Gezelt und dunkelen Schiffe
Nicht an Raub der Troer, doch fern ist's, dessen zu holen.
Denn noch nie, wie ich meine, vergaß ich selber des Mutes,

Sondern vorn in den Reihen der männerehrenden Feldschlacht 270
Steh ich, sobald anhebt der blutige Kampf der Entscheidung.
Manchem anderen wohl der erzumschirmten Achaier
Bleib ich verborgen im Streit, allein du kennst mich vermutlich.
Aber Idomeneus sprach, der Kreter Fürst, ihm erwidernd:
Deine Tapferkeit kenn ich, was brauchest du dieses zu sagen? 275
Würden anjetzt bei den Schiffen zum Hinterhalte wir Tapfern
Ausersehn, wo am meisten erkannt wird Tugend der Männer,
Wo der furchtsame Mann wie der mutige deutlich hervorscheint
(Denn dem Zagenden wandelt die Farbe sich, immer verändert;
Auch nicht ruhig zu sitzen vergönnt sein wankender Geist ihm, 280
Sondern er hockt unstet, auf wechselnden Knien sich stützend,
Und ihm schlägt das Herz voll Ungestüms in dem Busen,
Ahndend des Todes Graun, und dem Schaudernden klappen die Zähne;
Doch nie wandelt dem Tapfern die Farbe sich, nie auch erfüllt ihn
Große Furcht, wann er einmal zum Hinterhalt sich gelagert, 285
Sondern er wünscht, nur bald den schrecklichen Kampf zu bestehen):
Keiner möchte sodann dein Herz und die Arme dir tadeln!
Wenn auch fliegendes Erz dich verwundete oder gezucktes,
Doch nicht träf in den Nacken Geschoß dir noch in den Rücken,
Sondern der Brust entweder begegnet' es oder dem Bauche, 290
Weil du gerad anstürmtest im Vordergewühl der Entschlossnen.
Aber laß nicht länger uns hier gleich albernen Kindern
Schwatzend stehn, daß keiner in zürnendem Herzen ereifre,
Sondern du geh ins Gezelt und nimm dir die mächtige Lanze.
Jener sprach's, und Meriones, gleich dem stürmenden Ares, 295
Holete schnell aus dem Zelte hervor die eherne Lanze,
Folgt' Idomeneus dann voll heftiger Gier des Gefechtes.
Wie wenn Ares zum Kampf hingeht, der Menschenvertilger,
Und ihm der Schrecken, sein Sohn, an Kraft und an Mut unerschüttert,
Nachfolgt, welcher verscheucht auch den kühn ausharrenden Krieger
(Beid aus Thrakia her zu den Ephyrern gehn sie gewappnet
Oder zum mutigen Volke der Phlegyer; aber zugleich nicht
Hören sie beider Gebet, ein Volk nur krönet der Siegsruhm):
So Meriones dort und Idomeneus, Fürsten des Heeres,
Gingen sie beid in die Schlacht, mit strahlendem Erze gewaffnet. 305
Aber zum Könige sprach Meriones, also beginnend:

Deukalione, wo denkst du hineinzugehn ins Getümmel?
Dort zur rechten Seite der Heerschar, dort in der Mitte
Oder auch dort zur Linken? Denn nirgends scheinen mir etwa
Dürftig des Kampfes zu sein die hauptumlockten Achaier. 310
Aber Idomeneus sprach, der Kreter Fürst, ihm erwidernd:
Mitten sind schon andre Verteidiger unseren Schiffen,
Ajas beid und Teukros, der fertigste Bogenschütze
Unter dem Volk, auch tapfer im stehenden Kampf der Entscheidung,
Welche genug ihn hemmen, wie kühn zum Gefecht er dahertobt, 315
Hektor, Priamos' Sohn, und ob er der Tapferste wäre!
Schwer wird's wahrlich ihm sein, dem rasenden Stürmer der Feld-
Jener Heldenmut und unnahbare Hände besiegend, [schlacht,
Anzuzünden die Schiffe, wofern nicht selber Kronion
Einen lodernden Brand in die rüstigen Schiffe hineinwirft. 320
Aber ein Mann scheucht nimmer den Telamonier Ajas,
Keiner, der sterblich ist und Frucht der Demeter genießet,
Auch durchdringlich dem Erz und gewaltigen Steinen des Feldes.
Selbst vor Achilleus nicht, dem Zerschmetterer, möcht er weichen
Im stillstehenden Kampf; denn im Lauf wetteifert ihm niemand, 325
Dort denn eil uns zur Linken der Heerschar, daß wir in Eile
Sehn, ob wir anderer Ruhm verherrlichen oder den unsern!
Jener sprach's, und Meriones, gleich dem stürmenden Ares,
Eilte voran, bis sie kamen zur Heerschar, wo er ihn hintrieb.
Doch wie die Feind' Idomeneus sahn, dem Feuer an Kraft gleich,
Ihn und seinen Genossen in prangendem Waffengeschmeide,
Riefen sie laut einander und wandelten gegen ihn alle.
Eins nun ward das Getümmel der Schlacht um die ragenden Steuer.
Wie mit dem Wehn lautbrausender Wind' Unwetter daherziehn
Jenes Tags, wann häufig der Staub die Wege bedecket, 335
Und sich alsbald aufwölkt' ein finsterer Nebel des Staubes:
So nun stürmte zusammen die Schlacht; denn sie sehnten sich herzlich,
Durch das Gewühl einander mit spitzigem Erze zu morden.
Weithin starrte die würgende Schlacht vor erhobenen Lanzen,
Lang emporgestreckten, zerfleischenden; blendend dem Auge 340
Schien der eherne Gang von sonnenspiegelnden Helmen,
Neugeglättetem Panzergeschmeid und leuchtenden Schilden,
Als sie sich nahten zum Kampf. Der müßt ein entschlossener Mann sein,

Welcher sich freute zu schaun den Tumult dort und nicht verzagte!
Jene, gesonderten Sinns, die mächtigen Söhne des Kronos, 345
Sannen, dem Heldengeschlecht unnennbares Weh zu bereiten.
Zeus beschied den Troern den Sieg und dem göttlichen Hektor,
Peleus' rüstigen Sohn zu verherrlichen; aber nicht gänzlich
Wollt er Achaias Söhne vor Ilios lassen verderben,
Ruhm nur schafft' er der Thetis und ihrem erhabenen Sohne. 350
Doch die Argeier durchging und ermunterte Poseidaon,
Heimlich enttaucht dem graulichen Meer; denn er sahe mit Gram sie
Fallen vor Trojas Macht und ergrimmte vor Zorn dem Kronion.
Beide zwar entsprossen aus gleichem Stamm und Geschlechte,
Aber Zeus war eher gezeugt und höherer Weisheit. 355
Drum auch scheute sich jener, sie offenbar zu beschirmen,
Heimlich stets ermahnt' er die Ordnungen, menschlich gebildet.
Siehe, des schrecklichen Streits und allverheerenden Krieges
Fallstrick' zogen sie beid und warfen es über die Völker,
Unzerbrechlich, unlösbar, das viel in Verderben hinabriß. 360
Jetzo, wiewohl halbgrauenden Haupts, die Achaier ermunternd,
Stürmt' Idomeneus ein und trieb die erschrockenen Troer.
Denn er erschlug den edlen Othryoneus, der von Kabesos
Neulich dahergekommen zum großen Rufe des Krieges.
Dieser warb um Kassandra, die schönste von Priamos' Töchtern, 365
Ohne Geschenk und verhieß, ein großes Werk zu vollenden,
Weg aus Troja zu drängen die trotzenden Männer Achaias.
Priamos aber, der Greis, gelobete winkend die Tochter
Ihm zur Eh, und er kämpfte, des Königes Worte vertrauend.
Doch Idomeneus zielte mit blinkender Lanz ihm entgegen, 370
Schoß, wie er hoch herwandelt', und traf; nichts half ihm der Panzer
Schwer von Erz, den er trug; sie drang in die Mitte des Bauches.
Dumpf hinkracht' er im Fall; da rief frohlockend der Sieger:
Traun, dich preis ich, Othryoneus, hoch vor den Sterblichen allen,
Wenn du gewiß das alles hinausführst, was du verheißen 375
Priamos, Dardanos' Sohne, der dir die Tochter gelobet.
Wir auch hätten dir gern ein Gleiches gelobt und vollendet;
Siehe, die schönste Tochter des Atreionen gewännst du,
Her aus Argos geführt, zum Weibe dir, wenn du uns hülfest,
Ilios auszutilgen, die Stadt voll prangender Häuser. 380

Folge mir, dort bei den Schiffen der Danaer reden wir weiter
Über die Eh; wir sind nicht karg ausstattende Schwäher.
Also sprach der Held Idomeneus, zog dann am Fuß ihn
Durch das Getümmel der Schlacht. Doch Asios kam ihm ein Rächer,
Vor dem Gespann herwandelnd, das nah ihm stets an den Schultern
Schnob, vom Wagengenossen gelenkt; und er sehnte sich herzlich,
Wie er Idomeneus träfe; doch schnell warf jener den Speer ihm
Unter dem Kinn in die Gurgel, daß hinten das Erz ihm hervordrang.
Und er entsank, wie die Eiche dahinsinkt oder die Pappel
Oder die stattliche Tanne, die hoch auf Bergen die Künstler 390
Ab mit geschliffenen Äxten gehaun, zum Balken des Schiffes:
Also lag er gestreckt vor dem rossebespanneten Wagen,
Knirschend vor Angst, mit den Händen des blutigen Staubes ergrei-
Aber dem starrenden Lenker entsank jedwede Besinnung, [fend.
Nicht einmal vermocht er, die feindlichen Hände vermeidend, 395
Umzudrehn das Gespann; doch Antilochos, freudig zur Feldschlacht,
Traf ihn scharf mit durchbohrendem Speer, nichts half ihm der Panzer
Schwer von Erz, den er trug, er drang in die Mitte des Bauches;
Und er entsank aufröchelnd dem schöngebildeten Sessel.
Aber der Nestorid' Antilochos lenkte die Rosse 400
Schnell aus der Troer Gewühl zu den hellumschienten Achaiern.
Siehe, Deiphobos kam dem Idomeneus nahe gewandelt,
Trauernd um Asios' Fall, und warf die blinkende Lanze.
Zwar er selbst vorschauend vermied den ehernen Wurfspieß,
Kretas Fürst, und barg sich mit gleichgeründetem Schilde, 405
Welchen er trug, aus Häuten der Stier' und blendendem Erze
Starkgewölbt, inwendig mit zwo Querstangen befestigt.
Unter ihn schmiegt' er sich ganz, daß der Wurfspieß über ihn hinflog
Und mit heiserm Getöne der Schild von der streifenden Lanze
Scholl; doch nicht vergebens entflog sie der nervichten Rechten, 410
Sondern Hippasos' Sohne, dem Völkerhirten Hypsenor,
Fuhr in die Leber das Erz und löst' ihm die strebenden Knie.
Aber Deiphobos rief mit hoch frohlockender Stimme:
Nicht fürwahr ungerächt liegt Asios, sondern ich meine,
Wandelnd zu Ais' Burg mit starkverriegelten Toren, 415
Wird er sich freun im Geist; denn ich gab ihm einen Begleiter.
Jener sprach's, und es schmerzte der jauchzende Ruf die Achaier;

Aber Antilochos schwoll sein mutiges Herz vor Betrübnis.
Doch nicht, wie er auch traurte, vergaß er seines Genossen,
Sondern umging ihn in Eile, mit großem Schild ihn bedeckend. 420
Schnell dann bückten sich her zween auserwählte Genossen,
Echios' Sohn Mekistheus zugleich und der edle Alastor,
Die zu den räumigen Schiffen den schwer Aufstöhnenden trugen.
Rastlos tobte voll Mutes Idomeneus; immer noch strebt' er,
Ob er einen der Troer mit Nacht des Todes umhüllte, 425
Ob er auch selbst hinkrachte, das Weh der Achaier entfernend.
Siehe, den mutigen Held Alkathoos, welchen der Herrscher
Äsyetes erzeugt; ein Eidam war er Anchises,
Seiner ältesten Tochter vermählt, der Hippodameia,
Die von Herzen der Vater daheim und die zärtliche Mutter 430
Liebeten, weil sie vor allen zugleich aufblühenden Jungfraun
Glänzt' an Schönheit und Kunst und Tugenden; darum erkor sie
Auch der edelste Mann im weiten Lande der Troer.
Diesen bezwang durch Idomeneus jetzt der Herrscher Poseidon,
Täuschend den hellen Blick und die stattlichen Glieder ihm hemmend.
Denn nicht rückwärts konnt er hinwegfliehn oder auch seitwärts,
Sondern gleich der Säul und dem hochgewipfelten Baume
Stand er ganz unbewegt; da stieß ihm Idomeneus kraftvoll
Seinen Speer in die Brust und zerschmetterte rings ihm den Panzer,
Welcher, von Erz geflochten, ihn sonst vor dem Tode geschirmet; 440
Doch rauh tönt' er nunmehr, um die mächtige Lanze zerberstend.
Dumpf hinkracht' er im Fall, und es steckte die Lanz in dem Herzen,
Daß von dem pochenden Schlage zugleich der Schaft an dem Speere
Zitterte; doch bald ruhte die Kraft des mordenden Erzes.
Aber Idomeneus rief mit hoch frohlockender Stimme: 445
Scheint sie dir billig zu sein, Deiphobos, unsere Rechnung,
Drei für einen erlegt? Denn umsonst nur hast du geprahlet,
Törichter! Aber wohlan, und stelle dich selbst mir entgegen,
Daß du erkennst, welch einer von Zeus' Geschlecht ich hieherkam!
Dieser zeugete Minos zuerst, den Hüter von Kreta; 450
Minos darauf erzeugte Deukalions heilige Stärke,
Aber Deukalion mich, der unzähligen Menschen gebietet
Weit in Kretas Gefild; allein jetzt segelt' ich hierher,
Dir und dem Vater zum Weh und anderen Söhnen von Troja!

Jener sprach's, da erwog Deïphobos wankenden Sinnes, 455
Ob er sich einen gesellte der edelmütigen Troer,
Rückwärts wieder gewandt, ob allein er wagte den Zweikampf.
Dieser Gedank erschien dem Zweifelnden endlich der beste,
Hinzugehn zu Äneias. Er fand ihn hinter der Heerschar
Stehend; denn immerdar dem göttlichen Priamos zürnt' er, 460
Weil er ihn nicht ehrte, den tapferen Streiter des Volkes.
Nahe nun trat er hinan und sprach die geflügelten Worte:
Edler Fürst der Troer, Äneias, traun, dir geziemt nun,
Deinen Schwager zu rächen, wofern dich rührt die Verwandtschaft.
Komm denn und räche mit mir Alkathoos, welcher vordem ja, 465
Deiner Schwester Gemahl, als Kind dich erzog im Palaste;
Ihn hat Idomeneus nun, der Speerberühmte, getötet.
Jener sprach's, ihm aber das Herz im Busen erregt' er.
Schnell zu Idomeneus eilt' er daher in Begierde des Kampfes.
Doch nicht zagte vor Furcht Idomeneus gleich wie ein Knäblein, 470
Sondern er stand wie ein Eber des Bergs, der Stärke vertrauend,
Welcher fest das Gehetz anwandelnder Männer erwartet
In unwirtbarer Heid und den borstigen Rücken emporsträubt;
Sieh, es funkeln von Feuer die Augen ihm, aber die Hauer
Wetzet er, abzuwehren gefaßt, wie die Hund' auch die Jäger: 475
Also bestand der Streiter Idomeneus kühn den Äneias,
Der mit Geschrei anstürmte; doch ruft' er seinen Genossen,
Aphareus, samt Askalaphos dort, und Deipyros schauend,
Auch Meriones dort und Antilochos, kundig des Feldrufs;
Diese reizt' er zum Kampf und sprach die geflügelten Worte: 480
Kommt, o Freund', und beschützt mich einzelnen! Schrecken ergreift mich
Vor des raschen Äneias' Herannahn, der mich bestürmet,
Der ein Gewaltiger ist, in der Feldschlacht Männer zu töten;
Auch noch blüht ihm Jugend in üppiger Stärke des Lebens.
Wären wir doch an Alter so gleich uns, wie an Gesinnung: 485
Bald würd ihn Siegsehre verherrlichen oder mich selber!
Jener sprach's, und sie all, einmütigen Sinnes versammelt,
Stellten sich nah umher, die Schilde gelehnt an die Schultern.
Auch Äneias indes ermahnete seine Genossen,
Paris samt Deiphobos dort und den edlen Agenor, 490
Welche die Troer mit ihm anführeten; aber die Völker

Folgeten nach. So folgen die blökenden Schafe dem Widder
Von der Weide zur Tränk; es freuet sich herzlich der Schäfer:
Also war dem Äneias das Herz im Busen voll Freude,
Als er der Völker Schar nachwandeln sahe sich selber. 495
Jetzt um Alkathoos her begegneten jene sich, stürmend
Mit langschaftigen Speeren, und rings um die Busen der Männer
Rasselte schrecklich das Erz von den Zielenden gegeneinander
Durch das Gewühl. Zween Männer voll Kriegesmuts vor den andern,
Beid, Äneias der Held und Idomeneus, ähnlich dem Ares, 500
Strebten einander den Leib mit grausamem Erz zu verwunden.
Erstlich schoß Äneias, den Speer auf Idomeneus zielend;
Jener indes vorschauend vermied den ehernen Wurfspieß,
Daß Äneias' Geschoß mit bebendem Schaft in den Boden
Stürmte, nachdem es umsonst aus nervichter Hand ihm entflogen. 505
Aber Idomeneus traf des Önomaos wölbenden Panzer
Mitten am Bauch, daß schmetternd ins Eingeweid ihm die Spitze
Taucht'; und er sank in den Staub, mit der Hand den Boden ergreifend.
Zwar Idomeneus riß den langen Speer aus dem Toten
Eilend, doch nicht vermocht er die andere prangende Rüstung 510
Ihm von der Schulter zu ziehn, so drängten umher die Geschosse.
Auch nicht frisch war der Füße Gelenk dem strebenden Kämpfer,
Weder hinanzuspringen nach seinem Geschoß, noch zu weichen.
Drum in stehendem Kampf zwar wehrt' er dem grausamen Tage,
Aber zur Flucht nicht trugen die Schenkel ihn rasch aus dem Treffen.
Als er nun langsam wich, da flog Deiphobos' Lanze
Blinkend ihm nach; denn er hegte den dauernden Groll ihm noch im-
Doch verfehlt' er auch jetzt; und Askalaphos bohrte die Lanze [mer.
Ihm, Enyalios' Sohne, mit stürmendem Erz in die Schulter
Tief; und er sank in den Staub, mit der Hand den Boden ergreifend.
Nicht annoch vernahm es der brüllende Wüterich Ares,
Daß sein Sohn gefallen im Ungestüme der Feldschlacht! [schluß,
Fern auf den Höhn des Olympos, durch Zeus' des Allmächtigen Rat-
Saß er, von goldenen Wolken umschränkt; dort saßen zugleich ihm
Andre unsterbliche Götter, zurückgehemmt von dem Kriege. 525
Jetzt um Askalaphos her begegneten jene sich stürmend.
Siehe, Deiphobos riß von Askalaphos' Haupte den blanken
Flatternden Helm; doch Meriones, rasch wie der tobende Ares,

Rannte den Speer in den Arm des Raubenden, daß aus der Hand ihm
Schnell der längliche Helm mit Getön hinsank auf den Boden. 530
Doch Meriones sprang von neuem hinan, wie ein Habicht,
Und er entriß aus dem Ende des Arms den gewaltigen Wurfspieß;
Dann in der Freunde Gedräng entzog er sich. Aber Polites,
Seinen verwundeten Bruder Deiphobos mitten umfassend, [Rossen,
Führt' ihn hinweg aus dem Sturme der brüllenden Schlacht zu den
Welche geflügelten Hufs ihm hinter dem Kampf und Gefechte
Standen, gehemmt vom Lenker am kunstreich prangenden Wagen.
Diese trugen zur Stadt den schwer aufstöhnenden Krieger,
Matt vor Schmerz, und das Blut entfloß dem verwundeten Arme.

Aber die anderen kämpften, und graunvoll brüllte der Schlachtruf.
Jetzo stürzt' Äneias auf Aphareus, Sohn des Kaletor,
Welcher sich gegen ihn wandt, und stieß ihm den Speer in die Gurgel.
Jenem sank zur Seite das Haupt, es folgte der Schild nach,
Auch der Helm; und des Todes entseelender Schauer umfloß ihn.

Als Antilochos jetzt den gewendeten Thoon bemerkte, 545
Stieß er dahergestürmt, und ganz die Ader zerschnitt er,
Welche längs dem Rücken emporläuft bis zu dem Nacken;
Diese zerschnitt er ihm ganz, daß er rücklings hinab auf den Boden
Taumelte, beide Händ' umher zu den Freunden verbreitend.
Aber Antilochos eilt' und entzog den Schultern die Rüstung 550
Mit umschauendem Blick, denn rings anstürmende Troer
Trafen den breiten Schild, den prangenden; doch sie vermochten
Nicht, ihm durchhin zu verwunden den Leib mit grausamem Erze,
Nestors Sohn. Denn siehe, der Erderschüttrer Poseidon
Schirmt' Antilochos rings im mächtigen Sturm der Geschosse. 555
Denn nie war er der Feind' entlediget, sondern durchtobte
Stets ihr Gewühl; nie ruhte der Speer ihm, sondern beständig
Bebt' er geschwungen umher; denn er wählete mutigen Herzens
Jetzt dem Wurfe sein Ziel und jetzt dem stürmenden Anlauf.

Wohl nahm Adamas nun des Zielenden wahr im Getümmel, 560
Asios' Sohn, und traf ihm den Schild mit spitzigem Erze,
Nahe daher sich stürzend, doch kraftlos machte die Schärfe
Der schwarzlockige Herrscher des Meers, sein Leben ihm weigernd.
Stecken blieb ein Teil, wie ein Pfahl in der Flamme gehärtet,
Dort in Antilochos' Schild, und der andere lag auf der Erde. 565

Schnell in der Freunde Gedräng entzog er sich, meidend das Schicksal.
Aber Meriones folgt' und schoß die Lanze dem Flüchtling
Zwischen Scham und Nabel hinein, wo am meisten empfindlich
Naht der blutige Mord den unglückseligen Menschen.
Dort durchdrang ihn das Erz, daß er hingestürzt um die Lanze 570
Zappelte, gleich wie ein Stier, den im Bergwald weidende Männer,
Wie er sich sträubt, fortziehn durch Zwang des Rutengeflechtes.
Also zappelt im Blut er ein weniges, aber nicht lange;
Denn ihm nahte der Held Meriones, welcher dem Leibe
Mächtig die Lanz entriß; und Nacht umhüllt' ihm die Augen. 575
Helenos hieb nun genaht dem Deipyros über die Schläfe [Haupte
Mit dem gewaltigen thrakischen Schwert, und den Helm von dem
Schmettert' er, daß er getrennt hintaumelte; und ein Achaier,
Als vor der Streitenden Füß' er daherrollt', hob ihn vom Boden;
Doch ihm hüllte die Augen ein mitternächtliches Dunkel. 580
Schmerz ergriff den Atreiden, den Rufer im Streit Menelaos;
Schnell mit furchtbarem Drohn auf Helenos eilt' er, den Herrscher,
Schwenkend den ehernen Speer; doch Helenos spannte den Bogen.
Also nahten sie beid und trachteten, dieser den Wurfspieß
Gegen ihn herzuschnellen und jener den Pfeil von der Senne. 585
Priamos' Sohn itzt traf mit dem Pfeil den wölbenden Panzer
Jenem über der Brust, doch es flog das herbe Geschoß ab.
Wie von der breiten Schaufel herab auf geräumiger Tenne
Hüpfet der Bohnen Frucht, der gesprenkelten, oder der Erbsen
Unter des Windes Geräusch und dem mächtigen Schwunge des Wurf-
Also vom Panzer herab dem herrlichen Held Menelaos [lers:
Ferne zurückgeprallt, entflog das herbe Geschoß hin.
Nun traf jener die Hand, der Rufer im Streit Menelaos,
Welche den Bogen ihm hielt, den geglätteten, und in den Bogen
Stürmte, die Hand durchbohrend, hinein die eherne Lanze. 595
Schnell in der Freunde Gedräng entzog er sich, meidend das Schicksal,
Mit hinhangender Hand, und schleppte den eschenen Speer nach.
Diesen zog aus der Hand der hochgesinnte Agenor;
Dann verband er sie selbst mit geflochtener Wolle des Schafes,
Einer Schleuder, geführt von dem Kriegsgefährten des Herrschers.
Aber Peisandros rannt auf den herrlichen Held Menelaos
Ungestüm, denn ihn führte zum Tod ein böses Verhängnis,

Dir, Menelaos, zu fallen in schreckenvoller Entscheidung.
Als sie nunmehr sich genaht, die Eilenden, gegeneinander,
Schoß er fehl, der Atreid, und seitwärts flog ihm die Lanze. 605
Aber Peisandros traf dem herrlichen Held Menelaos
Seinen Schild, doch konnt er hindurch nicht treiben die Spitze;
Denn sie hemmte der Schild, daß ab der Schaft an der Öse
Brach. Schon freute sich jener im Geist und erwartete Siegsruhm.
Doch der Atreid, ausziehend das Schwert voll silberner Buckeln, 610
Sprang auf Peisandros hinan. Der hob die schimmernde Streitaxt
Unter dem Schild, die ehrne, geschmückt mit dem Stiele von Ölbaum,
Schön geglättet und lang, und sie drangen zugleich aneinander.
Dieser haut' ihm den Kegel des schweifumflatterten Helmes,
Oben dicht an dem Busch, doch er des Nahenden Stirne 615
Über der Nas'; es zerkrachte der Knochen ihm, aber die Augen
Fielen ihm blutig hinab vor die Füß' auf den staubigen Boden;
Und er entsank, sich windend. Gestemmt nun die Fers auf die Brust
Raubt' er das Waffengeschmeid und rief frohlockend die Worte: [ihm,
So doch verlaßt ihr endlich der reisigen Danaer Schiffe, 620
Ihr unmenschlichen Troer, des schrecklichen Streits unersättlich!
Auch noch anderer Schmach und Beleidigung nimmer ermangelnd:
Wie ihr schändlichen Hunde mich schmähetet und nicht geachtet
Zeus' schwertreffenden Zorn, des Donnerers, welcher das Gastrecht
Heiliget und zerstören euch wird die erhabene Feste! 625
Die ihr mein jugendlich Weib und viel der reichen Besitzung
Frech mir von dannen geführt, nachdem sie euch freundlich bewirtet!
Und nun möchtet ihr gern die meerdurchwandelnden Schiffe
Tilgen mit schrecklicher Flamm und Achaias Helden ermorden!
Aber ihr ruht wohl endlich, wie sehr ihr tobt, von dem Kriege! 630
Vater Zeus, man sagt ja, du seist erhaben an Weisheit
Über Menschen und Götter, doch warst du Stifter des alles;
Wie du anjetzt willfahrest den übermütigen Männern
Trojas, welchen vor Trotz und Üppigkeit nimmer das Herz sich
Sättigen kann am Streite des allverderbenden Krieges! 635
Alles wird man ja satt, des Schlummers selbst und der Liebe,
Auch des süßen Gesangs und bewunderten Reigentanzes,
Welche doch mehr anreizen die sehnsuchtsvolle Begierde
Als der Krieg; doch die Troer sind niemals satt des Gefechtes!

Jener sprach's, und dem Leibe die blutigen Waffen entreißend, 640
Gab er den Freunden sie hin, der untadlige Held Menelaos;
Selbst dann wandt er sich wieder und drang in das Vordergetümmel.
Siehe, Pylämenes' Sohn Harpalion wütete jetzo
Gegen ihn her, der, gesellt dem herrschenden Vater, gen Troja
Kam in den Krieg, allein nicht wiederkehrte zur Heimat; 645
Dieser traf dem Atreiden gerade den Schild mit der Lanze,
Nahe gestellt, doch konnt er hindurch nicht treiben die Spitze.
Schnell in der Freunde Gedräng entzog er sich, meidend das Schicksal,
Mit umschauendem Blick, ob den Leib ein Erz ihm erreichte.
Aber Meriones schoß den ehernen Pfeil nach dem Flüchtling, 650
Welcher rechts am Gesäß ihn verwundete, daß ihm die Spitze
Vorn, die Blase durchbohrend, am Schambein wieder hervordrang.
Hingesetzt auf der Stelle, den liebenden Freunden im Arme,
Matt den Geist ausatmend, dem Wurme gleich, auf der Erde
Lag er gestreckt; schwarz strömte sein Blut und netzte den Boden. 655
Ihn umeilten geschäftig die paphlagonischen Streiter,
Die in den Wagen gelegt ihn zur heiligen Ilios brachten,
Wehmutsvoll; auch folgte der Vater ihm, Tränen vergießend;
Doch nicht konnt er rächen den Tod des lieben Sohnes.
Jetzt ward Paris im Geist um den Fallenden heftig erbittert, 660
Welcher sein Gastfreund war im paphlagonischen Volke;
Zürnend um ihn, entsandt er den ehernen Pfeil von der Senne.
Einer hieß Euchenor, ein Sohn Polyidos', des Sehers,
Reich an Hab und edel, ein Haus in Korinthos bewohnend,
Der, wohlkundig des Trauergeschicks, im Schiffe daherkam. 665
Denn oft sagt' ihm solches der gute Greis Polyidos,
Sterben würd er zu Haus an peinlich schmachtender Krankheit
Oder auch unter den Schiffen des Heers, von den Troern getötet;
Darum mied er sowohl der Danaer schmähliche Strafe
Als der Krankheit Schmerz, daß nicht in Gram er versänke. 670
Paris nun traf am Ohr und Backen ihn, daß aus den Gliedern
Schnell der Geist ihm entfloh; und Graun des Todes umhüllt' ihn.
Also kämpften sie dort wie lodernde Flammen des Feuers.
Doch nicht Hektor vernahm, der göttliche, oder erkannt es,
Daß zur Linken der Schiff' ihm die Seinigen würden getötet 675
Unter der Danaer Hand und bald sich des Siegs die Achaier

Freueten; also trieb der Gestadumstürmer Poseidon
Argos' Söhne zum Kampf, auch selbst mit Stärke beschirmt' er,
Sondern er hielt, wo zuerst durch Mauer und Tor er hereinsprang,
Dichte Reihn durchbrechend geschildeter Männer von Argos. 680
Dort, wo Ajas die Schiff' an den Strand und Protesilaos
Längs dem grauen Gewässer emporzog; aber die Mauer
Baueten dort die Achaier am niedrigsten, wo vor den andern
Ungestüm anstrebten zum Kampf sie selbst und die Rosse.
  Dort Böoten zugleich und in langem Gewand Iaonen, 685
Lokrer und Phthias Söhn', auch hochberühmte Epeier [mochten
Hemmten mit Müh von den Schiffen den Stürmenden; doch sie ver-
Nicht hinweg zu drängen die flammende Stärke des Hektor.
  Vornan kämpften Athens Erlesene, und ihr Gebieter
Wandelte Peteos' Sohn Menestheus; aber zugleich ihm 690
Pheidas und Bias der Held und Stichios. Drauf den Epeiern
Ging der Phyleid, Held Meges, und Drakios vor und Amphion,
Medon drauf vor den Phthiern, zugleich der tapfre Podarkes.
Jener war ein Bastard des göttergleichen Oileus,
Medon, des Ajas Bruder, des kleineren; aber er wohnte 695
Ferne vom Vaterland in Phylake, weil er den Vetter
Einst erschlug Eriopis', der späteren Gattin Oileus';
Doch Podarkes ein Sohn des Phylakiden Iphiklos.
Diese, voran gewappnet vor Phthias mutiger Jugend,
Kämpften, der Danaer Schiffe verteidigend, nächst den Böoten. 700
  Ajas wollte sich nie, der rasche Sohn des Oileus,
Fernen, auch nicht ein wenig, vom Telamonier Ajas,
Sondern wie zween Pflugstiere den starken Pflug durch ein Brachfeld,
Schwärzlich und gleich an Mute, daherziehn und an den Stirnen
Ringsum häufiger Schweiß vorquillt um die ragenden Hörner 705
(Beide von einem Joch, dem geglätteten, wenig gesondert,
Gehn sie die Furche hinab, den Grund durchschneidend des Feldes):
So dort halfen sich beid und wandelten dicht aneinander.
  Aber Telamons Sohn begleiteten viel und entschlossne
Männer, zum Streite gesellt, die seinen Schild ihm enthoben, 710
Wann ihm die Kriegsarbeit und der Schweiß die Knie beschwerte.
Doch nicht folgten die Lokrer dem mutigen Sohn des Oileus,
Denn nicht duldet' ihr Herz, im stehenden Kampfe zu kämpfen;

Denn nicht hatten sie Helme von Erz mit wallendem Roßschweif,
Hatten auch nicht gewölbete Schild' und eschene Lanzen, 715
Sondern mit Bogen allein und geflochtener Wolle des Schafes
Zogen sie voll Vertraun gen Ilios, warfen mit diesen
Dichte Geschoss' und brachen die troischen Kriegesgeschwader.
Jene nunmehr vornan in prangendem Waffengeschmeide
Kämpften mit Trojas Volk und dem erzumschimmerten Hektor; 720
Diese, von fern herwerfend, verbargen sich. Aber die Troer [schosse.
Dachten nicht mehr des Gefechtes, verwirrt von dem Sturm der Ge-
Schmachvoll wären anjetzt von den Schiffen daher und Gezelten
Heimgekehrt die Troer zu Ilios' luftiger Höhe.
Aber Polydamas sprach, dem trotzigen Hektor sich nahend: 725

Hektor, du bist nicht leicht durch anderer Rat zu bewegen.
Weil dir ein Gott vorzüglich des Kriegs Arbeiten verliehn hat,
Darum willst du an Rat auch kundiger sein vor den andern?
Aber du kannst unmöglich doch alles zugleich dir erwerben.
Anderem ja gewährte der Gott Arbeiten des Krieges, 730
Anderem Reigentanz und anderem Harf und Gesänge;
Anderem legt' in den Busen Verstand Zeus' waltende Vorsicht,
Heilsamen, dessen viel im Menschengeschlecht sich erfreuen,
Der auch Städte beschirmt; doch zumeist er selber genießt sein.
Drum will ich dir sagen, wie mir's am besten erscheinet. 735
Rings ja droht dir umher die umzingelnde Flamme des Krieges,
Doch die mutigen Troer, nachdem sie die Mauer erstiegen,
Wenden sich teils vom Gefecht mit den Rüstungen; andere kämpfen,
Weniger sie mit mehreren noch, durch die Schiffe zerstreuet.
Weiche demnach und berufe die Edelsten alle des Volkes, 740
Daß wir vereint für alles entscheidenden Rat ausdenken:
Ob wir hinein uns stürzen ins Heer vielrudriger Schiffe,
So uns ein Gott willfährig den Sieg schenkt, ob wir anitzo
Heim von den Schiffen ziehn, unbeschädiget! Denn ich besorge,
Traun, uns wägen zurück die gestrige Schuld die Achaier 745
Reichlich, dieweil bei den Schiffen der unersättliche Krieger
Harrt, der schwerlich hinfort sich ganz enthält des Gefechtes.

So des Polydamas Rat; den unschädlichen billigte Hektor.
Schnell vom Wagen herab mit den Rüstungen sprang er zur Erde;
Und er begann zu jenem und sprach die geflügelten Worte: 750

Sammle, Polydamas, hier die Edelsten alle des Volkes.
Dorthin geh ich selber, der wütenden Schlacht zu begegnen;
Aber ich kehre sofort, nachdem ich alles geordnet.
Sprach's und stürmte hinweg, dem Schneegebirge vergleichbar,
Lauten Rufs, und durchflog die Troer und die Genossen. 755
Doch zu Polydamas her, des Panthoos streitbarem Sohne,
Eilten die Edelsten alle, da Hektors Ruf sie vernahmen.
Nur den Deiphobos noch und des herrschenden Helenos Stärke,
Adamas, Asios' Sohn, samt Asios, Hyrtakos' Sohne,
Sucht' im Vordergetümmel der Wandelnde, ob er sie fände. 760
Doch nicht fand er sie mehr unbeschädiget noch ungetötet;
Einige lagen bereits um die ragenden Steuer von Argos,
Unter der Danaer Hand der mutigen Seelen beraubet,
Andere waren daheim, von Geschoß und Lanze verwundet.
Ihn nun fand er zur Linken der jammerbringenden Feldschlacht, 765
Alexandros, den Held, der lockigen Helena Gatten,
Welcher mit Mut beseelte die Freund' und ermahnte zu kämpfen.
Nahe trat er hinan und rief die beschämenden Worte:
Weichling, an Schönheit ein Held, weibsüchtiger, schlauer Verfüh-
Sprich, wo Deiphobos ist und des herrschenden Helenos Stärke, [rer,
Adamas, Asios' Sohn, samt Asios, Hyrtakos' Sohne?
Auch Othryoneus wo? Nun sank herab von dem Gipfel
Ilios' türmende Stadt, nun naht dein grauses Verhängnis!
Ihm antwortete drauf der göttliche Held Alexandros:
Hektor, dieweil dein Herz Unschuldige selber beschuldigt, 775
Eher ein andermal wohl zur Unzeit rasten vom Kampfe
Mocht ich; denn mich auch gebar nicht ganz unkriegrisch die Mutter!
Denn seitdem bei den Schiffen zur Schlacht du erregtest die Freunde,
Streben wir hier beständig im Scharengewühl der Achaier [schest;
Sonder Verzug! Doch die Freund' entschlummerten, welche du for-
Zween, Deiphobos nur und des herrschenden Helenos Stärke,
Eilten hinweg, verwundet mit langgeschäfteten Lanzen,
Beid an der Hand; doch den Tod entfernete Zeus Kronion.
Führe nunmehr, wohin dein Herz und Mut es gebietet,
Wir mit freudiger Seele begleiten dich; nimmer auch sollst du 785
Unseres Muts vermissen, soviel die Kraft nur gewähret!
Über die Kraft kann keiner, auch nicht der Tapferste, kämpfen!

Also sprach und wandte des Bruders Herz Alexandros.
Beide nun eilten sie hin, wo am heftigsten Streit und Gefecht war,
Um Kebriones her und Polydamas' heilige Stärke, 790
Phalkes und Orthäos, den göttlichen Held Polypötes,
Palmys, Askanios auch und Morys, Hippotions Söhne,
Die aus dem scholligen Land Askania wechselnd gekommen
Früh am vorigen Tag; itzt trieb in die Schlacht sie Kronion.
Diese rauschten einher wie der Sturm unbändiger Winde, 795
Der vor dem rollenden Wetter des Donnerers über das Feld braust
Und graunvollen Getöses die Flut aufregt, daß sich ringsum
Türmen die brandenden Wogen des weitaufrauschenden Meeres,
Krummgewölbt und beschäumt, vorn andr' und andere hinten:
So dort drängten sich Troer in Ordnungen, andre nach andern, 800
Schimmernd im ehernen Glanz, und folgeten ihren Gebietern.
Hektor strahlte voran, dem mordenden Ares vergleichbar,
Priamos' Sohn, und trug den gleichgeründeten Schild vor,
Dicht aus Häuten gedrängt und umlegt mit starrendem Erze;
Und um des Wandelnden Schläfen bewegte sich strahlend der Helmschmuck.
Ringsumher versucht' er mit kühnem Gang die Geschwader,
Ob sie vielleicht ihm wichen, wie unter dem Schild er dahertrat;
Doch nicht schreckt' er den Mut in der männlichen Brust der Achaier.
Ajas nahte zuerst und forderte, mächtigen Schrittes:

Komm, Unglücklicher, komm! Warum doch schreckest du also 810
Argos' Volk? Wir sind nicht unerfahrene Krieger,
Sondern Zeus mit der Geißel des Wehs bezwang die Achaier.
Sicherlich wohl im Herzen erwartest du auszutilgen
Unsere Schiffe; doch rasch sind auch uns die Hände zur Abwehr!
Traun, weit eher vielleicht wird eure bevölkerte Feste 815
Unter unseren Händen besiegt und zu Boden getrümmert!
Auch dir selbst verkünd ich den nahen Tag, da du fliehend
Jammern wirst zu Zeus und allen unsterblichen Göttern,
Daß mit der Schnelle der Falken die schöngemähneten Rosse
Heim zu der Stadt dich tragen, in stäubender Flucht durch die Felder.

Als er es sprach, da schwebt' ihm rechtsher nahend ein Vogel,
Ein hochfliegender Adler, und lautauf schrien die Achaier,
Durch das Zeichen gestärkt. Doch es rief der strahlende Hektor:

Ajas, was plauderst du da, großprahlender, eiteler Schwätzer?
Wär ich doch so sicher ein Sohn des Ägiserschüttrers 825
Zeus, zum unsterblichen Gott von der Herrscherin Here geboren,
Ewig geehrt, wie geehrt Athenäa wird und Apollon,
Als der heutige Tag ein Unheil bringt den Argeiern
Allen; du selbst auch liegst ein Erschlagener, wenn du es wagest,
Meinen gewaltigen Speer zu bestehn! Er zerreißt dir den zarten 830
Leib, dann sättigest du der Troer Hund' und Gevögel
Deines Fettes und Fleisches, gestreckt bei den Schiffen Achaias!
Also rief der Herrscher und führete; jene nun folgten
Mit graunvollem Geschrei, und laut nachjauchzten die Völker.
Laut auch schrien die Argeier daher, des stürmenden Mutes 835
Eingedenk, und bestanden die nahenden Helden der Troer.
Beider Geschrei ertönte zu Zeus' hochstrahlendem Äther.

XIV. GESANG

Nestor, der den verwundeten Machaon bewirtet, eilt auf das Getöse hinaus und spähet. Ihm begegnen Agamemnon, Diomedes und Odysseus, die, matt von den Wunden, das Treffen zu schauen kommen. Agamemnons Gedanken an Rückzug tadelt Odysseus. Nach Diomedes' Vorschlag gehen sie, die Achaier zu ermuntern, und Poseidon tröstet den Agamemnon. Here, mit Aphroditens Gürtel geschmückt, schläfert den Zeus auf Ida ein, daß Poseidon noch mächtiger helfe. Hektor, den Ajas mit dem Steine traf, wird ohnmächtig aus der Schlacht getragen. Die Troer fliehn, indem Ajas, Oileus' Sohn, sich auszeichnet.

Nestor vernahm das Geschrei, auch sitzend am Trunk nicht achtlos;
Schnell zu Asklepios' Sohn die geflügelten Worte begann er:
Denke doch, edler Machaon, wohin sich wende die Sache!
Lauter hallt um die Schiffe der Ruf von blühenden Streitern!
Aber bleib du sitzen und trink des funkelnden Weines, 5
Bis dir ein warmes Bad die lockige Hekamede
Wärmt und rein die Glieder vom blutigen Staube dir badet.
Ich will indes hineilen und schnell umschaun von der Höhe.
Sprach's und nahm den gediegenen Schild des trefflichen Sohnes,
Der im Gezelt dalag dem reisigen Held Thrasymedes, 10
Überstrahlt von Erz; der ging mit dem Schilde des Vaters,

Nahm dann die mächtige Lanze, gespitzt mit der Schärfe des Erzes,
Stellte sich außer dem Zelt und schaut' unerfreuliche Taten:
Diese dahergescheucht und jen' im Tumult sie verfolgend,
Trojas mutige Söhn'; auch gestürzt war die Mauer Achaias. 15
Wie wenn dunkel sich hebt das Meer mit stummem Gewoge,
Ahndend nur der sausenden Wind' herzuckende Wirbel
Kaum, doch nirgendwohin die schlagende Woge gewälzt wird,
Bis ein entscheidender Sturm sich herunterstürzt von Kronion:
Also erwog unruhig der Greis in der Tiefe des Herzens, 20
Zwiefach, ob er zur Schar gaultummelnder Danaer ginge,
Oder zu Atreus' Sohn, dem Hirten des Volks Agamemnon.
Dieser Gedank erschien dem Zweifelnden endlich der beste,
Hin zu Atreiden zu gehn. Dort würgten sie einer den andern
Wütend im Kampf und es krachte das starrende Erz um die Leiber 25
Unter dem Stoß der Schwerter und zwiefachschneidenden Lanzen.

Nestorn begegneten nun die gottbeseligten Herrscher,
Wiedergekehrt von den Schiffen, so viel das feindliche Erz traf,
Tydeus' Sohn und Odysseus und Atreus' Sohn Agamemnon,
Welchen weit vom Treffen entfernt sich reihten die Schiffe 30
Tief am Gestade des Meers. Denn die erstgelandeten zog man
Feldwärts auf und erhub an den Steuerenden die Mauer.
Nimmermehr ja konnte, wie breit es war, das Gestade
Alle Schiff' einschließen des Heers, und es engte die Völker;
Darum zog man gestuft sie empor und erfüllte des Ufers 35
Weite Bucht, die begrenzt von den Vorgebirgen umherlief.
Drum nun kamen zu schaun das Feldgeschrei und Getümmel,
Matt auf die Lanze gestützt, die Verwundeten; und von Betrübnis
Schwoll in den Busen ihr Herz. Es begegnete jetzo der graue
Nestor und macht' hinstarren das Herz der edlen Achaier. 40
Ihn anredend begann der herrschende Held Agamemnon:

Nestor, Neleus' Sohn, du erhabener Ruhm der Achaier,
Warum kommst du daher, das würgende Treffen verlassend?
Ach ich sorg, es vollende sein Wort der stürmende Hektor,
Wie er vordem mir gedroht im Rat der versammelten Troer: 45
Eher nicht von den Schiffen gen Ilios wiederzukehren,
Eh er in Glut die Schiffe verbrannt und getötet sie selber.
Also redete jener, und nun wird alles vollendet.

Götter, gewiß sie alle, die hellumschienten Achaier,
Hegen mir Groll im Herzen und hassen mich gleich wie Achilleus, 50
Daß sie dem Kampf sich entziehn um die ragenden Steuer der Schiffe!
Ihm antwortete drauf der gerenische reisige Nestor:
Dies ward alles vollbracht und gefertiget; nimmer vermöcht auch
Selbst der Donnerer Zeus es anders wieder zu schaffen!
Denn schon sank die Mauer in Schutt, die, ganz unzerbrechlich, 55
Traueten wir, sich erhub uns selbst und den Schiffen zur Abwehr.
Jen' um die rüstigen Schiff', unermeßliche Kämpfe bestehn sie
Rastlos; nicht erkenntest du mehr, wie scharf du umhersähst,
Welcherseits die Achaier im tobenden Schwarme sich tummeln,
So ist vermischt das Gemord und es schallt zum Himmel der Aufruhr.
Uns nun laßt erwägen, wohin sich wende die Sache,
Wenn ja Verstand noch hilft. Nur rat ich nicht, in die Feldschlacht
Einzugehn, denn es taugt der Verwundete nimmer zu streiten.
Ihm antwortete drauf der Herrscher des Volks Agamemnon:
Nestor, dieweil schon wütet der Kampf um die ragenden Steuer 65
Und nichts frommte der Mauer gewaltiger Bau noch der Graben,
Was mit Müh uns Achaiern gelang und, ganz unzerbrechlich,
Traueten wir, sich erhub uns selbst und den Schiffen zur Abwehr;
So gefällt es nun wohl dem hocherhabnen Kronion,
Daß hier ruhmlos sterben von Argos fern die Achaier, 70
Wußt ich es doch, als Zeus huldvoll die Achaier beschirmte,
Und weiß nun, daß er jene zur Herrlichkeit seliger Götter
Auserwählt, uns aber den Mut und die Hände gefesselt.
Aber wohlan, wie ich rede das Wort, so gehorchet mir alle.
Welche Schiffe zunächst am Rande des Meers wir gestellet, 75
Nehmen wir all und ziehn sie hinab in die heilige Meerflut,
Hoch auf der Flut mit Ankern befestigend, bis uns herannaht
Öde Nacht, wo alsdann auch zurück sich hält vom Gefechte
Trojas Volk; drauf ziehn wir die sämtlichen Schiff' in die Wogen.
Denn nicht Tadel verdient's, der Gefahr auch bei Nacht zu entrinnen!
Besser, wer fliehend entrann der Gefahr, als wen sie ereilet!
Finster schaut' und begann der erfindungsreiche Odysseus:
Welch ein Wort, o Atreid, ist dir aus den Lippen entflohen?
Schrecklicher! Daß du vielmehr doch ein anderes feigeres Kriegsvolk
Führetest, doch nicht uns obwaltetest, welchen fürwahr Zeus 85

Früh von der Jugend gewährte bis spät zum Alter zu dauern
Unter des Kriegs Drangsalen, bis tot auch der letzte dahinsinkt!
Also gedenkst du im Ernst, von der weitdurchwanderten Troja
Heimzufliehn, um welche des Grams so viel wir erduldet?
Schweig, damit kein andrer in Argos' Volk es vernehme, 90
Dieses Wort, das schwerlich ein Mann mit den Lippen nur ausspricht,
Dessen Seele gelernt, anständige Dinge zu reden,
Wenn er, geschmückt mit dem Zepter, so mächtige Völker beherrschet,
Als dir, König, daher aus Argos' Städten gefolgt sind!
Jetzo tadl ich dir gänzlich den Einfall, welchen du vorbringst! 95
Mitten in Schlacht und Getümmel die schöngebordeten Schiffe
Nieder ins Meer zu ziehen, ermahnest du, daß noch erwünschter
Ende der Troer Geschick, die so schon siegen an Stärke,
Und uns Tod und Verderben zerschmettere! Denn die Achaier [ziehn,
Halten nicht aus das Gefecht, wann ins Meer wir die Schiffe hinab-
Sondern voll Angst umschauend vergessen sie alle der Streitlust!
Traun, dann wäre dein Rat uns fürchterlich, Völkergebieter!
Ihm antwortete drauf der Herrscher des Volks Agamemnon:
Tief in die Seele fürwahr, Odysseus, drang dein Verweis mir,
Schreckenvoll! Doch ich heiße ja nicht, daß wider ihr Wollen 105
Argos' Söhn' in das Meer die gebogenen Schiffe hinabziehn.
Komme nunmehr, wer besseren Rat zu sagen vermeinet,
Jüngling oder auch Greis, mir sei er herzlich willkommen!
Jetzo begann vor ihnen der Rufer im Streit Diomedes:
Hier ist der Mann! Was suchen wir länger ihn, höret ihr anders 110
Guten Rat und verschmäht ihn nicht, unwilligen Herzens,
Weil ich zwar an Geburt der jüngere bin von euch allen?
Aber ich rühme mich stolz nicht weniger edlen Geschlechtes
Tydeus' Sohn, den in Thebe gehügelte Erde bedecket!
Portheus wurden ja drei untadlige Söhne geboren, 115
Welche Pleuron bewohnt und Kalydons bergichte Felder:
Agrios erst, dann Melas und dann der reisige Öneus,
Tydeus' Vater, mein Ahn, berühmt vor jenen an Tugend.
Dieser weilte daselbst, doch es zog mein Vater gen Argos,
Lange verirrt; so ordnet' es Zeus und die anderen Götter. 120
Einer Tochter vermählt des Adrastos, wohnt' er im Hause.
Reich an Lebensgut; auch genug der Weizengefilde

Hatt er und viel der Gärten, von Baum und Rebe beschattet,
Viel auch der weidenden Schaf', und an Lanzenkunde besiegt' er
Alles Volk. Doch sicher vernahmt ihr schon, wie es wahr ist. 125
Darum wähnet mich nicht unkriegerischen feigen Geschlechtes
Noch verachtet den Rat, den ich frei und gut euch eröffne.
Kommt, wir gehn in die Schlacht, verwundet zwar, doch genötigt!
Dort dann wollen wir zwar uns selbst enthalten des Kampfes,
Aus dem Geschoß, daß nicht uns Wund auf Wunde verletze, 130
Doch ermahnen wir andre zur Tapferkeit, welche zuvor schon,
Ihrem Mut willfahrend, zurückflohn, müde des Kampfes.
Jener sprach's, da hörten sie aufmerksam und gehorchten.
Eilend folgten sie jetzt dem Herrscher des Volks Agamemnon.
Aber nicht achtlos lauschte der Erderschüttrer Poseidon, 135
Sondern er trat zu ihnen, ein alternder Krieger von Ansehn,
Faßte die rechte Hand dem Herrscher des Volks Agamemnon,
Redete drauf zu jenem und sprach die geflügelten Worte:
Atreus' Sohn, nun schlägt des Achilleus grausames Herz wohl
Hoch vor Freud in der Brust, das Gewürg und die Flucht der Achaier
Anzuschaun; denn ihm fehlt auch die mindeste gute Besinnung.
Laß ihn seinem Verderben, ein Himmlischer zeichne mit Schand ihn!
Noch sind dir nicht ganz die seligen Götter gehässig,
Sondern gewiß der Troer erhabene Fürsten und Pfleger
Füllen noch weit das Gefilde mit Staub und du siehest noch einmal
Heim sie entfliehn in die Stadt, von den Schiffen hinweg und Gezelten.
Sprach's, und mit lautem Geschrei durchwandelt' er schnell das Ge-
Wie wenn zugleich neuntausend daherschrein, ja zehntausend [filde.
Rüstige Männer im Streit, zu schrecklichem Kampf sich begegnend,
Solche Stimm enthallte des erderschütternden Königs 150
Starker Brust in das Heer und rüstete jeglichen Mannes
Busen mit Kraft, rastlos im Streite zu stehn und zu kämpfen.
Here stand nun schauend, die goldenthronende Göttin,
Hoch vom Gipfel herab des Olympos; und sie erkannte
Schnell den Schaltenden dort in der männerehrenden Feldschlacht,
Ihren leiblichen Bruder und Schwager, freudigen Herzens.
Ihn alsdann auf der Höhe des quellenströmenden Ida
Sahe sie sitzen, den Zeus, und zürnt' ihm tief in der Seele.
Jetzo sann sie umher, die hoheitblickende Here,

Wie sie täuschte den Sinn des ägiserschütternden Gottes. 160
Dieser Gedank erschien der Zweifelnden endlich der beste:
Hinzugehn auf Ida, geschmückt mit lieblichem Schmucke,
Ob er vielleicht begehrte, von Lieb entbrannt zu umarmen
Ihren Reiz und sie ihm einschläfernde sanfte Betäubung
Gießen möcht auf die Augen und seine waltende Seele. 165
Und sie enteilt' ins Gemach, das ihr Sohn, der kluge Hephästos,
Ihr gebaut und die künstliche Pfort an die Pfosten gefüget
Mit verborgenem Schloß, das kein anderer Gott noch geöffnet.
Dort ging jene hinein und verschloß die glänzenden Flügel.
Jetzt entwusch sie zuerst mit Ambrosia jede Befleckung 170
Ihrem reizenden Wuchs und salbt' ihn mit lauterem Öle,
Fein und ambrosischer Kraft, von würzigem Dufte durchbalsamt,
Welches auch, kaum nur bewegt im ehernen Hause Kronions,
Erde sogleich und Himmel mit Wohlgerüchen umhauchte.
Hiermit salbte sie rings die schöne Gestalt, auch das Haupthaar 175
Kämmt' und ordnete sie und ringelte glänzende Locken,
Schön und ambrosiaduftend, herab von der göttlichen Scheitel;
Hüllte sich drauf ins Gewand, das ambrosische, so ihr Athene
Zart und künstlich gewirkt und reich an Wundergebilde;
Dann mit goldenen Spangen verband sie es über dem Busen; 180
Schlang dann umher den Gürtel, mit hundert Quästen umbordet.
Jetzo fügte sie auch die schönen Gehäng' in die Ohren,
Dreigestirnt, hellspielend; und Anmut leuchtete ringsum.
Auch ein Schleier umhüllte das Haupt der erhabenen Göttin,
Lieblich und neu vollendet; er schimmerte hell wie die Sonne. 185
Unter die glänzenden Füß' auch band sie sich stattliche Sohlen.
Als sie nunmehr vollkommen den Schmuck der Glieder geordnet,
Eilte sie aus dem Gemach und rief hervor Aphrodite,
Von den anderen Göttern entfernt; dann freundlich begann sie:
Möchtest du jetzt mir gehorchen, mein Töchterchen, was ich be-
Oder vielleicht es versagen, mir darum zürnend im Herzen, [gehre,
Weil ich selbst die Achaier und du die Troer beschützest?
Ihr antwortete drauf die Tochter Zeus' Aphrodite:
Here, gefeierte Göttin, erzeugt vom gewaltigen Kronos,
Rede, was du verlangst, mein Herz gebeut mir Gewährung, 195
Kann ich es nur gewähren und ist es selber gewährbar.

Listenreich antwortete drauf die Herrscherin Here:
Gib mir den Zauber der Lieb und Sehnsucht, welcher dir alle
Herzen der Götter bezähmt und sterblicher Erdebewohner.
Denn ich geh an die Grenzen der nahrungsprossenden Erde, 200
Daß ich den Vater Okeanos schau und Tethys, die Mutter,
Welche beid im Palaste mich wohl gepflegt und erzogen,
Ihnen von Rheia gebracht, da der waltende Zeus den Kronos
Unter die Erde verstieß und die Flut des verödeten Meeres.
Diese geh ich zu schaun und den heftigen Zwist zu vergleichen. 205
Denn schon lange Zeit vermeiden sie einer des andern
Hochzeitbett und Umarmung, getrennt durch bittere Feindschaft.
Könnt ich jenen das Herz durch freundliche Worte bewegen,
Wieder zu nahn dem Lager, gesellt zu Lieb und Umarmung,
Stets dann würd ich die teure, geehrteste Freundin genennet. 210
Ihr antwortete drauf die hold anlächelnde Kypris:
Nie wär's recht noch geziemt' es, dir jenes Wort zu verweigern,
Denn du ruhst in den Armen des hocherhabenen Kronion.
Sprach's und löste vom Busen den wunderköstlichen Gürtel,
Buntgestickt; dort waren des Zaubers Reize versammelt. 215
Dort war schmachtende Lieb und Sehnsucht, dort das Getändel
Und die schmeichelnde Bitte, die selbst den Weisen betöret.
Den nun reichte sie jener und redete, also beginnend:
Da, verbirg in dem Busen den bunt durchschimmerten Gürtel,
Wo ich des Zaubers Reize versammelte. Wahrlich du kehrst nicht 220
Sonder Erfolg von dannen, was dir dein Herz auch begehret.
Sprach's, da lächelte sanft die hoheitblickende Here.
Lächelnd drauf verbarg sie den Zaubergürtel im Busen;
Jene nun ging in den Saal, die Tochter Zeus' Aphrodite.
Here voll Ungestüms entschwang sich den Höhn des Olympos, 225
Trat auf Pieria dann und Emathiens liebliche Felder,
Stürmete dann zu den schneeigen Höhn gaultummelnder Thraker
Über die äußersten Gipfel und nie die Erde berührend;
Schwebete dann vom Athos herab auf die Wogen des Meeres;
Lemnos erreichte sie dann, die Stadt des göttlichen Thoas. 230
Dort nun fand sie den Schlaf, den leiblichen Bruder des Todes,
Faßt' ihm freundlich die Hand und redete, also beginnend:
Mächtiger Schlaf, der Menschen und ewigen Götter Beherrscher,

Wenn du je mir ein Wort vollendetest, o so gehorch auch
Jetzo mir; ich werde dir Dank es wissen auf immer. 235
Schnell die leuchtenden Augen Kronions unter den Wimpern
Schläfre mir ein, nachdem uns gesellt hat Lieb und Umarmung.
Deiner harrt ein Geschenk, ein schöner, unalternder Sessel,
Strahlend von Gold; ihn soll mein hinkender Sohn Hephästos
Dir bereiten mit Kunst, und ein Schemel sei unter den Füßen, 240
Daß du behaglich am Mahl die glänzenden Füße dir ausruhst.
Und der erquickende Schlaf antwortete, solches erwidernd:
Here, gefeierte Göttin, erzeugt vom gewaltigen Kronos,
Jeden anderen leicht der ewigwährenden Götter
Schläfert' ich ein, ja selbst des Okeanos wallende Fluten, 245
Jenes Stroms, der allen Geburt verliehn und Erzeugung.
Nur nicht Zeus Kronion, dem Donnerer, wag ich zu nahen
Oder ihn einzuschläfern, wo nicht er selbst es gebietet.
Einst schon witzigten mich, o Königin, deine Befehle,
Jenes Tags, da Zeus' hochherziger Sohn Herakles 250
Heim von Ilios fuhr, die Stadt in Trümmern verlassend.
Denn ich betäubte den Sinn des ägiserschütternden Gottes,
Sanft umhergeschmiegt; du aber ersannst ihm ein Unheil,
Über das Meer aufstürmend die Wut lautbrausender Winde,
Und verschlugst ihn darauf in Kos' bevölkertes Eiland, 255
Weit von den Freunden entfernt. Allein der Erwachende zürnte,
Schleudernd umher die Götter im Saal; mich aber vor allen
Sucht' er und hätt austilgend vom Äther ins Meer mich gestürzet;
Nur die Nacht, die Bändigerin der Götter und Menschen,
Nahm mich Fliehenden auf. Da ruhete, wie er auch tobte, 260
Zeus und scheuete sich, die schnelle Nacht zu betrüben.
Und nun treibst du mich wieder, ein heillos Werk zu beginnen!
Ihm antwortete drauf die hoheitblickende Here:
Schlaf, warum doch solches in deiner Seele gedenkst du?
Meinst du vielleicht, die Troer verteidige so der Kronide, 265
Wie um Herakles vor Zorn, um seinen Sohn, er entbrannt war?
Aber komm, ich will auch der jüngeren Grazien eine
Dir zu umarmen verleihn, daß dir sie Ehegenossin
Heiße, Pasithea selbst, nach welcher du stets dich gesehnet.
Jene sprach's und der Schlaf antwortete freudigen Herzens: 270

Nun wohlan, beschwör es bei Styx' wehdrohenden Wassern,
Rührend mit einer Hand die nahrungsprossende Erde
Und mit der andern das schimmernde Meer, daß alle sie uns nun
Zeugen sei'n, die um Kronos versammelten unteren Götter:
Ganz gewiß mir verleihn der jüngeren Grazien eine 275
Willst du, Pasithea selbst, nach welcher ich stets mich gesehnet.
Sprach's, und willig gehorchte die lilienarmige Here,
Schwur, wie jener begehrt, und rief mit Namen die Götter
All im Tartaros unten, die man Titanen benennet.
Aber nachdem sie gelobt und ausgesprochen den Eidschwur, 280
Eilten sie, Lemnos' Stadt und Imbros' beide verlassend,
Eingehüllt in Nebel, mit leicht hinschwebenden Füßen.
Ida erreichten sie nun, den quelligen Nährer des Wildes,
Lekton, wo erst dem Meer sie entschwebeten; dann auf der Feste
Wandelten beid, es erbebten vom Gang die Wipfel des Waldes. 285
Dort nun weilte der Schlaf, bevor Zeus' Augen ihn sahen,
Hoch auf die Tanne gesetzt, die erhabene, welche des Idas
Höchste nunmehr durch trübes Gedüft zum Äther emporstieg;
Dort saß jener, umhüllt von stachelvollem Gezweige,
Gleich dem tönenden Vogel, der nachts die Gebirge durchflattert, 290
Chalkis genannt von Göttern und Nachtrab unter den Menschen.
Here mit hurtigem Schritt erstieg des Gargaros Gipfel,
Idas Höh, und sie sahe der Herrscher im Donnergewölk Zeus.
Sowie er sah, so umhüllt' Inbrunst sein waltendes Herz ihm,
Jener gleich, da zuerst sich beide gesellt zur Umarmung, 295
Nahend dem bräutlichen Lager, geheim vor den liebenden Eltern.
Und er trat ihr entgegen und redete, also beginnend:
Here, wohin verlangst du, da hier vom Olympos du herkommst?
Auch nicht hast du die Ross' und ein schnelles Geschirr zu besteigen.
Listenreich antwortete drauf die Herrscherin Here: 300
Zeus, ich geh an die Grenzen der nahrungsprossenden Erde,
Daß ich den Vater Okeanos schau und Tethys, die Mutter,
Welche beid im Palaste mich wohl gepflegt und erzogen;
Diese geh ich zu schaun und den heftigen Zwist zu vergleichen.
Denn schon lange Zeit vermeiden sie einer des andern 305
Hochzeitbett und Umarmung, getrennt durch bittere Feindschaft.
Aber die Ross', am untersten Fuß des quelligen Ida

Stehen sie, mich zu tragen durch festes Land und Gewässer.
Deinethalb nun bin ich hieher vom Olympos gekommen,
Daß nicht etwa dein Herz mir eiferte, wandelt' ich heimlich 310
Zu des Okeanos Burg, des tiefhinströmenden Herrschers.
Ihr antwortete drauf der Herrscher im Donnergewölk Zeus:
Here, dorthin magst du nachher auch enden die Reise.
Komm, wir wollen in Lieb uns vereinigen, sanft gelagert.
Denn so sehr hat keine der Göttinnen oder der Weiber 315
Je mein Herz im Busen mit mächtiger Glut mir bewältigt,
Weder, als ich entflammt von Ixions Ehegenossin
Einst den Peirithoos zeugt', an Rat den Unsterblichen ähnlich;
Noch da ich Danae liebt', Akrisios' reizende Tochter,
Welche den Perseus gebar, den herrlichsten Kämpfer der Vorzeit; 320
Noch auch Phönix' Tochter, des ferngepriesenen Königs,
Welche mir Minos gebar und den göttlichen Held Rhadamanthys;
Noch da ich Semele liebt', auch nicht Alkmene von Thebe,
Welche mir Mutter ward des hochgesinnten Herakles
(Jene gebar die Freude des Menschengeschlechts Dionysos); 325
Noch da ich einst die erhabne, die schöngelockte Demeter
Oder die herrliche Leto umarmete oder dich selber,
Als ich anjetzt dir glühe, durchbebt von süßem Verlangen!
Listenreich antwortete drauf die Herrscherin Here:
Welch ein Wort, Kronion, du Schrecklicher, hast du geredet! 330
Wenn du jetzt in Liebe gesellt zu ruhen begehrest
Oben auf Idas Höhn, wo umher frei alles erscheinet:
O wie wär's, wenn uns einer der ewigwährenden Götter
Beid im Schlummer erblickt' und den Himmlischen allen es eilend
Meldete? Traun, nie kehrt' ich hinfort zu deinem Palaste, 335
Aufgestanden vom Lager, denn unanständig ja wär es!
Aber wofern du willst und deiner Seel es genehm ist,
Hast du ja ein Gemach, das dein Sohn, der kluge Hephästos,
Dir gebaut und die künstliche Pfort an die Pfosten gefüget:
Dorthin gehn wir zu ruhn, gefällt dir jetzo das Lager. 340
Ihr antwortete drauf der Herrscher im Donnergewölk Zeus:
Here, weder ein Gott, vertraue mir, weder ein Mensch auch
Wird uns schaun, denn ein solches Gewölk umhüllt' ich dir ringsum,
Strahlend von Gold, nie würd uns hindurchspähn Helios selber,

Der doch scharf vor allen mit strahlenden Augen umherblickt. 345
  Also Zeus und umarmte voll Inbrunst seine Gemahlin.
Unten nun sproß die heilige Erd aufgrünende Kräuter,
Lotos mit tauiger Blum und Krokos samt Hyakinthos,
Dichtgedrängt und weich, die empor vom Boden sie trugen;
Hierauf ruheten beid und hüllten sich rings ein Gewölk um, 350
Schön und strahlend von Gold, und es taueten glänzende Tropfen.
  Also schlummerte dort auf Gargaros' Höhe der Vater,
Sanft von Schlaf bezwungen und Lieb, und umarmte die Gattin.
Eilend lief der erquickende Schlaf zu den Schiffen Achaias,
Botschaft anzusagen dem Erderschüttrer Poseidon; 355
Nahe trat er hinan und sprach die geflügelten Worte:
  Jetzo mit Ernst, Poseidon, den Danaern Hilfe gewähret!
Ihnen verleih itzt Ruhm, zum wenigsten, weil noch Kronion
Schläft; ich selber umhüllt' ihn mit sanft betäubendem Schlummer,
Als ihn Here betört zu holder Lieb und Umarmung. 360
  Dieses gesagt, entflog er zu rühmlichen Menschengeschlechtern,
Doch ihn reizt' er noch mehr, dem Danaervolke zu helfen.
Schnell in das Vordergetümmel voraus sich stürzend ermahnt' er:
  Argos' Söhn', auch jetzo vergönnen wir Sieg dem Hektor,
Priamos' Sohn, daß er nehme die Schiff' und Ruhm sich gewinne? 365
Aber er wähnt zwar also und frohlockt, weil noch Achilleus
Bei den geräumigen Schiffen verweilt mit zürnendem Herzen.
Dennoch vermissen wir sein nicht sonderlich, wenn nur wir andern
Mutiger angestrengt uns verteidigen untereinander!
Aber wohlan, wie ich rede das Wort, so gehorchet mir alle. 370
Jetzt die gewaltigsten Schild' und größesten unseres Heeres
Angelegt und die Häupter in weithinstrahlende Helme
Eingehüllt, in den Händen die mächtigsten Lanzen bewegend,
Wollen wir gehn, ich selber voran, und schwerlich besteht uns
Hektor, Priamos' Sohn, wie ungestüm er daherstrebt! 375
Ist wo ein streitbarer Mann, der mit kleinerem Schilde sich decket,
Reich er dem schwächeren Krieger ihn dar und nehme den größern!
  Jener sprach's, da hörten sie aufmerksam und gehorchten.
Ringsum ordneten diese die Könige selbst, auch verwundet,
Tydeus' Sohn und Odysseus und Atreus' Sohn Agamemnon, 380
Gingen umher und vertauschten die kriegrischen Waffen der Männer;

Starke bekam der Starke, dem Schwächeren gaben sie schwache.
Aber nachdem sie den Leib mit blendendem Erz sich umhüllet,
Drangen sie vor, sie führte der Erderschüttrer Poseidon,
Tragend ein Schwert, entsetzlich und lang, in der nervichten Rechten,
Gleich dem flammenden Blitz, dem niemand wagt zu begegnen [ger.
In der vertilgenden Schlacht; auch die Furcht schon hemmet die Krie-
Trojas Söhn' auch stellte der strahlende Hektor in Ordnung.
Siehe, mit schrecklicher Wut nun strengten den Kampf der
Entscheidung
Der schwarzlockige Herrscher des Meers und der strahlende Hektor,
Dieser dem Troervolk und der den Danaern helfend.
Hoch aufwogte das Meer an der Danaer Schiff' und Gezelte
Brandend empor, und sie rannten mit lautem Geschrei aneinander.
Nicht so donnert die Woge mit Ungestüm an den Felsstrand,
Aufgestürmt aus dem Meer vom gewaltigen Hauche des Nordwinds;
Nicht so prasselt das Feuer heran mit sausenden Flammen
Durch ein gekrümmt Bergtal, wann den Forst zu verbrennen es auf-
Nicht der Orkan durchbrauset die hochgewipfelten Eichen [fuhr;
So voll Wut, wann am meisten mit großem Getös er dahertobt,
Als dort laut der Troer und Danaer Stimmen erschollen, 400
Da sie mit grausem Geschrei anwüteten gegeneinander.
Jetzo zielt' auf Ajas zuerst der strahlende Hektor,
Als er sich gegen ihn wandt, und nicht verfehlt' ihn die Lanze.
Dort, wo ihm zween Riemen sich breiteten über den Busen,
Dieser vom Schild und jener des silbergebuckelten Schwertes, 405
Traf er, doch beide beschirmten den Leib. Da zürnete Hektor,
Daß sein schnelles Geschoß umsonst aus der Hand ihm entflohn war,
Und in der Freunde Gedräng entzog er sich, meidend das Schicksal.
Aber den Weichenden traf der Telamonier Ajas
Schnell mit dem Stein; denn viele, die räumigen Schiffe zu stützen, 410
Lagen gewälzt vor den Füßen der Kämpfenden. Den nun erhebend,
Warf er über dem Schilde die Brust ihm, nahe dem Halse;
Jenen schwang wie den Kreisel der Wurf, und er taumelte ringsum.
So wie vor Zeus' hochschmetterndem Schlag hinstürzet die Eiche,
Wurzellos, und entsetzlich der Dampf des brennenden Schwefels 415
Ihr entsteigt (mutlos und betäubt steht, welcher es anschaut
Nahe dem Ort; denn furchtbar ist Zeus des Allmächtigen Donner):

Also stürzt' in den Staub die Gewalt des göttlichen Hektor.
Schnell entsank die Lanze der Hand, es folgte der Schild nach,
Auch der Helm, ihn umklirrte das Erz der prangenden Rüstung. 420
Laut vor Freud aufjauchzend bestürmten ihn Männer Achaias,
Hoffend ihn wegzuziehn, und schleuderten häufige Speere
Gegen ihn; dennoch traf den Völkerhirten nicht einer,
Weder mit Stoß noch Wurf, denn die Tapfersten nahten umwandelnd.
Held Äneias, Polydamas auch und der edle Agenor, 425
Auch Sarpedon, der Lykier Fürst, und der treffliche Glaukos;
Auch der anderen keiner versäumt' ihn, sondern sie hielten
Wohlgeründete Schild' ihm zur Abwehr. Doch ihn erhebend
Trugen die Freund' auf den Armen aus Kriegsarbeit zu den Rossen,
Welche geflügelten Hufs ihm hinter dem Kampf und Gefechte 430
Standen, gehemmt vom Lenker am kunstreich prangenden Wagen;
Diese trugen zur Stadt den schwer aufstöhnenden Krieger.

Als sie nunmehr an die Furt des schönhinwallenden Xanthos
Kamen, des wirbelnden Stroms, den Zeus der Unsterbliche zeugte,
Legten sie dort vom Geschirr zur Erd ihn, sprengten dann Wasser 435
Über ihn her; bald atmet' er auf und blickte gen Himmel.
Hingekniet dann saß er und spie schwarzschäumendes Blut aus;
Aber zurück nun sank er zur Erd hin, und es umhüllte
Finstere Nacht ihm die Augen; denn noch betäubte der Wurf ihn.

Argos' Söhn', als jetzo sie Hektor sahen hinweggehn, 440
Drangen gestärkt in der Troer Gewühl und entbrannten vor Streitlust.
Siehe, zuerst traf Ajas, der rasche Sohn des Oileus,
Satnios, ungestüm mit spitziger Lanz ihn ereilend,
Enops' Sohn (ihn gebar dem rinderweidenden Enops
Eine schöne Najad an Satniois' grünenden Ufern); 445
Diesen traf anrennend der streitbare Sohn des Oileus
Durch die Weiche des Bauchs, daß er taumelte, und ihn umdrängten
Troer zugleich und Achaier, gemischt zu grauser Entscheidung.
Aber der Lanzenschwinger Polydamas kam ihm ein Rächer,
Panthoos' Sohn, und schoß Prothoenor rechts in die Schulter, 450
Areilykos' Sohn, daß hindurch der stürmende Wurfspieß
Fuhr, und er sank in den Staub, mit der Hand den Boden ergreifend.
Hoch frohlockte darob Polydamas, laut ausrufend:

Nicht ist jetzt, wie ich meine, dem mutigen Panthoiden

Aus der gewaltigen Hand umsonst entsprungen der Wurfspieß, 455
Sondern der Danaer einer empfing ihn im Leib, und vermutlich
Wird er, gestützt auf den Stab, in Aides' Wohnung hinabgehn!

Jener sprach's, und es schmerzte der jauchzende Ruf die Achaier.
Aber dem Ajas schwoll sein mutiges Herz vor Betrübnis,
Ihm, des Telamons Sohn, dem zunächst hinsank Prothoenor. 460
Schnell dem Weichenden nach entsandt er die blinkende Lanze.
Zwar Polydamas selber vermied das schwarze Verhängnis,
Schnell zur Seite gewandt, doch Archilochos, Sohn des Antenor,
Fing es auf, ihn weihte der Götter Rat dem Verderben.
Diesem flog das Geschoß, wo Haupt und Nacken sich füget, 465
Oben am Wirbel hinein und durchschnitt ihm beide die Sehnen,
Daß ihm eher das Haupt und Mund und Nas auf die Erd hin
Taumelten, ehe hinab die Knie und Schenkel ihm sanken.
Laut rief Ajas nunmehr zu Panthoos' trefflichem Sohne:

Sinne, Polydamas, nach und sage mir lautere Wahrheit! 470
War nicht dieser ein Mann, Prothoenors wegen zu fallen,
Würdig genug? Kein Niedrer erscheint er mir oder von Niedern,
Sondern ein leiblicher Bruder des Rossezähmers Antenor
Oder ein Sohn; ihm muß an Geschlecht er nahe verwandt sein.
Sprach's, ihn wohl erkennend; doch Schmerz erfüllte die Troer. 475
Akamas stieß mit dem Speer itzt Promachos hin, den Böoten,
Treu den Bruder umwandelnd, da er an den Füßen ihn wegzog.
Hoch frohlockte darob Held Akamas, laut ausrufend:

Argos' Volk, Pfeilkühne, der Drohungen ganz unersättlich,
Nicht wird wahrlich allein Mühseligkeit stets und Betrübnis 480
Uns zuteil, euch selber ist so zu fallen geordnet!
Schaut, wie Promachos euch, von meiner Lanze gebändigt,
Ruhig schläft, daß nicht des Bruders schuldige Rache
Lang euch bleib unbezahlt! So wünscht auch ein anderer Mann wohl
Einen Freund im Hause, des Streits Abwehrer, zu lassen! 485

Jener sprach's, und es schmerzte der jauchzende Ruf die Achaier.
Aber Peneleos schwoll sein mutiges Herz vor Betrübnis.
Wild auf Akamas sprang er, doch nicht zu bestehen vermochte
Jener des Königes Sturm, und Ilioneus streckt' er danieder,
Phorbas' Sohn, des herdebegüterten, welchen Hermeias 490
Hoch im Volk der Troer geliebt und mit Habe gesegnet;

Doch ihm hatte sein Weib den Ilioneus einzig geboren.
Unter der Brau ihm stach er die unterste Wurzel des Auges,
Daß ihm der Stern ausfloß und der Speer, durchs Auge gebohret,
Hinten den Schädel zerbrach; und er saß ausbreitend die Hände 495
Beide. Peneleos drauf, das geschliffene Schwert sich entreißend,
Schwang es grad auf den Nacken und schmetterte nieder zur Erde
Samt dem Helme das Haupt, noch war die gewaltige Lanze
Ihm durchs Auge gebohrt; dann hub er es, ähnlich dem Mohnhaupt,
Zeigt' es dem Troervolk und sprach mit jauchzender Stimme: 500
  Meldet mir dies, ihr Troer, Ilioneus' Vater und Mutter,
Daß sie den glänzenden Sohn daheim im Palaste betrauern!
Denn auch nicht des Promachos Weib, des Sohns Alegenors,
Heißt den trauten Gemahl willkommen hinfort, wann aus Troja
Heim wir kehren in Schiffen, wir blühenden Männer Achaias! 505
  Jener sprach's, und rings nun faßte sie bleiches Entsetzen,
Jeglicher schaut' umher, zu entfliehn dem grausen Verderben.
  Sagt mir anitzt, ihr Musen, olympische Höhen bewohnend,
Wer der Achaier zuerst des Erschlagenen blutige Rüstung
Raubte, nachdem gewendet die Schlacht der gewaltige Meergott. 510
  Ajas, Telamons Sohn, stieß erst den Hyrtios nieder,
Gyrtias' Sohn, den Ordner der trotzigen Myserscharen;
Drauf Antilochos nahm des Mermeros Wehr und des Phalkes;
Aber Meriones warf den Hippotion nieder und Morys;
Teukros darauf entraffte den Prothoon und Periphetes; 515
Atreus' Sohn auch stach dem Hirten des Volks Hyperenor
Tief in die Weiche des Bauchs, und die Eingeweide durchdrang ihm
Schneidend das Erz, daß die Seel aus der klaffenden Todeswunde
Schleunig entfloh und die Augen ihm nächtliches Dunkel umhüllte.
Doch schlug Ajas die meisten, der rasche Sohn des Oileus; 520
Denn ihm gleich war keiner, im fliegenden Lauf zu verfolgen
Zitternder Männer Gewühl, sobald Zeus Schrecken erregte.

XV. GESANG

Der erwachte Zeus bedroht Here und gebeut, ihm Iris und Apollon vom Olympos zu rufen, daß jene den Poseidon aus der Schlacht gehen heiße, dieser den Hektor herstelle und die Achaier scheuche, bis Achilleus den Patroklos sende. Es geschieht. Hektor mit Apollon schreckt die Achaier, deren Helden nur widerstehen, in das Lager zurück und folgt mit den Streitwagen über Graben und Mauer, wo Apollon ihm bahnt. Den Kampf hört Patroklos in Eurypylos' Zelt und eilt, den Achilleus zu erweichen. Die Achaier ziehn sich von den vorderen Schiffen. Ajas, Telamons Sohn, kämpft von den Verdecken mit einem Schiffspeere und verteidigt des Protesilaos Schiff, das Hektor anzünden will.

Aber nachdem sie die Pfähle hindurch und den Graben geeilet,
Fliehend, und mancher erlag dem mordenden Arm der Achaier,
Jetzo hemmeten jene sich dort, bei den Wagen beharrend,
Blaß ihr Gesicht vor Angst, die Erschrockenen. Doch es erwachte
Zeus auf Idas Höhn bei der goldenthronenden Here. 5
Schnell nun stand er empor und umsah die Achaier und Troer:
Diese dahergescheucht und jen' im Tumult sie verfolgend,
Argos' Söhn' und mit ihnen den Meerbeherrscher Poseidon.
Hektor auch sah er im Felde, den liegenden, und die Genossen [macht,
Saßen umher, noch beklemmt; aufatmet' er, schwindelnd in Ohn-
Und spie Blut; denn ihn traf kein schwächerer Mann der Achaier.
Mitleidsvoll erblickt' ihn der waltende Herrscher der Welt Zeus;
Drohend mit finsterem Blick zur Here wandt er die Worte:
Traun, dein böser Betrug, arglistige, tückische Here,
Hemmte den göttlichen Hektor vom Streit und erschreckte die Völker!
Doch wer weiß, ob nicht wieder des schlauersonnenen Frevels
Erste Frucht du genießest, von meiner Geißel gezüchtigt!
Denkst du nicht mehr, wie du hoch herschwebetest und an die Füß' ich
Zween Ambosse dir hängt' und ein Band um die Hände dir schürzte,
Golden und unzerbrechlich? Aus Ätherglanz und Gewölk her 20
Schwebtest du, ringsum traurten die Himmlischen durch den Olym-
Doch nicht wagte zu lösen ein Nahender. Wen ich erhaschte, [pos;
Schleudert ich mächtig gefaßt von der Schwell ihn, bis er zur Erde
Niedergestürzt ohnmächtig. Auch so nicht ruhte der Zorn mir,
Heftig entbrannt um die Qual des göttergleichen Herakles, 25
Welchen du, mit Boreas Hilf aufregend die Stürme,
Sendetest durch das verödete Meer, trugsinnenden Herzens,

Und ihn endlich in Kos' bevölkerte Insel verschlugest;
Doch ihn führt ich von dannen zurück und bracht ihn in Argos'
Rossenährendes Land nach mancherlei Kämpfen des Elends. 30
Dessen erinnr ich dich, daß hinfort du entsagest dem Truge,
Bis du erkannt, ob frommen dir mög Umarmung und Lager,
Dem du entfernt von den Göttern dich nahetest und mich betörtest!
Jener sprach's; da erschrak die hoheitblickende Here,
Und sie begann dagegen und sprach die geflügelten Worte: 35
Zeuge mir jetzo die Erd und der wölbende Himmel von oben,
Auch die stygische Flut, die hinabrollt, welches der größte
Eidschwur ja und furchtbarste ist den seligen Göttern;
Auch dein heiliges Haupt und unserer blühenden Jugend
Hochzeitbett, bei welchem ich nie falsch wagte zu schwören: 40
Daß nicht meines Geheißes der Erderschüttrer Poseidon
Trojas Söhn' und Hektor verletzt, doch jene beschirmet,
Sondern vielleicht sein Herz aus eigener Regung ihn antreibt,
Weil er gedrängt bei den Schiffen die Danaer sah mit Erbarmung!
Eher ja möcht ich auch ihm ein ratsames Wort zureden, 45
Hinzugehn, wo du, Schwarzwolkiger, selbst es gebietest!
Lächelnd vernahm's der Vater des Menschengeschlechts und der Götter;
Und er erwiderte drauf und sprach die geflügelten Worte:
Wenn nur du hinfüro, du hoheitblickende Here,
Gleich mir selbst an Gesinnung im Rat der Unsterblichen säßest, 50
Wahrlich, Poseidon würde, wie sehr er auch anderswohin strebt,
Bald umlenken den Sinn, nach deinem Herzen und meinem.
Aber wofern ja im Ernst und ohne Falsch du geredet,
Wandele nun zu der Götter Geschlecht und rufe mir eilig
Iris, hieherzugehn, und den bogenberühmten Apollon, 55
Daß sie schnell in das Heer der erzumschirmten Achaier
Niedersteig und verkünde dem Meerbeherrscher Poseidon,
Abzulassen vom Kampf und heim zum Palaste zu kehren;
Aber den Hektor zur Schlacht aufmuntere Phöbos Apollon,
Wiederum ihn beseele mit Kraft und zähme die Schmerzen, 60
Die nun schwer sein Herz ihm ängstigen, doch die Achaier
Wieder zur Flucht umwend, unmutigen Schrecken erregend,
Daß die Fliehenden bang in des Peleiaden Achilleus

Ruderschiffe sich stürzen. Er heißt dann seinen Patroklos
Aufstehn; doch ihn erlegt mit dem Speer der strahlende Hektor, 65
Nahe vor Ilios' Mauern, nachdem er der Jünglinge viele
Ausgetilgt, auch meinen erhabenen Sohn Sarpedon.
Ihn dann rächend, erschlägt den göttlichen Hektor Achilleus.
Doch alsdann von neuem verhäng ich Flucht und Verfolgung
Stets von den Schiffen hinfort gen Ilios, bis die Achaier 70
Nehmen die hohe Stadt, durch weisen Rat der Athene.
Eher werd ich den Zorn nicht mäßigen oder der andern
Himmlischen einem gestatten, die Danaer dort zu beschirmen,
Ehe dem Peleionen erfüllt ist, was er verlanget:
Wie ich zuerst ihm verhieß, mit gewährendem Winke des Hauptes, 75
Jenes Tags, als Thetis die Knie mir flehend umfaßte,
Ihren Sohn zu ehren, den Städteverwüster Achilleus.

Sprach's, und willig gehorchte die lilienarmige Here,
Eilte von Idas Höhn und ging zum hohen Olympos.
Wie der Gedanke des Mannes umherfliegt, der, da er viele 80
Länder bereits durchging, im sinnenden Herzen erwäget,
Dorthin möcht ich und dort, und mancherlei Pfade beschließet:
Also durchflog hineilend den Weg die Herrscherin Here;
Kam nun zum hohen Olympos und fand die unsterblichen Götter
Dort in des Donnerers Saale vereiniget. Jene sie schauend, 85
Sprangen empor von den Sitzen und grüßten sie alle mit Bechern.
Aber sie ließ die andern und nahm der rosigen Themis
Becher allein, denn zuerst entgegen ihr kam sie gewandelt,
Redete freundlich sie an und sprach die geflügelten Worte:

Warum kommst du, o Here? Du scheinst erschrocken im Antlitz, 90
Sicherlich hat dein Gemahl, des Kronos Sohn, dich geängstet.

Ihr antwortete drauf die lilienarmige Here:
Frage mich nicht, o Themis, du Göttliche, selber ja weißt du,
Wie unfreundlich er ist und übermütigen Herzens.
Aber beginn mit den Göttern im Saal das gemeinsame Gastmahl; 95
Dann zugleich samt allen Unsterblichen sollst du vernehmen,
Welcherlei Greuel uns Zeus ankündiget. Nimmer, vermut ich,
Freut sich allen das Herz, den Sterblichen oder den Göttern,
Hat auch mancher bisher in behaglicher Ruhe geschmauset.

Jene sprach's und setzte sich hin, die Herrscherin Here. 100

Rings nun traurten im Saal die Unsterblichen. Sie mit den Lippen
Lächelte, doch nicht wurde die Stirn um die dunkelen Brauen
Aufgeklärt; und zu allen mit zürnender Seele begann sie:
Törichte, die wir mit Zeus so gedankenlos uns ereifern
Oder sein Tun zu stören uns abmühn, nahend mit Worten 105
Oder mit Macht! Er sitzet von fern und achtet nicht unser,
Unbesorgt; denn er dünkt sich vor allen unsterblichen Göttern
Weit an Kraft und Gewalt den erhabensten sonder Vergleichung.
Duldet denn, was auch immer des Unheils jedem er sendet.
Eben nur ward, ich meine, dem Ares Jammer bereitet; 110
Denn Askalaphos sank, sein Trautester unter den Menschen,
Dort in der Schlacht, sein Sohn, wie der stürmende Ares bekennet.
Jene sprach's, doch Ares, die nervichten Hüften sich schlagend
Mit gebreiteten Händen, erhub die jammernde Stimme:
Jetzo verargt mir's nicht, olympischer Höhen Bewohner, 115
Daß ich ein Rächer des Sohns hingeh zu den Schiffen Achaias;
Wäre sogar mein Los, von des Donnerers Strahle zerschmettert
Unter den Toten zugleich in Blut und Staube zu liegen!
Jener sprach's, und die Rosse gebot er dem Graun und Entsetzen
Anzuschirren und zog hellstrahlendes Waffengeschmeid an. 120
Jetzo fürwahr noch größer und schreckenvoller denn jemals
Wäre den Göttern entbrannt der Zorn und die Rache Kronions,
Wenn nicht Athene, besorgt um alle unsterblichen Götter,
Eilt' aus der Pforte des Saals, den Thron, wo sie ruhte, verlassend.
Ihm vom Haupt entriß sie den Helm und den Schild von den Schul-
Auch die eherne Lanz, aus starker Hand ihm entreißend, [tern;
Stellte sie hin und schalt den ungebändigten Ares:
Rasender du, Sinnloser, du rennst in Verderben! Umsonst denn
Hast du Ohren zu hören und hegst nicht Scham noch Besinnung?
Hörtest du nicht die Rede der lilienarmigen Here, 130
Die nun eben von Zeus dem Olympier wieder zurückkam?
Willst du vielleicht, selbst füllend das Maß des unendlichen Jammers,
Heim zum Olympos kehren, ein Trauernder zwar, doch genötigt,
Und uns übrigen allen des Jammers Fülle bereiten?
Denn alsbald der Troer und Danaer mutige Völker 135
Läßt er und wandelt uns mit Getümmel daher zum Olympos
Und ergreift nacheinander, wer schuldig ist oder nicht also!

Drum nun rat ich, entsage dem Zorn ob des Sohnes Ermordung.
Mancher bereits, und besser an Kraft und Armen denn jener,
Sank und sinkt noch hinfort ein Erschlagener. Ist's doch unmöglich,
Aller sterblichen Menschen Geschlecht vom Tode zu retten.
Jene sprach's und setzt' auf den Thron den stürmenden Ares.
Here nunmehr berief den Apollon aus dem Gemache,
Iris zugleich, die Verkündigerin unsterblicher Götter;
Und sie begann zu ihnen und sprach die geflügelten Worte: 145
Zeus befiehlt, daß ihr beid aufs schleunigste kommet zum Ida.
Aber sobald ihr genaht und des Donnerers Antlitz gesehen,
Tut alsdann, was immer sein Herz verlangt und gebietet.
Dieses gesagt nun, kehrte zurück die Herrscherin Here,
Setzte sich dann auf den Thron. Doch jen' entflogen in Eile, 150
Bis sie den Ida erreicht, den quelligen Nährer des Wildes.
Und sie fanden den waltenden Zeus auf Gargaros' Gipfel
Hingesetzt; ihn barg die duftende Wolkenumhüllung.
Als sich beide genaht dem Wolkensammler Kronion,
Standen sie, und nicht war des Schauenden Seele voll Zornes, 155
Weil sie schleunig gehorcht dem Befehl der trauten Gemahlin.
Drauf zur Iris zuerst die geflügelten Worte begann er:
Eile mir, hurtige Iris, zum Meerbeherrscher Poseidon,
Alles verkünd ihm genau und sei nicht täuschende Botin.
Auszuruhn gebeut ihm von Kampf und Waffengetümmel 160
Und zu gehn in die Schar der Unsterblichen oder zur Meerflut.
Wenn er nicht das Gebot mir beschleuniget, sondern verachtet,
Dann erwäg er hinfort in des Herzens Geist und Empfindung,
Ob er nicht, wie mächtig er sei, mich Nahenden schwerlich
Möchte bestehn; denn ich dünke mich weit erhabner an Stärke, 165
Älter auch an Geburt; und nichts doch achtet sein Herz es,
Gleich sich mir zu wähnen, vor dem auch andere zittern.
Jener sprach's, ihm gehorchte die windschnell eilende Iris;
Schnell vom Ida entflog sie zur heiligen Ilios nieder.
Wie wenn daher aus Wolken der Schnee fliegt oder des Hagels 170
Kalter Schauer gejagt vom heiter frierenden Nordwind:
Also durchflog hineilend den Weg die geflügelte Iris.
Nahe gestellt nun sprach sie zum Erderschüttrer Poseidon:
Eine Verkündigung dir, schwarzlockiger Erdumstürmer,

Bring ich, dahergesendet von Zeus, dem Ägiserschüttrer. 175
Auszuruhn gebeut er von Kampf und Waffengetümmel
Und zu gehn in die Schar der Unsterblichen oder zur Meerflut.
Wenn du nicht das Gebot ihm beschleunigest, sondern verachtest,
Siehe, dann droht er selber, zu schrecklichem Kampfe gerüstet,
Wider dich herzukommen; doch warnet er dich, zu vermeiden 180
Seinen Arm, denn er dünke sich weit erhabner an Stärke,
Älter auch an Geburt; und nichts doch achtet dein Herz es,
Gleich dich ihm zu wähnen, vor dem auch andere zittern.
Unmutsvoll nun begann der erderschütternde Herrscher:
Traun, das heißt, wie mächtig er sei, hochmütig geredet, 185
Mir, der an Würd ihm gleicht, mit Gewalt den Willen zu hemmen!
Denn wir sind drei Brüder, die Kronos zeugte mit Rheia:
Zeus, ich selbst und Ais, der Unterirdischen König.
Dreifach geteilt ward alles und jeder gewann von der Herrschaft.
Mich nun traf's, beständig das graue Meer zu bewohnen, 190
Als wir gelost; den Aides traf das nächtliche Dunkel,
Zeus dann traf der Himmel umher in Äther und Wolken;
Aber die Erd ist allen gemein und der hohe Olympos.
Nimmer folg ich demnach Zeus' Ordnungen, sondern geruhig
Bleib er, wie stark er auch ist, in seinem beschiedenen Dritteil. 195
Nicht mit den Armen fürwahr, wie den Zagenden, schrecke mich jener!
Seine Töchter vielleicht und Söhn' auch möcht er mit Anstand
Durch hochfahrende Worte bedräun, die er selber gezeuget;
Denn sie werden aus Zwang auf jedes Gebot ihm gehorchen!
Ihm antwortete drauf die windschnell eilende Iris: 200
Völlig so, wie du sagst, schwarzlockiger Erdumstürmer,
Bring ich Zeus die Rede, so ungestüm und so trotzig?
Oder wendest du noch? Gern wenden sich Herzen der Edeln.
Weißt du doch, daß Älteren stets die Erinnyen beistehn.
Wieder begann dagegen der Erderschüttrer Poseidon: 205
Iris, du hast, o Göttin, verständige Worte geredet;
Wahrlich, ein gutes Ding, wenn ein Bote weiß, was geziemet.
Aber der bittere Schmerz hat Seel und Geist mir durchdrungen,
Wenn er, wer gleich an Würd' und ähnlichem Schicksal bestimmt ist,
Den zu schelten gedenkt mit wild anfahrenden Worten. 210
Dennoch möcht ich für jetzt, obgleich unwillig, ihm weichen.

Aber ich sage dir an und beschließ im Herzen die Drohung:
Wo er zum Trotz mir selbst und der Siegerin Pallas Athene,
Hermes und der Here zum Trotz und dem Herrscher Hephästos,
Ilios' Feste verschont, die erhabene, und die Vertilgung 215
Nicht beschleußt noch schenkt des Sieges Gewalt den Achaiern:
Wiss' er dann, daß ewig unheilbarer Zorn uns entflammet!
  Also sprach und verließ die Danaer Poseidaon,
Ging und taucht' in die Fluten, vermißt von den Helden Achaias.
Jetzo begann zu Apollon der Herrscher im Donnergewölk Zeus: 220
  Phöbos, geh, o Geliebter, zum erzgepanzerten Hektor!
Denn bereits ja entwich der Erderschüttrer Poseidon
Wieder ins heilige Meer, den verderblichen Grimm zu vermeiden
Unseres Zorns. Wohl hätten den Kampf auch andre gehöret,
Selbst die Unsterblichen unter der Erd, um Kronos versammelt! 225
Aber sowohl für mich weit heilsamer als für ihn selber
War's, daß jener zuvor, obgleich unwillig, enteilte
Meinem Arm; nicht hätten wir ohne Schweiß uns gesondert!
Auf! du nimm in die Hände die quastumbordete Ägis;
Diese mit Macht herschütternd, erschrecke das Herz der Achaier. 230
Aber du selbst, Ferntreffender, sorg um den strahlenden Hektor;
Denn so lang erhebe den Mut ihm, bis die Achaier
Fliehend daher die Schiff' und den Hellespontos erreichet.
Dann beschließ ich selber mit Wort und Tat es zu ordnen,
Daß sich wieder erholen des schweren Kampfs die Achaier. 235
  Jener sprach's, und dem Vater war nicht unfolgsam Apollon.
Schnell von des Idas Höhn entschwang sich, gleich wie der Habicht
Stürmend zum Taubenmord, der geschwindeste aller Gevögel.
Priamos' Sohn nun fand er, den heldenmütigen Hektor,
Sitzend; er lag nicht mehr, und erfrischt vom kehrenden Leben 240
Kannt er die Seinigen rings; des Atems Schwer' und der Angstschweiß
Ruhete, weil ihn erweckt des Ägiserschütterers Ratschluß.
Nahe nun trat und begann der treffende Phöbos Apollon:
  Hektor, Priamos' Sohn, warum so entfernt von den andern
Sitzest du kraftlos hier? Hat etwa ein Leid dich getroffen? 245
  Wieder begann schwachatmend der helmumflatterte Hektor:
Wer bist du, o bester der Himmlischen, welcher mich fraget?
Hörtest du nicht, daß dort um die ragenden Steuer von Argos,

Wo ich die Freund' ihm vertilgte, mich warf der gewaltige Ajas
Mit dem Gestein an die Brust und im stürmischen Kampfe mich
Glaubt ich doch, die Geister der Tief und Aides' Wohnung [hemmte?
Diesen Tag noch zu sehn; denn schon verhaucht ich die Seele.
Ihm antwortete drauf der treffende Herrscher Apollon:
Sei getrost; solch einen gewaltigen Retter entsendet
Zeus dir vom Ida herab, dir beizustehn und zu helfen, 255
Mich, den Phöbos Apollon mit goldenem Schwert, der zuvor auch
Schirmte dich selber zugleich und Ilios' türmende Feste.
Jetzo wohlan, ermahne die reisigen Scharen der Krieger,
Auf die gebogenen Schiffe die hurtigen Rosse zu lenken.
Sieh, ich wandle voran und ebne die Bahn vor den Rossen 260
Weit hinab und wende zur Flucht die Helden Achaias.
Also der Gott, und beseelte mit Mut den Hirten der Völker.
Wie wenn im Stall ein Roß, mit Gerste genährt an der Krippe,
Mutig die Halfter zerreißt und stampfenden Laufs in die Felder
Eilt, zum Bade gewöhnt des lieblich wallenden Stromes 265
(Trotzender Kraft, hoch trägt es das Haupt, und rings an den Schultern
Fliegen die Mähnen umher; doch stolz auf den Adel der Jugend,
Tragen die Schenkel es leicht zur bekannteren Weide der Stuten):
So auch Hektor. In Eile die Knie und die Schenkel bewegend,
Trieb er der Reisigen Schar, da des Gottes Stimm er vernommen. 270
Dort, wie wenn ein Gewild, den Kronhirsch oder den Geißbock,
Jagende Hund' hinscheuchten und landbewohnende Männer,
Ihn dann des steilen Gebirgs Felshaupt und ein schattiges Dickicht
Rettete (denn ihn versagte das Schicksal noch den Verfolgern;
Doch auf das laute Getümmel erschien ein bärtiger Löwe 275
Drohend am Weg und verscheuchte die Strebenden alle mit einmal):
So die Achaier zuerst in Schlachtreihn folgten sie immer,
Zuckend daher die Schwerter und zwiefach schneidenden Lanzen;
Doch wie sie Hektor gesehn die Männerscharen umwandeln,
Standen sie starr, und allen entsank vor die Füße der Mut hin. 280
Drauf ermahnte sie Thoas, der tapfere Sohn Andrämons,
Edel im Volk der Ätoler, ein kundiger Held mit dem Wurfspieß,
Auch im stehenden Kampf; den Redenden aber besiegten
Wenige, wann um ihr Wort Achaias Jünglinge stritten.
Dieser begann wohlmeinend und redete vor der Versammlung: 285

Weh mir! Ein großes Wunder erblick ich dort mit den Augen!
Wie doch von neuem erstand, den graulichen Keren entronnen,
Hektor! Eben nur hofft in sicherem Herzen ein jeder,
Daß er von Ajas' Händen gestürzt, des Telamoniden,
Aber ein Gott hat wieder emporgestellt und errettet 290
Hektor, der schon vielen der Danaer löste die Knie,
Welches auch jetzt, vermut ich, geschehn wird! Schwerlich ja steht er
Ohne den Donnerer Zeus so freudigen Muts in dem Vorkampf.
Aber wohlan, wie ich rede das Wort, so gehorchet mir alle.
Heißt die Menge des Volks zu unseren Schiffen zurückziehn; 295
Selbst nur, so viele wir uns die Tapfersten rühmen des Heeres,
Laßt uns stehn, um zuerst dem Ungestüm zu begegnen,
Alle die Lanzen erhöht. Ich meine ja, wie er auch wütet,
Wird er im Herzen sich scheun, der Danaer Schar zu durchbrechen.
Jener sprach's; da hörten sie aufmerksam und gehorchten. 300
Schnell um die Ajas' her und Idomeneus, Kretas Beherrscher,
Teukros auch und Meriones auch und den kriegrischen Meges,
Ordneten jene die Schlacht, die edelsten Helden berufend,
Gegen der Troer Gewalt und Hektors; aber von hinten
Zog die Menge des Volks zurück zu den Schiffen Achaias. 305
Vor nun drangen die Troer mit Heerskraft; Hektor voran ging
Mächtigen Schritts; vor ihm selbst dann wandelte Phöbos Apollon,
Eingehüllt in Gewölk, und trug die stürmische Ägis,
Graunvoll, rauhumsäumt, hochfeierlich, welche Hephästos
Schmiedet' und Zeus dem Donnerer gab zum Entsetzen der Männer;
Diese trug in den Händen der Gott und führte die Völker.
Argos' Söhn' auch harrten gedrängt dort, und ein Geschrei stieg
Laut aus beiderlei Heer; die Pfeile, geschnellt von den Sennen,
Sprangen, und häufige Speere, von mutigen Händen geschleudert,
Hafteten, teils anprallend, im Leib der blühenden Kämpfer; 315
Viel auch im Zwischenraume, den schönen Leib nicht erreichend,
Standen empor aus der Erde, voll Gier, im Fleische zu schwelgen.
Weil noch still die Ägis einhertrug Phöbos Apollon,
Hafteten jeglichen Heeres Geschoss', und es sanken die Völker.
Aber sobald er sie gegen der reisigen Danaer Antlitz 320
Schüttelte, laut aufschreiend und fürchterlich, jetzo verzagte
Ihnen im Busen das Herz und vergaß des stürmenden Mutes.

Jetzt wie die Herd, entweder des Hornviehs oder der Schafe,
Zwei Raubtiere zerstreun in dämmernder Stunde des Melkens,
Kommend in schleuniger Wut, wann nicht der Hüter dabei ist: 325
Also entflohn kraftlos die Danaer, ganz von Apollons
Schrecken betäubt; denn die Troer und Hektor ehrt' er mit Siegsruhm.
Nun schlug Mann vor Mann im zerstreueten Kampf der Entschei-
Hektor raffte den Stichios hin und Arkesilaos, [dung.
Diesen der erzumschirmten Böotier ordnenden Führer, 330
Jenen des hochgesinnten Menestheus treuen Genossen.
Auch Äneias entriß des Jasos Waffen und Medons:
Dieser war ein Bastard des göttergleichen Oileus,
Medon, des Ajas Bruder, des kleineren; aber er wohnte
Ferne vom Vaterland in Phylake, weil er den Vetter 335
Einst erschlug Eriopis', der späteren Gattin Oileus';
Jasos war zum Führer der Athenäer geordnet,
Sphelos' Sohn im Volke genannt und Bukolos' Enkel.
Auch den Mekistheus schlug Polydamas, auch den Polites
Echios vorn im Gefecht, und den Klonios mordet' Agenor. 340
Paris durchschoß rückwärts dem Deiochos oben die Schulter,
Als er im Vorkampf floh, daß vorn das Erz ihm hervordrang.
Während sie jen' entblößten der Rüstungen, jetzt die Achaier,
Schnell auf Graben und Pfähle dahergestürzt in Verwirrung,
Bebten sie dorthin und dort und tauchten aus Zwang in die Mauer. 345
Hektor anjetzt ermahnte mit lautem Rufe die Troer:
Auf die Schiffe gesprengt und verlaßt die blutige Rüstung!
Wen ich vielleicht woanders, entfernt von den Schiffen, erblicke,
Gleich den Tod auf der Stelle bereit ich ihm! Keine Verwandtschaft
Folgt dann, Männer und Fraun, zum Totenfeuer dem Leichnam, 350
Sondern er liegt, von Hunden zerfleischt, vor Ilios' Mauern!
Sprach's und schwang die Geißel dem raschen Gespann auf die Schul-
Lauten Rufs anmahnend die Ordnungen. Alle zugleich nun [tern,
Lenkten sie, laut aufschreiend, die wagenbeflügelnden Rosse
Mit graunvollem Getös, und der führende Phöbos Apollon 355
Stürzete leicht mit den Füßen des Grabens ragende Ufer
Stampfend hinab in die Mitt und brückte den Pfad hinüber,
Lang zugleich und breit, so fern der geschwungene Wurfspieß
Hinfliegt, welchen ein Mann, die Kraft zu versuchen, entsendet.

Dort nun strömten sie vor in geschlossener Schar, und Apollon 360
Vorn, von der Ägis umstrahlt; hinstürzt' er der Danaer Mauer
Leicht, wie etwa den Sand ein Knab am Ufer des Meeres,
Der, nachdem er ein Spiel aufbaut' in kindischer Freude,
Wieder mit Hand und Fuße die Häuflein spielend verschüttet:
So, ferntreffender Phöbos, verschüttetest du der Achaier 365
Müh und dauernden Fleiß und scheuchtest sie selbst mit Entsetzen.
Jetzo hemmeten jene sich dort, bei den Schiffen beharrend,
Und ermahnten einander, und rings mit erhobenen Händen
Betete laut ein jeder zu allen unsterblichen Göttern.
Nestor vor allen, der Greis, der gerenische Hort der Achaier, 370
Flehte, die Händ' ausstreckend zum sternumleuchteten Himmel:
  Vater Zeus, so dir einer in Argos' Weizengefilden
Fette Schenkel des Stiers anzündete oder des Widders,
Flehend um Wiederkehr, und du ihm gewinkt und gelobet:
Denk uns des und steur, Olympier, solchem Verderben! 375
Laß nicht so hinsinken vor Trojas Macht die Achaier!
  Also fleht' er empor; da donnerte Zeus Kronion
Laut, das Gebet erhörend des neleiadischen Greises.
  Trojas Söhn', als sie hörten des Ägiserschütterers Ratschluß,
Drangen gestärkt in der Danaer Volk und entbrannten vor Streitlust.
Wie die gewaltige Woge des weitdurchwanderten Meeres
Über den Bord des Schiffes hinabstürzt, wann sie verfolget
Wut des Orkans, wie am höchsten die brandende Flut sie emportürmt:
So dort stürzten die Troer mit lautem Geschrei von der Mauer,
Lenkten die Rosse hinein, und mit zwiefach schneidenden Lanzen 385
Kämpften vermischt um die Steuer die Nahenden, jene vom Wagen,
Diese hoch vom Verdeck, die dunkelen Schiffe besteigend,
Mit langragenden Stangen, die dort auf den Schiffen zum Meerkampf
Lagen, zusammengefügt und vorn mit Erze gerüstet.
  Aber der Held Patroklos, indes die Achaier und Troer 390
Noch die Mauer umkämpften, getrennt von den rüstigen Schiffen,
Saß noch stets in des edlen Eurypylos schönem Gezelte,
Ihn mit Worten erfreuend, und fügt' auf die schmerzende Wund ihm
Lindernde Heilungssäfte, die dunkele Qual zu bezähmen.
Aber sobald zur Mauer mit Macht anrennen er hörte 395
Trojas Söhn' und erscholl der Danaer Angst und Getümmel,

Laut wehklagt' er nunmehr, und beide Hüften sich schlagend
Mit gebreiteten Händen, erhub er die jammernde Stimme:
  Nein, ich kann nicht länger, Eurypylos, darfst du auch meiner,
Hier verweilen bei dir; zu laut schon erhebt sich der Aufruhr! 400
Drum dein Waffengenoß vergnüge dich; aber ich selber
Eile zu Peleus' Sohn, ihn aufzuregen zur Feldschlacht.
Denn wer weiß, ob vielleicht durch göttliche Hilf ihn beweget
Mein Zuspruch! Gut immer ist redliche Warnung des Freundes.
  Dieses gesagt, enttrugen die Schenkel ihn. Dort die Achaier, 405
Fest vor der Troer Gewalt bestanden sie; doch sie vermochten
Nicht die wenigern zwar hinweg von den Schiffen zu drängen;
Nicht auch vermochten die Troer, der Danaer dichte Geschwader
Trennend, hindurchzubrechen in Ruderschiff' und Gezelte.
Sondern gleich, wie die Schnur abmißt den Balken des Schiffes 410
Unter des Zimmerers Hand, des erfahrenen, welcher die Weisheit
Aller Kunst durchdachte, gelehrt von Pallas Athene,
Also stand gleichschwebend die Schlacht der kämpfenden Völker.
Ringsher kämpften sie Kampf um die Meerschiff', andre bei andern.
  Hektor erschien nun Ajas, dem Ruhmverklärten, begegnend. 415
Beid um eines der Schiff' arbeiteten; aber nicht konnte
Weder er ihn austreiben und Glut in den Schiffen entflammen,
Noch ihn jener verdrängen, nachdem ihn genähert ein Dämon.
Ajas, der Held, schoß jetzo des Klytios Sohne Kaletor
Seinen Speer in die Brust, da er Glut zum Schiffe dahertrug. 420
Dumpf hinkracht' er im Fall, und der Brand entstürzte der Rechten.
Aber wie Hektor ersah, daß ihm sein tapferer Vetter
Hingestürzt in den Staub am dunkelen Schiffe des Meeres,
Rief er den Troern zugleich und Lykiern, laut ermahnend:
  Troer und Lykier ihr und Dardaner, Kämpfer der Nähe! 425
Nimmermehr doch entweichet des Kampfs graunvollem Gedräng hier,
Sondern errettet den Sohn des Klytios, daß die Achaier
Nicht ihm die Wehr abziehn, der im Kreis der Schiffe dahinsank.
  Jener sprach's, und dem Ajas entsandt er die blinkende Lanze.
Zwar ihn selbst verfehlt' er, doch Mastors Sohne Lykophron, 430
Ajas' Genossen im Streit, dem Kytherier, welcher bei jenem
Wohnete, seit er um Mord wegfloh aus der edlen Kythera:
Diesem traf er ins Haupt mit dem Wurfspieß über dem Ohre,

Dicht wie an Ajas er stand, und rücklings herab auf die Erde
Sank er vom Hinterverdeck in den Staub, ihm erschlafften die Glieder.
Starrend schaut' ihn Ajas und sprach, zum Bruder gewendet:
 Teukros, o Trautester, sieh, uns sank ein treuer Gefährte,
Mastors Sohn, den wir beide, seitdem von Kythera er ankam,
Wert wie Vater und Mutter in unserem Hause geachtet!
Ihn schlug Hektor anitzt, der Gewaltige! Wo die geschwinden 440
Todesgeschoss' und der Bogen, den dir geschenket Apollon?
 Jener sprach's, doch der Bruder vernahm's und naht' ihm in Eile,
Haltend zugleich in der Hand das schnellende Horn und den Köcher,
Pfeilevoll! und schleunig entsandt er Geschosse den Troern.
Kleitos zuerst nun traf er, den blühenden Sohn Peisenors 445
Und des Polydamas Freund, des gefeierten Panthoiden,
Welchem die Zügel er lenkt'; itzt tummelt' er mühsam die Rosse,
Lenkend dahin, wo vor allem am dichtesten tobten die Schlachtreihn,
Hektorn und den Troern gefällig zu sein; doch sofort ihm
Nahte das Weh, dem ihn keiner entriß der strebenden Freunde. 450
Denn ihm traf von hinten der schmerzende Pfeil in den Nacken,
Und er entsank dem Geschirr, und zurück ihm zuckten die Rosse,
Leer das Geschirr hinrasselnd. Polydamas aber erkannt es
Schnell und eilte zuerst den flüchtigen Rossen entgegen.
Diese gab er Asthynoos drauf, dem Sohn Protiaons, 455
Welchen er sehr anmahnte, die Ross' ihm nahe zu halten,
Schauend auf ihn; dann eilt' er und drang in das Vordergetümmel.
 Teukros, ein andres Geschoß auf den schimmernden Hektor ergreifend,
Zielt', und er hätte gehemmt den Kampf bei den Schiffen Achaias,
Hätt er den tapfersten Held mit treffendem Pfeile getötet. 460
Doch nicht seiner vergaß der waltende Zeus; er beschirmte
Hektor und raubte den Ruhm dem Telamonier Teukros.
Siehe, die schöngeflochtene Schnur des untadligen Bogens
Brach er im Anziehn schnell, und seitwärts flog ihm verirrend
Sein erzschweres Geschoß, und der Bogen entsank aus der Linken. 465
Starrend schaut' es Teukros und sprach, zum Bruder gewendet:
 Wehe mir! Traun, es vereitelt ein Gott uns jeglichen Vorsatz
Unseres Kampfs, der den Bogen aus meiner Hand mir hinwegschlug
Und mir die Senne zerriß, die neugeflochten ich umband

Heute früh, zu erdulden auch viel abspringende Pfeile. 470
Ihm antwortete drauf der Telamonier Ajas:
Trautester, laß den Bogen doch nur und die häufigen Pfeile
Ruhn, nachdem ihn zernichtet ein Gott, der die Danaer neidet.
Jetzt, in der Hand den ragenden Speer und den Schild auf der Schulter,
Kämpfe mit Trojas Volk und ermahn auch andere Scharen, 475
Daß nicht arbeitlos, und siegten sie gleich, sie erobern
Unsre gebordeten Schiffe! Wohlauf und gedenke der Streitlust!
Jener sprach's, und den Bogen verwahrete Teukros im Zelte,
Warf alsdann um die Schulter die Last des vierfachen Schildes;
Auch das gewaltige Haupt mit stattlichem Helme bedeckt' er, 480
Von Roßhaaren umwallt, und fürchterlich winkte der Helmbusch;
Nahm auch die mächtige Lanze, gespitzt mit der Schärfe des Erzes,
Lief dann zurück und stellt' in Eile sich neben den Bruder.
Hektor, sobald er gesehn, daß Teukros' Bogen zerstört war,
Rief er den Troern zugleich und Lykiern, laut ermahnend: 485
Troer und Lykier ihr und Dardaner, Kämpfer der Nähe!
Seid nun Männer, o Freund', und gedenkt des stürmenden Mutes
Um die gebogenen Schiffe! Denn schon mit den Augen ersah ich
Einem tapferen Manne zerstört das Geschoß von Kronion.
Leicht ja erkannt wird Zeus' obwaltender Schutz von den Menschen
(Jenen sowohl, die er hoch mit glänzendem Ruhme verherrlicht,
Als die er niederbeugt und nicht zu verteidigen achtet):
Wie nun Argos' Völker er schwächt, uns aber beschirmet.
Auf, zum Kampf um die Schiffe mit Heerskraft! Welcher von euch nun
Tod und Schicksal erreicht, mit Wurf und Stoße verwundet, 495
Sterbe! Nicht ruhmlos ist's, für des Vaterlandes Errettung
Sterben; in Wohlfahrt läßt er die Gattin zurück und die Kinder
Und sein Haus und Erb unbeschädiget, wann die Achaier
Heimgekehrt in den Schiffen zum lieben Lande der Väter!
Jener sprach's und erregte zu Mut und Stärke die Männer. 500
Ajas indes auch drüben ermunterte seine Genossen:
Schande doch, Argos' Volk! Nun gilt's, entweder zu sterben
Oder uns Heil zu schaffen und unseren Schiffen Errettung!
Hofft ihr vielleicht, wenn die Schiffe gewinnt der gewaltige Hektor,
Daß dann jeder zu Fuß heimkehr in der Väter Gefilde? 505
Höret ihr nicht, wie laut er die feindlichen Scharen ermuntert,

Hektor, der schon die Schiffe mit Glut zu verbrennen daherstürmt?
Nicht zum Tanze fürwahr ermahnt er sie, sondern zum Kampfe!
Uns erscheint nun nirgend ein besserer Rat und Entschluß mehr,
Als hinein in den Feind mit gewaffneter Hand uns zu stürzen! 510
Besser, die Wahl des Todes beschleunigen oder des Lebens,
Als so lang hinschmachten in schreckenvoller Entscheidung,
So umsonst bei den Schiffen, vertilgt von schlechteren Männern!
Jener sprach's und erregte zu Mut und Stärke die Männer.
Hektor erschlug den Schedios nun, den Sohn Perimedes', 515
Der den Phokäern gebot; doch Ajas streckte des Fußvolks
Führer Laodamas hin, den glänzenden Sohn Antenors.
Auch Polydamas nahm dem Kyllenier Otos die Rüstung,
Welcher, des Meges Genoß, vorging den stolzen Epeiern.
Rächend flog der Phyleide daher, doch Polydamas wich ihm 520
Seitwärts aus; ihn selbst nun verfehlet' er, weil ihm Apollon
Weigerte, Panthoos' Sohn im Vorderkampf zu bezwingen,
Aber dem Krösmos rannt er gerad in den Busen die Lanze;
Dumpf hinkracht' er im Fall, und jener entzog ihm die Rüstung.
Gegen ihn flog nun Dolops daher, wohlkundig der Lanze, 525
Lampos' Sohn, den Lampos, der tapferste Kämpfer, gezeuget,
Er, Laomedons Sohn, den kundigen Stürmer der Feldschlacht;
Dieser durchstach dem Phyleiden die Mitte des Schilds mit der Lanze,
Nahe daher sich stürzend, allein ihn schirmte der Panzer,
Dicht und stark mit Gelenken befestiget, welchen noch Phyleus 530
Mit aus Ephyra brachte, vom heiligen Strom Selleis:
Denn sein Gastfreund schenkt' ihm, der Völkerfürst Euphetes,
Solchen, im Streit zu tragen, zur Abwehr feindlicher Männer,
Der ihm auch jetzt vom Leibe des Sohns abhielt das Verderben.
Ihm nun traf der Phyleide des schweifumflatterten Helmes 535
Oberste Wölbung von Erz mit dem Stoß der spitzigen Lanze,
Daß der gemähnete Busch ihm abbrach, ganz dann zur Erde
Niedersank in den Staub, noch neu gerötet von Purpur.
Während er ihn noch kämpfend bestand und hoffte den Siegsruhm,
Kam ihm ein Helfer daher, der streitbare Held Menelaos. 540
Seitwärts trat er geheim mit dem Speer, und die Schulter von hinten
Warf er, daß vorne die Brust das stürmende Erz ihm durchbohrte,
Ungestüm vorstrebend; da taumelt' er nieder aufs Antlitz.

Beide nun sprangen hinzu, die eherne Wehr von den Schultern
Abzuziehn. Doch Hektor gebot den Verwandten und Brüdern 545
Allen umher; vor allen den edlen Sohn Hiketaons
Straft' er, den Held Melanippos, der einst schwerwandelnde Rinder
In Perkote geweidet, da fern noch waren die Feinde;
Aber nachdem die Achaier in Ruderschiffen gelandet,
Kam er gen Ilios wieder und ragete hoch vor den Troern; 550
Auch bei Priamos wohnt' er, der gleich ihn ehrte den Söhnen.
Diesen straft' itzt Hektor, und laut ausrufend begann er:
Also jetzt, Melanippos, versäumen wir? Wendet auch dir nicht
Mildes Erbarmen das Herz, da tot dein Retter dahinsank?
Siehst du nicht, wie sehr sie um Dolops' Rüstung sich abmühn? 555
Folge mir! Jetzo gilt's, nicht fern von den Söhnen Achaias
Kämpfend zu stehn! Entweder wir morden sie, oder vom Gipfel
Stürzen sie Ilios' Feste herab und ermorden die Bürger!
Sprach's und eilte voran, ihm folgte der göttliche Streiter.
Argos' Söhn' auch ermahnte der Telamonier Ajas: 560
Seid nun Männer, o Freund', und Scham erfüll euch die Herzen!
Ehret euch selbst einander im Ungestüme der Feldschlacht!
Denn wo sich ehrt ein Volk, stehn mehrere Männer denn fallen,
Doch den Fliehenden wird nicht Ruhm gewährt noch Errettung!
Jener sprach's, und sie selber, dem Feind zu wehren begierig, 565
Faßten all in die Herzen das Wort; sie umzäunten die Schiffe
Rings mit ehrnem Geheg, und Zeus trieb stürmend die Troer.
Doch den Antilochos reizte der Rufer im Streit Menelaos:
Keiner ist jünger denn du, Antilochos, vor den Achaiern,
Weder geschwinder im Lauf noch tapfer wie du in der Feldschlacht,
Wenn du anjetzt vorspringend doch tötetest einen der Troer! 570
Dieses gesagt, nun eilt' er zurück und reizete jenen.
Und er entsprang dem Gewühl und warf die blinkende Lanze
Mit umschauendem Blick, und es flohn auseinander die Troer,
Als hinzielte der Mann; doch umsonst nicht sandt er die Lanze, 575
Sondern dem Held Melanippos, dem mutigen Sohn Hiketaons,
Welcher zum Kampf herschritt, durchschoß er die Brust an der Warze.
Dumpf hinkracht' er im Fall, und es rasselten um ihn die Waffen.
Aber Antilochos sprang, wie der rasche Hund auf des Rehes
Blutendes Kalb anstürzt, das, weil aus dem Lager es auffuhr, 580

Schnell der lauernde Jäger durchschoß und die Glieder ihm löste:
So, Melanippos, auf dich sprang Nestors kriegrischer Sohn itzt,
Dir die Wehr zu entreißen. Ihn sah der göttliche Hektor,
Welcher entgegen ihm lief durch Kampf und Waffengetümmel.
Nicht, wie tapfer er war, bestand Antilochos jenen, 585
Sondern entflüchtete gleich dem Gewild, das Böses getan hat,
Das, da den Hund um die Rinder es mordete oder den Hirten,
Wegflieht, ehe die Schar versammelter Männer herandringt.
Also der Nestorid'; ihm nach die Troer und Hektor
Rannten mit lautem Getös und schütteten herbe Geschosse. 590
Doch nun stand er gewandt, da der Seinigen Schar er erreichet.

Trojas Volk, blutgierig wie raubverschlingende Löwen,
Stürzte nunmehr in die Schiffe, des Donnerers Rat vollendend,
Der sie mit höherem Mut stets kräftigte, doch den Argeiern
Schwächte das Herz und des Ruhms sie beraubete, stärkend die Troer.
Denn dem Hektor beschloß sein Ratschluß Ruhm zu gewähren,
Priamos' Sohn, damit er die schreckliche Flamme des Feuers
Würf in die prangenden Schiff' und ganz erfüllte der Thetis
Unbarmherzigen Wunsch; drum harrete Zeus Kronion,
Leuchten zu sehn den Glanz von einem brennenden Schiffe. 600
Doch alsdann verhängt' er den Troern Flucht und Verfolgung
Immerdar von den Schiffen und Siegesruhm den Achaiern.
Also gesinnt, erregt' er, der Danaer Schiffe zu stürmen,
Hektor, Priamos' Sohn, der selber des Kampfs auch begehrte.
Tobt' er doch wild, wie Ares mit raffendem Speer und wie Feuer 605
Schrecklich die Berge durchtobt in verwachsener Tiefe des Waldes!
Siehe, der Schaum umstand die Lippen ihm, während die Augen
Unter den düsteren Brauen ihm funkelten, und um die Schläfen
Wehte der Mähnenbusch von dem Helm des kämpfenden Hektors
Fürchterlich! Selbst war ihm aus des Äthers Höhn ein Beschirmer
Zeus, der jenem allein in mächtigen Scharen der Männer
Preis und Herrlichkeit gab; denn wenige Tage nur waren
Ihm gewährt, schon lenkt' ihm das finstere Todesverhängnis
Pallas Athene daher durch siegende Macht des Achilleus.
Jener nun ging zu durchbrechen die Ordnungen, rings versuchend,
Wo den dichtesten Haufen er sah und die trefflichsten Waffen.
Dennoch versucht' er umsonst Einbruch, wie gewaltig er andrang;

Denn stets hemmt' ihn die Schar der Geschlossenen. Gleich wie ein Felsen,
Hochgetürmt und groß, an des bläulichen Meeres Gestade,
Welcher besteht der sausenden Wind' herzuckende Wirbel 620
Und die geschwollene Flut, die gegen ihn brandend emporrauscht:
So vor den Troern bestand der Danaer Volk und entfloh nicht.
Er, den strahlendes Feuer umleuchtete, sprang auf die Heerschar,
Hergestürzt, wie die Wog in das rüstige Schiff sich hineinstürzt,
Ungestüm aus den Wolken vom Sturme genährt (es bedeckt sich 625
Ganz mit Schaume das Schiff, und fürchterlich saust in dem Segel
Oben die Wut des Orkans, und es bebt den erschrockenen Schiffern
Bange das Herz, weil wenig vom Tode getrennt sie entfliegen):
Also empört' Unruhe das Herz der edlen Achaier.
Aber der Held, wie ein Löwe voll Wut eindringt in die Rinder, 630
Die in gewässerter Aue des großen Sumpfes umhergehn,
Tausende (nur ein Hirt begleitet sie, wenig geübt noch,
Ein krummhorniges Rind zu verteidigen wider ein Raubtier;
Zwar bei den vordersten bald und bald bei den äußersten Rindern
Wandelt er ängstlich umher, doch er, in die Mitte sich stürzend, 635
Würgt den Stier, und es fliehn die Erschrockenen): so die Achaier.
Graunbetäubt entflohn sie vor Hektors Macht und Kronions,
Alle. Doch einen erschlug er, Mykenens Held Periphetes,
Kopreus' Sohn, des Berühmten, der einst des Königs Eurystheus
Botschaft pflag zu bringen der hohen Kraft Herakles'. 640
Er, ein besserer Sohn, dem schlechteren Vater gezeuget,
War er in jeglicher Tugend, im rüstigen Lauf und im Kampfe,
Auch an Verstand mit den ersten im Rat der Mykener gepriesen;
Der nun sank vor Hektor, noch höheren Ruhm ihm gewährend.
Denn wie zurück er wandte, da stieß er sich unten am Borde 645
Seines Schildes, den er trug, die ferserreichende Schutzwehr;
Er, verwickelt daran, sank rückwärts, und um die Schläfen
Tönte mit furchtbarem Klange der Helm des fallenden Kriegers.
Hektor sofort bemerkt' es, und eilenden Laufs ihm genahet,
Bohrt' er die Lanz in die Brust, ihn dicht bei den lieben Genossen
Mordend. Sie suchten umsonst, betrauernd zwar den Genossen, 650
Rettung; sie selbst erbebten zu sehr dem göttlichen Hektor.

Vorwärts hatten sie jetzt und umher die äußersten Schiffe,
Die man zuerst aufzog; allein nachstürzten sich jene.

Zwar die Danaer wichen genötiget auch von den vordern 655
Schiffen zurück; doch dort beharrten sie bei den Gezelten
Scharweis, nicht sich zerstreuend durchs Lager umher; denn es hielt sie
Scham und Furcht; sie ermahnten sich unablässig einander.
Nestor vor allen, der Greis, der gerenische Hort der Achaier,
Flehete jeglichem Manne, bei Stamm und Geschlecht ihn beschwörend:
Seid nun Männer, o Freund', und Scham erfüll euch die Herzen,
Scham vor anderen Menschen! Noch mehr erinnre sich jeder
Seines Weibs und der Kinder, des Eigentums und der Eltern,
Welchem sie leben sowohl als welchem bereits sie gestorben!
Ihrethalb, der entfernten, beschwör ich jetzo euch flehend, 665
Tapfer den Feind zu bestehn und nicht zur Flucht euch zu wenden!
Jener sprach's und erregte zu Mut und Stärke die Männer.
Allen nunmehr von den Augen entnahm Athene des Dunkels
Hehres Gewölk, und Licht umstrahlte sie hiehin und dorthin,
Nach der Seite der Schiff' und des allverheerenden Krieges. 670
Hektor sahn sie, den Rufer im Streit, und sahn die Genossen,
Jene, die hinterwärts sich entferneten, müde des Kampfes,
Und die mutig den Kampf um die rüstigen Schiffe noch kämpften.
Nicht mehr jetzt gefiel es dem heldenmütigen Ajas,
Dort in der Ferne zu stehn mit den anderen Söhnen Achaias, 675
Sondern der Schiffe Verdeck' umwandelt' er, mächtigen Schrittes,
Und bewegt' in den Händen die mächtige Stange des Meerkampfs,
Wohlgefügt mit Ringen, von zweiundzwanzig Ellen.
So wie ein Mann mit Rossen daherzusprengen verständig,
Der, nachdem er aus vielen sich vier Reitrosse vereinigt, 680
Rasch aus dem flachen Gefilde zur großen Stadt sie beflügelt
Auf dem gemeinsamen Weg (und viel anstaunend ihm zuschaun,
Männer umher und Weiber; denn sicher stets und unfehlbar
Springt er vom anderen Roß aufs andere, und sie entfliegen):
So dort Ajas, auf vieler gerüsteten Schiffe Verdecke 685
Wandelt' er mächtigen Schritts, und es tönte sein Ruf bis zum Äther.
Immerdar mit schrecklichem Laut den Achaiern gebot er,
Daß sie Schiff' und Gezelte verteidigten. Aber auch Hektor
Weilete nicht im Haufen der dichtumpanzerten Troer;
Nein, wie ein glänzender Adler auf weitgeflügelter Vögel 690
Scharen daher sich stürzt, die weidend am Strom sich gelagert,

Kraniche oder Gäns' und das Volk langhalsiger Schwäne,
So drang Hektor dort auf ein schwarzgeschnäbeltes Meerschiff
Grad im stürmenden Lauf (ihn schwang von hinten Kronion
Mit allmächtiger Hand) und erregte die folgende Heerschar. 695
Wiederum ein bitterer Streit bei den Schiffen erhub sich;
Gleich als flög unermüdet und niebezwungenen Mutes
Jeder zum Kampfe daher, so tobten sie wild aneinander.
Dieser Gedank entflammte die Streitenden; sie, die Achaier,
Dachten nicht zu entfliehn vor den Schrecknissen, sondern zu sterben;
Aber der Troer hofft ein jeglicher mutigen Herzens,
Anzuzünden die Schiff' und Achaias Helden zu morden.
Also gefaßt im Herzen bekämpften sie wütend einander.
Hektor erhub nun die Hand zum Steuerende des Meerschiffs,
Das, leichtsegelnd und schön, den Protesilaos gen Troja 705
Hergeführt, allein nicht wiederbrachte zur Heimat.
Hierum kämpfeten jetzt die Troer und die Achaier,
Wild durcheinander gemengt, und mordeten; siehe, fürwahr nicht
Ferne des Bogenschusses erharrten sie oder des Speeres,
Sondern nahe zusammengedrängt, einmütigen Herzens 710
Schwangen sie scharfe Beil' und hauende Äxt' aufeinander,
Auch gewaltige Schwerter und zwiefach schneidende Lanzen.
Manches stattliche Schwert mit schwarzumwundenem Hefte
Stürzete dort aus der Hand in den Staub und dort von den Schultern
Streitender Männer herab, und in Blut floß ringsum die Erde. 715
Hektor, nachdem er das Schiff anrührete, ließ es durchaus nicht,
Fest den Knauf in den Händen gefaßt, und ermahnte die Troer:
Feuer her! und erhebt in stürmendem Drange den Schlachtruf!
Uns nun sendete Zeus den Tag, der alle vergütet,
Daß wir die Schiff' einnehmen, die trotz den Unsterblichen landend 720
Uns so viel Unheiles gebracht durch die Zagheit der Greise,
Welche, so oft zu kämpfen ich strebt um die ragenden Steuer,
Immer mich selbst abhielten und Kriegesvolk mir versagten.
Aber hat auch dann uns betört Zeus' waltende Vorsicht
Unseren Sinn, doch jetzo ermahnt er selbst und gebietet! 725
Jener sprach's, und sie stürmten noch heftiger auf die Achaier.
Ajas bestand nicht fürder, ihn drängten zu sehr die Geschosse,
Sondern entwich ein wenig, da Todesgraun er zuvorsah,

Hoch auf des Steuerers Bank, vom Verdeck des schwebenden Schiffes.
Dort gestellt nun späht' er umher, mit der Lanze die Troer 730
Stets von den Schiffen entfernend, wer loderndes Feuer herantrug;
Stets auch ruft' mit schrecklichem Laut und gebot den Achaiern:
Freund', ihr Helden des Danaerstamms, o Genossen des Ares!
Seid nun Männer, o Freund', und gedenkt des stürmenden Mutes!
Wähnen wir denn, uns stehn noch tapfere Helfer dahinten? 735
Oder ein stärkerer Wall, der das Weh abwehre den Männern?
Keine Stadt ist nahe, mit türmender Mauer befestigt,
Die uns verteidigen könnt, abwechselndes Volk uns gewährend,
Sondern ja hier im Felde der dichtumpanzerten Troer
Liegen wir nahe dem Meer, entfernt vom Lande der Väter! 740
Nur in den Armen ist Heil und nicht in der Laue des Kampfes!
Sprach's, und schaltete wütend daher mit der spitzigen Lanze.
Wer auch anjetzt der Troer den räumigen Schiffen sich nahte,
Flammende Glut in der Hand, dem ermahnenden Hektor gehorsam,
Schnell verwundet' ihn Ajas, mit langem Speer ihn empfangend. 745
Zwölf mit stürmender Hand vor Achaias Schiffen erlegt' er.

XVI. GESANG

Dem Patroklos erlaubt Achilleus, in seiner Rüstung zur Verteidigung der Schiffe, aber nicht weiter, auszuziehn. Ajas wird überwältigt, und das Schiff brennt. Achilleus treibt den Patroklos, sich zu bewaffnen, und ordnet die Scharen. Patroklos vertreibt die Troer, erst vom brennenden Schiffe, dann völlig. Verfolgung und Abschneidung der Äußersten. Sarpedons Tod. Patroklos ersteigt die Mauer, wird aber von Apollon gehemmt. Hektor fährt gegen Patroklos zurück, der seinen Wagenlenker Kebriones tötet. Den tapferen Patroklos macht Apollon betäubt und wehrlos, worauf ihm Euphorbos den Rücken, dann Hektor den Bauch durchbohrt. Seinen Genossen Automedon verfolgt Hektor.

Also kämpften sie dort um das schöngebordete Meerschiff.
Aber Patroklos trat zum Völkerhirten Achilleus,
Heiße Tränen vergießend, der finsteren Quelle vergleichbar,
Die aus jähem Geklipp hergeußt ihr dunkles Gewässer.
Mitleidsvoll erblickt' ihn der mutige Renner Achilleus; 5
Und er begann zu jenem und sprach die geflügelten Worte:
Warum also geweint, Patrokleus? Gleich wie ein Mägdlein,

Klein und zart, das die Mutter verfolgt und: nimm mich! sie anfleht,
An ihr Gewand sich schmiegend, den Lauf der Eilenden hemmet
Und mit tränenden Augen emporblickt, bis sie es aufhebt: 10
So auch dir, Patroklos, entrinnt das tröpfelnde Tränchen.
Bringst du den Myrmidonen Verkündigung oder mir selber?
Hast du etwa allein Botschaft aus Phthia vernommen?
Lebt doch annoch, wie sie sagen, Menötios, Aktors Erzeugter,
Peleus auch, des Äakos Sohn, lebt herrschend im Volke, 15
Welche zween wir am meisten betrauerten, wenn sie gestorben.
Oder um Argos' Volk wehklagest du, wie es verderbt wird
An den geräumigen Schiffen, zum Lohn des eigenen Frevels?
Sprich, verhehle mir nichts, damit wir es beide wissen.
Schwer aufseufzend erwidertest du, Gaultummler Patroklos: 20
Peleus' Sohn Achilleus, erhabenster Held der Achaier,
Zürne mir nicht; zu schwer ja belastet der Gram die Achaier!
Denn sie alle bereits, die vordem die tapfersten waren,
Liegen umher bei den Schiffen, mit Wurf und Stoße verwundet.
Wund von Geschoß ist Tydeus' Sohn, der Held Diomedes, 25
Wund von der Lanz Odysseus, der Herrliche, und Agamemnon;
Auch Eurypylos traf ein fliegender Pfeil in die Lende.
Dieser pflegen umher vielkundige Ärzte mit Heilung,
Lindernd die Qual. Du aber bist ganz unbiegsam, Achilleus!
Nie doch fülle der Zorn die Seele mir, welchen du hegest, 30
Starker, zu Weh! Wer anders genießt dein, auch in der Zukunft,
Wenn du nicht die Argeier vom schmählichen Jammer errettest?
Grausamer! Nicht dein Vater war, traun, der reisige Peleus,
Noch auch Thetis die Mutter; dich schuf die finstere Meerflut,
Dich hochstarrende Felsen; denn starr ist dein Herz und gefühllos! 35
Aber wofern im Herzen ein Götterspruch dich erschrecket
Und dir Worte von Zeus die göttliche Mutter gemeldet,
Sende zum wenigsten mich, und der Myrmidonen Geschwader
Folge zugleich, ob ich etwa ein Licht der Danaer werde.
Gib mir auch um die Schultern die Rüstungen, welche du trägest, 40
Ob, mich für dich ansehend, vielleicht vom Kampfe die Troer
Abstehn und sich erholen die kriegrischen Männer Achaias
Ihrer Angst, wie klein sie auch sei, die Erholung des Krieges.
Leicht auch können wir Frischen die schon ermüdeten Kämpfer

Rückwärts drängen zur Stadt, von den Schiffen hinweg und Gezelten.
Also sprach er flehend, der Törichte! Siehe, sich selber
Sollt er jetzo den Tod und das schreckliche Schicksal erflehen!
Unmutsvoll antwortete drauf der Renner Achilleus:
Wehe mir, edeler Held Patrokleus, welcherlei Rede!
Weder ein Wink der Götter bekümmert mich, welchen ich wahrnahm,
Noch hat Worte von Zeus mir die göttliche Mutter gemeldet.
Aber der bittere Schmerz hat Seel und Geist mir durchdrungen,
Wenn nunmehr den gleichen ein Mann zu berauben gedenket
Und sein Geschenk zu entziehn, da nur an Gewalt er vorangeht!
Das ist mir bitterer Schmerz; denn ich trug unendlichen Kummer! 55
Jene, die mir auserkoren zum Ehrengeschenk die Achaier
Und mit der Lanz ich gewann, die türmende Feste zerstörend,
Sie nun rafft' aus den Händen der Völkerfürst Agamemnon,
Atreus' Sohn, als wär ich ein ungeachteter Fremdling!
Aber vergangen sei das Vergangene! Nimmer ja war auch 60
Sonder Rast zu zürnen mein Vorsatz; denn ich beschloß zwar
Eher nicht den Groll zu besänftigen, aber sobald nun
Meinen Schiffen genaht das Feldgeschrei und Getümmel.
Du denn hülle die Schultern in meine gepriesene Rüstung,
Führ auch das streitbare Volk der Myrmidonen zum Kampfe, 65
Weil ja mit düsterem Graun der Troer Gewölk sich umherzog,
Gegen die Schiff' anstürmend, und jen', am Gestade des Meeres
Eingezwängt, nur wenig des schmalen Raums noch behaupten,
Argos' Söhn', und der Troer gesamte Stadt auf sie eindringt,
Trotziglich: denn nicht schaun sie von meinem Helme die Stirne 70
Nah herstrahlen voll Glanz! Bald hätten sie fliehend die Graben
Angefüllt mit Toten, wenn mir Agamemnon der Herrscher
Billigkeit hätte gewährt; nun kämpfen sie rings um das Lager!
Denn nicht Tydeus' Sohn Diomedes schwingt in den Händen
Seinen wütenden Speer, der Danaer Schmach zu entfernen, 75
Noch den tönenden Ruf von Atreus' Sohne vernehm ich
Aus dem verhaßten Mund; doch Hektors Ruf, des Erwürgers,
Trojas Söhn' anmahnend, umschmettert mich! Jene mit Kriegsschrei
Decken das ganze Gefild und besiegen im Kampf die Achaier!
Dennoch jetzt, Patroklos, das Weh von den Schiffen entfernend, 80
Stürz in die Troer mit Macht, daß nicht in flammendem Feuer

Jene die Schiff' anzünden und rauben die fröhliche Heimkehr.
Aber vernimm, wie dir's mit umfassendem Wort ich gebiete,
Daß du mir hochherrlichen Ruhm und Ehre gewinnest
Vor dem Volk der Achaier und sie das rosige Mägdlein 85
Wieder zurück mir geben und köstliche Gaben hinzutun:
Treib aus den Schiffen sie weg, und wende dich, ob dir vielleicht auch
Ruhm zu gewinnen verleiht der donnernde Gatte der Here!
Doch nicht ohne mich selbst verlange dein Herz zu bekämpfen
Trojas streitbare Söhne! denn weniger ehrte mich solches. 90
Auch nicht üppigen Mutes im Streit und Waffengetümmel
Führe du, mordend die Troer, das Volk vor Ilios' Mauern,
Daß nicht her vom Olympos der ewig waltenden Götter
Einer dir nah (es liebt sie der treffende Phöbos Apollon),
Sondern zurück dich gewandt, nachdem du den Schiffen Errettung 95
Brachtest, und laß die andern im Feld umher sich ermorden.
Wenn doch, o Vater Zeus und Pallas Athen' und Apollon,
Auch kein einziger Troer sich rettete, aller die da sind,
Auch der Danaer keiner, und wir nur entflohn der Vertilgung,
Daß wir allein abrissen die heiligen Zinnen von Troja! 100

Also redeten jen' im Wechselgespräch miteinander.
Ajas bestand nicht fürder, ihn drängten zu sehr die Geschosse.
Denn ihn bezwang Zeus' heiliger Rat und die mutigen Troer,
Werfend Geschoß, daß schrecklich der leuchtende Helm um die Schläfen,
Rings umprallt von Geschoß, aufrasselte; denn es umprallt' ihn 105
Stets das gebuckelte Erz, und links erstarrt' ihm die Schulter,
Stets vom Schilde beschwert, dem beweglichen; dennoch vermocht ihn
Keiner umher zu erschüttern, mit Todesstoß ihn umdrängend.
Häufig indes und schwer aufatmet' er, und es umfloß ihn
Rings von den Gliedern herab der Angstschweiß; nimmer Erholung 110
Ward ihm vergönnt, ringsher ward Graun an Graun ihm gereihet.

Sagt mir anitzt, ihr Musen, olympische Höhen bewohnend,
Wie nun Feuer zuerst einfiel in der Danaer Schiffe.

Hektor, heran sich stürzend auf Ajas' eschene Lanze,
Schwang das gewaltige Schwert, und dicht an der Öse des Erzes 115
Schmettert' er grade sie durch, und der Telamonier Ajas
Zuckt' umsonst in der Hand den verstümmelten Schaft, da geschleudert
Fern die Spitze von Erz mit Getön hinsank auf den Boden.

Ajas erkannte nunmehr, in erhabener Seel aufschauernd,
Göttergewalt, daß gänzlich des Kampfs Anschläge vereitle 120
Der hochdonnernde Zeus und den Troern gönne den Siegsruhm;
Und er entwich dem Geschoß. Da warfen sie brennendes Feuer
Schnell in das Schiff, und plötzlich durchflog unlöschbar umher Glut.
Also lodert' am Steuer die Flamm auf. Aber Achilleus
Schlug sich die Hüften vor Schmerz und sprach zum Freund Patrokleus:
  Hebe dich, edeler Held Patrokleus, reisiger Kämpfer!
Denn ich seh in den Schiffen des feindlichen Feuers Gewalt nun!
Eh sie die Schiff einnehmen und kein Entfliehn noch vergönnt wird,
Hüll in die Waffen dich schnell, und ich selbst versammle die Völker!
  Jener sprach's, doch Patroklos umschloß sich mit blendendem Erze.
Eilend fügt' er zuerst um die Beine sich bergende Schienen,
Blank und schön, anschließend mit silberner Knöchelbedeckung.
Weiter umschirmt' er die Brust ringsher mit dem ehernen Harnisch,
Künstlich und sternenhell, des äakidischen Renners;
Hängte sodann um die Schulter das Schwert voll silberner Buckeln,
Eherner Kling, und darauf den Schild auch, groß und gediegen;
Auch das gewaltige Haupt mit stattlichem Helme bedeckt' er,
Von Roßhaaren umwallt, und fürchterlich winkte der Helmbusch.
Auch zwo mächtige Lanzen, gerecht in den Händen, ergriff er;
Nur nicht nahm er den Speer des untadligen Peleionen, 140
Schwer und groß und gediegen (es konnt ihn der Danaer keiner
Schwingen, allein vermocht ihn umherzuschwingen Achilleus):
Pelions ragende Esche, die Cheiron schenkte dem Vater,
Pelions Gipfel enthaun, zum Mord den Heldengeschlechtern.
Aber Automedon hieß er in Eil anschirren die Rosse, 145
Ihn, den trautesten Freund nach dem Scharentrenner Achilleus,
Und ihm bewährt vor allen, den stürmenden Kampf zu bestehen.
Und Automedon führt' in das Joch die hurtigen Rosse
Xanthos und Balios her, die rasch hinflogen wie Winde;
Diese gebar dem Zephyros einst die Harpye Podarge, 150
Weidend auf grüner Au an Okeanos' strömenden Wassern;
Nebengespannt dann ließ er den mutigen Pedasos wandeln,
Den aus Eetions Stadt siegreich einst führet' Achilleus,
Der, zwar sterblich gezeugt, mit unsterblichen Rossen einherlief.
  Aber die Myrmidonen bewaffnete wandelnd Achilleus 155

Rings durch jedes Gezelt mit Rüstungen. Jene, wie Wölfe,
Gierig nach Fleisch und ihr Herz voll unermeßlicher Stärke,
Welche den mächtigen Hirsch mit Geweih, den sie würgten im Bergwald,
Fressend umstehn, sie alle von Blut die Backen gerötet
(Jetzo geschart hinrennend zur finstersprudelnden Quelle, 160
Lecken sie, dünn die Zungen gestreckt, des dunklen Gewässers
Obenhin, ausspeiend den blutigen Mord; und es trotzet
Kühn im Busen ihr Herz und gedehnt sind allen die Bäuche):
Also der Myrmidonen erhabene Fürsten und Pfleger,
Wild um den edlen Genossen des äakidischen Renners 165
Stürmten sie; unter der Schar stand kriegrischen Mutes Achilleus,
Laut ermahnend die Ross' und schildgewappneten Männer.
Fünfzig waren der Schiffe von raschem Lauf, die Achilleus
Her gen Troja geführt, der Göttliche; aber in jedem
Waren fünfzig Männer, die Ruderbänke bedeckend. 170
Diesen ordnet' er fünf Kriegsobersten, welchen er traute,
Zum Befehl, und er selber gebot obwaltend den Herrschern.
Eine der Ordnungen führte Menesthios, rasch in dem Panzer,
Er, ein Sohn Spercheios', des himmelentsprossenen Stromes:
Ihn gebar Polydora, des Peleus liebliche Tochter, 175
Durch Spercheios' Kraft, das Weib zum Gotte gelagert;
Doch als Vater genannt ward Boros, der Sohn Perieres',
Welcher sie öffentlich nahm nach unendlicher Bräutigamsgabe.
Drauf die andere führt' Eudoros, jener beherzte
Jungfraunsohn, den die Schönste zu Reigentanz, Polymele, 180
Phylas' Tochter, gebar; denn der mächtige Argoswürger
Liebte sie, als er im Chor der Sängerinnen sie wahrnahm,
Tanzend an Artemis' Fest, der Göttin mit goldener Spindel.
Eilend stieg er zum Söller empor und umarmte sie heimlich,
Hermes, der Retter aus Not; und den glänzenden Sohn Eudoros 185
Trug ihr Schoß, im Laufe so rasch und so rasch in der Feldschlacht.
Aber nachdem ihn jetzo die ringende Eileithya
Zog an das Tageslicht und der Sonne Glanz er gesehen,
Führete jen' Echeklos, der starke Sohn des Aktor,
Heim in seinen Palast, nach unendlicher Bräutigamsgabe; 190
Phylas indes, der Greis, erzog den Knaben und pflegt' ihn
Mit treuherziger Lieb, als wär's sein leibliches Söhnlein.

Drauf der dritten gebot der streitbare Held Peisandros,
Mämalos' Sohn, der, berühmt vor den myrmidonischen Kämpfern,
Strebt' an Kunde des Speers nach Achilleus' Freunde Patroklos. 195
Dann der vierten gebot der graue reisige Phönix.
Endlich der Sohn Laerkes' Alkimedon führte die fünfte.
Aber nachdem sie alle zusamt den Gebietern Achilleus
Wohlgereiht und gestellt, jetzt rief er mit Ernst die Befehle:
Keiner, o Myrmidonen, vergesse mir alle die Drohung, 200
Die bei den rüstigen Schiffen ihr angedroht den Troern
Stets, dieweil ich gezürnt; und wie sehr mich jeder beschuldigt:
Grausamer Peleussohn, ja mit Gall erzog dich die Mutter!
Harter, mit Zwang an den Schiffen die trauernden Freunde zu halten!
Heimwärts laß uns vielmehr in rüstigen Schiffen des Meeres 205
Kehren, da dir doch also von bösem Zorne das Herz tobt!
Dies oft redetet ihr in Versammlungen. Nun ist erschienen,
Sehet, der Tag des Gefechts, nach welchem so lang ihr geschmachtet!
Jetzt, wem das mutige Herz es gebeut, der bekämpfe die Troer!
Jener sprach's und erregte zu Mut und Stärke die Männer; 210
Enger noch schlossen die Reihn, nachdem sie den König vernommen.
Fest, wie die Wand sich füget ein Mann aus gedrängeten Steinen
Eines erhabenen Saals, die Gewalt der Winde vermeidend:
Also fügten sich Helm' und genabelte Schild' aneinander,
Tartsch an Tartsche gelehnt, an Helm Helm, Krieger an Krieger; 215
Und die umflatterten Helme der Nickenden rührten geengt sich
Mit hellschimmernden Zacken: so dichtvereint war die Heerschar.
Vornan gingen dem Zug die zween gewappneten Krieger,
Beide, Patroklos der Held und Automedon, mutigen Herzens,
Einzuhaun vor der Schar der Ihrigen. Aber Achilleus 220
Eilte zurück ins Gezelt und hob den Deckel des Kastens,
Welchen, schön und künstlich, die silberfüßige Thetis
Ihm mitgab in das Schiff, wohlangefüllt mit Gewanden,
Mit dickwolligen Decken und windabwehrenden Mänteln.
Drin auch lag ihm ein Becher voll Kunstwerk; nimmer noch hatte 225
Weder ein andrer daraus des funkelnden Weines getrunken
Noch er einem gesprengt der Unsterblichen, außer Kronion.
Den aus dem Kasten erhebend nun reinigte jener mit Schwefel
Erst und wusch ihn darauf in lauteren Fluten des Wassers;

Wusch dann sich selber die Händ' und schöpfte des funkelnden Weines,
Trat in die Mitte des Hofs und betete, sprengte den Wein dann,
Schauend gen Himmel empor und nicht unbemerkt von Kronion:
  Zeus, dodonischer König, pelasgischer, ferne gebietend,
Herrscher im frostigen Hain Dodonas, wo dir die Seller
Dienst gelobt, ungewaschen die Füß', auf Erde gelagert! 235
So wie schon du zuvor mich höretest, als ich dich anrief,
Wie du die Ehre mir gabst und furchtbar schlugst die Achaier,
Also auch nun von neuem gewähre mir dieses Verlangen.
Selbst zwar bleib ich allhier, im Kreis der Schiffe beharrend,
Aber den Freund entsend ich mit häufigen Myrmidonen 240
Hin zur Schlacht. O gesell ihm Siegsruhm, Herrscher der Welt Zeus!
Stärke sein Herz im Busen mit Tapferkeit, daß nun auch Hektor
Lernen mög, ob allein auch den Kampf zu tragen verstehe
Unser Waffengenoß, ob nur dann die unnahbaren Händ' ihm
Wüten, wann ich ihm zugleich eingeh ins Getümmel des Ares! 245
Aber sobald von den Schiffen er Streit und Getöse verdränget,
Unverletzt mir alsdann in die rüstigen Schiffe gelang' er,
Samt dem Waffengeschmeid und den nah anstürmenden Freunden!
  Also sprach er flehend, ihn hörete Zeus Kronion.
Doch ein anderes gab ihm der Gott, ein andres versagt' er: 250
Weg von den Schiffen zu drängen den Streit und das Kriegsgetöse,
Gab er; allein versagte, gesund aus dem Streite zu kehren.
Jetzo, nachdem er gesprengt und Zeus dem Vater geflehet,
Eilt' er zurück ins Gezelt und legt' in den Kasten den Becher,
Kam dann und stand vor dem Zelte; denn noch verlangte das Herz ihm,
Anzuschaun der Troer und Danaer blutige Feldschlacht.
  Jene nunmehr um Patroklos den Mutigen wohlgerüstet
Zogen einher, in die Troer mit trotziger Kraft sich zu stürzen.
Schnell wie ein Schwarm von Wespen am Heerweg strömten sie vor-
Die mutwillige Knaben erbitterten nach der Gewohnheit, [wärts,
Immerdar sie kränkend, die hart am Wege genistet,
Törichten Sinns, da sie vielen gemeinsames Übel bereiten;
Denn wofern ein wandernder Mann, der etwa vorbeigeht,
Absichtslos sie erregt, schnell, tapferen Mutes zur Abwehr
Fliegen sie alle hervor, ihr junges Geschlecht zu beschirmen. 265
Also die Myrmidonen, von tapferem Mute beseelet,

Strömten sie vor aus den Schiffen, und graunvoll brüllte der
Aber Patroklos gebot mit lautem Ruf den Genossen: [Schlachtruf.
Myrmidonen, Erwählte des Peleiaden Achilleus,
Seid nun Männer, o Freund', und gedenkt des stürmenden Mutes, 270
Daß wir Peleus' Sohn verherrlichen, ihn, der voranstrebt
Allen in Argos' Volk, dem stürmen zum Kampf die Genossen;
Auch er selbst, der Atreide, der Völkerfürst Agamemnon,
Kenne die Schuld, da den besten der Danaer nichts er geehret!
Jener sprach's und erregte zu Mut und Stärke die Männer. 275
Wild eindrang in die Troer die Heerschar, und in den Schiffen
Donnerte dumpf nachhallend das Feldgeschrei der Achaier.
Doch wie die Troer ersahn Menötios' tapferen Sprößling,
Ihn und seinen Genossen, in strahlendem Waffengeschmeide,
Regte sich allen das Herz, und es schwankten verwirrt die Geschwader,
Wähnend, es hab an den Schiffen der mutige Renner Achilleus
Abgelegt den zürnenden Groll und Freundschaft erkoren;
Jeglicher schaut' umher, zu entfliehn dem grausen Verderben.
Aber Patroklos zuerst entschwang die blinkende Lanze,
Grad in die Mitte hinein, wo am dichtesten schwoll das Getümmel,
Hinten am dunkelen Schiff des erhabenen Protesilaos.
Und er traf den Pyrächmes, der gaulgewandte Päonen
Führt' aus Amydon her, von des Axios breitem Gewässer; [Boden
Rechts ihm durchbohrt' er die Schulter, und rücklings hinab auf den
Taumelt' er, laut wehklagend, und rings die päonischen Freunde 290
Flüchteten, alle von Schrecken betäubt vor dem edlen Patroklos,
Als den Gebieter er schlug, den Tapfersten einst in der Feldschlacht.
Weg von den Schiffen sie trieb er und löschte die lodernde Flamm aus.
Halbverbrannt blieb stehen das Schiff; und es flohen die Troer
Mit graunvollem Getümmel; es gossen sich nach die Achaier 295
Durch die geräumigen Schiff', und es tobt' unermeßlicher Aufruhr.
Wie wenn hoch vom ragenden Haupt des großen Gebirges
Dickes Gewölk fortdrängt der Donnerer Zeus Kronion
(Hell sind rings die Warten der Berg' und die zackigen Gipfel,
Täler auch; aber am Himmel eröffnet sich endlos der Äther): 300
So, da die feindliche Glut sie hinweggedrängt von den Schiffen,
Atmeten auf die Achaier, doch nicht war Ruhe der Feldschlacht.
Denn nicht flohn die Troer vor Argos' kriegrischen Söhnen.

Schon die Rücken gewandt von den dunkelen Schiffen des Meeres,
Sondern sie boten noch Trotz und wichen aus Zwang von den Schiffen.
Nun schlug Mann vor Mann im zerstreueten Kampf der Entscheidung
Jeglicher Fürst; doch zuerst Menötios' tapferer Sprößling,
Schnell wie jener sich kehrte, durchschoß Areilykos' Schenkel
Mit scharfspitziger Lanze, daß vorn das Erz ihm hervordrang;
Krachend zerbrach das Gebein, und vorwärts hin auf den Boden 310
Taumelt' er. Drauf Menelaos, der kriegrische, bohrte dem Thoas
Neben dem Schild in die offene Brust und löst' ihm die Glieder.
Phyleus' Sohn den Amphiklos, der wild anstürmte, bemerkend,
Zuckt' ihm entgegen die Lanz in das obere Bein, wo am dicksten
Strotzt die Wade des Menschen von Fleisch; es zerriß ihm die Sehnen
Rings das durchbohrende Erz, und die Augen ihm schattete Dunkel.
Nestors Söhn': er, Antilochos, fuhr mit der spitzigen Lanze
Gegen Atymnios an und durchstieß ihm die Weiche des Bauches,
Und er entsank vorwärts; da schwang mit der Lanze sich Maris
Nah an Antilochos her, voll Zorns um den leiblichen Bruder, 320
Vor den Erschlagnen gestellt; doch der göttliche Held Thrasymedes
Streckte den Speer, eh jener verwundete; nicht ihn verfehlend,
Drang in die Schulter das Erz, und hinweg vom Gelenke des Armes
Rissen die Muskeln zerfleischt und es brach der zerschmetterte Knochen;
Dumpf hinkracht' er im Fall, und die Augen ihm schattete Dunkel.
Also dort, zween Brüder gebändiget, gingen die Brüder
Beid in des Erebos Nacht, Sarpedons tapfre Genossen,
Lanzenkundige Söhn' Amisodaros', der die Chimära
Nährte, das Ungeheuer, das viel hinraffte der Menschen.
Ajas, Oileus' Sohn, sprang vor und ergriff Kleobulos 330
Lebend, indem das Gedräng ihn hinderte; aber sofort ihm
Löst' er die Kraft, mit gewaltigem Schwert in den Nacken ihm hauend.
Ganz ward warm die Klinge vom spritzenden Blut, und die Augen
Übernahm der finstere Tod und das grause Verhängnis.
Siehe, Peneleos rannt und Lykon zugleich aneinander, 335
Denn mit Lanzen verfehlten sie beid und warfen vergebens;
Jetzt mit erhobenem Schwert anrannten sie. Lykon zuerst nun
Traf den gekegelten Helm an dem Roßbusch, aber am Hefte
Sprang ihm die Klinge zerknickt; Peneleus unter dem Ohr ihm

Schwang in den Nacken das Schwert, ganz taucht' es hinein,
und die Haut nur 340
Hing, und getrennt hinschwebte das Haupt, ihm erschlafften die Glieder.
Aber Meriones haschte den Akamas hurtigen Laufes,
Als er den Wagen bestieg, und stach ihm rechts in die Schulter;
Und er entsank dem Geschirr, und Nacht umzog ihm die Augen.
Aber Idomeneus traf in Erymas' Mund mit des Erzes 345
Stoß, und es drang aus dem Nacken die eherne Lanze durchbohrend
Unter dem Hirn ihm hervor und zerbrach die Gebeine des Hauptes;
Und ihm entstürzten die Zähn', und Blut erfüllte die Augen
Beid, auch atmet' er Blut aus dem offenen Mund und der Nase
Röchelnd empor, und dunkles Gewölk des Todes umhüllt' ihn. 350

Diese Danaerfürsten ermordeten jeder den seinen.
Wie wenn Wölf' in Lämmer sich stürzeten oder in Zicklein,
Grimmvoll, weg sie zu rauben aus weidender Herd im Gebirge,
Welche, vom Hirten versäumt, sich zerstreuete (jen' es ersehend,
Nahn in Eil und durchwürgen die mutlos bebenden Tierlein): 355
So in die Troer nun stürzten die Danaer; nur des Entfliehens
Dachten sie und des Geschreis und vergaßen des stürmenden Mutes.

Ajas, der größere, strebte den erzumschimmerten Hektor
Stets mit dem Speer zu erreichen; doch er, voll Kriegeserfahrung,
Mit stierledernem Schilde bedeckt um die mächtigen Schultern, 360
Nahm in acht der Pfeile Geschwirr und das Sausen der Lanzen.
Zwar bereits erkannt er der Schlacht abwechselnden Siegsruhm,
Aber auch so verweilt' er und rettete teure Genossen.

Wie vom Olympos daher ein Gewölk den Himmel umwandelt,
Aus hellstrahlendem Äther, wann Zeus Sturmwetter verbreitet, 365
So von den Schiffen zurück war Angst und Geschrei und Verfolgung.
Nicht in geordnetem Zuge durchdrangen sie. Hektorn entführte
Hurtigen Laufs sein Gespann mit den Rüstungen; aber zurückblieb
Trojas Volk, das in Angst die gegrabene Tiefe noch hemmte.
Viel in dem Graben umher der wagenbeflügelnden Rosse 370
Ließen zerschellt an der Deichsel zurück die Geschirre der Eigner.
Aber Patroklos verfolgte, mit Macht die Achaier ermunternd,
Unglück drohend, den Feind, und rings mit Geschrei und Getümmel
Füllten sie jeglichen Weg, die Zerstreueten; hoch zu den Wolken
Wirbelte finsterer Staub, und es sprengten die stampfenden Rosse 375

Langgestreckt nach der Stadt, von den Schiffen hinweg und Gezelten.
Er, wo das dickste Gedräng hintummelte, sprengte Patroklos
Nach mit tönendem Ruf; und vorwärts unter die Räder
Stürzten die Männer in Staub, und zerrüttete Sessel erkrachten.
Über den Graben hinweg nun sprang der unsterblichen Rosse 380
Schnelles Gespann, die dem Peleus die ehrenden Götter geschenket,
Vorwärts eilend im Sturm; denn auf Hektor reizte der Mut ihn,
Daß sein Speer ihn ereilte, der schnell mit den Rossen dahinfloh.
Wie wenn stürmischer Regen die schwarze Erd umher deckt,
Spät in Tagen des Herbstes, wann reißende Wasser ergießet 385
Zeus, heimsuchend im Zorn die Freveltaten der Männer,
Welche gewaltsam richtend im Volk die Gesetze verdrehen
Und ausstoßen das Recht, sorglos um die Rache der Götter
(Alle nunmehr sind ihnen gedrängt die flutenden Ströme,
Viel Abhäng' auch verschwemmen die schroff aushöhlenden Wasser;
Und in das finstere Meer mit lautem Geräusch sich ergießend,
Taumeln sie hoch vom Gebirg, und verheert sind die Werke der Men-
Also die troischen Rosse, da laut mit Geräusch sie dahinflohn. [schen):

Doch wie Patroklos nunmehr abschnitt die nächsten Geschwader,
Scheucht' er gewandt zu den Schiffen die Flüchtlinge, und zu der Stadt
Ließ er die Sehnenden weiter hinaufziehn, sondern im Mittel [nicht
Dort der Schiff' und des Stromes und dort der türmenden Mauer
Mordet' er stürmend umher und schaffte sich viele Vergeltung.
Siehe, den Pronoos warf er zuerst mit blinkender Lanze
Neben dem Schild in die offene Brust und löst' ihm die Glieder; 400
Dumpf hinkracht' er im Fall. Dann auf Thestor, Enops' Erzeugten,
Wieder dahergestürzt; der saß in dem zierlichen Sessel,
Eingeschmiegt; denn die Angst betäubte sein Herz, und den Händen
War das Gezäum entsunken. Da stieß ihm jener genahet
Rechts in den Backen den Speer und ganz ihm die Zähne durchbohrt' er;
Über den Rand dann zog er am Schaft ihn. Gleich wie ein Fischer,
Auf vorragender Klippe gesetzt, den gewaltigen Meerfisch
Aufwärts zieht aus den Fluten an Schnur und eherner Angel,
So an blinkender Lanze den Schnappenden zog er vom Sessel;
Schüttelt' ihn dann aufs Gesicht, und der Fallende hauchte den Geist aus.
Jener nun warf Eryalos, der gegen ihn lief, mit dem Steine
Grad auf die Mitte des Haupts, und ganz voneinander zerbarst es

Unter dem lastenden Helm, und vorwärts hin auf den Boden
Taumelt' er; aber des Todes entseelender Schauer umfloß ihn.
Weiter den Erymas dann und Amphoteros und den Epaltes, 415
Pyres und Echios dann und Tlepolemos, Sohn des Damastor,
Ipheus dann und Euippos und Argeas' Sohn Polymelos
Streckt' er gehäuft miteinander zur nahrungsprossenden Erde.
Jetzt, wie Sarpedon ersah die gurtlos trotzenden Freunde
Unter Patroklos' Hand, des Menötiaden, bezwungen, 420
Laut ermahnt' er und schalt der Lykier göttliche Heerschar:
Schande doch, Lykias Volk! Wo entflieht ihr? Rüstig gewandt nun!
Denn ich will begegnen dem Manne da, daß ich erkenne,
Wer da umher so schaltet und schon viel Böses den Troern
Stiftete, weil er vieler und Tapferer Knie gelöset! [Erde.
Sprach's, und vom Wagen herab mit den Rüstungen sprang er zur
Auch Patroklos, sobald er ihn schauete, sprang aus dem Sessel.
Beide, den Habichten gleich, scharfklauigen, krummgeschnabelt,
Die auf luftigem Fels mit wildem Getön sich bekämpfen:
Also mit lautem Geschrei nun stürzten sie gegeneinander. 430
Diese schaut' erbarmend der Sohn des verborgenen Kronos,
Und zur Here begann er, der leiblichen Schwester und Gattin:
Wehe mir, wann das Geschick Sarpedon, meinen Geliebten,
Unter Patroklos' Hand, des Menötiaden, mir bändigt!
Zwiefachen Rat nun bewegt mein sinnendes Herz im Busen: 435
Ob ich ihn lebend annoch aus der tränenbringenden Feldschlacht
Setze hinweggerafft in Lykiens fruchtbare Fluren,
Oder ihn unter der Hand des Menötiaden bezwinge.
Ihm antwortete drauf die hoheitblickende Here:
Welch ein Wort, Kronion, du Schrecklicher, hast du geredet! 440
Einen sterblichen Mann, längst ausersehn dem Verhängnis,
Denkst du anitzt von des Tods graunvoller Gewalt zu erlösen?
Tu's! Doch nimmer gefällt es dem Rat der anderen Götter!
Eines verkünd ich dir noch, und du bewahr es im Herzen:
Wenn du ihn lebend entsendest in seinen Palast, den Sarpedon, 445
Dann bedenk, ob nicht ein anderer Gott auch begehre,
Seinen geliebten Sohn der schrecklichen Schlacht zu entführen.
Denn noch viel um die Feste des herrschenden Priamos kämpfen
Söhn' unsterblicher Götter; die trügen dir heftigen Groll nach.

Aber wofern du ihn liebst und deine Seel ihn betrauert, 450
Siehe, so laß ihn zwar im Ungestüme der Feldschlacht
Sterben, besiegt von der Hand des Menötiaden Patroklos;
Doch sobald ihn verlassen der Geist und der Odem des Lebens,
Gib ihn hinwegzutragen dem Tod und dem ruhigen Schlafe,
Bis sie gekommen zum Volk des weiten Lykierlandes, 455
Wo ihn rühmlich bestatten die Brüder zugleich und Verwandten
Mit Grabhügel und Säule; denn das ist die Ehre der Toten.
Jene sprach's; ihr gehorchte der waltende Herrscher der Welt Zeus.
Siehe, mit blutigen Tropfen beträufelt' er jetzo die Erde,
Ehrend den lieben Sohn, den bald ihm sollte Patroklos 460
Tilgen in Trojas Lande, dem scholligen, fern von der Heimat.
Als sie nunmehr sich genaht, die Eilenden, gegeneinander,
Jetzo traf Patrokles den herrlichen Held Thrasymelos,
Der ein tapferer Genoß Sarpedons war, des Gebieters:
Diesem durchbohrt' er unten den Bauch und löst' ihm die Glieder. 465
Auch Sarpedon verfehlt' ihn selbst mit der blinkenden Lanze,
Werfend den anderen Wurf, doch Pedasos stürmt' er, dem Rosse,
Rechts in die Schulter den Speer, und es röchelte schwer aufatmend,
Stürzete dann in den Staub mit Geschrei und das Leben entflog ihm.
Jene sprangen zerscheucht, und es knarrte das Joch, und die Zügel 470
Wirrten sich, als in dem Staube das Nebenroß sich herumwarf.
Doch Automedon steurte, der Lanzenschwinger, dem Unheil.
Schnell das geschliffene Schwert von der nervichten Hüfte sich reißend,
Naht' und zerhieb er den Strang des getöteten, nicht unentscheidend,
Und nun stellten sich beid und zogen gerad in den Strängen. 475
Wieder bekämpften sich jen' im vertilgenden Kampfe des Todes.
Doch Sarpedon verfehlt' auch jetzt mit der blinkenden Lanze;
Denn links über die Schulter Patroklos' stürmt' ihm des Erzes
Schärf und verwundete nicht. Nun schwang der edle Patroklos
Seinen Speer, und ihm flog nicht umsonst das Geschoß aus der Rechten,
Sondern traf, wo ums Herz des Zwerchfells Hülle sich windet;
Und er entsank, wie die Eiche dahinsinkt oder die Pappel,
Oder die stattliche Tanne, die hoch auf Bergen die Künstler
Ab mit geschliffenen Äxten gehaun zum Balken des Schiffes:
Also lag er gestreckt vor dem rossebespanneten Wagen, 485
Knirschend vor Angst, mit den Händen des blutigen Staubes ergreifend.

So wie den Stier ermordet ein Löw, in die Herde sich stürzend,
Ihn, der glänzend und stolz vorragt' schwerwandelnden Rindern
(Doch er verhaucht aufstöhnend die Kraft in dem Rachen des Löwen):
So dem Patroklos erlag der geschildeten Lykier Heerfürst; 490
Zürnenden Muts hinsank er und rief dem teuren Genossen:

Glaukos, o Freund, du des Kampfes Gewaltiger, jetzo gebührt dir's,
Lanzenschwinger zu sein und unerschrockener Krieger!
Jetzo sei'n dir erwünscht Kriegsschrecknisse, wenn du beherzt bist!
Erst ermuntere nun der Lykier edle Gebieter, 495
Wandelnd um jegliche Schar, zu verteidigen ihren Sarpedon;
Aber sodann auch selber für mich mit dem Erze gekämpfet!
Denn dir werd ich hinfort zur Schmach und dauernden Schande
Sein durch alle Geschlechter in Ewigkeit, wo die Achaier
Mir die Waffen entziehn, der im Kreis der Schiffe dahinsank! 500
Auf denn, heran mit Gewalt, und ermuntere jeglichen Streiter!

Als er dieses geredet, umschloß ihm das Ende des Todes
Augen zugleich und Nase. Gestemmt nun die Fers auf die Brust ihm,
Zog er die Lanz aus dem Leib, es folgt' ihr die Hülle des Herzens;
Also die Seele zugleich und die Schärfe des Speers ihm entriß er. 505
Myrmidonen hielten des Königs schnaubende Rosse
Sehnsuchtsvoll zu entfliehn, da der Eigner Geschirr sie verlassen.

Glaukos' Seele durchdrang Wehmut bei der Rede des Freundes;
Und ihm stürmte das Herz, daß nicht er vermochte zu helfen.
Fassend drückt' er den Arm mit der Hand; denn es quälte die Wund ihn
Heftig, die Teukros ihm, dem Stürmenden, schoß mit dem Pfeile,
Als er die ragende Mauer verteidigte seinen Genossen.
Laut nun fleht' er empor zum treffenden Phöbos Apollon:

Herrscher, vernimm; ob vielleicht du in Lykias fruchtbarem Lande
Bist, vielleicht auch in Troja: du kannst aus jeglichem Ort ja 515
Hören den leidenden Mann, wie anjetzt mich Leiden umdränget!
Diese Wund hier trag ich, die schreckliche! Ganz wird der Arm mir
Von tief brennenden Schmerzen gepeiniget; nicht auch zu hemmen
Ist das quellende Blut, und beschwert mir starret die Schulter!
Nicht den Speer zu halten vermag ich noch oder zu kämpfen, 520
Unter die Feinde gemengt, und der tapferste Mann, Sarpedon,
Starb, Zeus' Sohn! Der sogar des eigenen Kindes nicht achtet!
Hilf denn du, o Herrscher, die schreckliche Wunde mir heilend!

Schläfere ein die Schmerzen und stärke mich, daß ich die Männer
Lykiens rufend umher aufmuntere, tapfer zu streiten, 525
Und auch selbst um die Leiche des Abgeschiedenen kämpfe!

Also sprach er flehend; ihn hörete Phöbos Apollon. [Wunde
Plötzlich stillt' er die Schmerzen und hemmt' aus der schrecklichen
Sein schwarzrinnendes Blut und haucht' ihm Mut in die Seele.
Glaukos aber erkannt' es im Geist und freute sich herzlich, 530
Daß so schnell sein Gebet der mächtige Gott ihm gewähret.
Erst ermuntert' er nun der Lykier edle Gebieter,
Wandelnd um jegliche Schar, zu verteidigen ihren Sarpedon.
Aber sodann auch die Troer durchwandelt' er mächtigen Schrittes,
Hin zu Polydamas, Panthoos' Sohn, und dem edlen Agenor, 535
Auch zu Äneias darauf und dem erzumschimmerten Hektor;
Nahe trat er zu ihnen und sprach die geflügelten Worte:

Hektor, so gänzlich nunmehr vergaßest du deiner Berufnen,
Welche für dich, von Freunden entfernt und Vatergefilde,
Hier aushauchen den Geist; du aber versagst sie zu retten! 540
Siehe, Sarpedon sank, der geschildeten Lykier Heerfürst,
Welcher Lykiens Heil durch Gerechtigkeit und durch Gewalt hob;
Unter Patroklos' Speer bezwang ihn der eherne Ares.
Eilet hinzu, ihr Geliebten, und nehmt zu Herzen die Kränkung,
Wenn ihn die Myrmidonen entwaffneten, wenn sie den Leichnam 545
Schändeten, über den Tod der Danaer aller erbittert,
Die um die hurtigen Schiffe wir ausgetilgt mit den Lanzen!

Jener sprach's; und die Troer umschlug schwerlastender Kummer,
Ungestüm und unleidlich; denn eine Säule der Stadt war
Jener, wiewohl aus fremdem Geschlecht; viel tapferen Volkes 550
Führt' er daher, er selbst der tapferste Held in der Heerschar.
Gradan drangen sie wild in die Danaer; aber voran ging
Hektor, glühend vor Zorn um Sarpedon. Auch die Achaier
Trieb des Menötiaden Patrokleus männliches Herz an.
Erst zu den Ajas begann er, die selbst schon glühten von Kampflust:

Ajas ihr, nun müsse der Feind' Abwehr euch erwünscht sein,
So wie vordem mit Männern ihr schaltetet oder noch tapfrer!
Seht, er liegt, der zuerst einbrach in der Danaer Mauer,
Er, Sarpedon, der Held! O daß wir entstellten den Leichnam,
Daß wir die Wehr von der Schulter ihm raubeten, auch der Genossen

Manchen im Streit um ihn selber mit grausamem Erze bezähmten!
Jener sprach's, und auch selbst schon waren sie gierig des Kampfes.
Aber da beiderseits sie dichter verstärkt die Geschwader,
Troer und Lykier dort, hier Myrmidon' und Achaier,
Rannten sie wild, um die Leiche des Abgeschiednen zu kämpfen, 565
Mit graunvollem Geschrei, und es rasselten Waffen der Männer.
Zeus mit entsetzlicher Nacht umzog das Getümmel des Mordes,
Daß um den trauten Sohn noch entsetzlicher tobte die Kriegswut.
Trojas Söhn' itzt drängten die freudigen Krieger Achaias;
Denn es sank nicht der feigste der myrmidonischen Männer, 570
Er, vom Held Agakles erzeugt, der edle Epeigeus,
Welcher mit Macht geboten im wohlbewohnten Budeion
Ehmals; aber nachdem er den trefflichen Vetter getötet,
Kam er um Peleus' Schutz und der silberfüßigen Thetis,
Welche zugleich mit Achilleus dem Scharentrenner ihn sandten 575
Gegen Ilios her, zum Kampf mit den reisigen Troern.
Der nun faßte den Toten; da warf der strahlende Hektor
Ihm mit dem Steine das Haupt, und ganz voneinander zerbarst es
Unter dem lastenden Helm, und vorwärts hin auf den Leichnam
Taumelt' er; aber des Todes entseelender Schauer umfloß ihn. 580
Schmerz ergriff den Patroklos, da tot sein Freund ihm dahinsank.
Grad anstürmt' er durchs Vordergewühl, mit der Schnelle des Habichts,
Welcher den flüchtigen Schwarm der Star' und Dohlen verfolget:
So in der Lykier Schar, Patrokleus, reisiger Kämpfer,
Stürmtest du ein und der Troer, ergrimmt um den Tod des Genossen.
Sieh, er traf Sthenelaos, Ithämenes' Sohn, an den Nacken
Mit dem gewaltigen Stein und zerschmetterte ganz ihm die Sehnen.
Rückwärts wichen die ersten des Kampfs und der strahlende Hektor.
Weit wie die Lanz im Schwunge, die langgeschaftete, hinfliegt,
Wenn sie ein Mann aussendet mit Kraft, entweder im Kampfspiel 590
Oder im Schlachtgefild, umdroht von mordenden Feinden:
So weit wichen die Troer, gedrängt von den Söhnen Achaias.
Glaukos aber zuerst, der geschildeten Lykier Heerfürst,
Wandte sich um und erschlug den großgesinnten Bathykles,
Chalkons trefflichen Sohn, der, ein Haus in Hellas bewohnend, 595
Reich an Gut und Habe vor Myrmidonen hervorschien.
Diesem nunmehr stieß Glaukos die Lanz in die Mitte des Busens,

Gegen ihn plötzlich gewandt, als schon ihn ereilt' der Verfolger;
Dumpf hinkracht' er im Fall. Da ergriff Wehmut die Achaier,
Als der Tapfere sank; doch die Troer freuten sich herzlich. 600
Und sie umstanden gedrängt den Liegenden, auch die Achaier,
Nicht vergessend der Kraft, kühn drangen sie grad in die Heerschar.
Aber Meriones traf den Laogonos unter den Troern,
Tapfer und kühn, den Sohn des Onetor, welcher ein Priester
War des idäischen Zeus, wie ein Gott im Volke geehret; 605
Den an Backen und Ohr durchschmettert' er, daß aus den Gliedern
Schnell der Geist ihm entfloh; und grauliches Dunkel empfing ihn.
Gegen Meriones schwang den ehernen Speer Äneias;
Denn er hofft' ihn zu treffen, wie unter dem Schild er dahertrat.
Jener indes, vorschauend, vermied den ehernen Wurfspieß, 610
Vorwärts niedergebückt; da flog der gewaltige Speer ihm
Über das Haupt in die Erde, daß hinten der Schaft an dem Speere
Zitterte; doch bald ruhte die Kraft des mordenden Erzes.
Des ergrimmt' Äneias im mutigen Geist und begann so:
Bald, o Meriones, hätte dich leichtgewendeten Tänzer 615
Meine Lanz auf immer beruhiget, hätt ich getroffen.
Aber der speerberühmte Meriones sagte dagegen:
Schwer wird dir's, Äneias, wiewohl du ein mächtiger Held bist,
Aller Menschen Gewalt zu bändigen, wer dir entgegen
Kommt, zum Streite gefaßt; auch du bist sterblich geboren. 620
Wenn ich selber dich träf, erzielt mit der Schärfe des Erzes,
Bald, wie tapfer du bist und mächtigen Händen vertrauend,
Gäbst du mir Ruhm und die Seele dem Sporner der Gäul' Aidoneus!
Jener sprach's; da straft' ihn Menötios' tapferer Sprößling:
Warum, Edler im Streit, Meriones, schwatzest du also? 625
Trautester, nie ja werden vor schmähenden Worten die Troer
Weichen vom Toten zurück, eh manchen noch decket die Erde;
Denn im Arm ist Entscheidung des Kriegs und des Wortes im Rate.
Drum nicht Rede zu häufen gebührt uns, sondern zu kämpfen!
Sprach's und eilte voran; ihm folgte der göttliche Streiter. 630
Jetzo, wie laut das Getös holzhauender Männer emporsteigt
Aus des Gebirgs Waldtal und weit umher es gehört wird:
So dort stieg ein Getön von der weitumwanderten Erde,
Erzes zugleich und Leders und wohlbereiteter Stierhaut,

Unter dem Stoß der Schwerter und zwiefach schneidenden Lanzen. 635
Nicht wär itzt auch ein achtsamer Mann, der den edlen Sarpedon
Kennete; so mit Geschossen, mit Blut ringsher und mit Staube
War er vom Haupte bedeckt bis hinab zu den äußersten Sohlen.
Immer noch den Toten umschwärmten sie; gleich wie die Fliegen
Sumsen im Meierhof um die milcherfülleten Eimer 640
Im anmutigen Lenz, wann Milch von den Butten herabtrieft:
Also dort den Toten umschwärmten sie. Aber Kronion
Wandte nie vom Getümmel der Schlacht die strahlenden Augen,
Sondern schaut' auf die Streiter hinab; und vieles im Herzen
Dacht er über den Tod des Patrokleus, tiefnachsinnend, 645
Ob bereits auch jenen, in schreckenvoller Entscheidung,
Dort um den hohen Sarpedon die Kraft des strahlenden Hektors
Tilgte mit mordendem Erz und die Wehr von der Schulter ihm raubte,
Oder ob mehrere noch er überhäufte mit Arbeit.
Dieser Gedank erschien dem Zweifelnden endlich der beste: 650
Daß der tapfre Genoß des Peleiaden Achilleus
Wieder der Troer Volk und den erzumschimmerten Hektor
Rückwärts drängte zur Stadt und vielen noch raubte das Leben.
Hektorn sandt er zuerst unmutige Furcht in die Seele;
Und er sprang in den Sessel und wandte sich, rufend den andern 655
Troern, zu fliehn, denn er kannte Kronions heilige Waage.
Auch nicht Lykias Helden verweileten, sondern gescheucht flohn
Alle, nachdem sie den König gesehn, der im Herzen verwundet
Lag, im Gemisch der Toten gestreckt; denn viel um ihn selber
Sanken in Blut, da den heftigen Streit anstrengte Kronion. 660
Jen' entzogen nunmehr von Sarpedons Schulter die Rüstung,
Schimmernd von Erz, und hinab zu den räumigen Schiffen zu tragen
Gab sie den Kampfgenossen Menötios' tapferer Sprößling.
Jetzo begann zu Apollon der Herrscher im Donnergewölk Zeus:
Phöbos, geh, o Geliebter, vom dunkelen Blut ihn zu säubern; 665
Aus dem Geschoß enthebe Sarpedon, trage darauf ihn
Fern hinweg an den Strom und spül ihn rein im Gewässer;
Auch mit Ambrosia salb ihn und hüll ihm ambrosisch Gewand um.
Dann ihn wegzutragen vertrau den schnellen Geleitern,
Beiden, dem Schlaf und dem Tode, den Zwillingen, welche sofort ihn
Setzen ins weite Gebiet des fruchtbaren Lykierlandes,

Wo ihn rühmlich bestatten die Brüder zugleich und Verwandten
Mit Grabhügel und Säule; denn das ist die Ehre der Toten.
Jener sprach's; und dem Vater war nicht unfolgsam Apollon.
Eilend schwebt' er vom Idagebirg in die schreckliche Feldschlacht; 675
Aus dem Geschoß enthub er den Held Sarpedon und trug ihn
Fern hinweg an den Strom und spült' ihn rein im Gewässer;
Auch mit Ambrosia salbt' er und hüllt' ihm ambrosisch Gewand um.
Dann ihn wegzutragen vertraut' er den schnellen Geleitern,
Beiden, dem Schlaf und dem Tode, den Zwillingen, welche sofort ihn
Setzten ins weite Gebiet des fruchtbaren Lykierlandes.
Aber Patroklos, die Ross' und Automedon laut ermahnend,
Jagte den Troern nach und Lykiern, rennend ins Unheil.
Törichter! Hätt er das Wort des Peleiaden bewahret,
Traun, er entrann dem bösen Geschick des dunkelen Todes. 685
Aber Zeus' Ratschluß ist mächtiger stets denn der Menschen,
Der auch den tapferen Kämpfer verscheucht und den Sieg ihm entwen-
Sonder Müh, dann wieder ihn selbst antreibt zum Gefechte, [det
Er, der jenem auch nun das Herz im Busen entflammte.
Welchem entzogst du zuerst und welchem zuletzt das Geschmeide,
Als, o Menötios' Sohn, dich zum Tod itzt riefen die Götter?
Ihn, den Adrastos zuerst, Autonoos dann und Echeklos,
Perimos, Megas' Sohn, und Epistor samt Melanippos,
Weiter den Elasos drauf und Mulios, auch den Pylartes
Rafft' er dahin; doch die andern entzitterten alle voll Schreckens. 695
Jetzt hätt Argos' Volk die türmende Troja erobert
Unter Patroklos' Hand, so tobt' er voran mit der Lanze,
Wenn nicht Phöbos Apollon auf festgegründetem Turme
Dastand, ihm Verderben ersann und die Troer beschirmte.
Dreimal stieg zur Ecke der hohen Mauer Patroklos 700
Kühn hinan, und dreimal verdrängte mit Macht ihn Apollon,
Gegen den leuchtenden Schild mit unsterblichen Händen ihm stoßend.
Als er das viertemal drauf anstürmete, stark wie ein Dämon,
Rief mit schrecklichem Drohn der treffende Phöbos Apollon:
Weiche mir, edeler Held Patrokleus! Nicht dir gewährt ist, 705
Daß dein Speer verwüste die Stadt hochherziger Troer,
Nicht dem Achilleus einmal, der weit an Kraft dir vorangeht!
Jener sprach's, da entwich mit eilendem Schritt Patroklos,

Scheuend den furchtbaren Zorn des treffenden Phöbos Apollon.
Hektor am skäischen Tor nun hielt die stampfenden Rosse; 710
Denn er sann, ob er kämpfte, zurück ins Getümmel sie treibend,
Oder dem Volk in die Mauer sich einzuschließen geböte.
Als er solches erwog, da nahete Phöbos Apollon,
Gleich an Gestalt dem Mann in blühender Stärke der Jugend,
Asios, welcher ein Ohm des rossetummelnden Hektors 715
War, der Hekabe Bruder und Sohn des trefflichen Dymas,
Welcher in Phrygia wohnt' an Sangarios' grünenden Ufern;
Dessen Gestalt nachahmend begann itzt Phöbos Apollon: [dir's!
Hektor, warum entziehst du dem Kampfe dich? Wenig geziemt
Möcht ich, so weit ich dir folge, so weit an Stärke dir vorgehn, 720
Bald dann wärst du zum Graun hinweg aus dem Kampfe gewichen!
Aber wohlan, auf Patroklos gelenkt die stampfenden Rosse,
Ob du vielleicht ihn erlegst und Ruhm dir gewähret Apollon!
Dieses gesagt, enteilte der Gott in der Männer Getümmel.
Doch dem Kebriones rief der helmumflatterte Hektor, 725
Daß er die Ross' in die Schlacht angeißelte. Aber Apollon
Drang in die Scharen hinein und empört' in grauser Verwirrung
Argos' Volk; doch die Troer und Hektor schmückt' er mit Ehre.
Hektor vermied sonst alle die Danaer, keinen ermordend,
Nur auf Patroklos lenkt' er die mächtig stampfenden Rosse. 730
Auch Patroklos dagegen entsprang vom Geschirr auf die Erde,
Trug in der Linken den Speer und faßt' in die Rechte den Marmor,
Glänzend weiß, rauhzackig, den eben die Faust ihm umspannte.
Angestrengt nun warf er, und nicht flog säumend zum Manne
Noch verirrt das Geschoß; den Wagenlenker des Hektor 735
Traf er, Kebriones, ihn, des Priamos mutigen Bastard,
Wie er die Zügel gefaßt, an der Stirn mit dem zackigen Steine.
Beide Brauen zerknirscht' ihm der Fels, nicht wehrte des Hauptes
Knochen ihm; sondern die Augen entflossen zur Erd in den Staub ihm
Dort vor die Füße hinab; und schnell, wie ein Taucher von Ansehn,
Schoß er vom prangenden Sitz und der Geist verließ die Gebeine.
Kränkenden Spott nun riefst du daher, Gaultummler Patroklos:
Wunder doch, wie behende der Mann! Wie leicht er hinabtaucht!
Übt' er die Kunst einmal in des Meeres fischreichen Gewässern,
Viele sättigte wahrlich der Mann mit gefangenen Austern, 745

Hurtig vom Bord abspringend, und stürmt' es noch so gewaltig,
So wie jetzt im Gefild er behend aus dem Wagen hinabtaucht!
Traun, auch im troischen Volk sind unvergleichliche Taucher!
  Also sprach er und stürzt' auf Kebriones' Leiche, des Helden.
Ungestüm wie ein Löwe, der, ländliche Hürden verödend, 750
Jetzt an der Brust verwundet durch eigene Kühnheit vertilgt wird:
So auf Kebriones dort, Patrokleus, sprangest du wütend.
Hektor auch dagegen entsprang vom Geschirr auf die Erde.
Beid um Kebriones kämpften wie zween blutgierige Löwen
Die auf den Höhn des Gebirgs um eine getötete Hindin, 755
Beide von Hunger gequält, hochtrotzenden Muts sich bekämpfen:
So um Kebriones dort die zween schlachtkundigen Männer,
Er, Patroklos, Menötios' Sohn, und der strahlende Hektor,
Strebend, einander den Leib mit grausamem Erz zu verwunden.
Hektor, nachdem er das Haupt anrührete, ließ es durchaus nicht: 760
Drüben hielt Patroklos am Fuß ihn, und sie umdrängten
Troer zugleich und Achaier, gemischt zu grauser Entscheidung.
  Wie wenn der Ost und der Süd mit Gewalt wetteifernd daherstürmt
In des Gebirgs Waldtalen, den tiefen Forst zu erschüttern,
Buche zugleich und Esch und zähumwachsne Kornelle, 765
Daß sie wild aneinander die ragenden Äste zerschlagen
Mit graunvollem Getös, und der Sturz der Zerbrochnen umherkracht:
Also stürzten die Troer und Danaer gegeneinander,
Mordend, nicht hier noch dort der verderblichen Flucht sich erinnernd.
Viel um Kebriones starrten der spitzigen Lanzen geheftet, 770
Auch der gefiederten Pfeile, die schnellenden Bogen entsprangen;
Viel auch der mächtigen Steine zerschmetterten krachende Schilde
Kämpfender Männer umher; er lag im Gewirbel des Staubes,
Groß, weithingestreckt, der Wagenkunde vergessend.
  Weil annoch die Sonne am Mittagshimmel einherging, 775
Hafteten jeglichen Heeres Geschoss', und es sanken die Völker.
Aber sobald die Sonne zum Stierabspannen sich neigte,
Jetzt ward gegen das Schicksal die Übermacht den Achaiern;
Denn sie entrissen den Held Kebriones aus den Geschossen
Und aus der Troer Geschrei und raubten die Wehr von den Schultern.
  Aber Patroklos stürzte mit feindlicher Wut in die Troer.
Dreimal stürzt' er hinein, dem stürmenden Ares vergleichbar,

Schreiend mit grausem Getön, dreimal neun Männer erschlug er.
Als er das viertemal drauf anstürmete, stark wie ein Dämon,
Jetzt war dir, Patroklos, genaht das Ende des Lebens. 785
Denn dir begegnete Phöbos im Ungestüme der Feldschlacht
Fürchterlich. Doch nicht merkt' er den Wandelnden durch das Getümmel,
Weil in finstere Nacht der begegnende Gott sich gehüllet.
Hinten stand und schlug er den Rücken ihm zwischen den Schultern
Mit gebreiteter Hand; da schwindelten jenem die Augen. 790
Auch ihm hinweg vom Haupte den Helm schlug Phöbos Apollon;
Dieser rollte dahin und erklang von den Hufen der Rosse
Hell, der gekegelte Helm, und besudelt ward ihm der Haarbusch
Ganz in Blut und Staube. Zuvor nicht war es nur denkbar,
Daß der umflatterte Helm besudelt würd in dem Staube, 795
Sondern dem göttlichen Manne das Haupt und die liebliche Stirne
Deckt' er, dem Peleionen; allein Zeus gab ihn dem Hektor
Jetzt auf dem Haupte zu tragen; doch nah ihm war das Verderben.
Auch in den Händen zerbrach ihm die weithinschattende Lanze,
Schwer und groß und gediegen, die eherne, und von den Schultern 800
Sank ihm der Schild mit dem Riemen, der langausreichende, nieder;
Auch den Harnisch löst' ihm der herrschende Phöbos Apollon.
Graun nun betäubte sein Herz, und starr die blühenden Glieder,
Stand er erstaunt. Doch von hinten die spitzige Lanz' in den Rücken
Bohrt' ihm zwischen die Schultern genaht ein dardanischer Krieger,
Panthoos' Sohn Euphorbos, der vor den Genossen der Jugend
Prangt' an Lanz, an reisiger Kunst und an hurtigen Schenkeln;
Denn schon zwanzig vordem der Kämpfenden stürzt' er vom Wagen,
Als er zuerst im Geschirr daherflog, lernend die Feldschlacht.
Dieser warf dir zuerst ein Geschoß, Gaultummler Patroklos, 810
Doch bezwang er dich nicht; dann eilt' er zurück in die Heerschar,
Schnell aus der Wund entraffend den eschenen Speer, und bestand nicht
Vor Patroklos, entblößt wie er war, im Kampf der Entscheidung.
Jener, vom Schlag des Gottes gebändiget und von der Lanze,
Rasch in der Fremde Gedräng entzog er sich, meidend das Schicksal.

Hektor, sobald er sahe den hochgesinnten Patroklos
Wieder dem Kampf sich entziehn, vom spitzigen Erze verwundet,
Stürmt' er ihm nahe daher durch die Ordnungen, stieß dann die Lanze
Ihm in die Weiche des Bauchs, daß hinten das Erz ihm hervordrang;

Dumpf hinkracht' er im Fall und erfüllte mit Gram die Achaier. 820
Wie den gewaltigen Eber der Löw' im Kampfe bezwinget,
Die auf den Höhn des Gebirgs hochtrotzenden Muts sich bekämpfen
Nahe dem mäßigen Quell (denn sie sehnen sich beide zu trinken;
Aber der schnaubende stürzt, der Gewalt des Löwen gebändigt):
Also bezwang den Würger, Menötios' tapferen Sprößling, 825
Hektor, Priamos' Sohn, und entriß mit dem Speer ihm das Leben.
Laut nunmehr frohlockt' er und sprach die geflügelten Worte:
Ha! Patroklos, du dachtest die Stadt uns bald zu verwüsten
Und die troischen Weiber, beraubt der heiligen Freiheit,
Weg in Schiffen zu führen zum lieben Lande der Väter! 830
Törichter! jenen zum Schutz sind Hektors hurtige Rosse,
Kühn im Sturm zu durchsprengen die Feldschlacht; auch mit der Lanze
Rag ich selbst vor den Helden des Troervolks und entferne
Ihnen der Knechtschaft Tag! Hier fressen dich jetzo die Geier!
Elender! Nichts hat, stark wie er ist, dir geholfen Achilleus, 835
Welcher gewiß, dort bleibend, dir Gehendem mancherlei auftrug:
Kehre mir ja nicht eher, Patrokleus, reisiger Kämpfer,
Zu den gebogenen Schiffen, bevor des mordenden Hektors
Blutigen Panzerrock ringsher um die Brust du zerrissen!
Also sprach er vielleicht und bewog das törichte Herz dir! 840
Schwachen Lauts antwortetest du, Gaultummler Patroklos:
Immerhin, o Hektor, erhebe dich! Dir ja gewährte
Siegsruhm Zeus der Kronid und Apollon, die mich bezwungen
Sonder Müh; denn sie selber entzogen die Wehr von den Schultern.
Solche wie du, wenn mir auch zwanzige wären begegnet, 845
Alle sie lägen gestreckt, von meiner Lanze gebändigt!
Mich hat böses Geschick und Letos Sohn nur getötet,
Und von Menschen Euphorbos; du dritter nur raubst mir die Waffen.
Eines verkünd ich dir noch, und du bewahr es im Herzen:
Selbst fürwahr nicht lange noch wandelst du, sondern bereits dir
Nahe steht zur Seite der Tod und das grause Verhängnis,
Daß du erliegst vor Achilleus, dem göttlichen Äakiden.
Als er dieses geredet, umschloß ihn das Ende des Todes;
Aber die Seel aus den Gliedern entflog in die Tiefe des Ais,
Klagend ihr Jammergeschick, getrennt von Jugend und Mannkraft.
Auch dem Toten erwiderte noch der strahlende Hektor:

Was weissagest du mir, Patrokleus, grauses Verderben?
Wer doch weiß, ob Achilleus, der Sohn der lockigen Thetis,
Nicht von meiner Lanze durchbohrt sein Leben verliere?
Also sprach der Held, und den ehernen Speer aus der Wund ihm 860
Zog er, die Fers anstemmend, und warf ihn zurück von dem Speere.
Schnell alsdann mit dem Speer zu Automedon kam er gewandelt,
Ihm, dem edlen Genossen des äakidischen Renners,
Sehnsuchtsvoll, ihn zu treffen; allein die unsterblichen Rosse
Retteten ihn, die dem Peleus die ehrenden Götter geschenket. 865

XVII. GESANG

Streit um Patroklos. Euphorbos von Menelaos erlegt. Hektor, von Automedon sich wendend, raubt dem Patroklos die Rüstung, ehe Ajas, Telamons Sohn, ihn verscheucht. Drauf in Achilleus' Rüstung verstärkt er den Angriff auf den Leichnam, dem mehrere Achaier zu Hilfe eilen. Hartnäckiger Kampf bei wechselndem Glück. Die trauernden Rosse des Achilleus, die Zeus gestärkt, lenkt Automedon in die Schlacht, wo Hektor und Äneias umsonst ihn angreifen. Um Patroklos wankender Sieg. Menelaos sendet den Antilochos mit der Nachricht zu Achilleus. Er selbst und Meriones tragen den Leichnam, indes beide Ajas abwehren.

Nicht unbemerkt dem Atreiden, dem kriegrischen Held Menelaos,
War's, wie Menötios' Sohn den Troern erlag in der Feldschlacht.
Rasch durch das Vordergewühl, mit strahlendem Erze gewappnet,
Kam und umwandelt' er ihn, wie ihr Kalb die blökende Starke,
Die ihr Erstes gebar, noch neu den Sorgen der Mutter: 5
Also umging Patroklos der bräunliche Held Menelaos.
Vor ihn streckt' er die Lanz und den Schild von geründeter Wölbung,
Ihn zu erschlagen bereit, wer nur annahte zu jenem.
Auch nicht Panthoos' Sohn vergaß, der Lanzenberühmte,
Sein, des gefallnen Patroklos, des herrlichen, sondern genaht ihm, 10
Stand er und rief, anredend den streitbaren Held Menelaos:
Atreus' Sohn Menelaos, du Göttlicher, Völkergebieter,
Weiche zurück vom Toten und laß mir die blutige Rüstung!
Keiner zuvor der Troer und rühmlichen Bundesgenossen
Hat Patroklos verletzt im Ungestüme der Feldschlacht; 15
Drum laß mich Siegsehre verherrlichen unter den Troern,
Eh ich dich treff und hinweg dein süßes Leben dir raube!

Unmutsvoll nun begann der bräunliche Held Menelaos:
Vater Zeus, nicht ziemt es, so trotzige Worte zu rufen!
Nie doch trotzt ein Pardel so fürchterlich, nie auch ein Löwe 20
Noch der Eber des Waldes, der grimmige, welchem vor allen
Großer Zorn im Busen mit drohender Stärke daherschnaubt,
Als sich Panthoos' Söhne, die Lanzenschwinger, erheben!
Doch nicht hatte fürwahr die Heldenkraft Hyperenors
Seiner Jugend Genuß, da der Schmähende wider mich hertrat! 25
Dieser lästerte mich den verworfensten Krieger Achaias,
Aber ich mein, er kehrte mir nicht mit eigenen Füßen
Heim, der liebenden Gattin zur Freud und den würdigen Eltern.
Also lös ich auch dir die strebende Kraft, wo du näher
Gegen mich kommst! Wohlan denn, ich rate dir, weiche mir eilig 30
Unter die Menge zurück und scheue dich, mir zu begegnen,
Eh dich ein Übel ereilt! Geschehenes kennet der Tor auch!
Sprach's, und nicht ihn bewegt' er, vielmehr antwortet' er also:
Traun, nunmehr, Menelaos, du Göttlicher, sollst du mir büßen,
Daß du den Bruder erschlugst und rühmend der Tat dich erhebest, 35
Daß du zur Witwe gemacht sein Weib in der bräutlichen Kammer
Und unnennbaren Gram den jammernden Eltern bereitet!
Ach, den Elenden würd ich des Grams Erleichterung schaffen,
Wenn ich zurück dein Haupt und die blutigen Rüstungen tragend
Überreicht' in Panthoos' Hand und der göttlichen Phrontis! 40
Doch nicht länger annoch sei unversucht uns die Arbeit
Und nicht leer der Entscheidung, der Tapferkeit und des Entsetzens!
Jener sprach's und rannt auf den Schild von geründeter Wölbung,
Doch nicht brach er das Erz; denn rückwärts bog sich die Spitze
Auf dem gediegenen Schild. Nun erhob auch jener die Lanze, 45
Atreus' Sohn Menelaos, und betete laut zu Kronion;
Dann dem Zurückgezognen gerad in die Wurzel des Schlundes
Stieß er und drängete nach, der nervigen Rechte vertrauend,
Daß ihm hindurch aus dem zarten Genick die Spitze hervordrang;
Dumpf hinkracht' er im Fall, und es rasselten um ihn die Waffen. 50
Blutig troff ihm das Haar, wie der Huldgöttinnen Gekräusel,
Schöngelockt und zierlich mit Gold und Silber durchflochten.
Gleich dem stattlichen Sprößling des Ölbaums, welchen ein Landmann
Nährt am einsamen Ort, wo genug vorquillt des Gewässers;

Lieblich sproßt er empor, und sanft bewegt ihn die Kühlung 55
Aller Wind' umher, und schimmernde Blüte bedeckt ihn;
Aber ein schnell andrängender Sturm mit gewaltigen Wirbeln
Reißt aus der Grube den Stamm und streckt ihn lang auf die Erde:
Also erschlug den Euphorbos, den panthoidischen Streiter,
Atreus' Sohn Menelaos und raubt' ihm die prangende Rüstung. 60
Jetzt wie ein Löw, im Gebirge genährt, der Stärke vertrauend,
Hascht aus der weidenden Herde die Kuh, die am schönsten hervor-
(Ihr nun bricht er den Nacken, mit mächtigen Zähnen sie fassend, [schien
Erst, dann schlürft er das Blut und die Eingeweide hinunter,
Und zerfleischt), doch ringsum die Hund' und die Männer des Hirten
Scheuchen ihn laut anschreiend von fernher, aber auch keiner
Wagt ihm entgegenzugehn; denn es faßte sie bleiches Entsetzen:
Also wagt' auch keinem das mutige Herz in dem Busen
Dort ihm entgegenzugehn, dem rühmlichen Held Menelaos.
Leicht enttrüg er nunmehr Euphorbos' prangende Rüstung, 70
Atreus' Sohn, wenn nicht ihm neidete Phöbos Apollon,
Der ihm den Hektor erregte, dem stürmenden Ares vergleichbar.
Denn er naht' in Mentes' Gestalt, des Kikonengebieters,
Und er begann zu jenem und sprach die geflügelten Worte:
Hektor, du läufst nun also einher, Unerreichbares suchend, 75
Nach des Peleiden Gespann, des feurigen! Schwer sind die Rosse
Jedem sterblichen Manne zu bändigen oder zu lenken,
Außer Achilleus selbst, den gebar die unsterbliche Mutter.
Aber indes hat Atreus' erhabener Sohn Menelaos,
Als er Patroklos umging, dir den tapfersten Troer ermordet, 80
Panthoos' Sohn Euphorbos, den stürmenden Mut ihm bezähmend.
Dieses gesagt, enteilte der Gott in der Männer Getümmel.
Hektorn umfing Wehmut das finstere Herz in dem Busen. [er
Ringsum schaut' er nunmehr durch die Ordnungen; plötzlich erkannt
Ihn, der die prangende Wehr sich erbeutete, jenen zur Erde 85
Hingestreckt, dem das Blut aus offener Wund hervorrann.
Rasch durch das Vordergewühl, mit strahlendem Erze gewappnet,
Eilt' er und schrie laut auf, wie die lodernde Glut des Hephästos,
Ungestüm. Wohl hörte den schmetternden Ruf der Atreide;
Tief aufseufzt' er und sprach zu seiner erhabenen Seele: 90
Wehe mir, wenn ich anitzt die prangende Rüstung verlasse,

Samt Patroklos, der hier mein Ehrenretter dahinsank,
Eifern wird mir jeder der Danaer, welcher mich anschaut!
Aber wofern ich allein mit Hektor kämpf und den Troern,
Scheuend die Schmach, dann, sorg ich, umringen mich einzelnen viele,
Wenn mit dem ganzen Volk anstürmt der gewaltige Hektor.
Aber warum bewegte das Herz mir solche Gedanken?
Wagt es ein Mann, dem Dämon zum Trotz, mit dem Helden zu kämpfen,
Den ein Himmlischer ehrt, bald rollt auf das Haupt ihm ein Unheil.
Darum eifre mir keiner der Danaer, welcher mich siehet 100
Weichen vor Hektors Macht; denn er kämpft mit Hilfe der Götter.
Wenn ich indes nur Ajas, den Rufer im Streit, wo vernähme,
Beide dann kehrten wir um, des freudigen Kampfes gedenkend,
Selbst dem Dämon zum Trotz, ob entziehn wir möchten den Leichnam
Für den Peleiden Achilleus; denn Besserung wär es dem Unglück. 105
Als er solches erwog in des Herzens Geist und Empfindung,
Nahten bereits die Troer in Schlachtreihn, folgend dem Hektor.
Jetzo wich Menelaos hinweg und verließ den Erschlagnen,
Rückwärts häufig gewandt. Wie ein bärtiger Löwe des Bergwalds,
Welchen Hund' und Männer hinweg vom Gehege verscheuchen 110
Rings mit Speer und Geschrei (sein mutiges Herz in dem Busen
Schaudert ihm, und unwillig vom ländlichen Hof entweicht er):
Also ging von Patroklos der bräunliche Held Menelaos,
Stand dann zum Feinde gekehrt, da der Seinigen Schar er erreichte,
Rings nach Ajas schauend, dem mächtigen Telamoniden. 115
Diesen erkannt er sofort linkshin im Gemenge der Feldschlacht,
Wo er mit Mut beseelte die Freund' und ermahnte zu kämpfen;
Denn unermeßliche Schrecken erregete Phöbos Apollon.
Eilend lief er dahin, und bald ihm genahet, begann er:
Ajas, her, o Geliebter! Zum Kampf um den toten Patroklos 120
Eilen wir, ob ja die Leiche zu Peleus' Sohne wir bringen,
Nackt wie er ist; denn die Waffen entzog der gewaltige Hektor.
Jener sprach's, doch Ajas, dem Feurigen, regt' er das Herz auf.
Schnell durch die vordersten ging er mit Atreus' Sohn Menelaos.
Hektor, nachdem er Patroklos beraubt der prangenden Rüstung, 125
Zog ihn, das Haupt von der Schulter zu haun mit schneidendem Erze
Und den geschleiften Rumpf vor die troischen Hunde zu werfen.
Ajas naht' ihm nunmehr und trug den türmenden Schild vor.

Schnell dann wandte sich Hektor zurück in die Schar der Genossen,
Sprang in den Sessel empor und gab die prangende Rüstung 130
Troern zur Stadt zu tragen, ihm selbst zum herrlichen Denkmal.
Ajas, mit breitem Schild den Menötiaden bedeckend,
Stand vor ihm, wie ein Löwe vor seine Jungen sich darstellt:
Väterlich führt er die Schwachen einher, da begegnen ihm plötzlich
Jagende Männer im Forst, und er zürnt wutfunkelnden Blickes, 135
Zieht die gerunzelten Brauen herab und deckt sich die Augen:
Also erschien dort Ajas, den Held Patroklos umwandelnd.
Atreus' Sohn auch drüben, der streitbare Held Menelaos,
Stellte sich dar, mit unendlichem Gram die Seele belastet.
Glaukos nun, des Hippolochos Sohn, der Lykier Heerfürst, 140
Schauete finster auf Hektor und straft' ihn mit heftiger Rede:
Hektor, an Schönheit ein Held, der Tapferkeit mangelt dir vieles!
Traun, umsonst erhebt dich der Ruhm, dich zagenden Flüchtling!
Sinn' itzt nach, wie du selber die Burg und die Feste verteidigst,
Du allein mit dem Volk, in Ilios' Grenze geboren; 145
Denn der Lykier keiner bekämpft die Danaer künftig,
Eure Stadt zu beschirmen, dieweil ja nimmer ein Dank war,
Stets unverdrossenen Kampf mit feindlichen Männern zu kämpfen.
Welchen geringeren Mann verteidigst du wohl in der Heerschar,
Grausamer, da du Sarpedon, der Gastfreund dir und Genoß war, 150
Unbeschützt den Achaiern zu Raub und Beute verließest?
Der so oft dir Nutzen geschafft, der Stadt und dir selber,
Weil er gelebt? Nun jenem die Hund' auch zu scheuchen verzagst du!
Drum anjetzt, wo mir einer der lykischen Männer gehorchet,
Kehren wir heim, und Troja versinkt in grauses Verderben! 155
Denn wenn jetzt die Troer entschlossene Kühnheit beseelte,
Unverzagt, wie Männer sie kräftiget, die für die Heimat
Gegen feindliche Männer des Kriegs Arbeiten erdulden,
Würden wir bald Patroklos hinein in Ilios ziehen.
Und wenn dieser nur erst in des herrschenden Priamos Feste 160
Käme, der tote Held, und wir dem Gefecht ihn entzögen,
Würden alsbald die Argeier Sarpedons prangende Rüstung
Lösen, zugleich ihn selber in Ilios' Feste zu tragen.
Denn es sank der Genoß des Gewaltigen, welcher voranstrebt
Allen in Argos' Volk, dem stürmen zum Kampf die Genossen. 165

Und nicht Ajas einmal, dem Mutigen, hast du gewaget
Festzustehn mit geheftetem Blick in der Feinde Getümmel,
Noch gradan zu kämpfen; denn weit an Tapferkeit ragt er!
Finster schaut' und begann der helmumflatterte Hektor:
Glaukos, wie hast du, ein solcher, so übermütig geredet? 170
Wahrlich, mein Freund, ich glaubte, du seist verständig vor andern,
Welche durch Lykia rings hochschollige Äcker bewohnen.
Jetzo tadl ich dir gänzlich den Einfall, welchen du vorbringst,
Der du sagst, nicht steh ich dem übergewaltigen Ajas. [Rosse!
Niemals, traun, erschreckt mich die Schlacht und das Stampfen der
Aber mächtiger stets ist Zeus' des Donnerers Ratschluß,
Der auch den tapferen Kämpfer verscheucht und den Sieg ihm entwen-
Sonder Müh, dann wieder ihn selbst antreibt zum Gefechte. [det
Aber wohlan, tritt näher, mein Freund, und schaue mein Tun an,
Ob ich verzagt erscheine den ganzen Tag, wie du redest, 180
Ob auch der Danaer manchen, wie heftiger Mut ihn entflammet,
Hemmen ich werde vom Kampf um den hingesunknen Patroklos!
Dieses gesagt, ermahnt' er mit lautem Rufe die Troer:
Troer und Lykier ihr und Dardaner, Kämpfer der Nähe,
Seid nun Männer, o Freund', und gedenkt des stürmenden Mutes, 185
Bis ich selbst in Achilleus' des Göttlichen Waffen mich hülle,
Köstliche, die von Patroklos' vertilgeter Kraft ich erbeutet!
Also rief und enteilte der helmumflatterte Hektor
Aus der erbitterten Schlacht und erreicht' im Lauf die Genossen
Bald, nicht ferne davon, mit hurtigen Füßen verfolgend, 190
Welche zur Stadt hintrugen Achilleus' prangende Rüstung.
Jetzo gewandt vom Jammer der Feldschlacht, tauscht' er die Waffen,
Gab dann seine zu tragen in Ilios' heilige Feste
Trojas kriegrischen Söhnen und zog die unsterbliche Wehr an,
Sein, des Peleiden Achilleus, die göttliche Uranionen 195
Peleus, dem Vater, geschenkt; der reichte sie wieder dem Sohne,
Alternd, doch nicht der Sohn ward alt in den Waffen des Vaters.
Als so entfernt ihn sahe der Herrscher im Donnergewölk Zeus,
Wie er Achilleus' Waffen, des Göttergleichen, sich anzog,
Ernst bewegt' er das Haupt und sprach in der Tiefe des Herzens: 200
Armer, ach, kein Todesgedank umschwebt dir die Seele,
Und schon nahet er dir! Du zeuchst die unsterbliche Wehr an,

Sein, des erhabenen Mannes, vor dem auch andere zittern!
Ihm den Genossen erschlugst du, so sanftgesinnt und so tapfer;
Auch die Wehr, nicht der Ordnung gemäß, vom Haupt ihm und Schultern 205
Raubtest du! Dennoch will ich dir jetzt Siegsehre verleihen,
Des zum Vergelt, weil nicht dir Kehrendem aus dem Gefechte
Grüßend Andromache löst die gepriesene Wehr des Achilleus!
Also sprach und winkte mit schwärzlichen Brauen Kronion.
Hektors Leib umschlossen die Rüstungen, stürmend durchdrang ihn
Ares' kriegrischer Geist, und innerlich strotzten die Glieder
Ihm voll Kraft und Gewalt. Zu den rühmlichen Bundesgenossen
Ging er mit lautem Geschrei, und allen nun schien er vergleichbar,
Leuchtend im Waffenschmuck, dem erhabenen Peleionen.
Rings das Gedräng umwandelnd, ermuntert' er jeden mit Worten,
Mesthles dort und Glaukos, Thersilochos auch und Medon,
Auch Deisenor, Hippothoos auch und Asteropäos,
Chromios auch und Phorkys und Eunomos, kundig der Vögel.
Alle sie trieb er zum Kampf und sprach die geflügelten Worte:
Hört, unzählbare Stämm' umwohnender Bundesgenossen! 220
Nicht weil Menge des Volks ich verlangete oder entbehrte,
Hab ich rings euch daher aus eueren Städten versammelt,
Nein, daß Trojas Weiber und noch unmündige Kinder
Freudigen Muts ihr schirmtet vor Argos' kriegrischen Völkern.
Also gesinnt, erschöpf ich durch Kriegessteuer und Speise 225
Unser Volk und streb euch allen das Herz zu ermuntern.
Drum nun grade hinein euch gewandt und entweder gestorben
Oder Heil euch erkämpft! Denn das ist der Wandel des Krieges!
Doch wer mir Patroklos, auch nur den erschlagenen, jetzo
Her zu Trojas Reisigen zieht und Ajas zurückdrängt, 230
Dem erteil ich die Hälfte der Beut, und die Hälfte behalt ich
Selbst mir. Dann ist der Ruhm ihm verherrlichet gleich wie der meine.
Jener sprach's, und gerad in die Danaer drangen sie machtvoll,
Alle die Lanzen erhöht und getrost im Herzen von Hoffnung,
Herzuziehn den Toten vom Telamonier Ajas. 235
Törichte! Vielen umher auf dem Leichnam raubt' er das Leben.
Jetzo wandte sich Ajas zum Rufer im Streit Menelaos:
Trautester, o Menelaos, du Göttlicher, nimmer, erwart ich,

Freuen wir noch uns selber der Heimkehr aus dem Gefechte!
Nicht so sehr noch sorg ich um unseren toten Patroklos, 240
Der bald sättigen muß der Troer Hund' und Gevögel,
Als um mein eigenes Haupt ich besorgt bin, was es betreffe,
Und um deins, da des Krieges Gewölk rings alles umdunkelt
Hektor und uns mit Schrecken erscheint das nahe Verderben!
Auf denn und rufe den Helden der Danaer, ob man es höre! 245
Sprach's, und willig gehorchte der Rufer im Streit Menelaos;
Laut erscholl sein durchdringender Ruf in das Heer der Achaier:
Freunde, des Volks von Argos erhabene Fürsten und Pfleger,
Die ihr um Atreus' Söhn' Agamemnon und Menelaos
Trinkt vom Weine des Volks und Gebot austeilet, ein jeder 250
Seiner Schar, da Zeus ihn mit Ruhm und Ehre verherrlicht!
Doch mir ist's unmöglich herauszuspähen die Führer
Jeden im Volk, zu heftig entbrannt ist die Flamme des Krieges!
Komme denn jeder von selbst und fühle die Schmach in der Seele,
Daß Patroklos liege, den troischen Hunden ein Labsal! 255
Jener sprach's, wohl hört' ihn der schnelle Sohn des Oïleus.
Dieser zuerst nun nahte, die Schlacht in Eile durchrennend;
Dann Idomeneus selbst und Idomeneus' Kriegsgenoß auch,
Held Meriones, gleich dem männermordenden Ares.
Doch der anderen Namen, wer könnt im Geiste sie nennen 260
Alle, die jetzt nachfolgend die Schlacht der Achaier erweckten.
Vor nun drangen die Troer mit Heerskraft, folgend dem Hektor.
Wie wenn laut an der Mündung des himmelentsprossenen Stromes
Braust die gewaltige Flut, die heranwogt, rings dann die äußern
Felsengestad' auftosen mit weithin spritzendem Salzschaum: 265
Solch ein Getön der Troer erscholl nun. Doch die Achaier
Standen fest um Menötios' Sohn, einmütigen Herzens;
Und erzstarrende Schild' umzäunten sie. Ihnen umher nun
Über die leuchtenden Helme verbreitete nächtliches Dunkel
Zeus; nie hatt er zuvor Menötios' Sohn ja gehasset, 270
Weil er lebt', ein Genoß des äakidischen Renners;
Auch ein Greuel ihm war's, daß troischen Hunden zum Raube
Läge der Held, drum ihm zur Verteidigung sandt er die Freunde.
Trojas Söhn' itzt drängten die freudigen Krieger Achaias,
Daß von der Leiche hinweg sie entzitterten, aber auch keinen 275

Mordet' ein Speer der Troer, wie heftigen Muts sie auch strebten.
Doch sie zogen den Toten, allein nur wenig entfernt ihm
Sollten die Danaer sein; denn sogleich hatt alle gewendet
Ajas, der hoch an Gestalt und hoch an Taten hervorschien
Rings im Danaervolk nach dem tadellosen Achilleus. 280
Grad andrang er durchs Vordergefecht, wie ein trotzender Eber
Einbricht, der im Gebirge die Hund' und die rüstigen Jäger
Leicht auseinander zerstreut, durch die waldigen Tale sich wendend.
So des herrlichen Telamons Sohn, der strahlende Ajas.
Leicht, hinein sich stürzend, zerstreut' er der Troer Geschwader, 285
Welche rings Patroklos umwandelten, gierigen Herzens,
Ihn zur eigenen Feste zu ziehn und Ruhm zu gewinnen.
  Siehe Hippothoos nun, der Sohn des pelasgischen Lethos,
Zog am Fuß ihn hinweg durch schreckliches Waffengetümmel;
Denn er umband mit dem Riemen die Sehnen ihm unten am Knöchel,
Hektorn und den Troern gefällig zu sein; doch sofort ihm
Nahte das Weh, dem ihn keiner entriß der strebenden Freunde.
Denn der Telamonide, dahergestürmt durch den Aufruhr,
Schlug ihm nahe den Speer durch des Helms erzwangige Kuppel;
Und es zerbarst der umflatterte Helm um die Schärfe des Speeres, 295
Durchgehaun von der mächtigen Lanz und der nervichten Rechten;
Und das Gehirn entspritzt' an der Röhre des Speers aus der Wunde
Blutig hervor. Schnell lösten die Kräfte sich, und aus den Händen
Ließ er Patroklos' Fuß, des Hochgesinnten, zur Erd hin
Sinken und nah ihm sank er auch selbst vorwärts auf den Leichnam,
Weit entfernt von Larissa, der scholligen; aber den Eltern
Lohnet' er nicht die Pflege, denn kurz nur blühte das Leben
Ihm, da vor Ajas' Speer, des mutigen Helden, er hinsank.
Hektor zielt' auf Ajas und warf die blinkende Lanze.
Zwar er selbst vorschauend vermied den ehernen Wurfspieß 305
Kaum, doch Schedios traf er, den Iphitos' Stärke gezeuget,
Ihn, des phokäischen Volkes Gewaltigsten, der in der edlen
Panopeus Häuser bewohnt' und viel der Männer beherrschte;
Mitten am Schlüsselbein erzielt' er ihn, daß ihn durchbohrend
Scharf die eherne Spitz an der oberen Schulter hervordrang; 310
Dumpf hinkracht' er im Fall, und es rasselten um ihn die Waffen.
Ajas, genaht dem Phorkys, dem feurigen Sohne des Phänops,

Der um Hippothoos kämpfte, durchstieß ihm den wölbenden Panzer
Mitten am Bauch, daß schmetternd ins Eingeweid ihm die Spitze
Taucht'; und er sank in den Staub, mit der Hand den Boden ergreifend.
Rückwärts wichen die ersten des Kampfs und der strahlende Hektor,
Doch laut schrien die Danaer auf und entzogen die Toten,
Phorkys zugleich und den edlen Hippothoos, raubten die Wehr dann.
Bald nun wären die Troer vor Argos' kriegrischen Söhnen
Ilios zugeflohn, durch Ohnmacht alle gebändigt, 320
Und Ruhm hätten gewonnen die Danaer, gegen das Schicksal
Zeus', durch eigene Kraft und Gewalt. Doch selber Apollon
Trieb Äneias zum Kampf, dem Periphas ähnlich erscheinend,
Epytos' Sohn, dem Herold, der ihm bei dem grauenden Vater
Dienend dem Alter genaht, getreu und redlichen Herzens. 325
Dessen Gestalt nachahmend, begann der Herrscher Apollon:
O wie rettetet ihr, Äneias, gegen die Götter
Ilios' hohe Burg! Wie ich andere Männer gesehen,
Ihrer Kraft und Gewalt und männlichem Mute vertrauend,
Und zahllosem Gefolge der furchtverachtenden Völker! 330
Uns gewähret ja Zeus weit günstiger als den Achaiern
Siegesruhm; doch ihr selber entbebt scheu, ohne zu kämpfen!
Sprach's; und Äneias erkannte den treffenden Phöbos Apollon,
Schauend sein Angesicht, und sprach laut rufend zu Hektor:
Hektor und ihr, der Troer Gewaltige und der Genossen, 335
Schande doch wäre das nun, vor Argos' kriegrischen Söhnen
Ilios zuzufliehn, durch Ohnmacht alle gebändigt!
Aber mir sagt auch zugleich ein Unsterblicher, neben mir stehend,
Zeus, der Herrscher der Welt, sei unser Schirm in der Feldschlacht!
Drum gradan in der Danaer Heer! Nicht müssen sie ruhig 340
Dort den Schiffen sich nahn mit dem Leichnam ihres Patroklos!
Sprach's, und weit vorspringend den vordersten, stand er zum Kampfe.
Jene nun wandten die Stirn' und begegneten kühn den Achaiern.
Doch Äneias durchstach den Leiokritos dort mit der Lanze,
Ihn, des Arisbas Sohn, Lykomedes' edlen Genossen. 345
Seinen Fall betraurte der streitbare Held Lykomedes;
Nah ihm trat er hinan und schoß die blinkende Lanze;
Sieh, und Hippasos' Sohne, dem Hirten des Volks Apisaon,

Fuhr in die Leber das Erz und löst' ihm die strebenden Knie,
Der aus Päonia kam, dem Land hochscholliger Äcker, 350
Und nach Asteropäos der Tapferste kämpft' in der Heerschar.
Seinen Fall betraurte der kriegrische Asteropäos.
Gradan drang nun auch dieser zum Kampf mit den Söhnen Achaias,
Aber umsonst; denn rings mit geschlossenen Schilden umzäunet,
Standen sie all um Patroklos, gestreckt die ragenden Lanzen. 355
Ajas, stets geschäftig, umeilte sie, vieles ermahnend;
Weder zurück von dem Toten verstattet' er einem zu weichen,
Weder hervorzudringen zum Kampf vor den andern Achaiern,
Sondern dicht zu umwandeln die Leich und nahe zu kämpfen.
Also gebot dort Ajas, der Mächtige; ringsum gerötet 360
Floß die Erde von Blut, und es taumelten übereinander
Tote zugleich der Troer und mutigen Bundesgenossen;
Danaer auch; nicht gingen sie ohne Blut aus dem Kampfe;
Doch viel weniger sanken sie hin, denn sie dachten beständig,
Sich im Gedräng einander dem schrecklichen Mord zu entfernen. 365

So dort tobten wie Feuer die Kämpfenden. Keiner erkannt itzt,
Ob am Himmel die Sonn unversehrt sei oder der Mond noch;
Denn von Dunkel umhüllt im Gefecht dort waren die Tapfern,
Welche Menötios' Sohn, den Erschlagenen, rings umstanden.
Doch die anderen Troer und erzumschienten Achaier 370
Stritten frei in der Helle des Tags; denn es strahlete ringsum
Brennender Sonnenschein und Gewölk beschattete nirgends
Weder Feld noch Gebirg. Auch pflegten sie oft vom Gefechte
Auszuruhn, vermeidend die bitteren Todesgeschosse,
Weit voneinander gestellt. Doch die mittleren duldeten Jammer 375
Dort im Dunkel und Kampf, und gequält vom grausamen Erze
Waren die Helden gesamt. Nur zween noch hörten den Ruf nicht,
Beide gepriesene Männer, Antilochos und Thrasymedes,
Daß Patroklos sank, der Untadlige, sondern sie wähnten,
Daß noch lebend im Vordergewühl er die Troer bekämpfe. 380
Aufmerksam verhütend den Tod und die Flucht der Genossen,
Stritten sie fern in der Schlacht; denn so ermahnte sie Nestor,
Als er zum Kampf sie entließ von den dunkelen Schiffen Achaias.

Jene den ganzen Tag wetteiferten heftig in Mordlust,
Tobender stets; von Arbeit und triefendem Schweiße beständig 385

Wurden die Knie und die Schenkel und unteren Füße der Streiter,
Wurden die Händ und die Augen im wütenden Kampfe besudelt
Um den edlen Genossen des äakidischen Renners.
Wie wenn ein Mann die Haut des gewaltigen Stiers von der Herde
Auszudehnen den Seinigen gab, mit Fette getränket 390
(Sie nun nehmen die Haut und ziehn, auseinander sich stellend,
Rings, daß bald die Nässe verschwand und die Fettigkeit eindringt,
Wann so viel ausrecken und ganz umher sie gedehnt wird):
Also zogen auch jene den Leichnam hiehin und dorthin,
Stehend auf wenigem Raum; denn fest vertrauten die Männer 395
Trojas, weg ihn zu führen gen Ilios, aber Achaias
Zu den gebogenen Schiffen; und ringsum tobte der Aufruhr
Fürchterlich. Selbst nicht Ares der Wüterich oder Athene
Hätt ihn schauend getadelt, wie sehr auch der Zorn sie entflammte.
So schuf Zeus um Patroklos den Männern dort und den Rossen 400
Jenes Tags Arbeiten und Schrecknisse. Aber noch gar nichts
Wußte vom Tod des Patroklos der göttergleiche Achilleus,
Denn weit kämpften die Heer' entfernt von den hurtigen Schiffen,
Unter der Mauer der Stadt. Drum hofft' er nimmer im Geiste
Tot ihn, sondern lebend, sobald er den Toren genahet, 405
Wiederkehren zu sehn; denn das auch hofft' er mitnichten,
Daß er die Stadt einnähme, nicht sonder ihn, noch ihm gesellt auch.
Oft ja vernahm er dies insgeheim von der göttlichen Mutter,
Wann sie ihm enthüllte den Rat des großen Kronion;
Doch auch dann verschwieg sie das Schreckliche, was ihm bevorstand,
Mütterlich: daß ihm anjetzt der geliebteste sank der Genossen.

Jene stets um den Toten die spitzigen Lanzen bewegend,
Tobten zusammengedrängt und würgten sich untereinander.
So nun redete mancher der erzumschirmten Achaier:

Freunde, fürwahr nicht folget der Ruhm uns, kehren wir jetzo 415
Zu den geräumigen Schiffen! O nein, eh schlinge der Erde
Schwarzer Schlund uns hinab! Das wäre uns besser in Wahrheit,
Als den hier zu verlassen den gaulbezähmenden Troern,
Daß sie zur eigenen Stadt ihn ziehn und Ruhm sich gewinnen!

Also sprach auch mancher der übermütigen Troer: 420
Freund', und wär uns bestimmt, bei diesem Manne zu sterben
Alle zugleich, doch nicht entziehe sich einer dem Kampfe!

So dort redete mancher, den Mut des Genossen entflammend.
Also bekämpften sich jen'; und eisernes dumpfes Geprassel
Scholl zum ehernen Himmel, des Äthers Wüste durchdringend. 425
Aber Achilleus' Rosse, die abwärts standen dem Schlachtfeld,
Weineten, als sie gehört, ihr Wagenlenker Patroklos
Lieg im Staube gestreckt von der Hand des mordenden Hektor.
Ach, Automedon zwar, der tapfere Sohn des Diores,
Strebte sie oft mit der Geißel geschwungenem Schlag zu beflügeln, 430
Oft mit schmeichelnden Worten ermahnet' er, oft auch mit Drohung;
Doch nicht heim zu den Schiffen am breiten Hellespontos
Wollten sie gehn und nicht in die Feldschlacht zu den Achaiern,
Sondern gleich der Säule, die unbewegt auf dem Hügel
Eines gestorbenen Mannes emporragt oder des Weibes, 435
Also standen sie fest vor dem prangenden Sessel des Wagens,
Beid ihr Haupt auf den Boden gesenkt. Und Tränen entflossen
Heiß herab von den Wimpern der Trauernden, welche des Lenkers
Dachten mit sehnendem Schmerz; auch sank die blühende Mähne
Wallend hervor aus dem Ringe des Jochs, mit Staube besudelt. 440
Mitleidsvoll nun sahe die Trauernden Zeus Kronion;
Ernst bewegt' er das Haupt und sprach in der Tiefe des Herzens:
Arme, warum doch schenkten wir euch dem Könige Peleus,
Ihm, dem Sterblichen, euch, unalternd beid und unsterblich?
Etwa daß Gram ihr ertrügt mit den unglückseligen Menschen? 445
Denn kein anderes Wesen ist jammervoller auf Erden
Als der Mensch, von allem, was Leben haucht und sich reget.
Aber umsonst hofft' euch vor dem kunstreich prangenden Wagen
Hektor, Priamos' Sohn, zu bändigen; nimmer gestatt ich's!
Nicht genug, daß die Waffen er hat und eitel sich rühmet? 450
Beiden Kraft in die Knie gewähr ich euch und in die Herzen,
Daß ihr Automedon auch erretten mögt aus der Feldschlacht
Zu den geräumigen Schiffen. Denn Ruhm noch schenk ich den Troern,
Niederzuhaun, bis sie nahn den schöngebordeten Schiffen,
Bis die Sonne sich senkt und heiliges Dunkel heraufzieht. 455
Jener sprach's, und die Rosse mit edeler Stärke beseelt' er.
Beide, nachdem von den Mähnen zur Erde den Staub sie geschüttelt,
Sprengten sie rasch mit dem Wagen in Troer hinein und Achaier.
Aber Automedon kämpfte, betrübt zwar um den Genossen,

Stürmend im Flug des Gespanns, wie ein Geier gestürzt in die Gänse.
Leicht anitzt entfloh er zurück vor der Troer Getümmel,
Leicht dann stürmt' er hinein in die dichtesten Haufen, verfolgend.
Doch nicht mordet' er Männer, wann ungestüm er hinandrang;
Denn ihm war's unmöglich, allein in dem heiligen Sessel,
Herzuschwingen die Lanz und die hurtigen Rosse zu lenken. 465
Endlich nunmehr erblickt' ihn Alkimedon dort mit den Augen,
Sein Genoß, ein Sohn des Ämoniden Laerkes;
Hinter den Wagen gestellt des Automedon, redet' er also:
Welch ein Gott, Automedon, war's, der den nichtigen Vorsatz
Dir in die Seele gelegt und entwand die gute Besinnung? 470
Daß du so die Troer bekämpfst im Vordergetümmel,
Einzeln, da tot der Genoß dir hinsank und mit Achilleus'
Rüstungen Hektor nun selbst die Schulter geschmückt einherprangt?
Aber Automedon sprach, Diores' Sohn, ihm erwidernd:
Wer doch, Alkimedon, weiß gleich dir von allen Achaiern 475
Dieser unsterblichen Ross' unbändigen Mut zu bezähmen,
Außer Patroklos selbst, den Himmlischen ähnlich an Weisheit,
Weil er lebt'? Itzt aber ereilet' ihn Tod und Verhängnis.
Auf denn, die Geißel sofort und die purpurschimmernden Zügel
Nimm! Ich selbst verlasse die Ross' und warte des Kampfes. 480
Sprach's, und Alkimedon, stracks in den rüstigen Wagen sich schwingend,
Faßte die Geißel geschwind und das schöne Gezäum in die Hände.
Aber dem Sessel entsprang Automedon. Diesen bemerkt' itzt
Hektor und redete schnell zu Äneias, der ihm genaht war:
Edler Fürst Äneias der erzumpanzerten Troer, 485
Schau, dort seh ich die Rosse des äakidischen Renners
Wild in die Schlacht vorsprengen mit sehr unkriegrischen Lenkern.
Darum hoff ich beinah, wir nehmen sie, wenn du nur selber
Solches begehrst; denn nimmer, sobald wir beide bestürmen,
Wagen sie, uns entgegengestellt, des Gefechtes Entscheidung. 490
Jener sprach's, ihm gehorchte der tapfere Sohn des Anchises.
Gradan stürmten sie beid, und mächtige Schilde von Stierhaut
Hüllten sie, dürr und gedrängt und umlegt mit starrendem Erze.
Chromios, ihnen gesellt, und Aretos, ähnlich den Göttern,
Folgten zugleich; denn sicher vertrauten sie, beide zu töten, 495

Aber hinweg das Gespann hochwiehernder Rosse zu treiben.
Törichte! Traun, nicht sollten sie ohne Blut aus dem Kampfe
Heim von Automedon kehren. Sobald er gefleht zu Kronion,
Ward mit Kraft und Gewalt sein finsteres Herz ihm erfüllet.
Schnell zum treuen Genossen Alkimedon redet' er also: 500
Ja nicht ferne von mir, Alkimedon, halte die Rosse,
Sondern dicht mir am Rücken die schnaubenden! Nimmer vermut ich,
Hektor, Priamos' Sohn, werd itzt der Gewalt sich enthalten,
Eh er Achilleus' Rosse, die schöngemähnten, daherlenkt,
Uns in den Staub gestreckt und umhergescheucht die Geschwader 505
Argos' oder auch selbst hinsank im Vordergetümmel!
Jener sprach's und berief die Ajas' und Menelaos:
Ajas beid, Heerführer der Danaer, und Menelaos,
Ihn nunmehr, den Toten, vertraut den Tapfersten allen,
Daß sie rings umwandelnd die Reihn der Männer entfernen: 510
Doch von uns, die leben, entfernt den Tag des Verderbens!
Denn dort drängen heran durch Jammer und Graun des Gewürges
Hektor und Äneias, die tapfersten Helden von Troja!
Aber solches ruht ja im Schoß der seligen Götter!
Ich auch sende den Speer, für das übrige sorge Kronion! 515
Sprach's, und im Schwung entsandt er die weithinschattende Lanze;
Und er traf dem Aretos den Schild von gerundeter Wölbung,
Und nicht hemmete jener den Speer, durchstürmte das Erz ihm
Unten hinein in den Bauch, den künstlichen Gurt ihm durchbohrend.
Wie wenn mit scharfer geschwungener Axt ein mutiger Jüngling, 520
Hauend den Nacken des Stiers, des geweideten, hinter den Hörnern,
Ganz ihm die Sehne durchschnitt und der Stier aufspringend hinabsank:
Also sank aufspringend er rücklings in Staub, und der Wurfspieß,
Welcher ihm scharf die Gedärme durchwütete, löste die Glieder.
Hektor schwang auf Automedon jetzt die blinkende Lanze: 525
Jener indes, vorschauend, vermied den ehernen Wurfspieß,
Vorwärts niedergebückt; da flog der gewaltige Speer ihm
Über das Haupt in die Erde, daß hinten der Schaft an dem Speere
Zitterte; doch bald ruhte die Kraft des mordenden Erzes.
Jetzt auch wären mit Schwertern in nahem Kampf sie begegnet, 530
Hätten die Ajas nicht auseinander getrennt die Entbrannten,
Die durch Gedräng herkamen, da laut ihr Genoß sie anrief.

Abgeschreckt von diesen enteileten wieder von dannen
Hektor und Äneias und Chromios, göttlich von Bildung,
Und sie verließen Aretos daselbst, der zerrissenen Herzens 535
Lag; Automedon drauf, dem stürmenden Ares vergleichbar,
Raubte das Waffengeschmeid und rief frohlockend die Worte:
Ha! Ein weniges doch um den Tod des edlen Patroklos
Labt ich vom Jammer das Herz, den schlechteren zwar nur erlegend!
Sprach's und warf den blutigen Raub in den Sessel des Wagens, 540
Trat dann selber hinein, die Füß' und die Hände von oben
Blutbefleckt, wie ein Löwe, vom mächtigen Stiere gesättigt.
Wieder begann um Patroklos mit Ungestüm die Entscheidung,
Schrecklich und tränenwert; denn es weckte den Kampf Athenäa,
Welche dem Himmel entstieg, von Zeus, dem Vater, gesendet, 545
Argos' Volk zu entflammen; denn jetzo wandte sein Herz sich.
Wie wenn den purpurnen Bogen den Sterblichen hoch am Himmel
Zeus ausspannt, ein Zeichen zu sein entweder des Krieges
Oder des Wintersturms, des schaudrigen, welcher die Arbeit
Hemmt der Menschen im Feld und die blökende Herde betrübet: 550
Also trat, umhüllt mit purpurner Wolke, die Göttin
Unter Achaias Volk und ermunterte jeglichen Streiter.
Siehe, zuerst Menelaos, dem göttlichen, rief sie ermahnend,
Atreus' tapferem Sohne, denn dieser stand ihr am nächsten,
Ähnlich ganz dem Phönix an Wuchs und gewaltiger Stimme: 555
Dir wird's, traun, Menelaos, zur Schmach und dauernden Schande
Ewig sein, wo Achilleus', des Herrlichen, treuen Genossen
Unter Ilios' Mauern die hurtigen Hund' umherziehn!
Auf denn, heran mit Gewalt, und ermuntere jeglichen Streiter!
Ihm antwortete drauf der Rufer im Streit Menelaos: 560
Phönix, Vater und Greis, Ehrwürdiger, wenn doch Athene
Kraft mir wollte verleihn und wehren dem Sturm der Geschosse!
Gern dann wär ich bereit, ihm beizustehn und zu helfen,
Unserem Freund; denn es drang mir Patroklos' Tod in die Seele!
Aber es tobt ja Hektor mit Feuergewalt und ruht nicht, 565
Niederzuhaun mit dem Erz, weil ihm Zeus Ehre gewähret!
Jener sprach's; froh aber war Zeus' blauäugige Tochter,
Weil ihr selbst er zuerst vor den Himmlischen allen geflehet.
Diese stärkt' ihm die Schultern mit Kraft und die strebenden Knie,

Und in das Herz ihm gab sie der Flieg unerschrockene Kühnheit, 570
Welche, wie oft sie immer vom menschlichen Leibe gescheucht wird,
Doch anhaltend ihn sticht, nach Menschenblute sich sehnend:
So ausharrender Trotz erfüllt' ihm das finstere Herz nun.
Schnell zu Patroklos eilt' er und schwang die blinkende Lanze.
Unter den Troern war ein Sohn des Eëtion, Podes, 575
Reich an Hab und edel; auch ehrt' am meisten im Volk ihn
Hektor; denn ihm war er ein lieber Gefährt und Tischfreund.
Diesen am Gurt nun traf der bräunliche Held Menelaos,
Als er zur Flucht sich gewendet, und ganz durchbohrte das Erz ihn;
Dumpf hinkracht' er im Fall. Doch Atreus' Sohn Menelaos 580
Zog die Leich aus den Troern hinweg in die Schar der Genossen.
Hektorn nahte sofort und ermunterte Phöbos Apollon,
Phänops, Asios' Sohn, an Gestalt gleich, welcher vor allen
Gästen geliebt ihm war, ein Haus in Abydos bewohnend;
Diesem gleich ermahnt' ihn der treffende Phöbos Apollon: 585
 Hektor, wer doch hinfort der Danaer möchte dich scheuen,
Den nun so Menelaos zurückschreckt? Er, der zuvor ja
Weichlich war in der Schlacht, jetzt aber allein aus den Troern
Kühn den Toten entführt! Auch schlug er den treuen Genossen
Tapfer im Vordergefecht, den Sohn des Eëtion Podes! 590
 Sprach's; und jenen umhüllte der Schwermut finstere Wolke;
Schnell durch die vordersten ging er, mit strahlendem Erze gewappnet.
Siehe, da nahm Kronion die quastumbordete Ägis,
Hellumglänzt, und den Ida in dunkeln Wolken verhüllt' er,
Blitzt' und donnerte laut und erschütterte mächtig die Ägis. 595
Sieg nun den Troern gewährt' er und schreckte das Volk der Achaier.
 Erst Peneleos nun, der Böotier, kehrte zur Flucht um;
Denn ihm traf in die Schulter, da vorwärts immer er andrang,
Oben ein streifender Speer, doch ritzte das Fleisch bis zum Knochen
Ihm des Polydamas Erz; denn dieser warf, ihm genahet. 600
Hektor sodann durchstach des Leitos Hand an dem Knöchel,
Ihm, des erhabenen Alektryons Sohn, und hemmt' ihn im Kampfe;
Bang umschauend entbebt' er, denn nie mehr hofft' er im Geiste,
Einen Speer in der Hand, mit Trojas Volke zu kämpfen.
Hektorn schoß Idomeneus jetzt, da er Leitos nachlief, 605
Seinen Speer auf den Harnisch, gerad an der Warze des Busens.

Doch ihm brach an der Öse der Schaft, und es schrien die Troer.
Jener schwang auf Idomeneus nun, den Deukalionen,
Welcher stand im Geschirr, und ihn zwar fehlt' er ein wenig;
Aber Meriones' Freund und mutigen Wagenlenker 610
Köranos, der aus Lyktos' bevölkerter Stadt ihm gefolget
(Denn zu Fuß erst kam er, die Ruderschiffe verlassend,
Kretas Fürst, und den Troern gewähret' er mächtigen Sieg nun,
Wenn nicht Köranos schnell die hurtigen Rosse genähert;
Ihm zu Heil erschien er, den grausamen Tag ihm entfernend, 615
Doch selbst sank er entseelt von der Hand des mordenden Hektor),
Den an Backen und Ohr durchschmettert' er; siehe, die Zähn' aus
Stieß ihm der eherne Speer und mitten die Zung ihm durchschnitt er.
Und er entsank dem Geschirr und goß die Zügel zur Erde.
Diese nahm Meriones schnell mit eigenen Händen, 620
Niedergebückt, aus dem Staub, und drauf zu Idomeneus sprach er:
  Geißele nun, daß hinab zu den hurtigen Schiffen du kommest!
Denn du erkennst ja selbst, nicht mehr sei der Sieg der Achaier!
  Sprach's; und Idomeneus trieb das Gespann schönmähniger Rosse
Zu den geräumigen Schiffen; denn Furcht nun füllt' ihm die Seele. 625
  Nicht unbemerkt war Ajas, dem herrlichen, und Menelaos
Zeus, daß nun den Troern den wechselnden Sieg er gewähret.
Also begann das Gespräch der Telamonier Ajas:
  Jammer doch! Jetzo fürwahr kann selbst, wer blöd an Verstand ist,
Schaun, daß Zeus der Vater den Troern Ehre verleihet! 630
Denn von ihnen ja trifft auch jedes Geschoß, ob ein Feiger
Oder ein Tapferer schwingt, und Zeus selbst lenket sie alle;
Aber uns so umsonst entfallen sie all auf die Erde!
Auf denn, wir selbst nun wollen den heilsamsten Rat uns ersinnen:
Daß nicht nur wir den Toten hinwegziehn, sondern auch selber 635
Unseren lieben Genossen zur Freud heimkehren vom Kampfe,
Welche daher nun schauend sich ängstigen, keiner erwartend,
Daß wir des mordenden Hektors Gewalt und unnahbare Hände
Noch bestehn und vielmehr an den dunkelen Schiffen erliegen.
Wäre doch irgendein Freund, der schnell ansagte die Botschaft 640
Peleus' Sohn; denn nichts ja, vermut ich, hörete jener
Noch von dem Jammergeschick, wie der traute Genoß ihm dahinsank.
Aber nirgend erscheint mir ein solcher im Heer der Achaier,

Denn rings Dunkel umhüllt sie selber zugleich und die Rosse!
Vater Zeus, o errett aus der dunkelen Nacht die Achaier! 645
Schaff uns Heitre des Tags und gib, mit den Augen zu schauen!
Nur im Licht verderb uns, da dir's nun also geliebet!
Jener sprach's, da jammerte Zeus des weinenden Königs.
Bald zerstreut' er die dunkele Nacht und verdrängte den Nebel;
Hell nun strahlte die Sonn, und die Schlacht ward ringsum erleuchtet.
Jetzo begann Held Ajas zum Rufer im Streit Menelaos:
Spähe nunmehr, Menelaos, du Göttlicher, ob du wo lebend
Noch Antilochos schaust, den Sohn des erhabenen Nestor.
Heiß ihn zu Peleus' Sohne, dem Feurigen, schleunig hinabgehn,
Meldend das Wort, wie jetzo der trauteste Freund ihm dahinsank. 655
Jener sprach's, ihm gehorchte der Rufer im Streit Menelaos,
Eilt' und ging; wie ein Löwe voll Wut vom ländlichen Hofe,
Wann er zuletzt ermüdet, die Hund' und die Männer zu reizen,
Welche nicht ihm gestatten, das Fett der Rinder zu rauben,
Ganz durchwachend die Nacht (er dort, des Fleisches begierig, 660
Rennt gradan; doch er wütet umsonst, denn häufige Speere
Fliegen ihm weit entgegen, von mutigen Händen geschleudert,
Auch hellodernde Bränd', und er zuckt im stürmenden Angriff);
Scheidet dann frühmorgens hinweg, mit bekümmertem Herzen:
Also ging von Patroklos der Rufer im Streit Menelaos 665
Sehr unwillig hinweg; denn er fürchtete, daß die Achaier
In der entsetzlichen Angst zum Raub ihn ließen den Feinden.
Viel dem Meriones noch und dem mutigen Ajas' gebot er:
Ajas beid und Meriones du, Heerführer von Argos,
Jetzo seid der Milde des jammervollen Patroklos 670
Eingedenk, der allen mit freundlicher Seele zuvorkam,
Weil er lebt'; itzt aber ereilet' ihn Tod und Verhängnis!
Dieses gesagt, enteilte der bräunliche Held Menelaos,
Mit umschauendem Blick wie ein Adeler, welcher am schärfsten,
Sagen sie, fern ausspäht vor den luftdurchschweifenden Vögeln, 675
Dem auch nicht in der Höhe der flüchtige Hase versteckt ist
Unter umlaubtem Gesträuch, wo er hinduckt (sondern auf jenen
Stürzt er herab und erhascht ihn geschwind und raubt ihm das Leben):
So auch dir hellstrahlend, o göttlicher Held Menelaos,
Rollten die Augen umher durch die weite Schar der Genossen, 680

Ob du Nestors Sohn noch irgendwo lebend erblicktest.
Diesen erkannt er sofort linkshin im Gemenge der Feldschlacht,
Wo er mit Mut beseelte die Freund' und ermahnte zu kämpfen.
Nahe trat und begann der bräunliche Held Menelaos:
Auf, Antilochos, komm, du Göttlicher, daß du vernehmest 685
Unser Jammergeschick, das nie doch möchte geschehn sein!
Zwar du selbst, vermut ich, mit eigenen Augen erkennend,
Weißt es schon, daß ein Gott Unheil den Danaern zuwälzt,
Aber den Troern Sieg! Denn es sank Patroklos, Achaias
Tapferster Held, den schmerzlich die Danaer alle vermissen! 690
Auf denn, schnell dem Achilleus, hinab zu den Schiffen enteilend,
Melde das Wort, ob er eilig zum Schiff errette den Leichnam,
Nackt wie er ist; denn die Waffen entzog der gewaltige Hektor!
Sprach's; und Schauer durchfuhr den Antilochos, als er es hörte.
Lange blieb er verstummt und sprachlos; aber die Augen 695
Waren mit Tränen erfüllt, und atmend stockt' ihm die Stimme.
Dennoch nicht versäumt' er, was ihm Menelaos geboten,
Sondern enteilt', und dem edlen Laodokos gab er die Rüstung,
Der, sein Genoß, ihm nahe die stampfenden Rosse dahertrieb.
Ihn, den Weinenden, trugen die Schenkel hinweg aus der Feldschlacht,
Peleus' Sohn, dem Achilleus, das schreckliche Wort zu verkünden.
Doch nicht dir, Menelaos, o Göttlicher, wollte das Herz nun
Dort die ermüdeten Freunde verteidigen, wo er hinwegging,
Nestors Sohn, den schmerzlich die Pylier alle vermißten,
Sondern jenen erregt' er den edelen Held Thrasymedes; 705
Selber dann zu Patroklos, dem Göttergleichen, enteilt' er.
Jetzt zu den Ajas trat er hinan und redete schleunig:
Ihn zwar hab ich hinab zu den rüstigen Schiffen gesendet,
Daß er dem schnellen Peleiden verkündige; schwerlich indes wohl
Kommt er anjetzt, wie sehr er auch zürnt dem göttlichen Hektor;
Denn nicht könnt er ja doch wehrlos die Troer bekämpfen.
Aber wir selbst nun wollen den heilsamsten Rat uns ersinnen,
Daß nicht nur wir den Toten hinwegziehn, sondern auch selber
Fern aus der Troer Getöse den Tod und das Schicksal vermeiden.
Ihm antwortete drauf der Telamonier Ajas: 715
Wahrheit hast du geredet, gepriesener Held Menelaos.
Selbst denn eil und Meriones her, und nieder euch bückend,

Tragt die erhobene Leich aus der Feldschlacht. Aber wir andern
Halten im Kampf die Troer zurück und den göttlichen Hektor,
Wir, die gleich an Namen und gleich an mutiger Seele, 720
Stets vereint miteinander die Wut des Gefechtes erduldet.

Jener sprach's; da erhuben sie schnell von der Erde den Leichnam
Hoch empor mit Gewalt; und es schrien die Troer von hinten
Graunvoll, als sie die Leich auf den Armen ersahn der Achaier.
Gradan rannten sie nun, wie die Hunde der Jagd auf ein Waldschwein
Stürzen, das blutet vom Speer, voran den blühenden Jägern
(Anfangs laufen sie zwar, es hinwegzutilgen verlangend,
Aber sobald es zu ihnen sich kehrt, der Stärke vertrauend,
Weichen sie alle zurück und zerstreuen sich dorthin und dahin):
Also die Troer zuerst, in Schlachtreihn folgten sie immer, 730
Zuckend daher die Schwerter und zwiefach schneidenden Lanzen;
Aber sobald die Ajas herumgewendet zu ihnen
Standen, da wandelte jenen die Farbe sich; keiner auch wagt' es,
Vorwärts angestürmt um den Leichnam Kampf zu erheben.

Also trugen gestrengt den Leichnam beid aus der Feldschlacht 735
Zu den geräumigen Schiffen; und stets nachtobte des Kriegs Wut,
Ungestüm, wie ein Feuer die Stadt der Männer durchstürmend,
Plötzlich entbrannt, in Flammen verschlingt (es verschwinden die Häuser
Rings im mächtigen Glanz, und es saust in die Lohe der Sturmwind):
So dort scholl von den Rossen und speergewappneten Männern 740
Rastlos tobender Lärm, die Wandelnden immer verfolgend.
Sie, wie der Mäuler Gespann, mit gewaltiger Stärke gerüstet,
Schwer hinschleppt vom Gebirg auf steinigem Pfade den Balken
Oder den ragenden Mast des Meerschiffs (aber ihr Herz wird
Müde zugleich von Arbeit und Schweiß den Angestrengten): 745
Also trugen gestrengt die Leiche sie. Aber von hinten
Wehrten die Ajas ab, wie die Flut abwehret ein Hügel,
Waldbekränzt, in die Ebne sich ganz hinunter erstreckend,
Welcher auch der gewaltigsten Ström' antobende Fluten
Hemmt und sogleich sie alle zum Lauf in andere Täler 750
Abscheucht; denn nicht mag der Ströme Gewalt ihn durchbrechen.
So dort drängten die Ajas zurück anstürmende Streiter
Trojas; jene verfolgten, doch zween am meisten vor allen:

Held Äneias, der Anchisiad, und der strahlende Hektor.
Dort wie der Stare Gewölk einherzieht oder der Dohlen, 755
Allzumal aufschreiend, sobald sie den kommenden Habicht
Sahn, der blutigen Mord herbringt dem kleinen Gevögel:
Also dort vor Äneias und Hektor flohn die Achaier,
Allzumal aufschreiend, dahin und vergaßen der Kampflust.
Viel auch des Waffengeschmeides entsank ringsher um den Graben
Argos' fliehenden Söhnen; und nicht war Ruhe der Feldschlacht.

XVIII. GESANG

Achilleus jammert um Patroklos' Tod. Thetis hört seinen Entschluß, Hektor zu töten, obgleich ihm bald nach jenem zu sterben bestimmt sei, und verheißt ihm andere Waffen von Hephästos. Den Achaiern entreißt Hektor beinahe den Leichnam; aber Achilleus, der sich waffenlos an den Graben stellt, schreckt durch sein Geschrei die Troer. Nacht. Den Troern rät Polydamas, in die Feste zu ziehen, ehe Achilleus hervorbreche, welches Hektor verwirft. Die Achaier wehklagen um Patroklos und legen ihn auf Leichengewande. Der Thetis schmiedet Hephästos die erbetenen Waffen.

Also kämpften sie dort wie lodernde Flammen des Feuers.
Doch zu Achilleus bracht Antilochos eilend die Botschaft.
Ihn nun fand er vorn an des Meers hochhauptigen Schiffen,
Dem nachsinnend im Geist, was schon zur Vollendung genahet.
Tief aufseufzt' er und sprach zu seiner erhabenen Seele: 5
Wehe mir doch! Was fliehen die hauptumlockten Achaier
Wieder mit Angst zu den Schiffen, dahergescheucht im Gefilde?
Wenn nur nicht die Götter das Jammergeschick mir vollenden,
So wie vordem mir die Mutter verkündiget und mir gesaget,
Daß noch, weil ich lebte, der tapferste Myrmidone 10
Unter der Troer Hand das Licht der Sonne verließe!
Wahrlich, gewiß schon starb Menötios' tapferer Sprößling!
Böser! Traun, ich befahl, wann die feindliche Glut er gewendet,
Heim zu den Schiffen zu gehn, nicht Hektor mit Macht zu bekämpfen!
Als er solches erwog in des Herzens Geist und Empfindung, 15
Siehe, da kam ihm nahe der Sohn des erhabenen Nestor,
Heiße Tränen vergießend, und sprach die schreckliche Botschaft:
Wehe mir, Peleus' Sohn, des Feurigen, ach, ein entsetzlich
Jammergeschick vernimmst du, was nie doch möchte geschehn sein!

Unser Patroklos sank; sie kämpfen bereits um den Leichnam, 20
Nackt wie er ist; denn die Waffen entzog der gewaltige Hektor!
 Sprach's, und jenen umhüllte der Schwermut finstere Wolke.
Siehe, mit beiden Händen des schwärzlichen Staubes ergreifend,
Überstreut' er sein Haupt und entstellte sein liebliches Antlitz;
Auch das ambrosische Kleid umhaftete dunkele Asche. 25
Aber er selber, groß weithingestreckt, in dem Staube
Lag und entstellete raufend mit eigenen Händen das Haupthaar.
Mägde zugleich, die Achilleus erbeutete und Patroklos,
Laut mit bekümmerter Seel aufschrien sie; all aus der Türe
Liefen sie her um Achilleus den Feurigen, und mit den Händen 30
Schlugen sich alle die Brust, und jeglicher wankten die Knie.
Drüben Antilochos auch wehklagete, Tränen vergießend,
Haltend Achilleus' Händ, als beklemmt sein mutiges Herz rang,
Daß er nicht die Kehle sich selbst mit dem Eisen durchschnitte.
Fürchterlich weint' er empor. Da hört' ihn die treffliche Mutter, 35
Sitzend dort in den Tiefen des Meers beim grauen Erzeuger.
Laut aufschluchzte sie nun, und die Göttinnen kamen versammelt,
Alle, so viel Nereiden des Meers Abgründe bewohnten.
Dort war Glauke nunmehr, Kymodoke auch und Thaleia,
Speio, Nesäa und Thoe, und Halia, herrschenden Blickes, 40
Auch Aktäa, Kymothoe auch und Limnoreia,
Melite dann und Jära, Amphithoe auch und Agaue,
Doto zugleich und Protho, Dynamene, Kallianeira,
Auch Dexamene dort, Amphinome auch und Pherusa,
Doris und Panope auch, und edlen Ruhms Galateia, 45
Dann Nemertes, Apseudes zugleich und Kallianassa;
Dort war auch Janeira und Klymene, auch Ianassa,
Mära und Oreithya und schönumlockt Amatheia
Und wo sonst Nereiden des Meers Abgründe bewohnten.
Jene, die silberne Grotte der Herrscherin weit erfüllend, 50
Schlugen sich alle die Brust; und zuerst wehklagete Thetis:
 Hört mich all, ihr Schwestern, unsterbliche Töchter des Nereus,
Daß ihr vernehmt den Jammer, wieviel mir die Seele belastet!
Weh mir Armen, o mir unglücklichen Heldenmutter,
Die ich den Sohn mir gebar so edelen Sinns und so tapfer, [ling,
Hoch vor Helden geschmückt! Er schwang sich empor wie ein Spröß-

Und ich erzog ihn mit Fleiß wie die Pflanz im fruchtbaren Acker;
Drauf in geschnäbelten Schiffen gen Ilios sandt ich daher ihn,
Trojas Volk zu bekämpfen; doch nie empfang ich ihn wieder,
Wann er zur Heimat kehrt, in Peleus' ragende Wohnung! 60
Aber so lang er mir lebt und das Licht der Sonne noch schauet,
Duldet er Qual, und nichts vermag ich ihm nahend zu helfen!
Dennoch geh ich, zu schaun mein trautes Kind und zu hören,
Welch ein Jammer ihn traf, der entfernt vom Kriege beharret!
Dieses gesagt, verließ sie die Wölbungen; jene zugleich ihr 65
Gingen mit Tränen benetzt, und umher die Woge des Meeres
Trennte sich. Als sie nunmehr zur scholligen Troja gelangten,
Stiegen sie auf zum Gestade der Reihe nach, wo das Geschwader
Myrmidonischer Schiff' herstand um den schnellen Achilleus.
Nahe jetzt dem Schluchzenden trat die göttliche Mutter 70
Und lautweinend umschlang sie das Haupt des teuersten Sohnes;
Und sie begann wehklagend und sprach die geflügelten Worte:
Liebes Kind, was weinst du? Und was betrübt dir die Seele?
Sprich, verhehle mir nichts! Dir ward doch alles vollendet
Jenes von Zeus, wie vordem mit erhobenen Händen du flehtest! 75
Daß um die Steuer zusammengedrängt die Männer Achaias,
Schmachtend nach deiner Hilf', unwürdige Taten erlitten!
Doch schwerseufzend begann der mutige Renner Achilleus:
Mutter, es hat mir zwar der Olympier jenes vollendet.
Aber was frommt mir solches, nachdem mein teurer Patroklos 80
Mir hinsank, den ich wert vor allen Freunden geachtet,
Wert wie mein eigenes Haupt! Er sank, und die Waffen entzog ihm
Hektor, der ihn erschlug, so gewaltige, Wunder dem Anblick,
Köstliche, welche dem Peleus die ehrenden Götter geschenket,
Jenes Tags, da sie dich dem Sterblichen führten zum Lager. 85
Daß du vielmehr doch dort zu Meergöttinnen gesellet
Wohntest und Peleus hätt ein sterbliches Weib sich erkoren!
Nun muß dir auch die Seel unendlicher Jammer belasten
Um den gestorbenen Sohn; denn nie empfängst du ihn wieder,
Wann er zur Heimat kehrt! Ja selbst gebeut mir das Herz nicht, 90
Lebend umherzugehn mit Sterblichen, wo mir nicht Hektor
Erst von meiner Lanze durchbohrt das Leben verlieret
Und für Patroklos' Raub, des Menötiaden, mir büßet!

Aber Thetis darauf antwortete, Tränen vergießend:
Bald, mein Sohn, verblühet das Leben dir, so wie du redest! 95
Denn alsbald nach Hektor ist dir dein Ende geordnet!
Unmutsvoll antwortete drauf der schnelle Achilleus:
Möcht ich sogleich hinsterben, da nicht mir gönnte das Schicksal,
Meinen erschlagenen Freund zu verteidigen! Fern von der Heimat
Sank er und mangelte meiner, des Fluchs Abwehrer zu werden! 100
Nun, da ich nicht heimkehre zum lieben Lande der Väter,
Hab ich weder Patroklos mit Heil erfreut noch die andern
Freund' im Volk, die so viele dem göttlichen Hektor erlagen,
Sondern ich sitz an den Schiffen, umsonst die Erde belastend,
Solch ein Mann wie keiner der erzumschirmten Achaier, 105
In der Schlacht; denn im Rate besiegen mich andere Männer!
Möchte der Zank aus Göttern und sterblichen Menschen vertilgt sein
Und der Zorn, der selbst auch den Weiseren pflegt zu erbittern,
Der, weit süßer zuerst denn sanft eingleitender Honig,
Bald in der Männer Brust aufwächst wie dampfendes Feuer! 110
So nun erzürnete mich der Herrscher des Volks Agamemnon.
Aber vergangen sei das Vergangene, wie es auch kränkte;
Dennoch das Herz im Busen bezähmen wir auch mit Gewalt uns!
Hin nun geh ich, den Mörder des wertesten Haupts zu erreichen,
Hektor! Doch mein Los, das empfang ich, wann es auch immer 115
Zeus zu vollenden beschleußt und die andern unsterblichen Götter!
Nicht ja Herakles einmal, der Gewaltige, mied das Verhängnis,
Welcher der Liebste doch war dem herrschenden Zeus Kronion,
Sondern ihn zwang das Geschick und der heftige Zorn der Here.
Also auch ich, wofern ein gleiches Geschick mir bevorsteht, 120
Lieg ich, vom Tode gestreckt. Jetzt tracht ich noch Ruhm zu gewinnen
Manche Troerin noch und Dardanerin, schwellenden Busens,
Soll mir mit beiden Händen von jugendlich blühenden Wangen
Tränen des Grams abtrocknen mit schwer aufzitternden Seufzern!
Fühlen sie's nun, daß ich lange genug von dem Kriege gerastet! 125
Nicht mir wehre den Kampf, du Liebende, nimmer gehorch ich!
Ihm antwortete drauf die silberfüßige Thetis:
Wahrheit hast du geredet, mein Kind, nicht übel ist solches,
Seine geängsteten Freunde vor Tod und Verderben zu schützen.
Doch in der Troer Gewalt ist dir die stattliche Rüstung. 130

Strahlend von Erz, mit welcher der helmumflatterte Hektor, [lich
Selbst die Schultern geschmückt, einherprangt. Zwar wird er schwer-
Lange darin frohlocken, denn nah ihm schwebet der Tod schon.
Aber du sollst mir noch nicht eingehn ins Getümmel des Ares,
Bis du zurück mich kehrend mit deinen Augen erblickest. 135
Denn ich komm in der Frühe, sobald die Sonne hervorgeht,
Stattliche Wehr dir bringend vom mächtigen Herrscher Hephästos.
Also sprach die Göttin und kehrte hinweg von dem Sohne;
Drauf gewandt zu den Schwestern, den Meergöttinnen, begann sie:
Taucht ihr jetzo hinab in den Schoß des unendlichen Meeres, 140
Daß ihr den alternden Meergott schaut und die Wohnung des Vaters;
Ihm dann verkündiget alles. Indes auf den hohen Olympos
Geh ich zum kunstberühmten Hephästos, ob er mir willfahrt,
Rüstungen, schön und strahlend, für meinen Sohn zu bereiten.
Jene sprach's, da tauchten die Göttinnen unter die Meerflut. 145
Selbst dann ging zum Olympos die silberfüßige Thetis
Schnell, dem geliebten Sohne gepriesene Waffen zu bringen.
So zum Olympos enttrugen die Schenkel sie. Doch die Achaier
Mit graunvollem Geschrei vor dem männermordenden Hektor
Flohn sie gescheucht, die Schiff' und den Hellespontos erreichend.
Nicht Patroklos auch hätten die hellumschienten Achaier
Aus den Geschossen entführt, den erschlagenen Freund des Achilleus;
Denn es ereilt' ihn wieder der Männer Getös und der Rosse,
Hektor zumal, des Priamos' Sohn, gleich stürmendem Feuer.
Dreimal faßt' ihn von hinten am Fuß der strahlende Hektor, 155
Strebend, ihn wegzuziehn, und laut die Troer ermahnt' er;
Dreimal stießen die Ajas, mit stürmender Stärke gewappnet,
Ihn von dem Toten hinweg. Er, fest der Stärke vertrauend,
Wütete jetzo hinan das Gewühl durch; jetzo von neuem
Stand er mit lautem Geschrei, doch rückwärts wandt er sich niemals.
Wie vom ermordeten Tiere durchaus den funkelnden Leun nicht
Nächtliche Hirten der Flur, den hungrigen Würger, verscheuchen,
So vermochten auch nicht die beiden gerüsteten Ajas
Hektor, Priamos' Sohn, von dem Leichnam abzuschrecken.
Und er hätt ihn geraubt und unendlichen Ruhm sich erworben, 165
Wenn nicht Peleus' Sohne die windschnell eilende Iris
Kam als Botin genaht vom Olympos, mitzustreiten,

Zeus und den anderen Göttern geheim; denn es sandte sie Here.
Nahe trat sie hinan und sprach die geflügelten Worte:
Hebe dich, Peleus' Sohn, du schrecklichster unter den Männern! 170
Eile Patroklos zu Hilf, um den die entsetzliche Feldschlacht
Draußen tobt vor den Schiffen. Sie morden sich untereinander:
Diese mit Macht beschirmend den hingesunkenen Leichnam,
Dort, hinweg ihn zu reißen nach Ilios' luftiger Höhe,
Wüten die Troer daher; vor allen der strahlende Hektor 175
Ist ihn zu rauben entbrannt. Denn das Haupt ihm wünschet er herzlich,
Hauend vom zarten Hals, auf spitzige Pfähle zu heften.
Auf, nicht länger gesäumt, und Graun durchschaudre das Herz dir,
Daß Patroklos liege den troischen Hunden ein Labsal!
Dein ist Schmach, wenn irgend entstellt die Leiche daherkommt! 180
Ihr antwortete drauf der mutige Renner Achilleus:
Welcher Gott hat, o Iris, dich mir als Botin gesendet?
Wieder begann dagegen die windschnell eilende Iris:
Here sandte mich her, Zeus' rühmliche Lagergenossin,
Auch nicht Zeus erfuhr's, der Erhabene, oder ein Gott sonst 185
Aller, die rings des Olympos beschneiete Höhen umwohnen.
Ihr antwortete drauf der mutige Renner Achilleus:
Wie doch geh ich zur Schlacht, da jene die Rüstungen haben?
Auch die liebende Mutter verwehrte mir mitzustreiten,
Bis ich zurück sie kehrend mit meinen Augen erblickte; 190
Denn sie verhieß, von Hephästos mir herrliche Waffen zu bringen.
Niemand weiß ich ja sonst, des prangende Wehr mir gerecht sei,
Wo nicht Ajas' Schild, des gewaltigen Telamoniden.
Aber er selbst ist, hoff ich, im Vorderkampfe beschäftigt,
Mordend mit schrecklichem Speer um den hingesunkenen Patroklos.
Wieder begann dagegen die windschnell eilende Iris:
Wohl ja wissen auch wir's, wie die herrlichen Waffen geraubt sind.
Doch nur so an den Graben genaht, erscheine den Troern,
Ob vor dir erschrocken vielleicht vom Kampfe die Troer
Abstehn und sich erholen die kriegrischen Männer Achaias 200
Ihrer Angst, wie klein sie auch sei, die Erholung des Krieges.
Dieses gesagt, entflog sie, die windschnell eilende Iris.
Aber Achilleus erhob sich, der göttliche. Selber Athene
Hängt' um die mächtigen Schultern die quastumbordete Ägis;

Auch sein Haupt mit Gewölk umkränzte die heilige Göttin, 205
Goldenem, und ihm entstrahlt' ein ringsum leuchtendes Feuer.
Wie hochwallender Rauch aus der Stadt aufsteiget zum Äther,
Fern aus dem Meereiland, das feindliche Männer bestürmen
(Jene den ganzen Tag, im Kriegesgraun sich versuchend,
Kämpfen aus ihrer Stadt, doch sobald die Sonne sich senket, 210
Brennen sie Reisigbund auf Warten umher, und es leuchtet
Hoch der steigende Glanz, daß Ringsumwohnende schauen,
Ob vielleicht in Schiffen des Streits Abwehrer herannahn):
So von Achilleus' Haupt erhub sich der Glanz in den Äther.
Schnell nun trat er zum Graben, die Mauer hindurch; doch vermied er
Argos' Volk, denn er scheute der Mutter sorgsame Warnung.
Dort gestellt aufschrie er; auch seitwärts Pallas Athene
Schrie lautauf, und die Troer durchtobt' unermeßlicher Aufruhr.
Wie wenn hell auftönet der Kriegsausruf der Drommete,
Wann um die Stadt herwühlt wehdrohender Feinde Getümmel, 220
So nun hell auftönte der Kriegsausruf des Peleiden.
Aber sobald sie vernommen den ehernen Ruf des Peleiden,
Regte sich allen das Herz, und die schöngemähneten Rosse
Wandten zurück ihr Geschirr, denn sie ahndeten Jammer im Herzen.
Starrend sahn auch die Lenker die lodernde Flamme des Feuers 225
Graunvoll über dem Haupt des erhabenen Peleionen
Brennen, entflammt von Zeus' blauäugiger Tochter Athene.
Dreimal schrie vom Graben mit Macht der edle Achilleus,
Dreimal zerstob der Troer Gewirr und der Bundesgenossen.
Dort nun starben, vertilgt durch eigene Wagen und Lanzen, 230
Zwölf der tapfersten Helden im Volk. Doch die Männer Achaias,
Freudig nunmehr Patroklos den Mordgeschossen entreißend,
Legeten ihn auf Betten, und ringsum standen die Freunde
Wehmutsvoll; auch folgte der mutige Renner Achilleus,
Heiße Tränen vergießend, da dort den treuen Genossen 235
Liegen er sah auf der Bahre, zerfleischt von der Schärfe des Erzes.
Ihn, ach, jüngst nur entsandt er mit Rossen zugleich und Geschirre
Hin zur Schlacht, nicht aber den Kehrenden sollt er empfangen.

Helios, rastlos im Lauf, gesandt von der Herrscherin Here,
Kehrete jetzt unwillig hinab zu Okeanos' Fluten. 240
Nieder sank die Sonn, und das Heer der edlen Achaier

Ruhte vom schrecklichen Kampf und allverderbenden Kriege.
Trojas Söhn' auch drüben, vom Ungestüme der Feldschlacht
Wiedergekehrt, entlösten die hurtigen Rosse den Wagen,
Eilten darauf zur Versammlung, bevor sie des Mahles gedachten. 245
Aufrecht standen im Kreis die Versammelten; keiner auch wagt' es,
Sich zu setzen; denn all erbebten sie, weil Achilleus
Wieder erschien, der lange vom schrecklichen Kampfe gerastet.
Und der verständige Held Polydamas sprach zur Versammlung,
Panthoos' Sohn, der allein Zukunft und Vergangenes wahrnahm,
Hektors Freund, mit jenem in einer Nacht auch geboren,
Er durch Worte berühmt, er dort durch Kunde des Speeres.
Dieser begann wohlmeinend und redete vor der Versammlung:
Wohl erwägt, ihr Lieben, den Rat; ich denke, sogleich nun
Kehren wir heim in die Stadt, nicht harrend der heiligen Frühe 255
Hier im Feld an den Schiffen, da weit die Mauer entfernt ist.
Weil noch jener Mann dem Held Agamemnon erzürnt war,
Damals ward uns leichter der Kampf mit den Söhnen Achaias.
Ja ich freute mich selbst vor den rüstigen Schiffen zu schlafen,
Hoffend, bald zu gewinnen die zwiefachrudernden Schiffe. 260
Doch nun fürcht ich mit Angst den mutigen Renner Achilleus.
So wie das Herz ihm strebt voll Heftigkeit, wird er fürwahr nicht
Säumen allhier im Gefilde, wo Trojas Söhn' und Achaias
Gleich bisher miteinander die Wut des Ares geteilet;
Nein, um die blühende Stadt nun kämpfet er und um die Weiber.
Kehren wir denn in die Feste, gehorchet mir; also geschieht es!
Jetzo hemmte vom Kampf den mutigen Renner Achilleus
Nur die ambrosische Nacht. Doch findet er morgen allhier uns,
Wann er hervor sich stürzt, der Gewappnete; traun, dann erkennt wohl
Mancher den Held, und gerne zur heiligen Ilios flüchtet, 270
Wer ihm entrann; viel sättigen Hund' und zerfleischende Geier
Trojas Söhn'! O möge vom Ohre mir solches entfernt sein!
Aber wofern mein Wort ihr genehmiget, trauernden Herzens,
Haltet die Nacht auf dem Markte die Kriegsmacht; türmende Mauern
Schützen die Stadt ringsum und hohe befestigte Tore, 275
Wohlverwahrt mit großen und dicht einfugenden Flügeln.
Frühe sodann vor Morgen, mit ehernen Waffen gerüstet,
Stehen wir rings auf der Mauer, und weh ihm, wo er begehret,

Angestürmt von den Schiffen mit uns um die Mauer zu kämpfen!
Heim zu den Schiffen entweicht er, wann sein hochwiehernd Gespann
Satt von mancherlei Lauf um Ilios hergetummelt. [ihm
Aber hinein wird nimmer sein Mut ihm zu dringen verstatten,
Nie erobert er auch; eh fressen ihn hurtige Hunde!
  Finster schaut' und begann der helmumflatterte Hektor:
Keineswegs gefällt mir, Polydamas, was du geredet, 285
Der du ermahnst, in die Feste die Kehrenden einzuschließen.
Noch nicht wurdet ihr müd, umhegt zu sein von der Mauer?
Sonst war Priamos' Stadt bei vielfachredenden Menschen
Weit auf der Erde berühmt, als reich an Gold und an Erze,
Doch nunmehr ist geschwunden die köstliche Hab aus den Häusern;
Viel nach Phrygien nun und Mäoniens schönem Gefilde
Gehn zum Verkauf Kleinode, da Zeus' Allmacht uns ergrimmt ist.
Aber anjetzt, da mir ja der Sohn des verborgenen Kronos
Ruhm verliehn bei den Schiffen, ans Meer die Achaier zu drängen:
Törichter, nicht mehr äußre mir solcherlei Rat in dem Volke! 295
Denn kein einziger Troer gehorchet dir, nimmer gestatt' ich's!
Aber wohlan, wie ich rede das Wort, so gehorchet mir alle.
Jetzo nehmet das Mahl durch das Kriegsheer, Haufen bei Haufen.
Und gedenkt der nächtlichen Hut, und jeder sei wachsam.
Wer der Troer mit Angst um sein Vermögen sich härmet, 300
Solcher nehm und geb es dem Volk zu gemeinsamem Gastmahl.
Besser, daß jene damit sich belustigen als die Achaier!
Frühe sodann vor Morgen, mit ehernen Waffen gerüstet,
Gegen die räumigen Schiff' erheben wir stürmenden Angriff.
Wenn denn gewiß bei den Schiffen erstand der edle Achilleus, 305
Wohl, so erkor er sich selbst das Schlimmere! Nie ja vor jenem
Werd ich fliehn aus dem Sturme der Feldschlacht; nein, ihm entgegen
Steh ich, ob ihn Siegsehre verherrliche oder mich selber!
Gleich ist Ares gesinnt, und oft auch den Würgenden würgt er.
  Also redete Hektor, und laut herriefen die Troer: 310
Törichte, welchen den Geist verblendete Pallas Athene!
Siehe, dem Hektor stimmten sie bei, der Böses beschlossen,
Doch dem Polydamas nicht, der heilsame Worte geredet. [Achaier,
Rings nun nahm man das Mahl durch das Kriegsheer. Doch die
Ganz die Nacht um Patroklos erhuben sie Klagen und Seufzer. 315

Peleus' Sohn vor ihnen begann die jammernde Klage;
Hingelegt die mordenden Händ' auf den Busen des Freundes,
Ächzet' er häufig empor. Wie ein bärtiger Löwe des Bergwalds,
Welchem die Jungen geraubt ein hirschverfolgender Jäger
Tief aus verwachsnem Gehölz (er drauf ankommend betrübt sich, 320
Eilt dann von Tale zu Tale der Spur nachrennend des Mannes,
Ob er ihn wo ausforsche; denn bitterer Zorn durchdrang ihn):
Also schwer aufseufzend vor Myrmidonen begann er:
Götter, wie eitele Worte sind jenes Tags mir entfallen,
Als ich Trost im Palaste dem Held Menötios zusprach! 325
Heim verhieß ich gen Opus den rühmlichen Sohn ihm zu bringen,
Wann er Troja verheert und reichliche Beute geloset.
Aber der Mensch entwirft, und Zeus vollendet es anders!
Uns war beiden bestimmt, die selbige Erde zu röten
Hier im troischen Land! Auch mich wird nimmer empfangen, 330
Heimgekehrt zum Palaste, der graue reisige Peleus,
Noch auch Thetis, die Mutter; entfernt hier deckt mich die Erde.
Doch nun ich, Patroklos, nach dir in die Erde versinke,
Feier ich dir nicht eher das Grabfest, bis ich dir Hektors
Waffen gebracht und das Haupt des Trotzigen, deines Mörders! 335
Auch zwölf Jünglinge werd ich am Totenfeuer dir schlachten,
Trojas edlere Söhn', im Zorn ob deiner Ermordung!
Ruh indessen allhier bei meinen geschnäbelten Schiffen!
Manche Troerin auch und Dardanerin, schwellenden Busens,
Soll wehklagen um dich, bei Tag und Nacht dich beweinend, 340
Welche wir selbst erbeutet mit Kraft und gewaltiger Lanze,
Blühende Städte verheerend der vielfachredenden Menschen.
Also sprach der edle Peleid, und den Freunden gebot er,
Eilend ein groß dreifüßig Geschirr auf Feuer zu stellen,
Um von dem blutigen Staube Patroklos' Leiche zu säubern. 345
Sie nun stellten das Badegeschirr auf loderndes Feuer,
Gossen dann Wasser hinein und legeten Holz an die Flamme;
Rings umschlug sie den Bauch des Geschirrs, und es kochte das Wasser;
Aber nachdem das Wasser gekocht im blinkenden Erze,
Wuschen sie jetzt und salbten mit fettem Öle den Leichnam; 350
Mit neunjähriger Salb erfüllten sie jetzo die Wunden,
Legten ihn dann auf Betten und breiteten köstliche Leinwand

Ihm vom Haupt zu den Füßen und drauf den schimmernden Teppich.
Aber die ganze Nacht um den mutigen Renner Achilleus
Klagten die Myrmidonen Patroklos weinend und seufzend. 355
Zeus nun sprach zu Here, der göttlichen Schwester und Gattin:
Endlich gelang dir's doch, du hoheitblickende Here,
Peleus' Sohn zu erregen, den Mutigen. Sicher aus deinem
Eigenen Schoß entstammen die hauptumlockten Achaier.
Ihm antwortete drauf die hoheitblickende Here: 360
Welch ein Wort, Kronion, du Schrecklicher, hast du geredet?
Kann ja doch wohl etwas ein Mensch dem Manne vollenden.
Er, der sterblich nur ist und nicht so kundig des Rates;
Aber ich, die stolz der Göttinnen erste sich rühmet,
Zwiefach erhöht, durch Geburt und weil ich deine Genossin 365
Ward ernannt, der du mächtig im Kreis der Unsterblichen waltest,
Sollt ich nicht den Troern im Zorn ein Übel bereiten?
Also redeten jen' im Wechselgespräch miteinander.
Aber Hephästos' Palast erreichte die Herrscherin Thetis,
Sternenhell, unvergänglich, in strahlender Pracht vor den Göttern,
Welchen aus Erz er selbst sich gebaut, der hinkende Künstler.
Ihn dort fand sie voll Schweiß um die Blasebälge beschäftigt
Eiferig; denn Dreifüße bereitet' er, zwanzig in allem,
Rings zu stehn an der Wand der wohlgeründeten Wohnung.
Goldene Räder befestigt' er jeglichem unter den Boden, 375
Daß sie von selbst annahten zur Schar der unsterblichen Götter,
Dann zu ihrem Gemach heimkehreten, Wunder dem Anblick
Sie nun waren so weit gefertiget, nur noch der Henkel
Zierat fehlte daran; jetzt fügt' er sie, hämmernd die Nägel.
Während er solches erschuf mit erfindungsreichem Verstande, 380
Siehe, da kam ihm nahe die silberfüßige Thetis.
Diese sah vorwandelnd die feinumschleierte Charis,
Schön und hold, die Gattin des hinkenden Feuerbeherrschers;
Und sie faßt' ihr die Hand und redete, also beginnend:
Thetis in langem Gewande, wie nahest du unserer Wohnung, 385
Ehrenwert und geliebt? Denn sonst besuchst du mich wenig.
Aber komm doch herein, damit ich als Gast dich bewirte.
Also sprach und führte sie ein die herrliche Göttin.
Jene setzte sie dann auf den silbergebuckelten Sessel,

Schön und prangend an Kunst, und ein Schemel stützt' ihr die Füße.
Drauf dem kunstberühmten Hephästos rief sie und sagte:
Tritt hervor, Hephästos, die Herrscherin Thetis bedarf dein.
Ihr antwortete drauf der hinkende Feuerbeherrscher:
Traun ja, so ist die erhabne, die edelste Göttin daheim mir,
Welche vordem mich gerettet im Schmerz des unendlichen Falles, 395
Als mich die Mutter verwarf, die entsetzliche, welche mich Lahmen
Auszutilgen beschloß. Da duldet ich Wehe des Herzens,
Hätt Eurynome nicht und Thetis im Schoß mich empfangen,
Jene des kreisenden Stroms Okeanos blühende Tochter.
Dort neun Jahre verweilt ich und schmiedete mancherlei Kunstwerk,
Spangen und Ring' und Ohrengehenk', Haarnadeln und Kettlein,
Dort in gewölbeter Grott, und der Strom des Okeanos ringsher
Schäumte mit brausendem Hall, der unendliche; keiner der andern
Kannte sie, nicht der Götter und nicht der sterblichen Menschen,
Sondern Thetis allein und Eurynome, die mich gerettet. 405
Diese besucht uns jetzo im Haus, und darum gebührt mir,
Froh der lockigen Thetis den Rettungsdank zu bezahlen.
Auf, nun reiche du ihr des Gastrechts schöne Bewirtung,
Während ich selbst die Bälge hinwegräum und die Gerätschaft.
Sprach's und erhob sich vom Amboß, das rußige Ungeheuer, 410
Hinkend, und mühsam strebten daher die schwächlichen Beine.
Abwärts legt' er vom Feuer die Bälg' und nahm die Gerätschaft,
Alle Vollender der Kunst, und verschloß sie im silbernen Kasten;
Wusch sich dann mit dem Schwamme die Händ' beid und das Antlitz,
Auch den nervichten Hals und den haarumwachsenen Busen; 415
Hüllte den Leibrock um und nahm den stämmigen Zepter,
Hinkte sodann aus der Tür, und Jungfraun stützten den Herrscher,
Goldene, Lebenden gleich, mit jugendlich reizender Bildung;
Diese haben Verstand in der Brust und redende Stimme,
Haben Kraft und lernten auch Kunstarbeit von den Göttern. 420
Schräge vor ihrem Herrn hineilten sie, er, nachwankend,
Nahte, wo Thetis saß und ruht' auf schimmerndem Sessel;
Ihr nun faßt' er die Hand und redete, also beginnend:
Thetis in langem Gewande, wie nahest du unserer Wohnung,
Ehrenwert und geliebt? Denn sonst besuchst du mich wenig. 425
Rede, was du verlangst, mein Herz gebeut mir Gewährung,

Kann ich es nur gewähren und ist es selber gewährbar.
Aber Thetis darauf antwortete, Tränen vergießend:
Ach, Hephästos, war eine der Göttinnen auf dem Olympos
Je so viel im Herzen des traurigen Wehes erduldend, 430
Als auf mich vor allen Kronion Jammer gehäuft hat?
Mich aus den Meergöttinnen dem sterblichen Manne gesellt' er,
Peleus, Äakos' Sohn, und ich trug des Mannes Umarmung
Sehr unwillig aus Zwang; doch jetzt vor traurigem Alter
Lieget er dort im Palast, ein Entkräfteter. Aber noch mehr nun! 435
Einen Sohn zu gebären verlieh er mir und zu erziehen,
Hoch vor Helden geschmückt! Er schwang sich empor wie ein Spröß-
Und ich erzog ihn mit Fleiß wie die Pflanz im fruchtbaren Acker; [ling
Drauf in geschnäbelten Schiffen gen Ilios sandt ich daher ihn,
Trojas Volk zu bekämpfen. Doch nie empfang ich ihn wieder, 440
Wann er zur Heimat kehrt, in Peleus' ragende Wohnung!
Aber so lang er mir lebt und das Licht der Sonne noch schauet,
Duldet er Qual, und nichts vermag ich ihm nahend zu helfen!
Die zum Ehrengeschenk ihm die Danaer wählten, die Jungfrau,
Nahm aus der Hand ihm wieder der Völkerfürst Agamemnon. 445
Trauernd das Herz um diese zerquält' er sich. Aber die Troer
Schlossen die Danaer ein um die ragenden Steuer und ließen
Nicht aus dem Lager sie gehn. Ihm fleheten drauf der Achaier
Älteste, welche viel und herrliche Gaben ihm boten.
Selbst nunmehr verweigert' er zwar dem Verderben zu wehren, 450
Aber den Freund Patroklos, mit eigenen Waffen ihn rüstend,
Sandt er daher in die Schlacht, und viel des Volks ihm gesellt' er.
Ganz den Tag durchkämpften sie nun am skäischen Tore;
Ja, und verheert des Tages wär Ilios, wenn nicht Apollon
Jenen Vertilger des Volkes, Menötios' tapferen Sprößling, 455
Schlug in dem Vordergefecht und Hektorn Ehre gewährte.
Drum nun flehend die Knie umfaß ich dir, ob du geneigt seist,
Schild und Helm zu verleihen dem bald hinwelkenden Sohne,
Prangende Schienen zugleich mit schließender Knöchelbedeckung,
Harnisch auch; was er hatte, verlor sein Genoß, den ermordet 460
Trojas Söhn', und er liegt auf der Erd, unmutigen Herzens.

Ihr antwortete drauf der hinkende Feuerbeherrscher:
Sei getrost und laß nicht dieses dein Herz dir bekümmern.

Daß ich doch dem graulichen Tod ihn also vermöchte
Weit hinweg zu entziehn, wann einst sein Jammergeschick naht, 465
Als nun prangende Wehr ihn erfreun wird, solche wie mancher
Wohl anstaunt im Geschlechte der Sterblichen, wer sie erblicket!

Dieses gesagt, verließ er sie dort und ging in die Esse,
Wandt in das Feuer die Bälg' und hieß sie mit Macht arbeiten.
Zwanzig bliesen zugleich der Blasebälg' in die Öfen, 470
Allerlei Hauch aussendend des glutanfachenden Windes,
Bald des Eilenden Werk zu beschleunigen, bald sich erholend,
Je nachdem es Hephästos befahl zur Vollendung der Arbeit.
Jener stellt' auf die Glut unbändiges Erz in den Tiegeln,
Auch gepriesenes Gold und Zinn und leuchtendes Silber; 475
Richtete dann auf dem Block den Amboß, nahm mit der Rechten
Drauf den gewaltigen Hammer und nahm mit der Linken die Zange.

Erst nun formt' er den Schild, den ungeheuren und starken,
Ganz ausschmückend mit Kunst. Ihn umzog er mit schimmerndem
Dreifach und blank, und fügte das silberne schöne Gehenk an. [Rande,
Aus fünf Schichten gedrängt war der Schild selbst; oben darauf nun
Bildet' er mancherlei Kunst mit erfindungsreichem Verstande.

Drauf nun schuf er die Erd und das wogende Meer und den Himmel,
Auch den vollen Mond und die rastlos laufende Sonne;
Drauf auch alle Gestirne, die rings den Himmel umleuchten, 485
Drauf Plejad und Hyad und die große Kraft des Orion,
Auch die Bärin, die sonst der Himmelswagen genannt wird,
Welche sich dort umdreht und stets den Orion bemerket
Und allein niemals in Okeanos' Bad sich hinabtaucht.

Drauf zwo Städt' auch schuf er der vielfach redenden Menschen, 490
Blühende; voll war die ein hochzeitlicher Fest' und Gelage.
Junge Bräut' aus den Kammern, geführt beim Scheine der Fackeln,
Gingen einher durch die Stadt, und hell erhub sich das Brautlied;
Tanzende Jünglinge drehten behende sich unter dem Klange,
Der von Flöten und Harfen ertönete; aber die Weiber 495
Standen bewunderungsvoll vor den Wohnungen, jede betrachtend.
Auch war dort auf dem Markte gedrängt des Volkes Versammlung;
Denn zween Männer zankten und haderten wegen der Sühnung
Um den erschlagenen Mann. Es beteuerte dieser dem Volke,
Alles hab er bezahlt; ihm leugnete jener die Zahlung. 500

Jeder drang, den Streit durch des Kundigen Zeugnis zu enden.
Diesem schrien und jenem begünstigend eifrige Helfer,
Doch Herolde bezähmten die Schreienden. Aber die Greise
Saßen umher im heiligen Kreis auf gehauenen Steinen,
Und in die Hände den Stab dumpf rufender Herolde nehmend, 505
Standen sie auf nacheinander und redeten wechselnd ihr Urteil.
Mitten lagen im Kreis auch zwei Talente des Goldes,
Dem bestimmt, der vor ihnen das Recht am gradesten spräche.
Jene Stadt umsaßen mit Krieg zwei Heere der Völker,
Leuchtend im Waffenglanz. Die Belagerer droheten zwiefach, 510
Auszutilgen die Stadt der Verteidiger oder zu teilen
Alles Gut, das die liebliche Stadt in den Mauern verschlösse;
Jene verwarfen es stolz, zum Hinterhalte sich rüstend.
Ihre Mauer indes bewahreten liebende Weiber
Und unmündige Kinder, gesellt zu wankenden Greisen. 515
Jen' enteilten, von Ares geführt und Pallas Athene;
Beide sie waren von Gold und in goldene Kleider gehüllet,
Beide schön in den Waffen und groß, wie unsterbliche Götter,
Weit umher vorstrahlend; denn kleiner an Wuchs war die Herrschar.
Als sie den Ort nun erreicht, den zum Hinterhalt sie gewählet, 520
Nahe dem Bach, wo zur Tränke das Vieh von der Weide geführt ward,
Dort nun setzten sich jene, geschirmt mit blendendem Erze.
Abwärts saßen indes zween spähende Wächter des Volkes,
Harrend, wann sie erblickten die Schaf' und gehörneten Rinder.
Bald erschienen die Herden, von zween Feldhirten begleitet, 525
Welche, den Trug nicht ahndend, mit Flötenklang sich ergötzten.
Schnell auf die Kommenden stürzt' aus dem Hinterhalte die Heerschar,
Raubt' und trieb die Herden hinweg der gehörneten Rinder
Und weißwolligen Schaf' und erschlug die begleitenden Hirten.
Jene, sobald sie vernahmen das laute Getös um die Rinder, 530
Welche die heiligen Tore belagerten, schnell auf die Wagen
Sprangen sie, stürmten in fliegendem Lauf und erreichten sie plötzlich.
Alle gestellt nun schlugen sie Schlacht um die Ufer des Baches,
Und hin flogen und her die ehernen Kriegeslanzen.
Zwietracht tobt' und Tumult ringsum und des Jammergeschicks Ker',
Die dort lebend erhielt den Verwundeten, jenen vor Wunden
Sicherte, jenen entseelt durch die Schlacht hinzog an den Füßen;

Und ihr Gewand um die Schulter war rot vom Blute der Männer.
Gleich wie lebende Menschen durchschalteten diese die Feldschlacht
Und entzogen einander die Leichname toter Helden. 540
Weiter schuf er darauf ein Brachfeld, locker und fruchtbar,
Breit, zum dritten gepflügt, und viel der ackernden Männer
Trieben die Joch' umher und lenketen hiehin und dorthin.
Aber sooft sie kehrend des Ackers Ende gewannen,
Reicht' ein Mann den Becher des herzerfreuenden Weines 545
Jeglichem dar nach der Ordnung; sie wandten sich dann zu den [Furchen,
Freudigen Muts, das Ende der tiefen Flur zu erreichen.
Aber es dunkelte hinten das Land, und geackertem ähnlich
Schien es, obgleich von Gold; so wunderbar hatt er's bereitet.
Drauf auch schuf er ein Feld tiefwallender Saat, wo die Schnitter
Mäheten, jeder die Hand mit schneidender Sichel bewaffnet.
Längs dem Schwad hinsanken die häufigen Griffe zur Erde;
Andere banden die Binder mit strohernen Seilen in Garben;
Denn drei Garbenbinder verfolgeten. Hinter den Mähern
Sammelten Knaben die Griff' und trugen sie unter den Armen 555
Rastlos jenen daher. Der Herr stillschweigend bei ihnen
Stand, den Stab in den Händen, am Schwad und freute sich herzlich.
Abwärts unter der Eiche bereiteten Diener die Mahlzeit,
Rasch um den großen Stier, den sie schlachteten. Weiber indessen
Streueten weißes Mehl zum labenden Mus für die Ernter. 560
Drauf auch ein Rebengefilde, von schwellendem Weine belastet,
Bildet' er schön aus Gold, doch schwärzlich glänzten die Trauben;
Und es standen die Pfähle gereiht aus lauterem Silber.
Rings dann zog er den Graben von dunkeler Bläue des Stahles,
Samt dem Gehege von Zinn. Ein Pfad nur führte zum Rebhain, 565
Für die Träger zu gehn in der Zeit der fröhlichen Lese.
Jünglinge nun, aufjauchzend vor Lust, und rosige Jungfraun
Trugen die süße Frucht in schöngeflochtenen Körben.
Mitten auch ging ein Knab in der Schar; aus klingender Leier
Lockt' er gefällige Tön' und sang den Reigen von Linos 570
Mit hellgellender Stimm, und ringsum tanzten die andern,
Froh mit Gesang und Jauchzen und hüpfendem Sprung ihn begleitend.
Eine Herd auch schuf er darauf hochhauptiger Rinder;
Einige waren aus Golde geformt, aus Zinne die andern.

Laut mit Gebrüll vom Hof enteilten sie dort auf die Weide 575
Längs dem rauschenden Fluß, der hinabschoß, wankend vom Schilf-
Aber goldene Hirten begleiteten emsig die Rinder, [rohr.
Vier an der Zahl, auch folgeten neun schnellfüßige Hunde.
Zween entsetzliche Löwen, gestürzt in die vordersten Rinder,
Faßten den dumpf aufbrummenden Stier, und mit lautem Gebrüll nun
Ward er geschleift; doch Hund' und Jünglinge folgten ihm schleunig.
Jene, nachdem sie zerrissen die Haut des gewaltigen Stieres,
Schlürften die Eingeweid' und das schwarze Blut, und vergebens
Scheuchten die Hirten daher, die hurtigen Hund' anhetzend.
Sie dort zuckten zurück, mit Gebiß zu fassen die Löwen, 585
Standen genaht und bellten sie an, doch immer vermeidend.

Eine Trift auch erschuf der hinkende Feuerbeherrscher:
Im anmutigen Tal, durchschwärmt von silbernen Schafen,
Hirtengeheg' und Hütten zugleich und schirmende Ställe.

Einen Reigen auch schlang der hinkende Feuerbeherrscher, 590
Jenem gleich, wie vordem in der weitbewohneten Knossos
Dädalos künstlich ersann der lockigen Ariadne.
Blühende Jünglinge dort und vielgefeierte Jungfraun
Tanzten den Ringeltanz, an der Hand einander sich haltend.
Schöne Gewand' umschlossen die Jünglinge, hell wie des Öles 595
Sanfter Glanz, und die Mädchen verhüllete zarte Leinwand.
Jegliche Tänzerin schmückt' ein lieblicher Kranz, und den Tänzern
Hingen goldene Dolche zur Seit an silbernen Riemen.
Kreisend hüpften sie bald mit schöngemessenen Tritten
Leicht herum, so wie oft die befestigte Scheibe der Töpfer 600
Sitzend mit prüfenden Händen herumdreht, ob sie auch laufe;
Bald dann hüpften sie wieder in Ordnungen gegeneinander.
Zahlreich stand das Gedräng um den lieblichen Reigen versammelt,
Innig erfreut, und zween nachahmende Tänzer im Kreise
Stimmten an den Gesang und dreheten sich in der Mitte. 605

Auch die Gewalt des Stromes Okeanos bildet' er, ringsum
Strömend am äußersten Rand des schönvollendeten Schildes.

Als er den Schild nun bereitet, den ungeheuren und starken,
Schuf er anjetzt ihm den Harnisch, den strahlenden, heller denn Feuer;
Schuf ihm sodann den gewaltigen Helm, der den Schläfen sich
anschloß,

Schön und prangend an Kunst, und zog aus Golde den Haarbusch;
Schuf ihm zuletzt auch Schienen, aus feinem Zinne gegossen.
Als nun jedes Gerät vollbracht der hinkende Künstler,
Nahm er und legt' es gehäuft vor Achilleus' göttliche Mutter.
Schnell wie ein Habicht herab vom schneebedeckten Olympos 615
Sprang sie und trug von Hephästos das schimmernde Waffengeschmeide.

XIX. GESANG

Am Morgen bringt Thetis die Waffen und sichert den Leichnam vor Verwesung. Achilleus beruft die Achaier, entsagt dem Zorn und verlangt sogleich Schlacht. Agamemnon erkennt sein Vergehen und erbietet sich, die Geschenke holen zu lassen. Auf Odysseus' Rat nehmen die Achaier das Frühmahl, die Geschenke nebst der Briseis werden gebracht, und Agamemnon schwört, sie niemals berührt zu haben. Achilleus, ohne Nahrung, wird von Athene gestärkt und zieht mit dem Heere gerüstet zum Kampf. Sein Roß weissagt ihm nach dem heutigen Siege den nahen Tod, den er verachtet.

Eos, im Safrangewand Okeanos' Fluten entsteigend,
Hub sich, Göttern das Licht und sterblichen Menschen zu bringen.
Jene nun kam zu den Schiffen, vom Gott herbringend die Gaben.
Jetzo fand sie den Sohn gestreckt um den lieben Patroklos,
Weinend mit lauter Stimm, und viel umher der Genossen 5
Jammerten. Unter sie trat die silberfüßige Göttin,
Und sie faßt' ihm die Hand und redete, also beginnend:
Lieber Sohn, ihn, denk ich, nun lassen wir, herzlich betrübt zwar,
Ruhen, nachdem ihn der Rat der ewigen Götter bezwungen.
Du nimm hier von Hephästos die hochgepriesene Rüstung, 10
Wunderschön, wie sie nimmer ein Mann um die Schulter getragen.
Also sprach die Göttin und legete nieder die Waffen
Vor dem Sohn; da rasselte laut das Wundergeschmeide.
Alle die Myrmidonen durchdrang Furcht, keiner auch wagt' es,
Grade sie anzuschaun; sie entzitterten. Aber Achilleus, 15
Sowie er sah, so ergriff ihn noch stärkerer Zorn, und die Augen
Strahlten ihm unter den Wimpern wie schreckliche Flamme des Feuers;
Freudig umfaßt' und hielt er die herrliche Gabe des Gottes.
Aber nachdem er sein Herz gesättiget, schauend das Wunder,
Schnell zur Mutter gewandt die geflügelten Worte begann er: 20

Mutter, die Waffen verlieh ein Gott mir, so wie sie wahrlich
Schafft der Unsterblichen Hand, kein sterblicher Mann sie bereitet.
Gleich denn jetzt erschein ich in Rüstungen. Aber bekümmert
Sorg ich, daß mir indes Menötios' tapferem Sprößling
Fliegen, hineingeschmiegt in die erzgeschlagenen Wunden, 25
Drinnen Gewürm erzeugen und ganz entstellten den Leichnam
(Denn sein Geist ist entflohn!) und der Leib hinsink in Verwesung.
Ihm antwortete drauf die silberfüßige Thetis:
Mutig, o Sohn, und laß nicht dieses dein Herz dir bekümmern.
Jenem versuch ich selber hinwegzuscheuchen die Fliegen, 30
Deren Geschlecht raubgierig erschlagene Männer verzehret.
Wenn er sogar daläge bis ganz zur Vollendung des Jahres,
Dennoch soll ihm der Leib unversehrt sein oder noch schöner.
Rufe demnach zur Versammlung die edelsten Helden Achaias,
Ausgesöhnt von dem Zorne mit Atreus' Sohn Agamemnon; 35
Schnell dann eile gewappnet zum Kampf und gürte mit Kraft dich.
Also redete jen' und gab ihm entschlossene Kühnheit.
Drauf dem Patroklos goß sie Ambrosiasaft in die Nase
Und rotfunkelnden Nektar, den Leib unversehrt zu erhalten.
Er nun ging am Gestade des Meeres, der edle Achilleus, 40
Schreiend mit grausem Getön, und erregte der Danaer Helden.
Jene sogar, die zuvor im Kreis der Schiffe beharret,
Auch die Steuerer selbst, die am Ruder saßen der Schiffe,
Auch die Schaffner der Schiffe, das Brot zu verteilen geordnet:
Sie auch eilten nunmehr zur Versammelung, weil Achilleus 45
Wieder erschien, der lange vom schrecklichen Kampfe gerastet.
Jene beid auch hinkten daher, die Genossen des Ares,
Tydeus' Sohn, der streitbare Held, und der edle Odysseus,
Matt auf die Lanze gestützt, denn sie trugen noch schmerzende Wunden;
Und sie setzten sich beid' in den vordersten Reihn der Versammlung.
Doch am spätesten kam der Herrscher des Volks Agamemnon,
Krank an der Wund; ihm hatt in schreckenvoller Entscheidung
Koon, Antenors Sohn, mit ehernem Speer sie gebohret.
Aber nachdem sich alle zusammengedrängt die Achaier,
Jetzo erstand vor ihnen und sprach der schnelle Achilleus: 55
Atreus' Sohn, traun, dieses war jüngst schon beiden erwünschter,
Dir und mir selber zugleich, als wir, unmutiger Seele,

Mit herzkränkendem Zank uns ereiferten wegen des Mägdleins!
Hätte doch an den Schiffen der Artemis Pfeil sie getötet
Jenes Tags, da ich selbst sie erkor aus der Beute Lyrnessos', 60
Ehe so viel Achaier den Staub mit den Zähnen gebissen
Unter der Feinde Gewalt, weil ich im Zorne beharrte!
Hektorn war's und den Troern erfreulicher; doch die Achaier
Werden noch lang, ich meine, sich unseres Zwistes erinnern.
Aber vergangen sei das Vergangene, wie es auch kränkte; 65
Dennoch das Herz im Busen bezähmen wir auch mit Gewalt uns.
Meinen Zorn nun hab ich besänftiget; denn mir gebührt nicht,
Rastlos stets zu eifern voll Unmuts. Auf denn, sogleich nun
Angereizt zum Gefechte die hauptumlockten Achaier,
Daß ich noch die Troer einmal versuche begegnend, 70
Ob an den Schiffen zu ruhn sie geneigt sind. Mancher indes wohl
Möchte sich herzlich froh die ermüdeten Knie beugen,
Wenn er entrinnt dem blutigen Kampf und unserer Lanze!

Jener sprach's; froh wurden die hellumschienten Achaier,
Als dem Zorn entsagte der mutige Peleione. 75
Jetzo begann vor ihnen der Völkerfürst Agamemnon,
Dort von dem Sitz aufstehend und nicht vortretend im Kreise:

Freund', ihr Helden des Danaerstammes, o Genossen des Ares!
Ihn, der steht, anhören geziemet sich, nicht in die Red ihm
Fallen; denn solches beschwert, wie viel auch wisse der Störer. 80
Bei so großem Getümmel des Volks, wer vermag da zu hören,
Wer zu reden? Betäubt wird sogar ein tönender Redner.
Peleus' Sohne nunmehr erklär ich mich; aber ihr andern,
Merkt, Argeier, es wohl und beherziget jeder die Worte.
Oft schon haben mir dieses Achaias Söhne gerüget 85
Und mich bitter geschmäht; doch trag ich dessen die Schuld nicht,
Sondern Zeus, das Geschick und das nächtliche Schrecken Erinnys,
Die in der Volksversammlung zum heftigen Fehl mich verblendet
Jenes Tags, da ich selber Achilleus' Gab ihm entwandte.
Aber was konnt ich tun? Die Göttin wirkt ja zu allem, 90
Zeus' erhabene Tochter, die Schuld, die alle betöret,
Schreckenvoll; leicht schweben die Füß' ihr. Nimmer dem Grund auch
Nahet sie; nein, hoch wandelt sie her auf den Häuptern der Männer,
Reizend die Menschen zum Fehl, und wenigstens einen verstrickt sie.

Ihn ja selber einmal, Zeus, irrte sie, der an Gewalt doch 95
Weit vor Menschen und Göttern emporragt; aber auch ihn hat
Here, wiewohl ein Weib, durch listige Ränke verleitet
Jenes Tags, wie Alkmene die hohe Kraft Herakles'
Jetzo gebären sollt in der starkummauerten Thebe.
Rühmend redete Zeus in der Schar der seligen Götter: 100
Hört mein Wort, ihr Götter umher und ihr Göttinnen alle,
Daß ich rede, wie mir das Herz im Busen gebietet.
Heute schafft an das Licht die ringende Eileithya
Einen Mann, der hinfort die Umwohnenden alle beherrschet
Jenes Heldengeschlechts, die aus meinem Blute gezeugt sind. 105
Listenreich antwortete drauf die Herrscherin Here:
Wahrlich du trügst, und nimmer zum Ausgang führst du die Rede.
Oder wohlan, gleich schwör, Olympier, heiligen Eid mir,
Daß gewiß er hinfort die Umwohnenden alle beherrsche,
Welcher an diesem Tage dem Schoß des Weibes entsinket, 110
Jenes Heldengeschlechts, die aus deinem Blute gezeugt sind.
Jene sprach's, doch Zeus argwöhnete nichts des Betruges,
Sondern schwur ihr den Eid und büßte darauf die Verblendung.
Here, voll Ungestüms, entschwang sich den Höhn des Olympos,
Und zur achaiischen Argos gelangte sie, wo ihr bekannt war 115
Sthenelos' edles Weib, des perseiadischen Königs.
Jene trug ein Knäblein, und jetzt war der siebente Monat.
Dies nun zog sie ans Licht, unzeitig annoch, und hemmte
Dort der Alkmene Geburt, die Eileithyen entfernend.
Selber nunmehr es verkündend, zu Zeus Kronion begann sie: 120
Vater Zeus, Strahlschwinger, ein Wort nun leg ich ans Herz dir.
Schon ist geboren der Held, der einst die Argeier beherrschet,
Sthenelos' Sohn Eurystheus, des perseiadischen Königs,
Dein Geschlecht und kein unwürdiger Herrscher für Argos.
Jene sprach's; und heftiger Gram durchwühlte das Herz ihm. 125
Eilend faßt' er die Schuld an den glänzenden Locken des Hauptes,
Tief im Herzen ergrimmt, und schwur den heiligen Eidschwur,
Nie zum Olympos hinfort und dem sternumleuchteten Himmel
Solle sie wiederkehren, die Schuld, die alle betöret.
Also Zeus, und warf sie vom sternumleuchteten Himmel [schen.
Aus umschwingender Hand, und sie stürzt' auf die Werke der Men-

Diese fortan beseufzt' er, wann seinen Sohn er erblickte,
Wie mühselig er rang im harten Dienst des Eurystheus.
Also auch ich, solange der helmumflatterte Hektor
Argos' Scharen vertilgt' um die ragenden Steuer der Schiffe, 135
Konnt ich nicht vergessen der Schuld, die zuerst mich verblendet.
Aber nachdem ich gefehlt und Zeus die Besinnung mir wegnahm,
Will ich gern es vergelten und biet unendliche Sühnung.
Auf denn, zeuch in den Kampf und treib auch die anderen Völker!
Auch die Geschenke zu reichen erbiet ich mich, alle die gestern 140
Dir im Gezelt ankommend verhieß der edle Odysseus.
Oder willst du, so bleib, wie sehr dich verlangt nach der Feldschlacht,
Und dir sollen Genossen aus meinem Schiff die Geschenke
Bringen, damit du sehest, was dir zur Versöhnung ich gebe.
Ihm antwortete drauf der mutige Renner Achilleus: 145
Atreus' Sohn, Ruhmvoller, du Völkerfürst Agamemnon,
Ob die Geschenke zu reichen dir gut deucht, wie es geziemet,
Ob zu behalten, du magst! Jetzt laß uns gedenken der Kampflust,
Ohne Verzug; nichts frommt es, allhier im Gespräche zu zaudern
Und mit dem Werke zu säumen; denn viel ist annoch unvollendet! 150
Daß man Achilleus wieder im Vordertreffen erblicke,
Wie sein eherner Speer hinstreckt die Geschwader der Troer!
Also auch ihr seid jeder bedacht, mit dem Feinde zu kämpfen!
Ihm antwortete drauf der erfindungsreiche Odysseus:
Nicht also, wie tapfer du seist, gottgleicher Achilleus 155
Treibe sie ungegessen vor Ilios hin, die Achaier,
Trojas Volk zu bekämpfen! Denn nicht für wenige Zeit nur
Währt das Gefecht, wenn sich einmal begegnet sind die Geschwader
Kämpfender, aber ein Gott Mut einhaucht jeglicher Heerschar.
Laß sich erquicken zuvor an den rüstigen Schiffen die Männer 160
Alle mit Speis und Wein; denn Kraft gibt solches und Stärke.
Denn kein Mann vermöchte den Tag bis zur sinkenden Sonne,
Ungestärkt von Speise, dem Feind entgegen zu kämpfen.
Wenn ihn auch sein mutiges Herz antreibt zum Gefechte,
Dennoch werden gemach die Glieder ihm schwer und es quälet 165
Hunger zugleich und Durst, und dem Gehenden wanken die Knie.
Aber ein Mann, der mit Weine sich erst und Speise gesättigt,
Ob feindselige Männer den ganzen Tag er bekämpfe,

Bleibt ihm getrost sein Herz in der Brust, und nimmer erstarren
Eher die Knie, eh alle zurückziehn aus dem Gefechte. 170
Aber wohlan, zerstreue das Volk und heiß sie das Frühmahl
Rüsten. Es mag die Geschenke der Völkerfürst Agamemnon
Bringen in unseren Kreis, damit ein jeder Achaier
Hier mit den Augen sie schau und du im Herzen dich freuest.
Dann auch schwör er den Eid, vor Argos' Volk sich erhebend, 175
Daß er nie ihr Lager verunehrt noch ihr genahet,
Wie in der Menschen Geschlecht der Mann dem Weibe sich nahet.
Und nun sei dir selber das Herz im Busen besänftigt.
Drauf bewirt er dich endlich mit köstlichem Mahl im Gezelte
Feierlich, daß du nichts der schuldigen Ehren vermissest. 180
Atreus' Sohn, du wirst auch billiger gegen die andern
Künftig sein; denn es ist nicht unanständig dem König,
Einen Mann zu versöhnen, nachdem er zuerst ihn beleidigt.
Wieder begann dagegen der Völkerfürst Agamemnon:
Freudig vernahm ich dein Wort, du edler Sohn des Laertes, 185
Weil du mit Fug das alles hinausgeführt und geordnet.
Gern auch will ich schwören den Eid, denn die Seele gebeut mir's,
Und, beim schirmenden Gott, nicht Meineid! Aber Achilleus
Weile noch hier so lange, wie sehr ihn verlangt nach der Feldschlacht;
Auch verweilt miteinander ihr übrigen, bis die Geschenke 190
Aus dem Gezelt herkommen und treuen Bund wir beschwören.
Dieses sei dir selber noch anvertraut und befohlen.
Wähle der Jünglinge dir, die edelsten aller Achaier,
Bringe dann die Geschenk' aus meinem Schiff, die wir gestern
Peleus' Sohn zu geben bestimmt, auch führe die Weiber. 195
Aber Talthybios schaff aus dem weiten Heer der Achaier
Einen Eber, für Zeus' und Helios' Macht ihn zu opfern.
Ihm antwortete drauf der mutige Renner Achilleus:
Atreus' Sohn, Ruhmvoller, du Völkerfürst Agamemnon,
Mehr zu anderer Zeit geziemet euch das zu besorgen, 200
Wann einmal uns Erholungsfrist vom Gefechte sich darbeut
Und mir der Zorn nicht also das Herz im Busen durchwütet;
Doch nun liegen ja dort Erschlagene, welche zerfleischt hat
Hektor, Priamos' Sohn, als ihm Zeus Ehre gewährte!
Ihr nun treibt erst beide zum Mahle sie! Wahrlich, ich selber, 205

Gleich ermahnt ich vielmehr in die Schlacht zu gehn die Achaier,
Nüchtern und ungespeist, und dann mit der sinkenden Sonne
Allen ein Mahl zu bereiten, nachdem wir gerächt die Beschimpfung.
Mir soll wenigstens nichts zuvor die Kehle durchgleiten,
Weder Trank noch Speise, da tot mein Freund mir hinsank, 210
Welcher mir im Gezelte zerfleischt von der Schärfe des Erzes
Daliegt, gegen die Türe gewandt; und Genossen umstehn ihn
Wehmutsvoll! Nein wahrlich, mir liegt nicht solches am Herzen,
Sondern Mord nur und Blut und schreckliches Männergeröchel!
Ihm antwortete drauf der erfindungsreiche Odysseus: 215
Peleus' Sohn Achilleus, erhabenster Held der Achaier,
Stärker bist du denn ich und tapferer, nicht um ein kleines,
Mit dem Speer, doch möcht ich's an Rat dir etwa zuvortun
Weit, da ich länger gelebt und mehr gesehn und erfahren.
Drum gehorche dein Herz besänftiget meiner Ermahnung. 220
Bald ja des Menschengewürgs ersättigen sich die Menschen,
Wo in Menge die Halme das Erz zur Erde dahinstreckt;
Kurz auch dauert das Mähn, nachdem herneigte die Waagschal
Zeus, der dem Menschengeschlecht des Kriegs Obwalter erscheinet.
Nicht mit dem Bauch ja müssen die Danaer Tote betrauern, 225
Denn zu viel aufeinander und scharweis jeglichen Tages
Fallen sie; wer vermöchte dann aufzuatmen vom Kummer?
Billig demnach jedweden beerdiget, wie er gestorben,
Mit verhärteter Seel, und einen Tag ihn beweinend.
Doch wie viel entrannen des Kriegs graunvoller Vertilgung, 230
Müssen mit Trank und Speise sich kräftigen, daß noch entflammter
Wir ausdauernden Muts feindselige Männer bekämpfen
Unter der ehernen Last der Rüstungen. Aber daß niemand,
Harrend des zweiten Befehls, in Argos' Volke verweile!
Dieser Befehl bringt wahrlich Verderben ihm, welcher zurückbleibt
Unter den Schiffen des Heers! Nein, alle zugleich ausstürmend
Gegen die reisigen Troer erheben wir grause Vertilgung!
Sprach's, und Nestors Söhne gesellt' er sich, jenes Erhabnen,
Meges zugleich, den Phyleiden, Meriones auch und Thoas,
Kreions tapferen Sohn Lykomedes und Melanippos. 240
Eilend gingen sie nun zum Kriegsgezelt Agamemnons.
Schnell dann war, wie geredet das Wort, so die Sache vollendet.

Sieben nahmen sie dort dreifüßiger Kessel im Zelte,
Die er versprach, zwölf Ross' und zwanzig schimmernde Becken,
Führten dann schnell die Weiber, untadlige, kundig der Arbeit, 245
Sieben, zugleich die achte, des Brises rosige Tochter.
Aber Odysseus wog die zehn Talente des Goldes,
Ging dann voran; ihm folgten die Jünglinge alle mit Gaben.
Die nun stellten sie dort in den Volkskreis. Doch Agamemnon
Hob sich, Talthybios dann, Unsterblichen ähnlich an Stimme, 250
Trat zum Hirten des Volks und hielt in den Händen den Eber.
Doch der Atreid, ausziehend mit hurtigen Händen das Messer,
Das an der großen Scheide des Schwerts ihm immer herabhing,
Schor von des Ebers Haupte das Erstlingshaar und erhob dann
Betend die Hände zu Zeus; rings saßen indes die Argeier 255
Still umher nach der Sitte, des Königes Wort zu vernehmen.
Flehend nunmehr begann er, den Blick gen Himmel gewendet:
Höre nun Zeus zuerst, der Seligen Höchster und Bester,
Erd und Helios auch und Erinnyen, unter der Erde
Einst die Toten bestrafend, wer hier Meineide geschworen! 260
Niemals hab ich die Hand an Brises' Tochter geleget,
Weder des Lagers Genuß abnötigend, weder ein andres,
Sondern sie blieb unberührt in den Wohnungen meines Gezeltes!
Schwör ich einiges falsch, dann senden mir Elend die Götter
Ohne Maß, wie sie senden dem frevelnden Schwörer des Meineids!
Sprach's, und des Ebers Kehle zerschnitt er mit grausamem Erze,
Welchen Talthybios drauf in des Meers grauwogende Fluten
Wirbelnd den Fischen zum Fraß hinschleuderte. Aber Achilleus
Stand empor und begann vor Argos' kriegrischen Söhnen:
Vater Zeus, traun, große Verblendungen gibst du den Männern! 270
Nimmermehr wohl hätte den Mut in der Tiefe des Herzens
Atreus' Sohn mir empört so fürchterlich oder das Mägdlein
Weg mir geführt mit Gewalt, der Unbeugsame; sondern fürwahr Zeus
Wollte nur vielen den Tod in Argos' Volke bereiten!
Doch nun geht zum Mahle, damit wir rüsten den Angriff! 275
Jener sprach's und trennte sofort die rege Versammlung.
Alle zerstreuten sich rings, zum eigenen Schiff ein jeder.
Doch die Geschenk' umeilten die Myrmidonen geschäftig,
Brachten sie dann zum Schiffe des göttergleichen Achilleus.

Dies nun legten sie dort im Gezelt und setzten die Weiber; 280
Aber die Ross' entführten zur Herd hochherzige Diener.
Brises' Tochter nunmehr, wie die goldene Aphrodite,
Als sie gesehn Patroklos zerfleischt von der Schärfe des Erzes,
Goß sie um jenen sich hin und weinete laut und zerriß sich
Beide Brüst' und den blühenden Hals und ihr rosiges Antlitz. 285
Also sprach mit Tränen das Weib, den Göttinnen ähnlich:
Ach mein teurer Patroklos, gefälligster Freund mir im Elend!
Lebend noch verließ ich im Zelte dich, als ich hinwegging,
Und ich Kehrende finde dich tot nun, Völkergebieter,
Hingestreckt! So verfolgt mich Unheil immer auf Unheil! 290
Meinen Mann, dem der Vater mich gab und die würdige Mutter,
Sah ich dort vor der Stadt zerfleischt von der Schärfe des Erzes,
Auch drei leibliche Brüder, von einer Mutter geboren,
Herzlich geliebt, die mir alle der Tag des Verderbens hinwegriß.
Dennoch wolltest du nicht, da den Mann der schnelle Achilleus 295
Mir erschlug und verheerte die Stadt des göttlichen Mynes,
Weinen mich sehn; du versprachst mir, des göttergleichen Achilleus
Jugendlich Weib zu werden, der einst in Schiffen gen Phthia
Heim mich brächt und feirte den Myrmidonen das Brautmahl.
Ach du starbst, und ohn Ende bewein ich dich, freundlicher Jüngling!
Also sprach sie weinend, und ringsum seufzten die Weiber
Um Patroklos zum Schein, doch jed um ihr eigenes Elend.
Jenen indes umringten die edleren Helden Achaias,
Flehend, des Mahls zu genießen; allein er versagt' es mit Seufzen:
Trauteste Freund', ich fleh euch, wofern ihr Liebe mir heget, 305
Eher nicht ermahnt mich, mit Trank und nährender Speise
Meinen Geist zu erfrischen, denn heftiger Kummer durchdringt mich!
Nein, bis die Sonne sich senkt, ich harr und gedulde mich standhaft!
Dieses gesagt, entließ er die anderen Fürsten des Heeres.
Atreus' Söhne nur blieben zurück und der edle Odysseus, 310
Nestor, Idomeneus auch und der graue reisige Phönix,
Sorgsam all aufheiternd den Trauernden; aber sein Herz floh
Heiterkeit, eh in den Schlund des blutigen Kriegs er hineindrang.
Stets gedacht' er des Freundes und redete schnell aufatmend:
Ach, du hast mir vordem, Unglücklicher, liebster der Freunde, 315
Selber so oft im Gezelte gebracht ein labendes Frühmahl,

Schnell, in geschäftiger Hast, wenn das Heer der Achaier hinausdrang,
Gegen die reisigen Troer das Graun des Krieges zu tragen!
Und nun liegest du ein Erschlagener; aber das Herz mir
Will nicht Trank genießen noch Kost von dem reichlichen Vorrat, 320
Schmachtend nach dir! Nie könnt auch ein herberes Wehe mich treffen,
Nicht, und wenn ich sogar des Vaters Ende vernähme,
Der wohl nun in Phthia die bittersten Tränen vergießet,
Solchen Sohns zu entbehren, der hier im Lande des Fremdlings
Um die entsetzliche Helena kämpft mit den Reisigen Trojas; 325
Oder den Tod des Sohnes, der mir in Skyros ernährt wird,
Wenn er etwa noch lebt, Neoptolemos, göttlich von Bildung!
Ehmals hegte mir immer das Herz im Busen die Hoffnung,
Sterben würd ich allein, von der rossenährenden Argos
Fern, im troischen Land, und du heimkehren gen Phthia, 330
Daß du mir den Sohn im dunklen gebogenen Schiffe
Brächtest aus Skyros' Flur und dort jedwedes ihm zeigtest,
Meine Hab und die Knecht' und die hohe gewölbete Wohnung.
Denn schon ahnd' ich im Geist, daß Peleus tot in der Erde
Schlummere oder vielleicht noch kümmerlich leb in Schwermut, 335
Niedergebeut von Alter und Traurigkeit, weil er beständig
Harrt des schrecklichen Boten, der meinen Tod ihm verkündigt!
  Also sprach er weinend, und ringsum seufzten die Fürsten,
Eingedenk, was jeder in seinem Hause zurückließ.
Mitleidsvoll erblickte die Trauernden Zeus Kronion; 340
Schnell zur Athene gewandt, die geflügelten Worte begann er:
  Trautes Kind, so gänzlich verlässest du jetzo den Helden?
Gar nicht kümmert sich mehr dein Herz um den edlen Achilleus?
Schau, wie jener dort vor des Meers hochhauptigen Schiffen
Sitzt, um den Freund wehklagend, den teuersten! Alle die andern 345
Gingen zum Frühmahl hin; er rührt nicht Speise noch Trank an.
Eile denn, jenem Ambrosia jetzt und lieblichen Nektar
Sanft in die Brust zu flößen, daß nicht ihn quäle der Hunger.
  Also Zeus, und erregte die schon verlangende Göttin.
Schnell wie ein schreiender Adler mit weitverbreiteten Flügeln 350
Schwang sie vom Himmel herab durch den Äther sich. Dort die Achaier
Rüsteten emsig im Heere die Feldschlacht. Doch dem Achilleus
Flößt' Athen' Ambrosia jetzt und lieblichen Nektar

Sanft in die Brust, daß nicht vor Hunger ihm starrten die Knie.
Selbst dann heim zum Palaste des allgewaltigen Vaters 355
Kehrte sie. Jen' entströmten den hurtigen Schiffen des Meeres.
Wie wenn häufige Flocken des Schnees von Zeus sich ergießen,
Kalt heruntergestürmt vom heiterfrierenden Nordwind,
So dort häufige Helm', umstrahlt von freudigem Schimmer,
Drangen hervor aus den Schiffen und hochgenabelte Schilde, 360
Auch Brustharnische, mächtig gewölbt, und eschene Lanzen.
Glanz erreichte den Himmel, und ringsum lachte die Erde,
Hell von dem Erze bestrahlt, und Getön scholl unter dem Fußtritt
Wandelnder. Mitten auch wappnete sich der edle Achilleus.
Ihm von den Zähnen ertönt' ein Geknirsch her, aber die Augen 365
Funkelten gleichwie lodernde Glut; und das Herz ihm erfüllte
Unausduldsamer Schmerz. So heftig ergrimmt auf die Troer,
Nahm er das Göttergeschenk, das Hephästos' Kunst ihm geschmiedet.
Eilend fügt' er zuerst um die Beine sich bergende Schienen,
Blank und schön, anschließend mit silberner Knöchelbedeckung; 370
Weiter umschirmt' er die Brust ringsher mit dem ehernen Harnisch,
Hängte sodann um die Schulter das Schwert voll silberner Buckeln,
Eherner Kling, und darauf den Schild auch, groß und gediegen,
Nahm er, der ferne den Glanz hinsendete, ähnlich dem Vollmond.
Wie wenn draußen im Meere der Glanz herleuchtet den Schiffern 375
Vom auflodernden Feuer, das, hoch auf Bergen entflammet,
Brennt in einsamer Hürd, indes mit Gewalt sie der Sturmwind
Fern in des Meers fischwimmelnde Flut von den Freunden hinwegträgt:
So von Achilleus' Schild entleuchtete Glanz in den Äther,
Schön wie er prangt' an Kunst. Den schweren Helm nun erhebend, 380
Deckt' er das Haupt ringsher; und es strahlete gleich dem Gestirne
Sein hochbuschiger Helm, und die Mähn aus gesponnenem Golde
Flatterte, welche der Gott auf dem Kegel ihm häufig geordnet.
Jetzo versucht' in der Rüstung sich selbst der edle Achilleus,
Ob sie genau anschlöß und leicht sich bewegten die Glieder; 385
Und wie Flügel ihm war sie und hob den Hirten der Völker.
Auch dem schönen Gehäus entzog er den Speer des Erzeugers,
Schwer und groß und gediegen (es konnt ihn der Danaer keiner
Schwingen, allein vermocht' ihn umherzuschwingen Achilleus):
Pelions ragende Esche, die Cheiron schenkte dem Vater, 390

Pelions Gipfel enthaun, zum Mord den Heldengeschlechtern.
Aber Automedon jetzt und Alkimos fügten die Rosse
Schnell in die Seile des Jochs, die zierlichen; drauf in die Mäuler
Legten sie jedem Gezäum und spanneten rückwärts die Zügel
Zum gebildeten Sessel. Automedon faßte die Geißel, 395
Blank und bequem, mit der Hand und sprang in den Sessel des Wagens.
Hinter ihn drauf, gerüstet zur Feldschlacht, schwang sich Achilleus,
Leuchtend im Waffenschmuck wie die strahlende Sonne des Himmels.
Schrecklichen Rufs nun ermahnt' er die mutigen Rosse des Vaters:
  Xanthos und Balios ihr, ruhmvolles Geschlecht der Podarge, 400
Anders jetzo gedenkt den Wagenlenker zu bringen
Wieder ins Heer der Achaier, nachdem wir des Kampfs uns gesättigt,
Aber nicht, wie Patroklos, verlaßt ihn tot im Gefilde!
  Unter dem Joch antwortete drauf das geflügelte Streitroß
Xanthos und neigte das Haupt; ihm sank die blühende Mähne 405
Wallend hervor aus dem Ringe des Jochs und erreichte den Boden.
Aber die Stimme gewährt' ihm die lilienarmige Here:
  Ja, wohl bringen wir jetzt dich Lebenden, starker Achilleus;
Doch des Verderbens Tag ist nahe dir! Dessen sind wir nicht
Schuldig, sondern der mächtige Gott und das harte Verhängnis. 410
Nicht fürwahr durch Säumnis und Langsamkeit unserer Schenkel
Raubte der Troer Volk von Patroklos' Schulter die Rüstung;
Nein, der gewaltigste Gott, der Sohn der lockigen Leto,
Schlug ihn im Vordergefecht, dem Hektor Ehre gewährend.
Wir zwar wollten im Lauf auch Zephyros' Atem ereilen, 415
Welcher doch schnell vor allen daherstürmt, aber dir selber
Ward bestimmt, dem Gott und dem sterblichen Manne zu fallen.
  Jener sprach's; da verschloß der Erinnyen Hand ihm die Stimme.
Unmutsvoll antwortete drauf der schnelle Achilleus:
  Xanthos, warum mir den Tod weissagest du? Solches bedarf's nicht!
Selber weiß ich es wohl, daß fern von Vater und Mutter
Hier des Todes Verhängnis mich hinrafft. Aber auch so nicht
Rast ich, bevor ich die Troer genug im Kampfe getummelt!
  Sprach's und lenkte voran mit Geschrei die stampfenden Rosse.

XX. GESANG

Zeus verstattet den Göttern Anteil an der Schlacht, daß nicht Achilleus, dem Schicksal entgegen, sogleich Troja erobere. Donner und Erdbeben. Die Götter zum Kampfe gestellt. Den Äneias reizt Apollon gegen Achilleus. Beiderlei Schutzgötter setzen sich gesondert. Den besiegten Äneias entrückt Poseidon, damit seine Nachkommen die Troer beherrschen. Hektor, den Achilleus angehend, wird von Apollon zurückgehalten. Durch des Bruders Polydoros Ermordung gerührt, naht er ihm gleichwohl. Hektors Speer haucht Athene zurück, ihn selbst entführt Apollon. Achilleus mordet die Fliehenden.

So an den räumigen Schiffen bewaffneten sich die Achaier,
Um dich, Peleus' Sohn, unersättlicher Krieger, geordnet.
Jenseits hielten die Troer geschart auf dem Hügel des Feldes.
Zeus nun gebot der Themis, die Götter zum Rat zu berufen
Von des Olympos Haupt, des vielgebognen; und ringsum 5
Wandelte jen' und gebot, sich in Zeus' Palast zu versammeln.
Auch kein Gott der Ströme war fern, nur Okeanos einzig,
Keine der Nymphen umher, die liebliche Haine bewohnen
Oder Quellen der Ström' und grünbekräuterte Täler.
Als sie im Haus ankamen des Donnerers Zeus Kronion, 10
Rings in gehauenen Hallen nun saßen sie, welche dem Vater
Selbst Hephästos gebaut mit erfindungsreichem Verstande.
So dort saßen um Zeus die Versammelten. Nicht auch Poseidon
War unfolgsam dem Ruf; er kam aus dem Meer zu den andern.
Sitzend nunmehr im Kreis, erforscht' er den Rat des Kronion: 15
Warum doch, Strahlschwinger, beriefst du der Götter Versammlung?
Denkst du über die Troer und Danaer etwas zu ordnen,
Welchen anjetzt ganz nahe der Krieg und das Treffen entbrannt ist?
Ihm antwortete drauf der Herrscher im Donnergewölk Zeus:
Erderschüttrer, du kennst den Ratschluß meiner Gedanken 20
Und weshalb ich berief. Sie kümmern mich, auch im Verderben.
Selber indes nun bleib ich auf ragendem Hang des Olympos
Sitzend, mein Herz zu erfreuen des Anschauns. Aber ihr andern
Geht hinab in die Heere der Troer und der Achaier;
Beiden mögt ihr helfen, wie jedem das Herz es gebietet. 25
Denn wo Achilleus allein den Troern naht in der Feldschlacht,
Nicht auch ein kleines bestehn sie den rüstigen Peleionen.
Stets vor ihm ja zuvor auch entbebten sie, schon ihn erblickend;

Doch nunmehr, da so heftig um seinen Freund er ergrimmt ist,
Sorg ich, daß er die Mauer auch trotz dem Schicksal verwüste. 30
Also redete Zeus und erregt' unermeßliche Kriegswut.
Schnell nun eilten zum Kampf die Unsterblichen, zwiefachen Sinnes.
Here ging zum Kreise der Schiff' und Pallas Athene;
Auch Poseidon zugleich, der Umuferer, auch Hermeias
Folgte, der Bringer des Heils, mit frommendem Rate geschmücket; 35
Auch Hephästos begleitete sie, wutfunkelnden Blickes,
Hinkend, und mühsam strebten daher die schwächlichen Beine.
Doch zu den Troern Ares mit wehendem Helm, und zugleich ihm
Phöbos, das Haupt ungeschoren, und Artemis, froh des Geschosses,
Leto und Xanthos zugleich und die holdanlächelnde Kypris. 40
Weil noch fern die Götter dem Kampf der Sterblichen waren,
Prangeten stets die Achaier in Herrlichkeit, weil Achilleus
Wieder erschien, der lange vom schrecklichen Kampfe gerastet;
Doch den Troern umher erzitterten unten die Glieder
Heftig vor Angst, da sie schauten den rüstigen Peleionen, 45
Leuchtend im Waffenschmuck, dem mordenden Ares vergleichbar.
Aber nachdem ins Gemeng Olympier kamen zu Männern,
Wütete Eris mit Macht, die Zerstreuerin, schrie auch Athene,
Stehend bald an der Tiefe des Grabens außer der Mauer,
Bald an des Meers weithallendem Strand scholl mächtig ihr Ausruf.
Dort brüllt' Ares entgegen, dem düsteren Sturme vergleichbar,
Laut von der obersten Höhe der Stadt die Troer ermunternd,
Bald am Simois laufend umher auf Kallikolone.
So dort gegeneinander empöreten selige Götter
Beide Heer' und entflammten zerschmetternden Streit der Vertilgung.
Graunvoll donnerte nun der waltende Herrscher der Welt Zeus
Obenher, und von unten erschütterte Poseidaon
Weit die unendliche Erd und der Berg aufstarrende Häupter.
Alle sie wankten bewegt, die Füße des quelligen Ida
Bis zu den Höhn, auch Ilios' Stadt und der Danaer Schiffe. 60
Bang erschrak dort unten der Schattenfürst Aidoneus;
Bebend sprang er vom Thron mit Geschrei auf, daß ihm von oben
Nicht die Erd aufrisse der Landerschüttrer Poseidon,
Daß nicht Menschen erschien und Unsterblichen seine Behausung,
Fürchterlich dumpf, wustvoll und selbst den Göttern ein Abscheu. 65

Solch ein Getös erscholl, da die Götter zum Kampf sich erhoben.
Siehe, nunmehr entgegen dem Meerbeherrscher Poseidon
Stellte sich Phöbos Apollon und trug die gefiederten Pfeile;
Gegen den Ares stand die Kriegerin Pallas Athene,
Gegen Here die Göttin der Jagd, mit goldener Spindel, 70
Artemis, froh des Geschosses, des Fernetreffenden Schwester;
Gegen Leto Hermeias, der segnende Bringer des Heiles;
Doch dem Hephästos entgegen des Stroms tiefstrudelnder Herrscher,
Xanthos im Kreis der Götter genannt, von Menschen Skamandros.
So dort stürzten auf Götter die Götter sich. Aber Achilleus 75
Gegen den Hektor zumeist ins Gewühl zu tauchen begehrt' er,
Priamos' Sohn; denn vor allen mit seinem Blute verlangt' ihn
Sehnlich, den Ares zu tränken, den unaufhaltsamen Krieger.
Doch den Äneias stürmte der Volkzerstreuer Apollon
Grad auf den Peleionen und haucht' ihm edelen Mut ein, 80
Ähnlich an Wuchs und Stimme des Priamos Sohne Lykaon;
Dessen Gestalt nachahmend, begann der Herrscher Apollon:
Wo ist, Fürst der Troer, Äneias, alle die Drohung,
Welche du Trojas Helden bei festlichem Weine verhießest,
Kühn entgegen zu kämpfen dem Peleionen Achilleus? 85
Aber Äneias darauf antwortete, solches erwidernd:
Priamos' Sohn, warum ermahnst du mich, ohne mein Wollen
Gegen Achilleus' Macht, des hochbeherzten, zu kämpfen?
Schwerlich heute zuerst vor dem mutigen Renner Achilleus
Würd ich bestehn, der mich eher bereits mit der Lanze vom Ida 90
Weggescheucht, da er kam, die weidenden Rinder zu rauben,
Und Lyrnessos verheert' und Pedasos. Aber Kronion
Rettete mich, der Kraft mir erregt' und hurtige Schenkel.
Traun, ich wäre vertilgt von Achilleus' Hand und Athenens,
Welche Licht ihm zu schaffen voranging und ihn ermahnte, 95
Leleger rings und Troer mit ehernem Speer zu ermorden.
Drum nicht mag dem Achilleus ein Mann zum Kampfe begegnen,
Stets ist ihm ein Unsterblicher nah, der Böses ihm abwehrt;
Auch zugleich sein Geschoß fliegt gradan, nicht ihm ermüdend,
Eh es in Menschenblut sich gesättiget. Wenn nur ein Gott uns 100
Gleich ausmäße des Kampfs Entscheidungen, nimmer so leicht dann
Würd ihm der Sieg, und trotzt' er, aus starrendem Erze gebildet!

Ihm antwortete drauf Zeus' Sohn, der Herrscher Apollon:
Edler, wohlan du selber die ewigwährenden Götter
Angefleht! Dich hat ja die Tochter Zeus' Aphrodite, 105
Sagt man, erzeugt, und jenen gebar die geringere Göttin,
Eine von Zeus abstammend, die andere nur vom Meergreis.
Grade denn trag ihm entgegen dein mächtiges Erz, und durchaus nicht
Werde durch pochende Worte zurückgewandt, noch Bedrohung!
Also der Gott, und beseelte mit Mut den Hirten der Völker. 110
Schnell durch die vordersten ging er, mit strahlendem Erze gewappnet.
Doch nicht eilt' unbemerkt von der lilienarmigen Here
Gegen den Peleionen der Held durch das Männergetümmel.
Jene berief die Götter umher und redete also:
Überlegt nun beide, Poseidon du und Athene, 115
Jeder in seinem Herzen, wohin sich wende die Sache.
Dorther kommt Äneias, mit strahlendem Erze gewappnet,
Gegen den Peleionen; es reizt' ihn Phöbos Apollon.
Aber wohlan, wir wollen zurück ihn drängen von dannen
Alle nun, oder auch einer verteidige, neben ihm stehend, 120
Peleus' Sohn und erfüll ihn mit Kraft und lasse sein Herz nicht
Mangeln des Muts, daß er sehe die mächtigsten unter den Göttern
Sei'n ihm hold; doch nichtig sei jener Schutz, die von jeher
Trojas Volk abwehren den Krieg und das Waffengetümmel.
All entstiegen wir ja dem Olympos, um zu begegnen 125
Diesem Gefecht, daß nichts im Troervolk er erdulde,
Heute nur; künftig indes erduld er, was ihm das Schicksal,
Als ihn die Mutter gebar, in den werdenden Faden gesponnen.
Aber entdeckt nicht solches ein Götterspruch dem Achilleus;
Schrecken ergreift ihn gewiß, wann ein Gott entgegen ihm wandelt
Durch die Schlacht; denn furchtbar sind himmlische Götter von An-
Ihr antwortete drauf der Erderschüttrer Poseidon: [blick.
Here, nicht so gewütet mit Heftigkeit! wenig geziemt dir's.
Ungern möcht ich solches, daß wir die anderen Götter
Feindlich im Kampf anfielen; denn weit gewaltiger sind wir. 135
Laßt uns jetzo vielmehr hingehn und nieder uns setzen
Außer dem Weg auf die Wart und den Krieg die Männer besorgen.
Aber wo Ares zuerst Kampf anhebt oder Apollon,
Auch wo Achilleus sie hemmen und nicht ihn lassen im Kampfe:

Schleunig sodann uns selber wird stracks sich erheben der Aufruhr 140
Wilden Gefechts, und geschwinde hinweg dann scheidend, vermut ich,
Kehren sie heim zum Olympos, zur Schar der anderen Götter,
Unter unseren Händen mit Kraft und Stärke gebändigt.

Dieses gesagt, ging jener voran, der Finstergelockte,
Zu dem geschütteten Walle des göttergleichen Herakles, 145
Den ihm hoch die Troer vordem und Pallas Athene
Ründeten, daß sich, bergend dem Meerscheusal, er entrönne,
Wann es einmal vom Gestade daher ihn scheucht' in das Blachfeld.
Dorthin ging Poseidon und saß mit den anderen Göttern,
Ringsumher undurchdringlich Gewölk um die Schultern gehüllet. 150
Drüben setzten sich jen' auf der Stirn der Kallikolone,
Schnellender Phöbos, um dich und den stadtverwüstenden Ares.
Also saßen dort die Unsterblichen gegeneinander,
Sinnend auf Rat; vom Beginne des harthinstreckenden Kampfes
Säumten sie beiderseits; doch Zeus, hochthronend, gebot ihn. 155

Voll ward nun das ganze Gefild und strahlte vom Erze
Wandelnder Männer und Ross', und es dröhnte der Grund von dem Fußtritt,
Als sie sich nahten in Wut. Doch zween vorstrebende Männer
Kamen hervor aus den Heeren gerannt in Begierde des Kampfes,
Held Äneias, der Anchisiad, und der edle Achilleus. 160
Sieh, Äneias zuerst kam wildandrohend, und hochher
Nickte der Busch vom gewaltigen Helm; doch den stürmenden Stierschild
Trug er der Brust vorhaltend und schwenkte den ehernen Wurfspieß.
Gegen ihn drang der Peleide mit Ungestüm, wie ein Löwe
Grimmvoll, den die Männer hinwegzutilgen verlangend 165
Kommen, ein ganzes Volk (im Anfang stolz und verachtend
Wandelt er, aber sobald mit dem Speer ein mutiger Jüngling
Traf, dann gähnet er eingeschmiegt, und der Schaum von den Zähnen
Rinnt ihm herab, und es stöhnt sein edeles Herz in dem Busen;
Dann mit dem Schweif die Hüften und mächtigen Seiten des Bauches
Geißelt er rechts und links, sich selbst anspornend zum Kampfe;
Graß nun die Augen verdreht, anwütet er, ob er ermorde
Einen Mann, ob er selbst hinstürz im Vordergetümmel):
So den Achilleus drängte der Mut des erhabenen Herzens,

Kühn entgegenzugehn dem tapferen Held Äneias. 175
Als sie nunmehr sich genaht, die Eilenden, gegeneinander,
Rief zuerst anredend der mutige Renner Achilleus:
Wie so weit, Äneias, hervor aus der Menge dich wagend
Nahest du? Ob dir das Herz mit mir zu kämpfen gebietet,
Weil du hoffst zu beherrschen die gaulbezähmenden Troer 180
Künftig in Priamos' Macht? O wenn du schon mich erlegtest,
Nie wird Priamos drum in die Hand dir geben die Ehre.
Denn selbst hat er ja Söhn', und fest, nicht wankend beharrt er.
Maßen vielleicht die Troer dir auserlesene Güter,
Schön an Ackergefild und Pflanzungen, daß du sie bautest, 185
Wenn mich einst du erschlügst? Das möchtest du schwerlich vollenden!
Einmal schon, wie ich meine, dich selbst mit der Lanze verfolgt ich.
Denkst du nicht mehr, wie ich dort dich Einsamen weg von den Rin-
Scheuchte, die Höhn des Ida hinab, mit hurtigen Schenkeln, [dern
Fliegenden Laufs? Nicht wagtest du umzuschaun im Entfliehen! 190
Dorther bis in Lyrnessos entflohest du; aber in Trümmer
Warf ich sie, eingestürmt mit Pallas Athen' und Kronion.
Viele gefangene Weiber, beraubt der heiligen Freiheit,
Führt ich; allein dich rettete Zeus und die anderen Götter.
Schwerlich indes erretten sie heute dich, wie du im Herzen 195
Etwa wähnst! Wohlan denn, ich rate dir, weiche mir eilig
Unter die Menge zurück und scheue dich mir zu begegnen,
Eh dich ein Übel ereilt! Geschehenes kennet der Tor auch!
Aber Äneias darauf antwortete, solches erwidernd:
Peleus' Sohn, mit Worten fürwahr nicht, gleichwie ein Knäblein, 200
Hoffe mich abzuschrecken; denn wohl vermöcht ich ja selber
So herzschneidende Wort' als frevele auszurufen.
Kennen wir doch des andern Geschlecht und kennen die Eltern,
Hörend die längstberühmten Erzählungen sterblicher Menschen;
Nie sahn wir, die meinigen du, noch ich selber die deinen. 205
Doch man sagt, dich zeugte der unvergleichbare Peleus,
Dem dich Thetis gebar, des Meers schönlockige Göttin.
Aber ich selbst, ein Sohn des hochgesinnten Anchises
Rühm ich entsprossen zu sein von der Tochter Zeus' Aphrodite.
Jenen ist oder auch diesen, den trauten Sohn zu beweinen 210
Heute bestimmt, nicht werden ja wir, durch kindische Worte

So auseinander getrennt, das Schlachtfeld wieder verlassen.
Soll ich dir aber auch dieses verkündigen, daß du erkennest
Unserer Väter Geschlecht, wiewohl es vielen bekannt ist:
Dardanos zeugte zuerst der Herrscher im Donnergewölk Zeus, 215
Ihn, Dardanias Stifter; denn Ilios' heilige Feste
Stand noch nicht im Gefilde, bewohnt von redenden Menschen,
Sondern am Abhang wohnten sie noch des quelligen Ida.
Dardanos drauf erzeugt' Erichthonios sich, den Beherrscher,
Welcher der reichste war der sterblichen Erdebewohner. 220
Stuten weideten ihm drei Tausende rings in den Auen,
Säugende, üppigen Mutes, von hüpfenden Füllen begleitet.
Boreas selbst, von den Reizen entbrannt der weidenden Stuten,
Gattete sich, in ein Roß mit dunkeler Mähne gehüllet,
Und zwölf mutige Füllen gebaren sie seiner Befruchtung. 225
Diese, sooft sie sprangen auf nahrungsprossender Erde,
Über die Spitzen des Halms hinflogen sie, ohn ihn zu knicken;
Aber sooft sie sprangen auf weitem Rücken des Meeres,
Liefen sie über die Wogen, nur kaum die Hufe benetzend.
Dann Erichthonios zeugte den Tros zum Gebieter den Troern; 230
Aber von Tros entsprangen die drei untadligen Söhne
Ilos, Assarakos auch und der göttliche Held Ganymedes,
Welcher der schönste war der sterblichen Erdebewohner;
Ihn auch rafften die Götter empor, Zeus' Becher zu füllen,
Wegen der schönen Gestalt den Unsterblichen zugesellet. 235
Ilos zeugte den Sohn Laomedon, tapfer und edel;
Aber Laomedon zeugte den Priamos und den Tithonos,
Lampos und Klytios auch und den streitbaren Held Hyketaon.
Kapys, Assarakos' Sohn, erzeugete drauf den Anchises,
Aber Anchises mich selbst; und Priamos zeugte den Hektor. 240
Sieh, aus solchem Geschlecht und Blute dir rühm ich mich jetzo.
Doch der Menschen Gedeihn vermehrt und mindert Kronion,
Wie sein Herz es gebietet; denn er ist mächtig vor allen.
Aber laß nicht länger uns hier gleich albernen Kindern
Schwatzend stehn in der Mitte des feindlichen Waffengetümmels;
Denn leicht ist es beiden, uns kränkende Worte zu sagen,
Viele, daß kaum sie trüg auch ein hundertrudriges Lastschiff.
Flüchtig ja ist die Zunge der Sterblichen, vielfach die Reden

Aller Art und weit das Gefild hinstreifender Worte.
Wie du selbst geredet das Wort, so magst du es hören. 250
Doch was nötiget uns, in Erbitterung gegeneinander
Lästerworte zu lästern und Schmähungen, gleich den Weibern,
Die zum Zorne gereizt von herzdurchdringender Feindschaft
Lästern gegeneinander, in offener Straße sich treffend,
Manches wahr und auch nicht; denn der Zorn gebietet auch solches.
Worte ja werden mir nimmer den Mut abwenden vom Angriff,
Ehe mit Erz du entgegen gekämpft hast! Auf denn, geschwinde
Kosten wir untereinander die ehernen Kriegeslanzen!

Sprach's, und den ehernen Speer auf den furchtbaren Schild des Entsetzens
Schwang er, und ringsum hallte der große Schild von dem Speerwurf.
Doch der Peleid hielt ferne den Schild mit nervichtem Arme,
Schreckenvoll; denn er wähnte, die weitherschattende Lanze
Würde leicht durchdringen dem mutigen Held Äneias.
Tor! er bedachte nicht in des Herzens Geist und Empfindung,
Daß so leicht nicht sei'n der Unsterblichen herrliche Gaben, 265
Sterblicher Menschen Gewalt zu bändigen noch zu durchbohren.
Auch nicht jetzt Äneias des Feurigen stürmende Lanze
Brach den Schild; denn es hemmte das Gold, die Gabe des Gottes.
Zwo der Schichten allein durchstürmte sie, aber annoch drei
Waren, denn fünf der Schichten vereinigte hämmernd der Künstler,
Jene zwo von Erz und die inneren beide von Zinne,
Aber die eine von Gold, wo die eherne Lanze gehemmt ward.

Auch der Peleid itzt schwang die weithinschattende Lanze;
Und er traf dem Äneias den Schild von geründeter Wölbung
Nahe dem äußersten Rand, wo das Erz am dünnsten umherlief, 275
Auch am dünnsten ihn deckte die Stierhaut; aber hindurch drang
Pelions ragende Esche mit Sturm, und es krachte die Wölbung.
Nieder duckt' Äneias in Eil und streckte den Schild auf,
Angstvoll; aber der Speer, der ihm hinsaust' über die Schultern,
Stand in die Erde gebohrt und zerschlug ihm beide die Ränder 280
Am ringsdeckenden Schild; doch entflohn der gewaltigen Lanze,
Stand er nunmehr, und Entsetzen umgoß ihm die Augen mit Dunkel,
Starrend, wie nah das Geschoß ihm haftete. Aber Achilleus
Stürzte begierig hinan, das geschliffene Schwert sich entreißend

Mit graunvollem Geschrei. Da ergriff Äneias den Feldstein, 285
Groß und ungeheuer, daß nicht zween Männer ihn trügen,
Wie nun Sterbliche sind; doch er schwang ihn allein und behende.
Jetzo hätt Äneias des Stürmenden Helm mit dem Steine
Oder den Schild ihm getroffen, der doch dem Verderben gewehret;
Ihn dann hätt Achilleus gehaun mit dem Schwert und getötet, 290
Wenn nicht schnell sie bemerkte der Erderschüttrer Poseidon.
Eilend begann er das Wort zur unsterblichen Götterversammlung:
Wehe doch! Traun, mich jammert der mutige Held Äneias,
Welcher bald, vom Peleiden besiegt, zum Ais hinabfährt,
Weil er gehorcht dem Worte des treffenden Phöbos Apollon. 295
Tor! denn nichts ihm frommt er, dem traurigen Tode zu wehren.
Aber warum soll jener nun schuldlos Jammer erdulden,
Also verkehrt, um anderer Weh, da gefällige Opfer
Stets er den Göttern gebracht, die weit den Himmel bewohnen?
Auf, wir selbst nun wollen der Todesgefahr ihn entreißen, 300
Daß nicht auch der Kronid ereifere, wenn ihn Achilleus
Tötete, jenen Mann; denn das Schicksal gönnt ihm Errettung,
Daß nicht samenlos das Geschlecht hinschwind und der Name
Dardanos', den der Kronid aus allen Söhnen sich auskor,
Welche von ihm aufwuchsen und sterblichen Menschentöchtern. 305
Denn des Priamos Stamm ist schon verhaßt dem Kronion;
Jetzo soll Äneias' Gewalt obherrschen den Troern
Und die Söhne der Söhn', in künftigen Tagen erzeuget.
Ihm antwortete drauf die hoheitblickende Here:
Selber im Geist erwäg es, o erderschütternder König, 310
Ob du erretten ihn willst, den Äneias, oder verstatten,
Daß hinsinke der Held dem Peleionen Achilleus.
Denn fürwahr wir beide beteuerten oft mit Eidschwur
Vor den Unsterblichen allen, ich selbst und Pallas Athene,
Niemals einem der Troer den grausamen Tag zu entfernen, 315
Nicht wenn Troja sogar in verheerender Flamme des Feuers
Loderte, rings entflammt von den kriegrischen Söhnen Achaias.
Als er solches vernommen, der Erderschüttrer Poseidon,
Flugs durcheilt' er den Kampf und den klirrenden Sturm der Geschosse,
Hin, wo Äneias war und der hochberühmte Achilleus. 320
Jenem sogleich nun goß er umschattende Nacht vor die Augen,

Peleus' Sohn Achilleus, und selbst die mordende Esche
Zog er zurück aus dem Schilde dem mutigen Held Äneias,
Legte sie dann vor die Füße des Peleionen Achilleus.
Doch den Äneias schwang er, empor von der Erd ihn erhebend; 325
Und weit über die Reihen des Volks und die Reihen der Rosse
Flog Äneias hinweg, von der Hand des Gottes geschleudert,
Bis er kam an die Grenze des tobenden Schlachtengetümmels,
Wo der Kaukonen Volk zum Kampf gerüstet einherzog.
Jetzo naht' ihm wieder der Erderschüttrer Poseidon, 330
Und er begann zu jenem und sprach die geflügelten Worte:
Welch ein Gott, Äneias, gebietet dir, also verblendet
Gegen des Peleus Sohn zu kämpfen den Kampf der Entscheidung,
Der weit mächtiger ist und mehr geliebt von den Göttern?
Künftig weiche zurück, sooft du jenem begegnest, 335
Daß nicht trotz dem Verhängnis in Aides' Haus du hinabsteigst.
Aber nachdem Achilleus den Tod und das Schicksal erreicht hat,
Dann getrost fortan in den vordersten Reihen gekämpfet!
Denn kein anderer sonst der Danaer raubt dir die Rüstung.
Sprach's und verließ ihn daselbst, nachdem er ihm alles verkündigt.
Schnell dem Achilleus anjetzt von den Augen scheucht' er des Nebels
Hehre Nacht, und sofort weit schauet' er rings mit den Augen.
Tief aufseufzt' er und sprach zu seiner erhabenen Seele:
Weh mir! Ein großes Wunder erblick ich dort mit den Augen!
Siehe, die Lanze liegt an der Erd hier; aber der Mann ist 345
Nirgends, dem ich sie warf, ihn auszutilgen verlangend!
Ei, daß auch Äneias geliebt von unsterblichen Göttern
War! Doch meint ich gewiß, er rühme sich nur so vergebens.
Wandr er dahin! Nie wahrlich mit mir sich annoch zu versuchen
Waget er, der auch nun zu entfliehn sich freut aus dem Tode! 350
Auf denn, nunmehr anmahnend der Danaer Kriegesgeschwader,
Will ich die anderen Troer im feindlichen Kampfe versuchen!
Rief's und sprang in die Reihn und ermunterte jeglichen Streiter:
Nicht so fern von den Troern enthaltet euch, edle Achaier;
Alle nun, Mann auf Mann, dringt ein und gedenket des Kampfes!
Denn zu schwer wird mir's, wie groß auch meine Gewalt sei,
Solch ein Männergewühl zu umgehn und mit allen zu kämpfen!
Selbst nicht Ares vermöcht, ein Unsterblicher zwar, noch Athene

Solchen Schlund des Gewürgs mit Kriegsarbeit zu umwandeln!
Aber soviel ich selber vermag an Händen und Schenkeln 360
Und an Gewalt, nicht mein ich das mindeste des zu versäumen,
Sondern rings durchwandl ich die Ordnungen; nimmer auch, hoff ich,
Wird ein Troer sich freun, wer meinem Speere begegnet!
Also ermahnte der Held; auch dort der strahlende Hektor
Rief den Troern Befehl und verhieß den Kampf mit Achilleus: 365
Trojas mutige Söhne, verzagt nicht vor dem Peleiden!
Wohl auch ich mit Worten Unsterbliche selber bekämpft ich,
Doch mit dem Speer unmöglich; denn weit gewaltiger sind sie.
Nimmer vermag auch Achilleus ein jegliches Wort zu vollenden,
Sondern eins vollbringt er, das andere läßt er verstümmelt. 370
Ihm nun eil ich entgegen, und wäre sein Arm wie die Flamme,
Wäre sein Arm wie die Flamme, sein Mut wie blinkendes Eisen!
Also ermahnte der Held; da erhoben sie drohende Lanzen,
Trojas Söhn', und es stürmte der Streiter Gewühl, und Geschrei scholl.
Jetzo trat zu Hektor und redete Phöbos Apollon: 375
Hektor, durchaus nicht mehr mit Achilleus wage den Vorkampf,
Sondern umher in der Meng und dem Schlachtgetümmel erhasch ihn,
Daß nicht etwa sein Speer dich bändige oder sein Schwerthieb!
Jener sprach's, und Hektor entwich in den Haufen der Männer,
Angstvoll, als er die Stimme vernahm des redenden Gottes. 380
Aber Achilleus sprang voll stürmender Kraft in die Troer
Mit graunvollem Geschrei; und zuerst den Iphition rafft' er,
Ihn, des Otrynteus Sohn, den tapferen Völkergebieter,
Welchen gebar die Najade dem Städteverwüster Otrynteus
Unten am schneeigen Tmolos, in Hydas fettem Gefilde. 385
Diesem, der anlief, schoß mit dem Speer der edle Achilleus
Grad auf die Mitte des Haupts, und ganz voneinander zerbarst es.
Dumpf hinkracht' er im Fall; da rief frohlockend Achilleus:
Liege nun, Otrynteide, du schrecklichster unter den Männern!
Hier ist also dein Tod; die Geburt war fern an Gygäas 390
Schönem See, wo dir dein väterlich Erbe gebaut wird,
Am fischwimmelnden Hyllos und Hermos' strudelnden Wassern!
So frohlockte der Held; doch jenen umschattete Dunkel,
Und von der Danaer Rossen zermalmt mit rollenden Rädern,
Lag er im Vordergewühl. Nach ihm, dem Demoleon, jetzo, 395

Jenem tapferen Wehrer der Schlacht, Antenors Erzeugtem,
Stieß er den Speer in den Schlaf durch des Helms erzwangige Kuppel.
Wenig hemmte das Erz den Stürmenden, sondern hindurchdrang
Schmetternd die eherne Spitz in den Schädel ihm, und sein Gehirn ward
Ganz mit Blute vermischt. So bändigt' er jenen im Angriff. 400
Drauf dem Hippodamas stürmt' er, der rasch vom Wagen herabsprang,
Als er vor ihm hinbebte, den ehernen Speer in den Rücken;
Und er verhauchte den Geist und stöhnete dumpf, wie ein Stier oft
Stöhnete, umgeschleppt um den helikonischen Herrscher,
Wann ihn Jünglinge schleppen (es freut sich ihrer Poseidon): 405
Also stöhnt' auch jener, den mutigen Geist aushauchend.
Er dann flog mit dem Speer auf den göttlichen Held Polydoros,
Priamos' Sohn. Ihm wehrete noch sein Vater die Feldschlacht,
Weil er der jüngste Sohn, gezeugt in späterem Alter,
Und der geliebteste war, ein rüstiger Läufer vor allen. 410
Jetzt vor kindischer Lust, mit hurtigen Füßen zu prangen,
Tobt' er im Vorderkampf, bis sein blühendes Leben dahin war.
Den nun traf mit der Lanze der mutige Renner Achilleus,
Als er vorüberflog, an dem Rückgrat, wo sich des Gurtes
Goldene Spang ihm schloß und zwiefach hemmte der Harnisch. 415
Aber hindurch an den Nabel durchstürmt' ihn die eherne Spitze;
Heulend sank er aufs Knie, und Gewölk des Todes umhüllt' ihn
Schwarz, und er rafft' empor das Gedärm mit den Händen, sich krüm-
Hektor, sobald er gesehn, wie dort Polydoros, der Bruder, [mend.
Hielt das Gedärm in den Händen, umhergekrümmt auf der Erde, 420
Schnell vor die Augen herab floß Dunkel ihm, und er ertrug nicht
Länger, entfernt sich zu wenden; hinangestürmt zu Achilleus,
Schwenkt' er den blinkenden Speer wie ein Glutstrahl. Aber Achilleus,
Sowie er sah, aufsprang er und rief frohlockend die Worte:
Siehe, der Mann, der so schmerzlich mein innerstes Herz mir
verwundet', 425
Der den Genossen mir schlug, den trautesten! Länger fürwahr nicht
Wollen wir scheu voreinander entfliehn durch die Pfade des Treffens!
Sprach's, und mit finsterem Blicke begann er zum göttlichen Hektor:
Näher heran, daß du eilig das Ziel des Todes erreichest!
Wieder begann unerschrocken der helmumflatterte Hektor: 430
Peleus' Sohn, mit Worten fürwahr nicht gleichwie ein Knäblein

Hoffe mich abzuschrecken; denn wohl vermöcht ich ja selber
So herzschneidende Wort' als frevele auszurufen.
Weiß ich doch, wie tapfer du bist und wie weit ich dir nachsteh.
Aber solches ruht ja im Schoß der seligen Götter: 435
Ob ich, wiewohl geringer an Kraft, dein Leben dir raube,
Treffend mit meinem Geschoß, das auch an der Spitze geschärft ist.
Sprach's, und die Lanz aufschwingend, entsandt' er sie. Aber Athene
Trieb mit dem Hauch sie zurück vom Peleionen Achilleus,
Sanft entgegen ihr atmend, und hin zum göttlichen Hektor 440
Flog sie und sank kraftlos zu den Füßen ihm. Aber Achilleus
Stürzte begierig hinan, ihn auszutilgen verlangend,
Mit graunvollem Geschrei; doch schnell entrückt' ihn Apollon
Sonder Müh, als Gott, und hüllt' in Nebel ihn ringsher.
Dreimal stürzt' er hinan, der mutige Renner Achilleus, 445
Zuckend mit ehernem Speer, und dreimal stach er den Nebel.
Als er das viertemal drauf anstürmete, stark wie ein Dämon,
Jetzo mit drohendem Laut die geflügelten Worte begann er:
Wieder entrannst du dem Tode, du Hund! Schon nahte Verderben
Über dein Haupt, allein dich errettete Phöbos Apollon, 450
Den du gewiß anflehst, ins Geklirr der Geschosse dich wagend!
Doch bald mein ich mit dir zu endigen, künftig begegnend,
Würdiget anders auch mich ein unsterblicher Gott zu begleiten!
Jetzo eil ich umher zu den übrigen, wen ich erhasche!
Sprach's, und Dryops stach er gerad in den Hals mit der Lanze, 455
Daß er hinab vor die Füß' ihm taumelte. Den nun verließ er;
Drauf den Philetoriden Demuchos, groß und gewaltig,
Hemmt' er im Lauf, sein Knie mit gesendeter Lanze verwundend,
Schwang dann genaht sein mächtiges Schwert und raubt' ihm die Seele.
Drauf den Laogonos auch und Dardanos, Söhne des Bias, 460
Stürzet' er beid anrennend vom Wagengeschirr auf die Erde,
Den mit der Lanze Wurf und den mit dem Hiebe des Schwertes.
Tros dann, Alastors Sohn, der naht ihm, fassend die Knie,
Ob er sein, des Gefangenen, schont' und ihn lebend entließe,
Und ihn nicht zu erschlagen, an Alter ihm gleich, sich erbarmte; 465
Törichter! nicht ja erkannt er, wie all sein Flehen umsonst war;
Denn nicht sanft war jener gesinnt, noch freundlichen Herzens,
Sondern ein heftiger Mann. Zwar faßt' ihm jener die Knie,

Strebend, ihn anzuflehn; doch er haut' ihm das Schwert in die Leber,
Daß ihm die Leber entsank und das schwarze Blut aus der Wunde 470
Ganz den Busen erfüllt'; und Nacht umzog ihm die Augen,
Weil ohnmächtig er sank. Auch dem Mulios stieß er die Lanze
Nahend ins Ohr, und sogleich aus dem anderen Ohre hervordrang
Jenem das spitzige Erz. Auch Agenors Sohn, dem Echeklos,
Schwang er tief in den Schädel das Schwert mit gewaltigem Hefte; 475
Ganz ward warm die Klinge vom spritzenden Blut; und die Augen
Übernahm der finstere Tod und das grause Verhängnis.
Auch den Deukalion jetzt: wo der Sehnen Geflecht sich vereinigt
Unter dem Buge des Arms, dort traf, die Rechte durchbohrend,
Ihn das spitzige Erz; und er harrt', am Arme gelähmet, [er,
Vor sich schauend den Tod. Doch das Schwert in den Nacken ihm haut'
Daß mit dem Helme das Haupt ihm enttaumelte; und aus den Wirbeln
Spritzte das Mark ihm empor, und er lag auf der Erde sich streckend.
Weiter darauf enteilt' er zu Peireos' trefflichem Sohne,
Rigmos, der aus Thrake, der scholligen, hergekommen. 485
Diesem schoß er die Lanze gerad in die Weiche des Bauches,
Und er entsank dem Geschirr. Areithoos drauf, dem Genossen,
Als er die Ross' umlenkte, den ehernen Speer in den Rücken
Stieß er und warf ihn vom Wagen; es tummelten bäumend die Rosse.
Wie ein entsetzlicher Brand die gewundenen Tale durchwütet, 490
Hoch im dürren Gebirg (es entbrennt unermeßlich die Waldung,
Und rings wehet der Wind mit sausenden Flammenwirbeln):
So rings flog mit der Lanze der Wütende, stark wie ein Dämon,
Folgend zu Mord und Gewürg, und Blut umströmte die Erde.
Wie wenn ein Mann ins Joch breitstirnige Stiere gespannet, 495
Weiße Gerste zu dreschen auf rundgeebneter Tenne
(Leicht wird zermalmt das Getreide vom Tritt der brüllenden Rinder):
So vor Achilleus dort, dem Erhabenen, trabten die Rosse,
Stampfend auf bäuchige Schild' und Leichname; unten besudelt
Troff die Achse von Blut und die zierlichen Ränder des Sessels, 500
Welchen jetzt von der Hufe Gestampf anspritzten die Tropfen,
Jetzt von der Räder Beschlag. So wütet' er, Ruhm zu gewinnen,
Peleus' Sohn, mit Blut die unnahbaren Hände besudelt.

XXI. GESANG

Achilleus stürzt einer Schar Troer in den Skamandros mit dem Schwerte nach. Zwölf Lebende fesselt er zum Sühnopfer für Patroklos. Den getöteten Lykaon hineinwerfend, höhnt er, daß der Stromgott nicht rette. Auch den Asteropäos, eines Stromgottes Sohn, welchen Skamandros erregte, streckt er ans Ufer und höhnt der Stromgötter. Skamandros gebeut ihm, außer dem Strome zu verfolgen. Er verspricht's; doch in der Wut springt er wieder hinein. Der zürnende Strom verfolgt ihn ins Feld. Jener, von Göttern gestärkt, durchdringt die Flut. Als Skamandros noch wütender den Simois zu Hilfe ruft, sendet ihm Here den Hephästos entgegen, der das Feld trocknet, dann ihn selber entflammt. Des Jammernden gebeut Here zu schonen. Ares und Aphrodite von Athene besiegt, Phöbos dem Poseidon ausweichend, Artemis von Here geschlagen, Hermes die Leto scheuend. Rückkehr der Götter. Priamos öffnet den Flüchtigen das Tor. Den verfolgenden Achilleus hemmt Agenor; dann, in Agenors Gestalt fliehend, lockt Apollon ihn feldwärts, indes die Troer einflüchten.

Als sie nunmehr an die Furt des schönhinwallenden Xanthos
Kamen, des wirbelnden Stroms, den Zeus der Unsterbliche zeugte,
Dort auseinander sie trennend, verfolgt' er jen' ins Gefilde
Stadtwärts, wo die Achaier dahergescheucht sich ergossen,
Erst den vorigen Tag, vor der Wut des strahlenden Hektors. 5
Hier flohn jene nunmehr angstvoll; doch es hemmte sie Here,
Dickes Gewölk vorbreitend den Flüchtlingen. Aber die andern,
Hingedrängt an des Stroms tiefstrudelnde Silbergewässer,
Stürzten hinab mit lautem Getös; und es rauschten die Fluten,
Daß die Gestad' umher laut halleten; rings mit Geschrei nun 10
Schwammen sie hiehin und dorthin, umhergedreht in den Wirbeln.
Wie vor des Feuers Gewalt sich ein Schwarm Heuschrecken emporhebt,
Hinzufliehn in den Strom; denn es flammt unermüdetes Feuer,
Plötzlich entbrannt im Gefild, und sie fallen gescheucht in das Wasser:
So vor Achilleus ward dem tiefhinstrudelnden Xanthos 15
Voll sein rauschender Strom von der Rosse Gewirr und der Männer.
Aber der göttliche Held ließ dort die Lanz an dem Ufer,
Auf Tamarisken gelehnt, und stürzte sich stark wie ein Dämon
Nach, sein Schwert in der Hand, und entsetzliche Taten ersann er.
Rings nun schlug er umher, und schreckliches Röcheln erhob sich 20
Unter dem mordenden Schwert, und gerötet von Blut war das Wasser.
Wie vor dem ungeheuren Delphin die anderen Fische
Fliehend die Buchten erfüllen des wohlanlandbaren Hafens,
Bange gedrängt; denn gräßlich verschlinget er, wen er erhaschet:

So die Troer voll Angst in des furchtbaren Stromes Gewässern 25
Flohen sie unter die Bord'. Als drauf vom Ermorden die Händ' ihm
Starreten, wählt' er annoch zwölf lebende Jüngling' im Strome,
Abzubüßen den Tod des Menötiaden Patroklos.
Diese zog er heraus, betäubt, wie die Jungen der Hindin,
Band dann zurück die Hände mit wohlgeschnittenen Riemen, 30
Welche sie selbst getragen um ihre geflochtenen Panzer,
Gab sie darauf den Genossen, hinab zu den Schiffen zu führen.
Wieder hinein dann stürzt' er, nach Mord und Gewürge sich sehnend.
Jetzt begegnet' ihm Priamos' Sohn, des Dardanionen,
Der aus dem Strom aufstrebte, Lykaon, den er vordem selbst 35
Weggeführt mit Gewalt von des Vaters fruchtbarem Obsthain,
Einst in der Nacht ausgehend. Es schnitt mit dem Erze der Jüngling
Wildernder Feigen Gesproß zum Sesselrande des Wagens.
Doch unverhofft ihm nahte zum Weh der edle Achilleus.
Damals sandt er in Lemnos' bevölkerte Stadt zum Verkauf ihn, 40
Führend im Schiff, und den Wert bezahlte der Sohn des Jason.
Dorther löste sein Gast Eetion, Herrscher in Imbros,
Ihn, sehr teuer erkauft, und sandt' ihn zur edlen Arisbe;
Heimlich schlich er von dannen und kam zum Palaste des Vaters.
Elf der Tage nunmehr erfreut' er das Herz mit den Seinen, 45
Wiedergekehrt aus Lemnos; doch jetzt am zwölften von neuem
Gab in Achilleus' Hand ihn ein Himmlischer, welcher bestimmt war,
Ihn zum Ais zu senden, wie sehr ungern er dahinging.
Als ihn jetzo erblickte der mutige Renner Achilleus,
Ihn, der entblößt von Helme, von Schild und Lanze daherkam 50
(Alles hatt er zur Erde gelegt; denn ermattet von Angstschweiß
Strebt' er empor aus dem Strom, und kraftlos wankten die Knie):
Unmutsvoll nun sprach er zu seiner erhabenen Seele:
Weh mir, ein großes Wunder erblick ich dort mit den Augen!
Ganz gewiß nun werden die edelmütigen Troer, 55
Die ich erschlug, von neuem aus nächtlichem Dunkel hervorgehn,
Sowie jener auch kommt, entflohn dem grausamen Tage,
Der in die heilige Lemnos verkauft ward; aber ihn hielt nicht
Wogend das graue Meer, das viele mit Zwang zurückhemmt.
Aber wohlan, nun soll er die Spitz auch unserer Lanze 60
Kosten, damit ich erkenn in meinem Geist und vernehme,

Ob er so gut auch von dannen zurückkehrt oder ihn endlich
Hält die ernährende Erde, die selbst den Tapferen festhält.
Also dacht er und stand. Ihm nahete jener voll Schreckens,
Seine Knie zu rühren bereit; denn er wünschte so herzlich, 65
Noch zu entfliehn dem grausamen Tod und dem schwarzen Verhäng-
Siehe, den ragenden Speer erhob der edle Achilleus, [nis.
Ihn zu durchbohren bereit; doch er eilt' und umfaßt ihm die Knie
Hergebückt, und der Speer, der ihm hinsaust' über die Schultern,
Stand in der Erd und lechzt', im Menschenblute zu schwelgen. 70
Aber mit einer Hand umschlang er ihm flehend die Knie
Und mit der anderen hielt er die spitzige Lanz unverrückt ihm;
Laut nun fleht' er empor und sprach die geflügelten Worte:
Flehend umfaß ich dein Knie, erbarme dich meiner, Achilleus!
Deinem Schutz ja ward ich vertraut, drum scheue mich, Edler! 75
Denn bei dir zuerst genoß ich die Frucht der Demeter,
Jenes Tags, da dein Arm mich ergriff in dem fruchtbaren Obsthain
Und du fern mich verkauftest, getrennt von Vater und Freunden,
Nach der heiligen Lemnos und hundert Stiere gewannest.
Jetzo löst ich mich dreimal so hoch! Der zwölfte der Morgen 80
Leuchtet mir erst, seitdem ich in Ilios' Mauern zurückkam,
Viel gequält; und wieder hat dir in die Hand mich gesendet
Böses Geschick! Wohl muß ich dem Vater Zeus ja verhaßt sein,
Der dir wieder mich gab, und für wenige Tage gebar mich
Meine liebende Mutter Laothoe, Tochter des Greises 85
Altes, welcher im Volk der streitbaren Leleger herrschet,
Pedasos' luftige Burg an Satniois' Ufer bewohnend.
Dessen Tochter war Priamos' Weib, nebst vielen der andern;
Und zween Söhne gebar sie; doch du willst beid uns erwürgen!
Jenen im Vordergefecht fußwandelnder Kämpfer bezwangst du, 90
Ihn, den Held Polydoros, mit spitziger Lanze getroffen;
Und mein harrt das Verderben allhier nun! Nimmer ja hoff ich,
Deiner Hand zu entfliehn, nachdem mich genähert ein Dämon!
Eines verkünd ich dir noch, und du bewahr es im Herzen:
Töte mich nicht; denn ich bin kein leiblicher Bruder des Hektor, 95
Welcher den Freund dir erschlug, so sanftgesinnt und so tapfer!
So dort flehte zu jenem des Priamos edler Erzeugter
Jammernd empor, da erscholl die unbarmherzige Stimme:

Törichter, nicht von Lösung erzähl und schwatze mir länger!
Denn bevor Patroklos den Tag des Geschickes erreichte, 100
War ich annoch im Herzen geneigt, zu schonen der Troer;
Viel auch führt ich gefangen hinweg und verkaufte sie lebend.
Doch nun fliehe den Tod nicht einer auch, welchen ein Dämon
Hier vor Ilios' Mauern in meine Hand mir gesendet,
Aller Troer gesamt und am wenigsten Priamos' Söhne! 105
Stirb denn, Lieber, auch du! Warum wehklagst du vergebens?
Starb doch auch Patroklos, der weit an Kraft dir voranging!
Siehst du nicht, wie ich selber so schön und groß an Gestalt bin?
Denn dem edelsten Vater gebar mich die göttliche Mutter!
Doch wird mir nicht minder der Tod und das harte Verhängnis 110
Nahn, entweder am Morgen, am Mittag oder am Abend,
Wann ein Mann auch mir in der Schlacht das Leben entreißet,
Ob er die Lanze mir schnellt, ob auch ein Geschoß von der Senne.
Also der Held; doch jenem erzitterten Herz und Knie.
Fahren ließ er den Speer und saß, ausbreitend die Hände 115
Beide. Doch Peleus' Sohn, das geschliffene Schwert sich entreißend,
Stieß es hinein am Gelenke des Halses ihm; tief in die Gurgel
Drang zweischneidig das Schwert, und vorwärts nun auf der Erde
Lag er gestreckt; schwarz strömte das Blut und netzte den Boden.
Ihn dann schwang der Peleid, am Fuße gefaßt, in den Strom hin! 120
Und mit jauchzendem Ruf die geflügelten Worte begann er:
Dort nun streck im Gewimmel der Fische dich, die von der Wunde
Sorglos dir ablecken das Blut! Nie bettet die Mutter
Dich auf Leichengewand und wehklagt, sondern Skamandros
Trägt dich strudelnd hinab in des Meers weitoffenen Abgrund. 125
Hüpfend sodann naht unter der Flut schwarzschauernder Fläche
Mancher Fisch, um zu schmausen am weißen Fette Lykaons.
Treff euch Weh, bis wir kommen zu Ilios' heiliger Feste,
Ihr in stürzender Flucht, ich aber mit Mord euch verfolgend!
Nicht ja einmal der Strom mit mächtigem Silbergestrudel 130
Rettet euch, welchem ihr oft so viel darbringet der Stiere
Und starkhufige Ross', in die Flut lebendig versenket;
Aber auch so vertilgt euch das Jammergeschick, bis ihr alle
Für Patroklos' Mord mir gebüßt und das Weh der Achaier,
Die an den hurtigen Schiffen ihr tötetet, als ich entfernt war! 135

Jener sprach's; doch der Strom ereiferte wilderen Herzens
Und er erwog im Geist, wie er hemmen möcht in der Arbeit
Peleus' göttlichen Sohn und die Plag abwenden den Troern.
Aber Achilleus indes mit weithinschattender Lanze
Sprang auf Asteropäos, ihn auszutilgen verlangend, 140
Pelegons Sohn; den zeugte des Axios strömender Herrscher,
Axios und Periböa, des Akessamenos Tochter,
Schön, an Geburt die erste, geliebt vom wirbelnden Stromgott.
Gegen ihn drang der Peleid; er dort, aus dem Strome begegnend,
Stand, zween Speer' in den Händen, und Mut ihm haucht' in die Seele
Xanthos, dieweil er mit Zorn die ermordeten Jünglinge schaute,
Die der Peleid in den Fluten ermordete sonder Erbarmen.
Als sie nunmehr sich genaht, die Eilenden, gegeneinander,
Rief zuerst anredend der mutige Renner Achilleus:
Wer und woher der Männer, der mir zu nahn sich erkühnet? 150
Meiner Kraft begegnen nur Söhn' unglücklicher Eltern!
Ihm antwortete drauf des Pelegons edler Erzeugter:
Peleus' mutiger Sohn, was fragst du nach meinem Geschlechte?
Fern aus dem scholligen Lande Päonia führ ich die Scharen
Speerumragter Päonen zur Schlacht; und der elfte der Morgen 155
Leuchtet mir nun, seitdem ich in Ilios' Mauern hineinging.
Doch mein Geschlecht entstammt von des Axios strömendem Herr-
Axios, der mit lieblichster Flut die Erde befruchtet; [scher,
Dieser zeugte den Pelegon einst und der lanzenberühmte
Pelegon mich, wie man sagt. Doch kämpfe nun, edler Achilleus! 160
Also droht' er daher. Da erhob der edle Achilleus
Pelions ragende Esch, allein zwo Lanzen zugleich warf
Asteropäos der Held, der rechts mit jeglicher Hand war.
Eine traf des Schildes Gewölb ihm; aber hindurch nicht
Brach sie den Schild; denn es hemmte das Gold, die Gabe des Gottes.
Aber die andere streift' ihm den rechten Arm an der Beugung,
Daß ihm dunkelstes Blut vorrieselte. Über ihm selbst dann
Stand sie gebohrt in die Erde, voll Gier, im Fleische zu schwelgen.
Jetzo schwang auch Achilleus die gradanstürmende Esche
Hin auf Asteropäos, ihn auszutilgen verlangend. 170
Doch ihn selbst verfehlt' er und traf das erhabene Ufer,
Daß bis zur Hälft in das Ufer die eschene Lanze hineindrang.

Peleus' Sohn, das geschliffene Schwert von der Hüfte sich reißend,
Stürmte hinan mit Begier; der strebte den Speer des Achilleus,
Aber umsonst, dem Bord zu entziehn mit nervichter Rechter. 175
Dreimal erschüttert' er jenen und mühte sich auszuziehen;
Dreimal versagt' ihm die Kraft; doch das viertemal dacht er im Herzen,
Biegend ihn abzubrechen, den eschenen Speer des Achilleus.
Aber es nahte der Held mit dem Schwert und raubt' ihm das Leben;
Denn er hieb in den Bauch am Nabel ihm; und es entstürzten 180
Alle Gedärme zur Erd; und dem Röchelnden starrten die Augen
Trüb in Nacht. Doch Achilleus, daher auf den Busen sich werfend,
Nahm ihm das Waffengeschmeid und rief frohlockend die Worte:
Lieg also! Schwer magst du des hocherhabenen Kronions
Söhne mit Streit angehen, obgleich von dem Strome du abstammst!
Denn du rühmst dich entstammt von des Stroms breitwallendem Herrscher,
Doch ich preise mich selbst vom gewaltigen Zeus zu entstammen.
Mich ja erzeugte der Herrscher des myrmidonischen Volkes,
Peleus, Äakos' Sohn, und den Äakos zeugte Kronion.
Drum wie mächtig Zeus vor den meerabrauschenden Strömen, 190
So ist mächtig auch Zeus' Geschlecht vor den Söhnen des Stromes.
Auch ein gewaltiger Strom rauscht neben dir, möcht er dir etwa
Helfen; doch keiner vermag mit Zeus Kronion zu kämpfen.
Gleich ihm wähnt sich auch nicht der mächtige Gott Acheloos,
Noch des Okeanos Kraft, des tief hinströmenden Herrschers, 195
Welchem doch alle Ström' und alle Fluten des Meeres,
Alle Quellen der Erd und sprudelnde Brunnen entfließen;
Dennoch scheut auch jener den Wetterstrahl des Kronion
Und den entsetzlichen Donner, der hoch vom Himmel herabkracht.
Sprach's, und hervor aus dem Bord entzog er die eherne Lanze. 200
Ihn dann ließ er daselbst, nachdem er den Geist ihm genommen,
Hingestreckt auf dem Sande, bespült vom dunklen Gewässer.
Ringsher schlängelten Aal' und wimmelnde Fisch' um den Leichnam,
Gierig das weiße Fett, das die Nieren umwuchs, ihm benagend.
Selbst dann eilt' er dahin zur reisigen Schar der Päonen, 205
Welche noch voll Angst am wirbelnden Strom umherflohn,
Als sie den Tapfersten sahn in schreckenvoller Entscheidung
Unter Achilleus' Hand und gewaltigem Schwerte gebändigt.

Dort den Thersilochos nun und Astypylos schlug er, und Mydon,
Thrasios dann, auch Mnesos und Änios, auch Ophelestes. 210
Und noch mehr der Päonen erschlug der schnelle Achilleus,
Wenn nicht zürnend geredet des Stroms tiefstrudelnder Herrscher,
Der in Menschengestalt aufruft' aus tiefem Gestrudel:
Peleus' Sohn, du wütest, an Kraft und entsetzlichen Taten
Mehr als Mensch; denn immer begleiten dich waltende Götter. 215
Wenn dir Zeus die Troer verlieh, daß du alle verderbtest,
Außer mir selbst sie verfolgend erfülle mit Graun die Gefilde.
Voll sind mir von Toten bereits die schönen Gewässer;
Kaum auch kann ich annoch ins heilige Meer mich ergießen,
Eingeengt von Toten, so übest du Mord und Vertilgung! 220
Aber wohlan, laß ab; ich staune dir, Völkergebieter!
Ihm antwortete drauf der mutige Renner Achilleus:
Solches gescheh, o Skamandros, du Göttlicher, wie du gebietest.
Doch nicht raste mein Arm, die frevelen Troer zu morden,
Bis ich zur Stadt sie gescheucht und Hektors Stärke geprüfet, 225
Ob er im Kampfe vielleicht mich bändiget oder ich selbst ihn.
Also der Held, und stürzt' in die Troer sich, stark wie ein Dämon.
Jetzo begann zu Apollon des Stroms tiefstrudelnder Herrscher:
Wehe, du achtest ja nicht, Zeus' Sohn mit silbernem Bogen,
Was Kronion beschloß, der dir voll Ernstes geboten, 230
Trojas Söhne mit Macht zu verteidigen, bis sich des Abends
Dämmernde Späte genaht, die scholligen Äcker beschattend.
Jener sprach's; und Achilleus der Herrliche sprang in den Strudel
Hoch vom hangenden Bord. Da wütete schwellend der Strom her.
All erregt' er die Fluten getrübt und drängte die Toten, 235
Häufige, die ringsher ihn erfüllt, die getötet Achilleus;
Diese warf er hinaus mit lautem Gebrüll wie ein Pflugstier
An das Gestad, und die Lebenden rings in den schönen Gewässern
Rettet' er, eingehüllt in hochaufstrudelnde Wogen.
Schrecklich umstand den Peleiden die trübe, geschwollene Brandung,
Schlug an den Schild dann schmetternd herab, und nicht auf den Füßen
Konnt er fest noch bestehn. Da faßt' er die Ulm in den Händen,
Frisch von Wuchs, hochragend, doch jene, gestürzt aus den Wurzeln,
Riß das Gestad auseinander und sank, die schönen Gewässer
Hemmend mit dichtem Gezweig, und überbrückte die Fluten, 245

Ganz hineingestürzt; und der Held, aus der Tiefe sich schwingend,
Eilte dahin, durch die Ebne mit hurtigen Füßen zu fliegen,
Angstvoll. Noch nicht ruhte der Schreckliche, sondern er stürzt' ihm
Nach mit dunkelnder Flut, daß er hemmen möcht in der Arbeit
Peleus' göttlichen Sohn und die Plag abwenden den Troern. 250
Aber Achilleus entsprang, so weit die Lanze dahinfliegt,
Ungestüm wie der Adler, der schwarzgeflügelte Jäger,
Welcher der mächtigste ist und geschwindeste aller Gevögel;
Diesem gleich hinstürmt' er. Das Erzgeschmeid um den Busen
Rasselte grausen Getöns, und seitwärts jenem entschlüpfend 255
Floh er; allein nachrauschte der Strom mit lautem Getös ihm.
Wie wenn ein wässernder Mann von des Bergquells dunklem Gesprudel
Über Saat und Gärten den Lauf der Gewässer daherführt
Und, in der Hand die Schaufel, den Schutt wegräumt aus der Rinne
(Jetzo strömt es hervor und die Kieselchen alle des Baches 260
Werden gewälzt; denn geschwinde mit rauschenden Wellen entstürzt es
Vom abschüssigen Hang und eilet zuvor auch dem Führer):
Also erreichte der Strom mit wogender Flut den Achilleus
Stets, wie rasch er auch war; denn stark vor Menschen sind Götter.
Aber sooft ansetzte der mutige Renner Achilleus, 265
Fest ihm entgegenzustehn, daß er schauete, ob ihn die Götter
Alle zur Flucht hinscheuchten, die weit den Himmel bewohnen,
Naht' ihm sofort das Gewoge des himmelentsprossenen Stromes,
Hoch die Schultern umspülend. Dann sprang er empor mit den Füßen,
Unmutsvoll in der Seel; und der Strom bezwang ihm die Knie, 270
Schräg anrollend mit Macht und den Staub den Füßen entreißend.
Laut wehklagt' Achilleus, den Blick gen Himmel gewendet:

Vater Zeus, daß auch keiner der Himmlischen nun sich erbarmet,
Mich aus dem Strom zu retten! Wie gern dann duldet' ich alles!
Keiner indes ist mir der Uranionen so schuldig 275
Als die liebende Mutter, die mich durch Lüge getäuschet;
Denn sie sprach, an der Mauer der erzumpanzerten Troer
Sei mir zu sterben bestimmt durch Apollons schnelle Geschosse.
Hätte mich Hektor getötet, der hier der Tapferste aufwuchs!
Dann wär ein Starker erlegt und es raubt' ein Starker die Rüstung!
Doch nun ward zu sterben den schmählichen Tod mir geordnet,
Eingehemmt von dem mächtigen Strom, wie ein jüngerer Sauhirt,

Welcher im Regenbache versinkt, durchwatend im Winter!
Als er es sprach, da traten Poseidon schnell und Athene
Ihm zur Seite genaht, an Gestalt gleich sterblichen Männern, 285
Fügten ihm Hand in Hand und redeten tröstende Worte.
Also begann vor ihnen der Erderschüttrer Poseidon:
Nicht so bang, o Peleid, erzittere, noch so verzagend,
Denn wir sind dir beid als helfende Götter genahet
Mit Einwilligung Zeus', ich selbst und Pallas Athene! 290
So nicht ward zu sterben im Strom dir geordnet vom Schicksal,
Sondern bald kehrt jener zur Ruh, und du selber erkennst es.
Doch ermahnen wir dich aufs fleißigste, wenn du gehorchest:
Laß nicht ruhn die Hände vom allverheerenden Kriege,
Eh in Ilios' türmende Stadt du die Scharen der Troer 295
Eingehemmt, wer entrann. Doch wann Hektors Geist du geraubt hast,
Dann zu den Schiffen gekehrt; wir geben dir Ruhm zu gewinnen.
Also redeten beid und eilten hinweg zu den Göttern.
Jener nun drang, vom Gebot der Unsterblichen mächtig ermuntert,
In das Gefild, und es wogte von weitergossenen Wassern. 300
Viel schönprangende Waffen der kampferschlagenen Männer
Schwammen mit Leichen umher. Doch sprang er empor mit den Knien
Gegen die Flut gradaus, der Stürmende, welchen umsonst nun
Hemmte der breite Strom, denn mit Kraft erfüllt' ihn Athene.
Noch nicht ließ Skamandros vom Zorn ab, nein, noch ergrimmter 305
Eifert' er Peleus' Sohn und erhob hochwogige Brandung,
Mächtig empor sich bäumend, und laut zum Simois rief er:
Bruder, wohlan! Die Gewalt des Mannes da müssen wir beid itzt
Bändigen, oder sofort des herrschenden Priamos Feste
Wirft er in Staub; denn die Troer bestehen ihn nicht im Getümmel!
Auf denn, und hilf in Eil und erfülle den Strom mit Gewässern
Rings aus den Quellen der Berg' und ermuntere jeglichen Gießbach!
Hoch nun erhebe die Flut und rolle mit donnernder Woge
Blöck' und Steine daher, daß den schrecklichen Mann wir bezähmen,
Welcher die Schlacht durchherrscht und gleich den
Unsterblichen schaltet! 315
Nicht soll, mein ich, die Kraft ihn verteidigen oder die Bildung,
Noch die prangenden Waffen; die sollen mir tief in dem Sumpfe
Liegen, von häufigem Schlamme bedeckt, und ihn selber umwälz ich

Rings mit Sand, in den Schwall von Muscheln und Kies ihn verschüt-
Hoch, daß selbst sein Gebein nicht aufzusammeln vermögen [tend,
Argos' Söhn' im unendlichen Wust, den ich über ihn ausgoß!
Dort soll das Denkmal sein des Gestorbenen, und er bedarf nicht,
Daß ihm ein Rasengrab die bestattenden Danaer häufen!
Sprach's und drang auf Achilleus' in trüb aufstürmender Brandung,
Laut mit Schaum anrauschend und Blut und gewirbelten Leichen. 325
Purpurbraunes Gewoge des himmelentsprossenen Stromes
Wallete hochgetürmt und schlug auf den Peleionen.
Here nunmehr schrie auf, voll großer Angst um Achilleus,
Daß ihn mit Macht wegraffte des Stroms tiefstrudelnder Herrscher.
Schnell zu Hephästos gewandt, dem lieben Sohne, begann sie: 330
Hebe dich, Sohn Hephästos, du Hinkender! Deiner Gewalt ist,
Achten wir, gleich im Kampfe der mächtig strudelnde Xanthos;
Auf denn und hilf in Eile, mit lodernden Flammen erscheinend!
Aber ich selbst will gehen, den West und den schauernden Südwind
Schnell von dem Meergestade zum heftigen Sturm zu erregen, 335
Welcher das Heer der Troer mit Mann und Waffen verbrenne,
Schreckliche Glut forttragend. Doch du am Gestade des Xanthos
Zünde die Bäum', auch ihn selber durchlodere; aber durchaus nicht
Werde durch freundliche Worte zurückgewandt noch Bedrohung!
Eher nicht laß deine Gewalt ruhn, als wann ich selber 340
Rufe das laute Gebot; dann zähme die Glut der Vertilgung!
Jene sprach's; doch Hephästos ergoß den entsetzlichen Glutstrahl.
Erst durchflog das Gefilde die Glut und verbrannte die Toten,
Häufige, die ringsher es erfüllt, die getötet Achilleus.
Ganz ward trocken das Feld und gehemmt das blinkende Wasser. 345
Wie wenn in herbstlicher Schwüle der Nord den gewässerten Garten
Alsobald austrocknet und fröhlich es schaut der Besteller,
So ward trocken das ganze Gefild und die Leichname ringsum
Brannten. Da stürmte der Gott in den Strom helleuchtende Flamme.
Brennend standen die Ulmen, die Weidichte und Tamarisken, 350
Brennend der Lotos umher, Riedgras und duftender Galgant,
Welche die schönen Gewässer des Stroms weitwuchernd umsproßten.
Angstvoll schnappten die Aal' und die Fisch' umher in den Strudeln,
Welche die schönen Gewässer durchtaumelten hiehin und dorthin,
Matt von den Flammenhauch des erfindungsreichen Hephästos. 355

Brennend auch wogte der Strom und redete, also beginnend:
Keiner, Hephästos, hält dir Obstand unter den Göttern,
Auch nicht ich verlange mit dir, Glutsprüher, zu kämpfen!
Ruhe vom Streit! Die Troer, sofort auch mag sie Achilleus
Treiben aus Ilios' Stadt! Was acht ich des Streits und der Hilfe? 360
Sprach's und brannt in der Glut, und es sprudelten seine Gewässer.
So wie braust ein Kessel, gedrängt vom gewaltigen Feuer,
Wann er das Fett ausschmelzet des wohlgenähreten Mastschweins,
Ringsumher aufbrodelnd, umflammt von trockenen Scheitern:
So durchglühte das Feuer den Strom und es brauste das Wasser. 365
Nicht mehr floß er im Lauf; er stockt', in der Lohe geängstet,
Durch Hephästos' Gewalt, des Erfindenden. Aber zur Here
Wandt er sich laut wehklagend und sprach die geflügelten Worte:
Here, warum doch quälet dein Sohn so heftig vor andern
Meinen Strom? Ich habe mich dir ja minder verschuldet 370
Als die anderen alle, so viel beistehen den Troern.
Doch nun will ich ja gern mich beruhigen, wenn du gebietest;
Nur sei ruhig auch jener! Zugleich auch dieses beschwör ich:
Niemals einem der Troer den grausamen Tag zu entfernen,
Nicht wenn Troja sogar in verheerender Flamme des Feuers 375
Loderte, rings entflammt von den kriegrischen Söhnen Achaias!
Als sie solches vernommen, die lilienarmige Here,
Schnell zu Hephästos gewandt, dem lieben Sohne, begann sie:
Halt, mein Sohn Hephästos, Gepriesener! Nicht ja geziemt dir's,
So den unsterblichen Gott der Sterblichen wegen zu martern! 380
Jene sprach's; da löschte der Gott sein entsetzliches Feuer.
Schnell nun rollten zurück in den Strom die schönen Gewässer.
Aber da Xanthos' Mut so gedämpft war, beide von nun an
Ruheten sie; denn Here bezähmte sie, heftig erzürnt zwar.
Doch die anderen Götter durchwütete Zank schwerlastend, 385
Ungestüm; denn getrennt tobt' allen das Herz in dem Busen.
Laut nun erscholl der Begegnenden Sturm, weit krachte der Erdkreis,
Und hochrollende Donner drommeteten. Ferne vernahm es
Zeus auf Olympos' Höhn, wo er saß, und es lachte das Herz ihm
Wonnevoll, da er sahe die Götter zum Kampf sich begegnen. 390
Jetzt nicht länger annoch verweilten sie. Siehe, voran drang
Ares, der Schilddurchbrecher, und stürmt' auf Pallas Athene,

Haltend den ehernen Speer, und er rief die schmähenden Worte:
Warum treibst du die Götter zum Kampf, schamloseste Fliege,
Stürmischer Dreistigkeit voll. Du tobst unbändigen Mutes! 395
Weißt du noch, wie du Tydeus' Sohn Diomedes gereizet,
Mir zu nahn, und du selber den strahlenden Speer mit den Händen
Grade daher gedrängt, den blühenden Leib mir verwundend?
Jetzo sollst du mir alles berichtigen, was du verschuldet!
Also der Gott, und stieß auf die quastumbordete Ägis, 400
Schrecklich und hehr, die auch Zeus niemals mit dem Donner bezähmte;
Hierauf stieß mit gewaltigem Speer der blutige Ares.
Doch sie wich und erhob mit nervichter Rechter den Feldstein,
Der dort lag im Gefilde, den dunkelen, rauhen und großen,
Aufgestellt zur Grenze der Flur von Männern der Vorzeit; 405
Hiermit traf sie des Wüterichs Hals und löst' ihm die Glieder.
Sieben Hufen bedeckt' er im Fall und bestäubte das Haupthaar,
Und ihn umklirrte das Erz. Da lächelte Pallas Athene,
Und mit jauchzendem Ruf die geflügelten Worte begann sie:
Törichter, nie wohl hast du bedacht, wie weit ich an Kraft dir 410
Vorzugehn mich rühme, da mir voll Trotz du begegnest.
Also magst du der Mutter Verwünschungen ganz nun büßen,
Welche von Zorn und Haß dir entbrannt ist, weil du verließest
Argos' Söhn' und verteidigst die übermütigen Troer.
Also redete jen' und wandte die strahlenden Augen. 415
Ihn dann führt' an der Hand die Tochter Zeus' Aphrodite,
Ares, der schnell aufstöhnt', und kaum ihm kehrte der Atem.
Aber da jen' erblickte die lilienarmige Here,
Schnell zur Athene gewandt die geflügelten Worte begann sie:
Weh mir, des ägiserschütternden Zeus unbezwungene Tochter!
Schau, wie dreist die Fliege den mordenden Ares hinwegführt
Aus dem entscheidenden Kampf durch den Aufruhr! Hurtig verfolge! 420
Jene sprach's, und Athene verfolgte sie freudigen Herzens.
Stürmend drang sie hinan und schlug mit mächtiger Hand ihr
Gegen die Brust, und sofort erschlafften ihr Herz und Knie. 425
Also lagen sie beid auf der nahrungsprossenden Erde.
Jene mit jauchzendem Rufe begann die geflügelten Worte:
Also müssen sie alle, so viel beistehen den Troern,
Künftig sein, wann sie Argos' gepanzerte Söhne bekämpfen,

Ebenso kühn und dauernden Muts, wie nun Aphrodite 430
Herkam, Ares zu helfen, und meiner Stärke sich darbot!
O dann hätten wir längst schon ausgeruht von dem Kriege,
Weil wir Troja verheert, die Stadt voll prangender Häuser!
Sprach's, da lächelte sanft die lilienarmige Here.
Doch zu Apollon begann der Erderschüttrer Poseidon: 435
Phöbos, warum so entfernt uns stehen wir? Nicht ja geziemt es,
Da schon andre begannen! O Schande doch, wollten wir kampflos
Beid hingehn zum Olympos, zum ehernen Hause Kronions!
Hebe denn an, du bist ja der Jüngere; aber mir selbst nicht
Ziemet es, weil an Geburt ich vorangeh und an Erfahrung. 440
Tor, wie erinnerungslos dir das Herz ist! Selber ja des nicht
Denkst du, wieviel wir bereits um Ilios Böses erduldet,
Wir von den Göttern allein, als, hergesandt von Kronion,
Wir ein ganzes Jahr dem stolzen Laomedon dienten
Für bedungenen Lohn und jener Befehl' uns erteilte. 445
Ich nun selbst erbaute der Troer Stadt und die Mauer,
Breit und schön, der Feste zur undurchdringlichen Schutzwehr;
Doch du weidetest, Phöbos, das schwerhinwandelnde Hornvieh
Durch die waldigen Krümmen des vielgewundenen Ida.
Aber nachdem des Lohnes Ziel die erfreuenden Horen 450
Endlich gebracht, da entzog mit Gewalt der grausame König
Uns den sämtlichen Lohn und entließ uns mit schrecklicher Drohung.
Denn dir drohete jener die Füß' und die Hände zu fesseln
Und zum Verkauf dich zu senden in fernentlegene Inseln;
Ja er verhieß, uns beiden mit Erz die Ohren zu rauben. 455
Also kehreten wir mit erbitterter Seele von jenem,
Zornvoll wegen des Lohns, um den der Versprecher getäuschet.
Dessen Volke nunmehr willfahrest du, nicht mit uns andern
Trachtend, wie ganz hinstürzen die frevelen Troer von Grund aus,
Schrecklich vertilgt, mit Kindern zugleich und züchtigen Weibern!
Ihm antwortete drauf der treffende Phöbos Apollon:
Herrscher des Meers, dir selbst nicht wohlbehaltenen Geistes
Schien ich, wofern mit dir der Sterblichen wegen ich kämpfte,
Elender, die, hinfällig, wie grünes Laub in den Wäldern
Jetzo in Kraft aufstreben, die Frucht der Erde genießend, 465
Jetzo wieder entseelt dahinfliehn. Auf denn, in Eile

Ruhen wir beide vom Kampf, und jen' entscheiden ihn selber!
Also sprach Apollon und wandte sich, scheuend in Ehrfurcht,
Wider des Vaters Bruder den Arm der Gewalt zu erheben.
Doch ihn strafte die Schwester, die Herrscherin streifenden Wildes,
Artemis, fröhlich der Jagd, und rief die höhnenden Worte:
Fliehest du schon, Ferntreffer? Und hast den Sieg dem Poseidon
Ganz nun eingeräumt und umsonst den Ruhm ihm gegeben?
Tor, was trägst du den Bogen, den nichtigen Tand, an der Schulter?
Daß ich nimmer hinfort dich hör im Palaste des Vaters 475
Prahlend drohn, wie vordem im Kreis der unsterblichen Götter,
Kühn entgegen zu kämpfen dem Meerbeherrscher Poseidon!
Jene sprach's; doch nichts antwortete Phöbos Apollon.
Aber es zürnete Zeus' ehrwürdige Lagergenossin:
Wie doch wagst du anitzt, schamloseste Hündin, mir selber 480
Obzustehn? Schwer magst du mit mir dich messen an Stärke,
Trotz dem Geschoß, das du trägst. Denn sterblichen Frauen zur Löwin
Setzte dich Zeus und gab, daß du mordest, die dir gelüstet.
Wahrlich besser dir wär es, die Bergscheusale zu fällen
Oder flüchtige Hirsch', als Höherer Macht zu bekämpfen. 485
Aber gefällt auch des Kampfes Versuch dir, auf, so erkenne,
Wieviel stärker ich sei, da du mir voll Trotzes dich darstellst!
Sprach's und ergriff mit der Linken ihr beide Händ' an dem Knöchel,
Nahm mit der Rechten sodann von der Schulter ihr Bogen und Köcher,
Schlug damit dann lächelnd das Angesicht um die Ohren 490
Ihr, die zurück sich gewandt, und die Pfeil' entsanken dem Köcher.
Weinend floh die Göttin nunmehr wie die schüchterne Taube,
Welche, vom Habicht verfolgt, in den höhligen Felsen hineinfliegt,
Tief in die Kluft; noch nicht war erhascht zu werden ihr Schicksal;
Also floh sie weinend hinweg und ließ ihr Geschoß dort. 495
Aber zu Leto sprach der bestellende Argoswürger:
Leto, mit dir zu streiten sei ferne mir; denn zu gefahrvoll
Ist der Kampf mit den Weibern des schwarzumwölkten Kronion.
Darum getrost nur immer im Kreis der unsterblichen Götter
Rühme dich, daß du mir obgesiegt durch gewaltige Kräfte! 500
Sprach's; da sammelte Leto das krumme Geschoß und die Pfeile,
Andere anderswoher, wie im wirbelnden Staub sie gefallen.
Als sie nunmehr sie genommen, enteilte sie hin zu der Tochter.

Jene kam zum Olympos, zum ehernen Hause Kronions;
Weinend setzte sich dort auf des Vaters Knie die Jungfrau, 505
Und es erbebt' ihr feines Gewand, von Ambrosia duftend.
Herzlich umarmte sie Zeus und begann mit freundlichem Lächeln:
Wer mißhandelte dich, mein Töchterchen, unter den Göttern
Sonder Scheu, als hättest du öffentlich Frevel verübet?
Ihm antwortete drauf die Jägerin, lieblich im Kranze: 510
Vater, dein Weib hat mir Leides getan, die erhabene Here,
Welche die himmlischen Götter zu Zank und Hader empöret.
Also redeten jen' im Wechselgespräch miteinander.
Aber Apollon ging in Ilios' heilige Feste;
Denn ihm sorgte das Herz um die wohlgegründete Mauer, 515
Daß nicht trotz dem Verhängnis die Danaer heut sie verheerten.
Doch zum Olympos eilten die anderen ewigen Götter,
Die voll zürnenden Grams und jen' hochprangenden Ruhmes;
Saßen sodann um den Vater, den Donnerer. Aber Achilleus
Mordete Trojas Söhne zugleich und stampfende Rosse. 520
Wie wenn wallender Rauch zum weiten Himmel emporsteigt
Aus der brennenden Stadt, erregt vom Zorne der Götter
(Allen schafft er Arbeit, und vielen auch Jammer erzeugt er):
Also schuf den Troern Achilleus Arbeit und Jammer.
Dort stand Priamos jetzo, der Greis, auf dem heiligen Turme, 525
Schauend auf Peleus' Sohn, den Gewaltigen, und wie vor jenem
Fliehender Troer Gewalt hertummelte, nirgend auch Abwehr
Noch erschien. Wehklagend vom Turm nun stieg er zur Erde
Und gebot an der Mauer den rühmlichen Hütern des Tores:
Öffnet die Flügel des Tors und haltet sie, bis sich die Völker 530
All in die Stadt eindrängen, die fliehenden; denn der Peleide
Tobt dort nahe dem Schwarm! Nun, sorg ich, droht uns ein Unheil!
Aber sobald in die Mauer sie eingehemmt sich erholen,
Schließt dann wieder das Tor mit dicht einfugenden Flügeln;
Denn ich besorg, uns stürmt der verderbliche Mann in die Mauer! 535
Jener sprach's; und sie öffneten schnell wegdrängend die Riegel
Und die gebreiteten Flügel erretteten. Aber Apollon
Eilte hinaus, um begegnend die Not der Troer zu wenden.
Jene, gerad auf die Stadt und die hochgetürmete Mauer,
Ausgedörrt vom Durste, mit Staube bedeckt, aus dem Blachfeld 540

Flohn sie; doch rasch mit der Lanze verfolget' er. Wild ihm von Wahn-
Tobte beständig das Herz, und er wütete, Ruhm zu gewinnen. [sinn
Jetzt hätt Argos' Volk die türmende Troja erobert,
Wenn nicht Phöbos Apollon den Held Agenor erweckte,
Ihn, des Antenors Sohn, den untadligen tapferen Streiter. 545
Kühneren Mut ihm haucht' er ins Herz, und selber zur Seit ihm
Stand er, um abzuwehren die schrecklichen Hände des Todes,
Dicht an die Buche gedrängt, ringsher in Nebel sich hüllend.
Jener, sobald er gesehn den Städteverwüster Achilleus,
Stand, und vieles bewegt' unruhig sein Geist, wie er harrte. 550
Tief aufseufzt' er und sprach zu seiner erhabenen Seele:
Wehe mir doch, wofern ich hinweg vor dem starken Achilleus
Fliehe des Wegs, wo die andern in scheuem Gewirr sich ergossen!
Dennoch wird er mich fahn und gleich dem Feigsten erwürgen.
Aber laß ich jene gescheucht die Gefilde durchtummeln 555
Vor dem Peleiden Achilleus und fliehe, gewandt von der Mauer,
Nach dem idäischen Felde mit Schnelligkeit, bis ich erreichet
Idas gewundene Tal' und im dichten Gesträuch mich verborgen:
Dann am Abende könnt ich, nachdem ich im Strome gebadet,
Abgekühlt vom Schweiße, gen Ilios heimlich zurückgehn. 560
Aber warum bewegte das Herz mir solche Gedanken?
Wenn er nur nicht von der Stadt mich feldwärts Fliehenden wahr-
Und nachstürmenden Laufs einholt mit hurtigen Füßen! [nimmt
Nimmer annoch entrönn ich dem Tod und dem grausen Verhängnis;
Denn zu sehr an Gewalt vor allen Geborenen ragt er! 565
Aber wofern vor Ilios' Stadt ihm entgegen ich wandle,
Ist ja auch jenem der Leib dem spitzigen Erze verwundbar;
Auch ein Geist beseelet ihn nur, und sterblich wie andre
Nennen sie ihn; doch Zeus der Donnerer schenket ihm Ehre!
Sprach's, und gefaßt den Achilleus erwartet' er, und in dem Busen
Strebt' ihm das mutige Herz zu kämpfen den Kampf der Entscheidung.
Wie wenn kühn ein Pardel aus tiefverwachsenem Dickicht
Anrennt gegen den jagenden Mann und weder im Herzen
Zagt, noch erschrocken entflieht, nachdem das Gebell ihn umtönte
(Denn ob jener ihn stechend verwundete oder auch werfend, 575
Dennoch, selbst von der Lanze durchbohrt schon, rastet er niemals
Stürmend, bevor er jenen erreicht hat oder dahinsinkt):

Also Antenors Sohn, der tapfere Streiter Agenor.
Nicht begehrt' er zu fliehn, bevor er versucht den Achilleus,
Sondern sich selbst vorstreckend den Schild von geründeter Wölbung,
Zuckt' er die Lanz auf jenen daher und rief mit Getön aus:
Wohl schon hast du im Herzen gehofft, ruhmvoller Achilleus,
Diesen Tag zu verheeren die Stadt der mutigen Troer!
Törichter! Traun, noch viel soll des Elends werden um jene,
Weil wir annoch so viel und so tapfere Männer darin sind, 585
Die für Eltern zugleich und blühende Weiber und Kinder
Ilios' Feste beschirmen! Doch deiner harrt das Geschick hier,
Du entsetzlicher Mann und unerschrockener Krieger! [er,
Sprach's, und den blinkenden Speer aus gewaltiger Rechter versandt
Traf und verfehlete nicht das Schienbein unter dem Knie, 590
Daß rings ihm die Schiene des neugegossenen Zinnes
Tönte mit schrecklichem Klang; doch es prallte das Erz vom Getroffnen
Ab und durchbohrete nicht, gehemmt von der Gabe des Gottes.
Auch der Peleid itzt drang auf den göttergleichen Agenor,
Wütend; doch nicht verstattet' Apollon Ruhm zu gewinnen, 595
Sondern hinweg ihn rafft' er, und rings mit Nebel umhüllend,
Ließ er ihn ruhig nunmehr aus Schlacht und Getümmel hinweggehn.
Aber den Peleionen mit List entfernt' er vom Volke.
Denn der treffende Gott, in Agenors Bildung erscheinend,
Trat ihm nah vor die Füß', und eilenden Laufes verfolgt' er. 600
Während er jenem anitzt nachlief durch Weizengefilde,
Welcher, gewandt zum wirbelnden Strom des tiefen Skamandros,
Wenig zuvor ihm entrann (denn mit List verlockt' ihn Apollon,
Daß er beständig ihn hofft' im fliegenden Lauf zu erhaschen),
Kamen indes einflüchtend die anderen Troer mit Haufen, 605
Herzlich erwünscht, in die Stadt, die umher von Gedrängten erfüllt ward.
Keiner vermocht anjetzt vor der Stadt und der türmenden Mauer
Andere noch zu erwarten und umzuschaun, wer entflohn sei
Und wer gefallen im Streit; nein, herzlich erwünscht in die Feste
Strömten sie, wen die Schenkel und hurtigen Knie gerettet. 610

XXII. GESANG

Den zurückkehrenden Achilleus erwartet Hektor vor der Stadt, obgleich die Eltern von der Mauer ihn jammernd hereinrufen; beim Annahen des Schrecklichen flieht er, dreimal um Ilios verfolgt. Zeus wägt Hektors Verderben, und sein Beschützer Apollon weicht. Athene in Deiphobos' Gestalt verleitet den Hektor zu widerstehen. Achilleus fehlt, Hektors Lanze prallt ab; darauf mit dem Schwert anrennend, wird er am Halse durchstochen, dann entwaffnet und rückwärts am Wagen zu den Schiffen geschleift. Wehklage der Eltern von der Mauer und der zukommenden Andromache.

So flohn jene zur Stadt angstvoll wie die Jungen der Hindin,
Kühleten atmend den Schweiß und tranken, den Durst sich zu löschen,
Längs der Mauer gestreckt an der Brustwehr. Doch die Achaier
Wandelten dicht zur Mauer, die Schilde gelehnt an die Schultern.
Hektorn zwang zu beharren das schreckenvolle Verhängnis 5
Außerhalb vor Ilios' Stadt und dem skäischen Tore.
Aber zum Peleionen begann itzt Phöbos Apollon:
Warum doch, o Peleide, verfolgst du mich eilenden Laufes,
Selbst ein Sterblicher nur den Unsterblichen? Schwerlich indes wohl
Kennst du den himmlischen Gott, daß sonder Rast du dich abmühst. 10
Traun, nichts gilt der Troer Gefecht dir, welche du scheuchtest;
Diese flohn in die Feste gedrängt und du wandtest dich hieher.
Nie ja tötest du mich, der keinem Verhängnisse frönet.
Unmutsvoll antwortete drauf der schnelle Achilleus:
O des Betrugs, Ferntreffer, du grausamster unter den Göttern, 15
Daß du so weit von der Mauer mich wendetest! Wahrlich noch viele
Knirschten die Zähn' in den Staub, eh Ilios' Stadt sie erreichet!
Doch mir nahmst du den herrlichen Ruhm und rettetest jene
Sonder Müh; denn du darfst nicht Rache scheun in der Zukunft!
Traun, ich rächte mich gern, wenn genug der Stärke mir wäre! 20
Dieses gesagt, hineilt' er voll trotzenden Muts zu der Mauer,
Ungestüm wie ein Roß, zum Siege gewöhnt, mit dem Wagen,
Welches behend und gestreckt einhersprengt durch das Gefilde:
So der Peleid, eilfertig die Knie und die Schenkel bewegt' er.
Priamos aber, der Greis, ersah ihn zuerst mit den Augen, 25
Strahlenvoll wie der Stern, da er herflog durch das Gefilde,
Welcher im Herbst aufgeht und mit überstrahlender Klarheit
Scheint vor vielen Gestirnen in dämmernder Stunde des Melkens

(Welcher Orions Hund genannt wird unter den Menschen;
Hell zwar glänzt er hervor, doch zum schädlichen Zeichen geordnet,
Denn er bringt ausdörrende Glut den elenden Menschen):
So dort strahlte das Erz um die Brust des laufenden Herrschers.
Laut wehklagte der Greis und schlug sein Haupt mit den Händen,
Hoch empor sie erhebend, und rief wehklagend hinunter,
Flehend dem lieben Sohn, der außerhalb vor dem Tore 35
Stand, voll heißer Begier, mit dem Peleionen zu kämpfen;
Diesem rief laut jammernd der Greis und streckte die Händ' aus:
Hektor, erwarte mir nicht, mein trautester Sohn, den Verderber
Einsam, getrennt von den andern, daß nicht dich ereile das Schicksal
Unter Achilleus' Hand, der weit an Stärke dir vorgeht! 40
Möchte der Grausame doch den Unsterblichen also geliebt sein
Wie mir selbst! Bald läg er, ein Raub den Hunden und Geiern,
Dargestreckt. Dann schwände der Gram, der das Herz mir belastet!
Ach, der Söhne so viel und so tapfere raubte mir jener,
Mordend teils und verkaufend in fernentlegene Inseln! 45
Jetzt auch zween der geliebten, Lykaon samt Polydoros,
Schau ich nirgend im Heere der eingeschlossenen Troer,
Die mir Laothoe beide gebar, die Fürstin der Weiber.
Wenn sie nur noch leben im Kriegsheer, wieder hinfort dann
Könnt ich mit Erz und Gold sie befrein, denn ich habe daheim ja; 50
Vieles ja gab der Tochter der graue, gepriesene Altes.
Sind sie jedoch schon tot und in Aides Schattenbehausung,
Gram dann füllt mir das Herz und der Mutter, die wir sie zeugten.
Aber das übrige Volk wird weniger jene betrauern,
Wenn nur du nicht stirbst, von Achilleus' Stärke gebändigt. 55
Komm denn herein in die Stadt, mein Trautester, daß du errettest
Trojas Männer und Fraun, daß nicht mit Ruhm du verherrlichst
Peleus' Sohn und selber dein süßes Leben verlierest!
Auch erbarme dich mein, des Elenden, weil ich noch atme,
Ach des Jammervollen, den Zeus an der Schwelle des Alters 60
Straft, zu schwinden in Gram und unendliches Weh zu erblicken!
Meine Söhn' erwürgt und hinweggerissen die Töchter,
Ausgeplündert die Kammern der Burg und die stammelnden Kinder
Hin auf den Boden geschmettert in schreckenvoller Entscheidung,
Auch die Schnüre geschleppt von der grausamen Hand der Achaier! 65

Selber zuletzt wohl lieg ich zerfleischt am Tor des Palastes
Von blutgierigen Hunden, nachdem ein mordendes Erz mir,
Zuckend oder geschnellt, den Geist aus den Gliedern hinwegnahm,
Die ich im Hause genährt am Tisch, zu Hütern des Tores;
Sie dann lecken mein Blut, und wild von rasendem Wahnsinn 70
Liegen sie vorn am Tor! Dem Jünglinge stehet es wohl an,
Wenn er im Streit erschlagen, zerfleischt von der Schärfe des Erzes
Daliegt; schön ist alles im Tode noch, was auch erscheinet.
Aber wird das grauende Haupt und der grauende Bart nun,
Auch die Scham von Hunden entstellt dem ermordeten Greise: 75
Das ist, traun, das kläglichste Leid den elenden Menschen!

Also der Greis, und raufte sich graues Haar mit den Händen
Rings von dem Haupt; doch nicht war Hektors Geist zu bewegen.
Auch die Mutter zunächst wehklagete, Tränen vergießend,
Trennte des Busens Gewand und erhob die Brust mit der Linken; 80
So, von Tränen benetzt, die geflügelten Worte begann sie:

Hektor! Scheue, mein Sohn, den Anblick, ach und erbarm dich
Meiner selbst! Wo ich je die stillende Brust dir geboten,
Denke mir des, mein Kind, und wehre dem schrecklichen Manne
Hier, in die Mauer gerettet; nur dort nicht stelle dich jenem! 85
Rasender! Wenn er sogar dich ermordete! Nimmer beweint ich
Dich auf Leichengewanden, du trautester Sprößling des Schoßes,
Noch die reiche Gemahlin; vielmehr so entfernt von uns beiden,
Dort an der Danaer Schiffen zerfleischten dich hurtige Hunde!

Also weineten beide, den lieben Sohn anflehend, 90
Laut mit Geschrei; doch nicht war Hektors Geist zu bewegen.
Nein, er erharrt' Achilleus', des ungeheuren, Herannahn.
So wie ein Drach im Gebirge den Mann erharrt an der Felskluft,
Satt des giftigen Krauts und erfüllt von heftigem Zorne
(Gräßlich schaut er umher, in Ringel gedreht um die Felskluft): 95
So unbändigen Mutes verweilt' auch Hektor und wich nicht,
Lehnend den hellen Schild an des Turms vorragende Mauer.
Tief aufseufzt' er und sprach zu seiner erhabenen Seele:

Wehe mir! Wollt ich anjetzt in Tor und Mauer hineingehn,
Würde Polydamas gleich mit kränkendem Hohn mich belasten, 100
Welcher mir riet, in die Feste das Heer der Troer zu führen
Vor der verderblichen Nacht, da erstand der edle Achilleus.

Aber ich hörete nicht; wie heilsam, hätt ich gehöret!
Jetzo nachdem ich verderbte das Volk durch meine Betörung,
Scheu ich Trojas Männer und saumnachschleppende Weiber, 105
Daß nicht einst mir sage der Schlechteren einer umher wo:
Hektor verderbte das Volk, auf eigene Stärke vertrauend!
Also spricht man hinfort; doch mir weit heilsamer wär es,
Mutig entweder mit Sieg von Achilleus' Morde zu kehren
Oder ihm selbst zu fallen im rühmlichen Kampf vor der Mauer. 110
Aber legt ich zur Erde den Schild von geründeter Wölbung,
Samt dem gewichtigen Helm, und den Speer an die Mauer gelehnet,
Eilt ich, entgegenzugehn dem tadellosen Achilleus,
Und verhieß ihm Helena selbst und ihre Besitzung
Alle, soviel Alexandros daher in geräumigen Schiffen 115
Einst gen Troja geführt, was unseres Streites Beginn war,
Daß er zu Atreus' Söhnen es führt' (auch umher den Achaiern
Anderes auszuteilen, wieviel die Stadt auch verschließet);
Und ich nähme darauf von Trojas Fürsten den Eidschwur,
Nichts insgeheim zu entziehn, nein zwiefach alles zu teilen, 120
Was an Gut die liebliche Stadt inwendig verschließet. –
Aber warum bewegte das Herz mir solche Gedanken?
Laß mich ja nicht flehend ihm nahn! Nein, sonder Erbarmung
Würd er und sonder Scheu mich niederhaun, den Entblößten,
Grad hinweg wie ein Weib, sobald ich der Wehr mich enthüllet. 125
Nicht fürwahr nun gilt es, vom Eichbaum oder vom Felsen
Lange mit ihm zu schwatzen, wie Jungfrau traulich und Jüngling,
Jungfrau traulich und Jüngling zu holdem Geschwätz sich gesellen.
Besser zu feindlichem Kampfe hinangerannt, daß wir eilig
Sehn, wem etwa von uns der Olympier Ehre verleihe! 130

Also dacht er und blieb. Doch näher kam ihm Achilleus,
Ares gleich an Gestalt, dem helmerschütternden Streiter,
Pelions ragende Esch auf der rechten Schulter bewegend,
Fürchterlich; aber das Erz umleuchtet' ihn, ähnlich dem Schimmer
Lodernder Feuersbrunst und der hellaufgehenden Sonne. 135
Hektor, sobald er ihn sah, erzitterte; nicht auch vermocht er
Dort zu bestehn, und er wandte vom Tore sich, ängstlich entfliehend.
Hinter ihm flog der Peleide, den hurtigen Füßen vertrauend.
So wie ein Falk des Gebirgs, der geschwindeste aller Gevögel,

Leicht mit gewaltigem Schwung nachstürmt der schüchternen Taube
(Seitwärts schlüpfet sie oft, doch nah mit hellem Getön ihr
Schießet er häufig daher, voll heißer Begier zu erhaschen):
So drang jener im Flug gradan. Doch es flüchtete Hektor
Längs der troischen Mauer, die hurtigen Knie bewegend;
Beid an der Warte vorbei und dem wehenden Feigenbaume, 145
Immer hinweg von der Mauer, entflogen sie über den Fahrweg.
Und sie erreichten die zwo schönsprudelnden Quellen, woher sich
Beide Bäch' ergießen des wirbelvollen Skamandros.
Eine rinnt beständig mit warmer Flut, und umher ihr
Wallt aufsteigender Dampf wie der Rauch des brennenden Feuers;
Aber die andere fließt im Sommer auch kalt wie der Hagel
Oder des Winters Schnee und gefrorene Schollen des Eises.
Dort sind nahe den Quellen geräumige Gruben der Wäsche,
Steinerne, schöngehaun, wo die stattlichen Feiergewande
Trojas Weiber vordem und liebliche Töchter sich wuschen, 155
Als noch blühte der Fried, eh die Macht der Achaier daherkam.
Hier nun rannten vorbei der Fliehende und der Verfolger.
Vornan floh ein Starker, jedoch ein Stärkerer folgte
Stürmenden Laufs: denn nicht um ein Weihvieh oder ein Stierfell
Strebten sie, welches man stellt zum Kampfpreis laufender Männer,
Sondern es galt das Leben des gaulbezähmenden Hektors.
So wie zum Siege gewöhnt um das Ziel starkhufige Rosse
Hurtiger wenden den Lauf (denn es lohnt ein köstlicher Dreifuß
Oder ein blühendes Weib am Fest des gestorbenen Herrschers):
Also kreiseten sie dreimal um Priamos' Feste 165
Rings mit geflügeltem Fuß, und die Ewigen schaueten alle.
Jetzo begann der Vater des Menschengeschlechts und der Götter:
  Wehe doch! Einen Geliebten umhergejagt um die Mauer
Seh ich dort mit den Augen, und herzlich jammert mich seiner,
Hektors, welcher so oft mir Schenkel der Stier' auf dem Altar 170
Zündete, bald auf den Höhen des vielgewundenen Ida,
Bald in der oberen Burg! Nun drängt ihn der edle Achilleus
Rings um Priamos' Stadt, mit hurtigen Füßen verfolgend.
Aber wohlan, ihr Götter, erwägt im Herzen den Ratschluß,
Ob er der Todesgefahr noch entfliehn soll oder anitzo 175
Fallen, wie tapfer er ist, dem Peleionen Achilleus.

Drauf antwortete Zeus' blauäugige Tochter Athene:
Vater mit blendendem Strahl, Schwarzwolkiger, welcherlei Rede!
Einen sterblichen Mann, längst ausersehn dem Verhängnis,
Denkst du anitzt von des Todes graunvoller Gewalt zu erlösen? 180
Tu's, doch nimmer gefällt es dem Rat der anderen Götter!
Ihr antwortete drauf der Herrscher im Donnergewölk Zeus:
Fasse dich, Tritogeneia, mein Töchterchen! Nicht mit des Herzens
Meinung sprach ich das Wort; ich will dir freundlich gesinnt sein.
Tue, wie dir nun selbst es genehm ist; nicht so gezaudert! 185
Also Zeus, und erregte die schon verlangende Göttin;
Stürmenden Schwungs entflog sie den Felsenhöhn des Olympos.
Hektorn drängt' unablässig im Lauf der Verfolger Achilleus.
Wie wenn den Sohn des Hirsches der Hund im Gebirge verfolget,
Aufgejagt aus dem Lager, durch windende Tal' und Gebüsche 190
(Ob auch jener sich berg und niederduck in dem Dickicht,
Stets doch läuft er umher, der Spürende, bis er gefunden):
So barg Hektor sich nicht dem mutigen Renner Achilleus.
Wenn er auch oft ansetzte, zum hohen dardanischen Tore
Hinzuwenden den Lauf und den festgebaueten Türmen, 195
Ob vielleicht von oben der Freunde Geschoß ihn beschützte,
Eilete stets der Verfolger zuvor und wendet' ihn abwärts
Nach dem Gefild, er selbst an der Seite der Stadt hinfliegend.
Wie man im Traum umsonst den Fliehenden strebt zu verfolgen
(Nicht kann dieser hinweg ihm entfliehn, noch jener verfolgen): 200
Also ergriff nicht dieser im Lauf noch enteilete jener.
Doch wie wär itzt Hektor entflohn den Keren des Todes,
Wenn nicht ihm noch einmal zuletzt Apollon der Herrscher
Nahete, welcher ihm Kraft aufregt' und hurtige Schenkel?
Aber dem Volke verbot mit winkendem Haupt der Peleide, 205
Nicht ihm daherzuschnellen auf Hektor herbe Geschosse,
Daß kein Treffender raubte den Ruhm, er der zweite dann käme.
Als sie nunmehr zum vierten die sprudelnden Quellen erreichet,
Jetzo streckte der Vater empor die goldene Waage,
Legt' in die Schalen hinein zwei finstere Todeslose, 210
Dieses dem Peleionen und das dem reisigen Hektor,
Faßte die Mitt und wog; da lastete Hektors Schicksal
Schwer zum Aides hin, es verließ ihn Phöbos Apollon.

Doch zu Achilleus kam die Herrscherin Pallas Athene;
Nahe trat sie hinan und sprach die geflügelten Worte: 215
Jetzt doch, hoff ich gewiß, Zeus' Liebling, edler Achilleus,
Bringen wir großen Ruhm hinab zu den Schiffen Achaias,
Hektor dort austilgend, den unersättlichen Krieger.
Nun nicht mehr vermag er aus unserer Hand zu entrinnen,
Nein, wieviel auch erdulde der treffende Phöbos Apollon, 220
Hingewälzt vor die Knie des ägiserschütternden Vaters.
Aber wohlan, nun steh und erhole dich, während ich selber
Jenem genaht zurede, dir kühn entgegen zu kämpfen.
Also sprach Athen'; er gehorcht' ihr freudigen Herzens,
Stand und ruhte gelehnt auf die erzgerüstete Esche. 225
Jene verließ ihn selbst und erreichte den göttlichen Hektor,
Ganz dem Deiphobos gleich an Wuchs und gewaltiger Stimme;
Nahe trat sie hinan und sprach die geflügelten Worte:
Ach, mein älterer Bruder, wie drängt dich der schnelle Achilleus,
Rings um Priamos' Stadt mit hurtigen Füßen verfolgend! 230
Aber wohlan, wir bleiben und widerstehn unerschüttert!
Ihm antwortete drauf der helmumflatterte Hektor:
Stets, Deiphobos, warst du auch sonst mein trautester Bruder
Aller, die Priamos zeugt' und Hekabe, unsere Mutter;
Aber noch mehr gedenk ich hinfort dich im Herzen zu ehren, 235
Daß du um meinetwillen, sobald du mich sahst mit den Augen,
Dich aus der Mauer gewagt, da andere drinnen beharren.
Ihm antwortete Zeus' blauäugige Tochter Athene:
Bruder, mich bat der Vater mit Flehn und die würdige Mutter,
Die umeinander die Knie mir rühreten, auch die Genossen 240
Fleheten, dort zu bleiben, so sehr sind alle voll Schreckens.
Doch mein Herz im Busen durchdrang der schmerzende Kummer.
Nun gradan mit Begierde zum Kampf! Nun unserer Lanzen
Nicht geschonet annoch! Damit wir sehn, ob Achilleus
Uns vielleicht ermordet und blutige Waffen hinabträgt 245
Zu den gebogenen Schiffen, ob deiner Lanz er dahinsinkt!
Dieses gesagt, ging jene voran, die täuschende Göttin.
Als sie nunmehr sich genaht, die Eilenden, gegeneinander,
Jetzo begann anredend der helmumflatterte Hektor:
Nicht hinfort, o Peleid, entflieh ich dir so wie bis jetzo! 250

Dreimal umlief ich die Feste des Priamos, nimmer es wagend,
Deiner Gewalt zu beharren; allein nun treibt mich das Herz an,
Fest dir entgegenzustehn, ich töte dich oder ich falle!
Laß uns jetzt zu den Göttern emporschaun, welche die stärksten
Zeugen des Eidschwurs sind und jeglichen Bundes Bewahrer. 255
Denn ich werde dich nimmer mit Schmach mißhandeln, verleiht mir
Zeus, als Sieger zu stehn und dir die Seele zu rauben;
Sondern nachdem ich gewonnen dein schönes Geschmeid, o Achilleus,
Geb ich die Leiche zurück den Danaern. Tue mir Gleiches.

Finster schaut' und begann der mutige Renner Achilleus: 260
Hektor, mir nicht, unvergeßlicher Feind, von Verträgen geplaudert!
Wie kein Bund die Löwen und Menschenkinder befreundet,
Auch nicht Wölf' und Lämmer in Eintracht je sich gesellen,
Sondern bitterer Haß sie ewig trennt voneinander:
So ist nimmer für uns Vereinigung oder ein Bündnis, 265
Mich zu befreunden und dich, bis einer, gestürzt auf den Boden,
Ares mit Blute getränkt, den unaufhaltsamen Krieger!
Jeglicher Kampfeskund erinnre dich! Jetzo gebührt dir's,
Lanzenschwinger zu sein und unerschrockener Krieger!
Nicht entrinnst du annoch; durch meine Lanze bezähmt dich 270
Pallas Athene sofort! Nun büßest du alles auf einmal,
Meiner Genossen Weh, die du Rasender schlugst mit der Lanze!

Sprach's, und im Schwung entsandt er die weithinschattende Lanze.
Diese jedoch, vorschauend, vermied der strahlende Hektor;
Denn er sank in die Knie. Und es flog der eherne Wurfspieß 275
Über ihn weg in die Erd; ihn ergriff und reichte die Göttin
Schnell dem Peleiden zurück, unbemerkt von dem streitbaren Hektor.
Aber Hektor begann zu dem tadellosen Achilleus:

Weit gefehlt! Wohl schwerlich, o göttergleicher Achilleus,
Offenbarete Zeus mein Geschick dir, wie du geredet, 280
Sondern du warst ein gewandter und hinterlistiger Schwätzer,
Daß ich vor dir hinbebend des Muts und der Stärke vergäße.
Nicht mir Fliehendem soll dein Speer den Rücken durchbohren,
Sondern gerad anstürm ich. Wohlauf, in die Brust ihn gestoßen,
Wenn dir ein Gott es verlieh! Doch jetzt vermeide die Schärfe 285
Dieses Speers! O möchte dein Leib doch ganz ihn empfangen!
Leichter wäre sodann der Kampf für die Männer in Troja,

Wenn du sänkst in den Staub; du bist ihr größestes Unheil!
Sprach's, und im Schwung entsandt er die weithinschattende Lanze,
Traf und verfehlete nicht, gerad auf den Schild des Peleiden; 290
Doch weit prallte vom Schilde der Speer. Da zürnete Hektor,
Daß sein schnelles Geschoß umsonst aus der Hand ihm entflohn war,
Stand und schaute bestürzt, denn ihm fehlt' ein anderer Wurfspieß.
Laut zu Deiphobos drauf, dem Weißgeschildeten, ruft' er,
Fordernd den ragenden Speer, allein nicht nahe war jener. 295
Hektor erkannt' es anjetzt in seinem Geist und begann so:
Wehe mir doch, nun rufen zum Tode mich wahrlich die Götter!
Denn ich dachte, der Held Deiphobos wolle mir beistehn,
Aber er ist in der Stadt, und es täuschte mich Pallas Athene.
Nun ist nahe der Tod, der schreckliche! Nicht mir entfernt noch; 300
Auch kein Entfliehn! Denn ehmals beschloß noch solches im Herzen
Zeus und des Donnerers Sohn, der Treffende, welche zuvor mich
Stets willfährig geschirmt; doch jetzo erhascht mich das Schicksal.
Daß nicht arbeitlos in den Staub ich sinke, noch ruhmlos,
Nein, erst Großes vollendend, wovon auch Künftige hören! 305
Also redete jener und zog das geschliffene Schwert aus,
Welches ihm längs der Hüfte herabhing, groß und gewaltig.
An nun stürmt' er gefaßt wie ein hochherfliegender Adler,
Welcher, herab auf die Ebne gesenkt aus nächtlichen Wolken,
Raubt den Hasen im Busch, wo er hinduckt, oder ein Lämmlein: 310
Also stürmete Hektor, das hauende Schwert in der Rechten.
Gegen ihn drang der Peleid, und Wut erfüllte das Herz ihm
Ungestüm. Er streckte der Brust den geründeten Schild vor,
Schön und prangend an Kunst, und der Helm, viergipflig und strahlend,
Nickt' auf dem Haupt, und die stattliche Mähn aus gesponnenem Golde
Flatterte, welche der Gott auf dem Kegel ihm häufig geordnet.
Hell wie der Stern vorstrahlet in dämmernder Stunde des Melkens,
Hesperos, der am schönsten erscheint vor den Sternen des Himmels,
So von der Schärfe des Speers auch strahlet' es, welchen Achilleus
Schwenkt' in der rechten Hand, wutvoll dem göttlichen Hektor, 320
Spähend den schönen Leib, wo die Wund am leichtesten hafte.
Rings zwar sonst umhüllt' ihm den Leib die eherne Rüstung,
Blank und schön, die er raubte, die Kraft des Patroklos ermordend,
Nur wo das Schlüsselbein den Hals begrenzt und die Achsel,

Schien die Kehl ihm entblößt, die gefährlichste Stelle des Lebens. 325
Dort mit dem Speer anstürmend, durchstach ihn der edle Achilleus,
Daß ihm hindurch aus dem zarten Genick die Spitze hervordrang.
Doch nicht gänzlich den Schlund durchschnitt der eherne Speer ihm,
Daß er noch zu reden vermocht im Wechselgespräche.
Und er entsank in den Staub; da rief frohlockend Achilleus: 330
Hektor, du glaubtest gewiß, da Patrokleus' Wehr du geraubet,
Sicher zu sein, und achtetest nicht des entfernten Achilleus.
Törichter! Jenem entfernt war ein weit machtvollerer Rächer
Bei den gebogenen Schiffen, ich selbst, zurück ihm geblieben,
Der dir die Knie gelöst! Dich zerren nun Hund' und Gevögel, 335
Schmählich entstellt, ihn aber bestatten mit Ruhm die Achaier.
Wieder begann schwachatmend der helmumflatterte Hektor:
Dich beschwör ich beim Leben, bei deinen Knien und den Eltern,
Laß mich nicht an den Schiffen der Danaer Hunde zerreißen,
Sondern nimm des Erzes genug und des köstlichen Goldes 340
Zum Geschenk, das der Vater dir beut und die würdige Mutter.
Aber den Leib entsende gen Ilios, daß in der Heimat
Trojas Männer und Fraun des Feuers Ehre mir geben.
Finster schaut' und begann der mutige Renner Achilleus:
Nicht beschwöre mich, Hund, bei meinen Knien und den Eltern! 345
Daß doch Zorn und Wut mich erbitterte, roh zu verschlingen
Dein zerschnittenes Fleisch für das Unheil, das du mir brachtest!
So sei fern, der die Hunde von deinem Haupt dir verscheuche!
Wenn sie auch zehnmal soviel und zwanzigfältige Sühnung
Hergebracht darwögen und mehreres noch mir verhießen, 350
Ja wenn dich selber mit Gold auch aufzuwägen geböte
Priamos, Dardanos' Sohn: auch so nicht bettet die Mutter
Dich auf Leichengewand' und wehklagt, den sie geboren,
Sondern Hund' und Gevögel umher zerreißen den Leichnam!
Wieder begann schon sterbend der helmumflatterte Hektor: 355
Ach, ich kenne dich wohl und ahndete, nicht zu erweichen
Wärest du mir, denn eisern ist, traun, dein Herz in dem Busen.
Denke nunmehr, daß nicht dir Götterzorn ich erwecke
Jenes Tags, wann Paris dich dort und Phöbos Apollon
Töten, wie tapfer du bist, am hohen skäischen Tore! 360
Als er dieses geredet, umschloß ihn das Ende des Todes.

Aber die Seel aus den Gliedern entflog in die Tiefe des Ais,
Klagend ihr Jammergeschick, getrennt von Jugend und Mannkraft.
Auch dem Toten erwiderte noch der edle Achilleus:
Stirb! Mein eigenes Los, das empfang ich, wann es auch immer 365
Zeus zu vollenden beschließt und die andern unsterblichen Götter!
Also sprach er und zog die eherne Lanz aus dem Leichnam;
Sie dann legt' er zur Seit und raubte die Wehr von den Schultern,
Blutbefleckt. Da umliefen ihn andere Männer Achaias,
Die ringsher anstaunten den Wuchs und die herrliche Bildung 370
Hektors, und auch keiner umstand ihn ohne Verwundrung.
Also redete mancher, gewandt zum anderen Nachbar:
Wunder doch! Viel sanfter fürwahr ist nun zu betasten
Hektor, als da die Schiff' in lodernder Glut er verbrannte!
Also redete mancher und nahte sich, ihn zu verwunden. 375
Aber nachdem ihn entwaffnet der mutige Renner Achilleus,
Stand er in Argos' Volk und sprach die geflügelten Worte:
Freund', ihr Helden des Danaerstamms, o Genossen des Ares,
Jetzo da diesen Mann mir die Götter verliehn zu bezähmen,
Der viel Böses getan, weit mehr denn die anderen alle: 380
Auf nun, laßt uns die Stadt in Rüstungen rings versuchen,
Bis wir ein wenig erkannt den Sinn, den die Troer bewahren,
Ob sie vielleicht uns räumen die Burg, weil dieser dahinsank,
Oder zu stehn sich erkühnen, wiewohl nicht Hektor begleitet.
Aber warum bewegte das Herz mir solche Gedanken? 385
Liegt doch tot bei den Schiffen und ohne Klag und Bestattung
Unser Freund Patroklos, den nie ich werde vergessen,
Weil ich mit Lebenden geh und Kraft in den Knien sich reget!
Wenn man auch der Toten vergißt in Aides Wohnung,
Dennoch werd ich auch dort des trautesten Freundes gedenken! 390
Auf nun, mit Siegesgesang des Päeon, Männer Achaias,
Kehren wir, Hektor führend, hinab zu den räumigen Schiffen!
Groß ist der Ruhm des Sieges; uns sank der göttliche Hektor,
Welchem die Troer der Stadt wie einem Gott sich vertrauten!
Sprach's, und schändlichen Frevel ersann er dem göttlichen Hektor.
Beiden Füßen nunmehr durchbohret' er hinten die Sehnen
Zwischen Knöchel und Fers und durchzog sie mit Riemen von Stierhaut,
Band am Sessel sie fest und ließ nachschleppen die Scheitel,

Trat dann selber hinein und erhob die prangende Rüstung;
Treibend schwang er die Geißel, und rasch hinflogen die Rosse, 400
Staubgewölk umwallte den Schleppenden, rings auch zerrüttet
Rollte sein finsteres Haar, da ganz sein Haupt in dem Staube
Lag, so lieblich zuvor! Allein nun hatt es den Feinden
Zeus zu entstellen verliehn in seiner Väter Gefilde.
Also bestäubt ward jenem das Haupt ganz. Aber die Mutter 405
Rauft' ihr Haar und warf den glänzenden Schleier des Hauptes
Weit hinweg und blickte mit Jammergeschrei nach dem Sohne.
Kläglich weint' auch der Vater und jammerte; doch von den Völkern
Tönte Geheul ringsher und Angstgeschrei durch die Feste.
Weniger nicht scholl jetzo die Wehklag, als wenn die ganze 410
Ilios hochgetürmt in Glut hinsänke vom Gipfel.
Kaum noch hielten die Völker den Greis, der in zürnender Wehmut
Strebte hinauszugehn aus dem hohen dardanischen Tore.
Allen fleht' er umher, auf schmutzigem Boden sich wälzend,
Nannte jeglichen Mann mit seinem Namen und sagte: 415
Haltet, o Freund', und laßt mich allein, wie sehr ihr besorgt seid,
Gehn vor die Feste hinaus und nahn den Schiffen Achaias!
Anflehn will ich den Mann, den entsetzlichen Täter des Frevels,
Ob er vielleicht mein Alter mit Ehrfurcht und Erbarmung
Anschaut; denn auch jenem ist schon grauhaarig der Vater, 420
Peleus, der ihn erzeugt' und nährete, ach zum Verderben
Trojas! Doch vor allen mir selbst bereitet' er Jammer;
Denn so viele Söhn' erschlug er mir, blühender Jugend!
Alle jedoch betraur ich nicht so sehr, herzlich betrübt zwar,
Als ihn allein, des wütender Schmerz mich zum Ais hinabführt, 425
Hektor! Wär er doch nur in meinen Armen gestorben!
Satt dann hätten wir uns das Herz geweint und gejammert
Ich und die ihn gebar, die unglückselige Mutter!
Also sprach er weinend, und ringsum seufzten die Bürger.
Hekabe aber erhub die Wehklag unter den Weibern: 430
Sohn, was soll ich Arme hinfort noch leben in Jammer,
Da du Trauter mir starbst? Der mir bei Nacht und bei Tage
Ruhm und Trost in Ilios war und allen Errettung,
Trojas Männern und Fraun, die dich wie einen der Götter
Achteten! Traun, du würdest mit großer Ehre sie krönen, 435

Lebtest du noch! Nun aber hat Tod und Geschick dich ereilet!
Also sprach sie weinend. Doch nichts noch hörte die Gattin
Hektors; denn nicht kam ihr ein Kundiger, welcher die Botschaft
Meldete, daß der Gemahl ihr auswärts blieb vor dem Tore,
Sondern sie webt' ein Gewand im innern Gemach des Palastes, 440
Doppelt und blendend weiß und durchwirkt mit mancherlei Bildwerk.
Jetzo rief sie umher den lockigen Mägden des Hauses,
Eilend ein groß dreifüßig Geschirr auf Feuer zu stellen,
Zum erwärmenden Bade, wann Hektor kehrt' aus der Feldschlacht.
Törin! Sie wußte nicht, daß weit entfernt von den Bädern 445
Ihn durch Achilleus' Hände besiegt Zeus' Tochter Athene.
Aber Geheul vernahm sie und Jammergeschrei von dem Turme,
Und ihr erbebten die Glieder, es sank zur Erde das Webschiff;
Ängstlich nunmehr in dem Kreis schönlockiger Mägde begann sie:
Auf, ihr zwo, mir gefolgt, ich eile zu schaun, was geschehn ist! 450
Eben vernahm ich die Stimme der Schwäherin; ach, und mir selber
Schlägt das Herz im Busen zum Hals empor, und die Knie
Starren mir! Sicherlich naht ein Unheil Priamos' Söhnen!
Fern sei meinem Ohr die Verkündigung! Aber mit Unruh
Sorg ich, den mutigen Hektor hab itzt der edle Achilleus 455
Abgeschnitten allein von der Stadt, ins Gefilde verfolgend,
Und wohl schon ihn gehemmt in seiner entsetzlichen Kühnheit,
Welche stets ihn beseelt! Denn niemals weilt' er im Haufen,
Sondern voran flog mutig der Held und zagte vor niemand!
Sprachs', und hinweg aus der Kammer enteilte sie gleich der Mänade,
Wild ihr pochendes Herz; und es folgten ihr dienende Weiber.
Aber nachdem sie den Turm und die Schar der Männer erreichet,
Stand sie und blickt' auf der Mauer umher und schauete jenen
Hingeschleift vor Ilios' Stadt; und die hurtigen Rosse
Schleiften ihn sorglos hin zu den räumigen Schiffen Achaias. 465
Schnell umhüllt' ihr die Augen ein mitternächtliches Dunkel,
Und sie entsank rückwärts und lag entatmet in Ohnmacht.
Weithin flog vom Haupte der köstlich prangende Haarschmuck,
Vorn das Band und die Haub und die schöngeflochtene Binde,
Auch der Schleier, geschenkt von der goldenen Aphrodite 470
Jenes Tags, da sie führte der helmumflatterte Hektor
Aus Eetions Burg nach unendlicher Bräutigamsgabe.

Rings auch standen ihr Schwestern des Manns und Frauen der Schwäger,
Haltend die Atemlose, vom Kummer betäubt wie zum Tode.
Als sie zu atmen begann und der Geist dem Herzen zurückkam, 475
Jetzt mit gebrochener Klage vor Trojas Frauen begann sie:
Hektor, o weh mir Armen! Zu gleichem Geschick ja geboren
Wurden wir einst: du selber in Priamos' Hause zu Troja,
Aber ich zu Thebe am waldigen Hange des Plakos,
In Eetions Burg, der mich erzog, da ich klein war, 480
Elend ein elendes Kind! Ach hätt er mich nimmer erzeuget!
Du nun gehst zu Aides' Burg in die Tiefen der Erde,
Scheidend von mir; ich bleib, in Schmerz und Jammer verlassen,
Eine Witw' im Haus und das ganz unmündige Söhnlein,
Welches wir beide gezeugt, wir Elenden! Nimmer, o Hektor, 485
Wirst du jenem ein Trost, da du tot bist, oder dir jener!
Überlebt er auch etwa den traurigen Krieg der Achaier,
Dennoch wird ja beständig ihm Sorg und Gram in der Zukunft
Drohn; denn andere werden ihm rings abschmälern sein Erbgut.
Siehe, der Tag der Verwaisung beraubt ein Kind der Gespielen; 490
Immer senkt es die Augen beschämt, mit Tränen im Antlitz.
Darbend gehet das Kind umher zu den Freunden des Vaters,
Fleht und faßt den einen am Rock und den andern am Mantel;
Aber erbarmt sich einer, der reicht ihm das Schälchen ein wenig,
Daß er die Lippen ihm netz und nicht den Gaumen ihm netze. 495
Oft verstößt es vom Schmaus ein Kind noch blühender Eltern,
Das mit Fäusten es schlägt und mit kränkenden Worten es anfährt:
Hebe dich weg! Dein Vater ist nicht bei unserem Gastmahl!
Weinend geht von dannen das Kind zur verwitweten Mutter,
Unser Astyanax, der sonst auf den Knien des Vaters 500
Nur mit Mark sich genährt und fettem Fleische der Lämmer;
Und wann, müde des Spiels, er auszuruhen sich sehnte,
Schlummert' er süß im schönen Gestell, in den Armen der Amme,
Auf sanftschwellendem Lager, das Herz mit Freude gesättigt.
Doch viel duldet er künftig, beraubt des liebenden Vaters, 505
Unser Astyanax, wie Trojas Männer ihn nennen;
Denn du allein beschirmtest die Tor' und die türmenden Mauern.
Nun wird dort an den Schiffen der Danaer, fern von den Eltern,
Reges Gewürm dich verzehren, nachdem du die Hunde gesättigt,

Nackt! Doch liegen genug der Gewand' in deinem Palaste, 510
Fein und zierlich gewebt von künstlichen Händen der Weiber!
Aber ich werde sie all in lodernder Flamme verbrennen!
Nichts ja frommen sie dir, denn niemals ruhst du auf ihnen!
Brennen sie denn vor Troern und Troerinnen zum Ruhm dir!
Also sprach sie weinend, und ringsum seufzten die Weiber. 515

XXIII. GESANG

Achilleus mit den Seinen umfährt den Patroklos, wehklagt und legt den Hektor aufs Antlitz am Totenlager. In der Nacht erscheint ihm Patroklos und bittet um Bestattung. Am Morgen holen die Achaier Holz zum Scheiterhaufen. Patroklos wird ausgetragen, mit Haarlocken umhäuft und samt den Totenopfern verbrannt. Boreas und Zephyros erregen die Flamme. Den andern Morgen wird Patroklos' Gebein in eine Urne gelegt und, bis Achilleus' Gebein hinzukomme, beigesetzt; vorläufiger Ehrenhügel auf der Brandstelle. Wettspiele zur Ehre des Toten; Wagenrennen, Faustkampf, Ringen, Lauf, Waffenkampf, Kugelwurf, Bogenschuß, Speerwurf.

So nun seufzeten jene durch Ilios. Doch die Achaier,
Als sie nunmehr die Schiff' und den Hellespontos erreichet,
Schnell zerstreuten sich alle, zum eigenen Schiff ein jeder.
Nur den Myrmidonen verbot der edle Achilleus
Sich zu zerstreun, und begann vor den kriegserfahrnen Genossen: 5
Reisige Myrmidonen, ihr wertgeachteten Freunde,
Auf, noch nicht den Geschirren entlöst die stampfenden Rosse,
Sondern zugleich mit Rossen und rollenden Wagen uns nahend,
Weinen wir erst Patroklos; denn das ist die Ehre der Toten.
Aber nachdem wir die Herzen des traurigen Grames erleichtert, 10
Lösen wir unsre Gespann' und schmausen allhier miteinander.
Sprach's und begann Wehklag; auch klageten alle Genossen.
Dreimal lenkten sie rings schönmähnige Ross' um den Leichnam,
Trauernd, und Thetis erregte des Grams wehmütige Sehnsucht.
Naß war der Sand von Tränen, und naß die Rüstung der Männer,
Welche den Held vermißten, den mächtigen Schreckengebieter.
Peleus' Sohn vor ihnen begann die jammernde Klage,
Hingelegt die mordenden Händ' auf den Busen des Freundes:
Freude dir, o Patroklos, auch noch in Aides' Wohnung!

Alles ja wird dir jetzo vollbracht, was zuvor ich gelobet: 20
Hektor, dahergeschleift, den zerfleischenden Hunden zu geben,
Auch zwölf Jünglinge dir am Totenfeuer zu schlachten,
Trojas edlere Söhn', im Zorn ob deiner Ermordung!

Sprach's, und schändlichen Frevel ersann er dem göttlichen Hektor,
Vorwärts am Leichengewand des Menötiaden ihn streckend 25
Hin in den Staub. Sie aber enthüllten sich alle der Rüstung,
Blank von Erz, und lösten die schallenden Rosse vom Wagen;
Setzten sich dann am Schiffe des äakidischen Renners,
Tausende; jener darauf gab köstlichen Schmaus der Begräbnis.
Viele der mutigen Stier' umröchelten blutend das Eisen, 30
Abgewürgt, auch viele der Schaf' und meckernden Ziegen;
Viel weißzahnige Schweine zugleich, in der Blüte des Fettes,
Sengten sie ausgestreckt in der lodernden Glut des Hephästos;
Und rings strömte das Blut, mit Schalen geschöpft, um den Leichnam.

Aber ihn selbst, den Herrscher, den rüstigen Peleionen, 35
Führten zum Held Agamemnon die waltenden Fürsten Achaias,
Kaum durch Worte bewegt; denn er zürnete wegen des Freundes.
Als sie das schöne Gezelt Agamemnons jetzo erreichten,
Schnell gebot Herolden von tönender Stimme der König,
Eilend auf Glut zu stellen ein großes Geschirr, ob gehorchte 40
Peleus' Sohn, zu entwaschen den blutigen Staub von den Gliedern.
Aber er weigerte sich standhaft und gelobte mit Eidschwur:

Nein, bei Zeus, der waltet, der Seligen Höchster und Bester,
Nicht geziemt's, daß eher ein Bad mir rühre die Scheitel,
Eh ich Patroklos auf Feuer gelegt und das Mal ihm geschüttet 45
Und mir geschoren das Haar! Denn nie wird fürder mir also
Gram durchdringen das Herz, solang ich mit Lebenden wandle!
Aber wohlan, jetzt fügen wir uns dem traurigen Gastmahl.
Doch am Morgen gebeut, o Völkerfürst Agamemnon,
Daß man Holz aus dem Wald herführ und alles bereite, 50
Was dem Toten gebührt, der ins nächtliche Dunkel hinabgeht:
Daß uns jenen nunmehr verbrenn unermüdetes Feuer
Schnell aus den Augen hinweg und das Volk zum Geschäfte sich wende.

Jener sprach's; da hörten sie aufmerksam und gehorchten.
Als nun emsig umher die Abendkost sie gerüstet, 55
Schmausten sie; und nicht mangelt' ihr Herz des gemeinsamen Mahles.

Aber nachdem die Begierde des Tranks und der Speise gestillt war,
Gingen sie auszuruhn, zum eigenen Zelt ein jeder.
Peleus' Sohn am Gestade des weitaufrauschenden Meeres
Legte sich seufzend vor Gram, mit umringenden Myrmidonen, 60
Dort, wo rein der Strand von der steigenden Welle gespült war,
Als ihn der Schlummer umfing und, der Seel Unruhen zerstreuend,
Sanft umher sich ergoß; denn es starrten die reizenden Glieder
Ihm, der Hektor verfolgt' um Ilios' luftige Höhen:
Jetzo kam die Seele des jammervollen Patroklos, 65
Ähnlich an Größ und Gestalt und lieblichen Augen ihm selber,
Auch an Stimm, und wie jener den Leib mit Gewanden umhüllet;
Ihm zum Haupt nun trat er und sprach anredend die Worte:
Schläfst du, meiner so ganz uneingedenk, o Achilleus?
Nicht des Lebenden zwar vergaßest du, aber des Toten! 70
Auf, begrabe mich schnell, daß Aides' Tor' ich durchwandle!
Fern mich scheuchen die Seelen hinweg, die Gebilde der Toten,
Und nicht über den Strom vergönnen sie mich zu gesellen,
Sondern ich irr unstet um Aides' mächtige Tore.
Und nun gib mir die Hand, ich jammere! Nimmer hinfort ja 75
Kehr ich aus Aides' Burg, nachdem ihr der Glut mich gewähret!
Ach, nie werden wir lebend, von unseren Freunden gesondert,
Sitzen und Rat aussinnen; denn mich verschlang das Verhängnis
Jetzt in den Schlund, das verhaßte, das schon dem Gebornen bestimmt [ward;
Und dir selbst ist geordnet, o göttergleicher Achilleus,
Unter der Mauer zu sterben der wohlentsprossenen Troer.
Eines sag ich dir noch und ermahne dich, wenn du gehorchest:
Lege nicht mein Gebein von deinem getrennt, o Achilleus,
Sondern zugleich, wie mit dir ich erwuchs in eurem Palaste,
Seit Menötios mich, den blühenden Knaben, aus Opus 85
Führte zu euerer Burg nach der schrecklichen Tat der Ermordung,
Jenes Tags, nachdem ich Amphidamas' Knaben getötet,
Ohne Bedacht, nicht wollend, erzürnt beim Spiele der Knöchel.
Freundlich empfing mich in seinem Palast der reisige Peleus
Und erzog mich mit Fleiß und ernannte mich deinen Genossen; 90
So auch unser Gebein umschließ ein gleiches Behältnis,
Jenes goldne Gefäß, das die göttliche Mutter dir schenkte.
Ihm antwortete drauf der mutige Renner Achilleus:

Was, mein trautester Bruder, bewog dich herzukommen
Und mir solches genau zu verkündigen? Gerne gelob ich, 95
Alles dir zu vollziehn, und gehorche dir, wie du gebietest.
Aber wohlan, tritt näher, damit wir beid uns umarmend,
Auch nur kurz, die Herzen des traurigen Grames erleichtern.

Als er dieses geredet, da streckt' er verlangend die Händ' aus.
Aber umsonst; denn die Seele, wie dampfender Rauch in die Erde 100
Sank sie hinab, hellschwirrend. Bestürzt nun erhob sich Achilleus,
Schlug die Hände zusammen und sprach mit jammernder Stimme:

Götter, so ist denn fürwahr auch noch in Aides Wohnung
Seel und Schattengebild, allein ihr fehlt die Besinnung!
Diese Nacht ja stand des jammervollen Patroklos 105
Seele mir selbst am Lager, die klagende, herzlich betrübte,
Und gebot mir manches und glich zum Erstaunen ihm selber!

Sprach's und erregt' in allen des Grams wehmütige Sehnsucht.
Doch den Trauernden kam die rosenarmige Eos
Um den bejammerten Toten. Und siehe, der Held Agamemnon 110
Trieb Maultier' und Männer daher aus den Zelten des Lagers,
Holz vom Walde zu führen; zugleich, ein edler Gebieter,
Eilte Meriones mit, des tapfern Idomeneus Kriegsfreund.
Diese wandelten nun, holzhauende Äxt' in den Händen,
Auch geflochtene Seil', und voran die hurtigen Mäuler: 115
Lange bergan und bergab, Richtweg' und Krümmungen ging man.
Aber nachdem sie erstiegen die Höhn des quelligen Ida,
Schnell nunmehr mit geschliffenem Erz hochwipflige Bäume
Hauten sie emsiger Eil, und herab mit lautem Gepolter
Stürzten sie; aber das Holz zerspalteten rasch die Achaier, 120
Banden's den Mäulern dann fest, und sie trabten den Grund mit den Hufen,
Sehnsuchtsvoll nach der Ebne, das dichtverwachsne Gesträuch durch.
Auch die Männer trugen zugleich schwerlastende Kloben,
So wie Meriones hieß, des tapfern Idomeneus Kriegsfreund.
Jetzt an den Strand hinwarf man in Reihen es, dort, wo Achilleus
Auserkor dem Patroklos das ragende Grab und sich selber.

Aber nachdem ringsher sie gereiht die unendliche Waldung,
Blieben sie dort miteinander und setzten sich. Aber Achilleus
Rief alsbald den Scharen der myrmidonischen Streiter,

Umzugürten das Erz und vorzuspannen den Wagen 130
Jeder die Ross'. Und sie sprangen empor und hüllten Geschmeid' um.
Jetzt betraten die Sessel die Reisigen, Kämpfer und Lenker,
Diese voran, und es zog des Fußvolks dickes Gewölk nach,
Tausende; mitten trug der Freunde Schar den Patroklos.
Überstreut ward ganz mit geschorenen Locken der Leichnam. 135
Und ihm hielt nachfolgend das Haupt der edle Achilleus
Trauernd; denn seinen Freund, den untadligen, sandt er zum Ais.
Als sie den Ort nun erreicht, den ihnen genannt der Peleide,
Setzten sie nieder die Bahr und häuften ihm mächtige Waldung.
Aber ein andres ersann der mutige Renner Achilleus: 140
Abgewandt vom Gerüste beschor er sein bräunliches Haupthaar,
Das er dem Strom Spercheios genährt, vollblühenden Wuchses.
Unmutsvoll nun sprach er und schaut' in das dunkle Gewässer:
O Spercheios, umsonst dir gelobete Peleus der Vater,
Dort einst, wiedergekehrt zum lieben Lande der Väter, 145
Sollt ich dir scheren das Haar und weihn die Dankhekatombe,
Auch daselbst an den Quellen dir fünfzig üppige Widder
Heiligen, wo dir pranget ein Hain und duftender Altar.
Also gelobte der Greis, du hast sein Flehn nicht vollendet.
Nun, da ich nicht heimkehre zum lieben Lande der Väter, 150
Laß mich dem Held Patroklos das Haar mitgeben zu tragen!
Jener sprach's, in die Hände des trautesten Freundes das Haupthaar
Legend; und allen erregt' er des Grams wehmütige Sehnsucht.
Siehe, den Klagenden wäre das Licht der Sonne gesunken,
Wenn nicht schnell der Peleid, Agamemnon nahend, geredet: 155
Atreus' Sohn, denn deinen Ermahnungen horcht ja vor allen
Argos' Volk. Des Grams sich ersättigen können sie immer:
Jetzo gebeut, daß jene, vom Totenbrand sich zerstreuend,
Rüsten ihr Mahl. Dies Werk vollenden wir, denen am meisten
Sorg um die Leich obliegt; auch laß die Könige weilen. 160
Als er solches vernommen, der Völkerfürst Agamemnon,
Schnell zerstreut' er das Volk zu den gleichgezimmerten Schiffen.
Nur die Bestattenden blieben daselbst und häuften die Waldung,
Bauend das Totengerüst, je hundert Fuß ins Gevierte,
Legten dann hoch aufs Gerüst den Leichnam, traurigen Herzens.
Viele gemästete Schaf' und viel schwerwandelndes Hornvieh

Zogen sie ab am Gerüst und bestellten sie; aber von allen
Nahm er das Fett und bedeckte den Freund, der edle Achilleus,
Ganz vom Haupt zu den Füßen; die abgezogenen Leiber
Häuft' er umher; auch Krüge voll Honiges stellt' er und Öles 170
Nah um das Leichengewand; und vier hochhalsige Rosse
Warf er mit großer Gewalt auf das Totengerüst, lautstöhnend.
Neun der häuslichen Hund', ernährt am Tische der Herrscher;
Deren auch warf aufs Totengerüst er zweene geschlachtet;
Auch zwölf tapfere Söhne der edelmütigen Troer, 175
Die mit dem Erz er gewürgt; denn schreckliche Taten ersann er;
Ließ dann der Flamme Gewalt mit eiserner Wut sich verbreiten.
Und nun jammert' er laut, den trautesten Freund anrufend:
Freude dir, o Patroklos, auch noch in Aides' Wohnung!
Alles ja wird dir jetzo vollbracht, was zuvor ich gelobet. 180
Auch zwölf tapfere Söhne der edelmütigen Troer,
Diese zugleich dir tilget die Flamme nun; Hektor indes nicht,
Priamos' Sohn, soll dem Feuer ein Raub sein, sondern den Hunden!
Also drohte der Held, doch ihm nicht naheten Hunde;
Sondern die Hund' entfernte die Tochter Zeus' Aphrodite 185
Tag und Nacht und salbte den Leib mit ambrosischem Balsam,
Rosigen Dufts, daß schleifend auch nicht er die Haut ihm verletzte.
Aber ein dunkles Gewölk ihm breitete Phöbos Apollon
Hoch vom Himmel aufs Feld und umhüllete ringsum die Gegend,
Wo der Ermordete lag, daß nicht der Sonne Gewalt ihm 190
Früh um die Sehnen das Fleisch ausdörrete und an den Gliedern.
Doch nicht lodert' in Glut das Gerüst des toten Patroklos.
Schnell ein andres ersann der mutige Renner Achilleus,
Trat abwärts vom Gerüst, und laut zween Winde des Himmels,
Boreas rief er und Zephyros an, Dankopfer gelobend; 195
Viel auch sprengt' er des Weins aus goldenem Becher und flehte,
Rasch zu wehn und den Toten in lodernder Glut zu verbrennen,
Mächtig das Holz anfachend zum Brand. Doch die hurtige Iris
Hörete sein Gelübd und kam als Botin den Winden.
Sie nun saßen gesellt in des sausenden Zephyros Wohnung, 200
Froh am festlichen Schmaus; und Iris, fliegenden Laufes,
Trat auf die steinerne Schwell. Als jene sie sahn mit den Augen,
Sprangen sie alle vom Sitz, und neben sich lud sie ein jeder.

Doch sie weigerte sich des gebotenen Sitzes und sagte:
  Nötiget nicht, denn ich eile zurück an Okeanos' Fluten, 205
Dort wo die Äthiopen den Ewigen jetzt Hekatomben
Festlich weihn, daß ich selber des Opfermahls mich erfreue.
Aber, o Boreas, dir und dem sausenden Zephyros flehet
Peleus' Sohn, zu kommen, und heilige Opfer gelobt er,
Daß ihr in Glut aufregt das Totengerüst des Patroklos, 210
Wo er liegt, den seufzend das Volk der Achaier bejammert.
  Also sprach sie und eilte hinweg. Da erhoben sich jene
Rauschend mit wildem Getös und tummelten rege Gewölk' her.
Bald nun erreichten sie stürmend das Meer; da erhob sich die Brandung
Unter dem brausenden Hauch, und sie kamen zur scholligen Troja, 215
Stürzten sich dann ins Gerüst, und es knatterte mächtig umher Glut.
Siehe, die ganze Nacht durchwühlten sie zuckende Flammen,
Sausend zugleich in das Totengerüst; und der schnelle Achilleus
Schöpfte die ganze Nacht, in der Hand den doppelten Becher,
Wein aus goldenem Krug und feuchtete sprengend den Boden, 220
Stets die Seel anrufend des jammervollen Patroklos.
Wie wenn klagt ein Vater, des Sohns Gebeine verbrennend,
Der, ein Bräutigam, starb zum Weh der jammernden Eltern:
Also klagte der Held, das Gebein des Freundes verbrennend,
Und umschlich das Totengerüst mit unendlichen Seufzern. 225
  Jetzt wann der Morgenstern das Licht ankündend hervorgeht,
Eos im Safrangewand dann über das Meer sich verbreitet:
Jetzt sank in Staub das Gerüst, und es ruhte die Flamme.
Schnell nun flogen die Winde zurück, nach Hause zu kehren
Über das thrakische Meer, und es braust' aufstürmend die Brandung.
Peleus' Sohn, abwärts vom glimmenden Schutte sich sondernd,
Legte sich abgemattet und süßer Schlummer umfing ihn.
Aber um Atreus' Sohn versammelten jene sich ringsher,
Und der Kommenden Lärm und Getös erweckt' ihn vom Schlummer.
Aufrecht setzt' er sich nun und sprach zu jenen die Worte: 235
  Atreus' Sohn und ihr andern, erhabene Fürsten Achaias,
Erst nun löscht den glimmenden Schutt mit rötlichem Weine
Überall, wo die Glut hinwütete; aber dann laßt uns
Sammeln umher das Gebein des Menötiaden Patroklos,
Wohl es unterscheidend; und leicht zu erkennen ist jenes, 240

Denn er lag in der Mitte der Glut, und die andern gesondert
Brannten am äußeren Rande vermischt, die Ross' und die Männer.
Dann in gedoppeltes Fett, in eine goldene Urne
Legen wir's, bis ich selber hinuntersinke zum Aïs.
Aber das Grab, nicht rat ich, es allzu groß zu erheben, 245
Sondern so schicklich nur; hinfort dann mögt ihr es immer
Weit und hoch aufhäufen, ihr Danaer, die ihr mich etwa
Überlebt und umher in den Ruderschiffen zurückbleibt.
 Jener sprach's; sie gehorchten dem rüstigen Peleionen:
Löschten zuerst den glimmenden Schutt mit rötlichem Weine, 250
Rings wo die Flamme gewütet und hoch die Asche gehäuft lag;
Sammelten drauf das weiße Gebein des herzlichen Freundes,
Weinend, in doppeltes Fett, in eine goldene Urne;
Setzten sie dann im Gezelt, umhüllt mit köstlicher Leinwand,
Maßen den Kreis des Males und warfen den Grund in die Ründung 255
Rings um den Brand und häuften geschüttete Erde zum Hügel.
 Als sie das Mal nun geschüttet, enteilten sie. Aber Achilleus
Hemmte das Volk und hieß es in großem Kreise sich setzen;
Brachte darauf zu Preisen des Kampfs dreifüßige Kessel,
Becken und Ross' und Mäuler und mächtige Stier' aus den Schiffen,
Schöngegürtete Weiber zugleich und blinkendes Eisen.
 Erst dem Lenker des schnellsten Gespanns zum herrlichen Kampfpreis
Setzt' er ein Weib zu nehmen, untadelig, kundig der Arbeit,
Samt dem gehenkelten Kessel von zweiundzwanzig Maßen.
Dieses dem ersten zum Preis. Dem zweiten nun setzt' er die Stute, 265
Ungezähmt, sechsjährig, beschwert vom Füllen des Maultiers;
Dann dem dritten bestimmt' er zum Preis ein schimmerndes Becken,
Schön, vier Maß enthaltend, noch rein von der Flamme des Feuers;
Drauf dem vierten den Preis von zwei Talenten des Goldes;
Endlich dem fünften die doppelte Schal, unberührt von der Flamme.
Aufrecht stand der Peleid und redete vor den Argeiern:
 Atreus' Sohn und ihr andern, ihr hellumschienten Achaier,
Für die Reisigen stehn die Kampfpreis' hier in dem Kreise.
Wär es ein anderer nun, den wir Danaer ehrten mit Wettkampf,
Dann wohl trüg ich selber den ersten Preis zum Gezelte; 275
Denn ihr wißt, wie an Tugend hervor mein edles Gespann ragt.
Auch unsterblich ja ist es: Poseidon schenkte dem Peleus,

Meinem Vater, die Rosse, der mir darauf sie gewähret;
Doch nun bleib ich selber zurück und die stampfenden Rosse,
Denn sie verloren die Kraft des edelsten Wagenlenkers, 280
Ach, des freundlichen, welcher so oft mit geschmeidigem Öle
Ihnen die Haare gesprengt, wann in lauterer Flut sie gebadet.
Diesen nunmehr dastehend betrauern sie, und auf den Boden
Fließen die Mähnen herab, und sie stehn unmutigen Herzens.
Auf denn, ihr andern im Heere, beschicket euch, wer der Achaier
Eigenen Rossen vertraut und dem wohlgezimmerten Wagen!
Also sprach der Peleid, und rüstige Lenker erstanden.
Erst vor allen erhob sich der Völkerfürst Eumelos,
Er, des Admetos Sohn, der an Wagenkunde hervorschien.
Auch der Tydeid erhob sich, der starke Held Diomedes, 290
Welcher die troischen Ross' anschirrte, die dem Äneias
Jüngst er geraubt; ihn selber errettete Phöbos Apollon.
Drauf erstand der Atreide, der bräunliche Held Menelaos,
Göttlichen Stamms, und jochte die hurtigen Ross' an den Wagen,
Äthe, die Stut Agamemnons, und seinen Hengst, den Podargos. 295
Jene gab dem Bruder der Anchisiad Echepolos
Einst zum Geschenk, um nicht vor Ilios jenem zu folgen,
Sondern dort sich der Ruhe zu freun; denn mächtigen Reichtum
Gab ihm Zeus, und er wohnt' in Sikyons fruchtbaren Tälern.
Diese nun spannt' er ins Joch, die mutige, gierig des Wettlaufs. 300
Dann der vierte bereitet', Antilochos, glänzende Rosse,
Nestors trefflicher Sohn, des edelmütigen Herrschers,
Sein, des Neleiaden; und hurtige Rosse von Pylos
Flogen einher mit dem Wagen. Ihm riet jetzt nahend der Vater
Guten Rat, der kundige Greis dem verständigen Jüngling: 305
Sohn, wie jung du auch bist, Antilochos, liebten dich dennoch
Zeus und Poseidaon und lehrten dich Kunde des Wagens
Aller Art; drum möcht es nicht not sein, dich zu belehren.
Wohl das Ziel zu umlenken verstehest du, aber die Rosse
Sind dir die trägsten im Lauf; drum sorg ich, täuscht dich der Ausgang.
Rascher sind jenen die Ross' und fertiger; selber indes nicht
Wissen sie besseren Rat als du, mein Sohn, zu ersinnen.
Aber wohlan, mein Teurer, ins Herz dir fasse die Lehre
Mancher Art, daß nicht ein edeler Preis dir entgehe.

Mehr ja vermögen durch Rat Holzhauende, weder durch Stärke;
Auch durch Rat nur lenket im dunkelen Meere der Steurer
Sein hineilendes Schiff, umhergestürmt von den Winden:
So durch Rat auch besiegt ein Wagenlenker den andern.
Wer allein dem Gespann und rollenden Wagen vertrauet,
Ohne Bedacht hinsprengt er und wendet sich dorthin und dahin; 320
Wild auch schweifen die Ross' und ungezähmt in der Rennbahn.
Doch wer den Vorteil kennt und schlechtere Rosse dahertreibt,
Schaut beständig das Ziel und beugt kurzum und vergißt nie,
Welchen Strich er zuerst sie gelenkt mit Seilen von Stierhaut;
Nein, fest hält er den Lauf und merkt auf den Vorderen achtsam. 325
Deutlich muß ich das Ziel dir verkündigen, daß du nicht fehlest.
Dorrend ragt ein Pfahl wie ein Klafter hoch aus der Erde,
Kienholz oder von Eichen, das nicht im Regen vermodert;
Rechtsan lehnen und links sich zween weißschimmernde Steine,
Dort in der Enge des Wegs, wo die ebene Bahn sich herumschwingt,
Sei er vielleicht ein Mal des längst verstorbenen Mannes
Oder ein Rennziel auch, von vorigen Menschen errichtet.
Den nun stellt zum Zeichen der mutige Renner Achilleus.
Dicht an jenen gedrängt beflügele Wagen und Rosse;
Selber zugleich dann beug in dem schöngeflochtenen Sessel 335
Sanft zur Linken dich hin, und das rechte Roß des Gespannes
Treib mit Geißel und Ruf und laß ihm die Zügel ein wenig,
Während dir nah am Ziele das linke Roß sich herumdreht,
So daß fast die Nabe den Rand zu erreichen dir scheinet
Deines zierlichen Rades. Den Stein nur zu rühren vermeide, 340
Daß du nicht verwundest die Ross' und den Wagen zerschmetterst;
Denn ein Triumph den andern und schmähliche Kränkung dir selber
Wäre das! Auf denn, Geliebter, sei vorsichtsvoll und behutsam!
Hast du nur erst am Ziele herumgewendet den Vorsprung,
Keiner ist dann, der verfolgend dich einholt oder vorbeijagt, 345
Trieb' er sogar im Sturme dir nach den edlen Areion,
Der aus Göttern entstammte, das hurtige Roß des Adrastos
Oder Laomedons Rosse, die hier voll Herrlichkeit aufblühn!
Also redete Nestor, der neleiadische König,
Setzte sich dann, nachdem er dem Sohn jedwedes bedeutet. 350
Auch der fünfte nun schirrte, Meriones, glänzende Rosse.

Alle betraten die Sessel und warfen die Los', und Achilleus
Schüttelte. Plötzlich entsprang Antilochos' Los aus dem Helme;
Nächst dem Nestoriden gewann der Herrscher Eumelos;
Diesem zunächst der Atreide, der streitbare Held Menelaos; 355
Hierauf traf das Los den Meriones; aber zuletzt traf
Tydeus' tapferen Sohn das Los, die Rosse zu lenken.
Alle gereiht nun standen, es wies das Zeichen Achilleus
Fern in dem flachen Gefild; und dabei zum Schauer bestellt' er
Phönix, den göttlichen Held, den Kriegsgefährten des Vaters, 360
Wohl zu bemerken den Lauf und alles genau zu verkünden.

Alle zugleich nun schwangen empor auf die Rosse die Geißeln,
Schlugen zugleich mit den Riemen und schrien laut drohende Worte,
Heftigen Muts; und in Eil entflogen sie durch das Gefilde,
Schnell von den Schiffen hinweg, und emporstieg unter den Brüsten
Dick aufwallender Staub, dem Gewölk gleich oder dem Sturmwind,
Und wild flogen die Mähnen im wehenden Hauche des Windes.
Jetzo rollten die Wagen gesenkt an der nährenden Erde,
Jetzo durchstürmten die Luft die erhobenen. Aber die Lenker
Standen empor in den Sesseln; es schlug ihr Herz in den Busen 370
Laut vor Begierde des Siegs, und jeglicher drohte den Rossen
Mächtigen Rufs. Und sie flogen in stäubendem Lauf durch die Felder.

Doch wie dem Ende des Laufs die hurtigen Rosse sich nahten,
Kehrend zum bläulichen Meer: nun war's, wo jegliches Tugend
Schien; und gestreckt fortschossen die Rennenden. Aber in Eile 375
Sprangen voraus die Stuten des Pheretiaden Eumelos;
Diesen zunächst dann stürmte das Hengstgespann Diomedes',
Troischen Stamms; nicht ferne verfolgten sie, sondern so nahe,
Daß sie stets auf den Sessel des vorderen schienen zu springen
Und ihm warm auf den Rücken ihr Hauch und die mächtigen Schul-
Atmete; denn ihn berührte das Haupt der fliegenden Rosse. [tern
Und nun wär er voraus, doch wenigstens gleich ihm gekommen,
Wenn nicht Phöbos Apollon gezürnt dem Sohne des Tydeus
Und ihm schnell aus den Händen die glänzende Geißel geschleudert.
Unmutsvoll entstürzten die Tränen ihm über das Antlitz, 385
Als er noch weiter voraus die fliegenden Stuten erblickte,
Aber die Hengst' ihm säumten, die treibende Geißel vermissend.
Nicht geheim vor Athene belistete Phöbos Apollon

Tydeus' Sohn; schnell eilte sie her zum Hirten der Völker,
Gab ihm die Geißel zurück und stärkte mit Mut ihm die Rosse. 390
Zürnend verfolgte sie drauf den tapferen Sohn des Admetos
Und zerbrach ihm das Joch, die Unsterbliche; wild auseinander
Sprangen die Stuten vom Weg', und es scharrt' an der Erde die Deichsel.
Jener entsank dem Sessel und wälzte sich neben dem Rade,
Beide Arm' an der Beugung, den Mund und die Nase verletzend; 395
Auch die Stirn an den Brauen verwundet' er, aber die Augen
Wurden mit Tränen erfüllt, und atmend stockt' ihm die Stimme.
Tydeus' Sohn trieb schleunig vorbei die stampfenden Rosse,
Weit den anderen allen voraus; denn es stärkt' ihm Athene
Seine Rosse mit Mut und krönt' ihn selber mit Siegsruhm. 400
Nächst ihm flog der Atreide, der bräunliche Held Menelaos.
Aber Antilochos rief, des Vaters Rosse ermunternd:
Angestrengt die Glieder und dehnet euch fliegenden Laufes!
Daß mit jenen ihr kämpft um den Vorsprung, forder ich gar nicht,
Mit des Tydeiden Gespann, des feurigen, welchem Athene 405
Jetzo Geschwindigkeit gab und ihn selber krönte mit Siegsruhm.
Nur Menelaos' Gespann holt ein und bleibt nicht dahinten
Stürmender Kraft, daß nicht mit kränkender Schmach euch bedecke
Äthe, die Stute nur ist! Was säumet ihr, treffliche Rosse?
Denn ich verkünd euch zuvor, und das wird wahrlich vollendet: 410
Nie wird Pfleg euch hinfort beim völkerweidenden Nestor
Dargereicht; schnell mordet er euch mit der Schärfe des Erzes,
Wenn wir anitzt nachlässig geringeren Preis nur gewinnen!
Auf denn mit großer Gewalt, und verfolget sie hurtigen Laufes!
Aber ich selbst will dieses mit Kunst ausführen und Sorgfalt, 415
Daß in der Enge des Wegs ich vorüber schlüpf, ihn bemerkend.
Jener sprach's; und geschreckt von des Königes scheltendem Zuruf,
Sprangen sie schneller dahin ein weniges. Jetzo erblickt' er
Dort die Enge des Wegs, Antilochos, freudig zur Feldschlacht;
Ausgehöhlt war der Grund, wo gesammelte Wintergewässer 420
Durch den Weg sich gewühlt, ringsum die Erde vertiefend.
Dorthin fuhr Menelaos, der Wagen Gemisch zu vermeiden.
Seitwärts trieb Antilochos schnell die stampfenden Rosse
Außer dem Weg, und wenig vorbei ihm lenkend verfolgt' er.
Des erschrak der Atreid und rief dem Sohne des Nestor: 425

Sinnlos lenkst du den Wagen, Antilochos! Hemme die Rosse!
Eng ist der Weg; bald eil auf breiterer Bahn mir vorüber,
Daß du nicht an den Wagen mir fährst und uns beide beschädigst!
Jener sprach's; doch Antilochos trieb noch schneller die Rosse,
Drängend mit Geißelhieben, dem nichts Vernehmenden ähnlich. 430
Weit wie die Scheib hinflieget vom Schwung des erhobenen Armes,
Wann sie ein blühender Mann, die Kraft zu versuchen, entsendet,
So weit sprangen sie vor, und es säumeten jene von hinten
Atreus' Sohn; auch hielt er mit Fleiß den eilenden Lauf an,
Daß nicht wo anprellend im Weg die stampfenden Rosse 435
Beide Geschirr' umstürzten von schönem Geflecht und sie selber
Dort in den Staub hinsänken, gereizt von Begierde des Sieges.
Scheltend begann nunmehr der bräunliche Held Menelaos:
Keiner, Antilochos, gleicht an verderblichem Sinne dir selber!
Geh! Wir nannten dich falsch den Verständigen sonst, wir Achaier!
Doch nicht sollst du fürwahr ohn Eidschwur nehmen den Kampfpreis!
Dieses gesagt, ermahnt' er mit lautem Rufe die Rosse:
Weilet mir nicht so träg und steht nicht trauernden Herzens!
Bald wird jenen die Kraft der Knie und Schenkel erstarren,
Eher denn euch: denn beiden verschwand die blühende Jugend! 445
Jener sprach's; und geschreckt von des Königes scheltendem Zuruf,
Sprangen sie schneller dahin, und bald nun nahten sie jenen.
Argos' Söhn' indessen im Kampfkreis schaueten sitzend,
Wie die Gespann hinflogen in stäubendem Lauf durch die Felder.
Kretas Herrscher zuerst, Idomeneus, merkte die Rosse; 450
Denn er saß aus dem Kreise getrennt auf der höheren Warte.
Jenen anjetzt von fern, der laut herdrohte, vernehmend,
Kannt er und merkte das Roß, das hell und kennbar hervorschien:
Welchem rötlich umher der Leib war, aber die Stirne
Weiß die geründete Blässe bezeichnete, ähnlich dem Vollmond. 455
Aufrecht stand der König und redete vor den Argeiern:
Freunde, des Volks von Argos erhabene Fürsten und Pfleger,
Kenn ich allein die Rosse der Kommenden oder auch ihr dort?
Andere dünken mir jetzt die vorderen Rosse der Kämpfer,
Auch ihr Lenker erscheint ein anderer. Jene vielleicht sind 460
Dort im Gefilde verletzt, die hinauf die tapfersten waren.
Denn zwar sah ich zuerst sie herum an dem Ziele sich schwingen,

Doch nun kann ich sie nirgend ersehn, ob rings mir die Augen
Durch der Troer Gefild umherschaun forschenden Blickes.
Sind dem Lenker vielleicht die Zügel entflohn und vermocht er 465
Nicht zu wenden ums Ziel und traf unglücklich die Beugung?
Dort wohl stürzt' er vom Sessel herab und der Wagen zerbrach ihm,
Und es entsprangen zerscheucht mit verwildertem Geiste die Stuten.
Aber schauet auch ihr und erhebet euch! Nicht ja vermag ich
Jene genau zu erkennen; doch dünkt der Lenker des Wagens 470
Mir der ätolische Mann, der Argos' Scharen beherrschet,
Tydeus', des reisigen Sohn, der starke Held Diomedes.
Höhnend verwies ihm Ajas, der schnelle Sohn des Oileus:
Was weissagst du so laut, Idomeneus? Ferne hinweg ja
Fliegen gehobenen Hufs die Ross' im weiten Gefilde! 475
Nicht doch bist du der jüngste so sehr im Volk der Argeier,
Noch sind dir am schärfsten im Haupt die spähenden Augen!
Aber du warst beständig ein Plauderer! Nicht ja geziemt dir,
Rasch mit der Zunge zu sein; denn hier sind bessere Männer!
Dort sind die Stuten annoch die vorderen, so wie im Anfang, 480
Und noch fährt Eumelos, die lenkenden Seil' in den Händen!
Aber voll Zorns antwortete drauf der Herrscher von Kreta:
Ajas, im Zank der erste, du Lästerer! Anderer Tugend
Trägst du wenig im Volk; denn du bist unfreundlichen Herzens!
Hurtig, ein Dreifuß steh uns Wettenden oder ein Becken, 485
Aber ein Zeuge des Streits sei Atreus' Sohn Agamemnon,
Wessen die vorderen Rosse, damit du es büßend erkennest!
Jener sprach's, da erhob sich der schnelle Sohn des Oileus
Zürnenden Muts, noch mehr der heftigen Worte zu wechseln.
Und noch hätten fortan die Zankenden beide geeifert, 490
Wenn nicht Achilleus selbst sich emporhob, also beginnend:
Nicht mehr jetzt miteinander der heftigen Worte gewechselt,
Ajas und Idomeneus du; denn wenig geziemt's euch!
Selbst ja tadeltet ihr's, wenn ein anderer solches begönne.
Aber sitzt ihr ruhig im Kreis und schaut nach den Rossen 495
Forschend hinauf, bald werden, gereizt von Begierde des Sieges,
Jene von selbst ankommen; dann mögt ihr jeder erkennen,
Welches Gespann der Argeier voranläuft, welches dahinten.
Also der Held; da nahte mit raschem Gespann Diomedes.

Immer umschwang er die Schultern und geißelte; aber die Rosse 500
Hoben sich hoch von der Erde, den Weg in Eile vollendend.
Immer auch flog um den Lenker der Staub, von den Hufen gesprenget,
Während der prangende Wagen, mit Zinn und Golde gezieret,
Schnell dem Sturm des Gespanns nachrasselte, und nur ein wenig
Tauchte von hinten das Gleis der erzbeschlagenen Räder 505
In den gelockerten Staub; so eileten fliegend die Rosse.
Mitten nun hielt er im Kreis, und es quoll den dampfenden Rossen
Ringsum Schweiß von den Nacken und vorn von der Brust auf die [Erde.
Selber darauf entsprang er dem hellumschimmerten Sessel,
Lehnete dann die Geißel ans Joch. Nicht säumte der tapfre 510
Sthenelos nun; er ergriff in freudiger Eile den Kampfpreis,
Gab dann hinwegzuführen das Weib den mutigen Freunden,
Samt dem gehenkelten Kessel, und lösete selber die Rosse.

Nächst ihm lenkte die Ross' Antilochos, Enkel des Neleus,
Welcher durch List, durch Schnelligkeit nicht, Menelaos zuvorkam.
Dennoch trieb Menelaos ihm nah die hurtigen Rosse.
Weit wie dem Rade das Roß entfernt ist, welches den Eigner
Trägt und gestreckt vor dem Wagen dahersprengt durch das Gefilde
(Hinten berührt's des Rades umschienten Rand mit den Haaren
Seines Schweifs, denn nah ihm enteilet es, und nur ein wenig 520
Raum ist, welcher es trennt im Lauf durch das weite Gefilde):
Auch so weit von dem edlen Antilochos blieb Menelaos
Nun zurück, da zuerst bis zum Scheibenwurf er zurückblieb;
Doch bald holt' er ihn ein, denn mutiger stets und entflammter
Sprang die Stut Agamemnons einher, die glänzende Äthe. 525
Hätte noch weiter die Bahn sich erstreckt den jagenden Kämpfern,
Sicherlich wär er voraus, doch wenigstens gleich ihm gekommen.
Aber Meriones drauf, Idomeneus' tapferer Kriegsfreund,
Blieb in Speerwurfweite vom rühmlichen Held Menelaos;
Denn am trägsten ihm war das Gespann schönmähniger Rosse, 530
Wenig er selbst auch geübt, ein Geschirr zu lenken im Wettkampf.
Endlich der Sohn Admetos' erschien zuletzt nach den andern,
Schleppend den zierlichen Wagen und vorwärts treibend die Rosse.
Mitleidsvoll erblickt' ihn der mutige Renner Achilleus,
Stand im Kreis der Argeier und sprach die geflügelten Worte: 535

Schaut, wie zuletzt der tapferste Mann sein edles Gespann lenkt!

Aber wohlan, ihm selber nach Billigkeit werde der Preise
Zweiter verliehn; doch der erste gebührt dem Sohne des Tydeus.
Jener sprach's, und alle sie billigten, was er geordnet.
Und nun hätt er das Roß ihm verliehn, denn die Danaer wollten's,
Hätt Antilochos nicht, der Sohn des erhabenen Nestor,
Schnell vom Sitz sich erhebend mit Peleus' Sohne gerechtet:
Heftig werd ich dir zürnen, Achilleus, wo du vollendest
Dieses Wort! Denn du willst mir selbst entwenden den Kampfpreis,
Denkend im Geist, weil jener Gespann und Wagen beschädigt, 545
Er ein trefflicher Mann! Allein den unsterblichen Göttern
Sollt er flehn; nie wär er zuletzt mit dem Wagen gekommen!
Aber bedaurst du ihn und gefällt es dir also im Herzen,
Siehe, so hast du im Zelte des Goldes viel und des Erzes,
Hast auch Schaf' und Mägde genug und stampfende Rosse; 550
Nimm davon und ehr ihn sogar mit höherem Kampfpreis
Künftig oder auch gleich, damit die Achaier dich loben.
Aber nie entsag ich dem Roß! Um dieses versuche,
Welcher Mann es begehrt, mit mir im Kampfe zu streiten!
Sprach's; und lächelnd vernahm es der mutige Renner Achilleus,
Seines Antilochos froh, der ihm ein trauter Genoß war.
Ihm antwortet' er drauf und sprach die geflügelten Worte:
Soll ich, Antilochos, denn ein andres Geschenk dem Eumelos
Geben aus meinem Gezelt, ich will dir auch dieses gewähren.
Ihm denn schenk ich den Harnisch, von Asteropäos erbeutet, 560
Dem um die eherne Scheib ein Guß hellstrahlenden Zinnes
Ringsumher sich dreht, nicht wenig wird er ihm wert sein.
Sprach's, und Automedon drauf, dem trauten Freunde, gebot er,
Aus dem Gezelt ihn zu bringen; er eilt' und brachte den Harnisch.
Diesen reicht' er Eumelos, und freudig nahm ihn der König. 565
Jetzo stand Menelaos empor, unmutigen Herzens,
Zürnend mit Ungestüm dem Antilochos, aber ein Herold
Reicht' in die Händ' ihm den Zepter und rief, Stillschweigen gebie-
Argos' Volk; und jetzo begann der göttliche Kämpfer: [tend
Welche Tat begingst du, Antilochos, sonst so verständig? 570
Meine Tugend hast du geschmäht und die Rosse gehindert,
Deine mit List vordrängend, die weit geringer doch waren!
Aber wohlan, der Argeier erhabene Fürsten und Pfleger,

Schlichtet das Recht uns beiden nach Billigkeit, keinem zuliebe,
Daß nicht jemand sage der erzumschirmten Achaier: 575
Trüglich hat Atreus' Sohn den Antilochos überwältigt
Und ihn der Stute beraubt, da weit geringer doch waren
Seine Ross', er selber an Macht vorragend und Stärke.
Aber ich selbst will schlichten, und schwerlich wird, was ich sage,
Tadeln sonst ein Achaier im Volk; denn gerecht sei der Ausspruch.
Auf, Antilochos, komm, du Göttlicher, und nach der Sitte
Vor die Rosse gestellt und des Wagens Geschirr, in den Händen
Haltend die schwanke Geißel, womit du eben gelenket,
Rühre die Ross' und schwöre zum Erderschüttrer Poseidon,
Daß du nicht vorsätzlich mit List mir den Wagen gehindert! 585
Und der verständige Jüngling Antilochos sagte dagegen:
Zähme dein Herz, du siehst ja, ich bin weit jüngeren Alters,
Edler Fürst Menelaos, du ragst an Jahren und Tugend.
Weißt du doch, wie ein Jüngling sich leicht zu Vergehungen wendet:
Übereilt ist ihr flatternder Sinn und eitel ihr Ratschluß. 590
Drum laß jetzo das Herz dir besänftigen. Gern ja die Stute
Geb ich dir, die ich nahm; und fordertest du von dem Meinen
Sonst ein Größeres noch, mit Freudigkeit brächt ich sogleich es
Dir zum Geschenk; nur daß ich, o göttlicher Held, nicht auf immer
Deinem Herzen entfall und sündige wider die Götter! 595
Sprach's und führte das Roß, der Sohn des erhabenen Nestor,
Gab es sodann in die Hand Menelaos'. Jenem durchdrang nun
Wonne das Herz. Wie der Tau sich mild um die Ähren verbreitet
Frisch aufwachsender Saat, wann ringsum starren die Felder,
So durchdrang, Menelaos, dein Herz erfrischende Wonne. 600
Und er begann zu jenem und sprach die geflügelten Worte:
Jetzo will ich selber, Antilochos, gerne dir nachsehn,
Eifert ich schon; denn nicht ausschweifenden, flatternden Geistes
Warst du vordem, und jetzo besiegte dein Herz nur die Jugend;
Aber hinfort vermeide, die Besseren schlau zu belisten. 605
Nicht so leicht hätt ein anderer mich der Achaier besänftigt,
Doch du hast ja so vieles getan und so vieles erduldet,
Meinethalb; du selbst und dein tapferer Vater und Bruder.
Drum willfahr ich gerne dir Flehendem, und auch die Stute
Geb ich, die meinige, dir, daß all umher es erkennen, 610

Weit sei entfernt mein Herz von Übermut und Gewalttat.
Dieses gesagt, gab jener Antilochos' Freunde Noemon
Wegzuführen das Roß und nahm sich das schimmernde Becken.
Aber Meriones nahm die zwei Talente des Goldes,
Er, der vierte des Kampfs. Der fünfte Preis, der zurückblieb, 615
War die doppelte Schale; die gab dem Nestor Achilleus,
Trug durch Argos' Söhne sie hin und redete nahend:
Nimm und bewahr', o Greis, dies Denkmal unserer Freundschaft
Zu des begrabnen Patroklos' Erinnerung! Nimmer hinfort ihn
Schaust du in Argos' Volk! Ich gewähre dir diesen Kampfpreis 620
Frei, auch teilst du schwerlich den Faustkampf oder das Ringen,
Noch das Spiel des geschwungenen Speers, noch hurtiger Schenkel
Wettlauf; denn schon drückt dich die Last des höheren Alters.
Sprach's und reicht' ihm die Schal, und freudig nahm sie der König;
Und er begann zu jenem und sprach die geflügelten Worte: 625
Wahrlich, o Sohn, du hast wohlziemende Worte geredet.
Nicht mehr fest sind die Glieder, die Füße, mein Freund, auch die Arme
Regen sich nicht von den Schultern so leicht und behende wie ehmals.
Wär ich so jugendlich noch und ungeschwächten Vermögens
Wie in Buprasion einst am Leichenfest Amarynkeus', 630
Als Kampfpreise gesetzt des epeiischen Königes Kinder!
Dort war mir nicht einer an Kraft gleich, nicht der Epeier
Noch der Pylier selbst, noch auch der erhabnen Ätoler.
Denn mit der Faust besiegt ich des Enops Sohn Klytomedes,
Ringend drauf Ankäos von Pleuron, welcher mir aufstand; 635
Eilete dann vorüber dem fertigen Läufer Iphiklos;
Schoß dann ab mit dem Speere den Phyleus samt Polydoros.
Nur mit Rossen gewannen mir ab die Aktorionen,
Aber an Zahl vorstrebend, im neidischen Durste des Sieges;
Denn dort waren die größten der herrlichen Preise noch übrig. 640
Beide nun fuhren gepaart: der hielt und lenkte die Zügel,
Lenkte die Zügel mit Macht, und der andere trieb mit der Geißel.
So war ich einst! Doch jetzo vergönn ich es jüngeren Männern,
Solcherlei Taten zu tun, ich selbst vom traurigen Alter
Abgelöst; doch damals, wie schimmert ich unter den Helden! 645
Gehe denn hin und feire den Tod des Genossen mit Wettkampf.
Gern empfang ich dieses Geschenk, und es freuet mein Herz sich,

Daß du noch meiner gedenkst, des Liebenden, nimmer vergessend,
Mich mit geziemender Ehr in Argos' Volke zu ehren.
Lohnen es dir die Götter mit herzerfreuendem Danke! 650

Jener sprach's; und Achilleus, die Schar der Achaier durchwandelnd,
Ging, nachdem er das Lob des Neleiaden vernommen.
Jetzt der schrecklichen Wette des Faustkampfs setzt' er die Preise.
Führend band er im Kreis ein arbeitduldendes Maultier,
Ungezähmt' sechsjährig und hart zu bezähmenden Trotzes; 655
Doch dem Besiegeten ward ein doppelter Becher beschieden.
Aufrecht stand der Peleid und redete vor den Argeiern:

Atreus' Söhn' und ihr andern, ihr hellumschienten Achaier,
Hierum laßt zween Männer, die tapfersten hier, sich bekämpfen,
Hoch die Händ' aufhebend zum Faustkampf. Wem nun Apollon 660
Gibt, als Sieger zu stehn, erkannt von allen Achaiern,
Solcher führ ins Gezelt das arbeitduldende Maultier;
Doch wer im Kampf erlag, empfange den doppelten Becher.

Jener sprach's; da erhob sich ein Mann, machtvoll und gewaltig,
Panopeus' Sohn Epeios, geübt in der Kunde des Faustkampfs. 665
Der nun rief, anfassend das arbeitduldende Maultier:

Komme heran, wer begehrt den doppelten Becher zu nehmen!
Aber das Maultier, mein ich, entführt kein andrer Achaier,
Siegend im Kampfe der Faust; denn ich rühme mich selber den besten.
Nicht genug, daß der Schlacht ich ermangele? Traun, ja unmöglich
Könnt in jeglichem Werk ein Sterblicher Kunde gewinnen.
Dieses verkünd ich zuvor, und das wird wahrlich vollendet:
Ganz den Leib zerschmettr ich umher und Gebeine zermalm ich!
Bleibe denn hier miteinander die Schar der Leichenbesorger,
Daß sie den Mann wegtragen, von meiner Stärke gebändigt. 675

Jener sprach's; doch alle verstummten umher und schwiegen.
Nur der göttliche Mann Euryalos trat ihm entgegen,
Er, des Mekistheus Sohn, des taläonidischen Herrschers,
Welcher in Thebe vordem am Leichenfest des erschlagnen
Ödipus alles Volk der Kadmeionen besieget. 680
Emsig bereitete diesen der speerberühmte Tydeide,
Sprach ermunternde Wort' und wünscht' ihm herzlich den Siegsruhm.
Erstlich legt' er den Gürtel ihm dar und reichte darauf ihm
Schöngeschnittene Riemen des mächtigen Stiers von der Weide.

Als sich beide gegürtet, da traten sie vor in den Kampfkreis. 685
Gegeneinander zugleich mit gewaltigen Armen sich hebend,
Stürmten sie an, und es mischten die lastenden Arme sich ringsum;
Schrecklich erscholl um die Kiefer der Fäuste Geklatsch, und der Angst-
Floß von den Gliedern herab. Nun erhob sich der edle Epeios [schweiß
Hoch und schlug auf den Backen des Schauenden, daß er nicht länger
Stehen konnt und zur Erde die blühenden Glieder ihm sanken.
Wie vor dem kräuselnden Nord ein Fisch aus dem Wasser emporspringt
Am meergrasigen Strand und die dunkele Wog ihn bedecket,
So von dem Streich aufsprang er. Allein der erhabne Epeios
Stellt' ihn empor bei den Händen, und traute Freund', ihn umeilend,
Führten ihn weg durch den Kreis mit schwernachschleppenden Füßen,
Dickes Blut ausspeiend, das Haupt gehängt auf die Schulter;
Zwischen sich dann den Betäubten und Irrenden setzten sie nieder.
Andere gingen indes und trugen den doppelten Becher.

Peleus' Sohn nun setzte noch andere Preise des Kampfes, 700
Zeigend dem Danaervolk, des mühsamstrebenden Ringens:
Erst dem Sieger ein groß dreifüßig Geschirr auf dem Feuer,
Welches an Wert zwölf Rinder bei sich die Danaer schätzten;
Doch dem Besiegeten stellt' er ein blühendes Weib in den Kampfkreis,
Klug in mancherlei Kunst und geschätzt vier Rinder an Werte. 705
Aufrecht stand der Peleid' und redete vor den Argeiern:

Kommt hervor, wer begehrt auch diesen Kampf zu versuchen!
Jener sprach's, da erhub sich der Telamonier Ajas,
Auch der erfindungsreiche Odysseus, kundig des Vorteils.
Als sich beide gegürtet, da traten sie vor in den Kampfkreis, 710
Faßten sich dann, einander umschmiegt mit gewaltigen Armen,
Gleich den begegnenden Sparren, die fest der Zimmerer fügte,
Eines erhabnen Gebäus, die Gewalt der Winde vermeidend.
Beiden knirschte der Rücken, von stark umschlungenen Armen
Angestrengt und gezuckt, und es strömte der Schweiß von den Gliedern;
Aber häufige Striemen umher an den Seiten und Schultern,
Rot von schwellendem Blut, erhoben sich; immer voll Sehnsucht
Rangen sie beide nach Sieg um den schöngegossenen Dreifuß.
Weder Odysseus vermocht ihn verrückt auf den Boden zu schmettern,
Noch auch Ajas vermocht' es, gehemmt von der Kraft des Odysseus.
Aber nachdem schon murrten die hellumschienten Achaier,

Jetzo begann zu jenem der Telamonier Ajas:
  Edler Laertiad, erfindungsreicher Odysseus,
Hebe mich oder ich dich, für das übrige sorge Kronion!
  Sprach's und hob ihn empor; doch der List vergaß nicht Odysseus,
Schlug ihm von hinten die Beugung des Knies und löst' ihm die Glie-
Rücklings warf er ihn hin, und es sank von oben Odysseus [der.
Ihm auf die Brust; rings schauten erstaunt und wundernd die Völker.
Jetzo hob auch jenen der herrliche Dulder Odysseus
Und bewegt' ihn vom Boden ein weniges, nicht ihn erhebend; 730
Dennoch beugt' er sein Knie. Da sanken sie beid auf den Boden
Dicht aneinander hinab, ringsum mit Staube besudelt.
Und zum drittenmal hätten sie beid' aufspringend gerungen,
Aber Achilleus erhob sich und hemmte sie, also beginnend:
  Nicht mehr strebt miteinander, euch selbst abmattend in Arbeit. 735
Beiden gebührt der Sieg; mit gleichem Preis denn belohnet
Geht, damit noch andre der Danaer eifern im Kampfspiel.
  Jener sprach's, da hörten sie aufmerksam und gehorchten,
Wischten sich ab den Staub und hüllten die Röck' um die Schultern.
  Peleus' Sohn nun setzte noch andere Preise dem Wettlauf: 740
Einen silbernen Krug von prangender Kunst; er umfaßte
Sechs der Maß und besiegt' an Schönheit all auf der Erde
Weit, denn kunsterfahrne Sidonier schufen ihn sinnreich;
Aber phönikische Männer, auf finsteren Wogen ihn bringend,
Boten in Häfen ihn feil und schenkten ihn endlich dem Thoas; 745
Drauf für den Priamiden Lykaon gab zur Bezahlung
Ihn dem Held Patroklos Jasons Sohn Euneos.
Den nun setzt' Achilleus, den Freund zu ehren, zum Kampfpreis
Ihm, der am schnellsten im Laufe der hurtigen Schenkel erschiene;
Einen mächtigen Stier dem folgenden, schwer des Fettes, 750
Drauf des Goldes ein halbes Talent bestimmt' er dem letzten.
Aufrecht stand der Peleid und redete vor den Argeiern:
  Kommt hervor, wer begehrt, auch diesen Kampf zu versuchen!
Sprach's, und Ajas erhob sich, der schnelle Sohn des Oileus,
Drauf Odysseus, im Rate gewandt, und Antilochos endlich, 755
Nestors Sohn; denn rasch vor den Jünglingen siegt' er im Wettlauf.
Alle gereiht nun standen, es wies das Zeichen Achilleus.
Ihnen erstreckte der Lauf von dem Stande sich, aber in Eile

Stürmete Ajas voran; ihm flog der edle Odysseus
Nahe gedrängt. So wie dicht an des schöngegürteten Weibes 760
Busen das Webschiff fliegt, das schön mit den Händen sie herwirft,
Zartes Gespinst ausziehend zum Eintrag, nahe dem Busen
Lenkt sie es: also verfolgt' ihn Odysseus nah, und von hinten
Trat er die Spur mit den Füßen, eh fallend der Sand sie bedeckte.
Und an den Nacken ihm strömte den Hauch der edle Odysseus 765
Stets im geflügelten Lauf, und daher schrien alle Achaier
Ihm, wie er strebte nach Sieg, den Eilenden mehr noch ermunternd.
Als sie dem Ende des Laufs nun naheten, betet' Odysseus
Schnell zu des mächtigen Zeus blauäugiger Tochter im Herzen:
Höre mich, Göttin, mit Huld und bringe mir Hilfe zum Wettlauf!
Also sprach er flehend! ihn hörete Pallas Athene.
Leicht ihm schuf sie die Glieder, die Füß' und die Arme von oben.
Als sie nunmehr annahten, hinanzufliegen zum Kampfpreis,
Jetzo strauchelte Ajas im Lauf, denn es irrt' ihn Athene,
Dort wo der Unrat lag der geschlachteten brüllenden Rinder, 775
Die zu Patroklos' Ehre der Peleione getötet;
Und mit dem Rinderkot ward Mund und Nas ihm besudelt.
Aber den Krug ergriff der herrliche Dulder Odysseus
Schnell, wie zuvor er kam, und den Stier der gewaltige Ajas.
Dieser stand, in den Händen das Horn des geweideten Rindes 780
Immer noch Kot ausspeiend, und redete vor den Argeiern:
Traun, wohl irrte die Göttin im Laufe mich, welche von jeher
Mütterlich naht dem Odysseus, ihm beizustehn und zu helfen!
Jener sprach's; und umher erhoben sie frohes Gelächter.
Auch Antilochos jetzo enttrug den letzten der Preise 785
Lächelnd umher, und also vor Argos' Söhnen begann er:
Freunde, das wißt ihr alle, doch sag ich es, daß auch anitzt noch
Ehre den älteren Menschen verleihn die unsterblichen Götter.
Ajas zwar ist nur ein weniges älter denn ich bin,
Jener indes ist früheren Stamms und früherer Menschen; 790
Doch man preist sein Alter ein grünendes; schwerlich gelingt es,
Daß im Lauf ihn ereil' ein Danaer, außer Achilleus.
Jener sprach's, lobpreisend den rüstigen Peleionen.
Aber Achilleus drauf antwortete, solches erwidernd:
Nicht umsonst, Antilochos, sei dies Lob dir geredet, 795

Sondern ich will des Goldes ein halbes Talent dir hinzutun.
Sprach's und reicht' ihm das Gold; und freudig nahm es der Jüng-
Jetzo trug der Peleide die weithinschattende Lanze [ling.
Samt dem Schild und dem Helm und legte sie nieder im Kampfkreis,
Jene Wehr des Sarpedon, die jüngst Patroklos erbeutet. 800
Aufrecht stand der Peleid und redete vor den Argeiern:
Hierum laßt zween Männer, die tapfersten unseres Heeres,
Beid in Waffen gehüllt und zerschneidendes Erz in den Händen,
Angestrengt einander vor Argos' Volk sich versuchen.
Wer nun den blühenden Leib des anderen eher verletzet, 805
Durch die Waffen das Fleisch und das dunkele Blut ihm berührend,
Dem gewähr ich zum Preise dies Schwert voll silberner Buckeln,
Schön, von thrakischer Kunst, das ich Asteropäos geraubet.
Aber die Rüstungen hier empfangen sie beide gemeinsam
Und mit köstlichem Mahle bewirt ich sie beid im Gezelte. 810
Jener sprach's; da erhob sich der Telamonier Ajas,
Auch der Tydeid erstand, der starke Held Diomedes.
Als sie nun beiderseits im versammelten Volk sich gewappnet,
Traten sie beid in die Mitte hervor, voll Begierde des Kampfes,
Mit androhendem Blick, und Staunen ergriff die Achaier. 815
Als sie nunmehr sich genaht, die Eilenden, gegeneinander,
Dreimal rannten sie an und dreimal stürmten sie nahe.
Ajas darauf stieß jenem den Schild von geründeter Wölbung,
Doch nicht rührt' er den Leib, ihm wehrt' inwendig der Harnisch.
Aber der Held Diomedes hinweg am mächtigen Schild ihm 820
Zielet' er stets nach dem Hals mit der blinkenden Schärfe des Speeres.
Laut nun riefen daher, um Ajas besorgt, die Achaier,
Daß sie vom Streit abließen und gleich sich teilten den Kampfpreis.
Aber Achilleus gab das große Schwert dem Tydeiden
Samt der Scheid in die Hand und dem schöngeschnittenen Riemen.
Jetzo trug der Peleide die rohgegossene Kugel,
Welche vordem geworfen Eetions mächtige Stärke:
Aber jenen erschlug der mutige Renner Achilleus
Und entführt' in Schiffen mit anderer Habe die Kugel.
Aufrecht stand der Peleid und redete vor den Argeiern: 830
Kommt hervor, wer begehrt, auch diesen Kampf zu versuchen!
Wenn er auch weit umher fruchttragende Äcker beherrschet,

Hat er daran zu fünf umrollender Jahre Vollendung
Reichen Gebrauch; denn nimmer ihm darf aus Mangel des Eisens
Weder Hirt noch Pflüger zur Stadt gehn, sondern er reicht ihm. 835
Jener sprach's. Da erhob sich der streitbare Held Polypötes
Auch Leonteus' Kraft, des göttergleichen Beherrschers,
Ajas auch, der Telamonid, und der edle Epeios.
Alle gereiht nun standen; da faßt' Epeios die Kugel,
Schwang sie im Wirbel und warf; und es lachten umher die Achaier.
Hierauf nahm sie und warf des Ares Sprößling Leonteus;
Nächst ihm drauf entschwang sie der Telamonier Ajas
Aus der gewaltigen Hand, daß sie hinflog über die Zeichen.
Doch da die Kugel ergriff der streitbare Held Polypötes,
Weit wie ein Rinderhirt den gebogenen Stecken entschwinget, 845
Welcher im Wirbel gedreht hinfliegt durch die weidenden Rinder,
So ganz über den Kreis entschwang er sie; alle nun schrien auf.
Und es erhoben sich Freunde des göttlichen Manns Polypötes,
Die zu den räumigen Schiffen den Preis hintrugen des Königs.
Hierauf setzte den Schützen der Held blauschimmerndes Eisen, 850
Zehn zweischneidige Äxt' und zehn der Beile zum Kampfpreis.
Dann erhob er den Mast des schwarzgeschnäbelten Meerschiffs
Fern am kiesigen Strand, und eine schüchterne Taube
Band er daran mit dem Fuß an dünnem Faden, zum Ziele
Ihrem Geschoß. Wer nun die schüchterne Taube getroffen, 855
Nehme die doppelten Äxte gesamt, zum Gezelte sie tragend;
Wer indes den Faden nur trifft und den Vogel verfehlet,
Solcher mag wie besiegt mit den kleineren Beilen hinweggehn.
Jener sprach's, da erhob sich die Kraft des herrschenden Teukros,
Auch Meriones dann, Idomeneus' tapferer Kriegsfreund. 860
Beid itzt nahmen sich Los' und schüttelten; aber des Teukros
Sprang aus dem ehernen Helm. Sogleich von gespanneter Senne
Schnellt' er den Pfeil mit Gewalt, doch nicht gelobt' er dem Herrscher,
Feiernd die Dankhekatombe der Erstlingslämmer zu opfern.
Siehe, den Vogel verfehlt' er; denn ihm mißgönnt' es Apollon; 865
Aber er traf den Faden am Fuß des gebundenen Vogels,
Und es durchschnitt den Faden das Erz des herben Geschosses.
Aufwärts schwang die Taub in die Lüfte sich, aber herunter
Hing der Faden zur Erd, und laut aufschrien die Achaier.

Eilend nunmehr entriß Meriones jenem den Bogen 870
Aus der Hand, denn den Pfeil hielt er längst bereit, um zu schnellen.
Alsobald gelobt' er dem treffenden Phöbos Apollon,
Feiernd die Dankhekatombe der Erstlingslämmer zu opfern.
Hoch nun unter den Wolken ersah er die schüchterne Taube,
Und wie im Kreise sie flog, durchschoß er sie unter dem Flügel. 875
Ganz hindurch drang stürmend der Pfeil, und zurück auf die Erde
Bohrt' er hinab vor den Fuß des Meriones; aber der Vogel
Ließ auf den Mast sich nieder des schwarzgeschnäbelten Meerschiffs,
Saß und senkte den Hals und die ausgebreiteten Flügel.
Bald entfloh aus den Gliedern der Geist, und ferne vom Mastbaum 880
Sank er hinab. Rings schauten erstaunt und wundernd die Völker.
Aber Meriones nahm die zehn zweischneidigen Äxte,
Teukros, die Beil' erhebend, durchging die gebogenen Schiffe.
  Peleus' Sohn nun legte den ragenden Speer und ein Becken,
Rein von Glut, mit Blumen geziert, vom Werte des Stieres, 885
Hergebracht in den Kreis. Da erhoben sich Sender des Wurfspeers.
Erstlich erstand der Atreide, der Völkerfürst Agamemnon,
Auch Meriones dann, Idomeneus' tapferer Kriegsfreund.
Doch es begann vor ihnen der mutige Renner Achilleus:
  Atreus' Sohn, wir wissen, wie weit du allen vorangehst, 890
Auch wie weit du an Kraft und Speerwurf alle besiegest.
Darum kehre du selbst mit diesem Preis zu den Schiffen;
Aber den Speer laß uns dem Held Meriones reichen,
Wenn es dir im Herzen gefällt; ich wenigstens rat' es.
  Jener sprach's; ihm gehorchte der Völkerfürst Agamemnon. 895
Er nun reichte den Speer dem Meriones; aber der Held dort
Gab dem Herold Talthybios hin den prangenden Kampfpreis.

XXIV. GESANG

Achilleus, nach schlafloser Nacht, schleift Hektors Leib um Patroklos' Grab, doch Apollon verhütet Entstellungen. Zeus befiehlt dem Achilleus durch Thetis, den Leichnam zu erlassen, und dem Priamos durch Iris, dem Achilleus die Lösung zu bringen. Priamos, durch ein Zeichen gestärkt, kommt unter Hermes' Geleit, unbemerkt von den Hütern, zu Achilleus' Gezelt. Er erlangt den Leichnam des Sohns, nebst Waffenstillstand und Bestattung, und kehrt unbemerkt nach Ilios zurück. Um Hektors Totenlager Wehklage der Gattin, der Mutter und Helenens. Bestattung und Gastmahl.

Jetzo trennten den Kreis die Versammelten; rings zu den Schiffen
Eilten die Völker zerstreut, und jeglicher sorgte, des Mahles
Und des erquickenden Schlafs sich zu sättigen. Aber Achilleus
Weinete, denkend den trautesten Freund; nicht zwang ihn des Schlum-
Allgewaltige Kraft, er wälzte sich hiehin und dorthin, [mers
Sehnsuchtsvoll nach Patroklos' erhabener Tugend und Stärke.
Ach wieviel er vollendet mit ihm und wie manches erduldet,
Schlachten umher der Männer und schreckliche Wogen durchstrebend!
Dessen gedacht er im Geist, und häufige Tränen vergoß er.
Bald nun legt' auf die Seiten er sich und bald auf den Rücken, 10
Bald auf das Antlitz hin; dann plötzlich empor sich erhebend,
Schweift' er am Ufer des Meers, voll Bangigkeit. Jetzo erschien ihm
Eos im rötlichen Glanze, das Meer und die Ufer bestrahlend.
Schnell, nachdem er ins Joch die hurtigen Rosse gespannet,
Hektor drauf zum Schleifen befestiget hinten am Sessel, 15
Zog er ihn dreimal ums Grab des Menötiaden Patroklos,
Ging dann zurück ins Gezelt und ruhete; jenen verließ er
Dort im Staube gestreckt auf sein Antlitz. Aber Apollon
Schützte den schönen Leib vor Entstellungen, weil ihn des Mannes
Jammerte selbst im Tod, und deckt' ihn ganz mit der Ägis 20
Goldenem Schirm, daß schleifend auch nicht er die Haut ihm verletzte.

Also frevelte jener im Zorn an dem göttlichen Hektor.
Ihn nun sahn mit Erbarmen die seligen Götter des Himmels,
Und sie geboten Entwendung dem spähenden Argoswürger.
Zwar den anderen allen gefiel's, nur der Here durchaus nicht, 25
Auch nicht Poseidaon, noch Zeus' blauäugiger Tochter,
Sondern noch stets blieb ihnen verhaßt die heilige Troja,
Priamos selbst und das Volk, um die Freveltat Alexandros',

Welcher die Göttinnen schmähte, da ihm zur Hütte sie kamen,
Und sie pries, die zum Lohn ihm verderbliche Üppigkeit darbot. 30
Aber nachdem die zwölfte der Morgenröten emporstieg,
Jetzo begann im Kreis der Unsterblichen Phöbos Apollon:
Grausam seid ihr, o Götter, und eiferig! Hat euch denn niemals
Hektor Schenkel verbrannt erlesener Rinder und Ziegen?
Doch versaget ihr jetzo auch selbst dem Toten Errettung, 35
Daß sein Weib ihn sähe, das stammelnde Kind und die Mutter,
Priamos auch, sein Vater, und Ilios' Volk, die sogleich dann
Jenen in Glut verbrennten mit festlichem Leichenbegängnis!
Aber dem bösen Peleiden, ihr Himmlischen, helft ihr so willig,
Dessen Herz nichts achtet der Billigkeit, noch die Gesinnung 40
Biegsam ist in der Brust; wie ein Bergleu denkt er nur Wildheit,
Der, von gewaltiger Kraft und trotzendem Mute gereizet,
Wild in der Sterblichen Herd' eindringt, sich ein Mahl zu erhaschen:
So ist erbarmungslos der Peleid; auch selber die Scham nicht
Kennet er, welche den Menschen zum Heil ist oder zum Schaden. 45
Traurt doch mancher fürwahr um einen geliebteren Toten,
Dem sein leiblicher Bruder dahinsank oder ein Sohn auch;
Dennoch hemmt er die Tränen und stillt die Klage des Jammers;
Denn ausduldenden Mut verlieh den Menschen das Schicksal.
Jener indes, nachdem er den göttlichen Hektor ermordet, 50
Band ans Geschirr den Entseelten und rings um des Freundes Begräbnis
Schleift' er ihn! Nimmer ihm selbst das schönere oder das beßre!
Daß nur nicht, wie edel er sei, wir Götter ihm eifern!
Denn unempfindlichen Staub mißhandelt er, tobend vor Unsinn!
Wieder begann voll Zornes die lilienarmige Here: 55
Hingehn möchte dein Wort, o Gott des silbernen Bogens,
Wenn ihr Achilleus gleich dem Hektor achtet an Würde!
Sterblich nur ist Hektor, gesäugt vom Busen des Weibes;
Aber Achilleus ist der Göttin Geschlecht, die ich selber
Nähret' und auferzog und dem Mann hingab zur Genossin, 60
Peleus, den vor allen zum Lieblinge koren die Götter.
Alle ja kamt ihr Götter zum Brautfest; du auch mit jenen
Schmausetest, haltend die Harf, o Freund der Bösen, o Falscher!
Ihr antwortete drauf der Herrscher im Donnergewölk Zeus:
Eifere nicht, o Here, so unmutsvoll mit den Göttern. 65

Zwar nicht gleicher Würde genießen sie, aber auch Hektor
War ja den Göttern geliebt vor den Sterblichen allen in Troja;
Also auch mir! Denn nimmer versäumet' er köstliche Gaben,
Nie auch mangelte mir der Altar des gemeinsamen Mahles,
Nie des Weins und Gedüftes, das uns zur Ehre bestimmt ward. 70
Ihn indes entwenden, das lassen wir (nie ja geschäh es
Heimlich vor Peleus' Sohn), den mutigen Hektor; denn immer
Kommt zu ihm die Mutter, sowohl bei Nacht wie bei Tage.
Doch wenn irgendein Gott daher mir riefe die Thetis,
Daß ich ein heilsames Wort ihr redete, wie nun Achilleus 75
Gaben aus Priamos' Hand annähm und Hektor ihm löste.
  Sprach's, und Iris erhob sich, die windschnell eilende Botin.
Zwischen Samos hinab und die rauhumstarrete Imbros
Sprang sie ins finstere Meer, und es scholl die Woge des Sundes.
Jene sank wie geründetes Blei in die Tiefe hinunter, 80
Welches, über dem Horn des geweideten Stieres befestigt,
Sinkt, Verderben zu bringen den gierigen Fischen des Meeres.
Jetzo fand sie Thetis in wölbender Grott und die andern
Meergöttinnen umher; sie selbst in die Mitte gesetzet
Weinte des Sohns Schicksal, des untadligen, welchem bestimmt war,
Ferne vom Vaterland in der scholligen Troja zu sterben.
Nahe trat und begann die windschnell eilende Iris:
  Hebe dich, Thetis, es ruft der ewige Herrscher der Welt Zeus.
Ihr antwortete drauf die silberfüßige Thetis:
  Warum heißt mich solches der Mächtige? Blödigkeit hält mich, 90
Ewigen Göttern zu nahn, weil Gram mir die Seele belastet.
Aber ich geh; auch entfall umsonst kein Wort, was er redet.
  Also sprach und nahm ihr Gewand die heilige Göttin,
Dunkelschwarz; noch keinen umhüllete schwärzere Kleidung.
Jene nun ging, und voran die windschnell eilende Iris 95
Führete; seitwärts flog die getrennete Woge des Meeres.
Als sie den Strand nun erstiegen, entschwangen sich beide gen Himmel,
Und sie fanden den waltenden Zeus, und rings um den Herrscher
Saßen zum Rate gesellt die unsterblichen seligen Götter.
Jene nunmehr saß nieder bei Zeus, es wich ihr Athene. 100
Here reicht' in die Hand ihr den schönen goldenen Becher,
Freundliche Wort' ihr sagend; sie trank und reichte zurück ihn.

Jetzo begann der Vater des Menschengeschlechts und der Götter:
Thetis, du kamst zum Olympos, o Herrscherin, herzlich betrübt
Denn unendlicher Gram belastet dich, selber ja weiß ich's. [zwar,
Dennoch sag ich dir an, warum ich daher dich gefordert.
Schon neun Tag empörte der Streit die unsterblichen Götter
Über Hektors Leich und den Städteverwüster Achilleus;
Denn sie geboten Entwendung dem spähenden Argoswürger.
Aber ich selbst will dessen den Ruhm dem Peleiden gewähren, 110
Scheu und Liebe für dich noch stets im Herzen bewahrend.
Schleunig denn gehe zum Heer und verkündige solches dem Sohne.
Sag, ihm zürnen die Götter gesamt, doch vor allen ich selber
Sei im Herzen entbrannt, dieweil er in tobendem Unsinn
Hektor ungelöst bei den prangenden Schiffen zurückhält; 115
Ob er vielleicht mich scheut und Hektors Lösung empfänget.
Aber ich selbst will Iris dem herrschenden Priamos senden,
Daß er löse den Sohn, zu den Schiffen der Danaer wandelnd,
Und mit gefälligen Gaben Achilleus' Seele versöhne.
Jener sprach's; ihm gehorchte die silberfüßige Thetis; 120
Stürmenden Schwungs entflog sie den Felsenhöhn des Olympos.
Bald nun des Sohnes Gezelt erreichte sie, wo sie ihn selber
Fand, schwerseufzend vor Gram; und umher die trauten Genossen
Eilten mit emsigem Fleiße, das Morgenmahl zu bereiten;
Denn ein Schaf, dickwollig und groß, war im Zelte geschlachtet. 125
Nahe dem Sohn nun setzte sich hin die erhabene Mutter,
Streichelt' ihn sanft mit der Hand und redete, also beginnend:
Lieber Sohn, wie lange vor Gram wehklagend und seufzend
Willst du das Herz dir verzehren, des Tranks und der Speise vergessend,
Auch des Schlafs? Gut wär es, ein blühendes Weib zu umarmen; 130
Denn nicht lange fortan mir wandelst du, sondern bereits dir
Nahe steht zur Seite der Tod und das grause Verhängnis.
Auf, und vernimm, was ich red! Ich bringe dir Worte Kronions.
Zorn dir hegen die Götter gesamt; doch vor allen er selber
Ist im Herzen entbrannt, dieweil du in tobendem Unsinn 135
Hektor ungelöst bei den prangenden Schiffen zurückhältst.
Aber wohlan, entlaß ihn und nimm die Lösung des Leichnams.
Ihr antwortete drauf der mutige Renner Achilleus:
Wohl denn, wer die Lösung mir bringt, der empfange den Leichnam,

Wenn ja mit ernstem Beschluß der Olympier selbst es gebietet. 140
  Also redeten dort im Kreis der geordneten Schiffe
Viele geflügelte Worte der Sohn und die göttliche Mutter.
Zeus entsandte nun Iris zu Ilios' heiliger Feste:
  Eile mir, hurtige Iris, verlassend die Höhn des Olympos,
Bring in Ilios' Stadt dem herrschenden Priamos Botschaft, 145
Daß er löse den Sohn, zu den Schiffen der Danaer wandelnd,
Und mit gefälligen Gaben Achilleus' Seele versöhne,
Er allein, von keinem der anderen Troer begleitet.
Nur ein Herold folg ihm, ein älterer, welcher die Mäuler
Samt dem rollenden Wagen ihm lenk und wieder von dannen 150
Führe den Leichnam zur Stadt, den der Peleione getötet.
Weder Tod bekümmre sein Herz noch andere Schrecknis,
Denn wir gesellen zur Hut ihm den mächtigen Argoswürger,
Daß er ihn hingeleite vors Angesicht des Achilleus.
Wann ihn jener geführt ins Gezelt des edlen Achilleus, 155
Selbst nicht wird er ihn töten und allen umher es verwehren.
Nicht ja vernunftlos ist er, noch unbedacht, noch ein Frevler;
Nein, voll Huld wird er schonen des hilfeflehenden Mannes.
  Sprach's; und Iris erhob sich, die windschnell eilende Botin,
Kam in Priamos' Burg und fand Wehklag und Geheul dort. 160
Ringsher saßen die Söhn' um den trauernden Vater im Vorhof,
Netzend mit Tränen die Kleider; er selbst, der Greis, in der Mitte,
Straff, daß die Bildung erschien, in den Mantel gehüllt; und umher lag
Viel Unrats auf Nacken und Haupt des herrschenden Greises,
Den er, vor Schmerz sich wälzend, mit eigenen Händen emporwarf. 165
Aber die Töchter und Schnür' in den Wohnungen jammerten laut auf,
Eingedenk der aller, die schon, so viel und so tapfer,
Lagen des Geistes beraubt von der Danaer mordenden Händen.
Nahe vor Priamos trat die Botin Zeus' und begann nun,
Redend mit leiser Stimm, und Schauer durchfuhr ihm die Glieder:
  Fasse dich, Dardanos' Sohn, o Priamos, nicht so verzaget;
Denn kein übles Wort zu verkündigen nah ich dir jetzo,
Sondern Gutes gedenkend; ich komm als Botin Kronions,
Der dich sehr, auch ferne, begünstiget, dein sich erbarmend.
Lösen heißt der Olympier dich den göttlichen Hektor 175
Und mit gefälligen Gaben Achilleus' Seele versöhnen,

Dich allein, von keinem der anderen Troer begleitet.
Nur ein Herold folg, ein älterer, welcher die Mäuler
Samt dem rollenden Wagen dir lenk und wieder von dannen
Führe den Leichnam zur Stadt, den der Peleione getötet. 180
Weder Tod bekümmre dein Herz noch andere Schrecknis,
Denn er gesellt dir zur Hut den mächtigen Argoswürger,
Daß er dich hingeleite vors Angesicht des Achilleus.
Wann dich jener geführt ins Gezelt des edlen Achilleus,
Selbst nicht wird er dich töten und allen umher es verwehren. 185
Nicht ja vernunftlos ist er, noch unbedacht, noch ein Frevler;
Nein, voll Huld wird er schonen des hilfeflehenden Mannes.
Also sprach und entflog die windschnell eilende Iris.
Aber Priamos hieß die Söhn' ihm den rollenden Wagen
Rüsten mit Mäulergespann und den Korb auf den Wagen ihm binden.
Selbst dann stieg er hinab in die lieblich duftende Kammer,
Hoch, mit Zedern getäfelt, die viel Kleinode verwahrte,
Rief dann Hekabe her, sein edeles Weib, und begann so:
Armes Weib, mir nahte von Zeus olympische Botschaft,
Daß ich löse den Sohn, zu den Schiffen der Danaer wandelnd, 195
Und mit gefälligen Gaben Achilleus' Seele versöhne.
Aber sage mir nun, wie deucht dir solches im Herzen?
Denn mir selber entflammt ein gewaltiger Eifer die Seele,
Hinzugehn zu den Schiffen, ins weite Heer der Achaier.
Also der Greis; doch schluchzend erwiderte jenem die Gattin: 200
Wehe, wohin doch entfloh der Verstand dir, der so gepriesen
Ehmals war bei Menschen der Fremd und deines Gebietes?
Welch ein Mut, so allein zu der Danaer Schiffen zu wandeln,
Jenem Mann vor die Augen, der dir so viel und so tapfre
Söhn' erschlug? Du trägst ja ein eisernes Herz in dem Busen! 205
Denn sobald er dich hält und dort erblickt mit den Augen,
Jener Mann, blutgierig und falsch, nie heget er Mitleid
Oder Erbarmen mit dir! Drum laß uns fern ihn beweinen
Sitzend in unserm Palast; so hat's ihm das grause Verhängnis,
Als ich selbst ihn gebar, in den werdenden Faden gesponnen: 210
Einst schnellfüßige Hunde zu sättigen, fern von den Eltern,
Dort bei dem schrecklichen Mann, dem ich gern aus dem Busen die Leber
Roh verschläng, einbeißend! Das wär ihm gerechte Vergeltung

Meines Sohnes! Denn nicht der Verworfenen einen erschlug er,
Sondern für Trojas Männer und tiefgegürtete Weiber 215
Stand der Held, nicht achtend der Flucht noch des zagen Vermeidens!
Ihr antwortete Priamos drauf, der göttliche Herrscher:
Halte mich nicht, der zu gehen beschloß, noch werde du selber
Zum wehdrohenden Vogel im Hause mir; nimmer gehorch ich!
Hätt es ein anderer mir der Erdbewohner geboten, 220
Etwa ein Zeichendeuter, ein Opferprophet und ein Priester,
Lug wohl nennten wir solches und wendeten uns mit Verachtung.
Nun (denn ich hörte die Göttin ja selbst und schaut' ihr ins Antlitz)
Geh ich, und nicht umsonst sei die Rede mir! Droht denn das Schicksal
Mir den Tod bei den Schiffen der erzumschirmten Achaier, 225
Wohl, er ermorde mich gleich, der Wüterich, halt ich nur meinen
Lieben Sohn in den Armen, das Herz mit Tränen gesättigt!
Sprach's und öffnete schnell die zierlichen Deckel der Kisten.
Dorther wählt' er sich zwölf der köstlichen Feiergewande,
Zwölf der Teppiche dann und einfache Hüllen des Schlafes, 230
Auch Leibröcke so viel und so viel der prächtigen Mäntel.
Hierauf wog er des Goldes und nahm zehn volle Talente,
Auch vier schimmernde Becken und zween dreifüßige Kessel;
Auch den köstlichen Becher, den thrakische Männer ihm schenkten,
Als er gesandt hinkam, ein Kleinod! Aber auch sein nicht 235
Schonete jetzt im Palaste der Greis; denn er wollte so herzlich
Lösen den trauten Sohn. Doch jetzt die sämtlichen Troer [hend:
Scheucht' aus der Hall er hinweg, mit schmählichen Worten bedro-
Fort, ihr verruchtes Gezücht, Nichtswürdige! Habt ihr nicht selber
Trauer im Hause genug, daß ihr herkommt, mich zu bekümmern? 240
Achtet ihr's klein, daß Zeus mir den Jammer beschied, zu verlieren
Meinen tapfersten Sohn? Wohlan, ihr erfahrt es schon selber!
Denn viel leichter hinfort wird's wohl den Söhnen Achaias,
Euch, da jener geschieden, zu bändigen! Aber o möcht ich,
Eh ich die Trümmerhaufen der Stadt und die grause Verwüstung 245
Selbst mit den Augen geschaut, eingehn in Aides Wohnung!
Sprach's, und hinaus mit dem Stabe zerscheucht' er sie;
und sie enteilten
Weg vor dem eifernden Greis. Dann rief er scheltend die Söhne
Helenos her und Paris und Agathon, göttlicher Bildung,

Pammon, Antiphonos auch und Deiphobos, auch den Polites, 250
Tapfer im Streit, Hippothoos auch und den mutigen Dios;
Diesen neun gebot mit scheltendem Rufe der Vater:
Eilt, untüchtige Söhn', ihr Schändlichen, daß ihr zugleich doch
Alle für Hektor lägt bei den hurtigen Schiffen getötet!
Ich unglücklicher Mann! Die tapfersten Söhn' erzeugt ich 255
Weit in Troja umher, und nun ist keiner mir übrig!
Mestor, den göttlichen Held, und Troilos, froh des Gespannes,
Hektor auch, der ein Gott bei Sterblichen war und an Tugend
Nicht wie des sterblichen Manns, wie ein Sohn der Götter einherging:
Diese mir raffte der Krieg; nur die Schandfleck' alle sind übrig, 260
Lügener all und Gaukler und treffliche Reigentänzer,
Räuber des Volks, nur schwelgend im Fett der Lämmer und Zicklein!
Wollt ihr nicht mir den Wagen sogleich ausrüsten und alles
Dies in den Korb einlegen, daß unseren Weg wir vollenden?
Jener sprach's, und geschreckt vom scheltenden Rufe des Vaters,
Trugen sie schnell aus der Halle den rollenden Wagen der Mäuler,
Schön und neugefügt, und banden den Korb auf den Wagen;
Hoben sodann vom Pflocke das Joch der Mäuler von Buchsbaum,
Glatt, mit Buckeln erhöht, und wohl mit Ringen befestigt;
Brachten zugleich mit dem Joche sein Band, neun Ellen an Länge, 270
Legeten dieses behend auf die wohlgeglättete Deichsel,
Vorn am äußersten End, und fügten den Ring auf den Nagel;
Dreimal umschlangen sie jetzo des Jochs vorragende Buckeln,
Banden dann grade sie fest und knüpfeten unten die Schlinge.
Emsig darauf aus der Kammer, den zierlichen Wagen beladend, 275
Trugen sie Hektors Lösegeschenk', unendlichen Wertes;
Fügeten dann die Mäuler, die stampfenden, rüstig zur Arbeit,
Welche dem Priamos einst die ehrenden Myser geschenket.
Rosse für Priamos' Joch nun führten sie, welche der Alte
Selbst mit Sorge gepflegt an schöngeglätteter Krippe; 280
Beid itzt fügten die Ross' im Hof des hohen Palastes,
Priamos selbst und der Herold, des Rats allkundige Greise.
Ihnen nahete Hekabe nun mit bekümmertem Herzen:
Einen goldenen Becher des herzerfreuenden Weines
Trug sie daher in der Rechten, zum Opfertrank vor der Reise, 285
Trat hinzu vor die Ross' und redete, also beginnend:

Nimm und sprenge für Zeus und fleh ihm, daß du zurückkehrst
Heim aus der feindlichen Männer Gewalt, da das mutige Herz dich
Doch hintreibt zu den Schiffen, wie sehr ungern ich es wollte.
Aber wohlan, nun bete zum schwarzumwölkten Kronion, 290
Idas Gott, der umher auf Trojas Fluren herabschaut:
Senden woll er zum Zeichen den raschgeflügelten Vogel,
Welcher, ihm lieb vor allen, an mächtiger Stärke hervorragt,
Rechts einher, damit du, ihn selbst mit den Augen erkennend,
Seiner getrost zu den Schiffen der reisigen Danaer gehest. 295
Doch wenn nicht dir gewährt der Donnerer seinen Gesandten,
Nie dann möcht ich hinfort durch meinen Rat dich bewegen,
Hin zu der Danaer Schiffen zu gehn, wie sehr du es wünschest.
Ihr antwortete Priamos drauf, der göttliche Herrscher:
Liebes Weib, gern will ich auf diesen Rat dir gehorchen; 300
Wohl erhebt man die Hände zu Zeus, um Erbarmen ihm flehend.
Also der Greis, und berief die Schaffnerin, daß sie die Hände
Ihm mit lauterem Wasser besprengete; jene nun nahte,
Haltend das Waschgefäß und die Kanne zugleich in den Händen.
Als sich der Greis nun gewaschen, empfing er den Becher der Gattin,
Stand in der Mitte des Hofs und betete, sprengte den Wein dann,
Schauend zum Himmel empor, und rief mit erhobener Stimme:
Vater Zeus, ruhmwürdig und hehr, du Herrscher vom Ida,
Laß mich vor Peleus' Sohn doch Mitleid finden und Gnade!
Sende mir auch zum Zeichen den raschgeflügelten Vogel, 310
Welcher, dir lieb vor allen, an mächtiger Stärke hervorragt,
Rechts einher, damit ich, ihn selbst mit den Augen erkennend,
Seiner getrost zu den Schiffen der reisigen Danaer gehe.
Also sprach er flehend; ihn hörete Zeus Kronion.
Schnell den Adler entsandt er, die edelste Vorbedeutung, 315
Wohnend in Tal und Gesümpf, den schwarzgeflügelten Jäger.
Weit wie die Türe sich öffnet der hochgewölbeten Kammer
Eines begüterten Manns, mit festem Schlosse gefüget,
Also breitete jener die Fittiche, als er am Himmel
Rechtsher über der Stadt anstürmete. Jen' ihn erblickend, 320
Freueten sich, und allen durchglühete Wonne die Herzen.
Eilend betrat nun der Greis den zierlichen Sessel des Wagens,
Lenkte darauf aus dem Tor und der dumpfumtönenden Halle.

Vor ihm zogen die Mäuler der Last vierrädrigen Wagen,
Von Idäos gelenkt, dem feurigen; aber von hinten 325
Stampfte der Rosse Gespann, die der Greis antrieb mit der Geißel,
Hurtig einher durch die Stadt; und alle die Seinigen folgten
Laut wehklagend ihm nach, als ob er zum Tod hinginge.
Als sie nunmehr von der Höhe der Stadt in die Ebene kamen,
Kehrten zurück die Eidam' und Söhn' in Ilios' Feste. 330
Doch nicht ihrer vergaß des Zeus allwaltende Vorsicht,
Welche das Feld durchfuhren; er schaute den Greis mit Erbarmung;
Schnell zu Hermeias darauf, dem lieben Sohne, begann er:

Hermes, o Sohn (denn dir ja das angenehmste Geschäft ist's,
Männern gesellig zu nahn, auch hörest du, wen dir geliebet), 335
Eil und den Priamos dort zu den räumigen Schiffen Achaias
Führe mir, daß ihn keiner erseh und keiner bemerke
Rings in der Danaer Volk, bis Peleus' Sohn er erreichet.

Jener sprach's; ihm gehorchte der tätige Argoswürger,
Eilte sofort, und unter die Füße sich band er die Sohlen, 340
Schön, ambrosisch und golden, womit er über die Wasser
Und das unendliche Land hinfährt wie im Hauche des Windes.
Hierauf nahm er den Stab, womit er der Sterblichen Augen
Zuschließt, welcher er will, und die Schlummernden wieder erwecket;
Diesen trug und entflog der tapfere Argoswürger. 345
Schnell nun Trojas Gefild und den Hellespontos erreicht' er,
Ging dann einher, an Gestalt wie ein blühender Sohn des Beherrschers,
Dem die Wange sich bräunt, im holdesten Reize der Jugend.

Als nun jene vorbei an Ilos' Male gelenket,
Hielten sie beid ein wenig, die Ross' und die Mäuler zu tränken 350
Unten am Strom; schon lag in Dämmerung rings das Gefilde.
Ihn nunmehr in der Näh ersah der bemerkende Herold,
Hermes dort, und gewandt zu Priamos redet' er also:

Merke doch, Dardanion, hier gilt's aufmerksame Klugheit.
Schaue den Mann, ich sorge, der wird uns beide vertilgen! 355
Laß uns schnell mit den Rossen hinwegfliehn oder auch nahend
Jenem die Knie umfassen und flehn um Gnad und Erbarmung!

Sprach's; und die Seele des Greises durchschauerte banges Entsetzen.
Aufrecht starrten die Haar', und gelähmt an den biegsamen Gliedern,
Stand er erstaunt. Da nahte der freundliche Bringer des Heiles, 360

Faßte die Hand des Greises und fragt' ihn, also beginnend:
Vater, wohin gedenkst du die Ross' und die Mäuler zu lenken
Durch die ambrosische Nacht, da andere Sterbliche schlafen?
Gar nicht fürchtest du denn die mutbeseelten Achaier,
Welche ja nahe dir drohn, so feindlich gesinnt und erbittert? 365
Sähe dich einer davon in der Nacht schnellfliehendem Dunkel
Führen so köstliche Habe, wie wär alsdann dir zumute?
Selbst ja bist du nicht jung, und ein Greis ist jener Begleiter,
Einem Mann zu wehren, wer etwa zuerst euch beleidigt.
Doch ich werde dir nichts zuleide tun, und auch andre 370
Möcht ich von dir abwehren; dem lieben Vater ja gleichst du.
Ihm antwortete Priamos drauf, der göttliche Herrscher:
Also ist es fürwahr, mein lieber Sohn, wie du sagest.
Aber auch mich noch decket ein Gott mit schirmender Rechter,
Daß mir solch ein Gefährt' auf meinem Wege begegnet, 375
Mir zum Heil, so wie du an Gestalt und Bildung ein Wunder
Und so verständig an Geist; du entstammst glückseligen Eltern.
Wieder begann dagegen der tätige Argoswürger:
Wahrlich, o Greis, du hast wohlziemende Worte geredet.
Aber sage mir jetzt und verkündige lautere Wahrheit: 380
Sendest du etwa hinweg so viel und erlesene Güter
Fern in ein Fremdlingsvolk, daß dir dies wenigstens bleibe?
Oder verlaßt ihr alle bereits die heilige Troja
Angstvoll? Denn solch einen, den tapfersten Mann ja verlort ihr,
Deinen Sohn! Nichts wich er an mutigem Kampf den Achaiern! 385
Ihm antwortete Priamos drauf, der göttliche Herrscher:
Aber wer bist du, o Bester, und welchen Eltern entstammst du,
Der du so schön vom Tode des armen Sohns mir geredet?
Wieder begann dagegen der tätige Argoswürger:
Siehe, du prüfst mich, o Greis, und fragst nach dem göttlichen Hektor.
Jenen hab ich so oft in männerehrender Feldschlacht
Selbst mit den Augen gesehn, auch als er gedrängt zu den Schiffen
Argos' Männer erschlug, mit scharfem Erz sie zerfleischend.
Wir dann standen von fern und bewunderten, weil uns Achilleus
Wehrt', in den Kampf zu gehn, dem Atreionen noch zürnend. 395
Denn ich bin sein Genoß, in demselbigen Schiffe gekommen,
Myrmidonischen Stamms, und es heißt mein Vater Polyktor.

Reich ist jener an Gut, doch ein Greis schon so wie du selber.
Sechs noch hat er der Söhn', ich selbst bin der siebente Bruder.
Als mit diesen ich loste, da traf mich's, hieher zu folgen. 400
Jetzo ging ich ins Feld von dem Schiffsheer; denn mit dem Morgen
Ziehn in die Schlacht um die Stadt frohblickende Männer Achaias.
Denn mit Verdruß schon harren die Sitzenden, und es bezähmen
Kaum den kampfbegierigen Mut die Fürsten Achaias.
Ihm antwortete Priamos drauf, der göttliche Herrscher: 405
Wenn du denn ein Genoß des Peleiaden Achilleus
Bist, wohlan, so verkünde mir ganz die lautere Wahrheit:
Ob noch dort bei den Schiffen mein Sohn ist oder Achilleus
Schon, in Stücke zerhaun, den gierigen Hunden ihn vorwarf.
Wieder begann dagegen der tätige Argoswürger: 410
Greis, noch nicht ward jener den Hunden ein Fraß noch den Vögeln,
Sondern er liegt noch dort am Schiff des edlen Achilleus,
So im Gezelte gestreckt; und schon den zwölften der Morgen
Lieget er, ohne daß Moder ihm schadete noch des Gewürmes
Reger Schwarm, der gierig erschlagene Männer verzehret. 415
Immer zwar um das Grab des trautesten Freundes Patroklos
Schleift er ihn mitleidslos, wann der heilige Morgen emporsteigt,
Doch nicht schändet er ihn. Mit Bewunderung sähest du selber,
Wie er so frisch und tauig, umher vom Blute gereinigt,
Daliegt, nirgend befleckt, und die Wunden sich alle geschlossen, 420
Die ihn durchbohrt, so viel auch das Erz auf jenen gezücket.
Also walten des edelen Sohns die seligen Götter
Dir im Tode sogar, denn geliebt war er jenen von Herzen.
Jener sprach's; froh hörte der Greis und erwiderte also:
Kind, wie gut, wenn der Mensch den Unsterblichen bringt die Geschenke
Seiner Pflicht! So vergaß mein Sohn auch, ach, da er lebte,
Nie im Palast der Götter, die hoch den Olympos bewohnen;
Drum gedenken sie sein auch selbst in des Todes Verhängnis.
Aber wohlan, nimm jetzo von mir den stattlichen Becher,
Dann verleihe mir Schutz und geleite mich hin mit den Göttern, 430
Bis ich komm ins Gezelt des Peleiaden Achilleus.
Wieder begann dagegen der tätige Argoswürger:
Greis, umsonst versuchst du mich Jüngeren; nimmer gehorch ich,
Daß ich deine Geschenk' ohn Achilleus' Wissen empfange.

Jenen scheu ich im Herzen und zittere, ihn zu berauben, 435
Ehrfurchtsvoll, daß nicht ein Übel hinfort mir begegne.
Gern dich brächt ich indes bis selbst zur gepriesenen Argos,
Sorgsam im rüstigen Schiff und sorgsam zu Fuß dich geleitend;
Keiner auch würd, achtlos des Geleitenden, wider dich annahn.

Also der Bringer des Heils, und ins Rossegeschirr sich erhebend, 440
Faßt' er die Geißel geschwind und das schöne Gezäum in die Hände
Und gab edelen Mut den Rossen zugleich und den Mäulern.
Als sie nunmehr die Mauer der Schiff' und den Graben erreichten,
Fanden sie dort die Hüter am Abendschmaus noch beschäftigt.
Doch sie betaute mit Schlaf der bestellende Argoswürger 445
All und öffnete schleunig das Tor, wegdrängend die Riegel,
Führte dann Priamos ein und die schönen Geschenk' auf der Lastfuhr.
Als sie nunmehr das Gezelt des Peleiaden erreichten,
Welches hoch dem Beherrscher die Myrmidonen erbauet,
Zimmernd der Tannen Gebälk, und obenher es bedecket 450
Mit grauwolligem Schilf, aus sumpfigen Wiesen gesammelt,
Ringsum bauten sie dann den geräumigen Hof dem Beherrscher
Dicht von gereiheten Pfählen, und nur ein tannener Riegel
Hemmte die Pfort. Es schoben ihn vor drei starke Achaier,
Und drei schoben zurück den mächtigen Riegel des Tores, 455
Anderer; nur Achilleus vermocht allein ihn zu schieben.
Jetzo öffnete schnell der Bringer des Heils Hermeias,
Führte den Greis ins Geheg und das edle Geschenk für Achilleus,
Stieg dann herab vom Wagen zur Erd und redete also:

Greis, dir bin ich hieher ein unsterblicher Gott gekommen, 460
Hermes, den zum Geleiter dir selbst der Vater gesendet.
Aber wohlan, nun will ich hinweggehn, eh ich Achilleus'
Angesichte genaht; denn unanständig ja wär es,
Wenn ein unsterblicher Gott für Sterbliche sorgte so sichtbar.
Geh du hinein, und die Knie des Peleionen umfassend, 465
Flehe bei seinem Vater ihn an und der lockigen Mutter
Und dem geliebtesten Sohne, damit du das Herz ihm erregest.

Dieses gesagt nun, eilte hinweg zum hohen Olympos
Hermes; doch Priamos sprang vom Rossegeschirr auf die Erde,
Ließ dann Idäos im Hofe zurück, daß bleibend der Herold 470
Ross' und Mäuler bewahrt', und eilte grad in die Wohnung,

Dort, wo Achilleus saß, der göttliche. Jenen daheim nun
Fand er, es saßen getrennt die Seinigen; aber allein zween,
Held Automedon nur und Alkimos, Sprößling des Ares,
Dieneten jenem gesellt; er ruhete kaum von der Mahlzeit, 475
Satt der Speis und des Tranks, und vor ihm stand noch die Tafel.
Ein nun ging unbemerkt Held Priamos, und ihm genahet,
Stand er, umschlang dem Peleiden die Knie und küßt' ihm die Hände,
Ach, die entsetzlichen Würger, die viel der Söhn' ihm gemordet!
Wie wenn ein Mann, belastet mit Blutschuld, der in der Heimat 480
Einen Bürger erschlug, zum anderen Volke sich rettet
In des Begüterten Haus und erstaunt ihn jeder betrachtet:
Also staunt' Achilleus, den göttlichen Priamos schauend.
Auch die übrigen staunten und sahn einander ins Antlitz.
Aber flehend begann der erhabene Priamos also: 485
Deines Vaters gedenk, o göttergleicher Achilleus,
Sein, der bejahrt ist wie ich, an der traurigen Schwelle des Alters!
Und vielleicht, daß jenen auch rings umwohnende Völker
Drängen und niemand ist, vor Jammer und Weh ihn zu schirmen.
Aber doch, wann jener von dir, dem Lebenden, höret, 490
Freut er sich innig im Geist und hofft von Tage zu Tage,
Wiederzusehn den trautesten Sohn, heimkehrend von Troja.
Ich unglücklicher Mann: die tapfersten Söhn' erzeugt ich
Weit in Troja umher, und nun ist keiner mir übrig!
Fünfzig hatt ich der Söhn', als Argos' Menge daherzog; 495
Ihrer neunzehn wurden von einer Mutter geboren,
Und die anderen zeugt ich mit Nebenfraun im Palaste.
Vielen davon zwar löste der stürmende Ares die Glieder,
Doch der mein einziger war, der die Stadt und uns alle beschirmte,
Diesen erschlugst du jüngst, da er kämpfte den Kampf für die Heimat,
Hektor! Für ihn nun komm ich herab zu den Schiffen Achaias,
Ihn zu erkaufen von dir, und bring unendliche Lösung.
Scheue die Götter demnach, o Peleid, und erbarme dich meiner,
Denkend des eigenen Vaters! Ich bin noch werter des Mitleids!
Duld ich doch, was keiner der sterblichen Erdebewohner: 505
Ach, zu küssen die Hand, die meine Kinder getötet!
Sprach's und erregt' in jenem des Grams Sehnsucht um den Vater;
Sanft bei der Hand anfassend, zurück ihn drängt' er, den Alten.

Beide nun eingedenk: der Greis des tapferen Hektors,
Weinete laut, vor den Füßen des Peleionen sich windend, 510
Aber Achilleus weinte den Vater jetzo und wieder
Seinen Freund; es erscholl von Jammertönen die Wohnung.
Aber nachdem sich gesättigt des Grams der edle Achilleus
Und aus der Brust ihm entfloh der Wehmut süßes Verlangen,
Sprang er vom Sessel empor, bei der Hand den Alten erhebend, 515
Voll Mitleids mit dem grauenden Haupt und dem grauenden Barte.
Und er begann zu jenem und sprach die geflügelten Worte:
Armer, fürwahr viel hast du des Wehs im Herzen erduldet!
Welch ein Mut, so allein zu der Danaer Schiffen zu wandeln,
Jenem Mann vor die Augen, der dir so viel und so tapfre 520
Söhn' erschlug! Du trägst ja ein eisernes Herz in dem Busen.
Aber wohlan, nun setz auf den Sessel dich; laß uns den Kummer
Jetzt in der Seel ein wenig beruhigen, herzlich betrübt zwar;
Denn wir schaffen ja nichts mit unserer starrenden Schwermut.
Also bestimmten die Götter der elenden Sterblichen Schicksal, 525
Bang in Gram zu leben; allein sie selber sind sorglos.
Denn es stehn zwei Fässer gestellt an der Schwelle Kronions,
Voll das eine von Gaben des Wehs, das andre des Heiles.
Wem nun vermischt austeilet der donnerfrohe Kronion,
Solchen trifft abwechselnd ein böses Los und ein gutes. 530
Wem er allein des Wehs austeilt, den verstößt er in Schande,
Und herznagende Not auf der heiligen Erde verfolgt ihn,
Daß, nicht Göttern geehrt noch Sterblichen, bang er umherirrt.
Also verliehn zwar Peleus die Ewigen glänzende Gaben
Seit der Geburt; denn hoch vor allen Menschen gesegnet 535
Ragt' er an Hab und Macht, der Myrmidonen Beherrscher;
Ja dem sterblichen Manne vermähleten jene die Göttin.
Aber auch Unheil gab ihm ein Himmlischer; denn er versagt' ihm
Edle Söhn' im Palaste, gezeugt zu künftiger Herrschaft.
Einen Sohn nur zeugt' er, der früh hinwelkt und so gar nicht 540
Pflegen des Alternden kann; denn weit entfernt von der Heimat
Sitz ich in Troja hier, dich selbst und die Deinen betrübend.
Dich auch priesen, o Greis, vordem glückselig die Völker:
Alles, was Lesbos dort, des Makars Insel, begrenzet,
Phrygia dort und hier der unendliche Hellespontos, 545

Das beherrschest du, Greis, durch Macht und Söhne verherrlicht.
Aber nachdem dies Leid dir gesandt die Uranionen,
Tobt dir's stets um die Mauern von Schlacht und Männerermordung.
Duld es und jammere nicht so unablässig im Herzen!
Denn doch nichts gewinnst du, um deinen Sohn dich betrübend, 550
Noch erweckest du ihn; eh schaffst du dir anderen Kummer!
Ihm antwortete Priamos drauf, der göttliche Herrscher:
Setze mich nicht auf den Sessel, o Liebling Zeus', da noch Hektor
Liegt in deinem Gezelt, unbeerdiget! Eilig erlaß ihn,
Daß ich mit Augen ihn seh, und du empfahe die Lösung, 555
Reichliche, die wir gebracht. Du genieß des Guten und kehre
Heim in das Vaterland, nachdem du zuerst mir vergönnet,
Lebend annoch zu schauen das Licht der strahlenden Sonne.
Finster schaut' und begann der mutige Renner Achilleus:
Nicht mehr jetzt mich gereizet, o Greis! Ich gedenke ja selber, 560
Hektor dir zu erlassen; denn Zeus entsandte mir Botschaft,
Meine Gebärerin Thetis, erzeugt vom alternden Meergott.
Auch erkenn ich im Geist, o Priamos, ohne zu zweifeln,
Daß ein Gott dich geführt zu den hurtigen Schiffen Achaias.
Denn nicht wagt' es fürwahr ein Sterblicher, wär er auch Jüngling,
Her ins Lager zu kommen; auch nie entschlich' er den Wächtern,
Noch eröffnet' er leicht die Riegel unserer Tore.
Drum laß ab, noch mehr mein bekümmertes Herz zu erregen;
Denn sonst möcht ich, o Greis, auch dein nicht schonen im Zelte,
Wie demütig du flehst, und Zeus' Gebote verletzen. 570
Jener sprach's; bang hört' es der Greis und gehorchte der Rede.
Aber Achilleus sprang wie ein Löw aus der Pforte der Wohnung;
Nicht er allein: ihm folgten zugleich zween wackre Genossen,
Held Automedon dort und Alkimos, welche vor allen
Ehrete Peleus' Sohn, nach dem abgeschiednen Patroklos. 575
Und sie entlösten dem Joch die Rosse zugleich und die Mäuler;
Dann herein auch führend des Königes tönenden Herold,
Setzten sie ihn auf den Sessel, und drauf vom zierlichen Wagen
Huben sie Hektors Lösegeschenk', unendlichen Wertes.
Zween nur ließ man der Mäntel und einen köstlichen Leibrock, 580
Daß er die Leich in Gewande gehüllt dargäbe zur Heimfahrt.
Jener berief die Mägd' und hieß sie waschen und salben

Hektors Leib, doch entfernt und ungesehn von dem Vater,
Daß nicht tobte der Zorn in Priamos' trauernder Seele,
Schaut' er den Sohn, und eifernd Achilleus' Herz er erregte, 585
Daß ihn selbst er erschlüg und Zeus' Gebote verletzte.
Als nunmehr ihn gewaschen die Mägd' und mit Öle gesalbet,
Dann mit dem köstlichen Mantel ihn wohl umhüllt und dem Leibrock,
Hob ihn Achilleus selbst auf ein hingebreitetes Lager;
Und ihn erhoben die Freund' auf den zierlichen Wagen der Mäuler.
Jener nunmehr wehklagt' und rief dem teuren Genossen:
Zürne mir nicht, Patroklos, noch eifere, hörest du etwa
Auch in Aides' Nacht, daß ich Hektors Leich ihm zurückgab,
Der ihn gezeugt; denn nicht unwürdige Lösung mir bracht er.
Dir auch weih ich davon zum Geschenk ein gebührendes Anteil.
Also sprach und kehrt' ins Gezelt der edle Achilleus,
Setzt' auf den stattlichen Sessel sich hin, von welchem er aufstand,
Dort an der anderen Wand, und sprach zu Priamos also:
Siehe, dein Sohn ist jetzo gelöst, o Greis, wie du wünschtest,
Und er liegt auf Gewand. Sobald der Morgen sich rötet, 600
Schaust du und führst ihn hinweg; nun laß uns gedenken des Mahles.
Denn auch Niobe selbst, die lockige, dachte der Speise,
Welche zugleich zwölf Kinder in ihrem Hause verloren,
Sechs der lieblichen Töchter und sechs aufblühende Söhne.
Ihre Söhn' erlegte mit silbernem Bogen Apollon 605
Zornigen Muts und die Töchter ihr Artemis, froh des Geschosses,
Weil sie gleich sich geachtet der rosenwangigen Leto.
Zween nur habe die Göttin, sie selbst so viele geboren,
Prahlte sie; des ergrimmten die zween und vertilgten sie alle.
Jene lagen nunmehr neun Tag' in Blut; und es war nicht, 610
Der sie begrub; denn die Völker versteinerte Zeus Kronion.
Drauf am zehnten begrub sie die Hand der unsterblichen Götter.
Doch gedachte der Speise die Trauernde, müde der Tränen.
Jetzo dort in den Felsen, auf einsam bewanderten Bergen
Sipylons, wo man erzählt, daß göttliche Nymphen gelagert 615
Ausruhn, wann sie im Tanz Acheloios' Ufer umhüpfet:
Dort, auch ein Fels annoch, fühlt jene das Leid von den Göttern.
Auf denn, auch wir gedenken des Mahls, o göttlicher Alter,
Jetzo; hinfort dann magst du den lieben Sohn ja beweinen,

Kehrend in Ilios' Stadt; denn viel der Tränen verdient er. 620

Sprach's und erhob sich in Eil, und ein Schaf weißwolligen Vlieses
Schlachtet' er; Freund' entzogen die Haut und bestellten es klüglich,
Schnitten behend in Stücke das Fleisch und steckten's an Spieße,
Brieten es dann vorsichtig und zogen es alles herunter.
Aber Automedon nahm und verteilte das Brot auf dem Tische, 625
Jedem im zierlichen Korb, und das Fleisch verteilet' Achilleus.
Und sie erhoben die Hände zum leckerbereiteten Mahle.
Aber nachdem die Begierde des Tranks und der Speise gestillt war,
Nun sah Priamos, Dardanos' Sohn, mit Erstaunen Achilleus,
Welch ein Wuchs und wie edel er glich unsterblichen Göttern. 630
Auch vor Priamos, Dardanos' Sohn, erstaunet' Achilleus,
Schauend das Angesicht voll Würd und die Rede vernehmend.
Aber nachdem sie gesättigt den Anblick einer des andern,
Hob der göttliche Priamos an und redete also:

Bette mich nun aufs schnellste, du Göttlicher, daß wir anitzo 635
Auch des erquickenden Schlafs uns sättigen, sanft gelagert.
Denn nie schlossen sich noch die Augen mir unter den Wimpern,
Seit vor deiner Gewalt mein Sohn zu den Toten hinabsank,
Sondern stets nur seufz ich und nähr unendlichen Jammer,
In dem Gehege des Hofs auf schmutziger Erde mich wälzend. 640
Nun erst kostet ich wieder der Speis, auch rötlichen Weines
Sandt ich die Kehle hinab; nichts hatt ich zuvor noch gekostet.

Jener sprach's, und Achilleus befahl den Genossen und Mägden,
Unter die Halle zu stellen ihr Bett, dann unten von Purpur
Prächtige Polster zu legen und Teppiche drüber zu breiten, 645
Drauf auch wollige Mäntel zur oberen Hülle zu legen.
Schnell enteilten die Mägde dem Saal mit leuchtenden Fackeln,
Und sie bereiteten emsig den Fremdlingen jedem ein Lager.
Scherzend begann nunmehr der mutige Renner Achilleus:

Draußen lagre dich nun, o lieber Greis; denn es möcht hier 650
Etwa ein Fürst herkommen der Danaer, welche gewöhnlich,
Rat mit mir zu raten, in meinem Gezelt sich versammeln.
Sähe dich einer davon in der Nacht schnellfliehendem Dunkel,
Bald verkündigte der's dem Hirten des Volks Agamemnon,
Und verzögert würde vielleicht die Erlassung des Leichnams. 655
Aber sage mir jetzt und verkündige lautere Wahrheit:

Wieviel Tage gedenkst du den edlen Sohn zu bestatten?
Daß ich indes, selbst ruhend, das Volk des Streites enthalte.
Ihm antwortete Priamos drauf, der göttliche Herrscher:
Wenn du vergönnst, mit Feier den edlen Sohn zu bestatten, 660
Würdest du, so es machend, Gefälligkeit üben, Achilleus.
Wir in der Stadt, wie du weißt, sind eingehemmt, und die Waldung
Holen wir fern im Gebirg, und mutlos zagen die Troer.
Gern betraurten wir ihn neun Tage lang im Palaste;
Dann am zehnten bestatteten wir und feirten das Gastmahl, 665
Häuften ihm drauf am elften den Ehrenhügel des Grabes;
Aber den zwölften Tag dann kämpfen wir, wenn es ja sein muß.
Wieder begann dagegen der mutige Renner Achilleus:
Greis, auch dieses gescheh, o Priamos, wie du gebietest.
Hemmen werd ich so lange die Kriegsmacht, als du begehret. 670
Also sprach der Peleid und faßt' am Knöchel des Greises
Rechte Hand, damit er des Herzens Furcht ihm entnähme.
Also schliefen sie dort in der vorderen Halle der Wohnung,
Priamos selbst und der Herold, des Rats allkundige Greise.
Aber Achilleus ruht' im innersten Raum des Gezeltes, 675
Und ihm lag zur Seite des Brises rosige Tochter.
Alle nunmehr, die Götter und gaulgerüsteten Männer,
Schliefen die ganze Nacht, von sanftem Schlummer gefesselt.
Aber nicht Hermeias den Segnenden faßte der Schlummer;
Denn er erwog im Geist, wie er Priamos, Trojas Beherrscher, 680
Führen möcht aus den Schiffen, geheim vor den heiligen Wächtern.
Ihm nun trat er zum Haupt und redete, also beginnend:
Greis, kein Böses fürwahr bekümmert dich, daß du so ruhig
Schläfst bei feindlichen Männern, nachdem dich verschonet Achilleus.
Zwar nun hast du den Sohn dir gelöst und vieles gegeben, 685
Aber dich Lebenden lösten mit dreimal größerer Gabe
Deine Söhne daheim in Ilios, wenn's Agamemnon
Wüßte, der Atreion, und Achaias Völker es wüßten.
Jener sprach's; bang hört' es der Greis und erweckte den Herold.
Ihnen spannt' Hermeias die Rosse vor und die Mäuler; 690
Schleunig sodann hinlenkt' er durchs Heer, und keiner vernahm es.
Als sie nunmehr an die Furt des schönhinwallenden Xanthos
Kamen, des wirbelnden Stroms, den Zeus der Unsterbliche zeugte,

Jetzo schied Hermeias hinweg zum hohen Olympos.
Eos im Safrangewand erleuchtete rings nun die Erde. 695
Jene trieben die Rosse zur Stadt wehklagend und seufzend
Fort, und die Mäuler führten den Leichnam. Aber kein andrer
Sah sie vorher, der Männer noch schöngegürteten Weiber;
Nur Kassandra, schön wie die goldene Aphrodite,
Stieg auf Pergamos' Höh und schauete ferne den Vater, 700
Welcher im Sessel stand, und den stadtdurchrufenden Herold,
Auch in dem Maultierwagen, gestreckt auf Gewande, den Leichnam.
Laut wehklagte sie nun und rief durch Ilios' Gassen:
  Eilt ihn zu schaun, ihr Troer und Troerinnen, den Hektor,
Habt ihr des Lebenden je, der wiederkehrt' aus der Feldschlacht, 705
Euch gefreut; denn er war die Freude der Stadt und des Volkes!
  Jene sprach's; und es blieb kein einziger dort in der Feste,
Weder Mann noch Weib; sie ergriff unermeßliche Trauer.
Nahe begegneten sie am Tore dem Führer des Leichnams.
Beide voran, sein liebendes Weib und die würdige Mutter, 710
Rauften ihr Haar, sinnlos an den rollenden Wagen sich stürzend,
Rührend des Toten Haupt; und weinend umstand sie die Menge.
Also den ganzen Tag bis spät zur sinkenden Sonne
Hätten sie Hektor betraurt, die Weinenden, außer dem Tore,
Wenn nicht jetzt aus dem Sessel der Greis zum Volke geredet: 715
  Weicht und laßt mir die Mäuler hindurchgehn; aber nach diesem
Sättiget euch der Tränen, nachdem ich ins Haus ihn geführet!
  Jener sprach's; und sie trennten sich schnell und wichen dem Wagen.
Als sie den Leichnam nun in die prangende Wohnung geführet,
Legten sie ihn auf ein schönes Gestell und ordneten Sänger, 720
Anzuheben die Klag; und gerührt mit jammernden Tönen
Sangen sie Trauergesang, und ringsum seufzten die Weiber.
Aber die blühende Fürstin Andromache klagte vor allen,
Haltend sein Haupt in den Händen, des männervertilgenden Hektors:
  Mann, du verlorst dein Leben, du Blühender, aber mich Witwe 725
Lässest du hier im Palast und das ganz unmündige Söhnlein,
Welches wir beide gezeugt, wir Elenden! Ach, wohl schwerlich
Blüht er zum Jüngling empor! Denn zuvor wird Troja vom Gipfel
Umgestürzt, da du starbst, ihr Verteidiger, welcher die Mauern
Schirmte, die züchtigen Fraun und stammelnden Kinder errettend.

Bald nun werden hinweg sie geführt in geräumigen Schiffen,
Und ich selbst mit jenen! Doch du, mein trautester Sohn, wirst
Dorthin gehn mit der Mutter, um Arbeit und Schmach zu erdulden,
Ringend unter dem Zwang des Grausamen, oder dich schmettert
Hoch vom Turm ins Verderben, am Arme gefaßt, ein Achaier 735
Zürnend, da Hektor den Bruder ihm tötete oder den Vater
Oder den blühenden Sohn; denn, traun, sehr viel der Achaier
Haben durch Hektors Hände den Staub mit den Zähnen gebissen.
Nie war schonend dein Vater noch sanft in der grausen Entscheidung;
Drum betrauern ihn nun die Völker umher in der Feste. 740
Schrecklich hast du die Eltern mit Gram und Trauer belastet,
Hektor; doch mich vor allen betrübt nie endender Jammer!
Denn nicht hast du mir sterbend die Hand aus dem Bette gereichet,
Noch ein Wort mir gesagt voll Weisheit, welches ich ewig
Eingedenk erwöge, bei Tag und Nacht dich beweinend. 745
Also sprach sie weinend, und ringsum seufzten die Weiber.
Jetzo erhob vor ihnen auch Hekabe klagend die Stimme:
Hektor, du Herzenskind, mein Trautester aller Gebornen!
Ach, und weil du mir lebtest, wie hochgeliebt von den Göttern,
Welche ja dein gedenken auch selbst in des Todes Verhängnis! 750
Denn die anderen Söhne, die mir der schnelle Achilleus
Nahm, verkauft' er vordem jenseits der öden Gewässer,
Hin gen Samos und Imbros und zur unwirtbaren Lemnos.
Aber da dich er entseelt mit ragender Spitze des Erzes,
Hat er so oft dich geschleift um das Ehrenmal des Patroklos, 755
Seines Freunds, den du schlugst, und erweckete jenen auch so nicht.
Dennoch frisch wie betaut und blühend annoch im Palaste
Ruhest du, jenem gleich, den der Gott des silbernen Bogens
Unversehns hinstreckte, mit lindem Geschoß ihn ereilend.
Also sprach sie weinend und weckt' unermeßlichen Jammer. 760
Endlich erhob vor ihnen auch Helena klagend die Stimme:
Hektor, o trautester Freund, geliebt vor des Mannes Gebrüdern!
Ach, mein Gemahl ist jetzo der göttliche Held Alexandros,
Der mich gen Troja geführt! O wär ich zuvor doch gestorben!
Denn mir entflohn seitdem schon zwanzig Jahre des Lebens, 765
Seit von dannen ich ging, das Land der Väter verlassend;
Nimmer indes entfiel dir ein böses Wort, noch ein Vorwurf.

Ja, wenn ein andrer im Hause mich anfuhr unter den Brüdern
Oder den Schwestern des Manns und den stattlichen Frauen
der Schwäger,
Oder die Schwäherin selbst, denn der Schwäher ist mild wie ein Vater:
Immer besänftigtest du und redetest immer zum Guten
Durch dein freundliches Herz und deine freundlichen Worte.
Drum bewein ich mit dir mich Elende, herzlich bekümmert!
Denn kein anderer noch in Trojas weitem Gefilde
Ist mir Tröster und Freund; sie wenden sich alle mit Abscheu! 775
Also sprach sie weinend; es seufzt' unzählbares Volk nach.
Priamos aber, der Greis, begann im Gedränge der Troer:
Bringt nun Holz, ihr Troer, vom Walde zur Stadt und besorgt nicht
Lauernden Hinterhalt der Danaer; denn mir verhieß ja
Peleus' Sohn, mich entsendend von Argos' dunkelen Schiffen, 780
Nicht uns Schaden zu tun, bis genaht der zwölfte der Morgen.
Jener sprach's; da bespannten sie schnell mit Stieren und Mäulern
Wagen der Last und versammelten drauf sich außer der Feste,
Führeten dann neun Tage zur Stadt unermeßliche Waldung.
Aber nachdem zum zehnten die leuchtende Eos emporstieg, 785
Jetzo trugen sie weinend hinaus den mutigen Hektor,
Legten ihn hoch auf der Scheiter Gerüst und entflammten das Feuer.
Als aufdämmernd nun Eos mit Rosenfingern emporstieg,
Kam das versammelte Volk um den Brand des gepriesenen Hektors.
Diese löschten den glimmenden Schutt mit rötlichem Weine, 790
Überall, wo die Glut hinwütete; drauf in der Asche
Lasen das weiße Gebein die Brüder zugleich und Genossen,
Wehmutsvoll, ihr Antlitz mit häufigen Tränen benetzend.
Jetzo legeten sie die Gebein' in ein goldenes Kästlein
Und umhüllten es wohl mit purpurnen weichen Gewanden, 795
Senkten sodann es hinab in die hohle Gruft, und darüber
Häuften sie dichtgeordnet gewaltige Steine des Feldes;
Schütteten eilend das Mal, und ringsum stellten sie Späher,
Daß nicht zuvor anstürmten die hellumschienten Achaier.
Als sie das Mal geschüttet, enteilten sie. Jetzo von neuem 800
Kamen sie nach dem Gebrauch und feierten stattlichen Festschmaus
Dort in Priamos' Hause, des gottbeseligten Herrschers.
Also bestatteten jene den Leib des reisigen Hektors.

ODYSSEE

I. GESANG

Ratschluß der Götter, daß Odysseus, welchen Poseidon verfolgt, von Kalypsos Insel Ogygia heimkehre. Athene, in Mentes' Gestalt, den Telemachos besuchend, rät ihm, in Pylos und Sparta nach dem Vater sich zu erkundigen und die schwelgenden Freier aus dem Hause zu schaffen. Er redet das erstemal mit Entschlossenheit zur Mutter und zu den Freiern. Nacht.

Sage mir, Muse, die Taten des vielgewanderten Mannes,
Welcher so weit geirrt nach der heiligen Troja Zerstörung,
Vieler Menschen Städte gesehn und Sitte gelernt hat
Und auf dem Meere so viel unnennbare Leiden erduldet,
Seine Seele zu retten und seiner Freunde Zurückkunft. 5
Aber die Freunde rettet' er nicht, wie eifrig er strebte;
Denn sie bereiteten selbst durch Missetat ihr Verderben:
Toren! welche die Rinder des hohen Sonnenbeherrschers
Schlachteten; siehe, der Gott nahm ihnen den Tag der Zurückkunft.
Sage hievon auch uns ein weniges, Tochter Kronions. 10
Alle die andern, soviel dem verderbenden Schicksal entflohen,
Waren jetzo daheim, dem Krieg entflohn und dem Meere:
Ihn allein, der so herzlich zur Heimat und Gattin sich sehnte,
Hielt die unsterbliche Nymphe, die hehre Göttin Kalypso,
In der gewölbeten Grotte und wünschte sich ihn zum Gemahle. 15
Selbst da das Jahr nun kam im kreisenden Laufe der Zeiten,
Da ihm die Götter bestimmt, gen Ithaka wiederzukehren,
Hatte der Held noch nicht vollendet die müdende Laufbahn,
Auch bei den Seinigen nicht. Es jammerte seiner die Götter;
Nur Poseidon zürnte dem göttergleichen Odysseus 20
Unablässig, bevor er sein Vaterland wieder erreichte.
Dieser war jetzo fern zu den Aithiopen gegangen:
Aithiopen, die zwiefach geteilt sind, die äußersten Menschen,
Gegen den Untergang der Sonnen und gegen den Aufgang:
Welche die Hekatombe der Stier' und Widder ihm brachten. 25
Allda saß er, des Mahls sich freuend. Die übrigen Götter
Waren alle in Zeus' des Olympiers Hause versammelt.
Unter ihnen begann der Vater der Menschen und Götter;
Denn er gedachte bei sich des tadellosen Aigisthos,
Den Agamemnons Sohn, der berühmte Orestes, getötet; 30
Dessen gedacht er jetzo und sprach zu der Götter Versammlung:

Welche Klagen erheben die Sterblichen wider die Götter!
Nur von uns, wie sie schrein, kommt alles Übel; und dennoch
Schaffen die Toren sich selbst, dem Schicksal entgegen, ihr Elend.
So nahm jetzo Aigisthos, dem Schicksal entgegen, die Gattin 35
Agamemnons zum Weib und erschlug den kehrenden Sieger,
Kundig des schweren Gerichts! Wir hatten ihn lange gewarnet,
Da wir ihm Hermes sandten, den wachsamen Argosbesieger,
Weder jenen zu töten noch um die Gattin zu werben.
Denn von Orestes wird einst das Blut Agamemnons gerochen, 40
Wann er, ein Jüngling nun, des Vaters Erbe verlanget.
So weissagte Hermeias; doch folgte dem heilsamen Rate
Nicht Aigisthos, und jetzt hat er alles auf einmal gebüßet.

Drauf antwortete Zeus' blauäugichte Tochter Athene:
Unser Vater Kronion, der herrschenden Könige Herrscher, 45
Seiner verschuldeten Strafe ist jener Verräter gefallen.
Möchte doch jeder so fallen, wer solche Taten beginnet!
Aber mich kränkt in der Seele des weisen Helden Odysseus
Elend, welcher so lang, entfernt von den Seinen, sich abhärmt
Auf der umflossenen Insel, der Mitte des wogenden Meeres. 50
Eine Göttin bewohnt das waldumschattete Eiland,
Atlas' Tochter, des Allerforschenden, welcher des Meeres
Dunkle Tiefen kennt und selbst die ragenden Säulen
Aufhebt, welche die Erde vom hohen Himmel sondern.
Dessen Tochter hält den ängstlich harrenden Dulder, 55
Immer schmeichelt sie ihm mit sanft liebkosenden Worten,
Daß er des Vaterlandes vergesse. Aber Odysseus
Sehnt sich, auch nur den Rauch von Ithakas heimischen Hügeln
Steigen zu sehn und dann zu sterben! Ist denn bei dir auch
Kein Erbarmen für ihn, Olympier? Brachte Odysseus 60
Nicht bei den Schiffen der Griechen in Trojas weitem Gefilde
Sühnender Opfer genug? Warum denn zürnest du so, Zeus?

Ihr antwortete drauf der Wolkenversammler Kronion:
Welche Rede, mein Kind, ist deinen Lippen entflohen?
O wie könnte doch ich des edlen Odysseus vergessen? 65
Sein, des weisesten Mannes, und der die reichlichsten Opfer
Uns Unsterblichen brachte, des weiten Himmels Bewohnern?
Poseidaon verfolgt ihn, der Erdumgürter, mit heißer

Unaufhörlicher Rache; weil er den Kyklopen geblendet,
Polyphemos, den Riesen, der unter allen Kyklopen, 70
Stark wie ein Gott, sich erhebt. Ihn gebar die Nymphe Thoosa,
Phorkyns Tochter, des Herrschers im wüsten Reiche der Wasser,
Welche Poseidon einst in dämmernder Grotte bezwungen.
Darum trachtet den Helden der Erderschüttrer Poseidon
Nicht zu töten, allein von der Heimat irre zu treiben. 75
Aber wir wollen uns alle zum Rat vereinen, die Heimkehr
Dieses Verfolgten zu fördern; und Poseidaon entsage
Seinem Zorn: denn nichts vermag er doch wider uns alle,
Uns unsterblichen Göttern allein entgegenzukämpfen!
Drauf antwortete Zeus' blauäugichte Tochter Athene: 80
Unser Vater Kronion, der herrschenden Könige Herrscher,
Ist denn dieses im Rate der seligen Götter beschlossen,
Daß in sein Vaterland heimkehre der weise Odysseus;
Auf! so laßt uns Hermeias, den rüstigen Argosbesieger,
Senden hinab zu der Insel Ogygia: daß er der Nymphe 85
Mit schönwallenden Locken verkünde den heiligen Ratschluß
Von der Wiederkehr des leidengeübten Odysseus.
Aber ich will gen Ithaka gehn, den Sohn des Verfolgten
Mehr zu entflammen und Mut in des Jünglings Seele zu gießen,
Daß er zu Rat berufe die hauptumlockten Achaier 90
Und den Freiern verbiete, die stets mit üppiger Frechheit
Seine Schafe schlachten und sein schwerwandelndes Hornvieh;
Will ihn dann senden gen Sparta und zu der sandigen Pylos:
Daß er nach Kundschaft forsche von seines Vaters Zurückkunft
Und ein edler Ruf ihn unter den Sterblichen preise. 95
Also sprach sie und band sich unter die Füße die schönen
Goldnen ambrosischen Sohlen, womit sie über die Wasser
Und das unendliche Land im Hauche des Windes einherschwebt;
Faßte die mächtige Lanze mit scharfer eherner Spitze,
Schwer und groß und stark, womit sie die Scharen der Helden 100
Stürzt, wenn im Zorn sich erhebt die Tochter des schrecklichen Vaters.
Eilend fuhr sie hinab von den Gipfeln des hohen Olympos,
Stand nun in Ithakas Stadt, am Tore des Helden Odysseus,
Vor der Schwelle des Hofs, und hielt die eherne Lanze,
Gleich dem Freunde des Hauses, dem Fürsten der Taphier Mentes.

Aber die mutigen Freier erblickte sie an des Palastes
Pforte, wo sie ihr Herz mit Steineschieben ergötzten,
Hin auf Häuten der Rinder gestreckt, die sie selber geschlachtet.
Herold' eilten umher und fleißige Diener im Hause:
Jene mischten für sie den Wein in den Kelchen mit Wasser; 110
Diese säuberten wieder mit lockern Schwämmen die Tische,
Stellten in Reihen sie hin und teilten die Menge des Fleisches.
Pallas erblickte zuerst Telemachos, ähnlich den Göttern.
Unter den Freiern saß er mit traurigem Herzen; denn immer
Schwebte vor seinem Geiste das Bild des trefflichen Vaters: 115
Ob er nicht endlich käme, die Freier im Hause zerstreute
Und, mit Ehre gekrönt, sein Eigentum wieder beherrschte.
Dem nachdenkend, saß er bei jenen, erblickte die Göttin
Und ging schnell nach der Pforte des Hofs, unwillig im Herzen,
Daß ein Fremder so lang an der Türe harrte; empfing sie, 120
Drückt' ihr die rechte Hand und nahm die eherne Lanze,
Redete freundlich sie an und sprach die geflügelten Worte:
Freue dich, fremder Mann! Sei uns willkommen; und hast du
Dich mit Speise gestärkt, dann sage, was du begehrest.
Also sprach er und ging; ihm folgete Pallas Athene. 125
Als sie jetzt in den Saal des hohen Palastes gekommen,
Trug er die Lanz' in das schöngetäfelte Speerbehältnis,
An die hohe Säule sie lehnend, an welcher noch viele
Andere Lanzen stunden des leidengeübten Odysseus.
Pallas führt' er zum Thron und breitet' ein Polster ihr unter, 130
Schön und künstlichgewirkt; ein Schemel stützte die Füße.
Neben ihr setzt' er sich selbst auf einen prächtigen Sessel,
Von den Freiern entfernt: daß nicht dem Gaste die Mahlzeit
Durch das wüste Getümmel der Trotzigen würde verleidet
Und er um Kundschaft ihn von seinem Vater befragte. 135
Eine Dienerin trug in der schönen goldenen Kanne
Über dem silbernen Becken das Wasser, beströmte zum Waschen
Ihnen die Händ' und stellte vor sie die geglättete Tafel.
Und die ehrbare Schaffnerin kam und tischte das Brot auf
Und der Gerichte viel aus ihrem gesammelten Vorrat. 140
Hierauf kam der Zerleger und bracht in erhobenen Schüsseln
Allerlei Fleisch und setzte vor sie die goldenen Becher.

Und ein geschäftiger Herold versorgte sie reichlich mit Weine.
 Jetzo kamen auch die mutigen Freier und saßen
All in langen Reihen auf prächtigen Thronen und Sesseln. 145
Herolde gossen ihnen das Wasser über die Hände.
Aber die Mägde setzten gehäufte Körbe mit Brot auf.
Jünglinge füllten die Kelche bis oben mit dem Getränke,
Und sie erhoben die Hände zum leckerbereiteten Mahle.
Und nachdem die Begierde des Tranks und der Speise gestillt war,
Dachten die üppigen Freier auf neue Reize der Seelen,
Auf Gesang und Tanz, des Mahles liebliche Zierden.
Und ein Herold reichte die schöngebildete Harfe
Phemios hin, der an Kunst des Gesangs vor allen berühmt war,
Phemios, der bei den Freiern gezwungen wurde zu singen. 155
Prüfend durchrauscht' er die Saiten und hub den schönen Gesang an.
 Aber Telemachos neigte das Haupt zu Pallas Athene
Und sprach leise zu ihr, damit es die andern nicht hörten:
 Lieber Gastfreund, wirst du mir auch die Rede verargen?
Diese können sich wohl bei Saitenspiel und Gesange 160
Freun, da sie ungestraft des Mannes Habe verschwelgen,
Dessen weißes Gebein vielleicht schon an fernem Gestade
Modert im Regen, vielleicht von den Meereswogen gewälzt wird.
Sähen sie jenen einmal zurück in Ithaka kommen,
Alle wünschten gewiß sich lieber noch schnellere Füße 165
Als noch größere Last an Gold und prächtigen Kleidern.
Aber es war sein Verhängnis, so hinzusterben; und keine
Hoffnung erfreuet uns mehr, wenn auch zuweilen ein Fremdling
Sagt, er komme zurück. Der Tag ist auf immer verloren!
Aber verkündige mir und sage die lautere Wahrheit. 170
Wer, wes Volkes bist du? und wo ist deine Geburtsstadt?
Und in welcherlei Schiff kamst du? wie brachten die Schiffer
Dich nach Ithaka her? was rühmen sich jene für Leute?
Denn unmöglich bist du doch hier zu Fuße gekommen!
Dann erzähle mir auch aufrichtig, damit ich es wisse: 175
Bist du in Ithaka noch ein Neuling oder ein Gastfreund
Meines Vaters? Denn unser Haus besuchten von jeher
Viele Männer, und er mocht auch mit Leuten wohl umgehn.
 Drauf antwortete Zeus' blauäugichte Tochte Athene:

Dieses will ich dir alles, und nach der Wahrheit, erzählen. 180
Mentes, Anchialos' Sohn, des kriegserfahrenen Helden,
Rühm ich mich und beherrsche die ruderliebende Taphos.
Jetzo schifft ich hier an; denn ich steure mit meinen Genossen
Über das dunkle Meer zu unverständlichen Völkern,
Mir in Temesa Kupfer für blinkendes Eisen zu tauschen. 185
Und mein Schiff liegt außer der Stadt am freien Gestade,
In der reithrischen Bucht, an des waldichten Neion Fuße.
Lange preisen wir, schon von den Zeiten unserer Väter,
Uns Gastfreunde. Du darfst nur zum alten Helden Laertes [kommt,
Gehn und fragen, der jetzt, wie man sagt, nicht mehr in die Stadt
Sondern in Einsamkeit auf dem Lande sein Leben vertrauert,
Bloß von der Alten bedient, die ihm sein Essen und Trinken
Vorsetzt, wann er einmal vom fruchtbaren Rebengefilde,
Wo er den Tag hinschleicht, mit müden Gliedern zurückwankt.
Aber ich kam, weil es hieß, dein Vater wäre nun endlich 195
Heimgekehrt, doch ihm wehren vielleicht die Götter die Heimkehr.
Denn noch starb er nicht auf Erden, der edle Odysseus,
Sondern er lebt noch wo in einem umflossenen Eiland
Auf dem Meere der Welt; ihn halten grausame Männer,
Wilde Barbaren, die dort mit Gewalt zu bleiben ihn zwingen. 200
Aber ich will dir anitzt weissagen, wie es die Götter
Mir in die Seele gelegt und wie's wahrscheinlich geschehn wird;
Denn kein Seher bin ich noch Flüge zu deuten erleuchtet.
Nicht mehr lange bleibt er von seiner heimischen Insel
Ferne, nicht lange mehr, und hielten ihn eiserne Bande; 205
Sinnen wird er auf Flucht, und reich ist sein Geist an Erfindung.
Aber verkündige mir und sage die lautere Wahrheit.
Bist du mit dieser Gestalt ein leiblicher Sohn von Odysseus?
Wundergleich bist du ihm, an Haupt und Glanze der Augen!
Denn oft haben wir so uns zueinander gesellet, 210
Eh er gen Troja fuhr mit den übrigen Helden Achaias.
Seitdem hab ich Odysseus und jener mich nicht gesehen.

Und der verständige Jüngling Telemachos sagte dagegen:
Dieses will ich dir, Freund, und nach der Wahrheit erzählen.
Meine Mutter, die sagt es, er sei mein Vater; ich selber 215
Weiß es nicht; denn von selbst weiß niemand, wer ihn gezeuget.

Wär ich doch lieber der Sohn von einem glücklichen Manne,
Den bei seiner Habe das ruhige Alter beschliche!
Aber der unglückseligste aller sterblichen Menschen
Ist, wie man sagt, mein Vater; weil du mich darum befragest. 220
Drauf antwortete Zeus' blauäugichte Tochter Athene:
Nun, so werden die Götter doch nicht den Namen des Hauses
Tilgen, da solchen Sohn ihm Penelopeia geboren.
Aber verkündige mir und sage die lautere Wahrheit.
Was für ein Schmaus ist hier und Gesellschaft? Gibst du ein Gastmahl
Oder ein Hochzeitfest? Denn keinem Gelag ist es ähnlich!
Dafür scheinen die Gäste mit zu unbändiger Frechheit
Mir in dem Saale zu schwärmen. Ereifern müßte die Seele
Jedes vernünftigen Manns, der solche Greuel mit ansäh!
Und der verständige Jüngling Telemachos sagte dagegen: 230
Fremdling, weil du mich fragst und so genau dich erkundest;
Ehmals konnte dies Haus vielleicht begütert und glänzend
Heißen, da jener noch im Vaterlande verweilte:
Aber nun haben es anders die grausamen Götter entschieden,
Welche den herrlichen Mann vor allen Menschen verdunkelt! 235
Ach! ich trauerte selbst um den Tod des Vaters nicht so sehr,
Wär er mit seinen Genossen im Lande der Troer gefallen
Oder den Freunden im Arme, nachdem er den Krieg vollendet.
Denn ein Denkmal hätt ihm das Volk der Achaier errichtet,
Und so wäre zugleich sein Sohn bei den Enkeln verherrlicht. 240
Aber er ward unrühmlich ein Raub der wilden Harpyien;
Weder gesehn noch gehört, verschwand er und ließ mir zum Erbteil
Jammer und Weh! Doch jetzo bewein ich nicht jenen allein mehr;
Ach! es bereiteten mir die Götter noch andere Leiden.
Alle Fürsten, so viel in diesen Inseln gebieten, 245
In Dulichion, Same, der waldbewachsnen Zakynthos,
Und so viele hier in der felsichten Ithaka herrschen:
Alle werben um meine Mutter und zehren das Gut auf.
Aber die Mutter kann die aufgedrungne Vermählung
Nicht ausschlagen und nicht vollziehn. Nun verprassen die Schwelger
All mein Gut und werden in kurzem mich selber zerreißen!
Und mit zürnendem Schmerz antwortete Pallas Athene:
Götter, wie sehr bedarfst du des langabwesenden Vaters,

Daß sein furchtbarer Arm die schamlosen Freier bestrafe!
Wenn er doch jetzo käm und vorn in der Pforte des Saales 255
Stünde, mit Helm und Schild und zwoen Lanzen bewaffnet;
So an Gestalt, wie ich ihn zum ersten Male gesehen,
Da er aus Ephyra kehrend von Ilos, Mermeros' Sohne,
Sich in unserer Burg beim gastlichen Becher erquickte!
Denn dorthin war Odysseus im schnellen Schiffe gesegelt, 260
Menschentötende Säfte zu holen, damit er die Spitze
Seiner gefiederten Pfeile vergiftete. Aber sie gab ihm
Ilos nicht, denn er scheute den Zorn der unsterblichen Götter;
Aber mein Vater gab ihm das Gift, weil er herzlich ihn liebte:
Wenn doch in jener Gestalt Odysseus den Freiern erschiene! 265
Bald wär ihr Leben gekürzt und ihnen die Heirat verbittert!
Aber dieses ruhet im Schoße der seligen Götter,
Ob er zur Heimat kehrt und einst in diesem Palaste
Rache vergilt oder nicht. Dir aber gebiet ich zu trachten,
Daß du der Freier Schar aus deinem Hause vertreibest. 270
Lieber, wohlan! merk auf und nimm die Rede zu Herzen.
Fordere morgen zu Rat die edelsten aller Achaier,
Rede vor der Versammlung und rufe die Götter zu Zeugen.
Allen Freiern gebeut, zu dem Ihrigen sich zu zerstreuen;
Und der Mutter: verlangt ihr Herz die zwote Vermählung, 275
Kehre sie heim in das Haus des wohlbegüterten Vaters.
Dort bereite man ihr die Hochzeit und statte sie reichlich
Ihrem Bräutigam aus, wie lieben Töchtern gebühret.
Für dich selbst ist dieses mein Rat, wofern du gehorchest.
Rüste das trefflichste Schiff mit zwanzig Gefährten und eile, 280
Kundschaft dir zu erforschen vom lang abwesenden Vater,
Ob dir's einer verkünde der Sterblichen oder du Ossa,
Zeus' Gesandte, vernehmest, die viele Gerüchte verbreitet.
Erstlich fahre gen Pylos und frage den göttlichen Nestor,
Dann gen Sparta, zur Burg Menelaos', des bräunlichgelockten, 285
Welcher zuletzt heimkam von den erzgepanzerten Griechen.
Hörst du, er lebe noch, dein Vater, und kehre zur Heimat;
Dann, wie bedrängt du auch seist, erduld es noch ein Jahr lang.
Hörst du, er sei gestorben und nicht mehr unter den Menschen,
Siehe, dann kehre wieder zur lieben heimischen Insel, 290

Häufe dem Vater ein Mal und opfere Totengeschenke,
Reichlich, wie sich's gebührt, und gib einem Manne die Mutter.
Aber hast du dieses getan und alles vollendet,
Siehe, dann denk umher und überlege mit Klugheit,
Wie du die üppige Schar der Freier in deinem Palaste 295
Tötest, mit heimlicher List oder öffentlich! Fürder geziemen
Kinderwerke dir nicht, du bist dem Getändel entwachsen.
Hast du nimmer gehört, welch ein Ruhm den edlen Orestes
Unter den Sterblichen preist, seitdem er den Meuchler Aigisthos
Umgebracht, der ihm den herrlichen Vater ermordet? 300
Auch du, Lieber, denn groß und stattlich bist du von Ansehn,
Halte dich wohl, daß einst die spätesten Enkel dich loben!
Ich will jetzo wieder zum schnellen Schiffe hinabgehn
Und den Gefährten, die mich, vielleicht unwillig, erwarten.
Sorge nun selber für dich und nimm die Rede zu Herzen. 305
Und der verständige Jüngling Telemachos sagte dagegen:
Freund, du redest gewiß mit voller herzlicher Liebe,
Wie ein Vater zum Sohn, und nimmer werd ich's vergessen.
Aber verweile bei uns noch ein wenig, wie sehr du auch eilest;
Lieber, bade zuvor und gib dem Herzen Erfrischung, 310
Daß du mit froherem Mut heimkehrest und zu dem Schiffe
Bringest ein Ehrengeschenk, ein schönes köstliches Kleinod
Zum Andenken von mir, wie Freunde Freunden verehren.
Drauf antwortete Zeus' blauäugichte Tochter Athene:
Halte nicht länger mich auf; denn dringend sind meine Geschäfte.
Dein Geschenk, das du mir im Herzen bestimmest, das gib mir,
Wann ich wiederkomme, damit ich zur Heimat es bringe,
Und empfange dagegen von mir ein würdiges Kleinod.
Also redete Zeus' blauäugichte Tochter, und eilend
Flog wie ein Vogel sie durch den Kamin. Dem Jünglinge goß sie 320
Kraft und Mut in die Brust und fachte des Vaters Gedächtnis
Heller noch an wie zuvor. Er empfand es im innersten Herzen
Und erstaunte darob; ihm ahndete, daß es ein Gott war.
Jetzo ging er zurück zu den Freiern, der göttliche Jüngling.
Vor den Freiern sang der berühmte Sänger; und schweigend 325
Saßen sie all und horchten. Er sang die traurige Heimfahrt,
Welche Pallas Athene den Griechen von Troja beschieden.

Und im oberen Stock vernahm die himmlischen Töne
Auch Ikarios' Tochter, die kluge Penelopeia.
Eilend stieg sie hinab die hohen Stufen der Wohnung, 330
Nicht allein; sie wurde von zwo Jungfrauen begleitet.
Als das göttliche Weib die Freier jetzo erreichte,
Stand sie still an der Schwelle des schönen gewölbeten Saales;
Ihre Wangen umwallte der feine Schleier des Hauptes,
Und an jeglichem Arm stand eine der stattlichen Jungfraun. 335
Tränend wandte sie sich zum göttlichen Sänger und sagte:
Phemios, du weißt ja noch sonst viel reizende Lieder,
Taten der Menschen und Götter, die unter den Sängern berühmt sind;
Singe denn davon eins vor diesen Männern, und schweigend
Trinke jeder den Wein. Allein mit jenem Gesange 340
Quäle mich nicht, der stets mein armes Herz mir durchbohret.
Denn mich traf ja vor allen der unaussprechlichste Jammer!
Ach, den besten Gemahl bewein ich und denke beständig
Jenes Mannes, der weit durch Hellas und Argos berühmt ist!
Und der verständige Jüngling Telemachos sagte dagegen: 345
Meine Mutter, warum verargst du dem lieblichen Sänger,
Daß er mit Liedern uns reizt, wie sie dem Herzen entströmen?
Nicht die Sänger sind des zu beschuldigen, sondern allein Zeus,
Welcher die Meister der Kunst nach seinem Gefallen begeistert.
Zürne denn nicht, weil dieser die Leiden der Danaer singet; 350
Denn der neuste Gesang erhält vor allen Gesängen
Immer das lauteste Lob der aufmerksamen Versammlung,
Sondern stärke vielmehr auch deine Seele, zu hören.
Nicht Odysseus allein verlor den Tag der Zurückkunft
Unter den Troern, es sanken mit ihm viel andere Männer. 355
Aber gehe nun heim, besorge deine Geschäfte,
Spindel und Webestuhl, und treib an beschiedener Arbeit
Deine Mägde zum Fleiß! Die Rede gebühret den Männern
Und vor allem mir; denn mein ist die Herrschaft im Hause!
Staunend kehrte die Mutter zurück in ihre Gemächer 360
Und erwog im Herzen die kluge Rede des Sohnes.
Als sie nun oben kam mit den Jungfraun, weinte sie wieder
Ihren trauten Gemahl Odysseus, bis ihr Athene
Sanft mit süßem Schlummer die Augenlider betaute.

Aber nun lärmten die Freier umher in dem schattichten Saale, 365
Denn sie wünschten sich alle, mit ihr das Bette zu teilen.
Und der verständige Jüngling Telemachos sprach zur Versammlung:
Freier meiner Mutter, voll übermütigen Trotzes,
Freut euch jetzo des Mahls und erhebt kein wüstes Getümmel!
Denn es füllt ja mit Wonne das Herz, dem Gesange zu horchen, 370
Wann ein Sänger wie dieser die Töne der Himmlischen nachahmt!
Morgen wollen wir uns zu den Sitzen des Marktes versammeln,
Daß ich euch allen dort freimütig und öffentlich rate,
Mir aus dem Hause zu gehn! Sucht künftig andere Mähler;
Zehret von euren Gütern und laßt die Bewirtungen umgehn. 375
Aber wenn ihr es so bequemer und lieblicher findet,
Eines Mannes Hab' ohn alle Vergeltung zu fressen,
Schlingt sie hinab! Ich werde die ewigen Götter anflehn,
Ob euch nicht endlich einmal Zeus eure Taten bezahle,
Daß ihr in unserm Haus auch ohne Vergeltung dahinstürzt! 380
Also sprach er; da bissen sie ringsumher sich die Lippen,
Über den Jüngling erstaunt, der so entschlossen geredet.
Aber Eupeithes' Sohn Antinoos gab ihm zur Antwort:
Ei! dich lehren gewiß, Telemachos, selber die Götter,
Vor der Versammlung so hoch und so entschlossen zu reden, 385
Daß Kronion dir ja die Herrschaft unseres Eilands
Nicht vertraue, die dir von deinem Vater gebühret!
Und der verständige Jüngling Telemachos sagte dagegen:
O Antinoos, wirst du mir auch die Rede verargen?
Gerne nähm ich sie an, wenn Zeus sie schenkte, die Herrschaft! 390
Oder meinst du, es sei das Schlechteste unter den Menschen?
Wahrlich, es ist nichts Schlechtes, zu herrschen; des Königes Haus wird
Schnell mit Schätzen erfüllt, er selber höher geachtet!
Aber es wohnen ja sonst genug achaiische Fürsten
In dem umfluteten Reiche von Ithaka, Jüngling' und Greise; 395
Nehm es einer von diesen, wofern Odysseus gestorben!
Doch behalt ich für mich die Herrschaft unseres Hauses
Und der Knechte, die mir der edle Odysseus erbeutet!
Aber Polybos' Sohn Eurymachos sagte dagegen:
Dies, Telemachos, ruht im Schoße der seligen Götter, 400
Wer das umflutete Reich von Ithaka künftig beherrschet;

Aber die Herrschaft im Haus und dein Eigentum bleiben dir sicher!
Komme nur keiner und raube dir je mit gewaltsamen Händen
Deine Habe, solange noch Männer in Ithaka wohnen!
Aber ich möchte dich wohl um den Gast befragen, mein Bester. 405
Sage, woher ist der Mann und welches Landes Bewohner
Rühmt er sich? Wo ist sein Geschlecht und väterlich Erbe?
Bracht er dir etwa Botschaft von deines Vaters Zurückkunft?
Oder kam er hieher in seinen eignen Geschäften?
Warum eilt' er so plötzlich hinweg und scheute so sichtbar 410
Unsre Bekanntschaft? Gewiß, unedel war seine Gestalt nicht!
 Und der verständige Jüngling Telemachos sagte dagegen:
Hin, Eurymachos, ist auf immer des Vaters Zurückkunft!
Darum trau ich nicht mehr Botschaften, woher sie auch kommen,
Kümmre mich nie um Deutungen mehr, wen auch immer die Mutter
Zu sich ins Haus berufe, um unser Verhängnis zu forschen!
Dies war ein taphischer Mann, mein angeborener Gastfreund.
Mentes, Anchialos' Sohn, des kriegserfahrenen Helden,
Rühmt er sich und beherrscht die ruderliebende Taphos.
 Also sprach er; im Herzen erkannt er die heilige Göttin. 420
Und sie wandten sich wieder zum Tanz und frohen Gesange
Und belustigten sich, bis ihnen der Abend herabsank.
Als den Lustigen nun der dunkle Abend herabsank,
Gingen sie alle heim, der süßen Ruhe zu pflegen.
 Aber Telemachos ging zu seinem hohen Gemache 425
Auf dem prächtigen Hof, in weitumschauender Gegend:
Dorthin ging er zur Ruh mit tiefbekümmerter Seele.
Vor ihm ging mit brennenden Fackeln die tüchtige alte
Eurykleia, die Tochter Ops, des Sohnes Peisenors,
Welche vordem Laertes mit seinem Gute gekaufet, 430
In jungfräulicher Blüte, für zwanzig Rinder: er ehrte
Sie im hohen Palast gleich seiner edlen Gemahlin,
Aber berührte sie nie, aus Furcht vor dem Zorne der Gattin.
Diese begleitete ihn mit brennenden Fackeln; sie hatt ihn
Unter den Mägden am liebsten und pflegt' ihn, als er ein Kind war.
 Und er öffnete jetzt die Türe des schönen Gemaches,
Setzte sich auf sein Lager und zog das weiche Gewand aus,
Warf es dann in die Hände der wohlbedächtigen Alten.

Diese fügte den Rock geschickt in Falten und hängt' ihn
An den hölzernen Nagel zur Seite des zierlichen Bettes, 440
Ging aus der Kammer und zog mit dem silbernen Ringe die Türe
Hinter sich an und schob den Riegel vor mit dem Riemen.
Also lag er die Nacht, mit feiner Wolle bedecket,
Und umdachte die Reise, die ihm Athene geraten.

II. GESANG

Am Morgen beruft Telemachos das Volk und verlangt, daß die Freier sein Haus verlassen. Antinoos verweigert's. Vogelzeichen von Eurymachos verhöhnt. Telemachos bittet um ein Schiff, nach dem Vater zu forschen; Mentor rügt den Kaltsinn des Volks; aber ein Freier trennt spottend die Versammlung. Athene in Mentors Gestalt verspricht dem Einsamen Schiff und Begleitung. Die Schaffnerin Eurykleia gibt Reisekost. Athene erhält von Noemon ein Schiff und bemannt es. Am Abend wird die Reisekost eingebracht, und Telemachos, ohne Wissen der Mutter, fährt mit dem scheinbaren Mentor nach Pylos.

Als die dämmernde Frühe mit Rosenfingern erwachte,
Sprang er vom Lager empor, der geliebte Sohn von Odysseus,
Legte die Kleider an und hängte das Schwert um die Schulter,
Band die schönen Sohlen sich unter die zierlichen Füße,
Trat aus der Kammer hervor, geschmückt mit göttlicher Hoheit, 5
Und gebot den Herolden, schnell mit tönender Stimme
Zur Versammlung zu rufen die hauptumlockten Achaier.
Tönend riefen sie aus, und flugs war alles versammelt.
Als die Versammelten jetzt in geschlossener Reihe sich drängten,
Ging er unter das Volk, in der Hand die eherne Lanze, 10
Nicht allein; ihn begleiteten zween schnellfüßige Hunde.
Siehe mit himmlischer Anmut umstrahlt' ihn Pallas Athene,
Daß die Völker alle dem kommenden Jünglinge staunten.
Und er saß auf des Vaters Stuhl, ihm wichen die Greise.
Jetzo begann der Held Aigyptios vor der Versammlung, 15
Dieser gebückte Greis voll tausendfacher Erfahrung.
Dessen geliebter Sohn war samt dem edlen Odysseus
Gegen die Reisigen Trojas im hohlen Schiffe gesegelt,
Antiphos, tapfer und kühn; den hatte der arge Kyklope
In der Höhle zerfleischt und zum letzten Schmause bereitet. 20

Noch drei andere hatt er: der eine, Eurynomos, lebte
Unter den Freiern, und zween besorgten des Vaters Geschäfte;
Dennoch bejammert' er stets des verlorenen Sohnes Gedächtnis.
Tränend begann der Greis und redete vor der Versammlung:
Höret mich jetzt, ihr Männer von Ithaka, was ich euch sage! 25
Keine Versammlung ward und keine Sitzung gehalten,
Seit der edle Odysseus die Schiffe gen Troja geführt hat.
Wer hat uns denn heute versammelt? Welcher der Alten
Oder der Jünglinge hier? Und welche Sache bewog ihn?
Höret' er etwa Botschaft von einem nahenden Kriegsheer, 30
Daß er uns allen verkünde, was er am ersten vernommen?
Oder weiß er ein andres zum Wohl des Landes zu raten?
Bieder scheinet er mir und segenswürdig! Ihm lasse
Zeus das Gute gedeihn, so er im Herzen gedenket!
Sprach's, und Telemachos, froh der heilweissagenden Worte, 35
Saß nicht länger; er trat, mit heißer Begierde zu reden,
In die Mitte des Volks. Den Zepter reichte Peisenor
Ihm in die Hand, der Herold, mit weisem Rate begabet,
Und er wandte zuerst sich gegen den Alten und sagte:
Edler Greis, nicht fern ist der Mann, gleich sollst du ihn kennen:
Ich versammelte euch; mich drückt am meisten der Kummer!
Keine Botschaft hört ich von einem nahenden Kriegsheer,
Daß ich euch allen verkünde, was ich am ersten vernommen;
Auch nichts anderes weiß ich zum Wohl des Landes zu raten:
Sondern ich rede von mir, von meines eigenen Hauses 45
Zwiefacher Not. Zuerst verlor ich den guten Vater,
Euren König, der euch mit Vaterliebe beherrschte,
Und nun leid ich noch mehr: mein ganzes Haus ist vielleicht bald
Tief ins Verderben gestürzt und all mein Vermögen zertrümmert!
Meine Mutter umdrängen mit ungestümer Bewerbung 50
Freier, geliebte Söhne der Edelsten unseres Volkes.
Diese scheuen sich nun, zu Ikarios' Hause zu wandeln,
Ihres Vaters, daß er mit reichem Schatze die Tochter
Gäbe, welchem er wollte und wer ihm vor allen gefiele,
Sondern sie schalten von Tage zu Tag in unserm Palaste, 55
Schlachten unsere Rinder und Schaf' und gemästeten Ziegen
Für den üppigen Schmaus und schwelgen im funkelnden Weine

Ohne Scheu; und alles wird leer; denn es fehlt uns ein solcher
Mann, wie Odysseus war, die Plage vom Hause zu wenden!
Wir vermögen sie nicht zu wenden, und ach, auf immer 60
Werden wir hilflos sein und niemals Tapferkeit üben!
Wahrlich ich wendete sie, wenn ich nur Stärke besäße!
Ganz unerträglich begegnet man mir, ganz wider die Ordnung
Wird mir mein Haus zerrüttet! Erkennt doch selber das Unrecht
Oder scheuet euch doch vor andern benachbarten Völkern, 65
Welche rings uns umwohnen, und bebt vor der Rache der Götter,
Daß sie euch nicht im Zorne die Übeltaten vergelten!
Freunde, ich fleh euch bei Zeus, dem Gott des Olympos, und Themis,
Welche die Menschen zum Rat versammelt und wieder zerstreuet:
Haltet ein und begnügt euch, daß mich der traurigste Kummer 70
Quält! Hat etwa je mein guter Vater Odysseus
Euch vorsätzlich beleidigt, ihr schöngeharnischten Griechen,
Daß ihr mich zum Vergelt vorsätzlich wieder beleidigt?
Warum reizet ihr diese? Mir wäre besser geraten,
Wenn ihr selber mein Gut und meine Herden hinabschlängt! 75
Tätet ihr's, so wäre noch einst Erstattung zu hoffen!
Denn wir würden so lange die Stadt durchwandern, so flehend
Wiederfordern das Unsre, bis alles wäre vergütet!
Aber nun häuft ihr mir unheilbaren Schmerz auf die Seele!

Also sprach er im Zorn und warf den Zepter zur Erde, 80
Tränenvergießend, und rührte die ganze Versammlung zum Mitleid.
Schweigend saßen sie all umher und keiner im Volke
Wagte Telemachos' Rede mit Drohn entgegen zu wüten.
Aber Eupeithes' Sohn Antinoos gab ihm zur Antwort:

Jüngling von trotziger Red' und verwegenem Mute, was sprachst du
Da für Lästerung aus? Du machtest uns gerne zum Abscheu!
Aber es haben die Freier an dir des keines verschuldet;
Deine Mutter ist schuld, die Listigste unter den Weibern!
Denn drei Jahre sind schon verflossen und bald auch das vierte,
Seit sie mit eitlem Wahne die edlen Achaier verspottet! 90
Allen verheißt sie Gunst und sendet jedem besonders
Schmeichelnde Botschaft, allein im Herzen denket sie anders.
Unter anderen Listen ersann sie endlich auch diese:
Trüglich zettelte sie in ihrer Kammer ein feines

Übergroßes Geweb und sprach zu unsrer Versammlung: 95
Jünglinge, die ihr mich liebt nach dem Tode des edlen Odysseus,
Dringt auf meine Vermählung nicht eher, bis ich den Mantel
Fertig gewirkt (damit nicht umsonst das Garn mir verderbe!),
Welcher dem Helden Laertes zum Leichengewande bestimmt ist,
Wann ihn die finstre Stunde mit Todesschlummer umschattet: 100
Daß nicht irgend im Lande mich eine Achaierin tadle,
Läg er uneingekleidet, der einst so vieles beherrschte!
Also sprach sie mit List und bewegte die Herzen der Edlen.
Und nun webete sie des Tages am großen Gewebe;
Aber des Nachts dann trennte sie's auf beim Scheine der Fackeln. 105
Also täuschte sie uns drei Jahr und betrog die Achaier.
Als nun das vierte Jahr im Geleite der Horen herankam
Und mit dem wechselnden Mond viel Tage waren verschwunden,
Da verkündet' uns eine der Weiber das schlaue Geheimnis
Und wir fanden sie selbst bei der Trennung des schönen Gewebes.
Also mußte sie's nun, auch wider Willen, vollenden.
Siehe nun deuten die Freier dir an, damit du es selber
Wissest in deinem Herzen und alle Achaier es wissen!
Sende die Mutter hinweg und gebeut ihr, daß sie zum Manne
Nehme, wer ihr gefällt und wen der Vater ihr wählet. 115
Aber denkt sie noch lange zu höhnen die edlen Achaier
Und sich der Gaben zu freun, die ihr Athene verliehn hat,
Wundervolle Gewande mit klugem Geiste zu wirken,
Und der erfindsamen List, die selbst in Jahren der Vorwelt
Keine von Griechenlands schönlockigen Töchtern gekannt hat, 120
Tyro nicht noch Alkmene und nicht die schöne Mykene
(Keine von allen war der erfindsamen Penelopeia
Gleich an Verstand!), so soll ihr doch diese Erfindung nicht glücken!
Denn wir schmausen so lange von deinen Herden und Gütern,
Als sie in diesem Sinne beharrt, den jetzo die Götter 125
Ihr in die Seele gegeben! Sich selber bringet sie freilich
Großen Ruhm, dir aber Verlust an großem Vermögen!
Eher weichen wir nicht zu den Unsrigen oder zu andern,
Ehe sie aus den Achaiern sich einen Bräutigam wählet!

Und der verständige Jüngling Telemachos sagte dagegen: 130
Ganz unmöglich ist mir's, Antinoos, die zu verstoßen,

Die mich gebar und erzog; mein Vater leb in der Fremde
Oder sei tot! Schwer würde mir auch des Gutes Erstattung
An Ikarios sein, verstieß' ich selber die Mutter.
Denn hart würde gewiß ihr Vater mich drücken und härter 135
Noch die göttliche Rache, wenn von uns scheidend die Mutter
Mich den grausen Erinnen verfluchte! Dann wär ich ein Abscheu
Aller Menschen! – O nein! ich kann ihr das nicht gebieten!
Haltet ihr euch dadurch in eurem Herzen beleidigt,
Nun, so geht aus dem Haus und sucht euch andere Mähler! 140
Zehret von eurem Gut und laßt die Bewirtungen umgehn!
Aber wenn ihr es so bequemer und lieblicher findet,
Eines Mannes Hab ohn alle Vergeltung zu fressen,
Schlingt sie hinab! Ich werde die ewigen Götter anflehn,
Ob euch nicht endlich einmal Zeus eure Taten bezahle, 145
Daß ihr in unserm Haus auch ohne Vergeltung dahinstürzt!
Also sprach er, da sandte der Gott weithallender Donner
Ihm zween Adler herab vom hohen Gipfel des Berges.
Anfangs schwebten sie sanft einher im Hauche des Windes,
Einer nahe dem andern, mit ausgebreiteten Schwingen; 150
Jetzo über die Mitte der stimmenvollen Versammlung
Flogen sie wirbelnd herum und schlugen stark mit den Schwingen,
Schauten auf aller Scheitel herab und drohten Verderben
Und zerkratzten sich selbst mit den Klauen die Wangen und Hälse,
Und sie wandten sich rechts und stürmten über die Stadt hin. 155
Alle staunten dem Zeichen, das ihre Augen gesehen,
Und erwogen im Herzen das vorbedeutete Schicksal.
Unter ihnen begann der graue Held Halitherses,
Mastors Sohn, berühmt vor allen Genossen des Alters,
Vogelflüge zu deuten und künftige Dinge zu reden; 160
Dieser erhub im Volk die Stimme der Weisheit und sagte:
Höret mich jetzt, ihr Männer von Ithaka, was ich euch sage!
Aber vor allen gilt die Freier meine Verkündung!
Ihre Häupter umschwebt ein schreckenvolles Verhängnis!
Denn nicht lange mehr weilet Odysseus fern von den Seinen, 165
Sondern er nahet sich schon und bereitet Tod und Verderben
Diesen allen; auch droht noch vielen andern das Unglück,
Uns Bewohnern der Hügel von Ithaka! Laßt uns denn jetzo

Überlegen, wie wir sie mäßigen; oder sie selber
Mäßigen sich, und gleich! zu ihrer eigenen Wohlfahrt! 170
Euch weissaget kein Neuling, ich red aus alter Erfahrung!
Wahrlich, das alles geht in Erfüllung, was ich ihm damals
Deutete, als die Argeier in hohlen Schiffen gen Troja
Fuhren, mit ihnen zugleich der erfindungsreiche Odysseus:
Nach unendlicher Trübsal, entblößt von allen Gefährten, 175
Allen Seinigen fremd, würd er im zwanzigsten Jahre
Wieder zur Heimat kehren. Das wird nun alles erfüllet!
Aber Polybos' Sohn Eurymachos sagte dagegen:
Hurtig zu Hause mit dir, o Greis, und deute das Schicksal
Deinen Söhnen daheim, daß ihnen kein Übel begegne! 180
Dieses versteh ich selber und besser als du zu deuten!
Freilich schweben der Vögel genug in den Strahlen der Sonne,
Aber nicht alle verkünden ein Schicksal! Wahrlich, Odysseus
Starb in der Fern'! O wärest auch du mit ihm ins Verderben
Hingefahren! Dann schwatztest du hier nicht so viel von der Zukunft,
Suchtest nicht Telemachos' Groll noch mehr zu erbittern,
Harrend, ob er vielleicht dein Haus mit Geschenken bereichre!
Aber ich sage dir an, und das wird wahrlich erfüllet:
Wo du den Jüngling dort, kraft deiner alten Erfahrung,
Durch dein schlaues Geschwätz aufwiegelst, sich wild zu gebärden,
Dann wird er selber zuerst noch tiefer sinken in Drangsal
Und im geringsten nichts vor diesen Männern vermögen.
Und du sollst es, o Greis, mit schwerer kränkender Buße
Uns entgelten, damit du es tief in der Seele bereuest!
Aber, Telemachos, höre statt aller nun meinen Rat an: 195
Zwing er die Mutter zum Hause des Vaters wiederzukehren!
Dort bereite man ihr die Hochzeit und statte sie reichlich
Ihrem Bräutigam aus, wie lieben Töchtern gebühret!
Eher werden gewiß der Achaier Söhne nicht abstehn,
Penelopeia zu drängen; denn siehe! wir zittern vor niemand, 200
Selbst vor Telemachos nicht, und wär er auch noch so gesprächig!
Achten auch der Deutungen nicht, die du eben, o Alter,
So in den Wind hinschwatztest! Du wirst uns nur immer verhaßter!
Unser schwelgender Schmaus soll wieder beginnen, und niemals
Ordnung im Hause bestehen, bis jene sich den Achaiern 205

Wegen der Hochzeit erklärt; wir wollen in steter Erwartung,
Künftig wie vor, um den Preis wetteifern und nimmer zu andern
Weibern gehn, um die jedwedem zu werben erlaubt ist!
Und der verständige Jüngling Telemachos sagte dagegen:
Hör, Eurymachos, hört ihr andern glänzenden Freier! 210
Hierum werd ich vor euch nicht weiter flehen noch reden;
Denn das wissen ja schon die Götter und alle Achaier.
Aber gebt mir ein rüstiges Schiff und zwanzig Gefährten,
Welche mit mir die Pfade des weiten Meeres durchsegeln.
Denn ich gehe gen Sparta und zu der sandigen Pylos, 215
Um nach Kunde zu forschen vom langabwesenden Vater;
Ob mir's einer verkünde der Sterblichen oder ich Ossa,
Zeus' Gesandte, vernehme, die viele Gerüchte verbreitet.
Hör ich, er lebe noch, mein Vater, und kehre zur Heimat,
Dann, wie bedrängt ich auch sei, erduld ich's noch ein Jahr lang. 220
Hör ich, er sei gestorben und nicht mehr unter den Menschen,
Siehe, dann kehr' ich wieder zur lieben heimischen Insel,
Häufe dem Vater ein Mal und opfere Totengeschenke
Reichlich, wie sich's gebührt, und geb einem Manne die Mutter.
Also sprach der Jüngling und setzte sich. Jetzo erhub sich 225
Mentor, ein alter Freund des tadellosen Odysseus,
Dem er, von Ithaka schiffend, des Hauses Sorge vertrauet,
Daß er dem Greise gehorcht' und alles in Ordnung erhielte.
Dieser erhub im Volk die Stimme der Weisheit und sagte:
Höret mich jetzt, ihr Männer von Ithaka, was ich euch sage! 230
Künftig befleiße sich keiner der zepterführenden Herrscher,
Huldreich, mild und gnädig zu sein und die Rechte zu schützen,
Sondern er wüte nur stets und frevle mit grausamer Seele!
Niemand erinnert sich ja des göttergleichen Odysseus
Von den Völkern, die er mit Vaterliebe beherrschte! 235
Aber ich eifere jetzt nicht gegen die trotzigen Freier,
Die so gewaltsame Taten mit tückischer Seele beginnen;
Denn sie weihen ihr Haupt dem Verderben, da sie Odysseus'
Habe wie Räuber verprassen und wähnen, er kehre nicht wieder.
Jetzo schelt ich das übrige Volk, daß ihr alle so gänzlich 240
Stumm dasitzt und auch nicht mit einem strafenden Worte
Diese Freier, die wenigen, zähmt, da euer so viel sind!

Aber Euenors Sohn Leiokritos sagte dagegen:
Mentor, du Schadenstifter von törichtem Herzen, was sprachst du
Da für Lästerung aus und befahlst, uns Freier zu zähmen? 245
Schwer, auch mehreren, ist der Kampf mit schmausenden Männern!
Wenn auch selbst Odysseus, der Held von Ithaka, käme
Und die glänzenden Freier, die seine Güter verschmausen,
Aus dem Palaste zu treiben gedächte, so würde sich dennoch
Seine Gemahlin nicht, wie sehr sie auch schmachtet, der Ankunft 250
Freun! Ihn träfe gewiß auf der Stelle das Schreckenverhängnis,
Wenn er mit mehreren kämpfte! Du hast nicht klüglich geredet!
Aber wohlan, ihr Männer, zerstreut euch zu euren Geschäften!
Diesem beschleunigen wohl Halitherses und Mentor die Reise,
Welche von alters her Odysseus Freunde gewesen! 255
Aber ich hoffe, er sitzt noch lang und spähet sich Botschaft
Hier in Ithaka aus; die Reise vollendet er niemals!
Also sprach der Freier und trennte schnell die Versammlung.
Alle zerstreuten sich, ein jeder zu seinen Geschäften;
Aber die Freier gingen zum Hause des edlen Odysseus. 260
Und Telemachos ging beiseit ans Ufer der Meeres,
Wusch in der grauen Flut die Händ' und flehte Athenen:
Höre mich, Gott, der du gestern in unserm Hause erschienest
Und mir befahlst, im Schiffe das dunkle Meer zu durchfahren
Und nach Kunde zu forschen vom langabwesenden Vater: 265
Himmlischer, siehe, das alles verhindern nun die Achaier,
Aber am meisten die Freier voll übermütiger Bosheit!
Also sprach er flehend. Ihm nahte sich Pallas Athene,
Mentorn gleich in allem, sowohl an Gestalt wie an Stimme.
Und sie redet' ihn an und sprach die geflügelten Worte: 270
Jüngling, du mußt dich hinfort nicht feige betragen noch töricht!
Hast du von deinem Vater die hohe Seele geerbet,
Bist du, wie jener einst, gewaltig in Taten und Worten,
Dann wird keiner die Reise dir hindern oder vereiteln.
Aber bist du nicht sein Samen und Penelopeiens, 275
Dann verzweifl' ich, du wirst niemals dein Beginnen vollenden.
Wenige Kinder nur sind gleich den Vätern an Tugend,
Schlechter als sie die meisten und nur sehr wenige besser.
Wirst du dich aber hinfort nicht feige betragen noch töricht

Und verließ dich nicht völlig der Geist des großen Odysseus, 280
Dann ist Hoffnung genug, du wirst das Werk noch vollenden.
Darum kümmre dich nicht das Sinnen und Trachten der Freier.
Toren sind sie und kennen Gerechtigkeit weder noch Weisheit,
Ahnden auch nicht einmal den Tod und das schwarze Verhängnis,
Welches schon naht, um sie alle an einem Tage zu würgen. 285
Aber dich soll nichts mehr an deiner Reise verhindern.
Ich, der älteste Freund von deinem Vater Odysseus,
Will dir rüsten ein hurtiges Schiff und dich selber begleiten.
Gehe nun wieder zu Haus und bleib in der Freier Gesellschaft;
Dann bereite dir Zehrung und hebe sie auf in Gefäßen, 290
Wein in irdenen Krügen und Mehl, das Mark der Männer,
In dichtnähtigen Schläuchen. Ich will jetzt unter dem Volke
Dir Freiwillige sammeln zu Ruderern. Viel sind der Schiffe
An der umfluteten Küste von Ithaka, neue bei alten;
Hiervon will ich für dich der trefflichsten eines erlesen. 295
Hurtig rüsten wir dieses und steuern ins offene Weltmeer.

Also sprach Athenaia, Kronions Tochter: und länger
Säumte Telemachos nicht; er gehorchte der Stimme der Göttin
Und ging wieder zu Hause mit tief bekümmertem Herzen.
Allda fand er die Schar der stolzen Freier, im Hofe 300
Streiften sie Ziegen ab und sengten gemästete Schweine.
Und Antinoos kam ihm lachend entgegengewandelt,
Faßte Telemachos' Hand und sprach mit freundlicher Stimme:

Jüngling von trotziger Red' und verwegenem Mute, sei ruhig
Und bekümmre dich nicht um böse Taten und Worte! 305
Laß uns, künftig wie vor, in Wollust essen und trinken:
Dieses alles besorgen dir schon die Achaier, ein schnelles
Schiff und erlesne Gefährten, damit du die göttliche Pylos
Bald erreichst und Kunde vom trefflichen Vater erforschest.

Und der verständige Jüngling Telemachos sagte dagegen: 310
O wie ziemte mir das, Antinoos, unter euch Stolzen
Schweigend am Mahle zu sitzen und ruhig im Taumel der Freude?
Ist es euch nicht genug, ihr Freier, daß ihr so lange
Meine köstlichen Güter verschwelgt habt, da ich ein Kind war?
Jetzt, da ich größer bin und tüchtig, anderer Reden 315
Nachzuforschen und höher der Mut im Busen mir steiget,

Werd ich streben, auf euch des Todes Rache zu bringen,
Ob ich gen Pylos geh oder hier in Ithaka bleibe!
Reisen will ich, und nichts soll meinen Entschluß mir vereiteln,
Im gedungenen Schiffe! Denn weder Schiffe noch Rudrer 320
Hab ich in meiner Gewalt: so schien es euch freilich am besten!
Also sprach er und zog die Hand aus der Hand des Verräters
Leicht. Die Freier im Saale bereiteten emsig die Mahlzeit,
Und sie spotteten seiner und redeten höhnende Worte.
Unter dem Schwarme begann ein übermütiger Jüngling: 325
Wahrlich, Telemachos sinnt recht ernstlich auf unsre Ermordung!
Gebt nur acht, er holet sich Hilf aus der sandigen Pylos
Oder sogar aus Sparta! Er treibt's mit gewaltigem Eifer!
Oder er lenkt auch jetzo nach Ephyras fruchtbarem Lande
Seine Fahrt und kauft sich tötende Gifte; die mischt er 330
Heimlich in unseren Wein, dann sind wir alle verloren.
Und von neuem begann ein übermütiger Jüngling:
Aber wer weiß, ob dieser nicht auch mit dem Leben die Schiffahrt,
Fern von den Seinen, bezahlt, umhergestürmt wie Odysseus?
Denkt, dann macht er uns hier noch sorgenvollere Arbeit! 335
Teilen müßten wir ja das ganze Vermögen und räumen
Seiner Mutter das Haus und ihrem jungen Gemahle!
Aber Telemachos stieg ins hohe weite Gewölbe
Seines Vaters hinab, wo Gold und Kupfer gehäuft lag,
Prächtige Kleider in Kasten und Fässer voll duftenden Öles. 340
Allda standen auch Tonnen mit altem balsamischem Weine,
Welche das lautre Getränk, das süße, das göttliche, faßten,
Nach der Reihe gelehnt an die Mauer, wenn jemals Odysseus
Wieder zur Heimat kehrte nach seiner unendlichen Trübsal.
Fest verschloß das Gewölbe die wohleinfugende Türe, 345
Mit zween Riegeln verwahrt. Die Schaffnerin schaltete drinnen
Tag und Nacht und bewachte die Güter mit sorgsamer Klugheit,
Eurykleia, die Tochter Ops, des Sohnes Peisenors.
Und Telemachos rief sie hinein ins Gewölb und sagte:
Mütterchen, eil und schöpfe mir Wein in irdene Krüge, 350
Mild und edel, den besten nach jenem, welchen du schonest
Für den duldenden König, den göttergleichen Odysseus,
Wenn er einmal heimkehret, dem Todesschicksal entronnen.

Hiermit fülle mir zwölf und spünde sie alle mit Deckeln.
Ferner schütte mir Mehl in dichtgenähete Schläuche; 355
Zwanzig Maße gib mir des feingemahlenen Mehles.
Aber tu es geheim und lege mir alles zusammen.
Denn am Abende komm ich und hol es, wenn sich die Mutter
In ihr oberes Zimmer entfernt und der Ruhe gedenket.
Denn ich gehe gen Sparta und zu der sandigen Pylos, 360
Um nach Kunde zu forschen von meines Vaters Zurückkunft.
  Also sprach er. Da schluchzte die Pflegerin Eurykleia;
Lautwehklagend begann sie und sprach die geflügelten Worte:
  Liebes Söhnchen, wie kann in dein Herz ein solcher Gedanke
Kommen? Wo denkst du denn hin in die weite Welt zu gehen, 365
Einziger liebster Sohn? Ach ferne vom Vaterlande
Starb der edle Odysseus bei unbekannten Barbaren!
Und sie werden dir gleich, wenn du gehst, nachstellen, die Meuchler!
Daß sie dich töten mit List und alles unter sich teilen!
Bleibe denn hier und sitz auf dem Deinigen! Lieber, was zwingt dich
Auf der wütenden See in Not und Kummer zu irren?
  Und der verständige Jüngling Telemachos sagte dagegen:
Mütterchen, sei getrost! Ich handle nicht ohne die Götter.
Aber schwöre mir jetzo, es nicht der Mutter zu sagen,
Ehe der elfte Tag vorbei ist oder der zwölfte, 375
Oder mich jene vermißt und hört von meiner Entfernung,
Daß sie nicht durch Tränen ihr schönes Antlitz entstelle.
  Also sprach er; da schwur sie bei allen unsterblichen Göttern.
Als sie es jetzo gelobt und vollendet den heiligen Eidschwur,
Schöpfte sie ihm alsbald des Weines in irdene Krüge, 380
Schüttete ferner das Mehl in dichtgenähete Schläuche,
Und Telemachos ging in den Saal zu der Freier Gesellschaft.
  Aber ein Neues ersann die heilige Pallas Athene:
In Telemachos' Bildung erscheinend, eilte sie ringsum
Durch die Stadt und sprach mit jedem begegnenden Manne 385
Und befahl, sich am Abend beim rüstigen Schiffe zu sammeln.
Hierauf bat sie Phronios' Sohn, den edlen Noemon,
Um ein rüstiges Schiff, und dieser versprach es ihr willig.
  Und die Sonne sank, und Dunkel umhüllte die Pfade.
Siehe nun zog die Göttin das Schiff in die Wellen und brachte 390

Alle Geräte hinein, die Rüstung segelnder Schiffe,
Stellt' es darauf am Ende der Bucht. Die tapfern Gefährten
Standen versammelt umher, und jeden ermahnte die Göttin.
Und ein Neues ersann die heilige Pallas Athene:
Eilend ging sie zum Hause des göttergleichen Odysseus, 395
Übertauete sanft mit süßem Schlafe die Freier,
Machte die Säufer berauscht, und den Händen entsanken die Becher.
Müde wankten sie heim durch die Stadt und konnten nicht länger
Sitzen, da ihnen der Schlaf die Augenlider bedeckte.
Aber Telemachos rief die heilige Pallas Athene 400
Aus dem Saale hervor des schöngebauten Palastes,
Mentorn gleich in allem, sowohl an Gestalt wie an Stimme:
Jetzo, Telemachos, sitzen die schöngeharnischten Freunde
Alle am Ruder bereit und harren nur deiner zur Abfahrt.
Laß uns zu Schiffe gehn und die Reise nicht länger verschieben! 405
Als sie die Worte geredet, da wandelte Pallas Athene
Eilend voran; und er folgte den Schritten der wandelnden Göttin.
Und da sie jetzo das Schiff und des Meeres Ufer erreichten,
Fanden sie an dem Gestade die hauptumlockten Genossen.
Unter ihnen begann Telemachos' heilige Stärke: 410
Kommt, Geliebte, mit mir die Zehrung zu holen. Sie liegt schon
Alle beisammen im Haus; und nichts argwöhnet die Mutter,
Noch die übrigen Mägde; nur eine weiß das Geheimnis.
Also sprach er und eilte voran; sie folgten dem Führer,
Brachten alles und legten's im schöngebordeten Schiffe 415
Nieder, wie ihnen befahl der geliebte Sohn von Odysseus.
Und Telemachos trat in das Schiff, geführt von Athenen.
Diese setzte sich hinten am Steuer, nahe der Göttin
Setzte Telemachos sich. Die andern lösten die Seile,
Traten dann selber ins Schiff und setzten sich hin auf die Bänke. 420
Einen günstigen Wind sandt ihnen Pallas Athene,
Leise streifte der West das rauschende dunkle Gewässer.
Aber Telemachos trieb und ermahnte die lieben Gefährten,
Schnell die Geräte zu ordnen. Sie folgeten seinem Befehle,
Stellten den fichtenen Mast in die mittlere Höhle des Bodens, 425
Richteten hoch ihn empor und banden ihn fest mit den Seilen;
Spannten die weißen Segel mit starkgeflochtenen Riemen.

Hochauf wölbte der Wind das volle Segel, und donnernd
Wogte die purpurne Flut um den Kiel des gleitenden Schiffes;
Schnell durchlief es die Wogen in unaufhaltsamer Eile. 430
Als sie nun die Geräte des schwarzen Schiffes befestigt,
Stellten sie Kelche hin, bis oben mit Weine gefüllet.
Und sie gossen des Weins für alle unsterblichen Götter,
Aber am meisten für Zeus' blauäugichte Tochter Athene,
Welche die ganze Nacht und den Morgen die Wasser beschiffte. 435

III. GESANG

Telemachos, von Nestor, der am Gestade opfert, gastfrei empfangen, fragt nach des Vaters Rückkehr; Nestor erzählt, wie er selbst und wer sonst von Troja gekehrt sei, ermahnt den Telemachos zur Tapferkeit gegen die Freier und rät ihm, bei Menelaos sich zu erkundigen. Der Athene, die als Adler verschwand, gelobt Nestor eine Kuh. Telemachos von Nestor geherbergt. Am Morgen nach vollbrachtem Opfer fährt er mit Nestors Sohne Peisistratos nach Sparta, wo sie den anderen Abend ankommen.

Jetzo erhub sich die Sonn aus ihrem strahlenden Teiche
Auf zum ehernen Himmel, zu leuchten den ewigen Göttern
Und den sterblichen Menschen auf lebenschenkender Erde.
Und die Schiffenden kamen zur wohlgebauten Pylos,
Neleus' Stadt. Dort brachten am Meergestade die Männer 5
Schwarze Stiere zum Opfer dem bläulichgelockten Poseidon.
Neun war der Bänke Zahl, fünfhundert saßen auf jeder,
Jede von diesen gab neun Stiere. Sie kosteten jetzo
Alle der Eingeweide und brannten dem Gotte die Lenden.
Jene steurten an Land und zogen die Segel herunter, 10
Banden das gleichgezimmerte Schiff und stiegen ans Ufer.
Auch Telemachos stieg aus dem Schiffe, geführt von der Göttin.
Ihn erinnerte Zeus' blauäugichte Tochter Athene:
Jetzo, Telemachos, brauchst du dich keinesweges zu scheuen!
Darum bist du die Wogen durchschifft, nach dem Vater zu forschen,
Wo ihn die Erde verbirgt und welches Schicksal ihn hinnahm.
Auf denn! und gehe gerade zum Rossebändiger Nestor,
Daß wir sehen, was etwa sein Herz für Rat dir bewahre.
Aber du mußt ihm flehn, daß er die Wahrheit verkünde.

Lügen wird er nicht reden, denn er ist viel zu verständig! 20
Und der verständige Jüngling Telemachos sagte dagegen:
Mentor, wie geh ich doch und wie begrüß ich den König?
Unerfahren bin ich in wohlgeordneten Worten,
Und ich scheue mich auch, als Jüngling den Greis zu befragen.
Drauf antwortete Zeus' blauäugichte Tochter Athene: 25
Einiges wird dein Herz dir selber sagen, o Jüngling,
Anderes wird dir ein Gott eingeben. Ich denke, du bist nicht
Ohne waltende Götter geboren oder erzogen.
Als sie die Worte geredet, da wandelte Pallas Athene
Eilend voran, und er folgte den Schritten der wandelnden Göttin. 30
Und sie erreichten die Sitze der pylischen Männer, wo Nestor
Saß mit seinen Söhnen und rings die Freunde zur Mahlzeit
Eilten, das Fleisch zu braten und andres an Spieße zu stecken.
Als sie die Fremdlinge sahn, da kamen sie alle bei Haufen,
Reichten grüßend die Händ' und nötigten beide zum Sitze. 35
Nestors Sohn vor allen, Peisistratos, nahte sich ihnen,
Nahm sie beid an der Hand und hieß sie sitzen am Mahle,
Auf dickwollichten Fellen, im Kieselsande des Meeres,
Seinem Vater zur Seit und Thrasymedes, dem Bruder;
Legte vor jeden ein Teil der Eingeweide und schenkte 40
Wein in den goldenen Becher und reicht' ihn mit herzlichem Hand-
Pallas Athenen, der Tochter des wetterleuchtenden Gottes: [schlag
Bete jetzt, o Fremdling, zum Meerbeherrscher Poseidon,
Denn ihr findet uns hier an seinem heiligen Mahle.
Hast du der Sitte gemäß dein Opfer gebracht und gebetet, 45
Dann gib diesem den Becher mit herzerfreuendem Weine
Zum Trankopfer. Er wird doch auch die Unsterblichen gerne
Anflehn; denn es bedürfen ja alle Menschen der Götter.
Aber er ist der Jüngste, mit mir von einerlei Alter;
Darum bring ich dir zuerst den goldenen Becher. 50
Also sprach er und reicht' ihr den Becher voll duftenden Weines.
Und Athene ward froh des gerechten verständigen Mannes,
Weil er ihr zuerst den goldenen Becher gereichet.
Und sie betete viel zum Meeresbeherrscher Poseidon:
Höre mich, Poseidaon, du Erdumgürter! Verwirf nicht 55
Unser frommes Gebet; erfülle, was wir begehren!

Nestorn kröne vor allen und Nestors Söhne mit Ehre
Und erfreue dann auch die andern Männer von Pylos
Für ihr herrliches Opfer mit reicher Wiedervergeltung!
Mich und Telemachos laß heimkehren als frohe Vollender 60
Dessen, warum wir hierher im schnellen Schiffe gekommen!
Also betete sie und erfüllte selber die Bitte,
Reichte Telemachos drauf den schönen doppelten Becher.
Ebenso betete jetzt der geliebte Sohn von Odysseus.
Als sie das Fleisch nun gebraten und von den Spießen gezogen, 65
Teilten sie's allen umher und feirten das prächtige Gastmahl.
Und nachdem die Begierde des Tranks und der Speise gestillt war,
Sprach der gerenische Greis, der Rossebändiger Nestor:
Jetzo ziemt es sich besser, die fremden Gäste zu fragen,
Wer sie sei'n, nachdem sie ihr Herz mit Speise gesättigt. 70
Fremdlinge, sagt, wer seid ihr? Von wannen trägt euch die Woge?
Habt ihr wo ein Gewerb oder schweift ihr ohne Bestimmung
Hin und her auf der See: wie küstenumirrende Räuber,
Die ihr Leben verachten, um fremden Völkern zu schaden?
Und der verständige Jüngling Telemachos sagte dagegen 75
Ohne Furcht, denn ihm goß Athene Mut in die Seele,
Daß er nach Kundschaft forschte vom langabwesenden Vater
Und sich selber ein gutes Gerücht bei den Menschen erwürbe:
Nestor, Neleus' Sohn, du großer Ruhm der Achaier,
Fragst, von wannen wir sei'n; ich will dir alles erzählen. 80
Siehe, von Ithaka her am Neion sind wir gekommen,
Nicht in Geschäften des Volks, im eigenen; dieses vernimm jetzt.
Meines edlen Vaters verbreiteten Ruhm zu erforschen,
Reis ich umher, Odysseus des Leidengeübten, der ehmals,
Sagt man, streitend mit dir die Stadt der Troer zerstört hat. 85
Von den übrigen allen, die einst vor Ilion kämpften,
Hörten wir doch, wie jeder dem grausamen Tode dahinsank;
Aber von jenem verbarg sogar das Ende Kronion.
Niemand weiß uns den Ort zu nennen, wo er gestorben,
Ob er auf festem Lande von feindlichen Männern vertilgt sei 90
Oder im stürmenden Meere von Amphitritens Gewässern.
Darum fleh ich dir jetzo, die Knie umfassend, du wollest
Seinen traurigen Tod mir verkündigen; ob du ihn selber

Ansahst oder vielleicht von einem irrenden Wandrer
Ihn erfuhrst: denn ach! zum Leiden gebar ihn die Mutter! 95
Aber schmeichle mir nicht aus Schonung oder aus Mitleid,
Sondern erzähle mir treulich, was deine Augen gesehen.
Flehend beschwör ich dich, hat je mein Vater Odysseus
Einen Wunsch dir gewährt mit Worten oder mit Taten
In dem troischen Lande, wo Not euch Achaier umdrängte: 100
Daß du dessen gedenkend mir jetzo Wahrheit verkündest!
Ihm antwortete drauf der Rossebändiger Nestor:
Lieber, weil du mich doch an jene Trübsal erinnerst,
Die wir tapfern Achaier im troischen Lande geduldet;
Wann wir jetzt mit den Schiffen im dunkelwogenden Meere 105
Irrten nach Beute umher, wohin Achilleus uns führte;
Jetzt um die große Stadt des herrschenden Priamos kämpften:
Dort verloren ihr Leben die tapfersten aller Achaier!
Dort liegt Ajas, ein Held gleich Ares, dort auch Achilleus;
Dort sein Freund Patroklos, an Rat den Unsterblichen ähnlich; 110
Dort mein geliebter Sohn Antilochos, tapfer und edel,
Rüstig vor allen Achaiern im Lauf und rüstig im Streite.
Und wir haben auch sonst noch viele Leiden erduldet!
Welcher sterbliche Mensch vermöchte sie alle zu nennen?
Bliebest du auch fünf Jahr und sechs nacheinander und forschtest 115
Alle Leiden von mir der edlen Achaier, du würdest
Überdrüssig vorher in deine Heimat zurückgehn.
Denn neun Jahre hindurch erschöpften wir, ihnen zu schaden,
Alle Listen des Kriegs, und kaum vollbracht es Kronion!
Da war keiner im Heere, der sich mit jenem an Klugheit 120
Maß; allübersehend erfand der edle Odysseus
Alle Listen des Kriegs, dein Vater, woferne du wirklich
Seines Geschlechtes bist. – Mit Staunen erfüllt mich der Anblick!
Auch dein Reden gleichet ihm ganz; man sollte nicht glauben,
Daß ein jüngerer Mann so gut zu reden verstünde! 125
Damals sprachen wir nie, ich und der edle Odysseus,
Weder im Rat verschieden noch in des Volkes Versammlung,
Sondern eines Sinns ratschlagten wir beide mit Klugheit
Und mit Bedacht, wie am besten das Wohl der Achaier gediehe.
Als wir die hohe Stadt des Priamos endlich zerstöret, 130

Gingen wir wieder zu Schiff; allein Gott trennte die Griechen.
Damals beschloß Kronion im Herzen die traurigste Heimfahrt
Für das argeiische Heer, denn sie waren nicht alle verständig
Noch gerecht; drum traf so viele das Schreckenverhängnis.
Siehe, des mächtigen Zeus' blauäugichte Tochter entzweite, 135
Zürnender Rache voll, die beiden Söhne von Atreus.
Diese beriefen das Heer zur allgemeinen Versammlung,
Aber verkehrt, nicht der Ordnung gemäß, da die Sonne sich neigte;
Und es kamen, vom Weine berauscht, die Söhne der Griechen.
Jetzo trugen sie vor, warum sie die Völker versammelt. 140
Menelaos ermahnte das ganze Heer der Achaier,
Über den weiten Rücken des Meers nach Hause zu schiffen.
Aber sein Rat mißfiel Agamemnon gänzlich, er wünschte
Dort das Volk zu behalten und Hekatomben zu opfern,
Daß er den schrecklichen Zorn der beleidigten Göttin versöhnte. 145
Tor! er wußte nicht, daß sein Beginnen umsonst war!
Denn nicht schnell ist der Zorn der ewigen Götter zu wandeln.
Also standen sie beid und wechselten heftige Worte,
Und es erhuben sich die schöngeharnischten Griechen
Mit unendlichem Lärm, geteilt durch zwiefache Meinung. 150
Beide ruhten die Nacht, voll schadenbrütenden Grolles;
Denn es bereitete Zeus den Achaiern die Strafe des Unfugs.
Frühe zogen wir Hälfte die Schiff' in die heilige Meersflut,
Brachten die Güter hinein und die schöngegürteten Weiber.
Aber die andere Hälfte der Heerschar blieb am Gestade, 155
Dort, bei Atreus' Sohn Agamemnon, dem Hirten der Völker.
Wir indes in den Schiffen entruderten eilig von dannen,
Und ein Himmlischer bähnte das ungeheure Gewässer.
Als wir gen Tenedos kamen, da opferten alle den Göttern,
Heimverlangend, allein noch hinderte Zeus die Heimfahrt; 160
Denn der Zürnende sandte von neuem verderbliche Zwietracht.
Einige lenkten zurück die gleichberuderten Schiffe,
Angeführt von dem tapfern erfindungsreichen Odysseus,
Daß sie sich Atreus' Sohn Agamemnon gefällig erwiesen.
Aber ich flohe voraus mit dem Schiffsheer, welches mir folgte; 165
Denn es ahndete mir, daß ein Himmlischer Böses verhängte.
Tydeus' kriegrischer Sohn floh auch und trieb die Gefährten.

Endlich kam auch zu uns Menelaos der bräunlichgelockte,
Als wir in Lesbos noch ratschlagten wegen der Laufbahn,
Ob wir oberhalb der bergichten Chios die Heimfahrt 170
Lenkten auf Psyria zu und jene zur Linken behielten,
Oder unter Chios, am Fuße des stürmischen Mimas.
Und wir baten den Gott, uns ein Zeichen zu geben, und dieser
Deutete uns und befahl, gerade durchs Meer nach Euböa
Hinzusteuern, damit wir nur schnell dem Verderben entflöhen. 175
Jetzo blies ein säuselnder Wind in die Segel der Schiffe,
Und sie durchliefen in Eile die Pfade der Fische und kamen
Nachts vor Geraistos an. Hier brannten wir Poseidaon
Viele Lenden der Stiere zum Dank für die glückliche Meerfahrt.
Jetzt war der vierte Tag, als in Argos mit seinen Genossen 180
Landete Tydeus' Sohn, Diomedes, der Rossebezähmer.
Aber ich setzte den Lauf nach Pylos fort, und der Fahrwind
Hörte nicht auf zu wehn, den uns der Himmlische sandte.
Also kam ich, mein Sohn, ohn' alle Kundschaft und weiß nicht,
Welche von den Achaiern gestorben sind oder noch leben. 185
Aber soviel ich hier im Hause sitzend erkundet,
Will ich, wie sich's gebührt, anzeigen und nichts dir verhehlen.
Glücklich kamen, wie's heißt, die streitbaren Myrmidonen,
Angeführt von dem trefflichen Sohne des großen Achilleus;
Glücklich auch Philoktetes, der glänzende Sohn des Pöas. 190
Auch Idomeneus brachte gen Kreta alle Genossen,
Welche dem Krieg entflohn, und keinen raubte das Meer ihm.
Endlich von des Atreiden Zurückkunft habt ihr Entfernten
Selber gehört, wie Aigisthos den traurigsten Tod ihm bereitet.
Aber wahrlich, er hat ihn mit schrecklicher Rache gebüßet! 195
O wie schön, wenn ein Sohn von einem erschlagenen Manne
Nachbleibt! Also hat jener am Meuchelmörder Aigisthos
Rache geübt, der ihm den herrlichen Vater ermordet!
Auch du, Lieber, denn groß und stattlich bist du von Ansehn,
Halte dich wohl, daß einst die spätesten Enkel dich preisen! 200

Und der verständige Jüngling Telemachos sagte dagegen:
Nestor, Neleus' Sohn, du großer Ruhm der Achaier,
Schreckliche Rache hat jener geübt und weit in Achaia
Wird erschallen sein Ruhm, ein Gesang der spätesten Enkel.

O beschieden auch mir so viele Stärke die Götter, 205
Daß ich den Übermut der rasenden Freier bestrafte,
Welche mir immer zum Trotz die schändlichsten Greuel ersinnen!
Aber versagt ward mir ein solches Glück von den Göttern,
Meinem Vater und mir! Nun gilt nichts weiter, als dulden!
Ihm antwortete drauf der Rossebändiger Nestor: 210
Lieber, weil du mich doch an jenes erinnerst; man sagt ja,
Daß um deine Mutter ein großer Haufe von Freiern
Dir zum Trotz im Palaste so viel Unarten beginne.
Sprich, erträgst du das Joch freiwillig, oder verabscheun
Dich die Völker des Landes, gewarnt durch göttlichen Ausspruch? 215
Aber wer weiß, ob jener nicht einst, ein Rächer des Aufruhrs,
Kommt, er selber, allein oder auch mit allen Achaiern.
Liebte sie dich so herzlich, die heilige Pallas Athene,
Wie sie einst für Odysseus den Hochberühmten besorgt war
In dem troischen Lande, wo Not uns Achaier umdrängte 220
(Niemals sah ich so klar die Zeichen göttlicher Obhut,
Als sich Pallas Athene für ihren Geliebten erklärte!),
Liebte sie dich so herzlich und waltete deiner so sorgsam:
Mancher von jenen vergäße der hochzeitlichen Gedanken!
Und der verständige Jüngling Telemachos sagte dagegen: 225
Edler Greis, dies Wort wird schwerlich jemals vollendet,
Denn du sagtest zu viel! Erstaunen muß ich! O nimmer
Würde die Hoffnung erfüllt, wenn auch die Götter es wollten!
Drauf antwortete Zeus' blauäugichte Tochter Athene:
Welche Rede, o Jüngling, ist deinen Lippen entflohen! 230
Leicht bringt Gott, wenn er will, auch Fernverirrte zur Ruhe,
Und ich möchte doch lieber nach vielem Jammer und Elend
Spät zur Heimat kehren und schaun den Tag der Zurückkunft,
Als heimkehrend sterben am eigenen Herde, wie jener
Durch Aigisthos' Verrat und seines Weibes dahinsank. 235
Nur das gemeine Los des Todes können die Götter
Selbst nicht wenden, auch nicht von ihrem Geliebten, wenn jetzo
Ihn die finstere Stunde mit Todesschlummer umschattet.
Und der verständige Jüngling Telemachos sagte dagegen:
Mentor, rede nicht weiter davon, wie sehr wir auch trauern! 240
Jener wird nimmermehr heimkehren, sondern es weihten

Ihn die Unsterblichen längst dem schwarzen Todesverhängnis.
Jetzo will ich Nestorn um etwas anderes fragen,
Ihn, der vor allen Menschen Gerechtigkeit kennet und Weisheit.
Denn man saget, er hat drei Menschenalter beherrschet; 245
Darum scheinet er mir ein Bild der unsterblichen Götter.
Nestor, Neleus' Sohn, verkünde mir lautere Wahrheit!
Wie starb Atreus' Sohn, der große Held Agamemnon?
Wo war denn Menelaos? Und welchen listigen Anschlag
Fand der Meuchler Aigisthos, den stärkeren Mann zu ermorden? 250
War er etwa noch nicht im achaiischen Argos und irrte
Unter den Menschen umher, daß der sich des Mordes erkühnte?
Ihm antwortete drauf der Rossebändiger Nestor:
Gerne will ich, mein Sohn, dir lautere Wahrheit verkünden.
Siehe, du kannst es dir leicht vorstellen, wie es geschehn ist. 255
Hätt er Aigisthos noch lebendig im Hause gefunden,
Als er von Ilion kehrte, der Held Menelaos Atreides,
Niemand hätte den Toten mit lockerer Erde beschüttet,
Sondern ihn hätten die Hund' und die Vögel des Himmels gefressen,
Liegend fern von der Stadt auf wüstem Gefild, und es hätte 260
Keine Achaierin ihn, den Hochverräter, beweinet.
Während wir andern dort viel blutige Schlachten bestanden,
Saß er ruhig im Winkel der rossenährenden Argos
Und liebkoste dem Weib Agamemnons mit süßem Geschwätze.
Anfangs hörte sie zwar den argen Verführer mit Abscheu, 265
Klytämnestra, die edle, denn sie war gut und verständig.
Auch war ein Sänger bei ihr, dem Agamemnon besonders,
Als er gen Ilion fuhr, sein Weib zu bewahren vertraute.
Aber da sie die Götter in ihr Verderben bestrickten,
Führt' Aigisthos den Sänger auf eine verwilderte Insel, 270
Wo er ihn zur Beute dem Raubgevögel zurückließ;
Führte dann liebend das liebende Weib zu seinem Palaste,
Opferte Rinder und Schaf' auf der Götter geweihten Altären
Und behängte die Tempel mit Gold und feinem Gewebe,
Weil er das große Werk, das unverhoffte, vollendet. 275
Jetzo segelten wir zugleich von Ilions Küste,
Menelaos und ich, vereint durch innige Freundschaft.
Aber am attischen Ufer, bei Sunions heiliger Spitze,

Siehe, da ward der Pilot des menelaischen Schiffes
Von den sanften Geschossen Apollons plötzlich getötet, 280
Haltend in seinen Händen das Steuer des laufenden Schiffes:
Phrontis, Onetors Sohn, der vor allen Erdebewohnern
Durch der Orkane Tumult ein Schiff zu lenken berühmt war.
Also ward Menelaos, wie sehr er auch eilte, verzögert,
Um den Freund zu begraben und Totengeschenke zu opfern. 285
Aber da nun auch jener, die dunkeln Wogen durchsegelnd,
Seine gerüsteten Schiffe zum hohen Gebirge Maleia
Hatte geführt, da verhängte der Gott weithallender Donner
Ihm die traurigste Fahrt, sandt ihm lautbrausende Stürme,
Und hoch wogten wie Berge die ungeheuren Gewässer. 290
Plötzlich zerstreut' er die Schiffe, die meisten verschlug er gen Kreta,
Wo der Kydonen Volk des Jardanos Ufer umwohnet.
An der gordynischen Grenz', im dunkelwogenden Meere,
Türmt sich ein glatter Fels den drängenden Fluten entgegen,
Die der gewaltige Süd an das linke Gebirge vor Phaistos 295
Stürmt; und der kleine Fels hemmt große brandende Fluten.
Dorthin kamen die meisten, und kaum entflohn dem Verderben
Noch die Männer, die Schiffe zerschlug an den Klippen die Brandung.
Aber die übrigen fünfe der blaugeschnäbelten Schiffe
Wurden von Sturm und Woge zum Strom Aigyptos getrieben. 300
Allda fuhr Menelaos bei unverständlichen Völkern
Mit den Schiffen umher, viel Gold und Schätze gewinnend.
Unterdessen verübte zu Haus Aigisthos die Schandtat,
Bracht Agamemnon um und zwang das Volk zum Gehorsam.
Sieben Jahre beherrscht' er die schätzereiche Mykene, 305
Aber im achten kam zum Verderben der edle Orestes
Von Athenai zurück und nahm von dem Meuchler Aigisthos
Blutige Rache, der ihm den herrlichen Vater ermordet;
Brachte dann mit dem Volk ein Opfer bei dem Begräbnis
Seiner abscheulichen Mutter und ihres feigen Aigisthos. 310
Eben den Tag kam auch der Rufer im Streit Menelaos
Mit unendlichen Schätzen, so viel die Schiffe nur trugen.
Auch du, Lieber, irre nicht lange fern von der Heimat,
Da du alle dein Gut und so unbändige Männer
In dem Palaste verließest, damit sie nicht alles verschlingen, 315

Deine Güter sich teilend, und fruchtlos ende die Reise!
Aber ich rate dir doch, zu Atreus' Sohn Menelaos
Hinzugehn, der neulich aus fernen Landen zurückkam,
Von entlegenen Völkern, woher kein Sterblicher jemals
Hoffen dürfte zu kommen, den Sturm und Woge so weithin 320
Über das Meer verschlugen, woher auch selbst nicht die Vögel
Fliegen können im Jahre, so furchtbar und weit ist die Reise!
Eil und gehe sogleich im Schiffe mit deinen Gefährten!
Oder willst du zu Lande, so fordere Wagen und Rosse,
Meine Söhne dazu; sie werden dich sicher gen Sparta 325
Führen, der prächtigen Stadt Menelaos' des bräunlichgelockten.
Aber du mußt ihm flehn, daß er die Wahrheit verkünde.
Lügen wird er nicht reden, denn er ist viel zu verständig!
  Also sprach er. Da sank die Sonn und Dunkel erhob sich.
Drauf antwortete Zeus' blauäugichte Tochter Athene: 330
  Wahrlich, o Greis, du hast mit vieler Weisheit geredet.
Aber schneidet jetzo die Zungen und mischet des Weines,
Daß wir Poseidaon und allen unsterblichen Göttern
Opfern und schlafen gehn; die Stunde gebeut uns zu ruhen;
Denn schon sinket das Licht in Dämmerung. Länger geziemt sich's
Nicht, am Mahle der Götter zu sitzen, sondern zu gehen.
  Also die Tochter Zeus', und jene gehorchten der Rede.
Herolde gossen ihnen das Wasser über die Hände,
Jünglinge füllten die Kelche bis oben mit dem Getränke,
Teilten dann rechts herum die vollgegossenen Becher. 340
Und sie verbrannten die Zungen und opferten stehend des Weines.
Als sie ihr Opfer vollbracht und nach Verlangen getrunken,
Machte Athene sich auf und Telemachos, göttlich von Bildung,
Wieder von dannen zu gehn zu ihrem geräumigen Schiffe.
Aber Nestor verbot es mit diesen strafenden Worten: 345
  Zeus verhüte doch dieses und alle unsterblichen Götter,
Daß ihr jetzo von mir zum schnellen Schiffe hinabgeht,
Gleich als wär ich ein Mann in Lumpen oder ein Bettler,
Der nicht viele Mäntel und weiche Decken besäße,
Für sich selber zum Lager und für besuchende Freunde! 350
Aber ich habe genug der Mäntel und prächtigen Decken!
Wahrlich nimmer gestatt ich des großen Mannes Odysseus

Sohne, auf dem Verdeck des Schiffes zu ruhen, solang ich
Lebe! Und dann auch werden noch Kinder bleiben im Hause,
Einen Gast zu bewirten, der meine Wohnung besuchet! 355
Drauf antwortete Zeus' blauäugichte Tochter Athene:
Edler Greis, du hast sehr wohl geredet, und gerne
Wird Telemachos dir gehorchen, denn es gebührt sich!
Dieser gehe denn jetzo mit dir zu deinem Palaste,
Dort zu ruhn. Allein ich muß zum schwärzlichen Schiffe 360
Gehen, unsere Freunde zu stärken und alles zu ordnen.
Denn von allen im Schiffe bin ich der einzige Alte;
Jünglinge sind die andern, die uns aus Liebe begleiten,
Allesamt von des edlen Telemachos blühendem Alter.
Allda will ich die Nacht am schwarzen gebogenen Schiffe 365
Ruhn und morgen früh zu den großgesinnten Kaukonen
Gehen, daß ich die Schuld, die weder neu noch gering ist,
Mir einfordre. Doch diesen, den Gastfreund deines Palastes,
Send im Wagen gen Sparta, vom Sohne begleitet, und gib ihm
Zum Gespanne die schnellsten und unermüdlichsten Rosse. 370
Also redete Zeus' blauäugichte Tochter und schwebte,
Plötzlich ein Adler, empor; da erstaunte die ganze Versammlung.
Wundernd stand auch der Greis, da seine Augen es sahen,
Faßte Telemachos' Hand und sprach mit freundlicher Stimme:
Lieber, ich hoffe, du wirst nicht feige werden noch kraftlos, 375
Denn es begleiten dich schon als Jüngling waltende Götter!
Siehe, kein anderer war's der himmelbewohnenden Götter,
Als des allmächtigen Zeus' siegprangende Tochter Athene,
Die auch deinen Vater vor allen Achaiern geehrt hat!
Herrscherin, sei uns gnädig und krön uns mit glänzendem Ruhme,
Mich und meine Kinder und meine teure Genossin!
Dir will ich opfern ein jähriges Rind, breitstirnig und fehllos,
Unbezwungen vom Stier und nie zum Joche gebändigt:
Dieses will ich dir opfern, mit Gold die Hörner umzogen!
Also sprach er flehend; ihn hörete Pallas Athene. 385
Und der gerenische Greis, der Rossebändiger Nestor,
Führte die Eidam' und Söhne zu seinem schönen Palaste.
Als sie den hohen Palast des Königs jetzo erreichten,
Setzten sich alle in Reihn auf prächtige Thronen und Sessel.

Und den Kommenden mischte der Greis von neuem im Kelche 390
Süßen balsamischen Wein; im elften Jahre des Alters
Wählte die Schaffnerin ihn und löste den spündenden Deckel.
Diesen mischte der Greis und flehete, opfernd des Trankes,
Viel zu der Tochter des Gottes mit wetterleuchtendem Schilde.
Als sie ihr Opfer vollbracht und nach Verlangen getrunken, 395
Gingen sie alle heim, der süßen Ruhe zu pflegen.
Aber Telemachos hieß der Rossebändiger Nestor
Dort im Palaste ruhn, den Sohn des edlen Odysseus,
Unter der tönenden Hall', im schöngebildeten Bette.
Neben ihm ruhte der Held Peisistratos, welcher allein noch 400
Unvermählt von den Söhnen in Nestors Hause zurückblieb.
Aber er selber schlief im Innern des hohen Palastes,
Und die Königin schmückte das Ehbett ihres Gemahles.

Als nun die dämmernde Frühe mit Rosenfingern erwachte,
Da erhub sich vom Lager der Rossebändiger Nestor, 405
Ging hinaus und setzte sich auf gehauene Steine
Vor der hohen Pforte des schöngebauten Palastes,
Weiß und glänzend wie Öl. Auf diesen pflegte vor alters
Neleus sich hinzusetzen, an Rat den Unsterblichen ähnlich.
Aber er war schon tot und in der Schatten Behausung. 410
Nun saß Nestor darauf, der gerenische Hüter der Griechen,
Seinen Stab in der Hand. Da sammelten sich um den Vater,
Eilend aus den Gemächern, Echephron, Stratios, Perseus
Und Aretos der Held und der göttliche Thrasymedes.
Auch der sechste der Brüder Peisistratos eilte zu Nestor. 415
Und sie setzten den schönen Telemachos neben dem Vater.
Unter ihnen begann der Rossebändiger Nestor:

Hurtig, geliebteste Kinder, erfüllt mir dieses Verlangen,
Daß ich vor allen Göttern Athenens Gnade gewinne,
Welche mir sichtbar erschien am festlichen Mahle Poseidons! 420
Gehe dann einer aufs Feld, damit in Eile zum Opfer
Komme die Kuh, geführt vom Hirten der weidenden Rinder.
Einer gehe hinab zu des edlen Telemachos' Schiffe,
Seine Gefährten zu rufen, und lasse nur zween zur Bewahrung.
Einer heiße hieher den Meister in Golde Laerkes 425
Kommen, daß er mit Gold des Rindes Hörner umziehe.

Aber ihr übrigen bleibt hier allesamt und gebietet
Drinnen im hohen Palaste den Mägden, ein Mahl zu bereiten
Und uns Sessel und Holz und frisches Wasser zu bringen.
Also sprach er, und emsig enteilten sie alle. Die Kuh kam 430
Aus dem Gefild; es kamen vom gleichgezimmerten Schiffe
Auch Telemachos' Freunde; es kam der Meister in Golde,
Alle Schmiedegeräte, der Kunst Vollender, in Händen,
Seinen Hammer und Amboß und seine gebogene Zange,
Auszubilden das Gold. Es kam auch Pallas Athene 435
Zu der heiligen Feier. Der Rossebändiger Nestor
Gab ihm Gold, und der Meister umzog die Hörner des Rindes
Künstlich, daß sich die Göttin am prangenden Opfer erfreute.
Stratios führte die Kuh am Horn und der edle Echephron.
Aber Aretos trug im blumigen Becken das Wasser 440
Aus der Kammer hervor, ein Körbchen voll heiliger Gerste
In der Linken. Es stand der kriegrische Thrasymedes,
Eine geschliffene Axt in der Hand, die Kuh zu erschlagen.
Perseus hielt ein Gefäß, das Blut zu empfangen. Der Vater
Wusch zuerst sich die Händ' und streute die heilige Gerste, 445
Flehte dann viel zu Athenen und warf in die Flamme das Stirnhaar.
Als sie jetzo gefleht und die heilige Gerste gestreuet,
Trat der mutige Held Thrasymedes näher und haute
Zu; es zerschnitt die Axt die Sehnen des Nackens, und kraftlos
Stürzte die Kuh in den Sand. Und jammernd beteten jetzo 450
Alle Töchter und Schnür' und die ehrenvolle Gemahlin
Nestors, Eurydike, die erste von Klymenos' Töchtern.
Aber die Männer beugten das Haupt der Kuh von der Erde
Auf; da schlachtete sie Peisistratos, Führer der Menschen.
Schwarz entströmte das Blut, und der Geist verließ die Gebeine. 455
Jene zerhauten das Opfer und schnitten, nach dem Gebrauche,
Eilig die Lenden aus, umwickelten diese mit Fette
Und bedeckten sie drauf mit blutigen Stücken der Glieder.
Und sie verbrannte der Greis auf dem Scheitholz, sprengte darüber
Dunkeln Wein; und die Jüngling' umstanden ihn mit dem Fünfzack.
Als sie die Lenden verbrannt und die Eingeweide gekostet,
Schnitten sie auch das übrige klein und steckten's an Spieße,
Drehten die spitzigen Spieß' in der Hand und brieten's mit Vorsicht.

Aber den blühenden Jüngling Telemachos badet' indessen
Polykaste die Schöne, die jüngste Tochter des Nestor. 465
Als sie ihn jetzo gebadet und drauf mit Öle gesalbet,
Da umhüllte sie ihm den prächtigen Mantel und Leibrock.
Und er stieg aus dem Bad, an Gestalt den Unsterblichen ähnlich,
Ging und setzte sich hin bei Nestor, dem Hirten der Völker.
Als sie das Fleisch nun gebraten und von den Spießen gezogen, 470
Setzten sie sich zum Mahle. Die edlen Jünglinge schöpften
Aus dem Kelche den Wein und verteilten die goldenen Becher.
Und nachdem die Begierde des Tranks und der Speise gestillt war,
Sprach der gerenische Greis, der Rossebändiger Nestor:
Eilt, geliebteste Kinder, und bringt schönmähnichte Rosse; 475
Spannt sie schnell vor den Wagen, Telemachos' Reise zu fördern!
Also sprach er; ihn hörten die Söhne mit Fleiß und gehorchten.
Eilend spannten sie vor den Wagen die hurtigen Rosse.
Aber die Schaffnerin legt' in den Wagen die köstliche Zehrung,
Brot und feurigen Wein und göttlicher Könige Speisen. 480
Und Telemachos stieg auf den künstlichgebildeten Wagen.
Nestors mutiger Sohn Peisistratos, Führer der Menschen,
Setzte sich neben ihn und hielt in den Händen die Zügel;
Treibend schwang er die Geißel, und willig enteilten die Rosse
In das Gefild und verließen die hochgebauete Pylos. 485
Also schüttelten sie bis zum Abend das Joch an den Nacken.
Und die Sonne sank und Dunkel umhüllte die Pfade.
Und sie kamen gen Pherai, zur Burg des edlen Diokles,
Welchen Alpheios' Sohn Orsilochos hatte gezeuget,
Ruhten bei ihm die Nacht und wurden freundlich bewirtet. 490
Als die dämmernde Frühe mit Rosenfingern erwachte,
Rüsteten sie ihr Gespann und bestiegen den prächtigen Wagen,
Lenkten darauf aus dem Tore des Hofs und der tönenden Halle.
Treibend schwang er die Geißel und willig enteilten die Rosse
Und durchliefen behende die Weizenfelder, und jetzo 495
War die Reise vollbracht: so flogen die hurtigen Rosse.
Und die Sonne sank und Dunkel umhüllte die Pfade.

IV. GESANG

Menelaos, der seine Kinder ausstattet, bewirtet die Fremdlinge und äußert mit Helena teilnehmende Liebe für Odysseus. Telemachos wird erkannt. Aufheiterndes Mittel der Helena und Erzählungen von Odysseus. Am Morgen fragt Telemachos nach dem Vater. Menelaos erzählt, was ihm der ägyptische Proteus von der Rückkehr der Achaier und dem Aufenthalt des Odysseus bei der Kalypso geweissagt. Die Freier beschließen, den heimkehrenden Telemachos zwischen Ithaka und Samos zu ermorden. Medon entdeckt's der Penelopeia. Sie fleht zu Athene und wird durch ein Traumbild getröstet.

Und sie erreichten im Tale die große Stadt Lakedaimon,
Lenkten darauf zur Burg Menelaos' des ehregekrönten,
Und Menelaos feirte mit vielen Freunden die Hochzeit
Seines Sohnes im Hause und seiner lieblichen Tochter.
Diese sandt er dem Sohne des Scharentrenners Achilleus. 5
Denn er gelobte sie ihm vordem im troischen Lande;
Und die himmlischen Götter vollendeten ihre Vermählung.
Jetzo sandt er sie hin, mit Rossen und Wagen begleitet,
Zu der berühmten Stadt des Myrmidonenbeherrschers.
Aber dem Sohne gab er aus Sparta die Tochter Alektors, 10
Megapenthes dem starken, den ihm in späterem Alter
Eine Sklavin gebar. Denn Helenen schenkten die Götter
Keine Frucht, nachdem sie die liebliche Tochter geboren,
Hermione, ein Bild der goldenen Aphrodite.
Also feierten dort im hochgewölbten Saale 15
Alle Nachbarn und Freunde des herrlichen Menelaos
Fröhlich am Mahle das Fest. Es sang ein göttlicher Sänger
In die Harfe sein Lied. Und zween nachahmende Tänzer
Stimmten an den Gesang und dreheten sich in der Mitte.
Aber die Rosse hielten am Tore des hohen Palastes 20
Und Telemachos harrte mit Nestors glänzendem Sohne.
Siehe, da kam Eteoneus hervor und sahe die Fremden,
Dieser geschäftige Diener des herrlichen Menelaos.
Schnell durchlief er die Wohnung und brachte dem Könige Botschaft,
Stellte sich nahe vor ihn und sprach die geflügelten Worte: 25
Fremde Männer sind draußen, o göttlicher Held Menelaos,
Zween an der Zahl, von Gestalt wie Söhne des großen Kronions.
Sage mir, sollen wir gleich abspannen die hurtigen Rosse

Oder sie weitersenden, damit sie ein andrer bewirte?
  Voll Unwillens begann Menelaos der bräunlichgelockte: 30
Ehmals warst du kein Tor, Boethos' Sohn Eteoneus,
Aber du plauderst jetzt wie ein Knabe so törichte Worte!
Wahrlich wir haben ja beid in Häusern anderer Menschen
Soviel Gutes genossen, bis wir heimkehrten! Uns wolle
Zeus auch künftig vor Not bewahren! Drum spanne die Rosse 35
Hurtig ab und führe die Männer zu unserem Gastmahl!
  Also sprach er; und schnell durcheilete jener die Wohnung,
Rief die geschäftigen Diener zusammen, daß sie ihm folgten.
Und nun spanneten sie vom Joche die schäumenden Rosse,
Führten sie dann in den Stall und banden sie fest an die Krippen, 40
Schütteten Hafer hinein, mit gelblicher Gerste gemenget,
Stellten darauf den Wagen an eine der schimmernden Wände,
Führten endlich die Männer hinein in die göttliche Wohnung.
  Staunend sahn sie die Burg des göttergesegneten Königs.
Gleich dem Strahle der Sonn und gleich dem Schimmer des Mondes
Blinkte die hohe Burg Menelaos' des ehregekrönten.
Und nachdem sie ihr Herz mit bewunderndem Blicke gesättigt,
Stiegen sie beide zum Bad in schöngeglättete Wannen.
Als sie die Mägde gebadet und drauf mit Öle gesalbet
Und mit wollichtem Mantel und Leibrock hatten bekleidet, 50
Setzten sie sich auf Throne bei Atreus' Sohn Menelaos.
Eine Dienerin trug in der schönen goldenen Kanne
Über dem silbernen Becken das Wasser, beströmte zum Waschen
Ihnen die Händ' und stellte vor sie die geglättete Tafel.
Und die ehrbare Schaffnerin kam und tischte das Brot auf 55
Und der Gerichte viel aus ihrem gesammelten Vorrat.
Hierauf kam der Zerleger und bracht in erhobenen Schüsseln
Allerlei Fleisch und setzte vor sie die goldenen Becher.
Beiden reichte die Hände der Held Menelaos und sagte:
  Langt nun zu und eßt mit Wohlgefallen, ihr Freunde! 60
Habt ihr euch dann mit Speise gestärkt, dann wollen wir fragen,
Wer ihr seid. Denn wahrlich aus keinem versunknen Geschlechte
Stammt ihr, sondern ihr stammt von edlen, zeptergeschmückten
Königen her; denn gewiß Unedle zeugen nicht solche!
  Also sprach er und reichte den fetten gebratenen Rückgrat 65

Von dem Rinde den Gästen, der ihm zur Ehre bestimmt war.
Und sie erhoben die Hände zum lecker bereiteten Mahle.
Und nachdem die Begierde des Tranks und der Speise gestillt war,
Neigte Telemachos sein Haupt zum Sohne des Nestor
Und sprach leise zu ihm, damit es die andern nicht hörten: 70
  Schaue doch, Nestoride, du meines Herzens Geliebter,
Schaue den Glanz des Erzes umher in der hallenden Wohnung,
Und des Goldes und Ambras und Elfenbeines und Silbers!
Also glänzt wohl von innen der Hof des olympischen Gottes!
Welch ein unendlicher Schatz! Mit Staunen erfüllt mich der Anblick!
  Seine Rede vernahm Menelaos der bräunlichgelockte,
Wandte sich gegen die Fremden und sprach die geflügelten Worte:
  Liebe Söhne, mit Zeus wetteifre der Sterblichen keiner;
Ewig besteht des Unendlichen Burg und alles, was sein ist!
Doch von den Menschen mag einer mit mir sich messen an Reichtum,
Oder auch nicht. Denn, traun, nach vielen Leiden und Irren
Bracht ich ihn in den Schiffen im achten Jahre zur Heimat;
Ward nach Kypros vorher, nach Phönike gestürmt und Aigyptos,
Sahe die Aithiopen, Sidonier dann und Erember,
Libya selbst, wo schon den Lämmern Hörner entkeimen. 85
Denn es gebären dreimal im Laufe des Jahres die Schafe.
Nimmer gebricht es dort dem Eigner und nimmer dem Hirten,
Weder an Käse noch Fleisch noch süßer Milch von der Herde,
Welche das ganze Jahr mit vollen Eutern einhergeht.
Also durchirrt ich die Länder und sammelte großes Vermögen. 90
Aber indessen erschlug mir meinen Bruder ein andrer
Heimlich, mit Meuchelmord, durch die List des heillosen Weibes,
Daß ich gewiß nicht froh dies große Vermögen beherrsche!
Doch dies habt ihr ja wohl von euren Vätern gehöret,
Wer sie auch sei'n. Denn viel, sehr vieles hab ich erlitten 95
Und mein prächtiges Haus voll köstlicher Güter zerrüttet!
Könnt ich nur jetzo darin mit dem dritten Teile der Güter
Wohnen, und lebten die Männer, die im Gefilde vor Troja
Hingesunken sind, fern von der rossenährenden Argos!
Aber dennoch, wie sehr ich sie alle klag und beweine 100
(Oftmal hab ich hier so in meinem Hause gesessen
Und mir jetzo mit Tränen das Herz erleichtert und jetzo

Wieder geruht; denn bald ermüdet der starrende Kummer!),
Dennoch, wie sehr ich traure, bewein ich alle nicht so sehr
Als den einen, der mir den Schlaf und die Speise verleidet, 105
Denk ich seiner! Denn das hat kein Achaier erduldet,
Was Odysseus erduldet' und trug! Ihm selber war Unglück
Von dem Schicksal bestimmt und mir unendlicher Jammer,
Seinethalben, des Langabwesenden, weil wir nicht wissen,
Ob er leb' oder tot sei. Vielleicht beweinen ihn jetzo 110
Schon Laertes der Greis und die keusche Penelopeia
Und Telemachos, den er als Kind im Hause zurückließ!

Also sprach er und rührte Telemachos herzlich zu weinen.
Seinen Wimpern entstürzte die Träne, als er vom Vater
Hörte; da hüllt' er sich schnell vor die Augen den purpurnen Mantel,
Fassend mit beiden Händen; und Menelaos erkannt ihn.
Dieser dachte darauf umher in zweifelnder Seele,
Ob er ihn ruhig ließe an seinen Vater gedenken,
Oder ob er zuerst ihn fragt' und alles erforschte.

Als er solche Gedanken in zweifelnder Seele bewegte, 120
Wallte Helena her aus der hohen duftenden Kammer,
Artemis gleich an Gestalt, der Göttin mit goldener Spindel.
Dieser setzte sofort Adraste den zierlichen Sessel,
Und Alkippe brachte den weichen wollichten Teppich.
Phylo brachte den silbernen Korb, den ehmals Alkandre 125
Ihr verehrte, die Gattin des Polybos, welcher in Thebai
Wohnte, Aigyptos' Stadt voll schätzereicher Paläste.
Dieser gab Menelaos zwo Badewannen von Silber,
Zween dreifüßige Kessel und zehn Talente des Goldes.
Aber Helenen gab Alkandre schöne Geschenke, 130
Eine goldene Spindel im länglichgeründeten Korbe,
Der, aus Silber gebildet, mit goldenem Rande geschmückt war.
Diesen setzte vor sie die fleißige Dienerin Phylo,
Angefüllt mit geknäueltem Garn, und über dem Garne
Lag die goldene Spindel mit violettener Wolle. 135
Helena saß auf dem Sessel; ein Schemel stützte die Füße.
Und sie fragte sogleich den Gemahl nach allem und sagte:

Wissen wir schon, Menelaos, du göttlicher, welches Geschlechtes
Diese Männer sich rühmen, die unsere Wohnung besuchen?

Irr ich oder ahndet mir wahr? Ich kann es nicht bergen! 140
Niemals erschien mir ein Mensch mit solcher ähnlichen Bildung,
Weder Mann, noch Weib (mit Staunen erfüllt mich der Anblick!),
Als der Jüngling dort des edelgesinnten Odysseus
Sohne Telemachos gleicht, den er als Säugling daheimließ,
Jener Held, da ihr Griechen, mich Ehrvergeßne zu rächen, 145
Hin gen Ilion schifftet, mit Tod und Verderben gerüstet!
Ihr antwortete drauf Menelaos der bräunlichgelockte:
Ebenso denke auch ich, o Frau, wie du jetzo vermutest.
Denn so waren die Händ' und so die Füße des Helden,
So die Blicke der Augen, das Haupt und die lockigen Haare. 150
Auch gedacht ich jetzo des edelgesinnten Odysseus
Und erzählte, wie jener für mich so mancherlei Elend
Duldete; siehe, da drang aus seinen Augen die Träne,
Und er verhüllete schnell mit dem Purpurmantel sein Antlitz.
Und der Nestoride Peisistratos sagte dagegen: 155
Atreus' Sohn, Menelaos, du göttlicher Führer des Volkes,
Dieser ist wirklich der Sohn Odysseus', wie du vermutest.
Aber er ist bescheiden und hält es für unanständig,
Gleich, nachdem er gekommen, so dreist entgegen zu schwatzen
Deiner Rede, die uns, wie eines Gottes, erfreuet. 160
Und mich sandte mein Vater, der Rossebändiger Nestor,
Diesen hierher zu geleiten, der dich zu sehen begehrte,
Daß du ihm Rat erteiltest zu Worten oder zu Taten.
Denn viel leidet ein Sohn des langabwesenden Vaters,
Wenn er, im Hause verlassen, von keinem Freunde beschützt wird:
Wie Telemachos jetzt! Sein Vater ist ferne, und niemand
Regt sich im ganzen Volke, von ihm die Plage zu wenden!
Ihm antwortete drauf Menelaos der bräunlichgelockte:
Götter, so ist ja mein Gast der Sohn des geliebtesten Freundes,
Welcher um meinetwillen so viele Gefahren erduldet! 170
Und ich hoffte, dem Kommenden einst vor allen Argeiern
Wohlzutun, hätt uns der Olympier Zeus Kronion
Glückliche Wiederkehr in den schnellen Schiffen gewähret!
Eine Stadt und ein Haus in Argos wollt ich ihm schenken
Und ihn aus Ithaka führen mit seinem ganzen Vermögen, 175
Seinem Sohn und dem Volk und räumen eine der Städte,

Welche Sparta umgrenzen und meinem Befehle gehorchen.
Oft besuchten wir dann als Nachbarn einer den andern,
Und nichts trennt' uns beid in unserer seligen Eintracht,
Bis uns die schwarze Wolke des Todes endlich umhüllte! 180
Aber ein solches Glück mißgönnte mir einer der Götter,
Welcher jenem allein, dem Armen, raubte die Heimkehr!
Also sprach er und rührte sie alle zu herzlichen Tränen.
Argos' Helena weinte, die Tochter des großen Kronion,
Und Telemachos weinte und Atreus' Sohn Menelaos. 185
Auch Peisistratos konnte sich nicht der Tränen enthalten;
Denn ihm trat vor die Seele des edlen Antilochos' Bildnis,
Welchen der glänzende Sohn der Morgenröte getötet.
Dessen gedacht er jetzo und sprach die geflügelten Worte:
Atreus' Sohn Menelaos, vor allen Menschen verständig 190
Rühmte dich Nestor der Greis, sooft wir deiner gedachten
In des Vaters Palast und uns miteinander besprachen.
Darum, ist es dir möglich, gehorche mir jetzo. Ich finde
Kein Vergnügen an Tränen beim Abendessen; auch morgen
Dämmert ein Tag für uns. Ich tadele freilich mitnichten, 195
Daß man den Toten beweine, der sein Verhängnis erfüllt hat.
Ist doch dieses allein der armen Sterblichen Ehre,
Daß man schere sein Haar und die Wange mit Tränen benetze.
Auch mein Bruder verlor sein Leben, nicht der geringste
Im argeiischen Heer! Du wirst ihn kennen; ich selber 200
Hab ihn nimmer gesehn, doch rühmen Antilochos alle,
Daß er an Schnelle des Laufs und an Kriegsmut andre besieget.
Ihm antwortete drauf Menelaos der bräunlichgelockte:
Lieber, du redest so, wie ein Mann von reifem Verstande
Reden und handeln muß, und wär er auch höheren Alters. 205
Denn du redest als Sohn von einem verständigen Vater.
Leicht erkennt man den Samen des Mannes, welchen Kronion
Schmückte mit himmlischem Segen bei seiner Geburt und Vermäh-
Also krönet er nun auch Nestors Tage mit Wohlfahrt; [lung.
Denn er freut sich im Hause des stillen, behaglichen Alters 210
Und verständiger Söhne, geübt, die Lanze zu schwingen.
Laßt uns also des Grams und unserer Tränen vergessen
Und von neuem das Mahl beginnen! Wohlauf, man begieße

Unsere Hände mit Wasser! Auch morgen wird die Zeit zu Gesprächen
Mit Telemachos sein, uns beiden das Herz zu erleichtern! 215

Sprach's, und eilend begoß Asphalion ihnen die Hände,
Dieser geschäftige Diener des herrlichen Menelaos.
Und sie erhoben die Hände zum leckerbereiteten Mahle.

Aber ein Neues ersann die liebliche Tochter Kronions:
Siehe, sie warf in den Wein, wovon sie tranken, ein Mittel 220
Gegen Kummer und Groll und aller Leiden Gedächtnis.
Kostet einer des Weins, mit dieser Würze gemischet,
Dann benetzet den Tag ihm keine Träne die Wangen,
Wär ihm auch sein Vater und seine Mutter gestorben,
Würde vor ihm sein Bruder und sein geliebtester Sohn auch 225
Mit dem Schwerte getötet, daß seine Augen es sähen.
Siehe, so heilsam war die künstlich bereitete Würze,
Welche Helenen einst die Gemahlin Thons, Polydamna,
In Aigyptos geschenkt. Dort bringt die fruchtbare Erde
Mancherlei Säfte hervor, zu guter und schädlicher Mischung; 230
Dort ist jeder ein Arzt und übertrifft an Erfahrung
Alle Menschen; denn wahrlich, sie sind vom Geschlechte Paeions.
Als sie die Würze vermischt und einzuschenken befohlen,
Da begann sie von neuem und sprach mit freundlicher Stimme:

Atreus' göttlicher Sohn Menelaos und ihr geliebten 235
Söhne tapferer Männer, es sendet im ewigen Wechsel
Zeus bald Gutes, bald Böses herab, denn er herrschet mit Allmacht.
Auf, genießet denn jetzo in unserem Hause des Mahles,
Euch mit Gesprächen erfreuend! Ich will euch was Frohes erzählen.
Alles kann ich euch zwar nicht nennen oder beschreiben, 240
Alle mutigen Taten des leidengeübten Odysseus,
Sondern nur eine Gefahr, die der tapfere Krieger bestanden
In dem troischen Lande, wo Not euch Achaier umdrängte.
Seht, er hatte sich selbst unwürdige Striemen gegeißelt,
Und nachdem er die Schultern mit schlechten Lumpen umhüllet,
Ging er in Sklavengestalt zur Stadt der feindlichen Männer.
Ganz ein anderer Mann, ein Bettler schien er von Aussehn,
So wie er wahrlich nicht im achaiischen Lager einherging.
Also kam er zur Stadt der Troer; und sie verkannten
Alle den Helden; nur ich entdeckt ihn unter der Hülle 250

Und befragt ihn: doch er fand immer listige Ausflucht.
Aber als ich ihn jetzo gebadet, mit Öle gesalbet
Und mit Kleidern geschmückt und drauf bei den Göttern geschworen,
Daß ich Odysseus den Troern nicht eher wollte verraten,
Bis er die schnellen Schiff' und Zelte wieder erreichet, 255
Da verkündet' er mir den ganzen Entwurf der Achaier.
Als er nun viele der Troer mit langem Erze getötet,
Kehrt' er zu den Argeiern, mit großer Kunde bereichert.
Laut wehklageten jetzo die andern Weiber in Troja;
Aber mein Herz frohlockte: denn herzlich wünscht ich die Heimkehr
Und beweinte den Jammer, den Aphrodite gestiftet,
Als sie mich dorthin, fern vom Vaterlande, geführet
Und von der Tochter getrennt, dem Ehbett und dem Gemahle,
Dem kein Adel gebricht des Geistes oder der Bildung.
Ihr antwortete drauf Menelaos der bräunlichgelockte: 265
Dieses alles ist wahr, o Helena, was du erzähltest.
Denn ich habe schon mancher Gesinnung und Tugend gelernet,
Hochberühmter Helden, und bin viel Länder durchwandert;
Aber ein solcher Mann kam mir noch nimmer vor Augen,
Gleich an erhabener Seele dem leidengeübten Odysseus! 270
Also bestand er auch jene Gefahr, mit Kühnheit und Gleichmut,
In dem gezimmerten Rosse, worin wir Fürsten der Griechen
Alle saßen und Tod und Verderben gen Ilion brachten.
Dorthin kamest auch du, gewiß von einem der Götter
Hingeführt, der etwa die Troer zu ehren gedachte; 275
Und der göttergleiche Deiphobos war dein Begleiter.
Dreimal umwandeltest du das feindliche Männergehäuse,
Rings betastend, und riefst der tapfersten Helden Achaias
Namen, indem du die Stimme von aller Gemahlinnen annahmst.
Aber ich und Tydeus' Sohn und der edle Odysseus 280
Saßen dort in der Mitte und hörten, wie du uns riefest.
Plötzlich fuhren wir auf, wir beiden andern, entschlossen,
Auszusteigen oder von innen uns hören zu lassen.
Aber Odysseus hielt uns zurück von dem raschen Entschlusse.
Jetzo saßen wir still und alle Söhne der Griechen. 285
Nur Antiklos wollte dir Antwort geben; doch eilend
Sprang Odysseus hinzu und drückte mit nervichten Händen

Fest den Mund zusammen und rettete alle Achaier;
Eher ließ er ihn nicht, bis Athene von dannen dich führte.
Und der verständige Jüngling Telemachos sagte dagegen: 290
Atreus' Sohn Menelaos, du göttlicher Führer des Volkes,
Desto betrübter! Denn alles entriß ihn dem traurigen Tode
Nicht, und hätt er im Busen ein Herz von Eisen getragen!
Aber lasset uns nun zu Bette gehen, damit uns
Jetzo auch die Ruhe des süßen Schlafes erquicke. 295
Als er dieses gesagt, rief Helena eilend den Mägden,
Unter die Halle ein Bette zu setzen, unten von Purpur
Prächtige Polster zu legen und Teppiche drüber zu breiten,
Hierauf wollige Mäntel zur Oberdecke zu legen.
Und sie enteilten dem Saal, in den Händen die leuchtende Fackel,
Und bereiteten schnell das Lager. Aber ein Herold
Führte Telemachos hin, samt Nestors glänzendem Sohne.
Also ruhten sie dort in der Halle vor dem Palaste.
Und der Atreide schlief im Innern des hohen Palastes,
Helena ruhte bei ihm, die schönste unter den Weibern. 305
Als die dämmernde Frühe mit Rosenfingern erwachte,
Sprang er vom Lager empor, der Rufer im Streit Menelaos,
Legte die Kleider an und hing das Schwert um die Schulter,
Band die schönen Sohlen sich unter die zierlichen Füße,
Trat aus der Kammer hervor, geschmückt mit göttlicher Hoheit,
Ging und setzte sich neben Telemachos nieder und sagte:
Welches Geschäft, o edler Telemachos, führte dich hieher
Über das weite Meer zur göttlichen Stadt Lakedaimon?
Deines oder des Volks? Verkünde mir lautere Wahrheit!
Und der verständige Jüngling Telemachos sagte dagegen: 315
Atreus' Sohn Menelaos, du göttlicher Führer des Volkes,
Darum kam ich zu dir, um Kunde vom Vater zu hören.
Ausgezehrt wird mein Haus und Hof und Äcker verwüstet;
Denn feindselige Männer erfüllen die Wohnung und schlachten
Meine Ziegen und Schlaf' und mein schwerwandelndes Hornvieh, 320
Freier meiner Mutter voll übermütigen Trotzes.
Darum flehe ich dir jetzo, die Knie umfassend du wollest
Seinen traurigen Tod mir verkündigen; ob du ihn selber
Ansahst oder vielleicht von einem irrenden Wandrer

Ihn erfuhrst: denn ach! zum Leiden gebar ihn die Mutter! 325
Aber schmeichle mir nicht aus Schonung oder aus Mitleid,
Sondern erzähle mir treulich, was deine Augen gesehen.
Flehend beschwör ich dich: hat je mein Vater Odysseus
Einen Wunsch dir gewährt mit Worten oder mit Taten
In dem troischen Lande, wo Not euch Achaier umdrängte: 330
Daß du, dessen gedenkend, mir jetzo Wahrheit verkündest!
  Voll Unwillens begann Menelaos der bräunlichgelockte:
O ihr Götter, ins Lager des übergewaltigen Mannes
Wollten jene sich legen, die feigen verworfenen Menschen!
Aber wie wenn in den Dickicht des starken Löwen die Hirschkuh 335
Ihre saugenden Jungen, die neugeborenen, hinlegt,
Dann auf den Bergen umher und kräuterbewachsenen Tälern
Weide sucht, und jener darauf in sein Lager zurückkehrt
Und den Zwillingen beiden ein schreckliches Ende bereitet:
So wird jenen Odysseus ein schreckliches Ende bereiten! 340
Wenn er, o Vater Zeus, Athene und Phöbos Apollon,
Doch in jener Gestalt, wie er einst in der fruchtbaren Lesbos
Sich mit Philomeleides zum Wetteringen emporhub
Und auf den Boden ihn warf, daß alle Achaier sich freuten:
Wenn doch in jener Gestalt Odysseus den Freiern erschiene! 345
Bald wär ihr Leben gekürzt und ihnen die Heirat verbittert!
Aber warum du mich fragst und bittest, das will ich geradaus
Ohn Umschweife dir sagen und nicht durch Lügen dich täuschen;
Sondern was mir der wahrhafte Greis des Meeres geweissagt,
Davon will ich kein Wort dir bergen oder verhehlen. 350
  Noch in Aigyptos hielten, wie sehr ich nach Hause verlangte,
Mich die Unsterblichen auf, denn ich versäumte die Opfer;
Und wir sollen nimmer der Götter Gebote vergessen.
Eine der Inseln liegt im wogenstürmenden Meere
Vor des Aigyptos Strome (die Menschen nennen sie Pharos), 355
Von dem Strome so weit, als wohlgerüstete Schiffe
Tages fahren, wenn rauschend der Wind die Segel erfüllet.
Dort ist ein sicherer Hafen, allwo die Schiffer gewöhnlich
Frisches Wasser sich schöpfen und weiter die Wogen durchsegeln.
Allda hielten die Götter mich zwanzig Tage; denn niemals 360
Wehten günstige Wind' in die See hinüber, die Schiffe

Über den breiten Rücken des Meeres hinzugeleiten,
Und bald wäre die Speis und der Mut der Männer geschwunden,
Hätte mich nicht erbarmend der Himmlischen eine gerettet.
Aber Eidothea, des grauen Wogenbeherrschers 365
Proteus Tochter, bemerkt' es und fühlte herzliches Mitleid.
Diese begegnete mir, da ich fern von den Freunden umherging;
Denn sie streiften beständig, vom nagenden Hunger gefoltert,
Durch die Insel, um Fische mit krummer Angel zu fangen.
Und sie nahte sich mir und sprach mit freundlicher Stimme: 370
Fremdling, bist du so gar einfältig oder so träge?
Oder zauderst du gern und findest Vergnügen am Elend,
Daß du so lang auf der Insel verweilst? Ist nirgends ein Ausweg
Aus dem Jammer zu sehn, da das Herz den Genossen entschwindet?
Also sprach sie, und ich antwortete wieder und sagte: 375
Ich verkündige dir, o Göttin, wie du auch heißest,
Daß ich mitnichten gerne verweile; sondern gesündigt
Hab ich vielleicht an den Göttern, des weiten Himmels Bewohnern.
Aber sage mir doch, die Götter wissen ja alles!
Wer der Unsterblichen hält mich hier auf und hindert die Reise? 380
Und wie gelang ich heim auf dem fischdurchwimmelten Meere?
Also sprach ich; mir gab die hohe Göttin zur Antwort:
Gerne will ich, o Fremdling, dir lautere Wahrheit verkünden.
Hier am Gestade schaltet ein grauer Bewohner des Meeres,
Proteus, der wahrhafte Gott aus Aigyptos, welcher des Meeres 385
Dunkle Tiefen kennt, ein treuer Diener Poseidons.
Dieser ist, wie man sagt, mein Vater, der mich gezeuget.
Wüßtest du diesen nur durch heimliche List zu erhaschen,
Er weissagte dir wohl den Weg und die Mittel der Reise,
Und wie du heimgelangst auf dem fischdurchwimmelten Meere. 390
Auch verkündigt' er dir, Zeus' Liebling, wenn du es wolltest,
Was dir Böses und Gutes in deinem Hause geschehn sei,
Weil du ferne warst auf der weiten, gefährlichen Reise.
Also sprach sie, und ich antwortete wieder und sagte:
Nun verkünde mir selber, wie fang ich den göttlichen Meergreis, 395
Daß er mir nicht entfliehe, mich sehend oder auch ahndend?
Wahrlich, schwer wird ein Gott vom sterblichen Manne bezwungen!
Also sprach ich; mir gab die hohe Göttin zur Antwort:

Gerne will ich, o Fremdling, dir lautere Wahrheit verkünden.
Wann die Mittagssonne den hohen Himmel besteiget, 400
Siehe, dann kommt aus der Flut der graue untrügliche Meergott,
Unter dem Wehn des Westes, umhüllt vom schwarzen Gekräusel,
Legt sich hin zum Schlummer in überhangende Grotten,
Und floßfüßige Robben der lieblichen Halosydne
Ruhn in Scharen um ihn, dem grauen Gewässer entstiegen, 405
Und verbreiten umher des Meeres herbe Gerüche.
Dorthin will ich dich führen, sobald der Morgen sich rötet,
Und in die Reihe dich legen. Du aber wähle mit Vorsicht
Drei von den kühnsten Genossen der schöngebordeten Schiffe.
Alle furchtbaren Künste des Greises will ich dir nennen. 410
Erstlich geht er umher und zählt die liegenden Robben,
Und nachdem er sie alle bei fünfen gezählt und betrachtet,
Legt er sich mitten hinein, wie ein Schäfer zwischen die Herde.
Aber sobald ihr seht, daß er zum Schlummer sich hinlegt,
Dann erhebet euch mutig und übet Gewalt und Stärke, 415
Haltet den Sträubenden fest, wie sehr er auch ringt zu entfliehen!
Denn der Zauberer wird sich in alle Dinge verwandeln,
Was auf der Erde lebt, in Wasser und loderndes Feuer.
Aber greift unerschrocken ihn an und haltet noch fester!
Wenn er nun endlich selbst euch anzureden beginnet, 420
In der Gestalt, worin ihr ihn saht zum Schlummer sich legen,
Dann laß ab von deiner Gewalt und löse den Meergreis,
Edler Held, und frag ihn, wer unter den Göttern dir zürne
Und wie du heimgelangst auf dem fischdurchwimmelten Meere.
Also sprach sie und sprang in die hochaufwallende Woge. 425
Aber ich ging zu den Schiffen, wo sie im Sande des Ufers
Standen, und viele Gedanken bewegten des Gehenden Seele.
Als ich jetzo mein Schiff und des Meeres Ufer erreichte,
Da bereiteten wir das Mahl. Die ambrosische Nacht kam,
Und wir lagerten uns am rauschenden Ufer des Meeres. 430
Als die heilige Frühe mit Rosenfingern erwachte,
Ging ich längs dem Gestade des weithinflutenden Meeres
Fort und betete viel zu den Himmlischen. Von den Genossen
Folgten mir drei, bewährt vor allen an Kühnheit und Stärke.
Aber indessen fuhr Eidothea tief in des Meeres 435

Weiten Busen und trug vier Robbenfelle von dannen,
Welche sie frisch abzog, und entwarf die Täuschung des Vaters.
Jedem höhlete sie ein Lager im Sande des Meeres,
Saß und erwartete uns. Sobald wir die Göttin erreichten,
Legte sie uns nach der Reih und hüllte jedem ein Fell um. 440
Wahrlich, die Lauer bekam uns fürchterlich! Bis zum Ersticken
Quält' uns der tranichte Dunst der meergemästeten Robben.
Denn wer ruhte wohl gerne bei Ungeheuern des Meeres?
Aber die Göttin ersann zu unserer Rettung ein Labsal:
Denn sie strich uns allen Ambrosia unter die Nasen, 445
Dessen lieblicher Duft des Tranes Gerüche vertilgte.
Also lauerten wir den ganzen Morgen geduldig.
Scharweis kamen die Robben nun aus dem Wasser und legten
Nach der Reihe sich hin am rauschenden Ufer des Meeres.
Aber am Mittag kam der göttliche Greis aus dem Wasser, 450
Ging bei den feisten Robben umher und zählte sie alle.
Also zählt' er auch uns für Ungeheuer und dachte
Gar an keinen Betrug; dann legt' er sich selber zu ihnen.
Plötzlich fuhren wir auf mit Geschrei und schlangen die Hände
Schnell um den Greis, doch dieser vergaß der betrüglichen Kunst nicht.
Erstlich ward er ein Leu mit fürchterlich wallender Mähne,
Drauf ein Pardel, ein bläulicher Drach und ein zürnender Eber,
Floß dann als Wasser dahin und rauscht' als Baum in den Wolken.
Aber wir hielten ihn fest mit unerschrockener Seele.
Als nun der zaubernde Greis ermüdete sich zu verwandeln, 460
Da begann er selber mich anzureden und fragte:
  Welcher unter den Göttern, Atreide, gab dir den Anschlag,
Daß du mit Hinterlist mich Fliehenden fängst? Was bedarfst du?
  Also sprach er; und ich antwortete wieder und sagte:
Alter, du weißt es (warum verstellst du dich, dieses zu fragen?), 465
Daß ich so lang auf der Insel verweil und nirgends ein Ausweg
Aus dem Jammer sich zeigt, da das Herz den Genossen entschwindet!
Drum verkündige mir, die Götter wissen ja alles!
Wer der Unsterblichen hält mich hier auf und hindert die Reise?
Und wie gelang ich heim auf dem fischdurchwimmelten Meere? 470
  Also sprach ich; der Greis antwortete wieder und sagte:
Aber du solltest auch Zeus und den andern unsterblichen Göttern

Opfern, als du die Schiffe bestiegst, damit du geschwinder
Deine Heimat erreichtest, die dunkle Woge durchsteuernd!
Denn dir verbeut das Schicksal, die Deinigen wiederzusehen 475
Und dein prächtiges Haus und deiner Väter Gefilde,
Bis du wieder zurück zu des himmelernährten Aigyptos'
Wassern segelst und dort mit heiligen Hekatomben
Sühnst der Unsterblichen Zorn, die den weiten Himmel bewohnen:
Dann verleihn dir die Götter die Heimfahrt, welche du wünschest.
Also sagte der Greis. Mir brach das Herz von Betrübnis,
Weil er mir wieder befahl, auf dem dunkelwogenden Meere
Nach dem Aigyptos zu schiffen, die weite gefährliche Reise.
Aber ich faßte mich doch und gab ihm dieses zur Antwort:
Göttlicher Greis, ich will ausrichten, was du befiehlest, 485
Aber verkündige mir und sage die lautere Wahrheit:
Sind die Danaer all unbeschädigt wiedergekehret,
Welche Nestor und ich beim Scheiden in Troja verließen?
Oder ward einer im Schiffe vom bittern Verderben ereilet
Oder den Freunden im Arme, nachdem er den Krieg vollendet? 490
Also sprach ich; und drauf antwortete jener und sagte:
Warum fragst du mich das, Sohn Atreus'? Du mußt nicht alles
Wissen, noch meine Gedanken erforschen! Du möchtest nicht lange
Dich der Tränen enthalten, wenn du das alles erführest!
Siehe, gefallen sind viele davon und viele noch übrig; 495
Aber nur zween Heerführer der erzgepanzerten Griechen
Raffte die Heimfahrt hin; in der Feldschlacht warest du selber.
Einer der Lebenden wird im weiten Meere gehalten,
Ajas versank in die See mit den langberuderten Schiffen.
Anfangs rettete zwar den Scheiternden Poseidaon 500
Aus den Fluten des Meers an die großen gyraiischen Felsen
(Dort wär Athenens Feind dem verderbenden Schicksal entronnen,
Hätte der Lästerer nicht voll Übermutes geprahlet,
Daß er den Göttern zum Trotz den stürmenden Wogen entflöhe).
Aber Poseidon vernahm die stolzen Worte des Prahlers
Und ergriff mit der nervichten Faust den gewaltigen Dreizack, 505
Schlug den gyraiischen Fels, und er spaltete schnell voneinander.
Eine der Trümmern blieb, die andre stürzt' in die Fluten,
Wo der Achaier saß und die Gotteslästerung ausstieß;

Und er versank ins unendliche hochaufwogende Weltmeer. 510
So fand Ajas den Tod, ersäuft von der salzigen Welle.
Zwar dein Bruder entfloh der schrecklichen Rache der Göttin
Samt den gebogenen Schiffen, ihn schützte die mächtige Here,
Aber als er sich jetzo dem Vorgebirge Maleia
Näherte, rafft' ihn der wirbelnde Sturm und schleuderte plötzlich 515
Ihn, den Jammernden, weit in das fischdurchwimmelte Weltmeer,
An die äußerste Küste, allwo vor Zeiten Thyestes
Hatte gewohnt, und jetzo Thyestes' Sohn Aigisthos.
Aber ihm schien auch hier die Heimfahrt glücklich zu enden;
Denn die Götter wandten den Sturm und trieben ihn heimwärts. 520
Freudig sprang er vom Schiff ans vaterländische Ufer,
Küßt' und umarmte sein Land, und heiße Tränen entstürzten
Seiner Wange, vor Freude, die Heimat wiederzusehen.
Ihn erblickte der Wächter auf einer erhabenen Warte,
Von Aigisthos bestellt, der zwei Talente des Goldes 525
Ihm zum Lohne versprach. Ein Jahr lang hielt er schon Wache,
Daß er nicht heimlich käm und stürmende Tapferkeit übte.
Eilend lief er zur Burg und brachte dem Könige Botschaft,
Und Aigisthos gedachte sogleich des schlauen Betruges.
Zwanzig tapfere Männer erlas er im Volk und verbarg sie; 530
Auf der anderen Seite gebot er, ein Mahl zu bereiten.
Jetzo ging er und lud Agamemnon, den Hirten der Völker,
Prangend mit Rossen und Wagen, sein Herz voll arger Entwürfe,
Führte den nichts argwöhnenden Mann ins Haus und erschlug ihn
Unter den Freuden des Mahls: so erschlägt man den Stier an der Krippe!
Keiner entrann dem Tode vom ganzen Gefolg Agamemnons,
Und von Aigisthos' keiner; sie stürzten im blutigen Saale.
Also sagte der Greis. Mir brach das Herz vor Betrübnis:
Weinend saß ich im Sande des Meers und wünschte nicht länger
Unter den Lebenden hier das Licht der Sonne zu schauen. 540
Aber als ich mein Herz durch Weinen und Wälzen erleichtert,
Da erhub er die Stimme, der graue untrügliche Meergott:
Weine nicht immerdar, Sohn Atreus', hemme die Tränen;
Denn wir können damit nichts bessern! Aber versuche
Jetzt, aufs eiligste wieder dein Vaterland zu erreichen. 545
Jenen findest du noch lebendig, oder Orestes

Tötet ihn schon vor dir; dann kommst du vielleicht zum Begräbnis.
Also sprach er und stärkte mein edles Herz in dem Busen,
So bekümmert ich war, durch seine frohe Verheißung.
Und ich redet' ihn an und sprach die geflügelten Worte: 550
Dieser Schicksal weiß ich nunmehr. Doch nenne den dritten,
Welchen man noch lebendig im weiten Meere zurückhält
Oder auch tot. Verschweige mir nicht die traurige Botschaft!
Also sprach ich; und drauf antwortete jener und sagte:
Das ist der Sohn Laertes', der Ithakas Fluren bewohnet. 555
Ihn sah ich auf der Insel die bittersten Tränen vergießen
In dem Hause der Nymphe Kalypso, die mit Gewalt ihn
Hält; und er sehnt sich umsonst nach seiner heimischen Insel:
Denn es gebricht ihm dort an Ruderschiffen und Männern,
Über den weiten Rücken des Meeres ihn zu geleiten. 560
Aber dir bestimmt, o Geliebter von Zeus, Menelaos,
Nicht das Schicksal den Tod in der rossenährenden Argos,
Sondern die Götter führen dich einst an die Enden der Erde,
In die elysische Flur, wo der bräunliche Held Radamanthus
Wohnt und ruhiges Leben die Menschen immer beseligt: 565
(Dort ist kein Schnee, kein Winterorkan, kein gießender Regen,
Ewig wehn die Gesäusel des leiseatmenden Westes,
Welche der Ozean sendet, die Menschen sanft zu kühlen),
Weil du Helena hast und Zeus als Eidam dich ehret.
Also sprach er und sprang in des Meeres hochwallende Woge. 570
Aber ich ging zu den Schiffen mit meinen tapfern Genossen,
Schweigend, und viele Gedanken bewegten des Gehenden Seele.
Als wir jetzo das Schiff und des Meeres Ufer erreichten,
Da bereiteten wir das Mahl. Die ambrosische Nacht kam,
Und wir lagerten uns am rauschenden Ufer des Meeres. 575
Als die dämmernde Frühe mit Rosenfingern erwachte,
Zogen wir erst die Schiffe hinab in die heilige Meersflut,
Stellten die Masten empor und spannten die schwellenden Segel,
Traten dann selber ins Schiff und setzten uns hin auf die Bänke,
Saßen in Reihn und schlugen die graue Woge mit Rudern. 580
Und ich fuhr zum Strome des himmelgenährten Aigyptos,
Landete dort und brachte den Göttern heilige Opfer.
Und nachdem ich den Zorn der unsterblichen Götter gesühnet,

Häuft ich ein Grabmal auf, Agamemnon zum ewigen Nachruhm.
Als ich dieses vollbracht, entschifften wir. Günstige Winde 585
Sandten mir jetzo die Götter und führten mich schnell zu der Heimat.
Aber ich bitte dich, Lieber, verweil in meinem Palaste,
Bis der elfte der Tage vorbei ist oder der zwölfte.
Alsdann send ich dich heim und schenke dir köstliche Gaben:
Drei der mutigsten Rosse und einen prächtigen Wagen, 590
Auch ein schönes Gefäß, damit du den ewigen Göttern
Opfer gießest und dich beständig meiner erinnerst.
Und der verständige Jüngling Telemachos sagte dagegen:
Atreus' Sohn, berede mich nicht, hier länger zu bleiben.
Denn ich säße mit Freuden bei dir ein ganzes Jahr lang, 595
Ohne mich jemals heim nach meinen Eltern zu sehnen:
Siehe, mit solchem Entzücken erfüllt mich deine Erzählung
Und dein Gespräch! Allein unwillig harren die Freunde
In der göttlichen Pylos, und du verweilst mich noch länger.
Hast du mir ein Geschenk bestimmt, so sei es ein Kleinod, 600
Rosse nützen mir nicht in Ithaka; darum behalte
Selber diese zur Pracht: Du beherrschest flache Gefilde,
Überwachsen mit Klee und würzeduftendem Galgan
Und mit Weizen und Spelt und weißer fruchtbarer Gerste.
Aber in Ithaka fehlt es an weiten Ebnen und Wiesen; 605
Ziegen nährt sie, doch lieb ich sie mehr als irgendein Roßland.
Keine der Inseln im Meer ist mutigen Rossen zur Laufbahn
Oder zur Weide bequem, und Ithaka minder als alle.
Lächelnd hörte den Jüngling der Rufer im Streit Menelaos,
Faßte Telemachos' Hand und sprach mit freundlicher Stimme: 610
Edlen Geblütes bist du, mein Sohn, das zeuget die Rede!
Gerne will ich dir denn die Geschenke verändern; ich kann's ja!
Von den Schätzen, soviel ich in meinem Hause bewahre,
Geb ich dir zum Geschenk das schönste und köstlichste Kleinod:
Gebe dir einen Kelch von künstlich erhobener Arbeit 615
Aus geläutertem Silber, gefaßt mit goldenem Rande;
Und ein Werk von Hephaistos! Ihn gab der Sidonier König
Phaidimos mir, der Held, der einst in seinem Palaste
Mich Heimkehrenden pflegte. Den will ich jetzo dir schenken.
Also besprachen diese sich jetzo untereinander. 620

Aber die Köche gingen ins Haus des göttlichen Königs,
Führeten Ziegen und Schaf' und trugen stärkende Weine.
Ihre Weiber, geschmückt mit Schleiern, brachten Gebacknes.
Also bereiteten sie im hohen Saale die Mahlzeit.
Aber vor dem Palast Odysseus' schwärmten die Freier 625
Und belustigten sich, die Scheib und die Lanze zu werfen
Auf dem geebneten Platz, wo sie sonst Mutwillen verübten.
Nur Antinoos saß und Eurymachos, göttlich von Ansehn,
Beide Häupter der Freier und ihre tapfersten Helden.
Aber Phronios' Sohn Noemon nahte sich ihnen, 630
Redet' Antinoos an, den Sohn Eupeithes', und fragte:
Ist es uns etwa bekannt, Antinoos, oder verborgen,
Ob Telemachos bald aus der sandigen Pylos zurückkehrt?
Mir gehöret das Schiff, und jetzo brauch ich es selber,
Nach den Auen von Elis hinüberzufahren. Es weiden 635
Dort zwölf Stuten für mich, mit jungen lastbaren Mäulern:
Davon möcht ich mir eins abholen und zähmen zur Arbeit.
Sprach's; da erstaunten die Freier, daß er die Reise vollendet
Zur neleischen Pylos: sie glaubten, er wär auf dem Lande,
Wo ihn die weidende Herd erfreute oder der Sauhirt. 640
Und Eupeithes' Sohn Antinoos gab ihm zur Antwort:
Sage mir ohne Falsch: Wann reist' er? Welche Genossen
Folgten aus Ithaka ihm, Freiwillige oder Gedungne,
Und leibeigene Knechte? Wie konnt er doch dieses vollenden!
Dann erzähle mir auch aufrichtig, damit ich es wisse: 645
Brauchte der Jüngling Gewalt, dir das schwarze Schiff zu entreißen,
Oder gabst du es ihm gutwillig, als er dich ansprach?
Aber Phronios' Sohn Noemon sagte dagegen:
Selber gab ich es ihm! Wie würd ein anderer handeln,
Wenn ihn ein solcher Mann mit so bekümmertem Herzen 650
Bäte? Es wäre ja schwer, ihm seine Bitte zu weigern!
Aber die Jünglinge waren die Tapfersten unseres Volkes,
Die ihm folgten; es ging mit diesen als Führer des Schiffes
Mentor, oder ein Gott, der jenem gleich an Gestalt war.
Aber das wundert mich: ich sah den trefflichen Mentor 655
Gestern morgen noch hier, und damals fuhr er gen Pylos!
Also sprach Noemon und ging zum Hause des Vaters.

Aber den beiden wühlte der Schmerz in der stolzen Seele.
Und die Freier verließen ihr Spiel und setzten sich nieder.
Aber Eupeithes' Sohn Antinoos sprach zur Versammlung, 660
Glühend vor Zorn (ihm schwoll von schwarzer strömender Galle
Hoch die Brust, und den Augen entfunkelte strahlendes Feuer):
Wahrlich ein großes Werk hat Telemachos kühnlich vollendet!
Diese Reise! Wir dachten, er würde sie nimmer vollenden,
Und trotz allen entwischt er, der junge Knabe, wie spielend, 665
Rüstet ein Schiff und wählt sich die tapfersten Männer im Volke!
Der verspricht uns hinfort erst Unheil! Aber ihm tilge
Zeus die mutige Kraft, bevor er uns Schaden bereitet!
Auf! und gebt mir ein rüstiges Schiff und zwanzig Gefährten,
Daß ich dem Reisenden selbst auflaure, wann er zurückkehrt, 670
In dem Sunde, der Ithaka trennt und die bergichte Samos,
Daß die Fahrt nach dem Vater ein jämmerlich Ende gewinne!
Also sprach er; sie lobten ihn all und reizten ihn stärker,
Standen dann auf und gingen ins Haus des edlen Odysseus.
Penelopeia blieb nicht lang unkundig des Rates, 675
Welchen die Freier jetzt in tückischer Seele beschlossen.
Denn ihr verkündete Medon, der Herold, welcher den Ratschluß
Außer dem Hause belauscht, als jene sich drinnen besprachen.
Schnell durcheilt' er die Burg und brachte der Königin Botschaft.
Als er die Schwelle betrat, da fragt' ihn Penelopeia: 680
Herold, sage, warum dich die stolzen Freier gesendet!
Etwa daß du den Mägden des hohen Odysseus befehlest,
Von der Arbeit zu ruhn und ihnen das Mahl zu bereiten?
Möchten die trotzigen Freier sich niemals wieder versammeln,
Sondern ihr letztes Mahl, ihr letztes, heute genießen! 685
Die ihr hier täglich in Scharen das große Vermögen hinabschlingt,
Alle Güter des klugen Telemachos, habt ihr denn niemals,
Als ihr noch Kinder wart, von euren Vätern gehöret,
Wie sich gegen sein Volk Odysseus immer betragen,
Wie er keinem sein Recht durch Taten oder durch Worte 690
Jemals gekränkt? da sonst der mächtigen Könige Brauch ist,
Daß sie einige Menschen verfolgen und andre hervorziehn?
Aber nie hat Odysseus nach blindem Dünkel gerichtet;
Und ihr zeiget euch ganz in eurer bösen Gesinnung,

Da ihr mit Undank nun so viel Wohltaten vergeltet! 695
Ihr antwortete drauf der gute verständige Medon:
Königin, wäre doch dieses von allen das äußerste Übel!
Aber ein größeres noch und weit furchtbareres Unglück
Hegen die Freier im Sinne, das Zeus Kronion verhüte!
Deinen Telemachos trachten sie jetzt mit dem Schwerte zu töten,
Wenn er zur Heimat kehrt. Er forscht nach Kunde vom Vater
In der heiligen Pylos und Lakedaimon, der großen.
Sprach's; und Penelopeien erzitterten Herz und Kniee.
Lange vermochte sie nicht, ein Wort zu reden; die Augen
Wurden mit Tränen erfüllt, und atmend stockte die Stimme. 705
Endlich erholte sie sich und gab ihm dieses zur Antwort:
Sage mir, Herold, warum mein Sohn denn reiset! Was zwingt ihn,
Sich auf die hurtigen Schiffe zu setzen, auf welchen die Männer
Wie mit Rossen des Meers das große Wasser durcheilen?
Will er, daß auch sein Name vertilgt sei unter den Menschen? 710
Ihr antwortete drauf der gute verständige Medon:
Fürstin, ich weiß es nicht, ob ihn ein Himmlischer antrieb
Oder sein eigenes Herz, nach Pylos zu schiffen, um Kundschaft
Von dem Vater zu suchen, der Heimkehr oder des Todes.
Als er dieses gesagt, durcheilt' er die Wohnung Odysseus'. 715
Seelenangst umströmte die Königin: ach! sie vermochte
Nicht auf den Stühlen zu ruhn, so viel in der Kammer auch waren,
Sondern sank auf die Schwelle des schimmerreichen Gemaches
Lautwehklagend dahin; und um sie jammerten alle
Mägde, jung und alt, so viel im Hause nur waren. 720
Und mit heftigem Schluchzen begann itzt Penelopeia:
O Geliebte, mich wählten vor allen Weibern der Erde,
Welche mit mir erwuchsen, die Götter zum Ziele des Jammers!
Erst verlor ich den tapfern Gemahl, den löwenbeherzten,
Der mit jeglicher Tugend vor allen Achaiern geschmückt war, 725
Tapfer und weitberühmt von Hellas bis mitten in Argos!
Und nun raubten mir meinen geliebten Sohn die Orkane
Unberühmt aus dem Haus, und ich hörte nichts von der Abfahrt!
Unglückselige Mädchen, wie konntet ihr alle so hart sein,
Daß ihr nicht aus dem Bette mich wecktet, da ihr es wußtet, 730
Als er von hinnen fuhr im schwarzen gebogenen Schiffe!

Hätt ich es nur gemerkt, daß er die Reise beschlossen,
Wahrlich, er wäre geblieben, wie sehr auch sein Herz ihn dahintrieb,
Oder er hätte mich tot in diesem Hause verlassen!
Aber man rufe geschwinde mir meinen Diener, den alten 735
Dolios, welchen mein Vater mir mitgab, als ich hieherzog,
Und der jetzo die Bäume des Gartens hütet, damit er.
Hin zu Laertes eilend, ihm dieses alles verkünde!
Jener möchte vielleicht sich eines Rates besinnen
Und wehklagend zum Volke hinausgehn, welches nun trachtet, 740
Sein und des göttlichen Helden Odysseus Geschlecht zu vertilgen!
Ihr antwortete drauf die Pflegerin Eurykleia:
Liebe Tochter, töte mich gleich mit dem grausamen Erze
Oder laß mich im Haus; ich kann es nicht länger verschweigen!
Alles hab ich gewußt! Ich gab ihm, was er verlangte, 745
Speise und süßen Wein. Doch mußt ich ihm heilig geloben,
Dir nichts eher zu sagen, bevor zwölf Tage vergangen
Oder du ihn vermißtest und hörtest von seiner Entfernung,
Daß du nicht durch Tränen dein schönes Antlitz entstelltest.
Aber bade dich jetzo und leg ein reines Gewand an, 750
Geh hinauf in den Söller mit deinen Mägden und flehe
Pallas Athenen, der Tochter des wetterleuchtenden Gottes.
Diese wird ihn gewiß, auch selbst aus dem Tode, erretten.
Aber den Greis, den betrübten, betrübe nicht mehr! Unmöglich
Ist den seligen Göttern der Same des Arkeisiaden 755
Ganz verhaßt; ihm bleibt noch jemand, welcher beherrsche
Diesen hohen Palast und rings die fetten Gefilde!
Also sprach sie und stillte der Königin weinenden Jammer.
Und sie badete sich und legt' ein reines Gewand an,
Ging hinauf in den Söller, von ihren Mägden begleitet, 760
Trug die heilige Gerst im Korb und flehte Athenen:
Unbezwungene Tochter des wetterleuchtenden Gottes,
Höre mein Flehn: wo dir im Palaste der weise Odysseus
Je von Rindern und Schafen die fetten Lenden verbrannt hat,
Daß du, dessen gedenkend, den lieben Sohn mir errettest 765
Und zerstreuest die Freier voll übermütiger Bosheit!
Also flehte sie jammernd; ihr Flehn erhörte die Göttin.
Aber nun lärmten die Freier umher in dem schattichten Saale.

Unter dem Schwarme begann ein übermütiger Jüngling:
  Sicher bereitet sich jetzo die schöne Fürstin zur Hochzeit 770
Und denkt nicht an den Tod, der ihrem Sohne bevorsteht!
  Also sprachen die Freier und wußten nicht, was geschehn war.
Aber Eupeithes' Sohn Antinoos sprach zur Versammlung:
  Unglückselige, meidet die übermütigen Reden
Allzumal, damit uns im Hause keiner verrate! 775
Laßt uns jetzo vielmehr so still aufstehen, den Ratschluß
Auszuführen, den eben die ganze Versammlung gebilligt!
  Also sprach er und wählte sich zwanzig tapfere Männer.
Und sie eilten zum rüstigen Schiff am Strande des Meeres,
Zogen zuerst das Schiff hinab ins tiefe Gewässer, 780
Trugen den Mast hinein und die Segel des schwärzlichen Schiffes,
Hängten darauf die Ruder in ihre ledernen Wirbel,
Alles wie sich's gebührt, und spannten die schimmernden Segel.
Ihre Rüstungen brachten die übermütigen Diener.
Und sie stellten das Schiff im hohen Wasser des Hafens, 785
Stiegen hinein und nahmen das Mahl und harrten der Dämmrung.
  Aber Penelopeia im oberen Söller des Hauses
Legte sich hin, nicht Trank noch Speise kostend, bekümmert,
Ob ihr trefflicher Sohn entflöhe dem Todesverhängnis
Oder ob ihn die Schar der trotzigen Freier besiegte. 790
Wie im Getümmel der Männer die zweifelnde Löwin umherblickt,
Voller Furcht, denn rings umgeben sie lauernde Jäger,
Also sann sie voll Angst. Doch sanft umfing sie der Schlummer,
Und sie entschlief hinsinkend, es lösten sich alle Gelenke.
  Aber ein Neues ersann die heilige Pallas Athene: 795
Siehe, ein Luftgebild erschuf sie in weiblicher Schönheit,
Gleich Iphthimen, des großgesinnten Ikarios Tochter,
Deren Gemahl Eumelos die Flur um Pherai beherrschte.
Diese sandte die Göttin zum Hause des edlen Odysseus,
Daß sie Penelopeia, die jammernde, herzlichbetrübte, 800
Ruhen ließe vom Weinen und ihrer zagenden Schwermut.
Und sie schwebt' in die Kammer hinein beim Riemen des Schlosses,
Neigte sich über das Haupt der ruhenden Fürstin und sagte:
  Schläfst du, Penelopeia, du arme herzlichbetrübte?
Wahrlich, sie wollen es nicht, die seligen Götter des Himmels, 805

Daß du weinst und trauerst! Denn wiederkehren zur Heimat
Soll dein Sohn; er hat sich mit nichts an den Göttern versündigt.
Ihr antwortete drauf die kluge Penelopeia
Aus der süßen Betäubung im stillen Tore der Träume:
Warum kamst du hierher, o Schwester? Du hast mich ja nimmer
Sonst besucht, denn fern ist deine Wohnung von hinnen!
Jetzo ermahnst du mich, zu ruhn von meiner Betrübnis
Und von der schrecklichen Angst, die meine Seele belastet:
Mich, die den tapfern Gemahl verlor, den löwenbeherzten,
Der mit jeglicher Tugend vor allen Achaiern geschmückt war. 815
Tapfer und weitberühmt von Hellas bis mitten in Argos!
Und nun ging mein Sohn, mein geliebter, im Schiffe von hinnen,
Noch unmündig und ungeübt in Taten und Worten!
Diesen bejammre ich jetzo noch mehr als meinen Odysseus!
Diesem erzittert mein Herz und fürchtet, daß ihn ein Unfall 820
Treffe, unter dem Volk, wo er hinfährt, oder im Meere!
Denn es lauern auf ihn viel böse Menschen und trachten
Ihn zu ermorden, bevor er in seine Heimat zurückkehrt!
Und die dunkle Gestalt der Schwester gab ihr zur Antwort:
Sei getrost und entreiße dein Herz der bangen Verzweiflung! 825
Eine solche Gefährtin begleitet ihn, deren Gesellschaft
Andere Männer gewiß gern wünschten, die mächtige Göttin
Pallas Athene, die sich, o Trauernde, deiner erbarmet!
Diese sendet mich jetzo, damit ich dir solches verkünde.
Ihr antwortete drauf die kluge Penelopeia: 830
Bist du der Göttinnen eine und hörtest die Stimme der Göttin;
O so erzähle mir auch das Schicksal jenes Verfolgten!
Lebt er noch irgendwo, das Licht der Sonne noch schauend,
Oder ist er schon tot und in der Schatten Behausung?
Und die dunkle Gestalt der Schwester gab ihr zur Antwort: 835
Dieses kann ich dir nicht genau verkünden, ob jener
Tot sei oder noch lebe, und eitles Schwatzen ist unrecht.
Also sprach die Gestalt und verschwand beim Schlosse der Pforte
In sanftwehende Luft. Da fuhr Ikarios' Tochter
Schnell aus dem Schlummer empor und freute sich tief in der Seele, 840
Daß ihr ein deutender Traum in der Morgendämmrung erschienen.
Aber die Freier im Schiffe befuhren die flüssigen Pfade,

Um den grausamen Mord Telemachos' auszuführen.
Mitten im Meere liegt ein kleines felsichtes Eiland,
In dem Sunde, der Ithaka trennt und die bergichte Samos, 845
Asteris wird es genannt, wo ein sicherer Hafen die Schiffe
Mit zween Armen empfängt. Hier laurten auf ihn die Achaier.

V. GESANG

Zeus befiehlt durch Hermes der Kalypso, den Odysseus zu entlassen. Ungern gehorchend, versorgt sie den Odysseus mit Gerät, einen Floß zu bauen, und mit Reisekost. Am achtzehnten Tage der Fahrt sendet Poseidon ihm Sturm, der den Floß zertrümmert. Leukothea sichert ihn durch ihren Schleier. Am dritten Tage erreicht er der Phaiaken Insel Scheria, rettet sich aus der Felsenbrandung in die Mündung des Stroms und ersteigt einen waldigen Hügel, wo er in abgefallenen Blättern schläft.

Und die rosige Frühe entstieg des edlen Tithonos
Lager und brachte das Licht den Göttern und sterblichen Menschen.
Aber die Götter saßen zum Rate versammelt; mit ihnen
Saß der Donnerer Zeus, der alle Dinge beherrschet.
Und Athene gedachte der vielen Leiden Odysseus', 5
Welchen Kalypso hielt, und sprach zu der Götter Versammlung:
Vater Zeus und ihr andern unsterblichen seligen Götter,
Künftig befleißige sich keiner der zepterführenden Herrscher,
Huldreich, mild und gnädig zu sein und die Rechte zu schützen,
Sondern er wüte nur stets und frevle mit grausamer Seele! 10
Niemand erinnert sich ja des göttergleichen Odysseus
Von den Völkern, die er mit Vaterliebe beherrschte!
Sondern er liegt in der Insel, mit großem Kummer belastet,
In dem Hause der Nymphe Kalypso, die mit Gewalt ihn
Hält, und wünschet umsonst, die Heimat wiederzusehen; 15
Denn es gebricht ihm dort an Ruderschiffen und Männern,
Über den breiten Rücken des Meeres ihn zu geleiten.
Jetzo beschlossen sie gar des einzigen Sohnes Ermordung,
Wann er zur Heimat kehrt; er forscht nach Kunde vom Vater
In der göttlichen Pylos und Lakedaimon der großen. 20
Ihr antwortete drauf der Wolkenversammler Kronion:
Welche Rede, mein Kind, ist deinen Lippen entflohen?

Hast du nicht selber den Rat in deinem Herzen ersonnen,
Daß heimkehrend jenen Odysseus Rache vergelte?
Aber Telemachos führe mit Sorgfalt, denn du vermagst es, 25
Daß er ohne Gefahr sein heimisches Ufer erreiche
Und die Freier im Schiffe vergebens wieder zurückziehn.
Sprach's und redete drauf zu seinem Sohne Hermeias:
Hermes, meiner Gebote Verkündiger, melde der Nymphe
Mit schönwallenden Locken der Götter heiligen Ratschluß 30
Über den leidengeübten Odysseus! Er kehre von dannen
Ohne der Götter Geleit und ohne der sterblichen Menschen!
Einsam, im vielgebundenen Floß, von Schrecken umstürmet,
Komm er am zwanzigsten Tage zu Scherias fruchtbaren Auen,
In das glückliche Land der götternahen Phaiaken! 35
Diese werden ihn hoch wie einen Unsterblichen ehren,
Und ihn senden im Schiffe zur lieben heimischen Insel,
Reichlich mit Erz und Golde beschenkt und prächtigen Kleidern,
Mehr als jemals der Held von Ilion hätte geführet,
Wär er auch ohne Schaden mit seiner Beute gekommen. 40
Also gebeut ihm das Schicksal, die Freunde wiederzuschauen,
Und den hohen Palast und seiner Väter Gefilde!
Also sprach Kronion. Der rüstige Argosbesieger
Eilte sofort und band sich unter die Füße die schönen
Goldnen ambrosischen Sohlen, womit er über die Wasser 45
Und das unendliche Land im Hauche des Windes einherschwebt.
Hierauf nahm er den Stab, womit er die Augen der Menschen
Zuschließt, welcher er will, und wieder vom Schlummer erwecket.
Diesen hielt er und flog, der tapfere Argosbesieger,
Stand auf Pieria still und senkte sich schnell aus dem Äther 50
Nieder aufs Meer und schwebte dann über die Flut, wie die Möwe,
Die um furchtbare Busen des ungebändigten Meeres
Fische fängt und sich oft die flüchtigen Fittiche netzet:
Also beschwebte Hermeias die weithinwallende Fläche.
Als er die ferne Insel Ogygia jetzo erreichte, 55
Stieg er aus dem Gewässer des dunklen Meeres ans Ufer,
Wandelte fort, bis er kam zur weiten Grotte der Nymphe
Mit schönwallenden Locken und fand die Nymphe zu Hause.
Vor ihr brannt auf dem Herd ein großes Feuer, und fernhin

Wallte der liebliche Duft vom brennenden Holze der Zeder 60
Und des Zitronenbaums. Sie sang mit melodischer Stimme,
Emsig, ein schönes Gewebe mit goldener Spule zu wirken.
Rings um die Grotte wuchs ein Hain voll grünender Bäume,
Pappelweiden und Erlen und düftereicher Zypressen.
Unter dem Laube wohnten die breitgefiederten Vögel, 65
Eulen und Habichte und breitzüngichte Wasserkrähen,
Welche die Küste des Meeres mit gierigem Blicke bestreifen.
Um die gewölbete Grotte des Felsens breitet' ein Weinstock
Seine schattenden Ranken, behängt mit purpurnen Trauben.
Und vier Quellen ergossen ihr silberblinkendes Wasser, 70
Eine nahe der andern, und schlängelten hierhin und dorthin.
Wiesen grünten umher, mit Klee bewachsen und Eppich.
Selbst ein unsterblicher Gott verweilete, wann er vorbeiging,
Voll Verwunderung dort und freute sich herzlich des Anblicks.
Voll Verwunderung stand der rüstige Argosbesieger; 75
Und nachdem er alles in seinem Herzen bewundert,
Ging er eilend hinein in die schöngewölbete Grotte.
Ihn erkannte sogleich die hehre Göttin Kalypso:
Denn die unsterblichen Götter verkennen nimmer das Antlitz
Eines anderen Gottes, und wohnt' er auch ferne von dannen. 80
Aber nicht Odysseus den herrlichen fand er zu Hause;
Weinend saß er am Ufer des Meers. Dort saß er gewöhnlich
Und zerquälte sein Herz mit Weinen und Seufzen und Jammern
Und durchschaute mit Tränen die große Wüste des Meeres.
Aber dem Kommenden setzte die hehre Göttin Kalypso 85
Einen prächtigen Thron von strahlender Arbeit und fragte:
Warum kamst du zu mir, du Gott mit goldenem Stabe,
Hermes, geehrter, geliebter? Denn sonst besuchst du mich niemals.
Sage, was du verlangst; ich will es gerne gewähren,
Steht es in meiner Macht, und sind es mögliche Dinge. 90
Aber komm doch näher, daß ich dich gastlich bewirte.
Also sprach Kalypso und setzte dem Gotte die Tafel
Voll Ambrosia vor und mischte rötlichen Nektar.
Und nun aß er und trank, der rüstige Argosbesieger.
Und nachdem er gegessen und seine Seele gelabet, 95
Da begann er und sprach zur hehren Göttin Kalypso:

Fragst du, warum ich komme, du Göttin den Gott? Ich will dir
Dieses alles genau verkündigen, wie du befiehlest.
Zeus gebot mir, hieher ohn meinen Willen zu wandern!
Denn wer ginge wohl gern durch dieses salzigen Meeres 100
Unermeßliche Flut? Ringsum ist keine der Städte,
Wo man die Götter mit Opfern und Hekatomben begrüßet!
Aber kein Himmlischer mag dem wetterleuchtenden Gotte
Zeus entgegen sich stellen, noch seinen Willen vereiteln.
Dieser sagt, es weile der Unglückseligste aller 105
Männer bei dir, die Priamos' Stadt neun Jahre bekämpften
Und am zehnten darauf mit Ilions Beute zur Heimat
Kehreten, aber Athene durch Missetaten erzürnten,
Daß sie die Göttin mit Sturm und hohen Fluten verfolgte.
Alle tapfern Gefährten versanken ihm dort in den Abgrund, 110
Aber er selbst kam hier, von Sturm und Woge geschleudert.
Jetzo gebeut dir der Gott, daß du ihn eilig entlassest.
Denn ihm ward nicht bestimmt, hier fern von den Seinen zu sterben,
Sondern sein Schicksal ist, die Freunde wiederzuschauen,
Und sein prächtiges Haus und seiner Väter Gefilde. 115

Als er es sprach, da erschrak die hehre Göttin Kalypso.
Und sie redet' ihn an und sprach die geflügelten Worte:

Grausam seid ihr vor allen und neidischen Herzens, o Götter!
Jeglicher Göttin verargt ihr die öffentliche Vermählung
Mit dem sterblichen Manne, den sie zum Gatten erkoren. 120
Als den schönen Orion die rosenarmige Eos
Raubte, da zürnetet ihr so lang, ihr seligen Götter,
Bis in Ortygia ihn die goldenthronende Jungfrau
Artemis plötzlich erlegte mit ihrem sanften Geschosse.
Als in Jasions Arm die schöngelockte Demeter, 125
Ihrem Herzen gehorchend, auf dreimalgeackertem Saatfeld
Seliger Liebe genoß, wie bald erfuhr die Umarmung
Zeus und erschlug ihn im Zorne mit seinem flammenden Donner!
Also verargt ihr auch mir des sterblichen Mannes Gemeinschaft,
Den ich vom Tode gewann, als er auf zertrümmertem Kiele 130
Einsam trieb; denn ihm hatte der Gott hochrollender Donner
Mitten im Meere sein Schiff mit dem dampfenden Strahle zerschmet-
Alle tapfern Gefährten versanken ihm dort in den Abgrund, [tert.

Aber er selbst kam hier, von Sturm und Woge geschleudert.
Freundlich nahm ich ihn auf und reicht' ihm Nahrung und sagte 135
Ihm Unsterblichkeit zu und nimmerverblühende Jugend.
Aber kein Himmlischer mag dem wetterleuchtenden Gotte
Zeus entgegen sich stellen, noch seinen Willen vereiteln.
Mög er denn gehn, wo ihn des Herrschers Wille hinwegtreibt,
Über das wilde Meer! Doch senden werd ich ihn nimmer, 140
Denn mir gebricht es hier an Ruderschiffen und Männern,
Über den weiten Rücken des Meeres ihn zu geleiten.
Aber ich will ihm mit Rat beistehn und nichts ihm verhehlen.
Daß er ohne Gefahr die Heimat wieder erreiche.

Ihr antwortete drauf der rüstige Argosbesieger: 145
Send ihn also von hinnen und scheue den großen Kronion,
Daß dich der Zürnende nicht mit schrecklicher Rache verfolge!

Also sprach er und ging, der tapfere Argosbesieger.
Aber Kalypso eilte zum großgesinnten Odysseus,
Als die heilige Nymphe Kronions Willen vernommen. 150
Dieser saß am Gestade des Meers und weinte beständig.
Ach! in Tränen verrann sein süßes Leben, voll Sehnsucht
Heimzukehren: denn lange nicht mehr gefiel ihm die Nymphe,
Sondern er ruhte des Nachts in ihrer gewölbeten Grotte
Ohne Liebe bei ihr; ihn zwang die liebende Göttin. 155
Aber des Tages saß er auf Felsen und sandigen Hügeln
Und zerquälte sein Herz mit Weinen und Seufzen und Jammern
Und durchschaute mit Tränen die große Wüste des Meeres.
Jetzo nahte sich ihm und sprach die herrliche Göttin:

Armer, sei mir nicht immer so traurig und härme dein Leben 160
Hier nicht ab; ich bin ja bereit, dich von mir zu lassen.
Haue zum breiten Floß dir hohe Bäume, verbinde
Dann die Balken mit Erz und oben befestige Bretter,
Daß er über die Wogen des dunklen Meeres dich trage.
Siehe, dann will ich dir Brot und Wasser reichen und roten 165
Herzerfreuenden Wein, damit dich der Hunger nicht töte,
Dich mit Kleidern umhüllen und günstige Winde dir senden,
Daß du ohne Gefahr die Heimat wieder erreichest,
Wenn es die Götter gestatten, des weiten Himmels Bewohner,
Welche höher als ich an Weisheit sind und an Stärke. 170

Als sie es sprach, da erschrak der herrliche Dulder Odysseus.
Und er redte sie an und sprach die geflügelten Worte:
Wahrlich du denkst ein andres, als mich zu senden, o Göttin,
Die du mich heißest, im Floße des unermeßlichen Meeres
Furchtbare Flut zu durchfahren, die selbst kein künstlichgebautes 175
Rüstiges Schiff durchfährt, vom Winde Gottes erfreuet!
Nimmer besteig ich den Floß ohn deinen Willen, o Göttin,
Du willfahrest mir denn, mit hohem Schwur zu geloben,
Daß du bei dir nichts andres zu meinem Verderben beschließest!
Sprach's; und lächelnd vernahm es die hehre Göttin Kalypso, 180
Streichelte ihn mit der Hand und sprach die freundlichen Worte:
Wahrlich, du bist doch ein Schalk und unermüdet an Vorsicht:
So bedachtsam und schlau ist alles, was du geredet!
Nun, mir zeuge die Erde, der weite Himmel dort oben
Und die stygischen Wasser der Tiefe, welches der größte, 185
Furchtbarste Eidschwur ist für alle unsterblichen Götter:
Daß ich bei mir nichts anders zu deinem Verderben beschließe!
Sondern ich denke so und rede, wie ich mir selber
Suchen würde zu raten, wär ich in gleicher Bedrängnis!
Denn ich denke gewiß nicht ganz unbillig und trage 190
Nicht im Busen ein Herz von Eisen, sondern voll Mitleid!
Also sprach sie und ging, die hehre Göttin Kalypso,
Eilend voran, und er folgte den Schritten der wandelnden Göttin.
Und sie kamen zur Grotte, die Göttin und ihr Geliebter.
Allda setzte der Held auf den Thron sich nieder, auf welchem 195
Hermes hatte gesessen. Ihm reichte die heilige Nymphe
Allerlei Speis und Trank, was sterbliche Männer genießen,
Setzte sich dann entgegen dem göttergleichen Odysseus,
Und Ambrosia reichten ihr Dienerinnen und Nektar.
Und sie erhoben die Hände zum leckerbereiteten Mahle. 200
Als sie jetzo ihr Herz mit Trank und Speise gesättigt,
Da begann das Gespräch die hehre Göttin Kalypso:
Edler Laertiad, erfindungsreicher Odysseus,
Also willst du mich nun so bald verlassen und wieder
In dein geliebtes Vaterland gehn? Nun Glück auf die Reise! 205
Aber wüßte dein Herz, wie viele Leiden das Schicksal
Dir zu dulden bestimmt, bevor du zur Heimat gelangest,

Gerne würdest du bleiben, mit mir die Grotte bewohnen
Und ein Unsterblicher sein, wie sehr du auch wünschest, die Gattin
Wiederzusehn, nach welcher du stets so herzlich dich sehnest! 210
Glauben darf ich doch wohl, daß ich nicht schlechter als sie bin,
Weder an Wuchs noch Bildung! Wie könnten sterbliche Weiber
Mit unsterblichen sich an Gestalt und Schönheit vergleichen?
Ihr antwortete drauf der erfindungsreiche Odysseus:
Zürne mir darum nicht, ehrwürdige Göttin! Ich weiß es 215
Selber zu gut, wie sehr der klugen Penelopeia
Reiz vor deiner Gestalt und erhabenen Größe verschwindet;
Denn sie ist nur sterblich, und dich schmückt ewige Jugend.
Aber ich wünsche dennoch und sehne mich täglich von Herzen,
Wieder nach Hause zu gehn und zu schaun den Tag der Zurückkunft.
Und verfolgt mich ein Gott im dunkeln Meere, so will ich's
Dulden, mein Herz im Busen ist längst zum Leiden gehärtet!
Denn ich habe schon vieles erlebt, schon vieles erduldet,
Schrecken des Meers und des Kriegs: so mag auch dieses geschehen!
Also sprach er, da sank die Sonne und Dunkel erhob sich. 225
Beide gingen zur Kammer der schöngewölbeten Grotte
Und genossen der Lieb und ruheten nebeneinander.
Als die dämmernde Frühe mit Rosenfingern erwachte,
Da bekleidete sich Odysseus mit Mantel und Leibrock.
Aber die Nymphe zog ihr silberfarbnes Gewand an, 230
Fein und zierlich gewebt, und schlang um die Hüfte den Gürtel,
Schön mit Gold gestickt, und schmückte das Haupt mit dem Schleier.
Eilend besorgte sie jetzo die Reise des edlen Odysseus,
Gab ihm die mächtige Axt, von gehärtetem Erze geschmiedet,
Unten und oben geschärft und sicheren Schwunges, und drinnen 235
War ein zierlicher Stiel von Olivenholze befestigt;
Gab ihm auch ein geschliffenes Beil und führet' ihn jetzo
An der Insel Gestade voll hoher schattender Bäume,
Pappelweiden und Erlen und wolkenberührende Tannen.
Viele waren von Alter verdorrt und leichter zur Schiffahrt. 240
Als sie den Ort ihm gezeigt, voll hoher schattender Bäume,
Kehrte sie heim zur Grotte, die hehre Göttin Kalypso.
Und er fällte die Bäum' und vollendete hurtig die Arbeit.
Zwanzig stürzt' er in allem, umhaute mit eherner Axt sie,

Schlichtete sie mit dem Beil und nach dem Maße der Richtschnur.
Jetzo brachte sie Bohrer, die hehre Göttin Kalypso,
Und er bohrte die Balken und fügte sie wohl aneinander
Und verband nun den Floß mit ehernen Nägeln und Klammern.
Von der Größe, wie etwa ein kluger Meister im Schiffbau
Zimmern würde den Boden des breiten, geräumigen Lastschiffs, 250
Baute den breiten Floß der erfindungsreiche Odysseus.
Nun umstellt' er ihn dicht mit Pfählen, heftete Bohlen
Ringsherum und schloß das Verdeck mit langen Brettern.
Drinnen erhob er den Mast, von der Segelstange durchkreuzet.
Endlich zimmert' er sich ein Steuer, die Fahrt zu lenken. 255
Beide Seiten des Floßes beschirmt' er mit weidenen Flechten
Gegen die rollende Flut, und füllte den Boden mit Ballast.
Jetzo brachte sie Tücher, die hehre Göttin Kalypso,
Segel davon zu schneiden; auch diese bereitet' er künstlich,
Band die Taue des Mastes und segelwendenden Seile, 260
Wälzte darauf mit Hebeln den Floß in die heilige Meersflut.
Jetzt war der vierte Tag, an dem ward alles vollendet,
Und am fünften entließ ihn die hehre Göttin Kalypso,
Frischgebadet und angetan mit duftenden Kleidern.
Und sie legt' in den Floß zween Schläuche, voll schwärzlichen Weines
Einen und einen großen voll Wasser, und gab ihm zur Zehrung
Einen geflochtenen Korb voll herzerfreuender Speisen;
Ließ dann leise vor ihm ein laues Lüftchen einherwehn.
Freudig spannte der Held im Winde die schwellenden Segel.
Und nun setzt' er sich hin ans Ruder und steuerte künstlich 270
Über die Flut. Ihm schloß kein Schlummer die wachsamen Augen,
Auf die Pleiaden gerichtet und auf Bootes, der langsam
Untergeht, und den Bären, den andre den Wagen benennen,
Welcher im Kreise sich dreht, den Blick nach Orion gewendet,
Und allein von allen sich nimmer im Ozean badet. 275
Denn beim Scheiden befahl ihm die hehre Göttin Kalypso,
Daß er auf seiner Fahrt ihn immer zur Linken behielte.
Siebzehn Tage befuhr er die ungeheuren Gewässer.
Am achtzehnten erschienen die fernen schattigen Berge
Von dem phaiakischen Lande, denn dieses lag ihm am nächsten; 280
Dunkel erschienen sie ihm, wie ein Schild, im Nebel des Meeres.

Jetzo kam aus dem Lande der Aithiopen Poseidon
Und erblickte fern von der Solymer Bergen Odysseus,
Welcher die Wogen befuhr. Da ergrimmt' er noch stärker im Geiste,
Schüttelte zürnend sein Haupt und sprach in der Tiefe des Herzens:
Himmel, es haben gewiß die Götter sich über Odysseus
Anders entschlossen, da ich die Aithiopen besuchte!
Siehe, da naht er sich schon dem phaiakischen Lande, dem großen
Heiligen Ziele der Leiden, die ihm das Schicksal bestimmt hat!
Aber ich meine, er soll mir noch Jammer die Fülle bestehen! 290
Also sprach er, versammelte Wolken und regte das Meer auf
Mit dem erhobenen Dreizack; rief itzt allen Orkanen,
Aller Enden zu toben, verhüllt' in dicke Gewölke
Meer und Erde zugleich; und dem düstern Himmel entsank Nacht.
Unter sich stürmten der Ost und der Süd und der sausende Westwind,
Auch der hellfrierende Nord, und wälzte gewaltige Wogen.
Und dem edlen Odysseus erzitterten Herz und Kniee;
Tiefaufseufzend sprach er zu seiner erhabenen Seele:
Weh mir, ich elender Mann! Was werd ich noch endlich erleben!
Ach ich fürchte, die Göttin hat lauter Wahrheit geweissagt, 300
Die mir im wilden Meere, bevor ich zur Heimat gelangte,
Leiden die Fülle verhieß! Das wird nun alles erfüllet!
Ha! wie fürchterlich Zeus den ganzen Himmel in Wolken
Hüllt und das Meer aufregt! Wie sausen die wütenden Stürme
Aller Enden daher! Nun ist mein Verderben entschieden! 305
Dreimal selige Griechen und viermal, die ihr in Trojas
Weitem Gefilde sankt, der Atreiden Ehre verfechtend!
Wär ich doch auch gestorben und hätte die traurige Laufbahn
An dem Tage vollendet, als mich, im Getümmel der Troer,
Eherne Lanzen umflogen, um unsern erschlagnen Achilleus! 310
Dann wär ich rühmlich bestattet, dann sängen mein Lob die Achaier!
Aber nun ist mein Los, des schmählichen Todes zu sterben!
Also sprach er; da schlug die entsetzliche Woge von oben
Hochherdrohend herab, daß im Wirbel der Floß sich herumriß:
Weithin warf ihn der Schwung des erschütterten Floßes und raubte
Ihm aus den Händen das Steu'r, und mit einmal stürzte der Mastbaum
Krachend hinab vor der Wut der fürchterlich sausenden Windsbraut.
Weithin flog in die Wogen die Stang und das flatternde Segel.

Lange blieb er untergetaucht und strebte vergebens,
Unter der ungestüm rollenden Flut sich empor zu schwingen; 320
Denn ihn beschwerten die Kleider, die ihm Kalypso geschenket.
Endlich strebt' er empor und spie aus dem Munde das bittre
Wasser des Meers, das strömend von seinem Scheitel herabtroff.
Dennoch vergaß er des Floßes auch selbst in der schrecklichen Angst [nicht,
Sondern schwang sich ihm nach durch reißende Fluten, ergriff ihn,
Setzte sich wieder hinein und entfloh dem Todesverhängnis.
Hiehin und dorthin trieben den Floß die Ströme des Meeres.
Also treibt im Herbste der Nord die verdorreten Disteln
Durch die Gefilde dahin (sie entfliehn ineinander geklettet):
Also trieben durchs Meer ihn die Winde bald hiehin, bald dorthin.
Jetzo stürmte der Süd ihn dem Nordsturm hin zum Verfolgen,
Jetzo sandte der Ost ihn dem brausenden Weste zum Spiele.
Aber Leukothea sah ihn, die schöne Tochter des Kadmos,
Ino, einst ein Mädchen mit heller melodischer Stimme,
Nun in den Fluten des Meers der göttlichen Ehre genießend. 335
Und sie erbarmete sich des umhergeschleuderten Mannes,
Kam wie ein Wasserhuhn empor aus der Tiefe geflogen,
Setzte sich ihm auf den Floß und sprach mit menschlicher Stimme:
Armer, beleidigtest du den Erderschüttrer Poseidon,
Daß er so schrecklich zürnend dir Jammer auf Jammer bereitet? 340
Doch verderben soll er dich nicht, wie sehr er auch eifre!
Tu nur, was ich dir sage; du scheinst mir nicht unverständig.
Ziehe die Kleider aus und lasse den Floß in dem Sturme
Treiben; spring in die Flut und schwimme mit strebenden Händen
An der Phaiaken Land, allwo dir Rettung bestimmt ist. 345
Da, umhülle die Brust mit diesem heiligen Schleier,
Und verachte getrost die drohenden Schrecken des Todes.
Aber sobald du das Ufer mit deinen Händen berührest,
Löse den Schleier ab und wirf ihn ferne vom Ufer
In das finstere Meer, mit abgewendetem Antlitz. 350
Also sprach die Göttin und gab ihm den heiligen Schleier;
Fuhr dann wieder hinab in die hochaufwallende Woge,
Ähnlich dem Wasserhuhn, und die schwarze Woge verschlang sie.
Und nun sann er umher, der herrliche Dulder Odysseus;

Tiefaufseufzend sprach er zu seiner erhabenen Seele: 355
Weh mir! ich fürchte, mich will der Unsterblichen einer von neuem
Hintergehn, der mir vom Floße zu steigen gebietet!
Aber noch will ich ihm nicht gehorchen, denn eben erblickt ich
Ferne von hinnen das Land, wo jene mir Rettung gelobte.
Also will ich es machen, denn dieses scheint mir das Beste. 360
Weil die Balken noch fest in ihren Banden sich halten,
Bleib ich hier und erwarte mit duldender Seele mein Schicksal.
Aber wann mir den Floß die Gewalt des Meeres zertrümmert,
Dann will ich schwimmen; ich weiß mir ja doch nicht besser zu raten!
Als er solche Gedanken im zweifelnden Herzen bewegte, 365
Siehe, da sandte Poseidon, der Erdumstürmer, ein hohes,
Steiles schreckliches Wassergebirg, und es stürzt' auf ihn nieder.
Und wie der stürmende Wind in die trockene Spreu auf der Tenne
Ungestüm fährt und im Wirbel sie hiehin und dorthin zerstreuet,
Also zerstreute die Flut ihm die Balken. Aber Odysseus 370
Schwang sich auf einen und saß wie auf dem Rosse der Reiter,
Warf die Kleider hinweg, die ihm Kalypso geschenket,
Und umhüllte die Brust mit Inos heiligem Schleier.
Vorwärts sprang er hinab in das Meer, die Hände verbreitet,
Und schwamm eilend dahin. Da sah ihn der starke Poseidon, 375
Schüttelte zürnend sein Haupt und sprach in der Tiefe des Herzens:
So durchirre mir jetzo, mit Jammer behäuft, die Gewässer,
Bis du die Menschen erreichst, die Zeus vor allen beseligt!
Aber ich hoffe, du sollst mir dein Leiden nimmer vergessen!
Also sprach er und trieb die Rosse mit fliegender Mähne, 380
Bis er gen Aigai kam, zu seiner glänzenden Wohnung.
Aber ein Neues ersann Athene, die Tochter Kronions.
Eilend fesselte sie den Lauf der übrigen Winde,
Daß sie alle verstummten und hin zur Ruhe sich legten;
Und ließ stürmen den Nord und brach vor ihm die Gewässer, 385
Bis er zu den Phaiaken, den ruderliebenden Männern,
Käme, der edle Odysseus, entflohn dem Todesverhängnis.
Schon zween Tage trieb er und zwo entsetzliche Nächte
In dem Getümmel der Wogen und ahndete stets sein Verderben.
Als nun die Morgenröte des dritten Tages emporstieg, 390
Siehe, da ruhte der Wind; von heiterer Bläue des Himmels

Glänzte die stille See. Und nahe sah er das Ufer,
Als er mit forschendem Blick von der steigenden Welle dahinsah.
So erfreulich den Kindern des lieben Vaters Genesung
Kommt, der lange schon an brennenden Schmerzen der Krankheit
Niederlag und verging, vom feindlichen Dämon gemartert;
Aber ihn heilen nun zu ihrer Freude die Götter:
So erfreulich war ihm der Anblick des Landes und Waldes.
Und er strebte mit Händen und Füßen, das Land zu erreichen.
Aber so weit entfernt, wie die Stimme des Rufenden schallet, 400
Hört' er ein dumpfes Getöse des Meers, das die Felsen bestürmte.
Graunvoll donnerte dort an dem schroffen Gestade die hohe,
Fürchterlich strudelnde Brandung und weithin spritzte der Meerschaum.
Keine Buchten empfingen noch schirmende Reeden die Schiffe,
Sondern trotzende Felsen und Klippen umstarrten das Ufer. 405
Und dem edlen Odysseus erzitterten Herz und Kniee,
Tiefaufseufzend sprach er zu seiner erhabenen Seele:
Weh mir! nachdem mich Zeus dies Land ohn alles Vermuten
Sehen ließ und ich jetzo die stürmenden Wasser durchkämpfet,
Öffnet sich nirgends ein Weg aus dem dunkelwogenden Meere! 410
Zackichte Klippen türmen sich hier, umtobt von der Brandung
Brausenden Strudeln, und dort das glatte Felsengestade!
Und das Meer darunter ist tief; man kann es unmöglich
Mit den Füßen ergründen, um watend ans Land sich zu retten!
Wagt ich durchhin zu gehn, unwiderstehlichen Schwunges 415
Schmetterte mich die rollende Flut an die zackichte Klippe!
Schwimm ich aber noch weiter herum, abhängiges Ufer
Irgendwo auszuspähn und sichere Busen des Meeres, [schleudert
Ach dann, fürcht ich, ergreift der Orkan mich von neuem und
Mich Schwerseufzenden weit in das fischdurchwimmelte Weltmeer!
Oder ein Himmlischer reizt auch ein Ungeheuer des Abgrunds
Wider mich auf, aus den Scharen der furchtbaren Amphitrite!
Denn ich weiß es, mir zürnt der gewaltige Küstenerschüttrer!
Als er solche Gedanken im zweifelnden Herzen bewegte,
Warf ihn mit einmal die rollende Wog an das schroffe Gestade. 425
Jetzo wär ihm geschunden die Haut, die Gebeine zermalmet,
Hätte nicht Pallas Athene zu seiner Seele geredet.
Eilend umfaßte der Held mit beiden Händen die Klippe,

Schmiegte sich keuchend an, bis die rollende Woge vorbei war.
Also entging er ihr jetzt. Allein da die Woge zurückkam, 430
Raffte sie ihn mit Gewalt und schleudert' ihn fern in das Weltmeer.
Also wird der Polype dem festen Lager entrissen,
Kiesel hängen und Sand an seinen ästigen Gliedern:
Also blieb an dem Fels von den angeklammerten Händen
Abgeschunden die Haut, und die rollende Woge verschlang ihn. 435
Jetzo wäre der Dulder auch wider sein Schicksal gestorben,
Hätt ihn nicht Pallas Athene mit schnellem Verstande gerüstet.
Aber er schwang sich empor aus dem Schwalle der schäumenden Bran-
Schwamm herum und sah nach dem Land, abhängiges Ufer [dung,
Irgendwo auszuspähn und sichere Busen des Meeres. 440
Jetzo hatt er nun endlich die Mündung des herrlichen Stromes
Schwimmend erreicht. Hier fand er bequem zum Landen das Ufer,
Niedrig und felsenleer und vor dem Winde gesichert.
Und er erkannte den strömenden Gott und betet' im Herzen:
Höre mich, Herrscher, wer du auch seist, du sehnlich Erflehter! 445
Rette mich aus dem Meer vor dem schrecklichen Grimme Poseidons!
Heilig sind ja auch selbst unsterblichen Göttern die Menschen,
Welche, von Leiden gedrängt, um Hilfe flehen! Ich winde
Mich vor deinem Strome, vor deinen Knieen, in Jammer!
Herrscher, erbarme dich mein, der deiner Gnade vertrauet! 450
Also sprach er. Da hemmte der Gott die wallenden Fluten
Und verbreitete Stille vor ihm und rettet' ihn freundlich
An das seichte Gestade. Da ließ er die Kniee sinken
Und die nervichten Arme, ihn hatten die Wogen entkräftet;
Alles war ihm geschwollen, ihm floß das salzige Wasser 455
Häufig aus Nas und Mund; und ohne Atem und Stimme
Sank er in Ohnmacht hin, erstarrt von der schrecklichen Arbeit.
Als er zu atmen begann und sein Geist dem Herzen zurückkam,
Löst' er ab von der Brust den heiligen Schleier der Göttin,
Warf ihn eilend zurück in die salzige Welle des Flusses; 460
Und ihn führte die Welle den Strom hinunter, und Ino
Nahm ihn mit ihren Händen. Nun stieg der Held aus dem Flusse,
Legte sich nieder auf Binsen und küßte die fruchtbare Erde.
Tiefaufseufzend sprach er zu seiner erhabenen Seele:
Weh mir Armen, was leid ich, was werd ich noch endlich erleben!

Wenn ich die grauliche Nacht an diesem Strome verweilte,
Würde zugleich der starrende Frost und der tauende Nebel
Mich Entkräfteten, noch Ohnmächtigen, gänzlich vertilgen;
Denn kalt wehet der Wind aus dem Strome vor Sonnenaufgang.
Aber klimm ich hinan zum waldbeschatteten Hügel, 470
Unter dem dichten Gesträuch zu schlafen, wenn Frost und Ermattung
Anders gestatten, daß mich der süße Schlummer befalle,
Ach, dann werd ich vielleicht den reißenden Tieren zur Beute!

Dieser Gedanke schien dem Zweifelnden endlich der beste,
Hinzugehn in den Wald, der den weitumschauenden Hügel 475
Nah am Wasser bewuchs. Hier grüneten, ihn zu umhüllen,
Zwei verschlungne Gebüsche, ein wilder und fruchtbarer Ölbaum.
Nimmer durchstürmte den Ort die Wut naßhauchender Winde,
Ihn erleuchtete nimmer mit warmen Strahlen die Sonne,
Selbst der gießende Regen durchdrang ihn nimmer, so dicht war 480
Sein Gezweige verwebt. Hier kroch der edle Odysseus
Unter und bettete sich mit seinen Händen ein Lager,
Hoch und breit; denn es deckten so viele Blätter den Boden,
Daß zween Männer darunter und drei sich hätten geborgen
Gegen den Wintersturm, auch wann er am schrecklichsten tobte.
Freudig sahe das Lager der herrliche Dulder Odysseus,
Legte sich mitten hinein und häufte die rasselnden Blätter.

Also verbirgt den Brand in grauer Asche der Landmann;
Auf entlegenem Felde, von keinem Nachbar umwohnet,
Hegt er den Samen des Feuers, um nicht in der Ferne zu zünden: 490
Also verbarg sich der Held in den Blättern. Aber Athene [Arbeit
Deckt' ihm die Augen mit Schlummer, damit sie der schrecklichen
Qualen ihm schneller entnähme, die lieben Wimpern verschließend.

VI. GESANG

Nausikaa, des Königs Alkinoos Tochter, von Athene im Traum ermahnt, fährt ihre Gewande an den Strom, zu waschen, und spielt darauf mit den Mägden. Odysseus, den das Geräusch weckte, naht flehend, erhält Pflege und Kleidung und folgt der Beschützerin bis zum Pappelhain der Athene vor der Stadt.

Also schlummerte dort der herrliche Dulder Odysseus,
Überwältigt von Schlaf und Arbeit. Aber Athene
Ging hinein in das Land zur Stadt der phaiakischen Männer.
Diese wohnten vordem in Hypereiens Gefilde,
Nahe bei den Kyklopen, den übermütigen Männern, 5
Welche sie immer beraubten und mächtiger waren und stärker.
Aber sie führte von dannen Nausithoos, ähnlich den Göttern,
Brachte gen Scheria sie, fern von den erfindsamen Menschen,
Und umringte mit Mauern die Stadt und richtete Häuser,
Baute Tempel der Götter und teilte dem Volke die Äcker. 10
Dieser war jetzo schon tot und in der Schatten Behausung,
Und Alkinoos herrschte, begabt von den Göttern mit Weisheit.
Dessen Hause nahte sich jetzo Pallas Athene,
Auf die Heimkehr denkend des edelgesinnten Odysseus.
Und sie eilte sofort in die prächtige Kammer der Jungfrau, 15
Wo Nausikaa schlief, des hohen Alkinoos Tochter,
Einer Unsterblichen gleich an Wuchs und reizender Bildung.
Und zwei Mädchen schliefen, geschmückt mit der Grazien Anmut,
Neben den Pfosten, und dicht war die glänzende Pforte verschlossen.
Aber sie schwebte wie wehende Luft zum Lager der Jungfrau, 20
Neigte sich über ihr Haupt und sprach mit freundlicher Stimme,
Gleich an Gestalt der Tochter des segelkundigen Dymas,
Ihrer liebsten Gespielin, mit ihr von einerlei Alter;
Dieser gleich an Gestalt erschien die Göttin und sagte:
Liebes Kind, was bist du mir doch ein lässiges Mädchen! 25
Deine kostbaren Kleider, wie alles im Wuste herumliegt!
Und die Hochzeit steht dir bevor! Da muß doch was Schönes
Sein für dich selber und die, so dich zum Bräutigam führen!
Denn durch schöne Kleider erlangt man ein gutes Gerüchte
Bei den Leuten, auch freun sich dessen Vater und Mutter. 30
Laß uns denn eilen und waschen, sobald der Morgen sich rötet!

Ich will deine Gehilfin sein, damit du geschwinder
Fertig werdest; denn, Mädchen, du bleibst nicht lange mehr Jungfrau.
Siehe, es werben ja schon die edelsten Jüngling' im Volke
Aller Phaiaken um dich; denn du stammst selber von Edlen. 35
Auf! erinnere noch vor der Morgenröte den Vater,
Daß er mit Mäulern dir den Wagen bespanne, worauf man
Lade die schönen Gewande, die Gürtel und prächtigen Decken.
Auch für dich ist es so bequemer, als wenn du zu Fuße
Gehen wolltest, denn weit von der Stadt sind die Spülen entlegen. 40
Also redete Zeus' blauäugichte Tochter und kehrte
Wieder zum hohen Olympos, der Götter ewigem Wohnsitz,
Nie von Orkanen erschüttert, vom Regen nimmer beflutet,
Nimmer bestöbert vom Schnee; die wolkenloseste Heitre
Wallet ruhig umher und deckt ihn mit schimmerndem Glanze: 45
Dort erfreut sich ewig die Schar der seligen Götter.
Dorthin kehrte die Göttin, nachdem sie das Mädchen ermahnet.
Und der goldene Morgen erschien und weckte die Jungfrau
Mit den schönen Gewanden. Sie wunderte sich des Traumes.
Schnell durcheilte sie jetzo die Wohnungen, daß sie den Eltern, 50
Vater und Mutter, ihn sagte, und fand sie beide zu Hause.
Diese saß an dem Herd, umringt von dienenden Weibern,
Drehend die zierliche Spindel mit purpurner Wolle, und jener
Kam an der Pfort ihr entgegen: er ging zu der glänzenden Fürsten
Ratsversammlung, wohin die edlen Phaiaken ihn riefen. 55
Und Nausikaa trat zum lieben Vater und sagte:
Lieber Papa, laß mir doch einen Wagen bespannen,
Hoch, mir hurtigen Rädern, damit ich die kostbare Kleidung,
Die mir im Schmutze liegt, an den Strom hinfahre zum Waschen.
Denn dir selber geziemt es, mit reinen Gewanden bekleidet 60
In der Ratsversammlung der hohen Phaiaken zu sitzen.
Und es wohnen im Haus auch fünf erwachsene Söhne,
Zween von ihnen vermählt und drei noch blühende Knaben;
Diese wollen beständig mit reiner Wäsche sich schmücken,
Wenn sie zum Reigen gehn; und es kommt doch alles auf mich an. 65
Also sprach sie und schämte sich, von der lieblichen Hochzeit
Vor dem Vater zu reden; doch merkt' er alles und sagte:
Weder die Mäuler, mein Kind, sei'n dir geweigert, noch sonst was.

Geh, es sollen die Knechte dir einen Wagen bespannen,
Hoch, mit hurtigen Rädern und einem geflochtenen Korbe. 70
Also sprach er und rief; und schnell gehorchten die Knechte,
Rüsteten außer der Halle den Wagen mit rollenden Rädern,
Führten die Mäuler hinzu und spanneten sie an die Deichsel.
Und Nausikaa trug die köstlichen, feinen Gewande
Aus der Kammer und legte sie auf den zierlichen Wagen. 75
Aber die Mutter legt' ihr allerlei süßes Gebacknes
Und Gemüs in ein Körbchen und gab ihr des edelsten Weines
Im geißledernen Schlauch (und die Jungfrau stieg auf den Wagen),
Gab ihr auch geschmeidiges Öl in goldener Flasche,
Daß sie sich nach dem Bade mit ihren Gehilfinnen salbte. 80
Und Nausikaa nahm die Geißel und purpurnen Zügel;
Treibend schwang sie die Geißel: und hurtig mit lautem Gepolter
Trabten die Mäuler dahin und zogen die Wäsch und die Jungfrau,
Nicht sie allein, sie wurde von ihren Mägden begleitet.
Als sie nun das Gestade des herrlichen Stromes erreichten, 85
Wo sich in rinnende Spülen die nimmerversiegende Fülle
Schöner Gewässer ergoß, die schmutzigsten Flecken zu säubern,
Spannten die Jungfraun schnell von des Wagens Deichsel die Mäuler,
Ließen sie an dem Gestade des silberwirbelnden Stromes
Weiden im süßen Klee und nahmen vom Wagen die Kleidung, 90
Trugen sie Stück vor Stück in der Gruben dunkles Gewässer,
Stampften sie drein mit den Füßen und eiferten untereinander.
Als sie ihr Zeug nun gewaschen und alle Flecken gereinigt,
Breiteten sie's in Reihen am warmen Ufer des Meeres,
Wo die Woge den Strand mit glatten Kieseln bespület. 95
Und nachdem sie gebadet und sich mit Öle gesalbet,
Setzten sie sich zum Mahl am grünen Gestade des Stromes,
Harrend, bis ihre Gewand' am Strahle der Sonne getrocknet.
Als sich Nausikaa jetzt und die Dirnen mit Speise gesättigt,
Spieleten sie mit dem Ball und nahmen die Schleier vom Haupte.
Unter den Fröhlichen hub die schöne Fürstin ein Lied an.
Wie die Göttin der Jagd durch Erymanthos' Gebüsche
Oder Taygetos' Höhn mit Köcher und Bogen einhergeht
Und sich ergötzt, die Eber und schnellen Hirsche zu fällen;
Um sie spielen die Nymphen, Bewohnerinnen der Felder, 105

Töchter des furchtbaren Zeus; und herzlich freuet sich Leto;
Denn vor allen erhebt sie ihr Haupt und herrliches Antlitz
Und ist leicht zu erkennen im ganzen schönen Gefolge:
Also ragte vor allen die hohe blühende Jungfrau.
  Aber da sie nunmehr sich rüstete, wieder zur Heimfahrt 110
Anzuspannen die Mäuler und ihre Gewande zu falten,
Da ratschlagete Zeus' blauäugichte Tochter Athene,
Wie Odysseus erwachte und sähe die liebliche Jungfrau,
Daß sie den Weg ihn führte zur Stadt der phaiakischen Männer.
Und Nausikaa warf den Ball auf eine der Dirnen; 115
Dieser verfehlte die Dirn und fiel in die wirbelnde Tiefe,
Und laut kreischten sie auf. Da erwachte der edle Odysseus,
Sitzend dacht er umher im zweifelnden Herzen und sagte:
  Weh mir! zu welchem Volke bin ich nun wieder gekommen?
Sind's unmenschliche Räuber und sittenlose Barbaren 120
Oder Diener der Götter und Freunde des heiligen Gastrechts?
Eben umtönte mich ein Weibergekreisch, wie der Nymphen,
Welche die steilen Häupter der Felsengebirge bewohnen
Und die Quellen der Flüsse und grasbewachsenen Täler!
Bin ich hier etwa nahe bei redenden Menschenkindern? 125
Auf! ich selber will hin und zusehn, was es bedeute!
  Also sprach er und kroch aus dem Dickicht, der edle Odysseus,
Brach mit der starken Faust sich aus dem dichten Gebüsche
Einen laubichten Zweig, des Mannes Blöße zu decken,
Ging dann einher wie ein Leu des Gebirgs, voll Kühnheit und Stärke,
Welcher durch Regen und Sturm hinwandelt; die Augen im Haupte
Brennen ihm; furchtbar geht er zu Rindern oder zu Schafen
Oder zu flüchtigen Hirschen des Waldes; ihn spornet der Hunger
Selbst in verschlossene Höf', ein kleines Vieh zu erhaschen:
Also ging der Held, in den Kreis schönlockiger Jungfraun 135
Sich zu mischen, so nackend er war; ihn spornte die Not an.
Furchtbar erschien er den Mädchen, vom Schlamm des Meeres besudelt;
Hiehin und dorthin entflohn sie und bargen sich hinter die Hügel.
Nur Nausikaa blieb; ihr hatte Pallas Athene
Mut in die Seele gehaucht und die Furcht den Gliedern entnommen.
Und sie stand und erwartete ihn. Da zweifelt' Odysseus,
Ob er flehend umfaßte die Kniee der reizenden Jungfrau

Oder, so wie er war, von ferne mit schmeichelnden Worten
Bäte, daß sie die Stadt ihm zeigt' und Kleider ihm schenkte.
Dieser Gedanke schien dem Zweifelnden endlich der beste, 145
So wie er war, von ferne mit schmeichelnden Worten zu flehen;
Daß ihm das Mädchen nicht zürnte, wenn er die Kniee berührte.
Schmeichelnd begann er sogleich die schlau ersonnenen Worte:
Hohe, dir fleh ich; du seist eine Göttin oder ein Mädchen!
Bist du eine der Göttinnen, welche den Himmel beherrschen, 150
Siehe, so scheinst du mir der Tochter des großen Kronion,
Artemis, gleich an Gestalt, an Größe und reizender Bildung!
Bist du eine der Sterblichen, welche die Erde bewohnen,
Dreimal selig dein Vater und deine treffliche Mutter,
Dreimal selig die Brüder! Ihr Herz muß ja immer von hoher 155
Überschwenglicher Wonne bei deiner Schöne sich heben,
Wenn sie sehn, wie ein solches Gewächs zum Reigen einhergeht!
Aber keiner ermißt die Wonne des seligen Jünglings,
Der, nach großen Geschenken, als Braut zu Hause dich führet!
Denn ich sahe noch nie solch einen sterblichen Menschen, 160
Weder Mann noch Weib! Mit Staunen erfüllt mich der Anblick!
Ehmals sah ich in Delos, am Altar Phöbos Apollons,
Einen Sprößling der Palme von so erhabenem Wuchse.
Denn auch dorthin kam ich, von vielem Volke begleitet,
Jenes Weges, der mir so vielen Jammer gebracht hat! 165
Und ich stand auch also vor ihm und betrachtet' ihn lange
Staunend; denn solch ein Stamm war nie dem Boden entwachsen.
Also bewundre ich dich und staun und zittre vor Ehrfurcht,
Deine Knie zu rühren. Doch groß ist mein Elend, o Jungfrau!
Gestern, am zwanzigsten Tag, entfloh ich dem dunkeln Gewässer, 170
Denn so lange trieb mich die Flut und die wirbelnden Stürme
Von der ogygischen Insel. Nun warf ein Dämon mich hieher,
Daß ich auch hier noch dulde! Denn noch erwart ich des Leidens
Ende nicht; mir ward viel mehr von den Göttern beschieden!
Aber erbarme dich, Hohe! Denn nach unendlicher Trübsal 175
Fand ich am ersten dich und kenne der übrigen Menschen
Keinen, welche die Stadt und diese Gefilde bewohnen.
Zeige mich hin zur Stadt und gib mir ein Stück zur Bedeckung,
Etwa ein Wickeltuch, worin du die Wäsche gebracht hast.

Mögen die Götter dir schenken, so viel dein Herz nur begehret, 180
Einen Mann und ein Haus, und euch mit seliger Eintracht
Segnen! Denn nichts ist besser und wünschenswerter auf Erden,
Als wenn Mann und Weib, in herzlicher Liebe vereinigt,
Ruhig ihr Haus verwalten, den Feinden ein kränkender Anblick,
Aber Wonne den Freunden; und mehr noch genießen sie selber! 185
Ihm antwortete drauf die lilienarmige Jungfrau:
Keinem geringen Manne noch törichten gleichst du, o Fremdling.
Aber der Gott des Olympos erteilet selber den Menschen,
Vornehm oder geringe, nach seinem Gefallen ihr Schicksal.
Dieser beschied dir dein Los, und dir geziemt es zu dulden. 190
Jetzt, da du unserer Stadt und unsern Gefilden dich nahest,
Soll es weder an Kleidung, noch etwas anderm dir mangeln,
Was unglücklichen Fremden, die Hilfe suchen, gebühret.
Zeigen will ich die Stadt und des Volkes Namen dir sagen:
Wir Phaiaken bewohnen die Stadt und diese Gefilde. 195
Aber ich selber bin des hohen Alkinoos Tochter,
Dem des phaiakischen Volkes Gewalt und Stärke vertraut ist.
Also sprach sie und rief den schöngelockten Gespielen:
Dirnen, steht mir doch still! Wo fliehet ihr hin vor dem Manne?
Meinet ihr etwa, er komme zu uns in feindlicher Absicht? 200
Wahrlich, der lebt noch nicht und niemals wird er geboren,
Welcher käm in das Land der phaiakischen Männer, mit Feindschaft
Unsre Ruhe zu stören; denn sehr geliebt von den Göttern
Wohnen wir abgesondert im wogenrauschenden Meere
An dem Ende der Welt und haben mit keinem Gemeinschaft. 205
Nein, er kommt zu uns, ein armer, irrender Fremdling,
Dessen man pflegen muß. Denn Zeus gehören ja alle
Fremdling' und Darbende an; und kleine Gaben erfreun auch.
Kommt denn, ihr Dirnen, und gebt dem Manne zu essen und trinken;
Und dann badet ihn unten im Fluß, wo Schutz vor dem Wind ist.
Also sprach sie. Da standen sie still und riefen einander,
Führten Odysseus hinab zum schattigen Ufer des Stromes,
Wie es Nausikaa hieß, des hohen Alkinoos' Tochter,
Legten ihm einen Mantel und Leibrock hin zur Bedeckung,
Gaben ihm auch geschmeidiges Öl in goldener Flasche 215
Und geboten ihm jetzt, in den Wellen des Flusses zu baden.

Und zu den Jungfraun sprach der göttergleiche Odysseus:
  Tretet ein wenig beiseit, ihr Mädchen, daß ich mir selber
Von den Schultern das Salz abspül und mich ringsum mit Öle
Salbe; denn wahrlich, schon lang entbehr ich dieser Erfrischung! 220
Aber ich bade mich nimmer vor euch, ich würde mich schämen,
Nackend zu stehn in Gegenwart schönlockiger Jungfraun.
  Also sprach er, sie gingen beiseit und sagten's der Fürstin.
Und nun wusch in den Strom der edle Dulder das Meersalz,
Welches den Rücken ihm und die breiten Schultern bedeckte, 225
Rieb sich dann von dem Haupte den Schaum der wüsten Gewässer.
Und nachdem er gebadet und sich mit Öle gesalbet,
Zog er die Kleider an, die Geschenke der blühenden Jungfrau.
Siehe, da schuf ihn Athene, die Tochter des großen Kronion,
Höher und jugendlicher an Wuchs und goß von der Scheitel 230
Ringelnde Locken herab, wie der Purpurlilien Blüte.
Also umgießt ein Mann mit feinem Golde das Silber,
Welchen Hephaistos selbst und Pallas Athene die Weisheit
Vieler Künste gelehrt, und bildet reizende Werke:
Also umgoß die Göttin ihm Haupt und Schultern mit Anmut. 235
Und er ging ans Ufer des Meers und setzte sich nieder,
Strahlend von Schönheit und Reiz. Mit Staunen sah ihn die Jungfrau.
Leise begann sie und sprach zu den schöngelockten Gespielen:
  Höret mich an, weißarmige Mädchen, was ich euch sage!
Nicht von allen Göttern verfolgt, die den Himmel bewohnen, 240
Kam der Mann in das Land der göttergleichen Phaiaken.
Anfangs schien er gering und unbedeutend von Ansehn,
Jetzo gleicht er den Göttern, des weiten Himmels Bewohnern.
Würde mir doch ein Gemahl von solcher Bildung bescheret
Unter den Fürsten des Volks, und gefiel' es ihm selber zu bleiben!
Aber, ihr Mädchen, gebt dem Manne zu essen und trinken.
Also sprach sie; ihr hörten die Mägde mit Fleiß und gehorchten,
Nahmen des Tranks und der Speis und brachten's dem Fremdling am
Und nun aß er und trank, der herrliche Dulder Odysseus, [Ufer.
Voller Begier; denn er hatte schon lange nicht Speise gekostet. 250
  Und ein Neues ersann die lilienarmige Jungfrau:
Lud auf den zierlichen Wagen die wohlgefalteten Kleider,
Spannte davor die Mäuler mit starken Hufen, bestieg ihn

Und ermunterte dann Odysseus, rief ihm und sagte:
Fremdling, mache dich auf, in die Stadt zu gehen! Ich will dich
Führen zu meines Vaters, des weisen Helden, Palaste,
Wo du auch sehen wirst die edelsten aller Phaiaken.
Tu nur, was ich dir sage; du scheinst mir nicht unverständig.
Siehe, so lange der Weg durch Felder und Saaten dahingeht,
Folge mit meinen Mägden dem mäulerbespanneten Wagen 260
Hurtig zu Fuße nach, wie ich im Wagen euch führe.
Aber sobald wir die Stadt erreichen, welche die hohe
Mauer umringt (an jeglicher Seit ist ein trefflicher Hafen
Und die Einfahrt schmal, denn gleichgezimmerte Schiffe
Engen den Weg und ruhn ein jedes auf seinem Gestelle. 265
Allda ist auch ein Markt um den schönen Tempel Poseidons,
Ringsumher mit großen gehauenen Steinen gepflastert,
Wo man alle Geräte der schwarzen Schiffe bereitet,
Segeltücher und Seile und schöngeglättete Ruder.
Denn die Phaiaken kümmern sich nicht um Köcher und Bogen; 270
Aber Masten und Ruder und gleichgezimmerte Schiffe,
Diese sind ihre Freunde, womit sie die Meere durchfliegen):
Siehe, da mied' ich gerne die bösen Geschwätze, daß niemand
Uns nachhöhnte; man ist sehr übermütig im Volke!
Denn es sagte vielleicht ein Niedriger, der uns begegnet: 275
Seht doch, was folgt Nausikaen dort für ein schöner und großer
Fremdling? Wo fand sie den? Der soll gewiß ihr Gemahl sein!
Holte sie diesen vielleicht aus seinem Schiffe, das fernher
Sturm und Woge verschlug? Denn nahe wohnet uns niemand.
Oder kam gar ein Gott auf ihr inbrünstiges Flehen 280
Hoch vom Himmel herab, bei ihr zeitlebens zu bleiben?
Besser war's, daß sie selber hinausging, sich aus der Fremde
Einen Gemahl zu suchen, denn unsre phaiakischen Freier
Sind ihr wahrlich zu schlecht, die vielen Söhne der Edeln!
Also sagten die Leut', und es wär auch wider den Wohlstand. 285
Denn ich tadelte selber an andern solches Verfahren,
Wenn man, der Eltern Liebe mit Ungehorsam belohnend,
Sich zu Männern gesellte vor öffentlicher Vermählung.
Aber vernimm, o Fremdling, was ich dir rate, wofern du
Wünschest, daß bald mein Vater in deine Heimat dich sende. 290

Nah am Weg ist ein Pappelgehölz, Athenen geheiligt.
Ihm entsprudelt ein Quell und tränkt die grünende Wiese,
Wo mein Vater ein Haus mit fruchtbaren Gärten gebaut hat,
Nur so weit von der Stadt, wie die Stimme des Rufenden schallet.
Allda setze dich nieder im Schatten des Haines und warte, 295
Bis wir kommen zur Stadt und des Vaters Wohnung erreichen.
Aber sobald du meinst, daß wir die Wohnung erreichet,
Mache dich auf und gehe zur Stadt der Phaiaken und frage
Dort nach meines Vaters, des hohen Alkinoos, Wohnung.
Leicht ist diese zu kennen, der kleinste Knab auf der Gasse 300
Führet dich hin. Denn nicht auf gleiche Weise gebauet
Sind der Phaiaken Paläste; des Helden Alkinoos Wohnung
Strahlt vor allen. Und bist du im ringsumbaueten Vorhof,
Dann durcheile den Saal und geh zur inneren Wohnung
Meiner Mutter. Sie sitzt am glänzenden Feuer des Herdes, 305
Drehend die zierliche Spindel mit purpurfarbener Wolle,
An die Säule gelehnt, und hinter ihr sitzen die Jungfraun.
Neben ihr steht ein Thron für meinen Vater, den König,
Wo er, wie ein Unsterblicher, ruht und mit Weine sich labet.
Diesen gehe vorbei und umfasse mit flehenden Händen 310
Unserer Mutter Kniee, damit du den Tag der Zurückkunft
Freudig sehest und bald, du wohnest auch ferne von hinnen.
Denn ist diese dir nur in ihrem Herzen gewogen,
O dann hoffe getrost, die Freunde wiederzusehen
Und dein prächtiges Haus und deiner Väter Gefilde! 315

Also sprach die Fürstin und zwang mit glänzender Geißel
Ihre Mäuler zum Lauf; sie enteilten dem Ufer des Stromes,
Trabten hurtig von dannen und bogen behende die Schenkel.
Aber sie hielt sie im Zügel, damit ihr die Gehenden folgten,
Ihre Mägd' und Odysseus, und schwang die Geißel mit Klugheit. 320
Und die Sonne sank, und sie kamen zum schönen Gehölze,
Pallas' heiligem Hain. Hier setzt' Odysseus sich nieder.
Und er betete schnell zur Tochter des großen Kronion:

Höre mich, siegende Tochter des wetterleuchtenden Gottes!
Höre mich endlich einmal, da du vormals nimmer mich hörtest, 325
Als der gestadumstürmende Gott mich zürnend umherwarf!

Laß mich vor diesem Volk Barmherzigkeit finden und Gnade!
Also sprach er flehend; ihn hörete Pallas Athene.
Aber noch erschien sie ihm nicht; sie scheute den Bruder
Ihres Vaters: er zürnte dem göttergleichen Odysseus 330
Unablässig, bevor er die Heimat wieder erreichte.

VII. GESANG

Nach Nausikaa geht Odysseus in die Stadt, von Athene in Nebel gehüllt und zum Palaste des Königs geführt, wo die Fürsten versammelt sind. Er fleht der Königin Arete um Heimsendung und wird von Alkinoos als Gast aufgenommen. Nach dem Mahle, da Arete um die Kleider ihn fragt, erzählt er seine Geschichte seit der Abfahrt von Kalypso.

Also betete dort der herrliche Dulder Odysseus.
Aber Nausikaa flog in die Stadt mit der Stärke der Mäuler.
Als sie die prächtige Burg des Vaters jetzo erreichte,
Hielt sie still an der Pforte des Hofs. Da kamen die Brüder
Ringsumher, an Gestalt den Unsterblichen ähnlich; sie spannten 5
Von dem Wagen die Mäuler und trugen die Wäsch in die Kammer.
Jetzo ging sie hinein, und ihre Kammerbediente
Zündete Feuer an, die alte Eurymedusa.
Einst entführten die Schiffer sie aus Epeiros und wählten
Für Alkinoos sie zum Ehrengeschenke, den König, 10
Welcher hoch, wie ein Gott, im phaiakischen Volke geehrt ward;
Und sie erzog ihm die schöne Nausikaa in dem Palaste.
Als das Feuer nun brannte, besorgte sie hurtig die Mahlzeit.
Aber Odysseus ging in die Stadt, und Pallas Athene
Hüllt' ihn in finstre Nacht, aus Sorge für ihren Geliebten, 15
Daß ihn nicht auf dem Wege der hochgesinnten Phaiaken
Einer mit Schmähungen kränkte, noch fragte, von wannen er käme.
Als er die schöne Stadt der Phaiaken jetzo erreichte,
Da begegnet' ihm Zeus' blauäugichte Tochter Athene.
Wie ein blühendes Mädchen mit einem Wassergefäße 20
Stand sie nahe vor ihm. Da sprach der edle Odysseus:
Liebe Tochter, willst du mir nicht Alkinoos' Wohnung
Zeigen, welchem dies Volk als seinem König gehorchet?
Denn ich komme zu euch, ein armer irrender Fremdling,

Ferne von hier aus dem apischen Land, und kenne der Menschen 25
Keinen, welche die Stadt und diese Gefilde bewohnen.
Ihm antwortete Zeus' blauäugichte Tochter Athene:
Gerne will ich dir, Vater, das Haus, wohin du verlangest,
Zeigen, denn nahe dabei wohnt mein rechtschaffener Vater.
Gehe so ruhig fort und folge mir, wie ich dich führe; 30
Schaue nach keinem Menschen dich um und rede mit niemand.
Denn die Leute sind hier den Fremden nicht allzu gewogen
Und bewirten sie nicht sehr freundlich, woher sie auch kommen.
Sie bekümmern sich nur um schnelle hurtige Schiffe,
Über die Meere zu fliegen: denn dies gab ihnen Poseidon. 35
Ihre Schiffe sind hurtig wie Flügel und schnell wie Gedanken.
Als sie die Worte geredet, da wandelte Pallas Athene
Eilend voran, und er folgte den Schritten der wandelnden Göttin.
Ihn bemerkte keiner der segelberühmten Phaiaken,
Als er die Stadt durchging: die schöngelockte Athene 40
Ließ es nicht zu, die furchtbare Göttin, die heiliges Dunkel
Über sein Haupt hingoß, aus Sorge für ihren Geliebten.
Wundernd sah er die Häfen und gleichgezimmerten Schiffe
Und die Versammlungsplätze des Volks und die türmenden Mauern,
Lang und hoch, mit Pfählen umringt, ein Wunder zu schauen! 45
Als sie die prächtige Burg des Königes jetzo erreichten,
Siehe, da redete Zeus' blauäugichte Tochter Athene:
Fremder Vater, hier ist das Haus, wohin du verlangtest,
Daß ich dich führte. Du wirst die göttergesegneten Fürsten
Hier am festlichen Schmause versammelt finden; doch gehe 50
Dreist hinein und fürchte dich nicht! Dem Kühnen gelinget
Jedes Beginnen am besten, und käm er auch aus der Fremde.
Aber suche zuerst die Königin drinnen im Saale.
Diese heißt Arete mit Namen und ward von denselben
Eltern gezeugt, von welchen der König Alkinoos herstammt. 55
Denn Nausithoos war des Erdumstürmers Poseidon
Und Periböens Sohn, der schönsten unter den Weibern
Und des hochgesinnten Eurymedons jüngsten Tochter.
Dieser beherrschte vordem die ungeheuren Giganten;
Aber er stürzte sich selbst und sein frevelndes Volk ins Verderben. 60
Seine Tochter bezwang der Gott, und aus ihrer Gemeinschaft

Wuchs Nausithoos auf, der edle Phaiakenbeherrscher.
Und Nausithoos zeugte Alkinoos und Rexenor;
Dieser starb ohne Söhne vom silbernen Bogen Apollons,
Neuvermählt im Palast; die einzige Tochter Arete 65
Seines Bruders nahm Alkinoos drauf zur Gemahlin:
Welcher sie ehrt, wie nirgends ein Weib auf Erden geehrt wird,
Keines von allen, die jetzo das Haus der Männer verwalten.
Also wird Arete mit herzlicher Liebe geehret
Von Alkinoos selbst und ihren blühenden Kindern 70
Und dem Volke, das sie wie eine Göttin betrachtet
Und mit Segen begrüßt, sooft sie die Gassen durchwandelt.
Denn es fehlet ihr nicht an königlichem Verstande,
Und sie entscheidet selbst der Männer Zwiste mit Weisheit.
Fremdling, ist diese dir nur in ihrem Herzen gewogen, 75
O dann hoffe getrost, die Freunde wiederzusehen
Und dein prächtiges Haus und deiner Väter Gefilde!
Also redete Zeus' blauäugichte Tochter und eilte
Über das wüste Meer aus Scherias lieblichen Auen,
Bis sie gen Marathon kam und den weiten Gassen Athenais, 80
In die prächtige Wohnung Erechtheus'. Aber Odysseus
Ging zu Alkinoos' hohem Palast. Nun stand er und dachte
Vieles im Herzen, bevor er der ehernen Schwelle sich nahte.
Gleich dem Strahle der Sonn und gleich dem Schimmer des Mondes
Blinkte des edelgesinnten Alkinoos prächtige Wohnung. 85
Eherne Wände liefen an jeglicher Seite des Hauses
Tief hinein von der Schwelle, gekrönt mit blauem Gesimse.
Eine goldene Pforte verschloß die innere Wohnung;
Silberne Pfosten, gepflanzt auf ihrer ehernen Schwelle,
Trugen den silbernen Kranz; der Ring der Pforte war golden. 90
Jegliche Seit umstanden die goldnen und silbernen Hunde,
Welche Hephaistos selbst mit hohem Verstande gebildet,
Um des edelgesinnten Alkinoos Wohnung zu hüten;
Drohend standen sie dort, unsterblich und nimmer veralternd.
Innerhalb reihten sich Sessel um alle Wände des Saales, 95
Tief hinein von der Schwell; und Teppiche deckten die Sessel,
Fein und zierlich gestickt, der Weiber künstliche Arbeit.
Allda saßen stets der Phaiaken hohe Beherrscher

Festlich bei Speis und Trank und schmausten von Tage zu Tage.
Goldene Jünglinge standen auf schöngebauten Altären 100
Ringsumher und hielten in Händen brennende Fackeln,
Um den Gästen im Saale beim nächtlichen Schmause zu leuchten.
Fünfzig Weiber dienten im weiten Palaste des Königs.
Diese, bei rasselnden Mühlen, zermalmeten gelbes Getreide,
Jene saßen und webten und dreheten emsig die Spindel, 105
Anzuschaun wie die Blätter der hohen wehenden Pappel:
Und es glänzte wie Öl die schöngewebete Leinwand.
Denn gleichwie die Phaiaken vor allen übrigen Männern
Hurtige Schiffe zu lenken verstehn, so siegen die Weiber
In der Kunst des Gewebes: sie lehrete selber Athene 110
Wundervolle Gewande mit klugem Geiste zu wirken.
Außer dem Hofe liegt ein Garten, nahe der Pforte,
Eine Huf ins Gevierte, mit ringsumzogener Mauer.
Allda streben die Bäume mit laubichtem Wipfel gen Himmel,
Voll balsamischer Birnen, Granaten und grüner Oliven, 115
Oder voll süßer Feigen und rötlichgesprenkelter Äpfel.
Diese tragen beständig und mangeln des lieblichen Obstes
Weder im Sommer noch Winter; vom linden Weste gefächelt,
Blühen die Knospen dort, hier zeitigen schwellende Früchte.
Birnen reifen auf Birnen, auf Äpfel röten sich Äpfel, 120
Trauben auf Trauben erdunkeln, und Feigen schrumpfen auf Feigen.
Allda prangt auch ein Feld, von edlen Reben beschattet.
Einige Trauben dorren auf weiter Ebne des Gartens,
An der Sonne verbreitet, und andre schneidet der Winzer,
Andere keltert man schon. Hier stehen die Herling in Reihen, 125
Dort entblühen sie erst, dort bräunen sich leise die Beeren.
An dem Ende des Gartens sind immerduftende Beete
Voll balsamischer Kräuter und tausendfarbiger Blumen.
Auch zwo Quellen sind dort: die eine durchschlängelt den Garten,
Und die andere gießt sich unter die Schwelle des Hofes 130
An den hohen Palast, allwo die Bürger sie schöpfen.
Siehe, so reichlich schmückten Alkinoos' Wohnung die Götter.
Lange stand bewundernd der herrliche Dulder Odysseus.
Und nachdem er alles in seinem Herzen bewundert,
Eilet' er über die Schwell und ging in die strahlende Wohnung. 135

Und er fand der Phaiaken erhabene Fürsten und Pfleger.
Diese gossen des Weines dem rüstigen Argosbesieger,
Denn ihm opferte man zuletzt, der Ruhe gedenkend.
Schnell durchging er den Saal, der herrliche Dulder Odysseus,
Rings in Nebel gehüllt, den ihm Athene umgossen, 140
Bis er Alkinoos fand und seine Gemahlin Arete.
Und Odysseus umschlang mit den Händen der Königin Kniee,
Und mit einmal zerfloß um ihn das heilige Dunkel.
Alle verstummten im Saale, da sie den Fremdling erblickten,
Und sahn staunend ihn an. Jetzt flehte der edle Odysseus: 145
O Arete, du Tochter des göttergleichen Rexenor,
Deinem Gemahle fleh ich und dir, ein bekümmerter Fremdling,
Und den Gästen umher! Euch allen schenken die Götter
Langes Leben und Heil, und jeder lasse den Kindern
Reichtum im Hause nach und die Würde, die ihm das Volk gab! 150
Aber erbarmet euch mein und sendet mich eilig zur Heimat,
Denn ich irre schon lang, entfernt von den Freunden, in Trübsal!
Also sprach er und setzt' am Herd in die Asche sich nieder
Neben dem Feur; und alle verstummten umher und schwiegen.
Endlich brach die Stille der graue Held Echeneos, 155
Welcher der älteste war der hohen phaiakischen Fürsten,
An Beredsamkeit reich und geübt in der Kunde der Vorzeit.
Dieser erhub anitzo die Stimme der Weisheit und sagte:
König, es ziemet sich nicht und ist den Gebräuchen entgegen,
Einen Fremdling am Herd in der Asche sitzen zu lassen. 160
Diese Männer schweigen und harren deiner Befehle.
Auf und führe den Fremdling zum silberbeschlagenen Sessel,
Daß er bei uns sich setze, und laß die Herolde wieder
Füllen mit Weine den Kelch, damit wir dem Gotte des Donners
Opfer bringen, der über die Hilfeflehenden waltet. 165
Und die Schaffnerin speise von ihrem Vorrat den Fremdling.
Als die heilige Macht Alkinoos' solches vernommen,
Faßt' er die Hand des tapfern, erfindungsreichen Odysseus,
Richtet' ihn auf aus der Asch und führt' ihn zum schimmernden Sessel,
Nahe bei sich, und hieß den edlen Laodamas aufstehn, 170
Seinen mutigen Sohn, den er am zärtlichsten liebte.
Eine Dienerin trug in der schönen goldenen Kanne

Über dem silbernen Becken das Wasser, beströmte zum Waschen
Ihm die Händ' und stellte vor ihn die geglättete Tafel.
Auch die ehrbare Schaffnerin kam und tischte das Brot auf 175
Und der Gerichte viel aus ihrem gesammelten Vorrat.
Und nun aß er und trank, der herrliche Dulder Odysseus.
Aber die heilige Macht Alkinoos' sprach zu dem Herold:
Mische Wein in dem Kelche, Pontonoos; reiche dann allen
Männern im Saal umher, damit wir dem Gotte des Donners 180
Opfer bringen, der über die Hilfeflehenden waltet.
Sprach's, und Pontonoos mischte des süßen Weines im Kelche
Und verteilte von neuem, sich rechtshin wendend, die Becher.
Als sie des Trankes geopfert und nach Verlangen getrunken,
Hub Alkinoos an und sprach zur edlen Versammlung: 185
Merket auf, der Phaiaken erhabene Fürsten und Pfleger,
Daß ich rede, wie mir das Herz im Busen gebietet.
Jetzo, nachdem ihr gespeist, geht heim und legt euch zur Ruhe.
Morgen wollen wir hier noch mehr der Ältesten laden
Und den Fremdling im Hause bewirten, mit heiligen Opfern 190
Uns die Götter versöhnen und dann die geforderte Heimfahrt
Überdenken, damit er, vor Not und Kummer gesichert,
Unter unserm Geleit in seiner Väter Gefilde
Freudig komme und bald, er wohn auch ferne von hinnen,
Und ihm nicht auf dem Weg ein neues Übel begegne, 195
Eh er sein Vaterland erreicht hat. Dort begegn' ihm,
Was ihm das Schicksal bestimmt und die unerbittlichen Schwestern
Ihm bei seiner Geburt in den werdenden Faden gesponnen.
Aber kam vielleicht der Unsterblichen einer vom Himmel,
Wahrlich dann haben mit uns die Götter ein andres im Sinne! 200
Sonst erscheinen uns stets die Götter in sichtbarer Bildung,
Wann wir mit festlicher Pracht der Hekatomben sie grüßen,
Sitzen mit uns in Reihen und essen von unserem Mahle;
Oft auch, wann ihnen irgendein einsamer Wandrer begegnet,
Hüllen sie sich in Gestalt, denn wir sind ihnen so nahe 205
Wie die wilden Kyklopen und ungezähmten Giganten.
Ihm antwortete drauf der erfindungsreiche Odysseus:
O Alkinoos, hege nicht solche Gedanken! Ich sehe
Keinem Unsterblichen gleich, die den weiten Himmel bewohnen,

Weder an Kleidung noch Wuchs; ich gleiche sterblichen Menschen.
Kennt ihr einen, der euch der unglückseligste aller
Sterblichen scheint, ich bin ihm gleich zu achten an Elend!
Ja, ich wüßte vielleicht noch größere Leiden zu nennen,
Welche der Götter Rat auf meine Seele gehäuft hat!
Aber erlaubt mir nun zu essen, wie sehr ich auch traure. 215
Denn nichts ist unbändiger als der zürnende Hunger,
Der mit tyrannischer Wut an sich die Menschen erinnert,
Selbst den leidenden Mann mit tiefbekümmerter Seele.
Also bin ich von Herzen bekümmert, aber beständig
Fordert er Speis und Trank, der Wüterich! Und ich vergesse 220
Alles, was ich gelitten, bis ich den Hunger gesättigt.
Aber eilet, ihr Fürsten, sobald der Morgen sich rötet,
Mich unglücklichen Mann in meine Heimat zu senden!
Denn soviel ich erlitten, ich stürbe sogar um den Anblick
Meiner Güter und Knechte und meines hohen Palastes! 225
Also sprach er; da lobten ihn alle Fürsten und rieten,
Heimzusenden den Gast, weil seine Bitte gerecht war.
Als sie des Trankes geopfert und nach Verlangen getrunken,
Gingen sie alle heim, der süßen Ruhe zu pflegen.
Aber im Saale blieb der göttergleiche Odysseus; 230
Neben ihm saß der König und seine Gemahlin Arete.
Und die Mägde räumten des Mahls Geräte von hinnen.
Jetzo begann Arete, die lilienarmige Fürstin
(Denn sie erkannte den Mantel und Rock, die schönen Gewande,
Welche sie selber gewirkt mit ihren dienenden Jungfraun), 235
Und sie redet' ihn an und sprach die geflügelten Worte:
Hierum muß ich dich, Fremdling, vor allen Dingen befragen:
Wer und von wannen bist du? Wer gab dir diese Gewande?
Sagtest du nicht, du kämest hieher vom Sturme verschlagen?
Ihr antwortete drauf der erfindungsreiche Odysseus: 240
Schwer, o Königin, ist es, dir alle Leiden von Anfang
Herzunennen, die mir die himmlischen Götter gesendet.
Dennoch will ich dir dieses, warum du mich fragest, erzählen.
Fern auf dem Meere liegt Ogygia, eine der Inseln,
Wo des Atlas' Tochter, die listenreiche Kalypso, 245
Wohnet, die schöngelockte, die furchtbare Göttin. Es pfleget

Keiner der Götter mit ihr und keiner der Menschen Gemeinschaft.
Mich Unglücklichen nur, mich führte zu ihrer Behausung
Irgendein Dämon, nachdem mir der Gott hochrollender Donner
Mitten im Meere mein Schiff mit dem dampfenden Strahle zerschmettert!
Alle tapfern Gefährten versanken mir dort in den Abgrund,
Aber ich, der den Kiel des zertrümmerten Schiffes umschlungen,
Trieb neun Tage herum. In der zehnten der schrecklichen Nächte
Führten die Himmlischen mich gen Ogygia, wo Kalypso
Wohnet, die schöngelockte, die furchtbare Göttin. Sie nahm mich
Freundlich und gastfrei auf und reichte mir Nahrung und sagte
Mir Unsterblichkeit zu und nimmerverblühende Jugend.
Dennoch vermochte sie nimmer mein standhaftes Herz zu bewegen.
Sieben Jahre blieb ich bei ihr und netzte mit Tränen
Stets die ambrosischen Kleider, die mir Kalypso geschenket. 260
Als nun endlich das achte der rollenden Jahre gekommen,
Da gebot sie mir selber die Heimfahrt, weil es Kronion
Ordnete oder ihr Herz sich geändert hatte. Sie sandte
Mich auf vielgebundenem Floß und schenkte mir reichlich
Speise und süßen Wein und gab mir ambrosische Kleider; 265
Ließ dann leise vor mir ein laues Lüftchen einherwehn.
Siebzehn Tage befuhr ich die ungeheuren Gewässer.
Am achtzehnten erblickt' ich die hohen schattigen Berge
Eures Landes von fern und freute mich herzlich des Anblicks.
Ich Unglücklicher! Ach, noch viele schreckliche Trübsal 270
Stand mir bevor vom Zorne des Erderschüttrers Poseidon!
Plötzlich hemmt' er die Fahrt mit reißenden Stürmen, und hochauf
Schwoll das unendliche Meer; und die rollende Woge verbot mir,
Daß ich länger im Floße mit bangem Seufzen dahinfuhr:
Ihn zerschmetterte schnell die Gewalt der kommenden Windsbraut
Aber schwimmend durchkämpft ich die ungeheuren Gewässer,
Bis mich der Sturm und die Wog' an Euer Gestade hinanwarf.
Allda hätte mich fast ergriffen die strudelnde Brandung
Und an die drohenden Klippen, den Ort des Entsetzens, geschmettert
Aber ich eilte zurück und schwamm herum, bis ich endlich 280
Kam an den Strom. Hier fand ich bequem zum Landen das Ufer,
Niedrig und felsenleer und vor dem Winde gesichert.
Und ich sank ohnmächtig ans Land. Die ambrosische Nacht kam.

Und ich ging vom Gestade des göttlichen Stromes und legte
Mich in ein dichtes Gebüsch und häufte verdorrete Blätter 285
Um mich her; da sandte mir Gott unendlichen Schlummer.
Unter den Blättern dort, mit tief bekümmerter Seele,
Schlief ich die ganze Nacht bis zum andern Morgen und Mittag.
Als die Sonne sich neigte, verließ mich der liebliche Schlummer,
Und am Ufer des Meers erblickt ich die spielenden Jungfraun 290
Deiner Tochter, mit ihnen sie selbst, den Unsterblichen ähnlich.
Dieser fleht ich und fand ein Mädchen voll edler Gesinnung.
Wahrlich sie handelte so, wie kaum ihr jugendlich Alter
Hoffen ließ, denn selten sind jüngere Leute verständig.
Speise reichte sie mir und funkelnden Wein zur Erquickung, 295
Badete mich im Strom und schenkte mir diese Gewande.
Dieses hab ich Betrübter dir jetzt aufrichtig erzählet.
Ihm antwortete drauf Alkinoos wieder und sagte:
Fremdling, doch eine Pflicht hat meine Tochter verabsäumt!
Daß sie dich nicht zu uns mit ihren dienenden Jungfraun 300
Führte. Du hattest ja ihr zuerst um Hilfe geflehet.
Ihm antwortete drauf der erfindungsreiche Odysseus:
Edler, enthalte dich, die treffliche Tochter zu tadeln!
Denn sie gebot mir zu folgen mit ihren dienenden Jungfraun,
Aber ich weigerte mich, aus Scheu und weil ich besorgte, 305
Daß sich etwa dein Herz ereiferte, wenn du es sähest.
Denn wir sind argwöhnisch, wir Menschenkinder auf Erden!
Ihm antwortete drauf Alkinoos wieder und sagte:
Fremdling, ich trage kein Herz im Busen, welches ohn Ursach
Brennte von jähem Zorn. Doch besser ist immer der Wohlstand. 310
Schaffte doch Vater Zeus, Athene und Phöbos Apollon,
Daß ein Mann, so wie du, so ähnlich mir an Gesinnung,
Meine Tochter begehrte, sich mir erböte zum Eidam
Und hier bliebe! Ich wollte dir Haus und Habe verehren,
Bliebest du willig hier. Doch wider Willen soll niemand 315
Von den Phaiaken dich halten, das wolle Gott nicht gefallen!
Deine Heimfahrt aber bestimm ich dir, daß du es wissest,
Morgen. Allein du wirst indessen liegen und schlafen,
Da sie die Stille des Meers durchrudern, bis du erreichest
Deine Heimat, dein Haus und was dir irgendwo lieb ist, 320

Wär es auch von hinnen noch weiter als selbst Euböa.
Denn das liegt sehr ferne, so sagen unsere Leute,
Die es sahn, da sie einst Radamanthus den bräunlichgelockten
Fuhren, der Tityos dort, den Sohn der Erde, besuchte;
Und sie kamen dahin und vollbrachten an einem Tage 325
Ohne Mühe die Fahrt und brachten ihn wieder zur Heimat.
Lernen sollst du es selber, wie sehr sie vor allen geübt sind,
Meine Jüngling' und Schiffe, mit Rudern das Meer zu durchfliegen!
Sprach's; und freudig vernahm es der herrliche Dulder Odysseus.
Drauf begann er zu reden und brach in ein lautes Gebet aus: 330
Vater Zeus, o gib, daß Alkinoos alles vollende,
Was er verheißt! Dann strahlt auf lebenschenkender Erde
Unauslöschlich sein Ruhm; ich aber kehre zur Heimat!
Also besprachen diese sich jetzo untereinander.
Aber den Mägden befahl die lilienarmige Fürstin, 335
Unter die Hall ein Bette zu setzen, unten von Purpur
Prächtige Polster zu legen und Teppiche drüber zu breiten,
Hierauf wollige Mäntel zur Oberdecke zu legen.
Und sie enteilten dem Saal, in den Händen die leuchtende Fackel.
Als sie jetzo geschäftig das warme Lager bereitet, 340
Gingen sie hin und ermahnten den göttergleichen Odysseus:
Fremdling, gehe nun schlafen, dein Lager ist schon bereitet.
Also die Mägd'; und ihm war sehr willkommen die Ruhe.
Also schlummerte dort der herrliche Dulder Odysseus
Unter der tönenden Hall, im schöngebildeten Bette. 345
Aber Alkinoos schlief im Innern des hohen Palastes
Und die Königin schmückte das Ehbett ihres Gemahles.

VIII. GESANG

Alkinoos empfiehlt dem versammelten Volke die Heimsendung des Fremdlings und ladet die Fürsten samt den Reisegefährten zum Gastmahl. Kampfspiele. Odysseus wirft die Scheibe. Tanz zu Demodokos' Gesang von Ares und Aphrodite. Andere Tänze. Odysseus wird beschenkt. Beim Abendschmaus singt Demodokos von dem hölzernen Roß; den weinenden Fremdling ersucht der König um seine Geschichte.

Als die dämmernde Frühe mit Rosenfingern erwachte,
Stand die heilige Macht Alkinoos' auf von dem Lager.
Auch Odysseus erhub sich, der göttliche Städtebezwinger.
Und die heilige Macht Alkinoos' führte den Helden
Zu der Phaiaken Markte, der bei den Schiffen erbaut war. 5
Allda setzten sie sich auf schöngeglättete Steine
Nebeneinander. Die Stadt durchwandelte Pallas Athene,
Gleich an Gestalt dem Herold des weisen Phaiakenbeherrschers;
Auf die Heimkehr denkend des großgesinnten Odysseus,
Ging sie umher und sprach zu jedem begegnenden Manne: 10
Auf und kommt, der Phaiaken erhabene Fürsten und Pfleger,
Zu dem Versammlungsplatz, des Fremdlings Bitte zu hören,
Welcher neulich im Hause des weisen Alkinoos ankam,
Hergestürmt von dem Meer, an Gestalt den Unsterblichen ähnlich.
Also sprach sie, das Herz in aller Busen erregend. 15
Und es wimmelten schnell die Gäng' und Sitze des Marktes
Von dem versammelten Volk. Da schaueten viele bewundernd
Auf Laertes' erfindenden Sohn; denn Pallas Athene
Hatte mit göttlicher Hoheit ihm Haupt und Schultern umgossen,
Hatt ihn höher an Wuchs und jugendlicher gebildet, 20
Daß bei allen Phaiaken Odysseus Liebe gewönne,
Ehrenvoll und hehr, und aus den Spielen der Kämpfer
Siegreich ginge, womit die Phaiaken ihn würden versuchen.
Als die Versammelten jetzt in geschlossener Reihe sich drängten,
Hub Alkinoos an und redete zu der Versammlung: 25
Merket auf, der Phaiaken erhabene Fürsten und Pfleger,
Daß ich rede, wie mir das Herz im Busen gebietet.
Dieser Fremdling (ich kenn ihn nicht) ist, irrend vom Morgen-
Oder vom Abendlande, zu meinem Hause gekommen
Und verlangt nun weiter und fleht um Bestimmung der Abfahrt. 30

Laßt uns denn jetzo die Reise beschleunigen, wie wir gewohnt sind.
Denn kein Fremdling, der Schutz in meinen Wohnungen suchet,
Harret lange mit Seufzen, daß man zur Heimat ihn sende.
Auf! Wir wollen ein schwärzliches Schiff von den neusten am Strande
Wälzen ins heilige Meer und zweiundfünfzig der besten 35
Jüngling' im Volk erlesen, die sich schon vormals gezeiget!
Habt ihr die Ruder gehörig an euren Bänken befestigt,
Dann steigt wieder ans Land und stärkt euch in unserm Palaste
Schnell mit Speise zur Fahrt; ich will euch allen bereiten.
Dieses ist mein Befehl an die Jünglinge. Aber ihr andern 40
Zeptertragenden Fürsten, versammelt euch zu dem Palaste,
Daß wir den Fremdling zuvor in meinem Saale bewirten.
Niemand weigere sich! Ruft auch den göttlichen Sänger,
Unsern Demodokos her; denn ihm gab Gott überschwenglich
Süßen Gesang, wovon auch sein Herz zu singen ihn antreibt. 45

Also sprach er und ging. Die Zeptertragenden alle
Folgten ihm; und der Herold enteilte zum göttlichen Sänger.
Aber die zweiundfünfzig erlesenen Jünglinge gingen,
Nach des Königs Befehl, ans Ufer der wüsten Gewässer.
Als sie jetzo das Schiff am Strande des Meeres erreichten, 50
Zogen sie eilig das schwärzliche Schiff ins tiefe Gewässer,
Trugen den Mast hinein und die Segel des schwärzlichen Schiffes,
Hängten darauf die Ruder in ihre ledernen Wirbel,
Alles, wie sich's gehört, und spannten die schimmernden Segel.
Und sie stellten das Schiff im hohen Wasser des Hafens, 55
Gingen dann in die Burg des weisen Phaiakenbeherrschers.

Allda wimmelten schon die Säle, die Hallen und Höfe
Von den versammelten Gästen; es kamen Jüngling' und Greise.
Aber Alkinoos gab der Schar zwölf Schafe zum Opfer,
Acht weißzahnichte Schwein' und zween schwerwandelnde Stiere. 60
Diese zogen sie ab und bereiteten hurtig das Gastmahl.

Jetzo kam auch der Herold und führte den lieblichen Sänger,
Diesen Vertrauten der Muse, dem Gutes und Böses verliehn ward;
Denn sie nahm ihm die Augen und gab ihm süße Gesänge.
Und Pontonoos setzt' ihm den silberbeschlagenen Sessel 65
Mitten unter den Gästen an eine ragende Säule,
Hängte darauf an den Nagel die lieblichklingende Harfe

Über des Sängers Haupt und führt' ihm die Hand, sie zu finden.
Vor ihn stellte der Herold den schönen Tisch und den Eßkorb
Und den Becher voll Weins, zu trinken, wann ihm beliebte. 70
Und sie erhoben die Hände zum leckerbereiteten Mahle.
  Aber als die Begierde des Tranks und der Speise gestillt war,
Trieb die Muse den Sänger, das Lob der Helden zu singen.
Aus dem Liede, des Ruhm damals den Himmel erreichte,
Wählt' er Odysseus' Zank und des Peleiden Achilleus: 75
Wie sie einst miteinander am festlichen Mahle der Götter
Heftig stritten und sich der Führer des Heers Agamemnon
Herzlich freute beim Zwiste der tapfersten Helden Achaias.
Denn dies Zeichen war ihm von Phöbos Apollon geweissagt,
In der heiligen Pytho, da er die steinerne Schwelle 80
Forschend betrat; denn damals entsprang die Quelle der Trübsal
Für die Achaier und Troer, durch Zeus' des Unendlichen Ratschluß.
  Dieses sang der berühmte Demodokos. Aber Odysseus
Faßte mit nervichten Händen den großen purpurnen Mantel,
Zog ihn über das Haupt und verhüllte sein herrliches Antlitz, 85
Daß die Phaiaken nicht die tränenden Wimpern erblickten.
Als den Trauergesang der göttliche Sänger geendigt,
Trocknet' er schnell der Tränen und nahm vom Haupte den Mantel,
Faßte den doppelten Becher und goß den Göttern des Weines.
Aber da jener von neuem begann und die edlen Phaiaken 90
Ihn zum Gesang ermahnten, vergnügt durch die reizenden Lieder,
Hüllt' Odysseus wieder sein Haupt in den Mantel und traurte.
Allen übrigen Gästen verbarg er die stürzende Träne,
Nur Alkinoos sah aufmerksam die Trauer des Fremdlings,
Welcher neben ihm saß, und hörte die tiefen Seufzer. 95
Und der König begann zu den ruderliebenden Männern:
  Merket auf, der Phaiaken erhabene Fürsten und Pfleger.
Schon hat unsere Herzen das gleichverteilete Gastmahl
Und die Harfe gelabt, des festlichen Mahles Gespielin;
Laßt uns denn jetzt aufstehen und alle Kämpfe beginnen, 100
Daß der Fremdling davon bei seinen Freunden erzähle,
Wann er zu Hause kommt, wie wir vor allen geübt sind
In dem Kampfe der Faust, im Ringen, im Sprung und im Wettlauf.
  Also sprach er und ging; es folgten ihm alle Phaiaken.

Aber der Herold hängt' an den Nagel die klingende Harfe, 105
Faßte Demodokos' Hand und führt' ihn aus dem Palaste,
Ging dann vor ihm einher des Weges, welchen die andern
Edlen des Volkes gingen, zu schauen die Spiele der Kämpfer.
Und sie eilten, verfolgt vom großen Getümmel des Volkes,
Auf den Markt. Da erhuben sich viele der Edlen zum Wettkampf,
Stand Akroneos auf, Okyalos dann und Elatreus,
Nauteus dann und Prymneus, Anchialos dann und Eretmeus,
Anabesineos dann und Ponteus, Proreus und Thoon,
Auch Amphialos, Sohn von Tektons Sohn Polyneos,
Und Euryalos, gleich dem menschenvertilgenden Kriegsgott; 115
Auch Naubolides kam, an Wuchs und Bildung der schönste
Aller schönen Phaiaken; Laodamas einzig war schöner.
Drauf erhuben sich drei von Alkinoos' trefflichen Söhnen,
Erst Laodamas, Halios dann und der Held Klytoneos.
Diese versuchten zuerst miteinander die Schnelle der Füße. 120
Ihnen ward von dem Stande das Ziel gemessen, und eilend
Flogen sie alle mit einmal dahin durch die stäubende Laufbahn.
Aber alle besiegte der edle Held Klytoneos.
So viel Raum vor den Stieren die pflügenden Mäuler gewinnen,
So weit eilte der Held vor den übrigen Läufern zum Ziele. 125
Andre versuchten darauf im mühsamen Ringen die Kräfte,
Und Euryalos ging von allen Siegern ein Sieger.
Aber Amphialos war im Sprunge von allen der beste;
Und die Scheibe zu werfen der beste von allen Elatreus;
Und im Kampfe der Faust besiegte Laodamas alle. 130
Als die Kämpfer ihr Herz mit den edlen Spielen erfreuet,
Sprach Alkinoos' Sohn Laodamas zu der Versammlung:
Freunde, kommt und fragt den Fremdling, ob er auch ehmals
Kämpfe gelernt und versteht. Unedel ist seine Gestalt nicht,
Seine Lenden und Schenkel und beide nervichten Arme 135
Und die hohe Brust und der starke Nacken; auch Jugend
Mangelt ihm nicht! Doch hat ihn vielleicht sein Leiden entkräftet;
Denn nichts Schrecklichers ist mir bekannt als die Schrecken des Meeres,
Einen Mann zu verwüsten, und wär er auch noch so gewaltig.
Ihm antwortete drauf Euryalos wieder und sagte: 140
Wahrlich mit großem Rechte, Laodamas, hast du geredet.

Gehe nun selbst und fordre ihn auf und reiz ihn mit Worten!

Als der treffliche Sohn Alkinoos' solches vernommen,
Ging er schnell in die Mitte des Volks und sprach zu Odysseus:

Fremder Vater, auch du mußt dich in den Kämpfen versuchen,
Hast du deren gelernt; und sicher verstehst du den Wettkampf.
Denn kein größerer Ruhm verschönt ja das Leben der Menschen,
Als den ihnen die Stärke der Händ' und Schenkel erstrebet.
Auf denn, versuch es einmal und wirf vom Herzen den Kummer.
Deine Reise, die wird nicht lange mehr dauern; das Schiff ist 150
Schon ins Wasser gesenkt und bereit sind deine Gefährten.

Ihm antwortete drauf der erfindungsreiche Odysseus:
Warum fordert ihr mich, Laodamas, höhnend zum Wettkampf?
Meine Trübsal liegt mir näher am Herzen als Kämpfe.
Denn ich habe schon vieles erduldet, schon vieles erlitten; 155
Und nun sitz ich hier in eurer Heldenversammlung,
Heimverlangend, und flehe dem König und allen Phaiaken.

Und Euryalos gab ihm diese schmähende Antwort:
Nein, wahrhaftig, o Fremdling, du scheinst mir kein Mann, der auf [Kämpfe
Sich versteht, so viele bei edlen Männern bekannt sind, 160
Sondern so einer, der stets vielrudrichte Schiffe befähret,
Etwa ein Führer des Schiffs, das wegen der Handlung umherkreuzt,
Wo du die Ladung besorgst und jegliche Ware verzeichnest
Und den erscharrten Gewinst! Ein Kämpfer scheinst du mitnichten!

Zürnend schaute auf ihn und sprach der weise Odysseus: 165
Fremdling, du redest nicht fein; du scheinst mir ein trotziger Jüngling.
Wisse, Gott verleiht nicht alle vereinigte Anmut
Allen sterblichen Menschen, Gestalt und Weisheit und Rede.
Denn wie mancher erscheint in unansehnlicher Bildung,
Aber es krönet Gott die Worte mit Schönheit, und alle 170
Schaun mit Entzücken auf ihn; er redet sicher und treffend,
Mit anmutiger Scheu; ihn ehrt die ganze Versammlung;
Und durchgeht er die Stadt, wie ein Himmlischer wird er betrachtet.
Mancher andere scheint den Unsterblichen ähnlich an Bildung,
Aber seinen Worten gebricht die krönende Anmut. 175
Also prangst auch du mit reizender Bildung; nicht schöner
Bildete selber ein Gott: doch dein Verstand ist nur eitel.
Siehe, du hast mir das Herz in meinem Busen empöret,

Weil du nicht billig sprachst! Ich bin kein Neuling im Wettkampf,
Wie du eben geschwatzt; ich rühmte mich einen der ersten, 180
Als ich der Jugend noch und meinen Armen vertraute.
Jetzt umringt mich Kummer und Not; denn vieles erduldet [Meeres.
Hab ich in Schlachten des Kriegs und den schrecklichen Wogen des
Aber auch jetzt, so entkräftet ich bin, versuch ich den Wettstreit!
Denn an der Seele nagt mir die Red, und du hast mich gefordert! 185
Sprach's, und mitsamt dem Mantel erhub er sich, faßte die Scheibe,
Welche größer und dicker und noch viel schwerer an Wucht war,
Als womit die Phaiaken sich untereinander ergötzten.
Diese schwang er im Wirbel und warf mit der nervichten Rechten,
Und hinsauste der Stein. Da bückten sich eilig zur Erden 190
Alle Phaiaken, die Führer der langberuderten Schiffe,
Unter dem stürmenden Stein. Weit über die Zeichen der andern
Flog er, geschnellt von der Faust. Und Athene setzte das Merkmal,
Eines Mannes Gestalt nachahmend, und sprach zu Odysseus:
Selbst ein blinder Mann mit tappenden Händen, o Fremdling, 195
Fände dein Zeichen heraus; denn nicht vermischt mit der Menge,
Weit vor den übrigen ist es! In diesem Kampfe sei sicher!
Kein Phaiake wird dich erreichen oder besiegen.
Also rief ihm die Göttin. Der herrliche Dulder Odysseus
Freute sich, einen gewogenen Mann im Volke zu sehen, 200
Und mit leichterem Herzen begann er zu den Phaiaken:
Schleudert jetzo mir nach, ihr Jünglinge! Bald soll die andre,
Hoff ich, ebenso weit, vielleicht noch weiter entfliegen!
Jeden anderen Kampf, wem Herz und Mut ihn gebietet,
Komm und versuch ihn mit mir, denn ihr habt mich höchlich beleidigt!
Auf die Faust, im Ringen, im Lauf, ich weigre mich keines!
Jeder phaiakische Mann, nur nicht Laodamas, komme!
Denn er ist mein Wirt! Wer kämpfte mit seinem Beschützer?
Wahrlich, vernunftlos ist und keines Wertes der Fremdling,
Welcher in fernem Lande den Freund, der ihn speiset und herbergt,
Zum Wettkampfe beruft; er opfert sein eigenes Wohl hin.
Sonst werd ich keinen von euch ausschlagen oder verachten,
Sondern jeden erkennen und seine Stärke versuchen.
So gar schlecht bin ich, traun! in keinem Kampfe der Männer!
Wohl versteh ich die Kunst, den geglätteten Bogen zu spannen; 215

Ja, ich träfe zuerst im Haufen feindlicher Männer
Meinen Mann mit dem Pfeil, und stünden auch viele Genossen
Neben mir und zielten mit straffem Geschoß auf die Feinde.
Philoktetes allein übertraf mich an Kunde des Bogens,
Als vor Ilions Stadt wir Achaier im Schnellen uns übten. 220
Doch vor den übrigen Schützen behaupt ich selber den Vorrang,
So viel Sterbliche jetzo die Frucht des Halmes genießen.
Denn mit der Vorzeit Helden verlang ich keine Vergleichung,
Weder mit Eurytos, dem Öchalier, noch mit Herakles,
Die den Unsterblichen sich an Bogenkunde verglichen. 225
Drum starb Eurytos auch so plötzlich, ehe das Alter
Ihn im Hause beschlich; denn zürnend erschoß ihn Apollon,
Weil er ihn selbst, der Vermeßne, zum Bogenstreite gefordert.
Und mit dem Wurfspieß treff ich so weit als kein andrer mit Pfeilen.
Bloß an Schnelle der Füße besorg ich, daß der Phaiaken 230
Einer vielleicht mich besiege. So über die Maßen entkräftet
Hat mich das stürmende Meer! Denn ich saß nicht eben mit Zehrung
Reichlich versorgt im Schiff; drum schwand die Stärke den Gliedern.
Also sprach er, und alle verstummten umher und schwiegen.
Endlich hub Alkinoos an und sprach zu Odysseus: 235
Fremdling, wir sagen dir Dank, daß du uns solches verkündest
Und die glänzende Tugend uns aufhüllst, die dich begleitet,
Zürnend, weil dieser Mann dich vor den Kämpfern geschmäht hat.
Künftig soll deine Tugend gewiß kein Sterblicher tadeln,
Welcher Verstand besitzt, anständige Worte zu reden! 240
Aber höre nun auch mein Wort, damit du es andern
Helden erzählen kannst, wann du in deinem Palaste
Sitzest bei deinem Weib und deinen Kindern am Mahle
Und dich unserer Tugend und unserer Taten erinnerst,
Welche beständig Zeus von der Väter Zeiten uns anschuf. 245
Denn wir suchen kein Lob im Faustkampf oder im Ringen;
Aber die hurtigsten Läufer sind wir und die trefflichsten Schiffer,
Lieben nur immer den Schmaus, den Reigentanz und die Laute,
Oft veränderten Schmuck und warme Bäder und Ruhe.
Auf denn und spielt vor uns, ihr besten phaiakischen Tänzer, 250
Daß der Fremdling davon bei seinen Freunden erzähle,
Wann er zu Hause kommt, wie wir vor allen geübt sind

In der Lenkung des Schiffes, im Lauf, im Tanz und Gesange.
Einer gehe geschwind und hole die klingende Harfe
Für Demodokos her, die in unserem Hause wo lieget. 255
 Also sagte der Held Alkinoos. Aber der Herold
Eilte zur Königsburg, die klingende Harfe zu holen.
 Jetzo erhuben sich auch die neun Kampfrichter vom Sitze,
Welche das Volk bestellt, die edlen Spiele zu ordnen,
Maßen und ebneten schnell die schöne Fläche des Reigens. 260
 Aber der Herold kam und brachte die klingende Harfe
Für Demodokos her. Er trat in die Mitte, und um ihn
Standen die blühenden Jüngling', erfahren im bildenden Tanze;
Und mit gemessenen Tritten entschwebten sie. Aber Odysseus
Sah voll stiller Bewundrung die fliegende Eile der Füße. 265
 Lieblich rauschte die Harfe; dann hub der schöne Gesang an.
Ares' Liebe besang und Aphroditens der Meister,
Wie sich beide zuerst in Hephaistos' prächtiger Wohnung
Heimlich vermischt. Viel schenkte der Gott und entehrte des hohen
Feuerbeherrschers Lager. Doch plötzlich bracht ihm die Botschaft
Helios, der sie gesehn in ihrer geheimen Umarmung.
Aber sobald Hephaistos die kränkende Rede vernommen,
Eilet' er schnell in die Esse, mit rachevollen Entwürfen,
Stellt' auf den Block den gewaltigen Amboß und schmiedete starke,
Unauflösliche Ketten, um fest und auf ewig zu binden. 275
Und nachdem er das trügliche Werk im Zorne vollendet,
Ging er in das Gemach, wo sein Hochzeitbette geschmückt war,
Und verbreitete rings um die Pfosten kreisende Bande;
Viele spannt' er auch oben herab vom Gebälke der Kammer,
Zart wie Spinnengewebe, die keiner zu sehen vermöchte 280
Selbst von den seligen Göttern, so wunderfein war die Arbeit!
Und nachdem er den ganzen Betrug um das Lager verbreitet,
Ging er gleichsam zur Stadt der schöngebaueten Lemnos,
Die er am meisten liebt' von allen Ländern der Erde.
Ares schlummerte nicht, der Gott mit goldenen Zügeln, 285
Als er verreisen sahe den kunstberühmten Hephaistos.
Eilend ging er zum Hause des klugen Feuerbeherrschers,
Hingerissen von Liebe zu seiner schönen Gemahlin.
Aphrodite war eben vom mächtigen Vater Kronion

Heimgekehrt und saß. Er aber ging in die Wohnung, 290
Faßte der Göttin Hand und sprach mit freundlicher Stimme:
Komm, Geliebte, zu Bette, der süßen Ruhe zu pflegen!
Denn Hephaistos ist nicht daheim; er wandert vermutlich
Zu den Sintiern jetzt, den rauhen Barbaren in Lemnos.
Also sprach er, und ihr war sehr willkommen die Ruhe. 295
Und sie bestiegen das Lager und schlummerten. Plötzlich umschlangen
Sie die künstlichen Bande des klugen Erfinders Hephaistos,
Und sie vermochten kein Glied zu bewegen oder zu heben.
Aber sie merkten es erst, da ihnen die Flucht schon gehemmt war.
Jetzo nahte sich ihnen der hinkende Feuerbeherrscher. 300
Dieser kehrte zurück, bevor er Lemnos erreichte;
Denn der lauschende Gott der Sonne sagt' ihm die Tat an.
Eilend ging er zu Hause mit tief bekümmerter Seele,
Stand in dem Vorsaal still, und der rasende Eifer ergriff ihn.
Fürchterlich ruft' er aus, und alle Götter vernahmen's: 305
Vater Zeus und ihr andern unsterblichen seligen Götter,
Kommt und schaut den abscheulichen unausstehlichen Frevel,
Wie mich lahmen Mann die Tochter Zeus', Aphrodite,
Jetzo auf immer beschimpft und Ares den Bösewicht herzet;
Darum, weil jener schön ist und grade von Beinen, ich aber 310
Solche Krüppelgestalt! Doch keiner ist schuld an der Lähmung
Als die Eltern allein! O hätten sie nimmer gezeuget!
Aber seht doch, wie beid in meinem eigenen Bette
Ruhn und der Wollust pflegen! Das Herz zerspringt mir beim Anblick!
Künftig möchten sie zwar auch nicht ein Weilchen so liegen! 315
Wie verbuhlt sie auch sind, sie werden nicht wieder verlangen,
So zu ruhn! Allein ich halte sie fest in der Schlinge,
Bis der Vater zuvor mir alle Geschenke zurückgibt,
Die ich als Bräutigam gab für sein schamloses Gezüchte!
Seine Tochter ist schön, allein unbändigen Herzens! 320
Also sprach er. Da eilten zum ehernen Hause die Götter:
Poseidaon kam, der Erdumgürter; und Hermes
Kam, der Bringer des Heils; es kam der Schütze Apollon.
Aber die Göttinnen blieben vor Scham in ihren Gemächern.
Jetzo standen die Götter, die Geber des Guten, im Vorsaal, 325
Und ein langes Gelächter erscholl bei den seligen Göttern,

Als sie die Künste sahn des klugen Erfinders Hephaistos.
Und man wendete sich zu seinem Nachbar und sagte:
Böses gedeihet doch nicht; der Langsame haschet den Schnellen!
Also ertappt Hephaistos, der Langsame, jetzo den Ares, 330
Welcher am hurtigsten ist von den Göttern des hohen Olympos,
Er, der Lahme, durch Kunst. Nun büßt ihm der Ehebrecher!
Also besprachen sich die Himmlischen untereinander.
Aber zu Hermes sprach Zeus' Sohn, der Herrscher Apollon:
Hermes, Zeus' Gesandter und Sohn, du Geber des Guten, 335
Hättest du auch wohl Lust, von so starken Banden gefesselt,
In dem Bette zu ruhn bei der goldenen Aphrodite?
Ihm erwiderte darauf der geschäftige Argosbesieger:
O geschähe doch das, ferntreffender Herrscher Apollon!
Fesselten mich auch dreimal so viel unendliche Bande, 340
Und ihr Götter sähet es an und die Göttinnen alle,
Siehe, so schlief' ich doch bei der goldenen Aphrodite!
Also sprach er; da lachten laut die unsterblichen Götter.
Nur Poseidon lachte nicht mit; er wandte sich bittend
Zum kunstreichen Hephaistos, den Kriegsgott wieder zu lösen. 345
Und er redet' ihn an und sprach die geflügelten Worte:
Lös ihn! Ich stehe dafür: er soll, wie du es verlangest,
Vor den unsterblichen Göttern dir alles bezahlen, was recht ist.
Drauf antwortete jenem der hinkende Feuerbeherrscher:
Fordere solches nicht, du Erdumgürter Poseidon! 350
Elende Sicherheit gibt von Elenden selber die Bürgschaft.
Sage, wie könnt ich dich vor den ewigen Göttern verbinden,
Flöhe nun Ares fort, der Schuld und den Banden entrinnend?
Ihm erwiderte drauf der Erderschüttrer Poseidon:
Nun, Hephaistos, wofern denn auch Ares fliehend hinwegeilt, 355
Um der Schuld zu entgehn, ich selbst will dir dieses bezahlen!
Drauf antwortete jenem der hinkende Feuerbeherrscher:
Unrecht wär es und grob, dir deine Bitte zu weigern.
Also sprach er und löste das Band, der starke Hephaistos.
Und kaum fühlten sich beide der mächtigen Fessel entledigt, 360
Sprangen sie hurtig empor. Der Kriegsgott eilte gen Thrake.
Aber nach Kypros ging Aphrodite, die Freundin des Lächelns,
In den paphischen Hain, zum weihrauchduftenden Altar.

Allda badeten sie die Charitinnen und salbten
Sie mit ambrosischem Öle, das ewige Götter verherrlicht; 365
Schmückten sie dann mit schönen und wundervollen Gewanden.

Also sang der berühmte Demodokos. Aber Odysseus
Freute sich des Gesangs von Herzen; es freuten sich mit ihm
Alle Phaiaken, die Führer der langberuderten Schiffe.

Und Alkinoos hieß den mutigen Halios einzeln 370
Mit Laodamas tanzen, weil keiner mit ihnen sich wagte.
Diese nahmen sogleich den schönen Ball in die Hände,
Welchen Polybos künstlich aus purpurner Wolle gewirket.
Einer schleuderte diesen empor zu den schattigen Wolken,
Rückwärts gebeugt; dann sprang der andere hoch von der Erde
Auf und fing ihn behend, eh sein Fuß den Boden berührte.
Und nachdem sie den Ball gradauf zu schleudern versuchet,
Tanzten sie schwebend dahin auf der allernährenden Erde,
Mit oft wechselnder Stellung; die anderen Jünglinge klappten
Rings im Kreise dazu; es stieg ein lautes Getös auf. 380
Und zu Alkinoos sprach der göttergleiche Odysseus:

Weitgepriesener Held Alkinoos, mächtigster König!
Siehe, du rühmtest dich der trefflichsten Tänzer auf Erden,
Und du behauptest den Ruhm! Mit Staunen erfüllt mich der Anblick.

Aber die heilige Macht Alkinoos' freute sich innig, 385
Und er redete schnell zu den ruderliebenden Männern:

Merket auf, der Phaiaken erhabene Fürsten und Pfleger!
Dieser Fremdling scheint mir ein Mann von großem Verstande.
Laßt uns ihm ein Geschenk, wie das Gastrecht fordert, verehren.
Denn in unserm Volke sind zwölf ehrwürdige Fürsten, 390
Welche Gerechtigkeit üben, und mir gehorchen die zwölfe.
Jeder von diesen hole nun einen Mantel und Leibrock,
Sauber und fein, samt einem Talente des köstlichen Goldes.
Dieses wollen wir alle zugleich dem Fremdlinge bringen,
Daß er fröhlichen Mutes zum Abendschmause sich setze. 395
Aber Euryalos soll mit Worten und mit Geschenken
Ihn versöhnen; denn nicht anständig hat er geredet.

Also sprach der König, und alle riefen ihm Beifall.
Schnell die Geschenke zu holen, entsandte jeder den Herold.
Aber Euryalos gab dem Könige dieses zur Antwort: 400

Weitgepriesener Held Alkinoos, mächtigster König!
Gerne will ich den Gast versöhnen, wie du befiehlest,
Und dies Schwert ihm verehren. Die Kling ist von Erze geschmiedet
Und von Silber das Heft, die elfenbeinerne Scheide
Neu vom Künstler geglättet. Es wird nicht wenig ihm wert sein. 405
Also sprach er und reicht' ihm das Schwert mit silbernen Buckeln;
Und er redet' ihn an und sprach die geflügelten Worte:
Freue dich, Vater und Gast! Und fiel ein kränkendes Wort hier
Unter uns vor, so mögen es schnell die Stürme verwehen!
Dir verleihn die Götter, die Heimat und deine Gemahlin 410
Wieder zu sehn, nachdem du so lang in Trübsal umherirrst!
Ihm antwortete drauf der erfindungsreiche Odysseus:
Auch du freue dich, Lieber; dich segnen die Götter mit Heile!
Und du müssest hinfort des Schwertes nimmer bedürfen,
Welches du mir anjetzt mit versöhnenden Worten gereicht hast! 415
Sprach's und hängt' um die Schulter das Schwert mit silbernen
Und die Sonne sank, da kamen die schönen Geschenke. [Buckeln.
Edle Herolde trugen sie schnell zu Alkinoos' Wohnung.
Hier empfingen und legten Alkinoos' treffliche Söhne
Bei der Mutter sie hin, die köstlichen Ehrengeschenke. 420
Aber die heilige Macht Alkinoos' führte die andern;
Und sie kamen und setzten auf hohen Thronen sich nieder.
Und die heilige Macht Alkinoos' sprach zu Arete:
Komm, Geliebte, und bring die beste der zierlichen Laden,
Lege darein den schöngewaschenen Mantel und Leibrock. 425
Dann setzt Wasser zum Sieden im ehernen Kessel aufs Feuer,
Daß er, wenn er zuvor sich gebadet und nebeneinander
Alle Geschenke gesehn der tadellosen Phaiaken,
Froher genieße des Mahls und froher horche dem Liede.
Dieses schöne Gefäß von Golde will ich ihm schenken, 430
Daß er in seinem Palaste für Zeus und die übrigen Götter
Opfer gieße und sich beständig meiner erinnre.
Also sprach er; und schnell gebot Arete den Mägden,
Eilend ein groß dreifüßig Geschirr aufs Feuer zu setzen.
Und sie setzten das Badegeschirr auf das lodernde Feuer, 435
Gossen Wasser hinein und legten Holz an die Flamme;
Rings umschlug sie den Bauch des Geschirrs, und es kochte das Wasser.

Aber die Königin brachte dem Fremdling die zierliche Lade
Aus der Kammer hervor und legte die schönen Geschenke,
Gold und Kleider, hinein, was ihm die Phaiaken gegeben, 440
Legte darauf den Mantel hinein und den prächtigen Leibrock.
Und sie redet' ihn an und sprach die geflügelten Worte:
Siehe nun selbst den Deckel und schürze behende den Knoten,
Daß dich keiner beraub auf der Heimfahrt, während du etwa
In dem schwärzlichen Schiffe des süßen Schlummers genießest. 445
Als er dieses vernommen, der herrliche Dulder Odysseus,
Fügt' er den Deckel auf und schürzte behende den Knoten,
Dessen geheime Kunst ihn die mächtige Kirke gelehret.
Und die Schaffnerin kam und bat ihn, eilig zum Baden
In die Wanne zu steigen. Ein herzerfreuender Anblick 450
War ihm das warme Bad; denn keiner Pflege genoß er,
Seit er die Wohnung verließ der schöngelockten Kalypso;
Dort ward seiner beständig wie eines Gottes gepfleget.
Als ihn die Mägde jetzo gebadet, mit Öle gesalbet
Und ihm die Kleider umhüllt, den Mantel und prächtigen Leibrock,
Stieg er hervor aus dem Bad und ging zu den trinkenden Männern.
Aber Nausikaa stand, geschmückt mit göttlicher Schönheit,
An der hohen Pforte des schöngewölbeten Saales
Und betrachtete wundernd den göttergleichen Odysseus;
Und sie redet' ihn an und sprach die geflügelten Worte: 460
Lebe wohl, o Fremdling, und bleib in der Heimat auch meiner
Eingedenk, da du mir zuerst dein Leben verdanktest.
Ihr antwortete drauf der erfindungsreiche Odysseus:
O Nausikaa, Tochter des edlen Phaiakenbeherrschers,
Lasse mich jetzo nur Zeus, der donnernde Gatte der Here, 465
Glücklich zur Heimat kehren und schaun den Tag der Zurückkunft!
Täglich werd ich auch dort, wie einer Göttin, voll Ehrfurcht
Dir danksagen; du hast mein Leben gerettet, o Jungfrau!
Also sprach er und setzte sich hin zur Seite des Königs.
Jene teileten schon das Fleisch und mischten des Weines. 470
Aber der Herold kam und führte den lieblichen Sänger,
Welchen die Völker verehrten, Demodokos, näher, und setzte
Ihn in die Mitte des Saals, an die hohe Säule gelehnet.

Und dem Herolde rief der erfindungsreiche Odysseus
Und zerteilte den Rücken, sein großes ehrendes Anteil 475
Vom weißzahnigen Schweine, mit frischem Fette bewachsen:
Herold, reiche dies Fleisch Demodokos hin, daß er esse.
Gerne möcht ich ihm Liebes erweisen, wie sehr ich auch traure.
Alle sterblichen Menschen der Erde nehmen die Sänger
Billig mit Achtung auf und Ehrfurcht; selber die Muse 480
Lehrt sie den hohen Gesang und waltet über die Sänger.
Also sprach Odysseus. Der Herold reicht' es dem edlen
Helden Demodokos hin; er nahm's und freute sich herzlich.
Und sie erhoben die Hände zum leckerbereiteten Mahle.
Jetzo war die Begierde des Tranks und der Speise gestillet, 485
Und zu Demodokos sprach der erfindungsreiche Odysseus:
Wahrlich, vor allen Menschen, Demodokos, achtet mein Herz dich!
Dich hat die Muse gelehrt, Zeus' Tochter oder Apollon!
So zum Erstaunen genau besingst du das Schicksal der Griechen,
Alles was sie getan und erduldet im mühsamen Kriegszug, 490
Gleich als hättest du selbst es gesehen oder gehöret.
Fahre nun fort und singe des hölzernen Rosses Erfindung,
Welches Epeios baute mit Hilfe der Pallas Athene
Und zum Betrug in die Burg einführte der edle Odysseus,
Mit bewaffneten Männern gefüllt, die Troja bezwangen. 495
Wenn du mir dieses auch mit solcher Ordnung erzählest,
Siehe, dann will ich sofort es allen Menschen verkünden,
Daß ein waltender Gott den hohen Gesang dir verliehn hat.
Sprach's, und eilend begann der gottbegeisterte Sänger,
Wie das Heer der Achaier in schöngebordeten Schiffen 500
Von dem Gestade fuhr, nach angezündetem Lager.
Aber die andern, geführt vom hochberühmten Odysseus,
Saßen, von Troern umringt, im Bauche des hölzernen Rosses,
Welches die Troer selbst in die Burg von Ilion zogen.
Allda stand nun das Roß, und ringsum saßen die Feinde, 505
Hin und her ratschlagend. Sie waren dreifacher Meinung:
Diese, das hohle Gebäude mit grausamem Erze zu spalten;
Jene, es hoch auf den Felsen zu ziehn und herunter zu schmettern;
Andre, es einzuweihn zum Sühnungsopfer der Götter.

Und der letzteren Rat war bestimmt, erfüllet zu werden. 510
Denn das Schicksal beschloß Verderben, wann Troja das große
Hölzerne Roß aufnähme, worin die tapfersten Griechen
Alle saßen und Tod und Verderben gen Ilion brachten.
Und er sang, wie die Stadt von Achaias Söhnen verheert ward,
Welche dem hohlen Bauche des trüglichen Rosses entstürzten; 515
Sang, wie sie hier und dort die stolze Feste bestürmten,
Und wie Odysseus schnell zu des edlen Deiphobos Wohnung
Eilte, dem Kriegsgott gleich, samt Atreus' Sohn Menelaos,
Und wie er dort voll Mutes dem schrecklichsten Kampfe sich darbot,
Aber zuletzt obsiegte, durch Hilfe der hohen Athene. 520
  Dieses sang der berühmte Demodokos. Aber Odysseus
Schmolz in Wehmut, Tränen benetzten ihm Wimpern und Wangen.
Also weinet ein Weib und stürzt auf den lieben Gemahl hin,
Der vor seiner Stadt und vor seinem Volke dahinsank,
Streitend, den grausamen Tag von der Stadt und den Kindern zu fernen;
Jene sieht ihn jetzt mit dem Tode ringend und zuckend,
Schlingt sich um ihn und heult laut auf; die Feinde von hinten
Schlagen wild mit der Lanze den Rücken ihr und die Schultern,
Binden und schleppen als Sklavin sie fort zu Jammer und Arbeit,
Und im erbärmlichsten Elend verblühn ihr die reizenden Wangen:
So zum Erbarmen entstürzt' Odysseus' Augen die Träne.
Allen übrigen Gästen verbarg er die stürzende Träne;
Nur Alkinoos sah aufmerksam die Trauer des Fremdlings,
Welcher neben ihm saß, und hörte die tiefen Seufzer.
Und der König begann zu den ruderliebenden Männern: 535
  Merket auf, der Phaiaken erhabene Fürsten und Pfleger,
Und Demodokos halte nun ein mit der klingenden Harfe;
Denn nicht alle horchen mit Wohlgefallen dem Liede.
Seit wir sitzen am Mahl und der göttliche Sänger uns vorsingt,
Hat er nimmer geruht von seinem trauernden Grame, 540
Unser Gast; ihm drückt wohl ein schwerer Kummer die Seele.
Jener halte denn ein! Wir wollen alle vergnügt sein,
Gast und Wirte zugleich; denn solches fordert der Wohlstand.
Für den edlen Fremdling ist diese Feier, des Schiffes
Rüstung und die Geschenke, die wir aus Freundschaft ihm geben.

Lieb wie ein Bruder ist ein hilfeflehender Fremdling
Jedem Manne, des Herz auch nur ein wenig empfindet!
Drum verhehle mir nicht durch schlauersonnene Worte,
Was ich jetzo dich frage. Auch dieses fordert der Wohlstand.
Sage, mit welchem Namen benennen dich Vater und Mutter, 550
Und die Bürger der Stadt, und welche rings dich umwohnen?
Denn ganz namenlos bleibt doch unter den Sterblichen niemand,
Vornehm oder gering, wer einmal von Menschen gezeugt ward,
Sondern man nennet jeden, sobald ihn die Mutter geboren.
Sage mir auch dein Land, dein Volk und deine Geburtsstadt, 555
Daß, dorthin die Gedanken gelenkt, die Schiffe dich bringen.
Denn der Phaiaken Schiffe bedürfen keiner Piloten,
Nicht des Steuers einmal, wie die Schiffe der übrigen Völker,
Sondern sie wissen von selbst der Männer Gedanken und Willen,
Wissen nah und ferne die Städt' und fruchtbaren Länder 560
Jeglichen Volks und durchlaufen geschwinde die Fluten des Meeres,
Eingehüllt in Nebel und Nacht. Auch darf man nicht fürchten,
Daß das stürmende Meer sie beschädige oder verschlinge.
Nur erzählete mir mein Vater Nausithoos ehmals,
Daß uns Poseidaon der Erderschütterer zürne, 565
Weil wir ohne Gefahr jedweden zu Schiffe geleiten;
Dieser würde dereinst ein rüstiges Schiff der Phaiaken,
Das vom Geleiten kehrte, im dunkelwogenden Meere
Plötzlich verderben und rings um die Stadt ein hohes Gebirg ziehn.
So weissagte der Greis; der Gott vollende nun solches 570
Oder vollend es nicht, wie es seinem Herzen gelüstet!
Aber verkündige mir und sage die lautere Wahrheit:
Welche Länder bist du auf deinem Irren durchwandert,
Und wie fandest du dort die Völker und prächtigen Städte?
Welche schwärmten noch wild als sittenlose Barbaren? 575
Welche dienten den Göttern und liebten das heilige Gastrecht?
Sage mir auch, was weinst du und warum traurst du so herzlich,
Wenn du von der Achaier und Ilions Schicksale hörest?
Dieses beschloß der Unsterblichen Rat und bestimmte der Menschen
Untergang, daß er würd ein Gesang der Enkelgeschlechter. 580
Sank vielleicht auch dir in Ilions blutigen Schlachten

Irgendein edler Verwandter, ein Eidam oder ein Schwäher,
Welche die Nächsten uns sind nach unserem Blut und Geschlechte?
Oder etwa ein tapferer Freund von gefälligem Herzen?
Denn fürwahr, nicht geringer als selbst ein leiblicher Bruder 585
Ist ein treuer Freund, verständig und edler Gesinnung.

IX. GESANG

Odysseus erzählt seine Irrfahrt von Troja. Siegende Kikonen. Bei Maleia Nordsturm, der ihn ins Unbekannte zu den Lotophagen verschlägt. Dorther zu den einäugigen Kyklopen verirrt, besucht er Poseidons Sohn Polyphemos, der sechs seiner Genossen frißt, dann, im Schlafe geblendet, den Fliehenden Felsstücke nachschleudert.

Ihm antwortete drauf der erfindungsreiche Odysseus:
Weitgepriesener Held Alkinoos, mächtigster König,
Wahrlich es füllt mit Wonne das Herz, dem Gesange zu horchen,
Wenn ein Sänger wie dieser die Töne der Himmlischen nachahmt.
Denn ich kenne gewiß kein angenehmeres Leben, 5
Als wenn ein ganzes Volk ein Fest der Freude begehet
Und in den Häusern umher die gereiheten Gäste des Sängers
Melodieen horchen und alle Tische bedeckt sind
Mit Gebacknem und Fleisch, und der Schenke den Wein aus dem Kelche
Fleißig schöpft und ringsum die vollen Becher verteilet. 10
Siehe, das nennet mein Herz die höchste Wonne des Lebens!
Jetzo gefällt es dir, nach meinen kläglichen Leiden
Mich zu fragen, damit ich noch mehr mein Elend beseufze.
Aber was soll ich zuerst, was soll ich zuletzt dir erzählen?
Denn viel Elend häuften auf mich die himmlischen Götter! 15
Sagen will ich zuerst, wie ich heiße, damit ihr mich kennet,
Und ich hinfort, solange der grausame Tag mich verschonet,
Euer Gastfreund sei, so fern ich von hinnen auch wohne.
Ich bin Odysseus, Laertes' Sohn, durch mancherlei Klugheit
Unter den Menschen bekannt, und mein Ruhm erreichet den Himmel.
Ithakas sonnige Höhn sind meine Heimat; in dieser
Türmet sich Neritons Haupt mit rauschenden Wipfeln, und ringsum,
Dicht aneinander gesät, sind viele bevölkerte Inseln,
Same, Dulichion und die waldbewachsne Zakynthos.

Ithaka liegt in der See am höchsten hinauf an die Feste, 25
Gegen den Nord; die andern sind östlich und südlich entfernet.
Rauh ist diese, doch nähret sie rüstige Männer, und wahrlich,
Süßer als Vaterland ist nichts auf Erden zu finden!
Siehe, mich hielt bei sich die hehre Göttin Kalypso
In der gewölbeten Grotte und wünschte mich zum Gemahle; 30
Ebenso hielt mich auch die aiaiische Zauberin Kirke
Trüglich in ihrem Palast und wünschte mich zum Gemahle:
Aber keiner gelang es, mein standhaftes Herz zu bewegen.
Denn nichts ist doch süßer als unsere Heimat und Eltern,
Wenn man auch in der Fern ein Haus voll köstlicher Güter, 35
Unter fremden Leuten, getrennt von den Seinen, bewohnet!
Aber wohlan! vernimm itzt meine traurige Heimfahrt,
Die mir der Donnerer Zeus vom troischen Ufer beschieden.
Gleich von Ilion trieb mich der Wind zur Stadt der Kikonen,
Ismaros, hin. Da verheert ich die Stadt und würgte die Männer. 40
Aber die jungen Weiber und Schätze teilten wir alle
Unter uns gleich, daß keiner leer von der Beute mir ausging.
Jetzo warnet ich zwar die Freunde, mit eilendem Fuße
Weiter zu fliehn; allein die Unbesonnenen blieben.
Und nun ward in dem Weine geschwelgt, viel Ziegen und Schafe 45
An dem Ufer geschlachtet und viel schwerwandelndes Hornvieh.
Aber es riefen indes die zerstreuten Kikonen die andern
Nahen Kikonen zu Hilfe, die tapferer waren und stärker,
Aus der Mitte des Landes. Sie waren geübt, von den Wagen,
Und wenn es nötig war, zu Fuß mit dem Feinde zu kämpfen. 50
Zahllos schwärmten sie jetzt, wie die Blätter und Blumen des Frühlings,
Mit dem Morgen daher. Da suchte Gottes Verderben
Uns Unglückliche heim und überhäuft' uns mit Jammer.
Bei den rüstigen Schiffen begann die wütende Feldschlacht,
Und von Treffen zu Treffen entschwirrten die ehernen Lanzen. 55
Weil der heilige Tag noch mit dem Morgen emporstieg,
Wehrten wir uns und trotzten der Übermacht der Kikonen.
Aber da nun die Sonne zur Stunde des Stierabspannens
Sank, da siegte der Feind und zwang die Achaier zum Weichen.
Jedes der Schiffe verlor sechs wohlgeharnischte Männer, 60
Und wir andern entflohn dem schrecklichen Todesverhängnis.

Also steuerten wir mit trauriger Seele von dannen,
Froh der bestandnen Gefahr, doch ohne die lieben Gefährten.
Doch nicht eher enteilten die gleichgeruderten Schiffe,
Ehe wir dreimal jedem der armen Freunde gerufen, 65
Welche der siegende Feind auf dem Schlachtgefilde getötet.
Aber nun sandt auf die Schiffe der Wolkenversammler des Nordwinds
Fürchterlich heulenden Sturm, verhüllt' in dicke Gewölke
Meer und Erde zugleich, und dem düstern Himmel entsank Nacht.
Schnell mit gesunkenen Masten entflogen die Schiff', und mit einmal
Rasselte rauschend der Sturm und zerriß die flatternden Segel.
Eilend zogen wir sie, aus Furcht zu scheitern, herunter
Und arbeiteten uns mit dem Ruder ans nahe Gestade.
Zwo grauenvolle Nächte und zween langwierige Tage
Lagen wir mutlos dort, von Arbeit und Kummer entkräftet. 75
Aber da nun die dritte der Morgenröten emporstieg,
Richteten wir die Masten und spannten die schimmernden Segel,
Setzten uns hin und ließen vom Wind und Steuer uns lenken.
Jetzo hofften wir sicher den Tag der fröhlichen Heimkehr.
Aber als wir die Schiff' um Maleia lenkten, da warf uns 80
Plötzlich die Flut und der Strom und der Nordwind fern von Kythera.
Und neun Tage trieb ich, von wütenden Stürmen geschleudert,
Über das fischdurchwimmelte Meer; am zehnten gelangt' ich
Hin zu den Lotophagen, die blühende Speise genießen.

Allda stiegen wir an das Gestad und schöpften uns Wasser. 85
Eilend nahmen die Freunde das Mahl bei den rüstigen Schiffen,
Und nachdem wir uns alle mit Trank und Speise gesättigt,
Sandt ich einige Männer voran, das Land zu erkunden,
Was für Sterbliche dort die Frucht des Halmes genössen,
Zween erlesene Freund'; ein Herold war ihr Begleiter. 90
Und sie erreichten bald der Lotophagen Versammlung.
Aber die Lotophagen beleidigten nicht im geringsten
Unsere Freunde, sie gaben den Fremdlingen Lotos zu kosten.
Wer nun die Honigsüße der Lotosfrüchte gekostet,
Dieser dachte nicht mehr an Kundschaft oder an Heimkehr, 95
Sondern sie wollten stets in der Lotophagen Gesellschaft
Bleiben und Lotos pflücken und ihrer Heimat entsagen.
Aber ich zog mit Gewalt die Weinenden wieder ans Ufer,

Warf sie unter die Bänke der Schiff' und band sie mit Seilen.
Drauf befahl ich und trieb die übrigen lieben Gefährten, 100
Eilend von dannen zu fliehn und sich in die Schiffe zu retten,
Daß man nicht, vom Lotos gereizt, die Heimat vergäße.
Und sie traten ins Schiff und setzten sich hin auf die Bänke,
Saßen in Reihn und schlugen die graue Woge mit Rudern.
Also steuerten wir mit trauriger Seele von dannen. 105
Und zum Lande der wilden, gesetzelosen Kyklopen
Kamen wir jetzt, der Riesen, die im Vertraun auf die Götter
Nimmer pflanzen noch sä'n und nimmer die Erde beackern.
Ohne Samen und Pfleg entkeimen alle Gewächse,
Weizen und Gerste dem Boden und edle Reben, die tragen 110
Wein in geschwollenen Trauben, und Gottes Regen ernährt ihn.
Dort ist weder Gesetz noch öffentliche Versammlung,
Sondern sie wohnen all auf den Häuptern hoher Gebirge
In gehöhleten Felsen, und jeder richtet nach Willkür
Seine Kinder und Weiber und kümmert sich nicht um den andern.
Gegenüber der Bucht des Kyklopenlandes erstreckt sich,
Weder nahe noch fern, ein kleines waldichtes Eiland,
Welches unzählige Scharen von wilden Ziegen durchstreifen.
Denn kein menschlicher Fuß durchdringt die verwachsene Wildnis,
Und nie scheuchet sie dort ein spürender Jäger, der mühsam 120
Sich durch den Forst arbeitet und steile Felsen umklettert.
Nirgends weidet ein Hirt und nirgends ackert ein Pflüger;
Unbesäet liegt und unbeackert das Eiland,
Ewig menschenleer, und nähret nur meckernde Ziegen.
Denn es gebricht den Kyklopen an rotgeschnäbelten Schiffen, 125
Auch ist unter dem Schwarm kein Meister, kundig des Schiffbaus,
Schöngebordete Schiffe zu zimmern, daß sie mit Botschaft
Zu den Völkern der Welt hinwandelten (wie sich so häufig
Menschen über das Meer in Schiffen einander besuchen),
Welche die Wildnis bald zu blühenden Auen sich schüfen. 130
Denn nicht karg ist das Land und schmückte jegliche Jahrszeit.
Längs des grauen Meeres Gestade winden sich Wiesen,
Reich an Quellen und Klee. Dort rankten die edelsten Reben,
Undleicht pflügte der Pflug, und dicke Saatengefilde
Reiften jährlich der Ernte; denn fett ist unten der Boden. 135

Und der Hafen so sicher! Kein Schiff bedarf da der Fessel,
Weder geworfener Anker noch angebundener Seile,
Sondern es läuft auf den Sand und ruhet, bis es dem Schiffer
Weiter zu fahren beliebt und günstige Winde sich heben.
Oben am Ende der Bucht entrieselt der felsichten Grotte 140
Silberblinkend ein Quell, von Pappelweiden umschattet.
Allda landeten wir. Ein Gott war unser Geleiter
Durch die finstere Nacht; wir sahn nicht, wohin wir uns wandten.
Dickes Dunkel umdrängte die Schiff', es leuchtet' am Himmel
Weder Mond noch Stern, in schwarze Wolken gehüllet. 145
Niemand erblickte daher mit seinen Augen die Insel,
Selbst die langen Wogen, die hin ans Ufer sich wälzten,
Sahen wir nicht, bevor die starken Schiffe gelandet.
Und nachdem wir gelandet, da zogen wir nieder die Segel,
Stiegen dann aus den Schiffen ans krumme Gestade des Meeres, 150
Schlummerten dort ein wenig und harrten der heiligen Frühe.
Als die dämmernde Frühe mit Rosenfingern erwachte,
Wanderten wir umher und besahen wundernd das Eiland.
Und es trieben die Nymphen, Kronions liebliche Töchter,
Kletternde Ziegen uns hin, zum Schmause meiner Gefährten. 155
Eilend holten wir Bogen und langgeschaftete Spieße
Aus den Schiffen hervor, und in drei Geschwader geordnet,
Schossen wir frisch; und Gott erfreut' uns mit reichlichem Wildbret.
Zwölf war die Zahl der Schiffe, die mir gehorchten; und jedem
Teilte das Los neun Ziegen, und zehn erlas ich mir selber. 160
Also saßen wir dort den Tag, bis die Sonne sich neigte,
An der Fülle des Fleisches und süßen Weines uns labend.
Denn noch war in den Schiffen der rote Wein nicht versieget,
Sondern wir hatten genug; denn reichlich schöpften wir alle
In die Eimer, da wir die Stadt der Kikonen beraubten. 165
Und wir sahen den Rauch des Kyklopenlandes und hörten
Ihre murmelnde Stimm und die Stimme der Ziegen und Schafe.
Als die Sonne nun sank und Dunkel die Erde bedeckte,
Legten wir uns zum Schlummer am Strande des rauschenden Meeres.
Als die dämmernde Frühe mit Rosenfingern erwachte, 170
Rief ich alle Gefährten zur Ratsversammlung und sagte:
Bleibt, ihr übrigen, jetzt, ihr meine lieben Gefährten.

Ich und meine Genossen wir wollen im Schiffe hinüber
Fahren und Kundschaft holen, was dort für Sterbliche wohnen,
Ob unmenschliche Räuber und sittenlose Barbaren 175
Oder Diener der Götter und Freunde des heiligen Gastrechts.
Also sprach ich und trat ins Schiff und befahl den Gefährten,
Einzusteigen und schnell die Seile vom Ufer zu lösen.
Und sie traten ins Schiff und setzten sich hin auf die Bänke,
Saßen in Reihn und schlugen die graue Woge mit Rudern. 180
Als wir das nahe Gestad erreichten, sahn wir von ferne
Eine Felsenhöhl am Meer in der Spitze des Landes,
Hochgewölbt und umschattet mit Lorbeerbäumen. Hier pflegten
Viele Ziegen und chhafe des Nachts zu ruhen; und ringsum
War ein hohes Gehege von Felsenstücken gebauet, 185
Von erhabenen Fichten und himmelanwehenden Eichen.
Allda wohnt' auch ein Mann von Riesengröße, der einsam
Stets auf entlegene Weiden sie trieb und nimmer mit andern
Umging, sondern für sich auf arge Tücke bedacht war.
Gräßlich gestaltet war das Ungeheuer, wie keiner, 190
Welchen der Halm ernährt. Er glich dem waldichten Gipfel
Hoher Kettengebirge, der einsam vor allen emporsteigt.
Eilend befahl ich jetzo den übrigen lieben Gefährten,
An dem Gestade zu bleiben und unser Schiff zu bewahren,
Und ging selber mit zwölf der Tapfersten, die ich mir auskor, 195
Einen ziegenledernen Schlauch auf der Achsel, voll schwarzen
Süßen Weines, den mir einst Maron, der Sohn Euanthes',
Schenkte, der Priester Apollons, der über Ismaros waltet.
Diesen verschoneten wir, und seine Kinder und Gattin,
Ehrfurchtsvoll; denn er wohnete dort in Phöbos Apollons 200
Heiligem Schattenhain. Drum schenkt' er mir köstliche Gaben:
Schenkte mir sieben Talente des schöngebildeten Goldes,
Schenkte mir einen Kelch von lauterem Silber, und endlich
Schöpft' er mir dieses Weines in zwölf gehenkelte Krüge,
Süß und unverfälscht, ein Göttergetränk! Auch wußte 205
Keiner der Knecht' im Hause darum und keine der Mägde;
Nur er selbst und sein Weib und die einzige Schaffnerin wußten's.
Gab er ihn preis, dann füllt' er des süßen funkelnden Weines
Einen Becher und goß ihn in zwanzig Becher voll Wasser.

Und den schäumenden Kelch umhauchten balsamische Düfte, 210
Göttlicher Kraft. Da war es gewiß nicht Freude zu dursten!
Hiermit füllt' ich den großen Schlauch, den Ranzen mit Speise;
Denn mir ahndete schon im Heldengeiste, wir würden
Einen Mann besuchen, mit großer Stärke gerüstet,
Grausam und ungerecht und durch keine Gesetze gebändigt. 215
Eilig wanderten wir zur Höhl und fanden den Riesen
Nicht daheim; er weidete schon auf der Weide die Herden.
Und wir gingen hinein und besahen wundernd die Höhle.
Alle Körbe strotzten von Käse; Lämmer und Zicklein
Drängeten sich in den Ställen, und jede waren besonders 220
Eingesperrt: die Frühling' allein, allein auch die Mittlern,
Und die zarten Spätling' allein. Es schwammen in Molken
Alle Gefäße, die Wannen und Eimer, worinnen er melkte.
Anfangs baten mich zwar die Freunde mit dringenden Worten,
Nur von den Käsen zu nehmen und wegzuschleichen; dann wieder,
Hurtig zu unserm Schiff aus den Ställen die Lämmer und Zicklein
Wegzutreiben und über die salzigen Fluten zu steuern.
Aber ich hörete nicht (ach, besser hätt ich gehöret!),
Um ihn selber zu sehn und seiner Bewirtung zu harren:
Ach, für meine Gefährten ein unerfreulicher Anblick! 230
Und wir zündeten Feuer und opferten, nahmen dann selber
Von den Käsen und aßen und setzten uns voller Erwartung,
Bis er kam mit der Herd. Er trug eine mächtige Ladung
Trockenes Scheiterholz, das er zum Mahle gespaltet.
Und in der Höhle stürzt' er es hin: da krachte der Felsen, 235
Und wir erschraken und flohn in den innersten Winkel der Höhle.
Aber er trieb in die Kluft die fetten Ziegen und Schafe
Alle zur Melke herein; die Widder und bärtigen Böcke
Ließ er draußen zurück, im hochummaurten Gehege.
Hochauf schwenkt' er und setzte das große Spund vor den Eingang,
Fürchterlich groß! Die Gespanne von zweiundzwanzig starken
Und vierrädrigen Wagen, sie schleppten ihn nicht von der Stelle,
Jenen gewaltigen Fels, den das Ungeheuer emporhub.
Jetzo saß er und melkte die Schaf' und meckernden Ziegen
Nach der Ordnung und legte den Müttern die Säugling' ans Euter;
Ließ von der weißen Milch die Hälfte gerinnen und setzte

Sie zum Trocknen hinweg in dichtgeflochtenen Körben;
Und die andere Hälfte verwahrt' er in weiten Gefäßen,
Daß er beim Abendschmause den Durst mit dem Tranke sich löschte.
Und nachdem er seine Geschäft' in Eile verrichtet, 250
Zündet' er Feuer an und sah uns stehen und fragte:
Fremdlinge, sagt, wer seid ihr? Von wannen trägt euch die Woge?
Habt ihr wo ein Gewerb, oder schweift ihr ohne Bestimmung
Hin und her auf der See, wie küstenumirrende Räuber,
Die ihr Leben verachten, um fremden Völkern zu schaden? 255
Also sprach der Kyklop. Uns brach das Herz vor Entsetzen
Über das rauhe Gebrüll und das scheußliche Ungeheuer.
Dennoch ermannt' ich mich und gab ihm dieses zur Antwort:
Griechen sind wir und kommen von Trojas fernem Gestade,
Über das große Meer von mancherlei Stürmen geschleudert, 260
Als wir ins Vaterland hinsteuerten: andere Fahrten,
Andere Bahnen verhängt' uns Kronions waltende Vorsicht!
Siehe, wir preisen uns Völker von Atreus' Sohn Agamemnon,
Welchen der größte Ruhm itzt unter dem Himmel verherrlicht,
Weil er die mächtige Stadt und so viele Völker vertilgt hat! 265
Jetzo fallen wir dir zu Füßen und flehen in Demut:
Reich uns eine geringe Bewirtung oder ein andres
Kleines Geschenk, wie man gewöhnlich den Fremdlingen anbeut!
Scheue doch, Bester, die Götter! Wir Armen flehn dir um Hilfe!
Und ein Rächer ist Zeus den hilfeflehenden Fremden, 270
Zeus der Gastliche, welcher die heiligen Gäste geleitet!
Also sprach ich, und drauf versetzte der grausame Wütrich:
Fremdling, du bist ein Narr oder kommst auch ferne von hinnen!
Mir befiehlst du, die Götter zu fürchten, die Götter zu ehren?
Wir Kyklopen kümmern uns nicht um den König des Himmels, 275
Noch um die seligen Götter; denn wir sind besser als jene!
Nimmer verschon ich euer aus Furcht vor der Rache Kronions,
Dein und deiner Gesellen, wofern es mir selbst nicht gelüstet!
Sage mir an: wo bist du mit deinem Schiffe gelandet?
Irgendwo in der Fern oder nahe? Damit ich es wisse! 280
Also sprach er voll Tück; allein ich kannte dergleichen.
Eilend erwidert' ich ihm die schlauersonnenen Worte:
Ach, mein Schiff hat der Erderschütterer Poseidaon

Mir an den Klippen zerschmettert, indem er ans schroffe Gestade
Eures Landes es warf und der Sturm aus dem Meer es verfolgte! 285
Ich nur und diese Gefährten entflohn dem Schreckenverhängnis!
  Also sprach ich, und nichts versetzte der grausame Wütrich,
Sondern fuhr auf und streckte nach meinen Gefährten die Händ' aus,
Deren er zween anpackt' und wie junge Hund' auf den Boden
Schmetterte; blutig entspritzt' ihr Gehirn und netzte den Boden, 290
Dann zerstückt' er sie Glied für Glied und tischte den Schmaus auf,
Schluckte darein, wie ein Leu des Felsengebirgs, und verschmähte
Weder Eingeweide noch Fleisch noch die markichten Knochen.
Weinend erhuben wir die Hände zum Vater Kronion,
Als wir den Jammer sahn, und starres Entsetzen ergriff uns. 295
Doch kaum hatte der Riese den großen Wanst sich gestopfet
Mit dem Fraße von Menschenfleisch und dem lauteren Milchtrunk,
Siehe, da lag er im Fels weithingestreckt bei dem Viehe.
Jetzo stieg der Gedank in meine zürnende Seele:
Näher zu gehn, das geschliffene Schwert von der Hüfte zu reißen
Und ihm die Brust zu durchgraben, wo Zwerchfell und Leber sich treffen,
Mit nachbohrender Faust; doch ein andrer Gedanke verdrängt' ihn.
Denn so hätt ich uns selbst dem schrecklichen Tode geopfert;
Unsere Hände vermochten ja nicht von der hohen Pforte
Abzuwälzen den mächtigen Fels, den der Riese davorschob. 305
Drum erwarteten wir mit Seufzen die heilige Frühe.
  Als die dämmernde Frühe mit Rosenfingern erwachte,
Zündet' er Feuer an und melkte die Ziegen und Schafe
Nach der Ordnung und legte den Müttern die Säugling' ans Euter.
Und nachdem er seine Geschäft' in Eile verrichtet, 310
Packt' er abermal zween und tischte die Stücke zum Schmaus auf.
Nach dem Frühstück trieb er die feiste Herd aus der Höhle.
Spielend enthob er die Last des großen Spundes und spielend
Setzt' er sie vor, als setzt' er auf seinen Köcher den Deckel.
Und nun trieb der Kyklop mit gellendem Pfeifen die Herde 315
Auf das Gebirg. Ich blieb in der Höhle mit tausend Entwürfen,
Rache zu üben, wenn mir Athene Hilfe gewährte.
Aber von allen Entwürfen gefiel mir dieser am besten.
  Neben dem Stalle lag des Kyklopen gewaltige Keule,
Grün, aus Olivenholze gehaun. Zum künftigen Stabe 320

Dorrte sie hier an der Wand und kam uns vor nach dem Ansehn
Wie der ragende Mast des zwanzigrudrichten Lastschiffs,
Welches mit breitem Bauch auf dem großen Wasser dahinfährt:
Diesem schien sie an Läng und diesem an Dicke zu gleichen.
Und ich haute davon, soviel die Klafter umspannet, 325
Reichte meinen Gefährten den Pfahl und hieß ihn mir glätten;
Und sie schabten ihn glatt. Ich selber schärfte die Spitze
Oben und härtete sie in der lodernden Flamme des Feuers.
Drauf verbarg ich den Knittel bedachtsam unter dem Miste,
Welcher dick und breit durch die ganze Höhle gesät war. 330
Jetzo befahl ich den andern, durchs heilige Los zu entscheiden,
Wer sich wagen sollte, mit mir den gehobenen Knittel
Jenem ins Auge zu drehn, sobald ihn der Schlummer befiele.
Und es traf gerade das Los, die ich heimlich mir wünschte,
Vier von meinen Gefährten; ich selbst war der fünfte mit ihnen. 335
Und am Abende kam er mit seiner gemästeten Herde
Und trieb schnell in die weite Kluft die Ziegen und Schafe,
Mütter und Böcke zugleich, und ließ nichts draußen im Vorhof,
Weil er etwas besorgt' oder Gott es also geordnet.
Hochauf schwenkt' er und setzte das große Spund vor den Eingang.
Und nun saß er und melkte die Schaf' und meckernden Ziegen
Nach der Ordnung und legte den Müttern die Säugling' ans Euter.
Und nachdem er seine Geschäft' in Eile verrichtet,
Packt' er abermal zween und tischte die Stücke zum Schmaus auf.
Jetzo trat ich näher und sagte zu dem Kyklopen, 345
Einen hölzernen Becher voll schwarzen Weines in Händen: [gut!
Nimm, Kyklop, und trink eins, auf Menschenfleisch ist der Wein
Daß du doch lernst, welch ein Trunk in unserem Schiffe ruhte!
Diesen rettet' ich dir zum Opfer, damit du erbarmend
Heim mich sendetest. Aber du wütest ja ganz unerträglich! 350
Böser Mann, wer wird dich hinfort von den Erdebewohnern
Wieder besuchen wollen? Du hast nicht billig gehandelt!
Also sprach ich. Er nahm und trank und schmeckte gewaltig
Nach dem süßen Getränk und bat, noch einmal zu füllen:
Lieber, schenk mir noch eins und sage mir gleich, wie du heißest,
Daß ich dich wieder bewirt und deine Seele sich labe!
Wiss', auch uns Kyklopen gebiert die fruchtbare Erde

Wein in geschwollenen Trauben, und Gottes Regen ernährt ihn,
Aber der ist ein Saft von Ambrosia oder von Nektar!
  Also sprach er; ich bracht' ihm von neuem des funkelnden Weines.
Dreimal schenkt' ich ihm voll und dreimal leerte der Dumme.
Aber da jetzo der geistige Trank in das Hirn des Kyklopen
Stieg, da schmeichelt ich ihm mit glatten Worten und sagte:
  Meinen berühmten Namen, Kyklop? Du sollst ihn erfahren.
Aber vergiß mir auch nicht die Bewirtung, die du verhießest! 365
Niemand ist mein Name; denn Niemand nennen mich alle,
Meine Mutter, mein Vater und alle meine Gesellen.
  Also sprach ich; und drauf versetzte der grausame Wütrich:
Niemand will ich zuletzt nach seinen Gesellen verzehren;
Alle die andern zuvor! Dies sei die verheißne Bewirtung! 370
  Sprach's und streckte sich hin, fiel rücklings und lag mit gesenktem,
Feistem Nacken im Staub; und der allgewaltige Schlummer
Überwältiget' ihn; dem Rachen entstürzten mit Weine [brach.
Stücke von Menschenfleisch, die der schnarchende Trunkenbold aus-
  Und nun hielt ich die Spitze des Knittels in glimmende Asche, 375
Bis sie Feuer fing, und stärkte mit herzhaften Worten
Meine Gefährten, daß keiner sich feig im Winkel verkröche.
Aber da eben jetzo der Ölbaumknittel im Feuer
Drohte zu brennen, so grün er auch war, und fürchterlich glühte,
Zog ich ihn eilend zurück aus dem Feuer, und meine Gefährten 380
Standen um mich, und ein Himmlischer haucht' uns Mut in die Seele.
Und sie faßten den spitzen Olivenknittel und stießen
Ihn dem Kyklopen ins Aug, und ich, in die Höhe mich reckend,
Drehete. Wie wenn ein Mann, den Bohrer lenkend, ein Schiffholz
Bohrt: die Unteren ziehn an beiden Enden des Riemens, 385
Wirbeln ihn hin und her, und er flieget in dringender Eile:
Also hielten auch wir in das Auge den glühenden Knittel,
Drehten, und heißes Blut umquoll die dringende Spitze.
Alle Wimpern und Augenborsten versengte die Lohe
Seines entflammten Sterns; es prasselten brennend die Wurzeln. 390
Wie wenn ein kluger Schmied die Holzaxt oder das Schlichtbeil
Aus der Ess' in den kühlenden Trog, der sprudelnd emporbraust,
Wirft und härtet, denn dieses ersetzt die Kräfte des Eisens:
Also zischte das Aug' um die feurige Spitze des Ölbrands.

Fürchterlich heult' er auf, daß rings die dumpfige Kluft scholl. 395
Und wir erschraken und flohn in den innersten Winkel. Doch jener
Riß aus dem Auge den Knittel, mit vielem Blute besudelt,
Schleudert' ihn ferne von dannen mit ungebärdigem Grimme;
Und nun ruft' er mit Zetergebrüll den andern Kyklopen,
Welche ringsum die Klüfte des stürmischen Felsens bewohnten. 400
Und sie vernahmen das Brüllen und drängten sich dorther und daher,
Standen rund um die Höhl und fragten, was ihn betrübte:

Was geschah dir für Leid, Polyphemos, daß du so brülltest
Durch die ambrosische Nacht und uns vom Schlummer erwecktest?
Raubt der Sterblichen einer dir deine Ziegen und Schafe? 405
Oder würgt man dich selbst, arglistig oder gewaltsam?

Ihnen erwiderte drauf aus der Felsenkluft Polyphemos:
Niemand würgt mich, ihr Freund', arglistig, und keiner gewaltsam!

Drauf antworteten sie und schrien die geflügelten Worte:
Wenn dir denn keiner Gewalt antut in der einsamen Höhle, 410
Gegen Schmerzen, die Zeus dir schickt, ist kein anderes Mittel:
Flehe zu deinem Vater, dem Meerbeherrscher Poseidon!

Also schrien sie und gingen. Mir lachte die Seele vor Freude,
Daß sie mein falscher Name getäuscht und mein trefflicher Einfall.
Aber ächzend vor Qual, mit jammervollem Gewinsel 415
Tappte der blinde Kyklop und nahm den Stein von der Pforte,
Setzte sich dann in die Pforte, mit ausgebreiteten Händen
Tastend, ob nicht vielleicht mit den Schafen einer entwischte.
So einfältig hielt mich in seinem Herzen der Riese.
Aber ich sann umher, das sicherste Mittel zu finden, 420
Wie ich meine Gefährten und mich von dem schrecklichen Tode
Rettete. Tausend Entwürf' und Listen wurden ersonnen;
Denn es galt das Leben, und fürchterlich drang die Entscheidung!
Doch von allen Entwürfen gefiel mir dieser am besten.

Seine Widder waren sehr feist, dickbuschichter Vließe, 425
Groß und stattlich von Wuchs, mit brauner Wolle bekleidet.
Diese band ich geheim mit schwanken Ruten zusammen,
Wo der Kyklop auf schlief, das gottlose Ungeheuer,
Drei und drei; der mittelste Bock trug einen der Männer,
Und zween gingen beiher und schirmten meine Gefährten. 430
Also trugen jeglichen Mann drei Widder. Ich selber

Wählte mir einen Bock, den trefflichsten unter der Herde.
Diesen ergriff ich schnell beim Rücken, wälzte mich nieder
Unter den wollichten Bauch und lag mit duldendem Herzen,
Beide Hände fest im Gekräusel der Flocken verwickelt. 435
Also erwarteten wir mit Seufzen die heilige Frühe.
  Als die dämmernde Frühe mit Rosenfingern erwachte,
Eilten die Männer der Herde mit Ungestüm auf die Weide.
Aber es blökten am Stalle die ungemelkten Mütter;
Denn die Euter strotzten von Milch. Der grausame Wütrich 440
Saß von Schmerzen gefoltert und tastete sorgsam die Rücken
Aller steigenden Widder und ahndete nicht in der Dummheit,
Daß ich sie unter die Brust der wollichten Böcke gebunden.
Langsam folgte nun der übrigen Herde mein Widder,
Schwerbeladen mit Wolle und mir, der mancherlei dachte. 445
Streichelnd betastet' auch ihn das Ungeheuer und sagte:
  Süßes Böckchen, wie geht's? Du kommst zuletzt aus der Höhle?
Ei, du pflegst mir ja sonst nicht hinter der Herde zu bleiben!
Trabst ja so hurtig voran und pflückst dir zuerst auf der Weide
Gräschen und Blümelein; eilst auch zuerst in die Wellen der Flüsse;
Trachtest auch immer zuerst in den Stall zu kommen des Abends!
Nun der letzte von allen? Ach, geht dir etwa das Auge
Deines Herren so nah? Der Bösewicht hat mir's entrissen,
Er samt seinem Gesindel, indem er mit Wein mich berauschte,
Niemand! Ich mein, er ist mir noch nicht dem Verderben entronnen!
Hättest du nur Gedanken wie ich und verstündest die Sprache,
Daß du mir sagtest, wo jener vor meiner Stärke sich hinbirgt!
Ha! auf den Boden geschmettert, wie sollte sein Hirn durch die Höhle
Hiehin und dahin zerspritzen! Wie würde mein Herz von dem Jammer
Sich erlaben, den mir der Taugenicht machte, der Niemand! 460
  Also sprach er und ließ den Widder von sich hinausgehn.
Als wir uns von der Höhl und dem Hof ein wenig entfernet,
Macht ich zuerst vom Widder mich los und löste die andern.
Eilend trieben wir jetzo die wohlgemästeten großen
Hochgeschenkelten Böcke durch mancherlei Krümmen zum Schiffe.
Und mit herzlicher Freud empfingen die lieben Gefährten
Uns Entflohne des Todes und klagten schluchzend die andern.
Aber ich ließ es nicht zu; ich deutete jedem mit Blicken,

Nicht zu weinen, befahl dann, die schöne wollichte Herde
Hurtig ins Schiff zu werfen und über die Wogen zu steuern. 470
Und sie traten ins Schiff und setzten sich hin auf die Bänke,
Saßen in Reihn und schlugen die graue Woge mit Rudern.
Als ich so weit nun war, wie die Stimme des Rufenden schallet,
Da begann ich und rief dem Kyklopen mit schmähenden Worten:
Ha, Kyklope, so recht! Nicht eines Feigen Gefährten 475
Hast du, wütiger Ries, in der dunkeln Höhle gefressen!
Lange hattest du das mit deinen Sünden verschuldet!
Grausamer, weil du die Gäste nicht scheutest in deiner Behausung
Aufzuschlucken, drum strafte dich Zeus und die übrigen Götter!
Also rief ich. Noch wütender tobte der blinde Kyklope, 480
Riß herunter und warf den Gipfel des hohen Gebirges.
Aber er fiel jenseits des blaugeschnäbelten Schiffes
Nieder, und wenig gefehlt, so traf er die Spitze des Steuers.
Hochauf wogte das Meer von dem stürzenden Felsen, und plötzlich
Raffte mit Ungestüm der strudelnde Schwall der Gewässer, 485
Landwärts flutend, das Schiff und warf es zurück an das Ufer.
Aber ich nahm mit den Händen geschwind eine mächtige Stange,
Stieß es vom Land und trieb und ermahnete meine Gefährten,
Hurtig die Ruder zu regen, daß wir dem Verderben entrönnen,
Deutend und nickend; sie flogen ans Werk und ruderten keuchend.
Als wir nun doppelt so weit in das hohe Meer uns gerettet,
Siehe, da rief ich von neuem dem Wüterich. Aber die Freunde
Sprangen umher und schweigten mich alle mit freundlichen Worten:
Waghals! willst du noch mehr den grausamen Riesen erbittern,
Welcher mit seinem Geschoß in die See hinspielet und eben 495
Wieder ans Ufer uns warf, wo Tod und Verderben uns drohte?
Hätt er von dir nur ein Wort, nur deine Stimme vernommen,
Wahrlich, mit einem geschleuderten Fels hätt er unsere Schädel
Samt den Balken des Schiffes zerschellt! Er versteht sich aufs Schleu-
Aber sie strebten umsonst, mein edles Herz zu bewegen. [dern!
Und ich rief dem Kyklopen von neuem mit zürnender Seele:
Hör, Kyklope! Sollte dich einst von den sterblichen Menschen
Jemand fragen, wer dir dein Auge so schändlich geblendet,
Sag ihm: Odysseus, der Sohn Laertes', der Städteverwüster,
Der in Ithaka wohnt, der hat mein Auge geblendet! 505

Also rief ich ihm zu; und heulend gab er zur Antwort:
Weh mir! es trifft mich jetzo ein längstverkündetes Schicksal!
Hier war einst ein Prophet, ein Mann von Schönheit und Größe,
Telemos, Eurymos' Sohn, bekannt mit den Zeichen der Zukunft
Und bis ins Alter beschäftigt, sie uns Kyklopen zu deuten; 510
Der weissagte mir alles, was jetzt nach Jahren erfüllt wird:
Durch Odysseus' Hände würd ich mein Auge verlieren.
Doch erwartet' ich immer, ein großer und stattlicher Riese
Würde mich hier besuchen, mit großer Stärke gerüstet!
Und nun kommt so ein Ding, so ein elender Wicht, so ein Weichling
Und verbrennt mir das Auge, nachdem er mit Wein mich berauschet!
Komm doch her, Odysseus! Ich will dich herrlich bewirten
Und dir ein sicher Geleit vom hohen Poseidon verschaffen.
Denn ich bin sein Sohn, und rühmend nennt er sich Vater!
Dieser kann mich auch heilen, wenn's ihm gelüstet; kein andrer 520
Unter den seligen Göttern, noch unter den sterblichen Menschen!
Also sprach der Kyklop. Ich gab ihm dieses zur Antwort:
Könnt ich nur so gewiß auch deines Geistes und Lebens
Dich entledigen und in die Schattenwohnungen senden,
Als dein Auge selbst der hohe Poseidon nicht heilet! 525
Also sprach ich. Da streckt' er empor zum sternichten Himmel
Seine Händ' und flehte dem Meerbeherrscher Poseidon:
Höre mich, Erdumgürter, du bläulichgelockter Poseidon.
Bin ich wirklich dein Sohn und nennst du rühmend dich Vater,
Gib, daß Odysseus, der Sohn Laertes', der Städteverwüster, 530
Der in Ithaka wohnt, nicht wiederkehre zur Heimat!
Oder ward ihm bestimmt, die Freunde wiederzusehen
Und sein prächtiges Haus und seiner Väter Gefilde,
Laß ihn spät, unglücklich und ohne Gefährten zur Heimat
Kehren auf fremdem Schiff und Elend finden im Hause! 535
Also sprach er flehend; ihn hörte der Bläulichgelockte.
Und nun hub er von neuem noch einen größeren Fels auf,
Schwang ihn im Wirbel und warf mit unermeßlicher Stärke.
Aber er fiel diesseits des blaugeschnäbelten Schiffes
Nieder, und wenig gefehlt, so traf er die Spitze des Steuers. 540
Hochauf wogte das Meer von dem stürzenden Felsen; und vorwärts
Trieben die Fluten das Schiff und warfen es an das Gestade.

Also erreichten wir des Eilandes Bucht, wo die andern
Schöngebordeten Schiffe beisammen ruhten und ringsum
Trauernd die Freunde saßen und uns beständig erwartend. 545
Jetzo landeten wir am sandigen Ufer des Eilands,
Stiegen dann aus dem Schiff ans krumme Gestade des Meeres,
Nahmen vom hohlen Schiffe die Herd und teileten sie alle
Unter uns gleich, daß keiner leer von der Beute mir ausging.
Aber den Widder schenkten die schöngeharnischten Freunde 550
Mir bei der Teilung voraus. Ihn opfert ich an dem Gestade
Zeus Kronion, dem Wolkenversammler, der alles beherrschet,
Und verbrannte die Lenden. Doch er verschmähte das Opfer;
Unversöhnt beschloß er in seinem Rate Vertilgung
Aller rüstigen Schiff' und meiner lieben Gefährten. 555
Also saßen wir dort den Tag, bis die Sonne sich neigte,
An der Fülle des Fleisches und süßen Weines uns labend.
Als die Sonne nun sank und Dunkel die Erde bedeckte,
Legten wir uns zum Schlummer am Strande des rauschenden Meeres.
Als die dämmernde Frühe mit Rosenfingern erwachte, 560
Trat ich selber ins Schiff und ermahnete meine Gefährten,
Einzusteigen und schnell die Seile vom Ufer zu lösen.
Und sie traten ins Schiff und setzten sich hin auf die Bänke,
Saßen in Reihn und schlugen die graue Woge mit Rudern.
Also steuerten wir mit trauriger Seele von dannen, 565
Froh der bestandnen Gefahr, doch ohne die lieben Gefährten.

X. GESANG

Aiolos, der Winde erregt und stillt, entsendet ihn mit günstigem West und gibt ihm die Gewalt über die andern in einem Zauberschlauch. Nahe vor Ithaka öffnen ihn die Genossen; der Sturm wirft sie nach dem schwimmenden Eilande zurück, woher, von Aiolos verjagt, sie in die fabelhafte Westgegend geraten. Die Laistrygonen vertilgen elf Schiffe; in den übrigen erreicht er Aiaia. Kirke verwandelt die Hälfte der Seinigen in Schweine. Er selbst, durch ein Heilkraut des Hermes geschützt, gewinnt die Liebe der Zauberin und rettet die Freunde. Nach einem Jahre fordert er Heimkehr; Kirke befiehlt ihm zuvor, zum Eingange des Totenreichs am Okeanos zu schiffen und den Teiresias zu befragen. Elpenors Tod.

Und wir kamen zur Insel Aiolia. Diese bewohnte
Aiolos, Hippotes' Sohn, ein Freund der unsterblichen Götter.
Undurchdringlich erhebt sich rings um das schwimmende Eiland
Eine Mauer von Erz und ein glattes Felsengestade.
Kinder waren ihm zwölf in seinem Palaste geboren, 5
Lieblicher Töchter sechs und sechs der blühenden Söhne.
Und er hatte die Töchter den Söhnen zu Weibern gegeben.
Bei dem geliebten Vater und ihrer herrlichen Mutter
Schmausen sie stets, bewirtet mit tausend köstlichen Speisen.
Und das duftende Haus erschallt von Tönen der Flöte 10
Tages, aber des Nachts ruht neben der züchtigen Gattin
Jeder auf prächtigen Decken im schöngebildeten Bette.
Und wir kamen zu ihrer Stadt und schönem Palaste.
Einen Monat bewirtet' er mich und forschte nach allem,
Ilions Macht, der Achaier Schiffen und unserer Heimfahrt; 15
Und ich erzählt ihm darauf umständlich die ganze Geschichte.
Als ich nun weiter verlangte und ihn um sichre Geleitung
Bat, versagt' er mir nichts und rüstete mich zu der Abfahrt.
Und er gab mir, verschlossen im dichtgenäheten Schlauche
Vom neunjährigen Stiere, das Wehn lautbrausender Winde. 20
Denn ihn hatte Kronion zum Herrscher der Winde geordnet,
Sie durch seinen Befehl zu empören oder zu schweigen.
Und er knüpfte den Schlauch mit glänzendem silbernem Seile
Fest in dem hohlen Schiffe, daß auch kein Lüftchen entwehte.
Vor mir ließ er den Hauch des freundlichen Westes einherwehn, 25
Daß sie die Schiff' und uns selbst heimführeten. Aber dies sollte
Nicht geschehn; denn wir sanken durch eigene Torheit in Unglück.

Schon durchsegelten wir neun Tag' und Nächte die Wogen;
Und in der zehnten Nacht erschien uns das heimische Ufer,
Daß wir schon in der Nähe die Feuerwachen erblickten. 30
Jetzo schlummert ich ein, ermüdet von langer Arbeit;
Denn ich lenkte beständig das Steuer und ließ der Gefährten
Keinen dazu, um geschwinder das Vaterland zu erreichen,
Und die Genossen besprachen sich heimlich untereinander,
Wähnend, ich führte mit mir viel Gold und Silber zur Heimat, 35
Aiolos' Ehrengeschenke, des hippotadischen Königs.
Und man wendete sich zu seinem Nachbar und sagte:
Wunderbar! Dieser Mann gewinnt die Achtung und Liebe
Aller Menschen, wohin er auch kommt, in Städten und Ländern!
Aus der troischen Beute wie manches unschätzbare Kleinod 40
Bringet er mit. Und wir, die alle Gefahren geteilet,
Kehren am Ende doch mit leeren Händen zur Heimat!
Nun hat Aiolos dieses Geschenk aus besonderer Freundschaft
Ihm verehrt. Auf, laßt uns denn eilen und sehen, was dies sei,
Wieviel Silber und Gold in diesem Schlauche doch stecke! 45
Also sprach man. Es siegte der böse Rat der Genossen,
Und sie lösten den Schlauch, und mit einmal entsausten die Winde.
Plötzlich ergriff sie der Sturm und schleuderte weit in das Weltmeer
Hin die Weinenden, ferne vom Vaterlande. Da fuhr ich
Schnell aus dem Schlaf und erwog in meiner unsträflichen Seele: 50
Ob ich vom Schiffe hinab in die tobenden Wogen mich stürzte
Oder es schweigend erduldet' und noch bei den Lebenden bliebe.
Aber ich duldet' und blieb und lag mit verhülletem Antlitz
Auf dem Verdeck, und es warf der Orkan lautbrausend die Schiffe
Nach der aiolischen Insel zurück; es seufzten die Männer. 55
Allda stiegen wir aus an den Strand und schöpften uns Wasser.
Schnell bereiteten uns die Gefährten ein Mahl bei den Schiffen.
Und sobald wir das Herz mit Trank und Speise gestärket,
Eilt ich, von unserem Herold und einem Gefährten begleitet,
Zu der herrlichen Burg des Aiolos. Diesen erblickt ich 60
Sitzend mit seinem Weib und seinen Kindern beim Schmause.
Und wir gingen ins Haus und setzten uns neben den Pfosten
Auf die Schwelle dahin; sie erschraken im Herzen und fragten:
Siehe, woher, Odysseus? Welch böser Dämon verfolgt dich?

Haben wir doch die Fahrt so sorgsam gefördert, damit du 65
Heim in dein Vaterland, und wohin dir's beliebte, gelangtest?
Also sprach man; und ich antwortete traurigen Herzens:
Meine bösen Gefährten, die sind mein Verderben, mit diesen
Ein unseliger Schlaf! Ach helft mir, Freunde! Ihr könnt es.
Also wollt ich sie mir mit schmeichelnden Worten gewinnen. 70
Aber sie schwiegen still; der Vater gab mir zur Antwort:
Hebe dich eilig hinweg von der Insel, du ärgster der Menschen!
Denn es geziemet mir nicht zu bewirten noch weiter zu senden
Einen Mann, den die Rache der seligen Götter verfolget!
Hebe dich weg, denn du kommst mit dem Zorne der Götter beladen!
Also sprach er und trieb mich Seufzenden aus dem Palaste,
Und wir steuerten jetzo mit trauriger Seele von dannen.
Aber den Männern entschwand das Herz am ermüdenden Ruder,
Unserer Torheit halber, weil weiter kein Ende zu sehn war.
Als wir nun sechs Tag' und Nächte die Wogen durchrudert, 80
Landeten wir bei der Feste der Laistrygonen, bei Lamos'
Stadt Telepylos an. Hier wechseln Hirten mit Hirten;
Welcher heraustreibt hört das Rufen des, der hereintreibt.
Und ein Mann ohne Schlaf erfreute sich doppelten Lohnes,
Eines als Rinderhirte, des andern als Hirte der Schafe; 85
Denn nicht weit sind die Triften der Nacht und des Tages entfernet.
Jetzo erreichten wir den trefflichen Hafen, den ringsum
Himmelanstrebende Felsen von beiden Seiten umschließen
Und wo vorn in der Mündung sich zwo vorragende Spitzen
Gegeneinander drehn; ein enggeschlossener Eingang! 90
Meine Gefährten lenkten die gleichgezimmerten Schiffe
Alle hinein in die Bucht und banden sie dicht beieinander
Fest; denn niemals erhob sich eine Welle darinnen,
Weder groß noch klein, rings herrschet spiegelnde Stille.
Ich allein blieb draußen mit meinem schwärzlichen Schiffe 95
An dem Ende der Bucht und band es mit Seilen am Felsen,
Kletterte dann auf den zackichten, weitumschauenden Gipfel.
Aber es zeigte sich nirgends die Spur von Stieren und Pflügern,
Sondern wir sahn nur Rauch von der Erd am Himmel hinaufziehn.
Jetzo sandt ich Männer voraus, das Land zu erkunden, 100
Was für Sterbliche dort die Frucht des Halmes genössen,

Zween erlesne Gefährten; ein Herold war ihr Begleiter.
Und sie stiegen ans Land und gingen die Straße, worauf man
Holzbeladene Wagen vom hohen Gebirge zur Stadt fährt.
Ihnen begegnete dicht vor der Stadt ein Mädchen, das Wasser 105
Schöpfte, des Laistrygonen Antiphates rüstige Tochter.
Diese stieg zu der Nymphe Artakia sprudelnder Quelle
Nieder; denn daraus schöpften die Laistrygonen ihr Wasser.
Und sie traten hinzu, begrüßten das Mädchen und fragten,
Wer dort König wäre und welches Volk er beherrschte. 110
Jene wies sie sogleich zum hohen Palaste des Vaters.
Und sie gingen hinein in die Burg und fanden des Königs
Weib, so groß wie ein Gipfel des Bergs, und ein Grauen befiel sie.
Jene rief den berühmten Antiphates aus der Versammlung,
Ihren Gemahl, der ihnen ein schreckliches Ende bestimmte. 115
Ungestüm packt' er den einen Gefährten und tischte den Schmaus auf.
Aber die übrigen zween enteilten und flohn zu den Schiffen.
Und er erhub ein Gebrüll durch die Stadt, und siehe, mit einmal
Kamen hierher und dorther die rüstigen Laistrygonen
Zahllos zuhauf; sie glichen nicht Menschen, sondern Giganten. 120
Diese schleuderten jetzt von dem Fels unmenschliche Lasten
Steine herab; da entstand in den Schiffen ein schrecklich Getümmel,
Sterbender Männer Geschrei und das Krachen zerschmetterter Schiffe.
Und man durchstach sie wie Fische und trug sie zum scheußlichen Fraß
Während diese die Männer im tiefen Hafen vertilgten, [hin.
Eilt ich geschwind und riß das geschliffene Schwert von der Hüfte
Und zerhaute die Seile des blaugeschnäbelten Schiffes.
Dann ermahnt ich und trieb aufs äußerste meine Genossen,
Hurtig die Ruder zu regen, daß wir dem Verderben entrönnen;
Keuchend schlugen sie alle die Flut, aus Furcht vor dem Tode. 130
Aber glücklich enteilte mein Schiff von den hangenden Klippen
Über das Meer; die andern versanken dort all in den Abgrund.
Also steuerten wir mit trauriger Seele von dannen,
Froh der bestandnen Gefahr, doch ohne die lieben Gefährten.

Und wir kamen zur Insel Aiaia. Diese bewohnte 135
Kirke, die schöngelockte, die hehre melodische Göttin,
Eine leibliche Schwester des allerfahrnen Aietes.
Beide stammten vom Gotte der menschenerleuchtenden Sonne;

Ihre Mutter war Perse, des großen Okeanos Tochter.
Allda liefen wir still mit unserm Schiff ans Gestade, 140
In die schirmende Bucht; ein Gott war unser Geleiter.
Und wir stiegen ans Land, wo wir zween Tag' und zwo Nächte
Ruhten, zugleich von der Arbeit und von dem Kummer entkräftet.
Als nun die Morgenröte des dritten Tages emporstieg,
Nahm ich die Lanz in die Hand und hängte das Schwert um die Schul-
Eilte vom Schiff und bestieg den Hügel, ob ich vielleicht wo [ter,
Spuren von Menschen erblickte und ihre Stimme vernähme.
Als ich jetzt von der Höhe des schroffen Felsens umhersah,
Kam es mir vor, daß Rauch von der weitumwanderten Erde
Hinter dem dicken Gebüsch aus Kirkes Wohnung emporstieg. 150
Jetzo sann ich umher und erwog den wankenden Vorsatz,
Hin nach dem dunkeln Rauche zu gehn und weiter zu forschen.
Dieser Gedanke erschien mir Zweifelndem endlich der beste:
Erst zu dem schnellen Schiffe zu gehn am Strande des Meeres,
Meine Genossen mit Speise zu stärken und Späher zu senden. 155
Als ich schon nahe war dem gleichberuderten Schiffe,
Da erbarmte sich mein, des Einsamen, einer der Götter.
Und es lief ein gewaltiger Hirsch mit hohem Geweihe
Mir auf den Weg; er sprang aus der Weide des Waldes zum Bache
Lechzend hinab, denn ihn brannten bereits die Strahlen der Sonne.
Diesen schoß ich im Lauf und traf ihm die Mitte des Rückgrats,
Daß die eherne Lanz am Bauche wieder herausfuhr;
Schreiend stürzt' er dahin in den Staub, und das Leben entflog ihm.
Hierauf zog ich, den Fuß anstemmend, die eherne Lanze
Aus der Wunde zurück und legte sie dort auf den Boden 165
Nieder. Dann brach ich am Bache mir schwanke weidene Ruten,
Drehete links und rechts ein klafterlanges Geflechte
Und verband die Füße des mächtigen Ungeheuers;
Hängt es mir über den Hals und trug es zum schwärzlichen Schiffe,
Auf die Lanze gestützt; denn einer Schulter und Hand war 170
Viel zu schwer die Last des riesenmäßigen Tieres.
Vor dem Schiffe warf ich es hin und redete jedem
Meiner Genossen zu mit diesen freundlichen Worten:
  Lieben, wir werden ja doch, trotz unserm Grame, nicht früher
Sinken in Aides Reich, eh der Tag des Schicksals uns abruft! 175

Auf denn, solange das Schiff noch Trank und Speise verwahret,
Eßt nach Herzensbegier, damit uns der Hunger nicht töte!
Also sprach ich, und schnell gehorchten sie meinem Befehle,
Kamen aus ihren Hüllen am Ufer des wüsten Meeres
Und verwunderten sich des riesenmäßigen Hirsches. 180
Und nachdem sie die Augen an seiner Größe geweidet,
Wuschen sie ihre Hände, das herrliche Mahl zu bereiten.
Also saßen wir dort den Tag, bis die Sonne sich neigte,
An der Fülle des Fleisches und süßen Weines uns labend.
Als die Sonne nun sank und Dunkel die Erde bedeckte, 185
Legten wir uns zum Schlummer am Strande des rauschenden Meeres.
Als die dämmernde Frühe mit Rosenfingern erwachte,
Rief ich alle Gefährten zur Ratsversammlung und sagte:
Höret jetzo mich an, ihr meine Genossen im Unglück!
Freunde, wir wissen ja nicht, wo Abend oder wo Morgen, 190
Nicht, wo die leuchtende Sonne sich unter die Erde hinabsenkt,
Noch wo sie wiederkehrt: drum müssen wir schnell uns bedenken,
Ist noch irgendein Rat; ich sehe keinen mehr übrig.
Denn ich umschauete dort von der Höhe des zackichten Felsens
Diese Insel, die rings das unendliche Meer umgürtet: 195
Nahe liegt sie am Land, und in der Mitte der Insel
Sah ich Rauch, der hinter dem dicken Gebüsche hervorstieg.
Also sprach ich; und ihnen brach das Herz vor Betrübnis,
Da sie des Laistrygonen Antiphates Taten bedachten
Und des Kyklopen Gewalt, des grausamen Menschenfressers. 200
Und sie weineten laut und vergossen häufige Tränen.
Aber sie konnten ja nichts mit ihrer Klage gewinnen.
Jetzo teilt ich die Schar der wohlgeharnischten Freunde
In zween Haufen und gab jedwedem einen Gebieter.
Diesen führte ich selbst, der edle Eurylochos jenen. 205
Eilend schüttelten wir im ehernen Helme die Lose,
Und das Los des beherzten Eurylochos sprang aus dem Helme.
Dieser machte sich auf mit zweiundzwanzig Gefährten,
Weinend gingen sie fort und verließen uns trauernd am Ufer.
Und sie fanden im Tal des Gebirgs die Wohnung der Kirke, 210
Von gehauenen Steinen, in weitumschauender Gegend.
Ihn umwandelten rings Bergwölfe und mähnichte Löwen,

Durch die verderblichen Säfte der mächtigen Kirke bezaubert.
Diese sprangen nicht wild auf die Männer, sondern sie stiegen
Schmeichelnd an ihnen empor mit langen wedelnden Schwänzen. 215
Also umwedeln die Hunde den Hausherrn, wenn er vom Schmause
Wiederkehrt; denn er bringt beständig leckere Bissen:
Also umwedelten sie starkklauige Löwen und Wölfe.
Aber sie fürchteten sich vor den schrecklichen Ungeheuern.
Und sie standen am Hofe der schöngelocketen Göttin 220
Und vernahmen im Haus anmutige Melodieen.
Singend webete Kirke den großen unsterblichen Teppich,
Fein und lieblich und glänzend, wie aller Göttinnen Arbeit.
Unter ihnen begann der Völkerführer Polites,
Welcher der liebste mir war und geehrteste meiner Genossen: 225
  Freunde, hier wirket jemand und singt am großen Gewebe
Reizende Melodieen, daß rings das Getäfel ertönet;
Eine Göttin oder ein Weib! Wir wollen ihr rufen!
  Also sprach Polites; die Freunde gehorchten und riefen.
Jene kam und öffnete schnell die strahlende Pforte, 230
Nötigte sie, und alle, die Unbesonnenen! folgten.
Nur Eurylochos blieb, denn er vermutete Böses.
Und sie setzte die Männer auf prächtige Sessel und Throne,
Mengte geriebenen Käse mit Mehl und gelblichem Honig
Unter pramnischen Wein und mischte betörende Säfte 235
In das Gericht, damit sie der Heimat gänzlich vergäßen.
Als sie dieses empfangen und ausgeleeret, da rührte
Kirke sie mit der Rute und sperrte sie dann in die Kofen.
Denn sie hatten von Schweinen die Köpfe, Stimmen und Leiber,
Auch die Borsten; allein ihr Verstand blieb völlig wie vormals. 240
Weinend ließen sie sich einsperren; da schüttete Kirke
Ihnen Eicheln und Buchenmast und rote Kornellen
Vor, das gewöhnliche Futter der erdaufwühlenden Schweine.
  Und Eurylochos kam zu dem schwärzlichen Schiffe geeilet,
Uns das herbe Verhängnis der übrigen Freunde zu melden. 245
Aber er konnte kein Wort aussprechen, so gern er auch wollte.
Denn die entsetzliche Angst beklemmte sein Herz; die Augen
Waren mit Tränen erfüllt, und Jammer umschwebte die Seele.
Lange hatten wir all ihn voll Erstaunen befraget;

Endlich hub er an und erzählte der Freunde Verderben: 250
Edler Odysseus, wir gingen, wie du befahlst, durch die Waldung,
Fanden im Tal des Gebirgs die schöngebauete Wohnung,
Von gehauenen Steinen, in weitumschauender Gegend.
Allda wirkte jemand und sang am großen Gewebe:
Eine Göttin oder ein Weib! Ihr riefen die andern! 255
Jene kam und öffnete schnell die strahlende Pforte,
Nötigte sie, und alle, die Unbesonnenen! folgten.
Ich allein blieb draußen, denn ich vermutete Böses!
Aber mit einmal waren die andern verschwunden, und keiner
Kehrte zurück, solang ich auch saß und nach ihnen mich umsah!
Also sprach er; und ich warf eilend das silberbeschlagne
Große eherne Schwert um die Schulter samt Bogen und Köcher,
Und befahl ihm, mich gleich desselbigen Weges zu führen.
Aber er faßte mir flehend mit beiden Händen die Kniee
Und wehklagete laut und sprach die geflügelten Worte: 265
Göttlicher, lasse mich hier und führe mich nicht mit Gewalt hin!
Denn ich weiß es, du kehrst nicht wieder von dannen und bringest
Keinen Gefährten zurück! Drum laß uns geschwinde mit diesen
Fliehn! Vielleicht daß wir noch dem Tage des Fluches entrinnen!
Also sprach er; und ich antwortete wieder und sagte: 270
Nun, so bleibe denn du, Eurylochos, hier auf der Stelle!
Iß und trink dich satt bei dem schwarzen gebogenen Schiffe!
Aber ich geh allein! denn ich fühle die Not, die mich hintreibt!
Also sprach ich und ging von dem Schiff und dem Ufer des Meeres.
Jetzo nähert ich mich, die heiligen Tale durchwandelnd, 275
Schon dem hohen Palaste der furchtbaren Zauberin Kirke,
Da begegnete mir Hermeias mit goldenem Stabe
Auf dem Wege zur Burg, an Gestalt ein blühender Jüngling,
Dessen Wange sich bräunt im holdesten Reize der Jugend.
Dieser gab mir die Hand und sagte mit freundlicher Stimme: 280
Armer, wie gehst du hier so allein durch die bergichte Waldung,
Da du die Gegend nicht kennst? Bei Kirke sind deine Gefährten,
Eingesperrt wie Schweine in dichtverschlossenen Ställen.
Gehst du etwa dahin, sie zu retten? Ich fürchte, du kehrest
Nicht von dannen zurück, du bleibest selbst bei den andern. 285
Aber wohlan! ich will dich vor allem Übel bewahren!

Nimm dies heilsame Mittel und gehe zum Hause der Kirke,
Sicher, von deinem Haupte den Tag des Fluches zu wenden.
Alle verderblichen Künste der Zauberin will ich dir nennen.
Weinmus rührt sie dir ein und mischt ihr Gift in die Speise: 290
Dennoch gelingt es ihr nicht, dich umzuschaffen; die Tugend
Dieser heilsamen Pflanze verhindert sie. Höre nun weiter.
Wann dich Kirke darauf mit der langen Rute berühret,
Siehe, dann reiße du schnell das geschliffene Schwert von der Hüfte,
Spring auf die Zauberin los und drohe sie gleich zu erwürgen. 295
Diese wird in der Angst zu ihrem Lager dich rufen,
Und nun weigre dich nicht und besteige das Lager der Göttin,
Daß sie deine Gefährten erlös und dich selber bewirte.
Aber sie schwöre zuvor der Seligen großen Eidschwur,
Daß sie bei sich nichts anders zu deinem Schaden beschlossen, 300
Daß sie dir Waffenlosem nicht raube Tugend und Stärke.

Also sprach Hermeias und gab mir die heilsame Pflanze,
Die er dem Boden entriß, und zeigte mir ihre Natur an:
Ihre Wurzel war schwarz und milchweiß blühte die Blume;
Moly wird sie genannt von den Göttern. Sterblichen Menschen 305
Ist sie schwer zu graben; doch alles vermögen die Götter.

Und der Argosbesieger enteilte zum hohen Olympos
Durch die waldichte Insel; ich ging zum Hause der Kirke
Hin, und viele Gedanken bewegten des Gehenden Seele.
Und ich stand an der Pforte der schöngelocketen Göttin, 310
Stand und rief; und die Göttin vernahm des Rufenden Stimme,
Kam sogleich und öffnete mir die strahlende Pforte,
Nötigte mich herein; und ich folgte mit traurigem Herzen.
Hierauf führte sie mich zu ihrem silberbeschlagnen
Schönen prächtigen Thron mit füßestützendem Schemel, 315
Mischte mir dann ein Gemüs, im goldenen Becher zu trinken,
Und vergiftet' es tückisch mit ihrem bezaubernden Safte.
Und sie reichte mir's hin; ich trank es, und ohne Verwandlung.
Drauf berührte sie mich mit der Zauberrute und sagte:

Gehe nun in den Kofen und liege bei deinen Gefährten. 320
Also sprach sie: da riß ich das schneidende Schwert von der Hüfte,
Sprang auf die Zauberin los und drohte sie gleich zu erwürgen.
Aber sie schrie und eilte gebückt, mir die Kniee zu fassen,

Laut wehklagend rief sie die schnellgeflügelten Worte:
Wer, wes Volkes bist du, und wo ist deine Geburtsstadt? 325
Staunen ergreift mich, da dich der Zaubertrank nicht verwandelt!
Denn kein sterblicher Mensch ist diesem Zauber bestanden,
Welcher trank, sobald ihm der Wein die Zunge hinabglitt.
Aber du trägst ein unbezwingliches Herz in dem Busen!
Bist du jener Odysseus, der, viele Küsten umirrend, 330
Wann er von Ilion kehrt im schnellen Schiffe, auch hierher
Kommen soll, wie der Gott mit goldenem Stabe mir saget?
Lieber, so stecke dein Schwert in die Scheid und laß uns zusammen
Unser Lager besteigen, damit wir, beide versöhnet
Durch die Freuden der Liebe, hinfort einander vertrauen! 335
Also sprach sie, und ich antwortete wieder und sagte:
Kirke, wie kannst du begehren, daß ich dir freundlich begegne,
Da du meine Gefährten im Hause zu Schweinen gemacht hast
Und mich selber behältst und mir arglistig befiehlest,
In die Kammer zu gehn und auf dein Lager zu steigen, 340
Daß du mich Waffenlosen der Tugend und Stärke beraubest?
Nein! Ich werde nimmer dein Lager besteigen, o Göttin,
Du willfahrest mir denn, mit hohem Schwur zu geloben,
Daß du bei dir nichts anders zu meinem Verderben beschließest!
Also sprach ich; und eilend beschwor sie, was ich verlangte. 345
Als sie es jetzo gelobt und vollendet den heiligen Eidschwur,
Da bestieg ich mit Kirke das köstlichbereitete Lager.
Und in dem hohen Palaste der schönen Zauberin dienten
Vier holdselige Mägde, die alle Geschäfte besorgten.
Diese waren Töchter der Quellen und schattigen Haine 350
Und der heiligen Ströme, die in das Meer sich ergießen.
Eine von diesen bedeckte die Throne mit zierlichen Polstern:
Oben legte sie Purpur und unten den leinenen Teppich.
Und die andere stellte die schönen Tische von Silber
Vor die Throne und setzte darauf die goldenen Körbe. 355
Und die dritte mischte in silberner Schale den süßen
Herzerfreuenden Wein und verteilte die goldenen Becher.
Aber die vierte Magd trug Wasser und zündete Feuer
Unter dem großen Dreifuß an, das Wasser zu wärmen.
Und nachdem das Wasser im blinkenden Erze gekochet, 360

Führte sie mich in das Bad und strömt' aus dem dampfenden Kessel
Lieblichgemischtes Wasser mir über das Haupt und die Schultern
Und entnahm den Gliedern die geistentkräftende Arbeit.
Als sie mich jetzo gebadet und drauf mit Öle gesalbet,
Da umhüllte sie mir den prächtigen Mantel und Leibrock, 365
Und dann führte sie mich ins Gemach zum silberbeschlagnen
Schönen künstlichen Thron mit fußestützendem Schemel.
Eine Dienerin trug in der schönen goldenen Kanne
Über dem silbernen Becken das Wasser, beströmte zum Waschen
Mir die Händ' und stellte vor mich die geglättete Tafel. 370
Und die ehrbare Schaffnerin kam und tischte das Brot auf
Und der Gerichte viel aus ihrem gesammelten Vorrat
Und befahl mir zu essen. Doch meinem Herzen gefiel's nicht,
Sondern ich saß zerstreut und ahndete Böses im Herzen.
Kirke bemerkte mich jetzt, wie ich dasaß, ohne die Speise 375
Mit den Händen zu rühren, versunken in tiefe Schwermut;
Und sie nahte sich mir und sprach die geflügelten Worte:
Warum sitzest du so wie ein Stummer am Tische, Odysseus,
Und zerquälst dein Herz und rührest nicht Speise und Trank an?
Ist dir noch bange vor Hinterlist? Du mußt dich nicht fürchten! 380
Denn ich habe dir's ja mit hohem Eide geschworen!
Also sprach sie; und ich antwortete wieder und sagte:
Kirke, welcher Mann, dem Recht und Billigkeit obliegt,
Hätte das Herz, sich eher mit Trank und Speise zu laben,
Eh er die Freunde gerettet und selbst mit Augen gesehen? 385
Darum, wenn du aus Freundschaft zum Essen und Trinken mich nötigst,
Gib sie frei und zeige sie mir, die lieben Gefährten!
Also sprach ich. Sie ging, in der Hand die magische Rute,
Aus dem Gemach und öffnete schnell die Türe des Kofens
Und trieb jene heraus, in Gestalt neunjähriger Eber. 390
Alle stellten sich jetzt vor die mächtige Kirke, und diese
Ging umher und bestrich jedweden mit heilendem Safte.
Siehe, da sanken herab von den Gliedern die scheußlichen Borsten
Jenes vergifteten Tranks, den ihnen die Zauberin eingab.
Männer wurden sie schnell und jüngere Männer denn vormals, 395
Auch weit schönerer Bildung und weit erhabneren Wuchses.
Und sie erkannten mich gleich und gaben mir alle die Hände;

Alle huben an, vor Freude zu weinen, daß ringsum
Laut die Wohnung erscholl. Es jammerte selber die Göttin.
Und sie nahte sich mir, die hehre Göttin, und sagte: 400
Edler Laertiad, erfindungsreicher Odysseus,
Gehe nun hin zu dem rüstigen Schiff am Strande des Meeres;
Zieht vor allen Dingen das Schiff ans trockne Gestade
Und verwahrt in den Höhlen die Güter und alle Geräte.
Dann komm eilig zurück und bringe die lieben Gefährten. 405
Also sprach sie und zwang mein edles Herz zum Gehorsam.
Eilend ging ich zum rüstigen Schiff am Strande des Meeres
Und fand dort bei dem rüstigen Schiffe die lieben Gefährten,
Welche trostlos klagten und häufige Tränen vergossen.
Wie wenn im Meierhofe die Kälber den Kühen der Herde, 410
Welche satt von der Weide zum nächtlichen Stalle zurückgehn,
Alle mit freudigen Sprüngen entgegeneilen (es halten
Keine Gehege sie mehr, sie umhüpfen mit lautem Geblöke
Ihre Mutter): so flogen die Freunde, sobald sie mich sahen,
Alle weinend heran; und ihnen war also zumute, 415
Als gelangten sie heim in Ithakas rauhe Gefilde
Und in die Vaterstadt, wo jeder geboren und groß ward.
Und sie jammerten laut mit diesen geflügelten Worten:
Göttlicher Mann, wir freun uns so herzlich deiner Zurückkunft,
Als gelangten wir jetzo in Ithakas heimische Fluren! 420
Aber wohlan, erzähl uns der übrigen Freunde Verderben!
Also riefen sie aus; und ich antwortete freundlich:
Laßt uns vor allem das Schiff ans trockne Gestade hinaufziehn
Und in den Höhlen die Güter und alle Geräte verwahren!
Und dann machet euch auf, mich allesamt zu begleiten, 425
Daß ihr unsere Freund' in Kirkes heiliger Wohnung
Essen und trinken seht; denn sie haben da volle Genüge!
Also sprach ich; und schnell gehorchten sie meinem Befehle.
Nur Eurylochos suchte die übrigen Freunde zu halten,
Und er red'te sie an und sprach die geflügelten Worte: 430
Arme, wo gehen wir hin? Welch heißes Verlangen nach Unglück
Treibt euch, in Kirkes Wohnung hinabzusteigen? Sie wird uns
Alle zusammen in Schwein', in Löwen und Wölfe verwandeln
Und uns Verwandelte zwingen, ihr großes Haus zu bewachen!

Ebenso ging es auch dort den Freunden, die des Kyklopen 435
Felsengrotte besuchten, geführt von dem kühnen Odysseus!
Denn durch dessen Torheit verloren auch jene das Leben!
Also sprach er; und ich erwog den wankenden Vorsatz,
Mein geschliffenes Schwert von der nervichten Hüfte zu reißen
Und sein Haupt, von dem Rumpfe getrennt, auf den Boden zu stürzen,
Ob er gleich nahe mit mir verwandt war. Aber die Freunde
Sprangen umher und hielten mich ab mit flehenden Worten:
Göttlicher Held, wir lassen ihn hier, wenn du es befiehlest,
Bleiben an dem Gestad, um unser Schiff zu bewahren.
Aber führe du uns zu Kirkes heiliger Wohnung. 445
Also sprachen die Freunde und gingen vom Strande des Meeres.
Auch Eurylochos blieb nicht bei dem gebogenen Schiffe,
Sondern folgte, geschreckt durch meine zürnende Drohung.
Aber der übrigen Freund' in der Wohnung hatte die Göttin
Sorgsam gepflegt, sie gebadet, mit duftendem Öle gesalbet 450
Und mit schönen Gewanden, mit Rock und Mantel bekleidet.
Und wir fanden sie jetzo im Saal beim fröhlichen Schmause.
Als sie einander gesehn und sich nun alles erzählet,
Weinten und jammerten sie, daß rings die Wohnung ertönte.
Aber sie nahte sich mir, die hehre Göttin, und sagte: 455
Edler Laertiad, erfindungsreicher Odysseus!
Reget jetzo nicht mehr den unendlichen Jammer! Ich weiß ja,
Wieviel Elend ihr littet im fischdurchwimmelten Meere
Und wieviel ihr zu Lande von feindlichen Männern erduldet.
Aber wohlan! Eßt jetzo der Speis und trinket des Weines, 460
Bis ihr so frischen Mut in eure Herzen gesammelt,
Als womit ihr zuerst der vaterländischen Insel
Rauhe Gefilde verließt. Nun seid ihr entkräftet und mutlos
Und erinnert euch stets der mühsamen Irren, und niemals
Stärkt euch die Freude den Mut: ihr habt sehr vieles erlitten! 465
Also sprach sie und zwang ihr edles Herz zum Gehorsam.
Und wir saßen ein ganzes Jahr, von Tage zu Tage
An der Fülle des Fleisches und süßen Weines uns labend.
Als nun endlich das Jahr von den kreisenden Horen erfüllt ward
Und mit dem wechselnden Mond viele Tage waren verschwunden,
Da beriefen mich heimlich die lieben Gefährten und sagten:

Unglückseliger, denke nun endlich des Vaterlandes,
Wenn dir das Schicksal bestimmt, lebendig wiederzukehren
In den hohen Palast und deiner Väter Gefilde.
Also bewegten die Freunde mein edles Herz zum Gehorsam. 475
Und wir saßen dan ganzen Tag, bis die Sonne sich neigte,
An der Fülle des Fleisches und süßen Weines uns labend.
Als die Sonne nun sank und Dunkel die Erde bedeckte,
Legten sich meine Genossen im schattigen Hause zum Schlummer.
Und ich bestieg mit Kirke das köstlichbereitete Lager, 480
Faßt ihr flehend die Knie; und die Göttin hörte mein Flehen.
Und ich red'te sie an und sprach die geflügelten Worte:
Kirke, erfülle mir jetzt das Gelübde, so du gelobtest,
Mich nach Hause zu senden! Mein Herz verlanget zur Heimat
Und der übrigen Freunde, die rings mit Weinen und Klagen 485
Meine Seele bestürmen, sobald du den Rücken nur wendest.
Also sprach ich; mir gab die hehre Göttin zur Antwort:
Edler Laertiad, erfindungsreicher Odysseus,
Länger zwing ich euch nicht, in meinem Hause zu bleiben.
Aber ihr müßt zuvor noch eine Reise vollenden, 490
Hin zu Aides' Reich und der strengen Persephoneia,
Um des thebaiischen Greises Teiresias Seele zu fragen,
Jenes blinden Propheten mit ungeschwächtem Verstande.
Ihm gab Persephoneia im Tode selber Erkenntnis,
Und er allein ist weise; die andern sind flatternde Schatten. 495
Also sagte die Göttin; mir brach das Herz vor Betrübnis.
Weinend saß ich auf Kirkes Bett und wünschte nicht länger
Unter den Lebenden hier das Licht der Sonne zu schauen.
Als ich endlich mein Herz durch Weinen und Wälzen erleichtert,
Da antwortet ich ihr und sprach die geflügelten Worte: 500
Kirke, wer soll mich denn auf dieser Reise geleiten?
Noch kein Sterblicher fuhr im schwarzen Schiffe zu Ais.
Also sprach ich; mir gab die hehre Göttin zur Antwort:
Edler Laertiad, erfindungsreicher Odysseus,
Kümmre dich nicht so sehr um einen Führer des Schiffes! 505
Sondern richte den Mast und spanne die schimmernden Segel;
Dann sitz ruhig, indes der Hauch des Nordes dich hintreibt.
Aber bist du im Schiffe den Ozean jetzo durchsegelt

Und an dem niedern Gestad und den Hainen Persephoneiens
Voll unfruchtbarer Weiden und hoher Erlen und Pappeln: 510
Lande dort mit dem Schiff an des Ozeans tiefem Gestrudel,
Und dann gehe du selber zu Aides' dumpfer Behausung.
Wo in den Acheron sich der Pyriphlegethon stürzet
Und der Strom Kokytos, ein Arm der stygischen Wasser,
An dem Fels, wo die zween lautbrausenden Ströme sich mischen;
Nahe bei diesem Orte gebiet ich dir, edler Odysseus,
Eine Grube zu graben von einer Ell ins Gevierte.
Rings um die Grube geuß Sühnopfer für alle Toten,
Erst von Honig und Milch, von süßem Weine das zweite,
Und das dritte von Wasser, mit weißem Mehle bestreuet. 520
Dann gelobe flehend den Luftgebilden der Toten:
Wenn du gen Ithaka kommst, eine Kuh, unfruchtbar und fehllos,
In dem Palaste zu opfern und köstliches Gut zu verbrennen
Und für Teiresias noch besonders den stattlichsten Widder
Eurer ganzen Herde, von schwarzer Farbe, zu schlachten. 525
Hast du den herrlichen Scharen der Toten geflehet, dann opfre
Einen Bock und ein Schaf von ungezeichneter Schwärze,
Ihre Häupter gekehrt zum Erebos; aber du selber
Wende dein Antlitz zurück nach den Fluten des Stromes. Dann werden
Viele Seelen kommen der abgeschiedenen Toten. 530
Jetzo ermahn und treib aufs äußerste deine Gefährten,
Beide liegenden Schafe, vom grausamen Erze getötet,
Abzuziehn und ins Feuer zu werfen und anzubeten
Aides' schreckliche Macht und die strenge Persephoneia.
Aber du reiße schnell das geschliffene Schwert von der Hüfte, 535
Setze, dich hin und laß die Luftgebilde der Toten
Sich dem Blute nicht nahn, bevor du Teiresias ratfragst.
Und bald wird der Prophet herwandeln, o Führer der Völker,
Daß er dir weissage den Weg und die Mittel der Reise,
Und wie du heimgelangst auf dem fischdurchwimmelten Meere. 540
Also sprach sie; da kam die goldenthronende Eos,
Und sie bekleidete mich mit wollichtem Mantel und Leibrock;
Aber sich selber zog die Nymphe ihr Silbergewand an,
Lang, anmutig und fein, und schlang um die Hüfte den schönen
Goldgetriebenen Gürtel und schmückte das Haupt mit dem Schleier.

Aber ich ging durch die Burg und ermunterte meine Gefährten,
Trat zu jeglichem Mann und sprach die freundlichen Worte:
Lieget nun nicht länger vom süßen Schlummer umduftet!
Laßt uns reisen, denn schon ermahnt mich die göttliche Kirke!
Also sprach ich und zwang ihr edles Herz zum Gehorsam. 550
Aber ich führt auch von dannen nicht ohne Verlust die Gefährten.
Denn der jüngste der Schar, Elpenor, nicht eben besonders
Tapfer gegen den Feind noch mit Verstande gesegnet,
Hatte sich heimlich beiseit' auf Kirkes heilige Wohnung,
Von der Hitze des Weins sich abzukühlen, gelagert. 555
Jetzo vernahm er den Lärm und das rege Getümmel der Freunde;
Plötzlich sprang er empor und vergaß in seiner Betäubung,
Wieder hinab die Stufen der langen Treppe zu steigen,
Sondern er stürzte sich grade vom Dache hinunter; der Nacken
Brach aus seinem Gelenk, und die Seele fuhr in die Tiefe. 560
Zu der versammelten Schar der übrigen sprach ich im Gehen:
Freunde, ihr wähnt vielleicht, zur lieben heimischen Insel
Hinzugehn; doch Kirke gebeut eine andere Reise,
Hin zu Aides Reich und der strengen Persephoneia,
Um des thebaiischen Greises Teiresias Seele zu fragen. 565
Als sie dieses vernommen, da brach ihr Herz vor Betrübnis;
Jammernd setzten sie sich in den Staub und rauften ihr Haupthaar:
Aber sie konnten ja nichts mit ihrer Klage gewinnen.
Während wir nun zu dem rüstigen Schiff am Strande des Meeres
Herzlich bekümmert gingen und viele Tränen vergießend, 570
Ging auch Kirke dahin und band bei dem schwärzlichen Schiffe
Einen Bock und ein Schaf von ungezeichneter Schwärze,
Leicht uns vorüberschlüpfend. Denn welches Sterblichen Auge
Mag des Unsterblichen Gang, der sich verhüllet, entdecken?

XI. GESANG

Ein nördlicher Götterwind führt Odysseus zum Gestade der nächtlichen Kimmerier, wo der Weltstrom Okeanos ins Meer einströmt. An der Kluft, die in Aides' unterirdisches Reich hinabgeht, opfert er Totenopfer, worauf die Geister aus der Tiefe dem Blute nahn. Elpenor fleht um Bestattung. Die Mutter wird vom Blute gehemmt, bis Teiresias getrunken und geweissagt. Dann trinkt die Mutter und erkennt ihn. Dann Seelen uralter Heldinnen. Dann Agamemnon mit den Seinigen. Achilleus mit Patroklos und Antilochos, auch Ajas, Telamons Sohn. In der Ferne der richtende Minos, Orion jagend; Tityos, Tantalos und Sisyphos gequält. Des Herakles Bild annahend. Rückfahrt aus dem Okeanos.

Als wir jetzo das Schiff und des Meeres Ufer erreichten,
Zogen wir erstlich das Schiff hinab in die heilige Meersflut,
Stellten die Masten empor und die Segel im schwärzlichen Schiffe,
Brachten darauf die Schafe hinein und traten dann selber
Herzlich bekümmert ins Schiff und viele Tränen vergießend. 5
Jene sandte vom Ufer dem blaugeschnäbelten Schiffe
Günstigen segelschwellenden Wind zum guten Begleiter,
Kirke, die schöngelockte, die hehre melodische Göttin.
Eilig brachten wir jetzt die Geräte des Schiffes in Ordnung,
Saßen dann still und ließen vom Wind und Steuer uns lenken. 10
Und wir durchschifften den Tag mit vollem Segel die Wasser,
Und die Sonne sank und Dunkel umhüllte die Pfade.
Jetzo erreichten wir des tiefen Ozeans Ende.
Allda liegt das Land und die Stadt der kimmerischen Männer.
Diese tappen beständig in Nacht und Nebel, und niemals 15
Schauet strahlend auf sie der Gott der leuchtenden Sonne,
Weder wenn er die Bahn des sternichten Himmels hinansteigt,
Noch wenn er wieder hinab vom Himmel zur Erde sich wendet:
Sondern schreckliche Nacht umhüllt die elenden Menschen.
Und wir zogen das Schiff an den Strand und nahmen die Schafe
Schnell aus dem Raum; dann gingen wir längs des Ozeans Ufer,
Bis wir den Ort erreichten, wovon uns Kirke gesaget.
Allda hielten die Opfer Eurylochos und Perimedes.
Aber nun eilt ich und zog das geschliffene Schwert von der Hüfte,
Eine Grube zu graben, von einer Ell ins Gevierte. 25
Hierum gossen wir rings Sühnopfer für alle Toten:
Erst von Honig und Milch, von süßem Weine das zweite,

Und das dritte von Wasser, mit weißem Mehle bestreuet.
Dann gelobt ich flehend den Luftgebilden der Toten,
Wann ich gen Ithaka käm, eine Kuh, unfruchtbar und fehllos, 30
In dem Palaste zu opfern und köstliches Gut zu verbrennen
Und für Teiresias noch besonders den stattlichsten Widder
Unserer ganzen Herde, von schwarzer Farbe, zu schlachten.
Und nachdem ich flehend die Schar der Toten gesühnet,
Nahm ich die Schaf' und zerschnitt die Gurgeln über der Grube; 35
Schwarz entströmte das Blut, und aus dem Erebos kamen
Viele Seelen herauf der abgeschiedenen Toten.
Jüngling' und Bräute kamen und kummerbeladene Greise,
Und aufblühende Mädchen, im jungen Grame verloren.
Viele kamen auch, von ehernen Lanzen verwundet, 40
Kriegerschlagene Männer mit blutbesudelter Rüstung.
Dicht umdrängten sie alle von allen Seiten die Grube
Mit grauenvollem Geschrei, und bleiches Entsetzen ergriff mich.
Nun befahl ich und trieb aufs äußerste meine Gefährten,
Beide liegenden Schafe, vom grausamen Erze getötet, 45
Abzuziehn und ins Feuer zu werfen und anzubeten
Aides' schreckliche Macht und die strenge Persephoneia.
Aber ich eilt und zog das geschliffene Schwert von der Hüfte,
Setzte mich hin und ließ die Luftgebilde der Toten
Sich dem Blute nicht nahn, bevor ich Teiresias fragte. 50
Erstlich kam die Seele von unserm Gefährten Elpenor.
Denn er ruhte noch nicht in der weitumwanderten Erde,
Sondern wir hatten den Leichnam in Kirkes Wohnung verlassen,
Weder beweint noch begraben; uns drängten andere Sorgen.
Weinend erblickt ich ihn und fühlete herzliches Mitleid, 55
Und ich redet ihn an und sprach die geflügelten Worte:

Sag, Elpenor, wie kamst du hinab ins nächtliche Dunkel?
Gingst du schneller zu Fuß als ich im schwärzlichen Schiffe?

Also sprach ich, und drauf begann er mit schluchzender Stimme:
Edler Laertiad, erfindungsreicher Odysseus, 60
Ach, ein feindlicher Geist und der Weinrausch war mein Verderben!
Schlummernd auf Kirkes Palast, vergaß ich in meiner Betäubung,
Wieder hinab die Stufen der langen Treppe zu steigen,
Sondern ich stürzte mich grade vom Dache hinunter; der Nacken

Brach aus seinem Gelenk und die Seele fuhr in die Tiefe. 65
Doch nun fleh ich dich an bei deinen verlassenen Lieben,
Deiner Gemahlin, dem Vater, der dich als Knaben gepfleget,
Und bei dem einzigen Sohne Telemachos, welcher daheim blieb
(Denn ich weiß es, du kehrst zurück aus Aides' Herrschaft
Und dein rüstiges Schiff erreicht die Insel Aiaia), 70
Dort, begehr ich von dir, gedenke meiner, o König:
Laß nicht unbeweint und unbegraben mich liegen,
Wann du scheidest, damit dich der Götter Rache nicht treffe,
Sondern verbrenne mich samt meiner gewöhnlichen Rüstung,
Häufe mir dann am Gestade des grauen Meeres ein Grabmahl, 75
Daß die Enkel noch hören von mir unglücklichem Manne!
Dieses richte mir aus und pflanz auf den Hügel das Ruder,
Welches ich lebend geführt in meiner Freunde Gesellschaft.
Also sprach er; und ich antwortete wieder und sagte:
Dies, unglücklicher Freund, will ich dir alles vollenden. 80
Also saßen wir dort und redeten traurige Worte,
Ich an der einen Seite, der über dem Blute das Schwert hielt,
Und an der andern der Geist des kummervollen Gefährten.
Jetzo kam die Seele von meiner gestorbenen Mutter,
Antikleia, des großgesinnten Autolykos Tochter, 85
Welche noch lebte, da ich zur heiligen Ilios schiffte.
Weinend erblickt ich sie und fühlete herzliches Mitleid;
Dennoch verbot ich ihr, obgleich mit inniger Wehmut,
Sich dem Blute zu nahn, bevor ich Teiresias fragte.
Jetzo kam des alten Thebaiers Teiresias Seele, 90
Haltend den goldenen Stab; er kannte mich gleich und begann so:
Edler Laertiad, erfindungsreicher Odysseus,
Warum verließest du doch das Licht der Sonne, du Armer,
Und kamst hier, die Toten zu schaun und den Ort des Entsetzens?
Aber weiche zurück und wende das Schwert von der Grube, 95
Daß ich trinke des Blutes und dir dein Schicksal verkünde.
Also sprach er; ich wich und steckte das silberbeschlagne
Schwert in die Scheid. Und sobald er des schwarzen Blutes getrunken,
Da begann er und sprach, der hoch erleuchtete Seher:
Glückliche Heimfahrt suchst du, o weitberühmter Odysseus: 100
Aber sie wird dir ein Gott schwer machen; denn nimmer entrinnen

Wirst du dem Erderschüttrer! Er trägt dir heimlichen Groll nach,
Zürnend, weil du den Sohn des Augenlichtes beraubt hast.
Dennoch kämet ihr einst, obzwar unglücklich, zur Heimat,
Möchtest du nur dein Herz und deiner Freunde bezähmen, 105
Wann du jetzo, den Schrecken des dunkeln Meeres entfliehend,
Mit dem rüstigen Schiff an der Insek Thrinakia landest
Und die weidenden Rinder und feisten Schafe da findest,
Heilig dem Sonnengotte, der alles siehet und höret.
Denn so du, eingedenk der Heimkunft, diese verschonest, 110
Könnet ihr einst, obzwar unglücklich, gen Ithaka kommen.
Aber verletzest du sie, alsdann weissag ich Verderben
Deinem Schiff und den Freunden. Und wenn du selber entrinnest,
Wirst du doch spät, unglücklich, und ohne Gefährten zur Heimat
Kommen, auf fremdem Schiff, und Elend finden im Hause, 115
Übermütige Männer, die deine Habe verschlingen
Und dein göttliches Weib mit Brautgeschenken umwerben:
Aber kommen wirst du und strafen den Trotz der Verräter.
Hast du jetzo die Freier, mit Klugheit oder gewaltsam
Mit der Schärfe des Schwerts, in deinem Palaste getötet, 120
Siehe, dann nimm in die Hand ein geglättetes Ruder und gehe
Fort in die Welt, bis du kommst zu Menschen, welche das Meer nicht
Kennen und keine Speise gewürzt mit Salze genießen,
Welchen auch Kenntnis fehlt von rotgeschnäbelten Schiffen
Und von geglätteten Rudern, den Fittichen eilender Schiffe. 125
Deutlich will ich sie dir bezeichnen, daß du nicht irrest.
Wenn ein Wanderer einst, der dir in der Fremde begegnet,
Sagt, du tragst eine Schaufel auf deiner rüstigen Schulter,
Siehe, dann steck in die Erde das schöngeglättete Ruder,
Bringe stattliche Opfer dem Meerbeherrscher Poseidon, 130
Einen Widder und Stier und einen mutigen Eber.
Und nun kehre zurück und opfere heilige Gaben
Allen unsterblichen Göttern, des weiten Himmels Bewohnern,
Nach der Reihe herum. Zuletzt wird außer dem Meere
Kommen der Tod und dich vom hohen behaglichen Alter 135
Aufgelöseten sanft hinnehmen, wann ringsum die Völker
Froh und glücklich sind. Nun hab ich dein Schicksal verkündet.

Also sprach er, und ich antwortete wieder und sagte:

Ja, Teiresias, selbst die Götter beschieden mir solches!
Aber verkündige mir und sage die lautere Wahrheit. 140
Dort erblick ich die Seele von meiner gestorbenen Mutter:
Diese sitzet still bei dem Blut und würdigt dem Sohne
Weder ein Wort zu sagen noch grad ins Antlitz zu schauen.
Wie beginn ich es, Herrscher, daß sie als Sohn mich erkenne?
Also sprach ich, und schnell antwortete jener und sagte: 145
Leicht ist, was du mich fragst, ich will dir's gerne verkünden.
Wem du jetzo erlaubst der abgeschiedenen Toten,
Sich dem Blute zu nahn, der wird dir Wahres erzählen;
Aber wem du es wehrst, der wird stillschweigend zurückgehn.
Also sprach des hohen Teiresias Seele und eilte 150
Wieder in Aides' Wohnung, nachdem sie mein Schicksal geweissagt.
Aber ich blieb dort sitzen am Rande der Grube, bis endlich
Meine Mutter kam, des schwarzen Blutes zu trinken.
Und sie erkannte mich gleich und sprach mit trauriger Stimme:
Lieber Sohn, wie kamst du hinab ins nächtliche Dunkel, 155
Da du noch lebst? Denn schwer wird Lebenden, dieses zu schauen.
Große Ströme fließen und furchtbare Fluten dazwischen,
Und vor allen der Strom des Ozeans, welchen zu Fuße
Niemand, sondern allein im rüstigen Schiffe durchwandert.
Schweifst du jetzo hieher, nachdem du vom troischen Ufer 160
Mit dem Schiff und den Freunden so lange geirret? Und kamst du
Noch gen Ithaka nicht und sahst zu Hause die Gattin?
Also sprach sie; und ich antwortete wieder und sagte:
Meine Mutter, mich trieb die Not in Aides' Wohnung,
Um des thebaiischen Greises Teiresias Seele zu fragen. 165
Denn noch hab ich Achaia, noch hab ich unsere Heimat
Nicht berührt, ich irre noch stets von Leiden zu Leiden,
Seit ich zuerst in dem Heere des göttlichen Agamemnon
Hin gen Ilion zog, zum Kampf mit den Reisigen Trojas.
Aber verkündige mir und sage die lautere Wahrheit: 170
Welches Schicksal bezwang dich des schlummergebenden Todes?
Zehrte dich Krankheit aus? Oder traf dich die Freundin der Pfeile
Artemis unversehns mit ihrem sanften Geschosse?
Sage mir auch von dem Vater und Sohne, den ich daheim ließ.
Ruht noch meine Würde auf ihnen, oder empfing sie 175

Schon ein anderer Mann? Und glaubt man, ich kehre nicht wieder?
Melde mir auch die Gesinnung von meiner Ehegenossin:
Bleibt sie noch bei dem Sohn und hält die Güter in Ordnung,
Oder ward sie bereits die Gattin des besten Achaiers?
Also sprach ich; mir gab die teure Mutter zur Antwort: 180
Allerdings weilt jene mit treuer duldender Seele
Noch in deinem Palast; und immer schwinden in Jammer
Ihre Tage dahin und unter Tränen die Nächte.
Deine Würde empfing kein anderer, sondern in Frieden
Baut Telemachos noch des Königes Erbe und speiset 185
Mit am Mahle des Volks, wie des Landes Richter gebühret;
Denn sie laden ihn alle. Dein Vater lebt auf dem Lande,
Wandelt nie in die Stadt und wählet nimmer zum Lager
Bettgestelle, bedeckt mit Mänteln und prächtigen Polstern,
Sondern den Winter schläft er bei seinen Knechten im Hause 190
Neben dem Feuer im Staube, mit schlechten Gewanden umhüllet.
Und in den milderen Tagen des Sommers und reifenden Herbstes
Bettet er überall im fruchtbaren Rebengefilde
Auf der Erde sein Lager von abgefallenen Blättern.
Seufzend liegt er darauf, bejammert dein Schicksal und häufet 195
Größeren Schmerz auf die Seele; und schwerer drückt ihn das Alter.
Denn so starb auch ich und fand mein Todesverhängnis.
Sohn, mich tötete nicht die Freundin der treffenden Pfeile,
Artemis, unversehens mit ihrem sanften Geschosse.
Auch besiegten mich nicht Krankheiten, welche gewöhnlich 200
Mit verzehrendem Schmerze den Geist den Gliedern entreißen.
Bloß das Verlangen nach dir und die Angst, mein edler Odysseus,
Dein holdseliges Bild nahm deiner Mutter das Leben!
Also sprach sie; da schwoll mein Herz vor inniger Sehnsucht,
Sie zu umarmen, die Seele von meiner gestorbenen Mutter. 205
Dreimal sprang ich hinzu, an mein Herz die Geliebte zu drücken,
Dreimal entschwebte sie leicht wie ein Schatten oder ein Traumbild
Meinen umschlingenden Armen; und stärker ergriff mich die Wehmut.
Und ich red'te sie an und sprach die geflügelten Worte:
Meine Mutter, warum entfliehst du meiner Umarmung? 210
Wollen wir nicht in der Tiefe, mit liebenden Händen umschlungen,
Unser trauriges Herz durch Tränen einander erleichtern?

Oder welches Gebild hat die furchtbare Persephoneia
Mir gesandt, damit ich noch mehr mein Elend beseufze?
Also sprach ich; mir gab die treffliche Mutter zur Antwort: 215
Mein geliebtester Sohn, Unglücklichster aller, die leben!
Ach, sie täuschet dich nicht, Zeus' Tochter Persephoneia!
Sondern dies ist das Los der Menschen, wann sie gestorben.
Denn nicht Fleisch und Gebein wird mehr durch Nerven verbunden,
Sondern die große Gewalt der brennenden Flamme verzehret 220
Alles, sobald der Geist die weißen Gebeine verlassen.
Und die Seele entfliegt wie ein Traum zu den Schatten der Tiefe.
Aber nun eile geschwinde zum Lichte zurück und behalte
Alles, damit du es einst der lieben Gattin erzählest.
Also besprachen wir uns miteinander. Siehe, da kamen 225
Viele Seelen, gesandt von der furchtbaren Persephoneia,
Alle Gemahlinnen einst und Töchter der edelsten Helden.
Diese versammelten sich um das schwarze Blut in der Grube.
Jetzo sann ich umher, wie ich jedwede befragte,
Aber von allen Entwürfen gefiel mir dieser am besten: 230
Eilend zog ich das lange Schwert von der nervichten Hüfte
Und verwehrte den Seelen, zugleich des Blutes zu trinken.
Also nahten sie sich nacheinander; jede besonders
Meldete mir ihr Geschlecht; und so befragt ich sie alle.
Jetzo erblickt ich zuerst die edelentsprossene Tyro, 235
Welche sich Tochter nannte des tadellosen Salmoneus
Und die Ehegenossin von Kretheus, Aiolos' Sohne.
Diese liebte vordem den göttlichen Strom Enipeus,
Der durch seine Gefilde, der Ströme schönster, einherwallt.
Einst lustwandelte sie an Enipeus' schönen Gewässern, 240
Siehe, da nahm der Erderschütterer seine Gestalt an
Und beschlief sie im Sand, an der Mündung des wirbelnden Stromes.
Rings um die Liebenden stand wie ein Berg die purpurne Woge,
Hochgewölbt, und verbarg den Gott und die sterbliche Jungfrau.
Schmeichelnd löst' er den Gürtel der Keuschheit und ließ sie ent-
Und da jetzo der Gott das Werk der Liebe vollendet, [schlummern.
Drückt' er des Mädchens Hand und sagte mit freundlicher Stimme:
Freue dich, Mädchen, der Liebe! Du wirst im Laufe des Jahres
Herrliche Söhne gebären. Denn nicht unfruchtbaren Samen

Streut ein unsterblicher Gott. Du pfleg und nähre sie sorgsam. 250
Jetzo gehe zu Haus und schweig und sage dies niemand:
Ich, dein Geliebter, bin der Erderschüttrer Poseidon.
Also sprach er und sprang in des Meers hochwallende Woge.
Tyro ward schwanger und kam mit Pelias nieder und Neleus,
Welche beide des großen Zeus gewaltige Diener 255
Wurden: Pelias einst, der iaolkischen Fluren
Herdenreicher Beherrscher, und Neleus der sandigen Pylos.
Andere Söhne gebar dem Kretheus die Fürstin der Weiber,
Aison und Pheres und drauf Amythaon, den Tummler der Rosse.
Auch Antiope kam, die schöne Tochter Asopos', 260
Rühmend, sie habe geruht in Zeus' des Kroniden Umarmung.
Und sie gebar dem Gott zween Söhne, Amphion und Zethos.
Diese bauten zuerst die siebentorichte Thebai
Und befestigten sie; denn unbefestigt konnten
Beide, wie stark sie auch waren, die große Thebai nicht schützen. 265
Hierauf kam Alkmene, Amphitryons Ehegenossin,
Welche den Allbesieger, den löwenbeherzten Herakles
Hatte geboren, aus Zeus', des großen Kroniden, Umarmung.
Auch Megare, die Tochter des übermütigen Kreions
Und des nimmerbezwungnen Amphitryoniden Gemahlin. 270
Hierauf kam Epikaste, die schöne, Ödipus' Mutter,
Welche die schrecklichste Tat mit geblendeter Seele verübet:
Ihren leiblichen Sohn, der seinen Vater ermordet,
Nahm sie zum Mann! Allein bald rügten die Götter die Schandtat.
Ödipus herrschte, mit Kummer behäuft, in der lieblichen Thebai 275
Über Kadmos' Geschlecht, durch der Götter verderblichen Ratschluß.
Aber sie fuhr hinab zu den festen Toren des Todes,
Denn sie knüpft' an das hohe Gebälk, in der Wut der Verzweiflung,
Selbst das erdrosselnde Seil und ließ unnennbares Elend
Jenem zurück, den Fluch der blutgeschändeten Mutter. 280
Jetzo nahte sich Chloris, die schöne Gemahlin von Neleus.
Mit unzähligen Gaben gewann er die schönste der Jungfraun,
Sie, die jüngste Tochter des Jasiden Amphions,
Welcher der Minyer Stadt Orchomenos mächtig beherrschte.
Pylos' Fürstin gebar dem Neleus herrliche Söhne, 285
Nestor gebar sie ihm und Chromios und den berühmten

Periklymenos; darauf die weitbewunderte Pero.
Diese liebeten alle benachbarten Fürsten; doch Neleus
Gab sie keinem, der nicht des mächtigen Königs Iphikles
Breitgestirnete Rinder aus Phylakes Auen entführte. 290
Schwer war die Tat, und nur der treffliche Seher Melampus
Unternahm sie: allein ihn hinderte Gottes Verhängnis,
Seine grausamen Band' und die Hirten der weidenden Rinder.
Aber nachdem die Monden und Tage waren vollendet
Und ein neues Jahr mit den kreisenden Horen herankam, 295
Siehe, da löste den Seher der mächtige König Iphikles,
Weil er ihm prophezeit. So geschah der Wille Kronions.
Jetzo erblickt ich Leda, Tyndareos' Ehegenossin,
Welche ihrem Gemahl zween mutige Söhne geboren:
Kastor, durch Rosse berühmt, und Polydeikes im Faustkampf. 300
Diese leben noch beid in der allernährenden Erde.
Denn auch unter der Erde beehrte sie Zeus mit dem Vorrecht,
Daß sie beid abwechselnd den einen Tag um den andern
Leben und wieder sterben und göttlicher Ehre genießen.
Drauf kam Iphimedeia, die Ehegenossin Aloeus', 305
Rühmend, sie habe geruht in Poseidaons Umarmung.
Und sie gebar zween Söhne, wiewohl ihr Leben nur kurz war:
Otos, voll göttlicher Kraft, und den ruchbaren Ephialtes.
Diese waren die längsten von allen Erdebewohnern
Und bei weitem die schönsten nach jenem berühmten Orion. 310
Denn im neunten Jahre, da maß neun Ellen die Breite
Ihres Rumpfes, da maß neun Klafter die Höhe des Hauptes.
Und sie drohten sogar den Unsterblichen, ihren Olympos
Mit verheerendem Sturm und Schlachtengetümmel zu füllen.
Ossa mühten sie sich auf Olympos zu setzen, auf Ossa 315
Pelions Waldgebirg, um hinauf in den Himmel zu steigen.
Und sie hätten's vollbracht, wär ihre Jugend gereifet.
Aber sie traf Zeus' Sohn, den die reizende Leto geboren,
Beide mit Todesgeschoß, eh unter den Schläfen des Bartes
Blume wuchs und den Kinn die zarten Sprößlinge bräunten. 320
Drauf kam Phaidra und Prokris und Ariadne die schöne,
Jene Tochter Minos' des allerfahrnen, die Theseus
Einst aus Kreta entführte zur heiligen Flur von Athenai.

Aber er brachte sie nicht; denn in der umflossenen Dia
Hielt sie Artemis an, auf Dionysos' Verkündung. 325
Maira und Klymene kam und das schändliche Weib Eriphyle,
Welche den teuren Gemahl um ein goldenes Kleinod verkaufte.
Aber ich kann unmöglich sie alle beschreiben und nennen,
Welche Weiber und Töchter berühmter Helden ich schaute.
Sonst vergeht die ambrosische Nacht, und die Stunde gebeut mir, 330
Schlafen zu gehn bei den Freunden in unserm gerüsteten Schiffe
Oder auch hier. Die Reise befehl ich euch und den Göttern.
Also sprach er; und alle verstummten umher und schwiegen,
Horchten noch wie entzückt im großen schattigen Saale.
Endlich begann Arete, die lilienarmige Fürstin: 335
Sagt mir doch, ihr Phaiaken, was haltet ihr von dem Manne,
Seiner Gestalt und Größe, mit solchem Geiste vereinigt?
Seht, das ist mein Gast; doch jeder hat teil an der Ehre.
Darum sendet ihn nicht so eilend und spart die Geschenke
Bei dem darbenden Manne nicht allzu kärglich; ihr habt ja 340
Reiche Schätze daheim durch die Gnade der Götter verwahret!
Hierauf sprach zur Versammlung der graue Held Echeneos,
Welcher der älteste war von allen phaiakischen Männern:
Freunde, nicht unserem Wunsch, noch unsrer Erwartung entgegen
Redete jetzt voll Weisheit die Königin, darum gehorchet! 345
Aber Alkinoos selber gebührt es zu reden und handeln.
Ihm antwortete drauf Alkinoos wieder und sagte:
Ja, dies Wort soll wahrlich erfüllet werden, wofern ich
Leben bleib, ein König der rudergeübten Phaiaken!
Aber der Fremdling wolle, wie sehr er zur Heimat verlanget, 350
Noch bis morgen bei uns verweilen, bis ich das ganze
Ehrengeschenk ihm bereitet. Die Fahrt liegt allen am Herzen,
Aber vor allem mir; denn mein ist die Herrschaft des Volkes.
Ihm antwortete drauf der erfindungsreiche Odysseus:
Weitgepriesener Held Alkinoos, mächtigster König! 355
Zwänget ihr mich, allhier auch ein ganzes Jahr zu verweilen,
Und betriebt nur die Fahrt und schenktet mir Ehrengeschenke,
Gerne willigt ich ein; auch wäre mir besser geraten,
Wenn ich mit vollerer Hand in mein liebes Vaterland kehrte.
Weit willkommener würd ich und weit ehrwürdiger allen 360

Männern in Ithaka sein, die mich Heimkehrenden sähen.
Ihm antwortete drauf Alkinoos wieder und sagte:
Deine ganze Gestalt, Odysseus, kündet mitnichten
Einen Betrüger uns an, noch losen Schwätzer, wie viele
Sonst die verbreiteten Völker der schwarzen Erde durchstreifen, 365
Welche Lügen erdichten, woher sie keiner vermutet.
Aber in deinen Worten ist Anmut und edle Gesinnung;
Gleich dem weisesten Sänger erzähltest du die Geschichte
Von des argeiischen Heers und deinen traurigen Leiden.
Aber verkündige mir und sage die lautere Wahrheit, 370
Ob du einige sahst der göttlichen Freunde, die mit dir
Hin gen Ilion zogen und dort ihr Schicksal erreichten.
Diese Nächte sind lang, sehr lang, und noch ist die Stunde,
Schlafen zu gehn, nicht da. Erzähle mir Wundergeschichten.
Selbst bis zur heiligen Frühe vermöcht ich zu hören, so lange 375
Du in diesem Gemache mir deine Leiden erzähltest!
Ihm antwortete drauf der erfindungsreiche Odysseus:
Weitgepriesener Held Alkinoos, mächtigster König!
Reden hat seine Stund und seine Stunde der Schlummer.
Aber wenn du verlangest, mich weiter zu hören, so will ich 380
Ohne Weigern dir jetzt noch tränenwerteres Unglück
Meiner Freunde verkünden, die nachmals ihr Leben verloren;
Die den blutigen Schlachten des troischen Krieges entrannen
Und auf der Heimkehr starben, durch List des heillosen Weibes.
Als sich auf den Befehl der schrecklichen Persephoneia 385
Alle Seelen der Weiber umher in die Tiefe zerstreuet,
Siehe, da kam die Seele von Atreus' Sohn Agamemnon
Trauernd daher, umringt von anderen Seelen, die mit ihm
In Aigisthos' Palast das Ziel des Todes erreichten.
Dieser erkannte mich gleich, sobald er des Blutes gekostet. 390
Und nun weint' er laut und vergoß die bittersten Tränen,
Streckte die Hände nach mir und strebte mich zu umarmen.
Aber ihm mangelte jetzo die spannende Kraft und die Schnelle,
Welche die biegsamen Glieder des Helden vormals belebte.
Weinend erblickt' ich ihn und fühlete herzliches Mitleid; 395
Und ich redet' ihn an und sprach die geflügelten Worte:
Atreus' rühmlicher Sohn, weitherrschender Held Agamemnon,

Welches Schicksal bezwang dich des schlummergebenden Todes?
Tötete dich auf der Fahrt der Erderschüttrer Poseidon,
Da er den wilden Orkan lautbrausender Winde dir sandte? 400
Oder ermordeten dich auf dem Lande feindliche Männer,
Als du die schönen Herden der Rinder und Schafe hinwegtriebst
Oder indem sie die Stadt und ihre Weiber verfochten?
  Also sprach ich, und drauf antwortete jener und sagte:
Edler Laertiad, erfindungsreicher Odysseus, 405
Nein, mich tötete nicht der Erderschüttrer Poseidon,
Da er den wilden Orkan lautbrausender Winde mir sandte,
Noch ermordeten mich auf dem Lande feindliche Männer,
Sondern Aigisthos bereitete mir das Schicksal des Todes,
Samt dem heillosen Weibe! Er lud mich zu Gast und erschlug mich
Unter den Freuden des Mahls: so erschlägt man den Stier an der Krippe!
Also starb ich den kläglichsten Tod, und alle Gefährten
Stürzten im Haufen umher, wie hauerbewaffnete Eber,
Die man im Hause des reichen gewaltigen Mannes zur Hochzeit
Oder zum Feiergelag abschlachtet oder zum Gastmahl. 415
Schon bei vieler Männer Ermordung warst du zugegen,
Die in dem Zweikampf blieben und in der wütenden Feldschlacht,
Doch kein Anblick hätte dein Herz so innig gerühret,
Als wie wir um den Kelch und die speisebeladenen Tische
Lagen im weiten Gemach und rings der Boden in Blut schwamm!
Jämmerlich hört ich vor allen Kassandra, Priamos' Tochter,
Winseln, es tötete sie die tückische Klytaimnestra
Über mir; da erhub ich die Hände noch von der Erde
Und griff sterbend ins Schwert der Mörderin. Aber die Freche
Ging von mir weg, ohn einmal die Augen des sterbenden Mannes 425
Zuzudrücken, noch ihm die kalten Lippen zu schließen.
Nichts ist scheußlicher doch, nichts unverschämter auf Erden,
Als ein Weib, entschlossen zu solcher entsetzlichen Schandtat,
Wie sie jene verübt, die Grausame, welche den Liebling
Ihrer Jugend mit List hinrichtete! Ach, wie entzückte 430
Mich die Hoffnung, daheim von meinen Leuten und Kindern
Freudig begrüßt zu werden! Doch jene, das Scheusal an Bosheit,
Hat ihr eignes Gedächtnis und alle Weiber der Nachwelt
Ewig entehrt, wenn eine sich auch des Guten befleißigt!

Also sprach er; und ich antwortete wieder und sagte: 435
Wehe! Wie fürchterlich hat Kronions waltende Vorsicht
Durch arglistige Weiber den Samen Atreus' von Anfang
Heimgesucht! Wie viele sind Helenens halber gestorben!
Und du verlorst, heimkehrend, durch Klytaimnestra dein Leben!
Also sprach ich; und darauf antwortete jener und sagte: 440
Laß deshalben auch du von dem Weibe nimmer dich lenken
Und vertrau ihr nicht aus Zärtlichkeit jedes Geheimnis,
Sondern verkündige dies und jenes halte verborgen!
Aber, Odysseus, du wirst nicht sterben durch deine Gemahlin;
Denn sie ist rechtschaffen, und Weisheit adelt die Seele 445
Von Ikarios' Tochter, der klugen Penelopeia.
Ach, wir verließen sie einst als junge Frau im Palaste,
Da wir zum Streit auszogen, und ihr unmündiges Knäblein
Lag an der Brust, der nun in den Kreis der Männer sich hinsetzt.
Glücklicher Sohn! Ihn schaut einst wiederkehrend sein Vater, 450
Und er begrüßt den Vater mit frommer kindlicher Liebe!
Aber mir hat mein Weib nicht einmal den freudigen Anblick
Meines Sohnes erlaubt; sie hat zuvor mich ermordet.
Höre nun meinen Rat und bewahr' ihn sorgsam im Herzen:
Lande mit deinem Schiff ans vaterländische Ufer 455
Heimlich, nicht öffentlich an; denn nimmer ist Weibern zu trauen!
Aber verkündige mir und sage die lautere Wahrheit:
Habt ihr etwa gehört von meinem noch lebenden Sohne
In Orchomenos oder vielleicht in der sandigen Pylos,
Oder bei Menelaos in Spartas weiten Gefilden? 460
Denn noch starb er nicht auf Erden, der edle Orestes.
Also sprach er; und ich antwortete wieder und sagte:
Warum fragst du mich das, Sohn Atreus'? Ich weiß nicht, ob jener
Tot sei oder noch lebe; und Eitles schwatzen ist unrecht.
Also standen wir beide mit trauervollen Gesprächen 465
Herzlich bekümmert da, und viele Tränen vergießend.
Siehe, da kam die Seele des Peleiden Achilleus
Und die Seele Patroklos', des tapfern Antilochos Seele
Und des gewaltigen Ajas, des ersten an Wuchs und Bildung
In dem achaiischen Heer nach dem tadellosen Achilleus. 470
Mich erkannte die Seele des schnellen aiakaischen Helden,

Und sie begann wehklagend und sprach die geflügelten Worte:
Edler Laertiad, erfindungsreicher Odysseus,
Welche noch größere Tat, Unglücklicher, wagest du jetzo?
Welche Kühnheit, herab in die Tiefe zu steigen, wo Tote 475
Nichtig und sinnlos wohnen, die Schatten gestorbener Menschen!
Also sprach er; und ich antwortete wieder und sagte:
Peleus' Sohn, o Achilleus, du trefflichster aller Achaier,
Wegen Teiresias mußt ich herab, wenn etwa der Seher
Mir weissagte, wie ich zur felsichten Ithaka käme. 480
Denn noch hab ich Achaia, noch hab ich unsere Heimat
Nicht berührt; ich leide noch stets! Doch keiner, Achilleus,
Glich an Seligkeit dir und keiner wird jemals dir gleichen.
Vormals im Leben ehrten wir dich wie einen der Götter,
Wir Achaier, und nun, da du hier bist, herrschest du mächtig 485
Unter den Geistern; drum laß dich den Tod nicht reuen, Achilleus!
Also sprach ich; und drauf antwortete jener und sagte:
Preise mir jetzt nicht tröstend den Tod, ruhmvoller Odysseus.
Lieber möcht ich fürwahr dem unbegüterten Meier,
Der nur kümmerlich lebt, als Tagelöhner das Feld baun, 490
Als die ganze Schar vermoderter Toten beherrschen.
Aber verkündige mir von meinem trefflichen Sohne,
Ob an der Spitze des Heers er schaltete oder daheim blieb.
Melde mir auch, wo du Kunde vom großen Peleus vernahmest,
Ob er noch weitgeehrt die Myrmidonen beherrsche 495
Oder ob man ihn schon durch Hellas und Phtia verachte,
Weil vor hohem Alter ihm Händ' und Schenkel erbeben.
Denn ich wandle nicht mehr ein Helfer im Lichte der Sonnen,
Wie ich war, da ich einst in Trojas weitem Gefilde,
Für die Danaer streitend, die tapfersten Völker erlegte. 500
Käm ich in jener Kraft nur ein wenig zum Hause des Vaters,
Schaudern vor der Gewalt der unüberwundenen Hände
Sollte, wer ihn antastet, des Königes Ehre zu rauben.
Also sprach er; und ich antwortete wieder und sagte:
Keine Kunde hab ich vom großen Peleus vernommen. 505
Aber von deinem Sohn Neoptolemos, deinem geliebten,
Will ich, wie du verlangst, dir lautere Wahrheit verkünden.
Denn ich selber hab ihn im gleichgezimmerten Schiffe

Her von Skyros gebracht zu den schöngeharnischten Griechen.
Wann wir Achaier vor Ilions Stadt uns setzten zum Kriegsrat, 510
Redet' er immer zuerst und sprach nicht flatternde Worte:
Nur der göttliche Nestor und ich besiegten den Jüngling.
Wann wir Achaier vor Ilions Stadt auszogen zur Feldschlacht,
Blieb er nimmer im Schwarm noch unter den Haufen der Heerschar,
Sondern er eilte vorauf mit freudiger Kühnheit und stürzte 515
Viele Männer dahin im schrecklichen Waffengetümmel.
Alle will ich sie dir nicht nennen oder beschreiben,
Wieviel Volkes dein Sohn, für die Danaer streitend, erlegte,
Sondern Eurypylos nur, den kriegrischen Telephiden.
Diesen durchstach er mit ehernem Spieß, und viele Keteier 520
Sanken blutig um ihn, durch Weibergeschenke verleitet.
Nach dem göttlichen Memnon war er der schönste der Feinde.
Als wir nun stiegen ins Roß, wir tapfersten Helden Achaias,
Welches Epeios gebaut, und mir die Sorge vertraut ward,
Unser festes Gehäuse zu öffnen oder zu schließen: 525
Siehe, da saßen viele der hohen Fürsten und Pfleger,
Trockneten ihre Tränen und bebten an Händen und Füßen.
Aber ich habe nie mit meinen Augen gesehen,
Daß der blühende Jüngling erblaßte oder sein Antlitz
Feige Tränen benetzten; mit Flehen bat er mich oftmal, 530
Ihn aus dem Rosse zu lassen, ergriff die eherne Lanze,
Legte die Hand an das Schwert und drohte den Troern Verderben.
Als wir die hohe Stadt des Priamos endlich zerstöret,
Stieg er, mit Ehrengeschenken und großer Beute bereichert,
Unbeschädigt ins Schiff, von keinem fliegenden Erze 535
Noch von der Schärfe des Schwerts verwundet, welches doch selten
Tapfere Streiter verschont; denn blindlings wütet der Kriegsgott.
Also sprach ich; da ging die Seele des schnellen Achilleus
Zur Asphodeloswiese mit großen Schritten hinunter,
Freudenvoll, daß ich ihm des Sohnes Tugend verkündigt. 540
Aber die andern Seelen der abgeschiedenen Toten
Standen trauernd da und sprachen von ihrer Betrübnis.
Nur allein die Seele des telamonischen Ajas
Blieb von ferne stehn und zürnte noch wegen des Sieges,
Den ich einst vor den Schiffen, mit ihm um die Waffen Achilleus' 545

Rechtend, gewann; sie setzte zum Preis die göttliche Mutter,
Und die Söhne der Troer entschieden und Pallas Athene.
Hätt ich doch nimmermehr in diesem Streite gesieget!
Denn ein solches Haupt birgt ihrenthalben die Erde:
Ajas, der an Gestalt und Edeltaten der größte 550
Unter den Danaern war nach dem tadellosen Achilleus.
Diesen redet' ich an und sagte mit freundlicher Stimme:
Ajas, Telamons Sohn, des herrlichen, mußtest du also
Selbst nach dem Tode den Groll forttragen wegen der Rüstung,
Welche der Götter Rat zum Verderben der Griechen bestimmte?
Denn du sankst, ihr Turm in der Feldschlacht; und wir Achaier
Müssen, wie um das Haupt des Peleiden Achilleus,
Stets um deinen Verlust leidtragen! Doch keiner ist hieran
Schuldig als Zeus, der, entbrannt vom schrecklichen Eifer, Achaias
Kriegerscharen verwarf und dein Verhängnis dir sandte! 560
Aber wohlan, tritt näher zu mir, o König, und höre
Meine Red und bezwinge den Zorn des erhabenen Herzens.
Also sprach ich; er schwieg und ging in des Erebos Dunkel
Zu den übrigen Seelen der abgeschiedenen Toten.
Dennoch hätte mich dort der Zürnende angeredet 565
Oder ich ihn; allein mich trieb die Begierde des Herzens,
Auch die Seelen der andern gestorbenen Helden zu schauen.
Und ich wandte den Blick auf Minos, den göttlichen, Zeus' Sohn!
Dieser saß, in der Hand den goldenen Zepter, und teilte
Strafe den Toten und Lohn; sie richteten rings um den König, 570
Sitzend und stehend, im weitgeöffneten Hause des Ais.
Und nach diesem erblickt ich den ungeheuren Orion.
Auf der Asphodeloswiese verfolgt' er die drängenden Tiere,
Die er im Leben einst auf wüsten Gebirgen getötet,
In den Händen die eherne, nie zerbrechliche Keule. 575
Auch den Tityos sah ich, den Sohn der gepriesenen Erde.
Dieser lag auf dem Boden und maß neun Hufen an Länge;
Und zween Geier saßen ihm links und rechts und zerhackten
Unter der Haut ihm die Leber: vergebens scheuchte der Frevler,
Weil er Leto entehrt, Zeus' heilige Lagergenossin, 580
Als sie gen Pytho ging, durch Panopeus' liebliche Fluren.
Auch den Tantalos sah ich, mit schweren Qualen belastet.

Mitten im Teiche stand er, das Kinn von der Welle bespület,
Lechzte hinab vor Durst und konnte zum Trinken nicht kommen.
Denn sooft sich der Greis hinbückte, die Zunge zu kühlen, 585
Schwand das versiegende Wasser hinweg, und rings um die Füße
Zeigte sich schwarzer Sand, getrocknet vom feindlichen Dämon.
Fruchtbare Bäume neigten um seine Scheitel die Zweige,
Voll balsamischer Birnen, Granaten und grüner Oliven
Oder voll süßer Feigen und rötlichgesprenkelter Äpfel. 590
Aber sobald sich der Greis aufreckte, der Früchte zu pflücken,
Wirbelte plötzlich der Sturm sie empor zu den schattigen Wolken.
Auch den Sisyphos sah ich, von schrecklicher Mühe gefoltert,
Einen schweren Marmor mit großer Gewalt fortheben.
Angestemmt, arbeitet' er stark mit Händen und Füßen, 595
Ihn von der Au aufwälzend zum Berge. Doch glaubt' er ihn jetzo
Auf den Gipfel zu drehn, da mit einmal stürzte die Last um;
Hurtig mit Donnergepolter entrollte der tückische Marmor.
Und von vorn arbeitet' er, angestemmt, daß der Angstschweiß
Seinen Gliedern entfloß und Staub sein Antlitz umwölkte. 600
Und nach diesem erblickt ich die hohe Kraft Herakles',
Seine Gestalt; denn er selber feirt mit den ewigen Göttern
Himmlische Wonnegelag und umarmt die blühende Hebe,
Zeus des gewaltigen Tochter und Heres mit goldenen Sohlen.
Ringsum schrie, wie Vögelgeschrei, das Geschrei der gescheuchten
Flatternden Geister um ihn; er stand der graulichen Nacht gleich,
Hielt den entblößten Bogen gespannt und den Pfeil auf der Senne,
Schauete drohend umher und schien beständig zu schnellen.
Seine Brust umgürtet' ein fürchterlich Wehrgehenke,
Wo, getrieben aus Gold, die Wunderbildungen strahlten: 610
Bären und Eber voll Wut und grimmig funkelnde Löwen,
Treffen und blutige Schlachten und Niederlagen und Morde.
Immer feire der Künstler, auf immer von seiner Arbeit,
Der ein solches Gehenke mit hohem Geiste gebildet!
Dieser erkannte mich gleich, sobald er mit Augen mich sahe, 615
Wandte sich seufzend zu mir und sprach die geflügelten Worte:
Edler Laertiad, erfindungsreicher Odysseus,
Armer, ruht auch auf dir ein trauervolles Verhängnis,
Wie ich weiland ertrug, da mir die Sonne noch strahlte?

Zeus des Kroniden Sohn war ich und duldete dennoch 620
Unaussprechliches Elend; dem weit geringeren Manne
Dient ich, und dieser gebot mir die fürchterlichsten Gefahren.
Selbst hier sandt er mich her, den Hund zu holen; denn dieses
Schien dem Tyrannen für mich die entsetzlichste aller Gefahren.
Aber ich brachte den Hund empor aus Aides' Wohnung; 625
Hermes geleitete mich und Zeus' blauäugichte Tochter.
Also sprach er und ging zurück in Aides' Wohnung.
Aber ich blieb und harrete dort, ob etwa noch jemand
Von den gestorbenen Helden des Altertumes sich nahte.
Und noch manchen vielleicht, den ich wünschte, hätt ich gesehen:
Theseus und seinen Freund Peirithoos, Söhne der Götter;
Aber es sammelten sich unzählige Scharen von Geistern
Mit graunvollem Getös, und bleiches Entsetzen ergriff mich.
Fürchtend, es sende mir jetzo die strenge Persephoneia
Tief aus der Nacht die Schreckengestalt des gorgonischen Unholds,
Floh ich eilend von dannen zum Schiffe, befahl den Gefährten,
Hurtig zu steigen ins Schiff und die Seile vom Ufer zu lösen.
Und sie stiegen hinein und setzten sich hin auf die Bänke.
Also durchschifften wir die Flut des Ozeanstromes,
Erst vom Ruder getrieben und drauf vom günstigen Winde. 640

XII. GESANG

Ankunft in Meer und Tageslicht bei Aiaia. Elpenors Bestattung. Kirke meldet die Gefahren des Wegs: erst die Sirenen, dann rechts die malmenden Irrfelsen, links die Enge zwischen Skylla und Charybdis; jenseits diesen die Sonnenherden in Thrinakia. Abfahrt mit Götterwind. Nach Vermeidung der Sirenen läßt Odysseus die Irrfelsen rechts und steuert an Skyllas Fels in die Meerenge, indem Charybdis einschlurft; Skylla raubt sechs Männer. Erzwungene Landung an Thrinakia, wo, durch Sturm ausgehungert, die Genossen heilige Rinder schlachten. Schiffbruch; Odysseus auf den Trümmern zur schlurfenden Charybdis zurückgetrieben, dann nach Ogygia zur Kalypso.

Als wir jetzo die Flut des Ozeanstromes durchsegelt,
Fuhren wir über die Woge des weithinwogenden Meeres
Zur aiaiischen Insel, allwo der dämmernden Frühe
Wohnung und Tänze sind und Helios' leuchtender Aufgang.
Jetzo landeten wir am sandigen Ufer der Insel, 5

Stiegen alsdann aus dem Schiff ans krumme Gestade des Meeres,
Schlummerten dort ein wenig und harrten der heiligen Frühe.
  Als die dämmernde Frühe mit Rosenfingern erwachte,
Sandt ich einige Freunde zur Wohnung der göttlichen Kirke,
Unsers toten Gefährten Elpenors Leichnam zu holen. 10
Eilig fällten wir Holz auf der höchsten Spitze des Landes
Und bestatteten ihn mit vielen Tränen und Seufzern.
Als der Tote nunmehr und des Toten Rüstung verbrannt war,
Häuften wir ihm ein Grab und errichteten drüber ein Denkmal,
Pflanzten dann hoch auf das Grab sein schöngeglättetes Ruder. 15
  Also bestellten wir dies nach der Ordnung. Doch unsre Zurückkunft
Aus dem Reiche der Nacht blieb Kirke nicht lange verborgen;
Denn bald kam sie geschmückt, und ihre begleitenden Jungfraun
Trugen Gebacknes und Fleisch samt rotem funkelnden Weine.
Und sie trat in die Mitte, die hehre Göttin, und sagte: 20
  Arme, die ihr lebendig in Aides' Wohnung hinabfuhrt,
Zweimal schmeckt ihr den Tod, den andre nur einmal empfinden.
Aber wohlan, erquickt euch mit Speis und funkelndem Weine
Hier, bis die Sonne sinkt; und sobald der Morgen sich rötet,
Schifft! Ich will euch den Weg und alle Gefahren des Weges 25
Selbst verkünden, damit nicht hinfort unselige Torheit,
Weder zu Wasser noch Land, euch neuen Jammer bereite.
  Also sprach sie und zwang der Edlen Herz zum Gehorsam.
Also saßen wir dort den Tag, bis die Sonne sich neigte,
An der Fülle des Fleisches und süßen Weines uns labend. 30
Als die Sonne nun sank und Dunkel die Erde bedeckte,
Legten sich jene zur Ruh am festgebundenen Schiffe.
Aber mich nahm bei der Hand die Göttin, führte mich abwärts,
Legte sich neben mir nieder und fragete, was mir begegnet.
Und ich erzählte darauf umständlich die ganze Geschichte. 35
Jetzt antwortete mir die hohe Kirke und sagte:
  Dieses hast du denn alles vollbracht; vernimm nun, Odysseus,
Was ich dir sagen will: des wird auch ein Gott dich erinnern.
Erstlich erreichet dein Schiff die Sirenen; diese bezaubern
Alle sterblichen Menschen, wer ihre Wohnung berühret. 40
Welcher mit törichtem Herzen hinanfährt und der Sirenen
Stimme lauscht, dem wird zu Hause nimmer die Gattin

Und unmündige Kinder mit freudigem Gruße begegnen;
Denn es bezaubert ihn der helle Gesang der Sirenen,
Die auf der Wiese sitzen, von aufgehäuftem Gebeine 45
Modernder Menschen umringt und ausgetrockneten Häuten.
Aber du steure vorbei und verklebe die Ohren der Freunde
Mit dem geschmolzenen Wachse der Honigscheiben, daß niemand
Von den andern sie höre. Doch willst du selber sie hören,
Siehe, dann binde man dich an Händen und Füßen im Schiffe, 50
Aufrecht stehend am Maste, mit festumschlungenen Seilen,
Daß du den holden Gesang der zwo Sirenen vernehmest.
Flehst du die Freunde nun an und befiehlst die Seile zu lösen:
Eilend feßle man dich mit mehreren Banden noch stärker!

Sind nun deine Gefährten bei diesen vorüber gerudert, 55
Dann bestimm ich den Weg nicht weiter, ob du zur Rechten
Oder zur Linken dein Schiff hinsteuern müssest; erwäg es
Selber in deinem Geist. Ich will dir beide bezeichnen.

Hier stürmt gegen den Fuß der überhangenden Klippen
Hochauf brausend die Woge der bläulichen Amphitrite. 60
Irrende Klippen nennt sie die Sprache der seligen Götter.
Selbst kein fliegender Vogel noch selbst die schüchternen Tauben
Eilen vorbei, die Zeus, dem Vater, Ambrosia bringen,
Sondern der glatte Fels raubt eine von ihnen beständig!
Aber der Vater erschafft eine andre, die Zahl zu ergänzen. 65
Und noch nimmer entrann ein Schiff, das ihnen sich nahte,
Sondern zugleich die Trümmer des Schiffs und die Leichen der Männer
Wirbelt die Woge des Meers und verzehrende Feuerorkane.
Eins nur steurte vorbei von den meerdurchwandelnden Schiffen,
Argo, die Allbesungne, da sie von Aietes zurückfuhr; 70
Und bald hätte die Flut auch sie an die Klippe geschmettert,
Doch sie geleitete Here, die waltende Göttin Jasons.

Dorthin drohn zween Felsen: der eine berühret den Himmel
Mit dem spitzigen Gipfel, vom düsterblauen Gewölke
Rings umhüllt, das nimmer zerfließt; und nimmer erhellen 75
Heitere Tage den Gipfel, im Sommer oder im Herbste.
Keiner vermöchte hinauf und keiner hinunter zu steigen,
Wenn er auch zwanzig Händ' und zwanzig Füße bewegte,
Denn der Stein ist so glatt, als wär er ringsum behauen.

In der Mitte des Felsens ist eine benachtete Höhle, 80
Abendwärts, gewandt nach des Erebos Gegend, allwo ihr
Euer gebogenes Schiff vorbeilenkt, edler Odysseus.
Von dem Boden des Schiffes vermöchte der fertigste Schütze
Nicht den gefiederten Pfeil bis an die Höhle zu schnellen.
Diese Höhle bewohnt die fürchterlich bellende Skylla, 85
Deren Stimme hell wie der jungen saugenden Hunde
Winseln tönt, sie selbst ein greuliches Scheusal, daß niemand
Ihrer Gestalt sich freut, wenn auch ein Gott ihr begegnet.
Siehe, das Ungeheuer hat zwölf abscheuliche Klauen
Und sechs Häls' unglaublicher Läng, auf jeglichem Halse 90
Einen gräßlichen Kopf, mit dreifachen Reihen gespitzter,
Dichtgeschlossener Zähne voll schwarzen Todes bewaffnet.
Bis an die Mitte steckt ihr Leib in der Höhle des Felsens,
Aber die Köpfe bewegt sie hervor aus dem schrecklichen Abgrund,
Blickt heißhungrig umher und fischt sich rings um den Felsen 95
Meerhund' oft und Delphine und oft noch ein größeres Seewild
Aus der unzähligen Schar der brausenden Amphitrite.
Noch kein kühner Pilot, der Skyllas Felsen vorbeifuhr,
Rühmt sich verschont zu sein; sie schwinget in jeglichem Rachen
Einen geraubeten Mann aus dem blaugeschnäbelten Schiffe. 100
Doch weit niedriger ist der andere Felsen, Odysseus,
Und dem ersten so nahe, daß ihn dein Bogen erreichte.
Dort ist ein Feigenbaum mit großen laubichten Ästen;
Drunter lauert Charybdis, die wasserstrudelnde Göttin.
Dreimal gurgelt sie täglich es aus und schlurfet es dreimal 105
Schrecklich hinein. Weh dir, wofern du der Schlurfenden nahest!
Selbst Poseidaon könnte dich nicht dem Verderben entreißen.
Darum steure du dicht an Skyllas Felsen und rudre
Schnell mit dem Schiffe davon. Es ist doch besser, Odysseus,
Sechs Gefährten im Schiff zu vermissen als alle mit einmal! 110
Also sprach sie; und ich antwortete wieder und sagte:
Göttin, ich flehe dich an, verkünde mir lautere Wahrheit:
Kann ich nicht dort dem Strudel der wilden Charybdis entfliehen,
Aber Skylla bestrafen, sobald sie die Meinigen anfällt?
Also sprach ich; mir gab die hohe Göttin zur Antwort: 115
Ungückseliger, denkst du auch hier der kriegrischen Taten

Und der Gewalt und weichst nicht einmal unsterblichen Göttern?
Denn nicht sterblich ist jene; sie ist ein unsterbliches Scheusal,
Furchtbar und schreckenvoll und grausam und unüberwindlich.
Nichts hilft Tapferkeit dort, entfliehn ist die einzige Rettung. 120
Denn verweilst du am Felsen, zum Kampfe gerüstet, so fürcht ich,
Daß dich das Ungeheuer von oben herunter noch einmal
Mit sechs Rachen ereil und dir sechs Männer entreiße.
Rudre denn hurtig vorüber und rufe die Göttin Krataiis,
Skyllas Mutter, an, die die Plage der Menschen geboren: 125
Diese wird sie bezähmen, daß sie nicht ferner dir schade.
Jetzo erreichst du die Insel Thrinakia. Siehe, da weiden
Viele fette Rinder und Schafe des Sonnenbeherrschers:
Sieben Herden der Rinder und sieben der trefflichen Schafe,
Fünfzig in jeglicher Herd; und diese vermehren sich niemals, 130
Noch vermindern sie sich. Zwo Göttinnen pflegen der Weide,
Lieblichgelockte Nymphen, Lampetia und Phaetusa,
Die mit der schönen Neaira der Hochhinwandelnde zeugte.
Denn die göttliche Mutter, sobald sie die Töchter erzogen,
Sandte sie fern hinweg, in Thrinakias Insel des Vaters 135
Fette Schafe zu hüten und sein schwerwandelndes Hornvieh.
Wenn du nun, eingedenk der Heimfahrt, diese verschonest,
Siehe, dann mögt ihr, obzwar unglücklich, gen Ithaka kehren.
Wenn du sie aber beraubst, alsdann weissag ich Verderben
Deinem Schiff und den Freunden, und so du auch selber entrinnest,
Kehrst du doch spät, unglücklich und ohne Gefährten zur Heimat.
Also sprach sie; da kam die goldenthronende Eos;
Und die hohe Göttin verließ mich und ging durch die Insel.
Aber ich eilte zum Schiff und ermahnete meine Gefährten,
Einzusteigen und schnell am Ufer die Seile zu lösen. 145
Und sie traten ins Schiff und setzten sich hin auf die Bänke,
Saßen in Reihn und schlugen die graue Woge mit Rudern.
Jene sandte vom Ufer dem blaugeschnäbelten Schiffe
Günstigen segelschwellenden Wind zum guten Begleiter,
Kirke, die schöngelockte, die hehre melodische Göttin. 150
Eilig brachten wir jetzt die Geräte des Schiffes in Ordnung,
Saßen dann still und ließen vom Wind und Steuer uns lenken.
Jetzo begann ich und sprach zu den Freunden mit inniger Wehmut:

Freunde, nicht einem allein noch zweenen gebührt es zu wissen,
Welche Dinge mir Kirke, die hohe Göttin, geweissagt. 155
Drum verkünd ich sie euch, daß jeder sie wisse, wir mögen
Sterben oder entfliehen dem schrecklichen Todesverhängnis.
Erst befiehlt uns die Göttin, der zauberischen Sirenen
Süße Stimme zu meiden und ihre blumige Wiese.
Mir erlaubt sie allein, den Gesang zu hören; doch bindet 160
Ihr mich fest, damit ich kein Glied zu regen vermöge,
Aufrecht stehend am Maste, mit festumschlungenen Seilen.
Fleh ich aber euch an und befehle die Seile zu lösen:
Eilend fesselt mich dann mit mehreren Banden noch stärker!

Also verkündet' ich jetzo den Freunden unser Verhängnis. 165
Und wie geflügelt entschwebte, vom freundlichen Winde getrieben,
Unser gerüstetes Schiff zu der Insel der beiden Sirenen.
Plötzlich ruhte der Wind; von heiterer Bläue des Himmels
Glänzte die stille See; ein Himmlischer senkte die Wasser.
Meine Gefährten gingen und falteten eilig die Segel, 170
Legten sie nieder im Schiff und setzten sich hin an die Ruder;
Schäumend enthüpfte die Woge den schöngeglätteten Tannen.
Aber ich schnitt mit dem Schwert aus der großen Scheibe des Wachses
Kleine Kugeln, knetete sie mit nervichten Händen,
Und bald weichte das Wachs, vom starken Drucke bezwungen 175
Und dem Strahle des hochhinwandelnden Sonnenbeherrschers.
Hierauf ging ich umher und verklebte die Ohren der Freunde.
Jene banden mich jetzo an Händen und Füßen im Schiffe,
Aufrecht stehend am Maste, mit festumschlungenen Seilen,
Setzten sich dann und schlugen die graue Woge mit Rudern. 180
Als wir jetzo so weit, wie die Stimme des Rufenden schallet,
Kamen im eilenden Lauf, da erblickten jene das nahe
Meerdurchgleitende Schiff und huben den hellen Gesang an:

Komm, besungner Odysseus, du großer Ruhm der Achaier!
Lenke dein Schiff ans Land und horche unserer Stimme. 185
Denn hier steurte noch keiner im schwarzen Schiffe vorüber,
Eh er dem süßen Gesang aus unserem Munde gelauschet.
Und dann ging er von hinnen, vergnügt und weiser wie vormals.
Uns ist alles bekannt, was ihr Argeier und Troer
Durch der Götter Verhängnis in Trojas Fluren geduldet: 190

Alles, was irgend geschieht auf der lebenschenkenden Erde!
  Also sangen jene voll Anmut. Heißes Verlangen
Fühlt ich, weiter zu hören, und winkte den Freunden Befehle,
Meine Bande zu lösen; doch hurtiger ruderten diese.
Und es erhuben sich schnell Eurylochos und Perimedes, 195
Legten noch mehrere Fesseln mir an und banden mich stärker.
Also steuerten wir den Sirenen vorüber; und leiser,
Immer leiser verhallte der Singenden Lied und Stimme.
Eilend nahmen sich nun die teuren Genossen des Schiffes
Von den Ohren das Wachs und lösten mich wieder vom Mastbaum.
  Als wir jetzo der Insel entruderten, sah ich von ferne
Dampf und brandende Flut und hört ein dumpfes Getöse.
Schnell entflogen den Händen der zitternden Freunde die Ruder;
Rauschend schleppten sie alle dem Strome nach, und das Schiff stand
Still, weil keiner mehr das lange Ruder bewegte. 205
Aber ich eilte durchs Schiff und ermahnete meine Gefährten,
Trat zu jeglichem Mann und sprach mit freundlicher Stimme:
  Freunde, wir sind ja bisher nicht ungeübt in Gefahren;
Und nicht größere drohet uns jetzt, als da der Kyklope
Mit unmenschlicher Kraft im dunkeln Felsen uns einschloß; 210
Dennoch entflohn wir auch jener durch meine Tugend und Weisheit,
Und ich hoffe, wir werden uns einst auch dieser erinnern.
Auf denn, Geliebteste, tut, was ich euch jetzo befehle!
Ihr, schlagt alle des Meers hochstürmende Woge mit Rudern,
Sitzend auf euren Bänken! Vielleicht verstattet Kronion 215
Zeus, daß wir durch die Flucht doch diesem Verderben entrinnen.
Aber dir, o Pilot, befehl ich dieses (verschleuß es
Tief im Herzen, denn du besorgst das Steuer des Schiffes!):
Lenke das Schiff mit aller Gewalt aus dem Dampf und der Brandung
Und arbeite gerad auf den Fels zu, daß es nicht dorthin 220
Unversehens sich wend und du ins Verderben uns stürzest!
  Also sprach ich, und schnell gehorchten sie meinem Befehle.
Aber von Skylla schwieg ich, dem unvermeidlichen Unglück,
Daß nicht meine Gefährten, aus Furcht des Todes, die Ruder
Sinken ließen und all im Schiffe zusammen sich drängten. 225
Jetzo dacht ich nicht mehr des schreckenvollen Gebotes,
Welches mir Kirke geboten, mich nicht zum Kampfe zu rüsten,

Sondern ich gürtete mich mit stattlichen Waffen und faßte
Zween weitschattende Speer' in der Hand und stieg auf des Schiffes
Vorderverdeck; denn ich hoffte, die Felsenbewohnerin Skylla 230
Dorther kommen zu sehn, um mir die Freunde zu rauben.
Aber ich schaute sie nirgends, obgleich die Augen mir schmerzten,
Da ich nach jeder Kluft des braunen Felsen emporsah.
Seufzend ruderten wir hinein in die schreckliche Enge:
Denn hier drohete Skylla und dort die wilde Charybdis, 235
Welche die salzige Flut des Meeres fürchterlich einschlang.
Wenn sie die Flut ausbrach, wie ein Kessel auf flammendem Feuer
Brauste mit Ungestüm ihr siedender Strudel, und hochauf
Spritzte der Schaum und bedeckte die beiden Gipfel der Felsen.
Wenn sie die salzige Flut des Meeres wieder hineinschlang, 240
Senkte sich mitten der Schlund des reißenden Strudels, und ringsum
Donnerte furchtbar der Fels und unten blickten des Grundes
Schwarze Kiesel hervor. Und bleiches Entsetzen ergriff uns.
Während wir nun in der Angst des Todes alle dahinsahn,
Neigte sich Skylla herab und nahm aus dem Raume des Schiffes 245
Mir sechs Männer, die stärksten an Mut und nervichten Armen.
Als ich jetzt auf das eilende Schiff und die Freunde zurücksah,
Da erblickt ich schon oben die Händ' und Füße der Lieben,
Die hoch über mir schwebten; sie schrien und jammerten alle
Laut und riefen mir, ach! zum letzten Male! beim Namen. 250
Wie am Vorgebirge mit langer Rute der Fischer
Lauernd den kleinen Fischen die ködertragende Angel
An dem Horne des Stiers hinab in die Fluten des Meeres
Wirft und die zappelnde Beute geschwind ans Ufer hinaufschwenkt:
Also wurden sie zappelnd empor an dem Felsen gehoben. 255
Dort an der Höhle fraß sie das Ungeheuer, und schreiend
Streckten jene nach mir, in der grausamsten Marter, die Händ' aus.
Nichts Erbärmlichers hab ich mit meinen Augen gesehen,
So viel Jammer mich auch im stürmenden Meere verfolgte!

Als wir jetzo die Felsen der Skylla und wilden Charybdis 260
Flohn, da erreichten wir bald des Gottes herrliche Insel,
Wo die Herden des hochhinwandelnden Helios weiden,
Viele treffliche Schaf' und viel breitstirniges Hornvieh.
Als ich noch auf dem Meer im schwarzen Schiffe heranfuhr,

Hört ich schon das Gebrüll der eingeschlossenen Rinder 265
Und der Schafe Geblök. Da erwacht' in meinen Gedanken
Jenes thebaiischen Sehers, des blinden Teiresias, Warnung
Und der aiaiischen Kirke, die mir aufs strengste befohlen,
Ja die Insel zu meiden der menschenerfreuenden Sonne.
Und mit trauriger Seele begann ich zu meinen Gefährten: 270
Höret meine Worte, ihr teuren Genossen im Unglück,
Daß ich euch sage, was mir Teiresias' Seele geweissagt
Und die aiaiische Kirke, die mir aufs strengste befohlen,
Ja die Insel zu meiden der menschenerfreuenden Sonne;
Denn dort würden wir uns den schrecklichsten Jammer bereiten.
Auf denn, Geliebteste, lenkt das Schiff bei der Insel vorüber!
Also sprach ich; und jenen brach das Herz vor Betrübnis.
Aber Eurylochos gab mir diese zürnende Antwort:
Grausamer Mann, du strotzest von Kraft und nimmer ermüden
Deine Glieder, sie sind aus hartem Stahle gebildet! 280
Daß du den müden Freunden, von Arbeit und Schlummer entkräftet,
Nicht ans Land zu steigen erlaubst, damit wir uns wieder
Auf der umflossenen Insel mit lieblichen Speisen erquicken,
Sondern befiehlst, daß wir die Insel meiden und blindlings
Durch die dickeste Nacht im düstern Meere verirren! 285
Und die Stürme der Nacht sind fürchterlich; Schiffe zertrümmert
Ihre Gewalt! Wo entflöhn wir dem schrecklichen Todesverhängnis,
Wenn nun mit einmal im wilden Orkan der gewaltige Südwind
Oder der sausende West herwirbelte, welche die Schiffe
Oft auch gegen den Willen der herrschenden Götter zerschmettern?
Laßt uns denn jetzo der Nacht aufsteigenden Schatten gehorchen
Und am Ufer ein Mahl bei dem schnellen Schiffe bereiten.
Morgen steigen wir ein und steuern ins offene Weltmeer.
Also sprach er; und laut rief jeder Eurylochos Beifall.
Und ich erkannte jetzt, daß ein Himmlischer Böses verhängte. 295
Drauf antwortet ich ihm und sprach die geflügelten Worte:
Freilich, Eurylochos, zwingt ihr mich einzelnen leicht zum Gehor-
Aber wohlan! jetzt schwöret mir alle den heiligen Eidschwur: [sam.
Wenn wir irgendwo Herden von Rindern oder von Schafen
Finden, daß keiner mir dann, durch schreckliche Bosheit verblendet,
Weder ein Rind noch ein Schaf abschlachte, sondern geruhig

Esse der Speise, die uns die unsterbliche Kirke gereicht hat!
Also sprach ich, und schnell beschwuren sie, was ich verlangte.
Als sie es jetzo gelobt und vollendet den heiligen Eidschwur,
Landeten wir in der Bucht mit dem starkgezimmerten Schiffe, 305
Nahe bei süßem Wasser; und meine Gefährten entstiegen
Alle dem Schiff und bereiteten schnell am Ufer die Mahlzeit.
Und nachdem die Begierde des Tranks und der Speise gestillt war,
Da beweineten sie der lieben Freunde Gedächtnis,
Welche Skylla geraubt und vor der Höhle verschlungen; 310
Auf die Weinenden sank allmählich der süße Schlummer.
Schon war die dritte Wache der Nacht, und es sanken die Sterne,
Siehe, da sendete Zeus, der Wolkenversammler, der Windsbraut
Fürchterlich zuckenden Sturm, verhüllt' in dicke Gewölke
Meer und Erde zugleich; und dem düstern Himmel entsank Nacht.
Als nun die dämmernde Frühe mit Rosenfingern erwachte,
Zogen wir unser Schiff in die felsenbeschattete Grotte,
Welche die schönen Reigen und Sitze der Nymphen verbirget.
Jetzo rief ich die Freunde zur Ratsversammlung und sagte:
Freunde, wir haben ja noch im Schiffe zu essen und trinken; 320
Darum schonet der Rinder, daß uns kein Böses begegne!
Diese Rinder und Schafe sind jenes furchtbaren Gottes
Helios Eigentum, der alles siehet und höret.
Also sprach ich; und zwang ihr edles Herz zum Gehorsam.
Aber der Süd durchstürmte den ganzen Monat, und niemals 325
Hub sich ein anderer Wind als der Ost und der herrschende Südwind.
Doch solang es an Speis und rotem Weine nicht fehlte,
Schoneten jene der Rinder, ihr süßes Leben zu retten.
Und da endlich im Schiffe der ganze Vorrat verzehrt war,
Streiften sie alle aus Not, vom nagenden Hunger gefoltert, 330
Durch die Insel umher, mit krummer Angel sich Fische
Oder Vögel zu fangen, was ihren Händen nur vorkam.
Jetzo ging ich allein durch die Insel, um einsam die Götter
Anzuflehn, ob einer den Weg mir zeigte zur Heimkehr.
Als ich, die Insel durchgehend, mich weit von den Freunden entfernet
Am windfreien Gestade, da wusch ich die Händ' und flehte
Alle Götter an, die Bewohner des hohen Olympos,
Und sie deckten mir sanft die Augen mit süßem Schlummer.

Aber Eurylochos reizte die andern Freunde zum Bösen:
Höret meine Worte, ihr teuren Genossen im Unglück. 340
Zwar ist jeglicher Tod den armen Sterblichen furchtbar,
Aber so jammervoll ist keiner, als Hungers sterben.
Auf denn und treibt die besten der Sonnenrinder zum Opfer
Für die Unsterblichen her, die den weiten Himmel bewohnen.
Kommen wir einst zurück in Ithakas heimische Fluren, 345
Seht, dann weihen wir schnell dem hohen Sonnenbeherrscher
Einen prächtigen Tempel, mit köstlichem Schmucke gezieret.
Aber beschließt der Gott, um gehörnete Rinder entrüstet,
Unser Schiff zu verderben und ihm willfahren die Götter:
Lieber will ich mit einmal den Geist in den Fluten verhauchen, 350
Als noch lang hinschmachten auf dieser einsamen Insel!
Also sprach er, und laut rief jeder Eurylochos Beifall.
Und sie trieben die besten der Sonnenrinder zum Opfer
Eilend daher; denn nahe dem blaugeschnäbelten Schiffe
Weideten jetzt breitstirnig und schön die heiligen Rinder. 355
Diese umstanden die Freunde, den Göttern flehend, und streuten
Zarte Blätter, gepflückt von der hochgewipfelten Eiche;
Denn an Gerste gebrach es im schöngebordeten Schiffe.
Also fleheten sie und schlachteten, zogen die Haut ab,
Schnitten die Lenden aus, umwickelten diese mit Fette 360
Und bedeckten sie drauf mit blutigen Stücken der Glieder.
Auch an Weine gebrach es, das brennende Opfer zu sprengen;
Aber sie weihten mit Wasser die röstenden Eingeweide.
Als sie die Lenden verbrannt und die Eingeweide gekostet,
Schnitten sie auch das übrige klein und steckten's an Spieße. 365
Meinen Augen entfloh nunmehr der liebliche Schlummer,
Und ich ging zu dem rüstigen Schiff am Ufer des Meeres.
Aber sobald ich mich nahte dem gleichgeruderten Schiffe,
Kam mir der süße Duft des Opferrauches entgegen.
Da erschrak ich und rief wehklagend den ewigen Göttern: 370
Vater Zeus und ihr andern unsterblichen seligen Götter!
Ach, ihr habt mir zum Fluche den grausamen Schlummer gesendet,
Daß die Gefährten indes den entsetzlichen Frevel verübten!
Und Lampetia stieg zu Helios' leuchtendem Sitze
Schnell mit der Botschaft empor, daß jene die Rinder getötet; 375

Dieser entbrannte vor Zorn und sprach zu den ewigen Göttern:
Vater Zeus und ihr andern unsterbliche selige Götter,
Rächt mich an den Gefährten Odysseus', des Sohnes Laertes',
Welche mir übermütig die Rinder getötet, die Freude
Meiner Tage, sooft ich den sternichten Himmel hinanstieg 380
Oder wieder hinab vom Himmel zur Erde mich wandte!
Büßen die Frevler mir nicht vollgültige Buße des Raubes,
Steig ich hinab in Aides' Reich und leuchte den Toten!
Ihm antwortete drauf der Wolkenversammler Kronion:
Helios, leuchte forthin den unsterblichen Göttern des Himmels 385
Und den sterblichen Menschen auf lebenschenkender Erde.
Bald will ich jenen das rüstige Schiff mit dem flammenden Donner
Mitten im dunkeln Meer in kleine Trümmer zerschmettern!
Dieses erfuhr ich hernach von der schöngelockten Kalypso,
Die es selbst von Hermeias, dem Göttergesandten, erfahren. 390
Als ich jetzo das Schiff und des Meeres Ufer erreichte,
Schalt ich die Missetäter vom ersten zum letzten, doch nirgends
Fand ich Rettung für uns, die Rinder lagen schon tot da.
Bald erschienen darauf die schrecklichen Zeichen der Götter:
Ringsum krochen die Häute, es brüllte das Fleisch an den Spießen,
Rohes zugleich und gebratnes, und laut wie Rindergebrüll scholl's
Und sechs Tage schwelgten die unglückseligen Freunde
Von den besten Rindern des hohen Sonnenbeherrschers.
Als nun der siebente Tag von Zeus Kronion gesandt ward,
Siehe, da legten sich schnell die reißenden Wirbel der Windsbraut,
Und wir stiegen ins Schiff und steurten ins offene Weltmeer,
Aufgerichtet den Mast und gespannt die schimmernden Segel.
Als wir das grüne Gestade Thrinakias jetzo verlassen
Und ringsum kein Land, nur Meer und Himmel zu sehn war,
Breitete Zeus Kronion ein dunkelblaues Gewölk aus 405
Über das laufende Schiff, und Nacht lag über der Tiefe.
Und nicht lange mehr eilte das laufende Schiff; denn mit einmal
Kam lautbrausend der West mit fürchterlich zuckenden Wirbeln.
Plötzlich zerbrach der Orkan die beiden Taue des Mastbaums;
Aber der Mast fiel krachend zurück, und Segel und Stange 410
Sanken hinab in den Raum; die Last des Fallenden stürzte
Hinten im Schiff dem Piloten aufs Haupt und zerknirschte mit einmal

Alle Gebeine des Haupts; da schoß er, ähnlich dem Taucher,
Köpflings herab vom Verdeck und der Geist entwich den Gebeinen.
Und nun donnerte Zeus; der hochgeschleuderte Strahl schlug 415
Schmetternd ins Schiff: und es schwankte, vom Donner
des Gottes erschüttert.
Alles war Schwefeldampf, und die Freund' entstürzten dem Boden.
Ähnlich den Wasserkrähn bekämpften sie, rings um das Schiff her,
Steigend und sinkend die Flut; doch Gott nahm ihnen die Heimkehr.
Einsam durchwandelt ich jetzo das Schiff; da trennte der Wogen
Sturz von den Seiten den Kiel und trug die eroberten Trümmer,
Schmetterte dann auf den Kiel den Mastbaum nieder; an diesem
Hing noch das Segeltau, von Ochsenleder geflochten.
Eilend ergriff ich das Tau und verband den Kiel und den
Mastbaum,
Setzte mich drauf und trieb durch den Sturm und die tobenden Fluten.
Jetzo legten sich schnell die reißenden Wirbel des Westes;
Doch es erhub sich der Süd, der, mit neuen Schrecken gerüstet,
Wieder zurück mich stürmte zum Schlunde der wilden Charybdis.
Und ich trieb durch die ganze Nacht; da die Sonne nun aufging,
Kam ich an Skyllas Fels und die schreckenvolle Charybdis. 430
Diese verschlang anjetzo des Meeres salzige Fluten;
Aber ich hob mich empor, an des Feigenbaumes Gezweige
Angeklammert, und hing wie die Fledermaus und vermochte
Nirgendwo mit den Füßen zu ruhn noch höher zu klimmen.
Denn fern waren die Wurzeln, und nieder schwankten die Äste, 435
Welche, lang und groß, Charybdis mit Schatten bedeckten.
Also hielt ich mich fest an den Zweig, bis der Kiel und der
Mastbaum
Wieder dem Strudel entflögen; und endlich nach langem Harren
Kamen sie. Wann zum Mahle der Richter aus der Versammlung
Kehrt, der viele Zwiste der hadernden Jüngling' entschieden, 440
Zu der Stund entstürzten Charybdis' Schlunde die Balken.
Aber ich schwang mich von oben mit Händen und Füßen hinunter
Und sprang rauschend hinab in den Strudel neben die Balken,
Setzte mich eilend darauf und ruderte fort mit den Händen.
Aber Skylla ließ mich der Vater der Menschen und Götter 445
Nicht mehr schaun, ich wäre sonst nie dem Verderben entronnen!

Und neun Tage trieb ich umher; in der zehnten der Nächte
Führten die Himmlischen mich gen Ogygia, wo Kalypso
Wohnet, die schöngelockte, die hehre melodische Göttin;
Huldreich nahm sie mich auf... Doch warum erzähl ich dir dieses?
Hab ich es doch schon dir und deiner edlen Gemahlin
Gestern in diesem Gemache erzählt, und es ist mir zuwider,
Einmal erzählete Dinge von neuem zu wiederholen.

XIII. GESANG

Odysseus, von neuem beschenkt, geht am Abend zu Schiffe, wird schlafend nach Ithaka gebracht und in Phorkys' Bucht ausgesetzt. Das heimkehrende Schiff versteinert Poseidon. Odysseus, in Götternebel, verkennt sein Vaterland. Athene entnebelt ihm Ithaka, verbirgt sein Gut in der Höhle der Nymphen, entwirft der Freier Ermordung und gibt ihm die Gestalt eines bettelnden Greises.

Also sprach er, und alle verstummten umher und schwiegen,
Horchten noch wie entzückt im großen schattigen Saale.
Ihm antwortete drauf Alkinoos wieder und sagte:
Da du zu meiner hohen, mit Erz gegründeten Wohnung
Kamst, so hoff ich, Odysseus, dich sollen doch jetzt von der Heimfahrt
Keine Stürme verwehn, wie sehr du auch immer geduldet!
Aber gehorchet nun, ihr alle, meiner Ermahnung,
Die ihr beständig allhier in meinem Palaste des roten
Ehrenweines genießt und des Sängers Begeisterung anhört.
Kleider liegen bereits in der schöngeglätteten Lade 10
Für den Fremdling, auch Gold von künstlicher Arbeit und andre
Reiche Geschenke, so viel die phaiakischen Fürsten ihm brachten.
Laßt uns noch jeden ein groß dreifüßig Geschirr und ein Becken
Ihm verehren. Wir fordern uns dann vom versammelten Volke
Wieder Ersatz; denn einen belästigten solche Geschenke. 15
Also sprach er, und allen gefiel die Rede des Königs.
Hierauf gingen sie heim, der süßen Ruhe zu pflegen.
Als die dämmernde Frühe mit Rosenfingern erwachte,
Eilten sie alle zum Schiffe mit männerehrendem Erze.
Aber die heilige Macht Alkinoos' legte das alles, 20

Selber das Schiff durchgehend, mit Sorgfalt unter die Bänke,
Daß es die Ruderer nicht an der Arbeit möchte verhindern.
Hierauf gingen sie alle zur Burg und besorgten das Gastmahl.
Ihnen versöhnte der König mit einem geopferten Stiere
Zeus, den donnerumwölkten Kroniden, der alles beherrschet. 25
Und sie verbrannten die Lenden und feirten das herrliche Gastmahl,
Fröhlichen Muts; auch sang vor ihnen der göttliche Sänger,
Unter den Völkern geehrt, Demodokos. Aber Odysseus
Wandte zur strahlenden Sonn oft ungeduldig sein Haupt auf,
Daß sie doch unterginge; denn herzlich verlangt' ihn zur Heimat. 30
Also sehnt sich ein Pflüger zur Mahlzeit, welcher vom Morgen
Bis zum Abend die Brache mit rötlichen Stieren geackert;
Freudig sieht er, wie sich die leuchtende Sonne hinabsenkt,
Eilet zur Abendkost, und dem Gehenden wanken die Kniee:
Also freute sich jetzt Odysseus der sinkenden Sonne. 35
Schnell begann er darauf zu den rudergeübten Phaiaken,
Aber vor allen wandt er sich gegen den König und sagte:
Weitgepriesener Held Alkinoos, mächtigster König!
Sendet mich jetzt nach geopfertem Trank in Frieden und lebt wohl!
Denn ich habe nun alles, was meine Seele gewünscht hat: 40
Eine sichere Fahrt und werte Geschenke. Die Götter
Lassen mir alles gedeihn, daß ich unsträflich die Gattin
Wiederfinde daheim und unbeschädigt die Freunde.
Ihr, die ich jetzo verlasse, beglückt noch lange die Weiber
Eurer Jugend und Kinder! Euch segnen die Götter mit Tugend 45
Und mit Heil, und nie heimsuche die Insel ein Unglück!
Also sprach er; es lobten ihn alle Fürsten und rieten,
Heimzusenden den Gast, weil seine Bitte gerecht war.
Aber die heilige Macht Alkinoos' sprach zu dem Herold:
Mische Wein in dem Kelche, Pontonoos; reiche dann allen 50
Männern im Saal umher, daß wir dem Vater Kronion
Flehn und unseren Gast zu seiner Heimat befördern.
Sprach's und Pontonoos mischte des herzerfreuenden Weines,
Ging umher und verteilte die vollen Becher. Sie gossen
Flehend den Göttern des Tranks, die den weiten Himmel bewohnen,
Jeder von seinem Sitz. Da erhub sich der edle Odysseus,
Gab in Aretens Hand den schönen doppelten Becher,

Redete freundlich sie an und sprach die geflügelten Worte:
Lebe beständig wohl, o Königin, bis dich das Alter
Sanft beschleicht und der Tod, die allen Menschen bevorstehn! 60
Jetzo scheid ich von dir. Sei glücklich in diesem Palaste,
Samt den Kindern, dem Volk und Alkinoos, deinem Gemahle!
Eilend ging nun der Held Odysseus über die Schwelle.
Und die heilige Macht Alkinoos' sandte den Herold,
Ihn zu dem rüstigen Schiff ans Meergestade zu führen. 65
Auch die Königin ließ ihn von drei Jungfrauen begleiten:
Eine trug ihm den schöngewaschenen Mantel und Leibrock,
Diese sandte sie mit, die zierliche Lade zu bringen,
Jene folgte dem Zuge mit Speis und rötlichem Weine.
Als sie jetzo das Schiff und des Meeres Ufer erreichten, 70
Nahmen eilig von ihnen die edlen Geleiter Odysseus'
Alles, auch Speis und Trank, und legten es nieder im Schiffe;
Betteten jetzt für Odysseus ein Polster und leinenen Teppich
Auf dem Hinterverdeck des hohlen Schiffes, damit er
Ruhig schliefe. Dann stieg er hinein und legte sich schweigend 75
Auf sein Lager. Nun setzten sich alle hin auf die Bänke,
Nach der Ordnung, und lösten das Seil vom durchlöcherten Steine,
Beugten sich vor und zurück und schlugen das Meer mit dem Ruder.
Und ein sanfter Schlaf bedeckte die Augen Odysseus',
Unerwecklich und süß, und fast dem Tode zu gleichen. 80
Wie wenn auf ebener Bahn vier gleichgespannete Hengste
Alle zugleich hinstürzen, umschwirrt von der treibenden Geißel,
Hoch sich erhebend und hurtig zum Ziele des Laufes gelangen:
Also erhob sich das Steuer des Schiffs, und es rollte von hinten
Dunkel und groß die Woge des lautaufrauschenden Meeres. 85
Schnell und sicheren Laufes enteilten sie, selber kein Habicht
Hätte sie eingeholt, der geschwindeste unter den Vögeln.
Also durcheilte der schneidende Kiel die Fluten des Meeres,
Heimwärts tragend den Mann, an Weisheit ähnlich den Göttern.
Ach! er hatte so viel unnennbare Leiden erduldet, 90
Da er die Schlachten der Männer und tobende Fluten durchkämpfte;
Und nun schlief er so ruhig und alle sein Leiden vergessend.
Als nun östlich der Stern mit funkelndem Schimmer emporstieg,
Welcher das kommende Licht der Morgenröte verkündet,

Schwebten sie nahe der Insel im meerdurchwallenden Schiffe. 95
Phorkys, dem Greise des Meers, ist eine der Buchten geheiligt,
Gegen der Ithaker Stadt, wo zwo vorragende schroffe
Felsenspitzen der Reede sich an der Mündung begegnen.
Diese zwingen die Flut, die der Sturm lautbrausend heranwälzt,
Draußen zurück; inwendig am stillen Ufer des Hafens 100
Ruhn unangebunden die schöngebordeten Schiffe,
Oben grünt am Gestade ein weitumschattender Ölbaum.
Eine Grotte, nicht fern von dem Ölbaum, lieblich und dunkel,
Ist den Nymphen geweiht, die man Najaden benennet.
Steinerne Krüge stehn und zweigehenkelte Urnen 105
Innerhalb, und Bienen bereiten drinnen ihr Honig.
Aber die Nymphen weben auf langen steinernen Stühlen
Feiergewande, mit Purpur gefärbt, ein Wunder zu schauen.
Unversiegende Quellen durchströmen sie. Zwo sind der Pforten:
Eine gen Mitternacht, durch welche die Menschen hinabgehn, 110
Mittagwärts die andre, geheiligte: diese durchwandelt
Nie ein sterblicher Mensch, sie ist der Unsterblichen Eingang.
Jene lenkten hinein, denn sie kannten den Hafen schon vormals.
Siehe, da eilte das Schiff bis an die Hälfte des Kieles
Stürmend ans Land, so stark war der Schwung von der Ruderer Händen.
Und sie stiegen vom Schiffe mit zierlichen Bänken ans Ufer,
Hoben zuerst Odysseus vom Hinterverdecke des Schiffes,
Samt dem leinenen Teppich und schönen purpurnen Polster,
Und dann legten sie ihn, wie er schlummerte, nieder im Sande.
Und sie enthoben das Gut, das die edlen Phaiaken beim Abschied 120
Ihm geschenkt, durch Fügung der mutigen Pallas Athene.
Dieses legten sie alles zuhauf am Stamme des Ölbaums,
Außer dem Wege, daß kein vorübergehender Wandrer
Heimlich zu rauben käme, bevor Odysseus erwachte.
Und nun fuhren sie heim. Doch Poseidaon vergaß nicht 125
Seiner Drohung, die er dem göttergleichen Odysseus
Ehemals hatte gedroht; er forschte den Willen Kronions:
Vater Zeus, auf immer ist bei den unsterblichen Göttern
Meine Ehre dahin, da Sterbliche meiner nicht achten,
Jene Phaiaken, die selbst von meinem Blute gezeugt sind! 130
Sieh, ich vermutet, es sollte nach vielen Leiden Odysseus

Kommen ins Vaterland; denn gänzlich hätt ich die Heimkehr
Nimmer gewehrt, da dein allmächtiger Wink sie verheißen.
Und sie bringen im Schlaf ihn über die Wogen und setzen
Ihn in Ithaka aus und geben ihm teure Geschenke, 135
Erzes und Goldes die Meng und schöngewebete Kleider,
Mehr als Odysseus je aus Ilion hätte geführet,
Wär er auch ohne Schaden mit seiner Beute gekommen!
Ihm antwortete drauf der Wolkenversammler Kronion:
Welche Red entfiel dir, du erderschütternder König? 140
Nimmer verachten dich die Götter! Vermessene Kühnheit
Wär es, den ältesten, mächtigsten Gott mit Verachtung zu reizen.
Weigert sich aber ein Mensch, durch Kraft und Stärke verleitet,
Dich, wie er soll, zu ehren, so bleibt dir ja immer die Rache.
Tue jetzt, wie du willst und deinem Herzen gelüstet! 145
Drauf erwiderte jenem der Erderschüttrer Poseidon:
Gern vollendet ich gleich, Schwarzwolkichter, was du gestattest:
Aber ich fürchte mich stets vor deinem eifernden Zorne.
Jetzo will ich das schöngezimmerte Schiff der Phaiaken,
Das vom Geleiten kehrt, im dunkelwogenden Meere 150
Plötzlich verderben, damit sie sich scheun und die Männergeleitung
Lassen; und rings um die Stadt will ich ein hohes Gebirg ziehn.
Ihm antwortete drauf der Wolkenversammler Kronion:
Teuerster, dieser Rat scheint meinem Sinne der beste.
Wann die Bürger der Stadt dem näherrudernden Schiffe 155
Alle entgegen schaun, dann verwandel es nahe dem Ufer
Zum schiffähnlichen Fels, daß alle Menschen dem Wunder
Staunen; und rings um die Stadt magst du ein hohes Gebirg ziehn.
Als er solches vernommen, der Erderschüttrer Poseidon,
Ging er gen Scheria hin, dem Lande der stolzen Phaiaken. 160
Allda harrt' er; und bald kam nahe dem Ufer das schnelle
Meerdurchgleitende Schiff. Da nahte sich Poseidaon,
Schlug es mit flacher Hand, und siehe, plötzlich versteinert,
Wurzelt' es fest am Boden des Meers. Drauf ging er von dannen.
Aber am Ufer besprachen mit schnellgeflügelten Worten 165
Sich die Phaiaken, die Führer der langberuderten Schiffe.
Einer wendete sich zu seinem Nachbar und sagte:
Wehe, wer hemmt im Meere den Lauf des rüstigen Schiffes,

Welches zur Heimat eilte? Wir sahn es ja völlig mit Augen!
 Also redeten sie und wußten nicht, was geschehn war. 170
Aber jetzt begann Alkinoos in der Versammlung:
 Weh mir! Es trifft mich jetzo ein längst verkündetes Schicksal.
Mir erzählte mein Vater vordem, uns zürne Poseidon,
Weil wir ohne Gefahr jedweden zu Schiffe geleiten.
Dieser würde dereinst ein treffliches Schiff der Phaiaken, 175
Das vom Geleiten kehrte, im dunkelwogenden Meere
Plötzlich verderben und rings um die Stadt ein hohes Gebirg ziehn.
So weissagte der Greis; das wird nun alles erfüllet.
Aber wohlan! gehorcht nun alle meinem Befehle.
Laßt die Männergeleitung, woher auch ein Sterblicher komme, 180
Unserem Volke zu flehn, und opfert jetzo Poseidon
Zwölf erlesene Stiere! Vielleicht erbarmt er sich unser,
Daß er nicht rings um die Stadt ein hohes Felsengebirg zieht.
 Also sprach er, und bange bereiteten jene das Opfer.
Also beteten dort zum Meerbeherrscher Poseidon 185
Für der Phaiaken Stadt die erhabenen Fürsten und Pfleger,
Stehend um den Altar. Da erwachte der edle Odysseus,
Ruhend auf dem Boden der lange verlassenen Heimat.
Und er kannte sie nicht; denn eine Göttin umhüllt' ihn
Rings mit dunkler Nacht, Zeus' Tochter, Pallas Athene, 190
Ihn unkennbar zu machen und alles mit ihm zu besprechen:
Daß ihn weder Weib noch die Freund' und Bürger erkennten,
Bis die üppigen Freier für allen Frevel gebüßet.
Alles erschien daher dem ringsumschauenden König
Unter fremder Gestalt: Heerstraßen, schiffbare Häfen, 195
Wolkenberührende Felsen und hochgewipfelte Bäume.
Jetzo erhub er sich, stand, und da er sein Vaterland ansah,
Hub er bitterlich an zu weinen und schlug sich die Hüften
Beide mit flacher Hand und sprach mit klagender Stimme:
 Weh mir! Zu welchem Volke bin ich nun wieder gekommen? 200
Sind's unmenschliche Räuber und sittenlose Barbaren
Oder Diener der Götter und Freunde des heiligen Gastrechts?
Wo verberg ich dies viele Gut? Und wohin soll ich selber
Irren? O wäre doch dies im phaiakischen Lande geblieben
Und mir hätte dagegen ein anderer mächtiger König 205

Hilfe gewährt, mich bewirtet und hingesendet zur Heimat!
Jetzo weiß ich es weder wo hinzulegen, noch kann ich's
Hier verlassen, damit es nicht andern werde zur Beute.
Ach, so galt denn bei jenen Gerechtigkeit weder, noch Weisheit,
Bei des phaiakischen Volkes erhabenen Fürsten und Pflegern, 210
Die in ein fremdes Land mich gebracht! Sie versprachen so heilig,
Mich nach Ithakas Höhn zu führen; und täuschten mich dennoch!
Zeus vergelt es ihnen, der Leidenden Rächer, der aller
Menschen Beginnen schaut und alle Sünder bestrafet!
Aber ich will doch jetzo die Güter zählen und nachsehn, 215
Ob sie mir etwas geraubt, als sie im Schiffe davon flohn.
 Also sprach er und zählte die Becken und schönen Geschirre
Mit drei Füßen, das Gold und die prächtig gewebeten Kleider;
Und ihm fehlte kein Stück. Nun weint' er sein Vaterland wieder,
Wankt' umher am Ufer des lautaufrauschenden Meeres 220
Und wehklagete laut. Da nahte sich Pallas Athene,
Eingehüllt in Jünglingsgestalt, als Hüter der Herden,
Zart und lieblich von Wuchs, wie Königskinder einhergehn.
Diese trug um die Schultern ein wallendes feines Gewebe,
Einen Spieß in der Hand und Sohlen an glänzenden Füßen. 225
Als sie Odysseus erblickte, da freut' er sich, ging ihr entgegen,
Redete freundlich sie an und sprach die geflügelten Worte:
 Lieber, weil du zuerst mir an diesem Orte begegnest,
Sei mir gegrüßt und nahe dich nicht mit feindlichem Herzen,
Sondern beschütze mich selbst und dieses. Wie einem der Götter 230
Fleh ich dir und umfasse die werten Kniee voll Demut.
Auch verkündige mir aufrichtig, damit ich es wisse:
Wie benennt ihr das Land, die Stadt und ihre Bewohner?
Ist dies eine der Inseln voll sonnenreicher Gebirge
Oder die meereinlaufende Spitze der fruchtbaren Feste? 235
 Ihm antwortete Zeus' blauäugichte Tochter Athene:
Fremdling, du bist nicht klug oder ferne von hinnen gebürtig,
Da du nach diesem Lande mich fragst! Ich dächte, so gänzlich
Wär es nicht unberühmt, und sicherlich kennen es viele:
Alle, die morgenwärts und wo die Sonne sich umdreht 240
Wohnen, oder da hinten, gewandt zum nächtlichen Dunkel.
Freilich ist es rauh und taugt nicht, Rosse zu tummeln,

Doch ganz elend auch nicht, wiewohl es an Ebnen ihm mangelt.
Reichlich gedeihet bei uns die Frucht des Feldes, und reichlich
Lohnet der Wein; denn Regen und Tau befruchten das Erdreich. 245
Treffliche Ziegenweiden sind hier, auch Weiden der Rinder,
Waldungen jeglicher Art und immerfließende Bäche.
Fremdling, Ithakas Ruf ist selbst nach Troja gekommen,
Und das, sagen sie, liegt sehr fern vom achaiischen Lande!

Also sprach er; da freute der herrliche Dulder Odysseus 250
Sich im innersten Herzen des Vaterlandes, das jetzo
Pallas Athene ihm nannte, des Wetterleuchtenden Tochter.
Und er redte sie an und sprach die geflügelten Worte
(Doch vermied er die Wahrheit mit schlauabweichender Rede,
Und sein erfindungsreicher Verstand war in steter Bewegung): 255

Ja, von Ithaka hört ich in Kretas weitem Gefilde,
Ferne jenseits des Meers. Nun komm ich selber mit diesem
Gute hieher und ließ den Kindern noch eben so vieles
Als ich entfloh. Ich nahm Idomeneus' Sohne das Leben,
Jenem hurtigen Helden Orsilochos, welcher in Kreta 260
Alle geübtesten Läufer an Schnelle der Füße besiegte.
Denn er wollte mich ganz der troischen Beute berauben,
Derenthalb ich so viel unnennbare Leiden erduldet,
Blutige Schlachten der Männer und tobende Fluten durchkämpfend,
Weil ich seinem Vater zu dienen nimmer gewillfahrt 265
In dem troischen Land und selbst ein Geschwader geführet.
Aber mit ehernem Speer erschoß ich ihn, als er vom Felde
Kam; ich laurte versteckt mit einem Gefährten am Wege.
Eine düstere Nacht umhüllte den Himmel, und unser
Nahm kein Sterblicher wahr, und heimlich raubt ich sein Leben. 270
Dennoch, sobald ich jenen mit ehernem Speere getötet,
Eilt ich ans Ufer des Meers zum Schiffe der stolzen Phöniker,
Flehte sie an und gewann sie mit einem Teile der Beute,
Daß sie an Pylos' Gestade mich auszusetzen versprachen,
Oder der göttlichen Elis, die von den Epeiern beherrscht wird. 275
Aber leider! sie trieb die Gewalt des Orkanes von dannen,
Ihnen zum großen Verdruß; denn sie dachten mich nicht zu betrügen.
Und wir irrten umher und kamen hier in der Nacht an.
Mühsam ruderten wir das Schiff in den Hafen, und niemand

Dachte der Abendkost, so sehr wir auch ihrer bedurften, 280
Sondern wir stiegen nur so ans Ufer und legten uns nieder.
Und ich entschlummerte sanft, ermüdet von langer Arbeit.
Jene huben indes mein Gut aus dem Raume des Schiffes,
Legten es auf dem Sande, wo ich sanft schlummerte, nieder,
Stiegen dann ein und steurten der wohlbevölkerten Küste 285
Von Sidonia zu; ich blieb mit traurigem Herzen.
Also sprach er; da lächelte Zeus' blauäugichte Tochter,
Streichelt' ihn mit der Hand und schien nun plötzlich ein Mädchen,
Schöngebildet und groß und klug in künstlicher Arbeit.
Und sie redet' ihn an und sprach die geflügelten Worte: 290
Geist erforderte das und Verschlagenheit, dich an Erfindung
Jeglicher Art zu besiegen, und käm auch einer der Götter!
Überlistiger Schalk voll unergründlicher Ränke,
Also gebrauchst du noch selbst im Vaterlande Verstellung
Und erdichtete Worte, die du als Knabe schon liebtest? 295
Aber laß uns hievon nicht weiter reden, wir kennen
Beide die Kunst; du bist von allen Menschen der erste
An Verstand und Reden, und ich bin unter den Göttern
Hochgepriesen an Rat und Weisheit. Aber du kanntest
Pallas Athene nicht, Zeus' Tochter, welche beständig, 300
Unter allen Gefahren, dir beistand und dich beschirmte
Und dir auch die Liebe von allen Phaiaken verschaffte.
Jetzo komm ich hieher, um dir Anschläge zu geben
Und zu verbergen das Gut, so viel die edlen Phaiaken
Dir Heimkehrendem schenkten, durch meine Klugheit geleitet; 305
Auch zu verkünden, daß deiner im schöngebauten Palaste
Viele Drangsal noch harrt. Doch du ertrage sie standhaft
Und entdecke dich keinem der Männer oder der Weiber,
Daß du von Leiden verfolgt hier ankamst, sondern erdulde
Schweigend dein trauriges Los und schmiege dich unter die Stolzen.
Ihr antwortete drauf der erfindungsreiche Odysseus:
Schwer, o Göttin, erkennt dich ein Sterblicher, dem du begegnest,
Sei er auch noch so geübt; denn du nimmst jede Gestalt an.
Dennoch weiß ich es wohl, daß du vor Zeiten mir hold warst,
Als wir Achaier noch die hohe Troja bekriegten. 315
Aber seit wir die Stadt des Priamos niedergerissen

Und von dannen geschifft und ein Gott die Achaier zerstreuet,
Hab ich dich nimmer gesehn, Zeus' Tochter, und nimmer vernommen,
Daß du mein Schiff betratst, mich einer Gefahr zu entreißen;
Sondern immer, im Herzen von tausend Sorgen verwundet, 320
Irrt ich umher, bis die Götter sich meines Jammers erbarmten:
Außer daß du zuletzt in dem fetten phaiakischen Eiland
Mich durch Worte gestärkt und zu der Stadt mich geführt hast.
Jetzo fleh ich dich an bei deinem Vater (ich fürchte
Immer, ich sei noch nicht in Ithaka, sondern durchirre 325
Wieder ein anderes Land, und spottend habest du, Göttin,
Mir dies alles verkündet, um meine Seele zu täuschen):
Sage mir, bin ich denn wirklich im lieben Vaterlande?
  Drauf antwortete Zeus' blauäugichte Tochter Athene:
Stets bewahrest du doch im Herzen jene Gesinnung; 330
Darum kann ich dich auch im Unglück nimmer verlassen,
Weil du behutsam bist, scharfsinnig und männlichen Herzens.
Jeder irrende Mann, der spät heimkehrte, wie freudig
Würd er zu Hause nun eilen, sein Weib und die Kinder zu sehen!
Aber dich kümmert das nicht, zu wissen oder zu fragen, 335
Eh du selber dein Weib geprüft hast, welche beständig
So im Hause sitzt; denn immer schwinden in Jammer
Ihre Tage dahin und unter Tränen die Nächte.
Zwar ich zweifelte nie an der Wahrheit, sondern mein Herz war
Überzeugt, du kehrtest ohn alle Gefährten zur Heimat; 340
Aber ich scheute mich, Poseidon entgegen zu kämpfen,
Meines Vaters Bruder, der dich mit Rache verfolgte,
Zürnend, weil du das Auge des lieben Sohnes geblendet.
Aber damit du mir glaubest, so zeig ich dir Ithakas Lage.
Phorkys, dem Greise des Meers, ist dieser Hafen geheiligt; 345
Hier am Gestade grünt der weitumschattende Ölbaum;
Dieses ist die große gewölbete Grotte des Felsens,
Wo du den Nymphen oft vollkommene Opfer gebracht hast;
Jenes hohe Gebirg ist Neritons waldichter Gipfel.
  Sprach's und zerstreute den Nebel, und hell lag vor ihm die Gegend.
Siehe, da freuete sich der edle Dulder Odysseus
Herzlich des Vaterlandes und küßte die fruchtbare Erde,
Und nun fleht' er den Nymphen mit aufgehobenen Händen:

Zeus' unsterbliche Töchter, ihr hohen Najaden, ich hoffte
Nimmer, euch wiederzusehn; seid nun in frommem Gebete 355
Mir gegrüßt! Bald bringen wir euch Geschenke wie ehmals,
Wenn mir anders die Gnade von Zeus' siegprangender Tochter
Jetzo das Leben erhält und den lieben Sohn mir gesegnet!
Drauf antwortete Zeus' blauäugichte Tochter Athene:
Sei getrost und laß dich diese Gedanken nicht kümmern! 360
Aber wohlan, wir wollen im Winkel der heiligen Grotte
Gleich verbergen das Gut, damit es in Sicherheit liege,
Und uns dann beraten, was jetzo das Beste zu tun sei.
Also sprach die Göttin und ging in die dämmernde Grotte,
Heimliche Winkel umher ausspähend. Aber Odysseus 365
Brachte das Gut hinein, die schöngewebeten Kleider,
Gold und dauerndes Erz, das ihm die Phaiaken geschenket,
Und verbarg es behende; dann setzte Pallas Athene
Einen Stein vor die Türe, des Wetterleuchtenden Tochter.
Hierauf setzten sie sich am Stamme des heiligen Ölbaums 370
Und beschlossen den Tod der übermütigen Freier.
Also redete Zeus' blauäugichte Tochter Athene:
Edler Laertiad, erfindungsreicher Odysseus,
Denk itzt nach, wie dein Arm die schamlosen Freier bestrafe,
Welche nun schon drei Jahr' obwalten in deinem Palaste 375
Und dein göttliches Weib mit Brautgeschenken umwerben.
Aber mit herzlichen Tränen erwartet sie deine Zurückkunft.
Allen verheißt sie Gunst und sendet jedem besonders
Schmeichelnde Botschaft; allein im Herzen denket sie anders.
Ihr antwortete drauf der erfindungsreiche Odysseus: 380
Weh mir! ich wäre gewiß wie Atreus' Sohn Agamemnon
Nun des schmählichsten Todes in meinem Hause gestorben,
Hättest du, Göttin, mir nicht umständlich das alles verkündigt!
Aber nun gib mir Rat, wie ich die Freier bestrafe.
Stehe du selber mir bei und hauche mir Mut und Entschluß ein, 385
Wie vordem, da wir Troja, die prächtiggetürmte, zerstörten!
Stündest du nun so eifrig mir bei, blauäugichte Göttin,
Siehe, so ging' ich getrost dreihundert Feinden entgegen,
Heilige Göttin, mit dir, wenn du mir Hilfe gewährtest!
Drauf antwortete Zeus' blauäugichte Tochter Athene: 390

Gerne steh ich dir bei; du sollst mein nimmer entbehren,
Wann wir die Arbeit einst beginnen. Auch hoff ich, es werde
Mancher mit Blut und Gehirn den weiten Boden besudeln,
Von der Rotte der Freier, die deine Habe verzehren.
Aber damit dich keiner der sterblichen Menschen erkenne, 395
Muß einschrumpfen das schöne Fleisch der biegsamen Glieder
Und das bräunliche Haar vom Haupte verschwinden, ein Kittel
Dich umhüllen, den jeglicher Mensch mit Ekel betrachte,
Triefend und blöde sein die anmutstrahlenden Augen:
Daß du so ungestalt vor allen Freiern erscheinest, 400
Deinem Weib und dem Sohne, den du im Hause verließest.
Hierauf gehe zuerst dorthin, wo der treffliche Sauhirt
Deiner Schweine hütet, der stets mit Eifer dir anhängt
Und Telemachos liebt und die züchtige Penelopeia.
Sitzend findest du ihn bei der Schweine weidender Herde, 405
Nahe bei Korax' Felsen, am arethusischen Borne.
Allda mästen sie sich mit lieblichen Eicheln und trinken
Schattiges Wasser, wovon das Fett den Schweinen entblühet.
Bleib bei jenem und setze dich hin und frage nach allem.
Ich will indes gen Sparta, dem Lande rosiger Mädchen, 410
Gehn und deinen Sohn Telemachos rufen, Odysseus,
Welcher zu Menelaos in Lakedaimons Gefilde
Fuhr, um Kundschaft zu spähn, ob du noch irgendwo lebtest.
Ihr antwortete drauf der erfindungsreiche Odysseus:
Warum sagtest du ihm nicht alles, da du es wußtest? 415
Etwa damit auch er in des Meeres wüsten Gewässern
Todesgefahren durchirrte, da Fremde sein Eigentum fressen?
Drauf antwortete Zeus' blauäugichte Tochter Athene:
Sorge für deinen Sohn nicht allzu ängstlich, Odysseus.
Ich geleitet ihn selbst, damit er dort in der Fremde 420
Ruhm sich erwürb; auch sitzt er, ohn allen Kummer, geruhig
In des Atreiden Palast und hat dort volle Genüge.
Jünglinge lauern zwar auf ihn im schwärzlichen Schiffe,
Daß sie ihn töten, bevor er in seine Heimat zurückkehrt.
Aber ich hoffe das nicht; erst deckt die Erde noch manchen 425
Von der Rotte der Freier, die deine Habe verzehren.
Also sprach die Göttin und rührt' ihn sanft mit der Rute.

Siehe, da schrumpfte das schöne Fleisch der biegsamen Glieder,
Und die bräunlichen Haare des Hauptes verschwanden, und ringsum
Hing an den schlaffen Gliedern die Haut des alternden Greises; 430
Triefend und blöde wurden die anmutstrahlenden Augen.
Statt der Gewand' umhüllt' ihn ein häßlicher Kittel und Leibrock,
Beide zerlumpt und schmutzig, vom häßlichen Rauche besudelt.
Auch bedeckt' ihn ein großes Fell des hurtigen Hirsches,
Kahl von Haaren. Er trug einen Stab und garstigen Ranzen, 435
Allenthalben geflickt, mit einem geflochtenen Tragband.
Also besprachen sie sich und schieden. Pallas Athene
Ging zu Odysseus' Sohn in die göttliche Stadt Lakedaimon.

XIV. GESANG

Odysseus vom Sauhirten Eumaios in die Hütte geführt und mit Ferkeln bewirtet. Seine Versicherung von Odysseus' Heimkehr findet nicht Glauben. Erdichtete Erzählung von sich. Die Unterhirten treiben die Schweine vom Felde, und Eumaios opfert ein Mastschwein zum Abendschmaus. Stürmische Nacht. Odysseus verschafft sich durch Erdichtung einen Mantel zur Decke, indes Eumaios draußen die Eber bewacht.

Aber Odysseus ging den rauhen Pfad von dem Hafen
Über die waldbewachsenen Gebirge hin, wo Athene
Ihm den trefflichen Hirten bezeichnete, welcher am treusten
Haushielt unter den Knechten des göttergleichen Odysseus.
Sitzend fand er ihn jetzt an der Schwelle des Hauses, im Hofe, 5
Welcher hoch auf weitumschauendem Hügel gebaut war,
Schön und ringsumgehbar und groß. Ihn hatte der Sauhirt
Selber den Schweinen erbaut, indes sein König entfernt war,
Ohne Penelopeia und ohne den alten Laertes,
Von gesammelten Steinen und oben mit Dornen umflochten. 10
Draußen hatt er Pfähle von allen Seiten in Menge
Dicht aneinander gepflanzt, vom Kern der gespaltenen Eiche.
Innerhalb des Gehegs hatt er zwölf Kofen bereitet,
Einen nahe dem andern, zum nächtlichen Lager der Schweine.
Fünfzig lagen in jedem der erdaufwühlenden Schweine, 15
Alle gebärende Mütter, und draußen schliefen die Eber,

Weit geringer an Zahl; denn schmausend verminderten diese
Täglich die göttlichen Freier (es sandte jenen der Sauhirt
Immer die besten zum Schmause von allen gemästeten Ebern),
Und der übrigen Zahl war nur dreihundertundsechzig. 20
Auch vier große Hunde, wie reißende Tiere, bewachten
Stets den Hof; sie erzog der männerbeherrschende Sauhirt.
Jetzo zerschnitt er des Stiers schönfarbiges Leder und fügte
Sohlen um seine Füße. Die untergeordneten Hirten
Hatten sich schon zerstreut: drei hüteten weidende Schweine, 25
Aber der vierte war in die Stadt gesendet, ein Mastschwein
Hinzuführen, den Zoll für die übermütigen Freier,
Daß beim festlichen Schmaus ihr Herz an dem Fleische sich labte.
Plötzlich erblickten Odysseus die wachsambellenden Hunde,
Und sie stürzten auf ihn lautschreiend. Aber Odysseus 30
Setzte sich klüglich nieder und legte den Stab aus den Händen.
Dennoch hätt er auch dort unwürdige Schmerzen erduldet;
Aber der Sauhirt lief aus der Türe mit hurtigen Füßen
Hinter den Bellenden her und warf aus den Händen das Leder:
Scheltend verfolgt' er die Hund' und zerstreute sie hierhin und dorthin
Mit geworfenen Steinen; und jetzo sprach er zum König:
Alter, es fehlte nicht viel, so hätten die Hunde mit einmal
Dich zerrissen, und mich hätt ewige Schande getroffen!
Und mir gaben die Götter vorhin schon Kummer und Trübsal.
Denn um den göttlichen König die bittersten Tränen vergießend,
Sitz ich hier und sende die fettgemästeten Schweine
Andern zum Schmause, da jener vielleicht des Brotes entbehret
Und die Länder und Städte barbarischer Völker durchwandert!
Wenn er anders noch lebt und das Licht der Sonne noch schauet!
Aber folge mir, Greis, in meine Hütte, damit du, 45
Wann sich deine Seele mit Brot und Weine gelabt hat,
Sagest, von wannen du kommst und welche Leiden du littest.
Also sprach er und führt' ihn hinein, der treffliche Sauhirt,
Hieß den folgenden Gast sich auf ein laubichtes Lager
Setzen und breitete drauf der buntgesprenkelten Gemse 50
Großes und zottichtes Fell, worauf er zu schlafen gewohnt war.
Und Odysseus freute sich dieses Empfanges und sagte:
Zeus beschere dir, Freund, und die andern unsterblichen Götter,

Was du am meisten verlangst, weil du so gütig mich aufnimmst!
Ihm antwortetest du, Eumaios, Hüter der Schweine: 55
Fremdling, es ziemte mir nicht, und wär er geringer als du bist,
Einen Gast zu verschmähn; denn Gott gehören ja alle
Fremdling' und Darbende an. Doch kleine Gaben erfreun auch,
Heißt es bei unsereinem; denn also geht es mit Knechten,
Welche sich immer scheun, weil ihre gebietenden Herren 60
Jünglinge sind. Denn ach, ihm wehren die Götter die Heimkehr,
Der mir Gutes getan und ein Eigentum hätte gegeben,
Was auch der gütigste Herr je seinem Diener geschenkt hat:
Nämlich Haus und Hof und ein liebenswürdiges Ehweib,
Weil er ihm treulich gedient und Gott die Arbeit gedeihn ließ. 65
Also gedeiht auch mir die Arbeit, welche mir obliegt,
Und mein Herr, wenn er hier sanft alterte, lohnte mir's reichlich!
Aber er starb! Das Geschlecht der Helena müsse von grundaus
Stürzen, die in den Staub so viele Männer gestürzt hat!
Denn auch jener zog, Agamemnons Ehre zu rächen, 70
Gegen Ilion hin und bekämpfte die Reisigen Trojas.
Also sprach er; und schnell umband er den Rock mit dem Gürtel,
Ging zu den Kofen, worin der Ferkel Menge gesperrt war,
Und zwei nahm er heraus und schlachtete beide zur Mahlzeit;
Sengte sie, haute sie klein und steckte die Glieder an Spieße, 75
Briet sie über der Glut und setzte sie hin vor Odysseus,
Brätelnd noch an den Spießen, mit weißem Mehle bestreuet;
Mischte dann süßen Wein in seinem hölzernen Becher,
Setzte sich gegen ihm über und nötigt' ihn also zum Essen:
Iß nun, fremder Mann, so gut wir Hirten es haben, 80
Ferkelfleisch; die gemästeten Schweine verzehren die Freier,
Deren Herz nicht Furcht vor den Göttern kennet noch Mitleid.
Alle gewaltsame Tat mißfällt ja den seligen Göttern;
Tugend ehren sie nur und Gerechtigkeit unter den Menschen!
Selbst die barbarischen Räuber, die durch Kronions Verhängnis 85
An ein fremdes Gestad anlandeten, Beute gewannen
Und mit beladenen Schiffen die Heimat glücklich erreichten,
Fühlen dennoch im Herzen die Macht des empörten Gewissens!
Aber diesen entdeckte vielleicht die Stimme der Götter
Jenes traurigen Tod, da sie nicht werben, wie recht ist, 90

Und zu dem Ihrigen nicht heimkehren, sondern in Ruhe
Fremdes Gut unmäßig und ohne Schonen verprassen.
Alle Tag' und Nächte, die Zeus den Sterblichen sendet,
Opfern die Üppigen stets, und nicht ein Opfer noch zwei bloß!
Und verschwelgen den Wein mit ungezähmter Begierde. 95
Reichlich war er gesegnet an Lebensgütern; es hatte
Keiner der Edlen so viel, nicht dort auf der fruchtbaren Feste,
Noch in Ithaka hier; nicht zwanzig Männer zusammen
Haben so viel Reichtümer. Ich will sie dir jetzo beschreiben.
Rinderherden sind zwölf auf der Feste, der weidenden Schafe 100
Ebenso viel, auch der Schweine so viel und der streifenden Ziegen.
Mietlinge hüten sie teils und teils leibeigene Hirten.
Hier in Ithaka gehen elf Herden streifender Ziegen
Auf entlegener Weide, von wackern Männern gehütet.
Jeder von diesen sendet zum täglichen Schmause den Freiern 105
Immer die trefflichste Ziege der fettgemästeten Herde.
Unter meiner Gewalt und Aufsicht weiden die Schweine,
Und ich sende zum Schmause das auserlesenste Mastschwein.
 Also sprach er; und schnell aß jener des Fleisches, begierig
Trank er des Weins und schwieg; er dachte der Freier Verderben.
Als er jetzo gespeist und seine Seele gelabet,
Füllete jener den Becher, woraus er zu trinken gewohnt war,
Reichte den Wein ihm dar; und er nahm ihn mit herzlicher Freude,
Redete jenen an und sprach die geflügelten Worte:
 Lieber, wer kaufte dich denn mit seinem Vermögen? Wie heißt er,
Jener so mächtige Mann und begüterte, wie du erzählest,
Und der sein Leben verlor, Agamemnons Ehre zu rächen?
Nenne mir ihn; vielleicht ist er von meiner Bekanntschaft.
Zeus und die Götter des Himmels, die wissen es, ob ich von ihm nicht
Botschaft verkündigen kann! Ich sah viel Männer auf Reisen! 120
 Ihm antwortete drauf der männerbeherrschende Sauhirt:
Alter, kein irrender Mann, der Botschaft von jenem verkündigt,
Möchte so leicht bei der Frau und dem Sohne Glauben gewinnen.
Solche Wanderer suchen gewöhnlich milde Bewirtung
Durch die schmeichelnde Lüg und reden selten die Wahrheit. 125
Jeder Fremdling, wen auch das Schicksal nach Ithaka führet,
Geht zu meiner Königin hin und schwatzet Erdichtung.

Freundlich empfängt und bewirtet sie ihn und forschet nach allem,
Und der Trauernden Antlitz umfließen Tränen der Wehmut,
Wie es dem Weibe geziemt, der fern ihr Gatte verschieden. 130
Und bald würdest auch du, o Greis, ein Märchen ersinnen,
Deckte dir jemand nur die Blöße mit Mantel und Leibrock.
Aber ihm rissen vielleicht die Hund' und die Vögel des Himmels
Schon die Haut von dem weißen Gebein und die Seele verließ es,
Oder ihn fraßen die Fische des Meers und seine Gebeine 135
Dorren an fremdem Gestade, vom wehenden Sande bedecket.
Also verlor er das Leben, und seine verlassenen Freunde
Klagen ihm alle nach, und ich am meisten; denn nimmer
Find ich einen so gütigen Herrn, wohin ich auch gehe,
Käm ich auch wieder ins Haus, das Vater und Mutter bewohnen, 140
Wo ich geboren ward und meine Jugend verlebte.
Auch bewein ich die Eltern nicht so sehr, da ich doch herzlich
Wünsche, sie wieder zu sehn und meiner Väter Gefilde,
Als Odysseus' Verlust mein ganzes Leben verbittert!
Ja, ich schäme mich, Fremdling, ihn bloß beim Namen zu nennen,
Ob er es zwar nicht hört; denn er pflegte mich gar zu liebreich!
Sondern ich nenn ihn, auch fern, stets meinen älteren Bruder.
Ihm antwortete drauf der herrliche Dulder Odysseus:
Lieber, weil du es denn ganz leugnest und nimmer vermutest,
Daß er zur Heimat kehrt und stets ungläubig dein Herz bleibt, 150
Siehe, so will ich es nicht bloß sagen, sondern beschwören:
Daß Odysseus kommt! Zum Lohn für die fröhliche Botschaft
Sollst du sogleich, wann jener in seine Wohnung zurückkommt,
Mich mit schönen Gewanden, mit Rock und Mantel bekleiden.
Eher, wie sehr ich auch jetzo entblößt bin, nähm ich sie nimmer! 155
Denn der ist mir verhaßt wie die Pforten der untersten Tiefe,
Welcher, von Mangel verführt, mit leeren Erdichtungen schmeichelt!
Zeus von den Göttern bezeug es und diese gastliche Tafel
Und Odysseus' heiliger Herd, zu welchem ich fliehe:
Daß dies alles gewiß geschehen wird, wie ich verkünde! 160
Selbst noch in diesem Jahre wird wiederkehren Odysseus!
Wann der jetzige Mond abnimmt und der folgende zunimmt,
Wird er sein Haus betreten und strafen, wer seiner Gemahlin
Und des glänzenden Sohnes Gewalt und Ehre gekränkt hat!

Ihm antwortetest du, Eumaios, Hüter der Schweine: 165
Alter, ich werde wohl nie den Lohn der Botschaft bezahlen,
Noch wird Odysseus je heimkehren! Trinke geruhig
Deinen Wein und laß uns von etwas anderem reden.
Hieran erinnre mich nicht; denn meine Seele durchdringet
Schmerz, wann einer mich nur an den besten König erinnert! 170
Was du geschworen hast, laß gut sein; aber Odysseus
Komme, wie ich es wünsche, und seine Penelopeia,
Und Laertes, der Greis, und Telemachos, göttlich an Bildung,
Jetzo bewein ich von Herzen den Sohn des edlen Odysseus!
Ach! Telemachos nährten wie eine Pflanze die Götter, 175
Und ich hofft ihn dereinst nicht schlechter unter den Männern
Als den Vater zu finden, an Geist und Bildung ein Wunder:
Doch der Unsterblichen einer verrückt' ihm die richtigen Sinne,
Oder ein sterblicher Mensch! Er ging, den Vater zu suchen,
Nach der göttlichen Pylos; nun stellen die mutigen Freier 180
Ihm, wann er heimkehrt, nach: damit Arkeisios' Name
Und sein Heldengeschlecht aus Ithaka werde vertilget!
Aber laß uns davon nicht weiter reden; er möge
Fallen oder entfliehn und Gottes Hand ihn bedecken.
Auf! erzähle mir jetzo von deinen Leiden, o Alter! 185
Auch verkündige mir aufrichtig, damit ich es wisse:
Wer, wes Volkes bist du und wo ist deine Geburtsstadt?
Und in welcherlei Schiff kamst du? Wie brachten die Schiffer
Dich nach Ithaka her? Was rühmen sich jene für Leute?
Denn unmöglich bist du doch hier zu Fuße gekommen! 190

Ihm antwortete drauf der erfindungsreiche Odysseus:
Dieses will ich dir gern und nach der Wahrheit erzählen.
Wären wir beide mit Speis auf lange Zeiten versorget,
Und erfreuendem Wein, und blieben hier stets in der Hütte
Ruhig sitzen am Mahl und andre bestellten die Arbeit: 195
Siehe, dann könnte leicht ein Jahr verfliegen, und dennoch
Hätt ich nicht die Erzählung von allen Leiden vollendet,
Welche der Götter Rat auf meine Seele gehäuft hat.
Aus dem weiten Gefilde von Kreta stamm ich; mein Vater
War ein begüterter Mann, und noch viel andere Söhne 200
Wurden in seinem Hause geboren und auferzogen,

Echte Kinder der Frau. Doch mich gebar ein erkauftes
Kebsweib; aber es ehrte mich gleich den ehlichen Kindern
Kastor, Hylakos' Sohn, aus dessen Blut ich gezeugt bin.
Dieser ward wie ein Gott im kretischen Volke geehret, 205
Wegen seiner Gewalt, Reichtümer und rühmlichen Söhne.
Aber ihn führeten bald des Todes Schrecken in Ais'
Schattenbehausung hinab; die übermütigen Söhne
Warfen darauf das Los und teilten das Erbe des Vaters.
Mir beschieden sie nur ein Haus und wenige Güter. 210
Aber ich nahm mir ein Weib aus einem der reichsten Geschlechter,
Das ich durch Tugend gewann; denn ich war kein entarteter Jüngling,
Noch ein Feiger im Kriege! Doch nun ist alles vergangen!
Dennoch glaub ich, du wirst noch aus der Stoppel die Ähre
Kennen; denn ach, es drückte mich sehr viel Drangsal zu Boden! 215
Wahrlich, Entschlossenheit hatte mir Ares verliehn und Athene,
Und vertilgende Kraft! Wann ich, dem Feinde zu schaden,
Mit erlesenen Helden im Hinterhalte versteckt lag,
Schwebte mir nimmer des Todes Bild vor der mutigen Seele,
Sondern ich sprang zuerst von allen hervor und streckte 220
Jeglichen Feind in den Staub, den meine Schenkel ereilten.
Also focht ich im Krieg und liebte weder den Feldbau,
Noch die Sorge des Hauses und blühender Kinder Erziehung;
Aber das Ruderschiff war meine Freude beständig,
Schlachtengetös und blinkende Speer' und gefiederte Pfeile, 225
Lauter schreckliche Dinge, die andre mit Grauen erfüllen!
Aber ich liebte, was Gott in meine Seele geleget;
Denn dem einen gefällt dies Werk, dem anderen jenes.
Eh der Achaier Söhne gen Troja waren gesegelt,
Führt ich neunmal Männer in schnellgeruderten Schiffen 230
Gegen entlegene Völker und kehrte mit Beute zur Heimat.
Hievon nahm ich zuerst das schönste Kleinod, und vieles
Teilte das Los mir zu. So mehrte sich schnell mein Vermögen,
Und ich ward geehrt und hochgeachtet in Kreta.
Aber da Zeus' Vorsehung die jammerbringende Kriegsfahrt 235
Ordnete, welche das Leben so vieler Männer geraubt hat,
Da befahlen sie mir, mit Idomeneus, unserm Beherrscher,
Führer der Schiffe zu sein gen Ilios. Alle Versuche,

Mich zu befrein, mißlangen; mich schreckte der Tadel des Volkes.
Und neun blutige Jahre durchkämpften wir Söhne der Griechen; 240
Und im zehnten verheerten wir Priamos' türmende Feste,
Steurten dann heim mit den Schiffen; und Gott zerstreute die Griechen.
Über mich Armen verhängte der Rat Kronions ein Unglück.
Denn nur einen Monat verweilt ich daheim, mit dem Weibe
Meiner Jugend, den Kindern und meinem Gesinde mich freuend. 245
Und mich reizte mein Herz, mit göttergleichen Gefährten
Einige Schiffe zu rüsten und nach dem Aigyptos zu segeln.
Und ich rüstete neun, und schnell war die Menge versammelt.
Hierauf schmausten bei mir sechs Tage die lieben Gefährten,
Und ich schlachtete viele gemästete Tiere zum Opfer 250
Für die seligen Götter und zum erfreuenden Schmause.
Aber am siebenten Tage verließen wir Kreta und fuhren
Unter dem lieblichen Wehn des reinen, beständigen Nordwinds
Sanft wie mit dem Strome dahin; und keines der Schiffe
Wurde verletzt; wir saßen, gesund und fröhlichen Mutes, 255
Auf dem Verdeck und ließen vom Wind und Steuer uns lenken.
Aber am fünften Tag erreichten wir des Aigyptos
Herrlichen Strom und ich legte die gleichen Schiffe vor Anker.
Dringend ermahnt ich jetzo die lieben Reisegefährten,
An dem Gestade zu bleiben und unsere Schiffe zu hüten, 260
Und versendete Wachen umher auf die Höhen des Landes.
Aber sie wurden von Trotz und Übermute verleitet,
Daß sie ohne Verzug der Aigyptier schöne Gefilde
Plünderten, ihre Weiber gefangen führten, die Männer
Und unmündigen Kinder ermordeten. Und ihr Geschrei kam 265
Schnell in die Stadt. Sobald der Morgen sich rötete, zogen
Streiter zu Roß und Fuße daher, und vom blitzenden Erze
Strahlte das ganze Gefild. Der Donnerer Zeus Kronion
Sendete meinen Gefährten die schändliche Flucht, und es wagte
Keiner, dem Feinde zu stehn; denn ringsum drohte Verderben. 270
Viele töteten sie mit ehernen Lanzen und viele
Schleppten sie lebend hinweg zu harter sklavischer Arbeit.
Aber Kronion Zeus gab selber diesen Gedanken
Mir ins Herz (o hätte mich lieber des Todes Verhängnis
Dort in Aigyptos ereilt; denn meiner harrte nur Unglück!): 275

Eilend nahm ich den schöngebildeten Helm von dem Haupte
Und von der Schulter den Schild und warf den Speer aus der Rechten,
Ging dem Wagen des Königs entgegen, küßt und umarmte
Seine Knie; und er schenkte mir voll Erbarmen das Leben,
Hieß in den Wagen mich steigen und führte mich Weinenden heim-
Zwar es stürzten noch oft mit eschenen Lanzen die Feinde, [wärts.
Mich zu ermorden, heran, denn sie waren noch heftig erbittert;
Aber er wehrte sie ab, aus Furcht vor der Rache Kronions,
Welcher die Fremdlinge schützt und ihre Beleidiger strafet.
Sieben Jahre blieb ich bei ihm und sammelte Reichtum 285
Von dem aigyptischen Volke genug; denn sie gaben mir alle.
Doch wie das achte Jahr im Laufe der Zeiten herankam,
Siehe, da kam ein phönikischer Mann, ein arger Betrüger
Und Erzschinder, der viele Menschen ins Elend gestürzt hat.
Dieser beredete mich, mit ihm nach Phönike zu fahren, 290
Wo der Bube sein Haus und sein Erworbenes hatte.
Und ein volles Jahr verweilt ich bei ihm in Phönike.
Aber da jetzt die Monden und Tage waren vollendet
Und ein anderes Jahr mit den kreisenden Horen herankam,
Führt' er gen Libya mich im meerdurchwallenden Schiffe, 295
Unter dem listigen Schein, als braucht' er mich bei der Ladung,
Um mich dort zu verkaufen und großen Gewinn zu erwerben.
Ihn begleitet ich zwar argwöhnend, aber ich mußte.
Und sie steurten im Wehn des reinen, beständigen Nordwinds
Über Kreta dahin; doch Zeus beschloß ihr Verderben. 300
Als wir das grüne Gestade von Kreta jetzo verlassen
Und ringsum kein Land, nur Meer und Himmel zu sehn war,
Breitete Zeus Kronion ein dunkelblaues Gewölk aus
Über das laufende Schiff, und Nacht lag über der Tiefe.
Und nun donnerte Zeus, der hochgeschleuderte Strahl schlug 305
Schmetternd ins Schiff, und es schwankte, vom Donner des Gottes
erschüttert.
Alles war Schwefeldampf, und die Männer entstürzten dem Boden.
Ähnlich den Wasserkrähn bekämpften sie rings um das Schiff her,
Steigend und sinkend, die Flut; doch Gott nahm ihnen die Heimkehr.
Aber Kronion gab, in der schrecklichen Angst und Betäubung, 310
Selber den hohen Mast des blaugeschnäbelten Schiffes

Mir in die Hände, damit ich noch dem Verderben entflöhe.
Diesen umschlang ich und trieb durch den Sturm und die tobenden
Und neun Tage trieb ich umher; in der zehnten der Nächte [Fluten.
Warf mich ans Land der Thesproten die hochherrollende Woge. 315
Allda nahm mich Pheidon, der edle thesprotische König,
Freundlich und gastfrei auf; denn es fand sein Sohn am Gestade
Mich von Frost und Arbeit Entkräfteten liegen und führte
Mich mit stützender Hand zu seines Vaters Palaste
Und bekleidete mich mit prächtigem Mantel und Leibrock. 320
Jener erzählte mir dort von Odysseus, welcher, zur Heimat
Kehrend, ihn hätte besucht und viele Freundschaft genossen.
Und er zeigte mir auch die gesammelten Güter Odysseus',
Erzes und Goldes die Meng und künstlich geschmiedeten Eisens,
Daß bis ins zehnte Glied sein Geschlecht noch könnte versorgt sein.
Solch ein unendlicher Schatz lag dort im Hause des Königs.
Jener war, wie es hieß, nach Dodona gegangen, aus Gottes
Hochgewipfelter Eiche Kronions Willen zu hören,
Wie er in Ithaka ihm, nach seiner langen Entfernung,
Heimzukehren beföhle, ob öffentlich oder verborgen. 330
Pheidon beschwur es mir selbst und beim Trankopfer im Hause,
Segelfertig wäre das Schiff und bereit die Gefährten,
Um ihn heimzusenden in seiner Väter Gefilde.
Aber mich sandt er zuvor: denn ein Schiff thesprotischer Männer
Ging zu dem weizenreichen Dulichion. Diesen befahl er, 335
Mich sorgfältig dahin zum König Akastos zu bringen.
Aber ihrem Herzen gefiel der grausamste Ratschluß
Über mir, daß ich ganz in des Elends Tiefe versänke.
Als das segelnde Schiff nun weit von dem Ufer entfernt war,
Droheten jene mir gleich mit dem schrecklichen Tage der Knechtschaft
Meinen Mantel und Rock entrissen mir jetzo die Räuber
Und umhüllten mir drauf den häßlichen Kittel und Leibrock,
Beide zerlumpt, wie du selber mit deinen Augen hier siehest.
Und am Abend erreichten wir Ithakas sonnige Hügel.
Jetzo banden sie mich im schöngezimmerten Schiffe 340
Fest mit dem starkgeflochtenen Seil und stiegen dann selber
An das Gestad und nahmen die schnellbereitete Mahlzeit.
Aber die Götter lösten mir leicht die Knoten der Fessel,

Und ich band um das Haupt die zusammengewickelten Lumpen,
Ließ am geglätteten Steuer mich nieder, legte mich vorwärts 350
Auf das Wasser und schwamm, mit beiden Händen mich rudernd,
Hurtig von dannen, und bald war ich ferne von ihnen gekommen.
Jetzo stieg ich ans Land, kroch unter ein dickes Gebüsche,
Schmiegte mich hin und lag. Die andern suchten indessen
Mich lautkeuchend umher; allein sie fanden nicht ratsam, 355
Tiefer ins Land zu gehn. Sie kehrten zurück und bestiegen
Wieder das hohle Schiff, und mich entrissen die Götter
Leicht der Gefahr und führten zu eines verständigen Mannes
Hütte mich hin. Denn noch verlängt das Schicksal mein Leben.

Ihm antwortetest du, Eumaios, Hüter der Schweine: 360
Unglückseliger Fremdling, ich fühl es im innersten Herzen,
Was du von deinen Leiden und Irren mir alles erzählt hast.
Eins nur scheinet mir nicht in der Ordnung, das von Odysseus;
Nimmer glaub ich es dir! Was zwingt dich, ehrlicher Alter,
So in den Wind zu lügen? Ich weiß zu gut von der Heimkehr 365
Meines Herren Bescheid. Er ist den Unsterblichen allen
Ganz verhaßt. Nicht einmal vor Troja ließ man ihn sterben,
Noch in den Armen der Freunde, nachdem er den Krieg vollendet
(Denn ein Denkmal hätt ihm das Volk der Achaier errichtet,
Und so wäre zugleich sein Sohn bei den Enkeln verherrlicht), 370
Sondern er ward unrühmlich ein Raub der wilden Harpyen.
Aber ich lebe hier bei den Schweinen so einsam und komme
Nie in die Stadt, wo nicht die kluge Penelopeia
Mir zu kommen gebeut, wann Botschaft irgendwoher kam.
Ringsum sitzen sie dann und fragen den Fremdling nach allem. 375
Einige grämen sich um den langabwesenden König,
Andere freuen sich drob, die seine Habe verprassen.
Aber mir ward die Lust zu fragen gänzlich verbittert,
Seit mich jüngst ein aitolischer Mann durch Märchen getäuscht hat.
Dieser war Totschlages halber schon weit geflüchtet und irrte 380
Endlich zu meiner Hütte, wo ich mit Freundschaft ihn aufnahm.
Und er verkündigte mir: Bei Idomeneus unter den Kretern
Hab er ihn bessern gesehen die sturmzerschlagenen Schiffe,
Und er käme gewiß, im Sommer oder im Herbste,
Mit dem unendlichen Schatz und den göttergleichen Gefährten. 385

Drum, unglücklicher Greis, den mir ein Himmlischer zuführt,
Trachte nicht, meine Gunst durch Lügen dir zu erschmeicheln.
Denn nicht darum werd ich dich ehren oder bewirten,
Sondern aus Furcht vor dem gastlichen Zeus und weil du mich jammerst.
Ihm antwortete drauf der erfindungsreiche Odysseus: 390
Wahrlich, du trägst ein sehr ungläubiges Herz in dem Busen,
Da mir der Eidschwur selbst nicht dein Zutrauen gewinnet!
Aber wohlan, wir wollen uns jetzt vergleichen, und Zeugen
Sei'n die Unsterblichen uns, des hohen Olympos Bewohner!
Kehrt er wieder zurück zu diesem Hause, dein König, 395
Siehe, dann sollst du mich, mit Rock und Mantel bekleidet,
Gen Dulichion senden; denn dort verlanget mein Herz hin.
Kehret er nicht zurück, dein König, wie ich verkünde,
Alsdann reize die Knechte, vom Felsen herab mich zu stürzen,
Daß die Bettler hinfort sich scheuen, Lügen zu schwatzen. 400
Ihm antwortete drauf der edle Hüter der Schweine:
Fremdling, da wäre mir, traun, bei allen Menschen auf Erden
Großes Lob und Verdienst für jetzt und immer gesichert,
Hätt ich dich erst in die Hütte geführt und freundlich bewirtet
Und erschlüge dich dann und raubte dein liebes Leben! 405
Freudigkeit gäbe mir das, vor Zeus Kronion zu beten!
Aber die Stunde zum Essen ist da; bald kommen die Leute
Heim, mit mir in der Hütte das köstliche Mahl zu bereiten.
Also besprachen diese sich jetzo untereinander.
Und nun kamen die Schwein' und ihre Hirten vom Felde. 410
Diese schlossen sie drauf in ihre Ställe zum Schlafen,
Und laut tönte das Schreien der eingetriebenen Schweine.
Aber seinen Gehilfen befahl der treffliche Sauhirt:
Bringt das fetteste Schwein, für den fremden Gast es zu opfern,
Und uns selber einmal zu erquicken, da wir so lange 415
Um weißzahnichte Schweine Verdruß und Kummer erduldet,
Während andre umsonst all unsere Mühe verprassen!
Also sprach er und spaltete Holz mit dem grausamen Erze.
Jene führten ins Haus ein fett fünfjähriges Mastschwein,
Stellten es drauf an den Herd. Es vergaß der treffliche Sauhirt 420
Auch der Unsterblichen nicht (denn fromm war seine Gesinnung),
Sondern begann das Opfer und warf in die Flamme das Stirnhaar

Vom weißzahnichten Schwein und flehte den Himmlischen allen,
Daß sie dem weisen Odysseus doch heimzukehren vergönnten;
Schwang nun die Eichenkluft, die er beim Spalten zurückwarf, 425
Schlug's, und sein Leben entfloh; die andern schlachteten, sengten
Und zerstückten es schnell. Das Fett bedeckte der Sauhirt
Mit dem blutigen Fleische, von allen Gliedern geschnitten;
Dieses warf er ins Feuer, mit feinem Mehle bestreuet.
Und sie schnitten das übrige klein und steckten's an Spieße, 430
Brietens' mit Vorsicht über der Glut und zogen's herunter,
Legten dann alles zusammen auf Küchentische. Der Sauhirt
Stellte sich hin, es zu teilen; denn Billigkeit lag ihm am Herzen.
Und in sieben Teile zerlegt' er alles Gebratne:
Einen legt' er den Nymphen, und Hermes, dem Sohne der Maia, 435
Betend den andern hin; die übrigen reicht' er den Männern.
Aber Odysseus verehrt' er den unzerschnittenen Rücken
Vom weißzahnichten Schwein und erfreute die Seele des Königs.
Fröhlich sagte zu ihm der erfindungsreiche Odysseus:
Liebe dich Vater Zeus, wie ich dich liebe, Eumaios, 440
Da du mir armem Manne so milde Gaben verehrest!
Drauf antwortetest du, Eumaios, Hüter der Schweine:
Iß, mein unglückseliger Freund, und freue dich dessen,
Wie du es hast. Gott gibt uns dieses, und jenes versagt er,
Wie es seinem Herzen gefällt; denn er herrschet mit Allmacht. 445
Sprach's und weihte den Göttern die Erstlinge, opferte selber
Funkelnden Wein und gab ihn dem Städteverwüster Odysseus
In die Hand; er saß bei seinem beschiedenen Anteil.
Ihnen verteilte das Brot Mesaulios, welchen der Sauhirt
Selber sich angeschafft, indes sein König entfernt war: 450
Ohne Penelopeia und ohne den alten Laertes,
Hatt er von Taphiern ihn mit eigenem Gute gekaufet.
Und sie erhoben die Hände zum leckerbereiteten Mahle.
Und nachdem die Begierde des Tranks und der Speise gestillt war,
Trug Mesaulios wieder das Brot von dannen; und alle, 455
Von dem Brot und dem Fleische gesättiget, eilten zur Ruhe.
Eine grauliche Nacht, unerleuchtet vom schwindenden Monde,
Kam; es regnete Zeus, naßstürmend sauste der Westwind.
Beim Entkleiden versucht' Odysseus, ob ihm der Sauhirt

Nicht den Mantel vielleicht darbieten oder der Knechte 460
Einem es würde befehlen, da er für ihn so besorgt war:
  Höre mich jetzt, Eumaios, und hört, ihr übrigen Hirten!
Rühmend red ich ein Wort, vom betörenden Weine besieget,
Welcher den Weisesten oft anreizt zum lauten Gesange,
Ihn zum herzlichen Lachen und Gaukeltanze verleitet 465
Und manch Wort ihm entlockt, das besser wäre verschwiegen.
Aber weil das Geschwätz doch anfing, will ich's vollenden.
Wollte Gott, ich grünte noch jetzt in der Fülle der Jugend,
Als da vor Troja wir uns im Hinterhalte verbargen!
Führer waren Odysseus und Atreus' Sohn Menelaos, 470
Und der dritte war ich; denn sie verlangten es selber.
Als wir jetzo die Stadt und die hohe Mauer erreichten,
Legten wir nahe der Burg, im dichtverwachsenen Sumpfe,
Zwischen Weiden und Schilfen uns nieder, unter der Rüstung.
Eine stürmische Nacht brach an; der erstarrende Nordwind 475
Stürzte daher; und stöbernder Schnee, gleich duftigem Reife,
Fiel anfrierend herab und umzog die Schilde mit Glatteis.
Alle die andern lagen, gehüllt in Mantel und Leibrock,
Mit dem Schilde die Schulter bedeckt, und schlummerten ruhig.
Aber ich Unbesonnener ließ den Mantel beim Weggehn 480
Meinen Gefährten zurück (denn ich achtete gar nicht der Kälte)
Und ging bloß mit dem Schild und schöngegürteten Leibrock.
Doch in der dritten Wache der Nacht, da die Sterne sich neigten,
Stieß ich Odysseus, der mir zur Seiten lag, mit dem Arme
Und sprach schaudernd zu ihm; und schnell war er munter und hörte:
  Edler Laertiad, erfindungsreicher Odysseus,
Lange bleib ich nicht mehr bei den Lebenden, sondern mich tötet
Frost, denn ich ließ den Mantel zurück; mich verführte mein Dämon,
Bloß im Rocke zu gehn, und nun ist keine Errettung!
  Also sprach ich, und schnell beschloß er dieses im Herzen, 490
So wie immer der Held zum Rat und Kampfe bereit war.
Eilend erwidert' er mir mit leiseflüsternder Stimme:
  Schweige jetzt, damit kein andrer Achaier dich höre!
Sprach's und stützte das Haupt auf den Ellenbogen und sagte:
  Hört, ihr Lieben, ein göttlicher Traum erschien mir im Schlafe.
Wir sind weit von den Schiffen entfernt! O ginge doch einer,

Atreus' Sohn Agamemnon, dem Hirten der Völker, zu sagen,
Daß er noch mehren vom Ufer hieher zu eilen geböte!
Also sprach er; und Thoas, der Sohn Andraimons, erhub sich
Eilend und warf zur Erde den schönen, purpurnen Mantel 500
Und lief schnell zu den Schiffen; und ich umhüllte mir freudig
Sein Gewand und lag, bis die Morgenröte heraufstieg.
Wollte Gott, ich grünte noch jetzt in der Fülle der Jugend!
Ach, dann schenkte mir wohl ein Sauhirt hier in der Hütte
Einen Mantel, aus Lieb und Achtung gegen den Tapfern! 505
Nun verachten sie mich, weil ich so elend bedeckt bin!
Ihm antwortetest du, Eumaios, Hüter der Schweine:
Greis, untadelig ist das Gleichnis, so du erzählest,
Und kein unnütz Wort ist deinen Lippen entfallen.
Drum soll's weder an Kleidung noch etwas anderm dir mangeln, 510
Was unglücklichen Fremden, die Hilfe suchen, gebühret,
Jetzt! Doch morgen mußt du in deine Lumpen dich hüllen.
Denn nicht viele Mäntel und oftveränderte Röcke
Haben wir anzuziehn; nur einen hat jeglicher Sauhirt.
Kehrt einst wieder zurück der geliebte Sohn von Odysseus, 515
Gerne wird dich dieser mit Rock und Mantel bekleiden
Und dich senden, wohin es deinem Herzen gelüstet.
Also sprach er, erhub sich und setzte neben dem Feuer
Ihm ein Bette, bedeckt mit Fellen von Ziegen und Schafen.
Und Odysseus legte sich hin. Da bedeckte der Sauhirt 520
Ihn mit dem großen wollichten Mantel, womit er sich pflegte
Umzukleiden, wenn draußen ein schrecklicher Winterorkan blies.
Also schlummerte dort Odysseus; neben Odysseus
Legten die Jünglinge sich zum Schlummer. Aber der Sauhirt
Liebte nicht, in dem Bett, entfernt von den Schweinen, zu schlafen,
Sondern er waffnete sich, hinauszugehn; und Odysseus
Freute sich, daß er so treu des Entfernten Güter besorgte.
Erstlich hängt' er ein scharfes Schwert um die rüstigen Schultern,
Hüllte sich dann in den windabwehrenden wollichten Mantel,
Nahm das zottichte Fell der großen gemästeten Ziege, 530
Nahm auch den scharfen Speer, den Schrecken der Menschen und Hunde,
Eilte nun hin, zu ruhn, wo die hauerbewaffneten Eber
Lagen, unter dem Hange des Felsens, geschirmt vor dem Nordwind

XV. GESANG

Telemachos, dem Athene die Heimkehr befiehlt und sichert, eilt von Menelaos grade zum Schiffe; nimmt den Wahrsager Theoklymenos auf und vermeidet die nachstellenden Freier durch einen Umweg zu den spitzigen Inseln. Des Sauhirten Eumaios Gespräch mit Odysseus beim Abendessen und Erzählung, wie ihn, eines sikanischen Königs Sohn aus der Insel Syria bei Ortygia, entführende Phöniker dem Laertes verkauft. Telemachos, in der Frühe jenseits anlandend, läßt sein Schiff nach der Stadt herumfahren und geht zu Eumaios.

Pallas Athene ging zu der großen Stadt Lakedaimon,
Daß sie den rühmlichen Sohn des hochgesinnten Odysseus
Reizte, des Vaterlands zu gedenken und wiederzukehren.
Und Telemachos lag mit Nestors blühendem Sohne
Ruhend vor dem Palast Menelaos', des Ehregekrönten. 5
Nestors blühender Sohn lag sanft vom Schlummer gefesselt,
Aber Telemachos floh der süße Schlummer; er wachte
Durch die ambrosische Nacht, um den Vater herzlich bekümmert.
Vor ihn stellte sich Zeus' blauäugichte Tochter und sagte:
Länger ziemt es sich nicht, Telemachos, ferne zu irren, 10
Da du alles dein Gut und so übermütige Männer
In dem Palaste verließest, damit sie nicht alles verzehren,
Deine Habe sich teilend, und fruchtlos ende die Reise.
Auf! erinnere gleich den Rufer im Streit Menelaos,
Heim dich zu senden, damit du die treffliche Mutter noch findest. 15
Denn schon wird sie vom Vater und ihren Brüdern gedränget,
Daß sie Eurymachos nehme; denn dieser schenkte das meiste
Unter den Freiern und beut die reichste Bräutigamsgabe.
Und man könnte dir leicht, ohn deinen Dank, aus dem Hause
Manches Gut mitnehmen! Du kennst ja des Weibes Gesinnung: 20
Immer sucht sie den Mann, der ihr beiwohnt, zu bereichern;
Aber die vorigen Kinder und ihrer Jugend Geliebten
Kennt sie nicht mehr, da er starb, und fraget nimmer nach ihnen.
Darum eile nun heim und vertraue selber die Güter
Einer Dienerin an, die dir am tüchtigsten scheinet, 25
Bis die himmlischen Götter ein edles Weib dir verleihen.
Noch ein andres verkünd ich dir jetzt, bewahr es im Herzen!
Wachsam lauern auf dich die tapfersten unter den Freiern
In dem Sunde, der Ithaka trennt und die bergichte Samos,

Daß sie dich töten, bevor du die Heimat wieder erreichest. 30
Aber ich hoffe das nicht! Erst deckt die Erde noch manchen
Von der Rotte der Freier, die deine Habe verzehren.
Steure dein rüstiges Schiff, Telemachos, fern von den Inseln,
Fahr auch nur in der Nacht! Dir wird der Unsterblichen einer
Günstigen Wind nachsenden, der dich behütet und schützet. 35
Wenn du das nächste Gestade von Ithaka jetzo erreicht hast,
Siehe, dann sende zur Stadt das Schiff und alle Gefährten,
Und du gehe zuerst dorthin, wo der treffliche Sauhirt
Deiner Schweine hütet, der stets mit Eifer dir anhängt.
Allda bleibe die Nacht und sende jenen zur Stadt hin, 40
Um die Botschaft zu bringen der klugen Penelopeia,
Daß du gesund und wohl von Pylos wieder zurückkamst.
  Also sprach die Göttin und eilte zum großen Olympos.
Und Telemachos weckte den Nestoriden vom Schlummer,
Ihn mit der Ferse berührend, und sprach zu dem blühenden Jüngling:
  Nestors Sohn, wach auf, Peisistratos; spann an den Wagen
Hurtig die stampfenden Rosse, damit wir die Reise vollenden!
  Und der Nestoride Peisistratos gab ihm zur Antwort:
Ganz unmöglich, Telemachos, wär es, wie sehr wir auch eilten,
Diese düstere Nacht zu durchfahren, und bald ist es Morgen. 50
Darum warte, bis uns mit Geschenken den Wagen belade
Atreus' edler Sohn, der kriegrische Held Menelaos,
Und mit gefälligen Worten uns freundlich von sich entlasse.
Denn es erinnert sich ein Gast zeitlebens des Mannes,
Welcher in fernem Lande mit Lieb und Freundschaft ihn aufnahm.
  Also sprach er; da kam die goldenthronende Eos.
Jetzo nahte sich ihnen der Rufer im Streit Menelaos,
Seiner Helena Lager, der schöngelockten, verlassend.
Als der geliebte Sohn von Odysseus diesen bemerkte,
Hüllte sich eilend der Held in den feinen, prächtigen Leibrock, 60
Warf den großen Mantel sich über die rüstigen Schultern,
Ging dann hinaus und trat zu Menelaos und sagte:
  Atreus' göttlicher Sohn, Menelaos, Führer der Völker,
Laß mich jetzo von dir ins liebe Vaterland ziehen,
Denn von ganzem Herzen begehr ich jetzo der Heimkehr. 65
  Ihm antwortete drauf der Rufer im Streit Menelaos:

Ferne sei es von mir, Telemachos, dich zu verweilen,
Wenn du nach Hause dich sehnst! Ich tadle selber den Gastfreund,
Dessen Höflichkeit uns und überzärtliche Freundschaft
Plagende Feindschaft wird. Das Beste bei allem ist Ordnung! 70
Traun, gleich arg sind beide: wer seinem zögernden Gaste
Heimzukehren gebeut und wer den eilenden aufhält.
Bleibt er, so pflege des Gastes; und will er gehen, so laß ihn!
Aber warte, bis ich ein schönes Geschenk auf den Wagen
Leg und du selber es sehest; und meinen Weibern befehle, 75
Dir von des Hauses Kost ein reichliches Mahl zu bereiten.
Freudigkeit fühlt der Gast und höheren Mut und Erquickung,
Der, mit Speise gestärkt, in ferne Länder verreiset.
Hast du auch Lust, umher durch Hellas und Argos zu reisen,
Warte, bis ich die Ross' anspanne, dich selber begleite 80
Und zu jeglicher Stadt hinführe. Keines der Völker
Sendet uns leer hinweg; man schenkt uns wenigstens ein Stück,
Ein dreifüßig Geschirr von Kupfer oder ein Becken,
Oder ein Joch Maultiere, auch wohl einen goldenen Becher.
Und der verständige Jüngling Telemachos sagte dagegen: 85
Atreus' göttlicher Sohn Menelaos, Führer der Völker,
Jetzo eil ich zurück zu dem Unsrigen (denn da ich abfuhr,
Ließ ich niemand im Hause, mein Eigentum zu bewahren):
Daß ich, den Vater suchend, nicht selber das Leben verliere
Oder ein köstliches Gut aus meinem Hause verschwinde. 90
Als er solches vernommen, der Rufer im Streit Menelaos,
Rief er schnell der Gemahlin und ihren Mägden, im Saale
Hurtig ein Mahl zu bereiten vom reichlich gesammelten Vorrat.
Jetzo nahte sich auch Boethos' Sohn Eteoneus,
Seinem Lager entstiegen; er wohnte nicht ferne vom König. 95
Diesem befahl der Held Menelaos, Feuer zu machen
Und des Fleisches zu braten; und schnell gehorcht' er dem Worte.
Hierauf stieg er hinab ins duftende hohe Gewölbe:
Nicht er allein; mit ihm ging Helena und Megapenthes.
Als sie die Kammer erreicht, wo seine Kleinode lagen, 100
Nahm Menelaos Atreides sich einen doppelten Becher,
Reichte dann seines Sohns Megapenthes Händen zu tragen
Einen silbernen Kelch; und Helena trat zu den Kisten,

Wo sie die schönen Gewande verwahrt, die sie selber gewirket.
Eines von diesen nahm die Königin unter den Weibern, 105
Welches das größeste war und reichste an künstlicher Arbeit:
Hell wie ein Stern, so strahlt' es, und lag von allen zuunterst.
Und sie gingen zurück durch die Wohnungen, bis sie Odysseus'
Sohn erreichten; da sprach Menelaos der bräunlichgelockte:
Deine Heimkehr lasse, Telemachos, wie du sie wünschest, 110
Zeus Kronion gelingen, der donnernde Gatte der Here;
Von den Schätzen, soviel ich in meinem Hause bewahre,
Geb ich dir zum Geschenk das schönste und köstlichste Kleinod:
Gebe dir einen Kelch von künstlicherhobener Arbeit,
Aus geglättetem Silber, gefaßt mit goldenem Rande, 115
Und ein Werk von Hephaistos! Ihn gab der Sidonier König
Phaidimos mir, der Held, der einst in seinem Palaste
Mich Heimkehrenden pflegte. Den will ich jetzo dir schenken.
Also sprach er und reichte, der Held Menelaos Atreides,
Ihm den doppelten Becher. Sein tapferer Sohn Megapenthes 120
Trug den schimmernden Kelch von lauterem Silber und setzt' ihn
Nieder vor ihm. Auch Helena kam, das Gewand in den Händen,
Und holdselig begann die rosenwangichte Fürstin:
Dieses Geschenk will ich, mein liebes Kind, dir verehren,
Zum Andenken von Helenas Hand. Bei der lieblichen Hochzeit 125
Trag es deine Gemahlin; bis dahin lieg es im Hause
Deiner geliebten Mutter. Du aber kehre mit Frieden
In dein prächtiges Haus und deiner Väter Gefilde.
Also sprach sie und reicht' es ihm hin; und freudig empfing er's.
Jetzo legte der Held Peisistratos alle Geschenke 130
Nieder im Wagenkorb und bewunderte jedes im Herzen.
Und sie führt' in den Saal Menelaos der bräunlichgelockte;
Allda setzten sie sich auf prächtige Sessel und Throne.
Eine Dienerin trug in der schönen goldenen Kanne
Über dem silbernen Becken das Wasser, beströmte zum Waschen
Ihnen die Händ' und stellte vor sie die geglättete Tafel.
Und die ehrbare Schaffnerin kam und tischte das Brot auf
Und der Gerichte viel aus ihrem gesammelten Vorrat.
Aber das Fleisch zerschnitt und verteilte der Sohn des Boethos,
Und des Königes Sohn verteilte die Becher voll Weines. 140

Und sie erhoben die Hände zum leckerbereiteten Mahle.
Jetzo war die Begierde des Tranks und der Speise gestillet,
Und Telemachos spannte mit Nestors blühendem Sohne
Hurtig die Rosse vor; sie bestiegen den künstlichen Wagen,
Lenkten darauf aus dem Tore des Hofs und der tönenden Halle. 145
Ihnen zur Seite ging Menelaos der bräunlichgelockte;
Einen goldenen Becher voll herzerfreuenden Weines
Trug er in seiner Rechten, um noch vor der Reise zu opfern,
Stand vor den Rossen und trank, reicht' ihnen den Becher und sagte:
Lebt, ihr Jünglinge, wohl und grüßt den Hirten der Völker 150
Nestor von mir; denn wahrlich, er liebte mich stets wie ein Vater,
Als wir Achaier noch die Stadt der Troer bekriegten!
Und der verständige Jüngling Telemachos sagte dagegen:
Gerne wollen wir ihm, du Göttlicher, wie du befiehlest,
Dieses alles verkünden, sobald wir kommen. O fänd ich, 155
Heim gegen Ithaka kehrend, auch meinen Vater zu Hause,
Daß ich ihm sagte, wie ich, von dir so gütig bewirtet,
Wiederkomm und so viel und köstliche Kleinode bringe!
Sprach's, und zur Rechten flog ein heilweissagender Adler,
Welcher die ungeheure, im Hofe gemästete weiße 160
Gans in den Klauen trug; mit überlautem Geschreie
Folgten ihm Männer und Weiber; er kam in stürmendem Fluge
Rechtsher, nahe den Rossen der Jünglinge. Als sie ihn sahen,
Freuten sie sich, und allen durchglühete Wonne die Herzen.
Nestors blühender Sohn Peisistratos redete jetzo: 165
Denke nach, Menelaos, du göttlicher Führer der Völker,
Ob Gott uns dies Zeichen gesendet oder dir selber.
Also sprach er; da sann der kriegrische Held Menelaos
Hin und her, mit Verstand das Wunderzeichen zu deuten.
Aber Helena kam ihm zuvor; so sprach die Geschmückte: 170
Höret, ich will euch jetzt weissagen, wie es die Götter
Mir in die Seele gelegt und wie's wahrscheinlich geschehn wird.
Gleichwie der Adler die Gans, die im Hause sich nährte, geraubt hat,
Kommend aus dem Gebirge, von seinem Nest und Geschlechte:
Also wird auch Odysseus nach vielen Leiden und Irren 175
Endlich zur Heimat kehren und strafen; oder er kehrte
Schon und rüstet sich nun zu aller Freier Verderben.

Und der verständige Jüngling Telemachos sagte dagegen:
Also vollend es Zeus, der donnernde Gatte der Here!
O dann werd ich auch dort wie eine Göttin dich anflehn! 180
Sprach's und schwang auf die Rosse die Geißel; mit hurtiger Eile
Stürmten sie über die Gassen der Stadt in das freie Gefilde.
Also schüttelten sie bis zum Abend das Joch an den Nacken.
Und die Sonne sank und Dunkel umhüllte die Pfade.
Und sie kamen gen Pherai, zur Burg des edlen Diokles, 185
Welchen Alpheios' Sohn Orsilochos hatte gezeuget,
Ruhten bei ihm die Nacht und wurden freundlich bewirtet.
Als die dämmernde Frühe mit Rosenfingern erwachte,
Rüsteten sie ihr Gespann und bestiegen den zierlichen Wagen,
Lenkten darauf aus dem Tore des Hofs und der tönenden Halle. 190
Treibend schwang er die Geißel, und willig enteilten die Rosse.
Und sie erreichten bald die hochgebauete Pylos;
Und Telemachos sprach zu Nestors blühendem Sohne:
Kannst du mir, Nestors Sohn, wohl eine Bitte gewähren?
Siehe, wir rühmen uns ja von den Zeiten unserer Väter 195
Schon Gastfreunde zu sein und sind auch einerlei Alters;
Und noch inniger wird uns diese Reise verbinden.
Fahre mein Schiff nicht vorbei, du Göttlicher; laß mich hier bleiben!
Denn mich möchte der Greis aufhalten in seinem Palaste,
Um mir Gutes zu tun; und ich muß aufs eiligste reisen. 200
Also sprach er, und Nestors Sohn bedachte sich schweigend,
Wie er mit guter Art ihm seine Bitte gewährte.
Dieser Gedanke schien dem Zweifelnden endlich der beste:
An das Gestade des Meers zu dem Schiffe lenkt' er die Rosse,
Legte dann hinten ins Schiff Telemachos' schöne Geschenke, 205
Sein Gewand und das Gold, so ihm Menelaos verehret.
Und nun trieb er ihn an und sprach die geflügelten Worte:
Steige nun eilend ins Schiff und ermuntere deine Gefährten,
Eh ich zu Hause komm und dem Greise dieses verkünde!
Denn ich kenne zu gut in meinem Herzen des Vaters 210
Heftigen, starren Sinn; er würde dich nimmer entlassen,
Sondern selbst herkommen, dich einzuladen; und schwerlich
Ging' er dann leer zurück, so sehr würd er zürnen und eifern!
Also sprach er und lenkte die Rosse mit wallenden Mähnen

Heim zu der Pylier Stadt, und bald erreicht' er die Wohnung. 215
Aber Telemachos trieb und ermahnete seine Genossen:
Freunde, bringt die Geräte des schwarzen Schiffes in Ordnung
Und steigt selber hinein, damit wir die Reise vollenden!
Also sprach er; sie hörten ihn alle mit Fleiß und gehorchten,
Stiegen eilend ins Schiff und setzten sich hin auf die Bänke. 220
Also besorgt' er dieses und opferte Pallas Athenen
Flehend hinten am Schiff. Und siehe, ein eilender Fremdling
Nahte sich ihm, der aus Argos entfloh, wo er jemand getötet.
Dieser war ein Prophet und stammte vom alten Melampus,
Welcher vor langer Zeit in der schafegebärenden Pylos 225
Wohnete, mächtig im Volk, und prächtige Häuser beherrschte.
Aber sein Vaterland verließ er und floh in die Fremde
Vor dem gewaltigen Neleus, dem Stolzesten aller, die lebten,
Welcher ein ganzes Jahr mit Gewalt sein großes Vermögen
Vorenthielt; indes lag jener in Phylakos' Wohnung, 230
Hartgefesselt mit Banden und schwere Leiden erduldend,
Wegen der Tochter Neleus' und seines rasenden Wahnsinns,
Welchen ihm die Erinnys, die schreckliche Göttin, gesendet.
Dennoch entfloh er dem Tod und trieb aus Phylakes Auen
Heim die brüllenden Rinder gen Pylos, strafte den Hochmut 235
Neleus', des göttergleichen, und führte dem Bruder zur Gattin
Seine Tochter ins Haus. Er aber zog in die ferne,
Rossenährende Argos; denn dort bestimmte das Schicksal
Ihm forthin zu wohnen, ein Herrscher vieler Argeier.
Allda nahm er ein Weib und baute die prächtige Wohnung, 240
Zeugte Antiphates dann und Mantios, tapfere Söhne!
Aber Antiphates zeugte den großgesinnten Oikles,
Und Oikles den Völkererhalter Amphiaraos.
Diesen liebte der Donnerer Zeus und Phöbos Apollon
Mit allwaltender Huld; doch erreicht' er die Schwelle des Alters 245
Nicht; er starb vor Thebai, durch seines Weibes Geschenke.
Seine Söhne waren Amphilochos und Alkmaion.
Aber Mantios zeugte den Polypheides und Kleitos.
Diesen Kleitos entführte die goldenthronende Eos
Seiner Schönheit halber zum Sitz der unsterblichen Götter. 250
Aber auf Polypheides, dem hocherleuchteten, ruhte

Phöbos' prophetischer Geist nach dem Tode des Amphiaraos.
Zürnend dem Vater, zog er gen Hyperesia, wohnte
Und weissagete dort den Sterblichen allen ihr Schicksal.
  Dessen Sohn, genannt Theoklymenos, nahte sich jetzo, 255
Trat zu Telemachos hin, der dort vor Pallas Athene
Heiligen Wein ausgoß und betete, neben dem Schiffe;
Und er redet' ihn an und sprach die geflügelten Worte:
  Lieber, weil ich allhier beim heiligen Opfer dich finde,
Siehe, so fleh ich dich an, beim Opfer und bei der Gottheit, 260
Deinem eigenen Heil und der Freunde, welche dir folgen:
Sage mir Fragendem treulich und unverhohlen die Wahrheit!
Wer, wes Volkes bist du? Und wo ist deine Geburtsstadt?
  Und der verständige Jüngling Telemachos sagte dagegen:
Dieses will ich dir, Fremdling, und nach der Wahrheit verkünden. 265
Ich bin aus Ithaka her; mein Vater heißet Odysseus,
Wenn er noch lebt; allein er starb des traurigsten Todes.
Darum nahm ich jetzo dies Schiff und diese Gefährten,
Kundschaft mir zu erforschen vom langabwesenden Vater.
  Und der göttliche Mann Theoklymenos gab ihm zur Antwort: 270
Ich bin auch aus der Heimat entflohn! Denn ich tötete jemand,
Einen Bürger der Stadt; und viele Brüder und Vettern
Hat er, gewaltig im Volke der rossennährenden Argos!
Diesen bin ich entronnen, den Tod und das schwarze Verhängnis
Fliehend! Von nun an ist mein Schicksal, die Welt zu durchirren!
Aber nimm mich ins Schiff, den Flüchtling, welcher dich anfleht,
Daß sie mich nicht umbringen; denn sicher verfolgen mich jene!
  Und der verständige Jüngling Telemachos sagte dagegen:
Freund, ich werde dich nicht von unserem Schiffe verstoßen.
Folg uns; wir wollen dich dort bewirten, so gut wir es haben. 280
  Also sprach er und nahm Theoklymenos' eherne Lanze,
Legte sie auf das Verdeck des gleichgeruderten Schiffes,
Stieg dann über den Bord des meerdurchwallenden Schiffes,
Setzte sich hinten am Steuer, und neben dem Jünglinge setzte
Theoklymenos sich. Die andern lösten die Seile. 285
Aber Telemachos trieb und ermahnte die lieben Gefährten,
Schnell die Geräte zu ordnen. Sie folgeten seinem Befehle:
Stellten den fichtenen Mast in die mittlere Höhe des Bodens,

Richteten hoch ihn empor und banden ihn fest mit den Seilen,
Spannten die weißen Segel mit starkgeflochtenen Riemen. 290
Einen günstigen Wind sandt ihnen Pallas Athene;
Stürmend saust' er vom Äther daher in die Segel des Schiffes,
Und mit geflügelter Eile durchlief es die salzige Woge,
Segelte Krunö vorüber und Chalkis' liebliche Mündung.
Und die Sonne sank und Dunkel umhüllte die Pfade. 295
Und er steurte gen Pherai, vom Winde Gottes erfreuet,
Und zu der göttlichen Elis, die von den Epeiern beherrscht wird.
Aber von dannen lenkt' er das Schiff zu den spitzigen Inseln,
Sorgend, ob er dem Tod entfliehn würd oder erliegen.

Und in der Hütte genoß mit Odysseus der treffliche Sauhirt 300
Jetzo die Abendkost, auch aßen die übrigen Hirten.
Und nachdem die Begierde des Tranks und der Speise gestillt war,
Da versuchte der Held Odysseus, ob ihn der Sauhirt
Noch in der Hütte dort herbergen und freundlich bewirten
Oder ihn treiben würd, in die Stadt zu eilen; so sprach er: 305

Höre mich jetzt, Eumaios, und hört, ihr übrigen Hirten.
Morgen hätt ich wohl Lust, in die Stadt als Bettler zu gehen,
Daß ich deine Freunde und dich nicht länger beschwere.
Sage mir denn Bescheid und gib mir einen Gefährten,
Welcher den Weg mich führe. Die Stadt muß ich selber durchirren,
Ob man ein Becherchen Weins und ein wenig Brosam mir biete.
Gerne möcht ich auch wohl zum Hause des edlen Odysseus
Gehen und Botschaft bringen der klugen Penelopeia
Und alsdann in die Schar der stolzen Freier mich mischen,
Ob sie mich einmal speisen von ihrem reichlichen Gastmahl. 315
Alles, was sie befehlen, bin ich bereit zu verrichten.
Denn ich verkündige dir, merk auf und höre die Worte:
Durch Hermeias' Gnade, des Göttergesandten, der alles,
Was die Menschen beginnen, mit Ehre schmücket und Anmut,
Kann der Sterblichen keiner mit mir wetteifern im Dienste: 320
Feuer geschickt zu legen und trockene Klötze zu spalten,
Wein zu schenken und Fleisch zu verteilen oder zu braten,
Was vornehme Leute vom Dienste Geringerer fordern.

Zürnend erwidertest du, Eumaios, Hüter der Schweine:
Wehe mir, Fremdling, wie kann in dein Herz ein solcher Gedanke

Kommen? Wahrlich du eilst, dich dort ins Verderben zu stürzen,
Ist es dein ernstlicher Wille, zu gehn in der Freier Gesellschaft,
Deren Trotz und Gewalt den eisernen Himmel erreichet.
Wahrlich, solche Leute sind ihre Diener mitnichten;
Jünglinge sind's, mit Mantel und Leibrock zierlich gekleidet, 330
Und stets duftet von Salben ihr Haar und blühendes Antlitz:
Diese dienen dort; und die schöngeglätteten Tische
Sind mit Brot und Fleisch und Weine stets belastet.
Aber bleibe; du bist hier keinem Menschen beschwerlich,
Weder mir noch einem der Freunde, welche mir helfen. 335
Kehrt einst wieder zurück der geliebte Sohn von Odysseus,
Gerne wird dich dieser mit Rock und Mantel bekleiden
Und dich senden, wohin es deinem Herzen gelüstet.
Ihm antwortete drauf der herrliche Dulder Odysseus:
Liebe dich Vater Zeus, wie ich dich liebe, Eumaios, 340
Weil du nach schrecklicher Not mir Irrendem Ruhe gewährest!
Nichts ist kummervoller, als unstet leben und flüchtig!
Oft zur Verzweifelung bringt der unversöhnliche Hunger
Leute, die Lebensgefahr und bitterer Mangel umhertreibt.
Aber weil du begehrst, daß ich bleib und jenen erwarte, 345
Nun, so erzähle mir von der Mutter des edlen Odysseus
Und dem Vater, den er an der Schwelle des Alters daheim ließ.
Leben sie etwa noch im Strahle der leuchtenden Sonne,
Oder sind sie schon tot und in der Schatten Behausung?
Ihm antwortete drauf der männerbeherrschende Sauhirt: 350
Dieses will ich dir, Fremdling, und nach der Wahrheit erzählen.
Immer noch lebt Laertes, doch täglich flehet er Zeus an,
Daß in seinem Hause sein Geist den Gliedern entschwinde.
Denn untröstlich beweint er des fernen Sohnes Gedächtnis
Und den Tod des edlen geliebten Weibes der Jugend, 355
Der ihn so innig gekränkt und sein herbes Alter beschleunigt.
Diese starb vor Gram um ihren berühmten Odysseus,
Ach, den traurigsten Tod! So sterbe keiner der Freunde,
Welcher in diesem Lande mir Liebes und Gutes getan hat.
Als noch jene lebte, wiewohl in steter Betrübnis, 360
Hatt ich noch etwas Lust, zu fragen und mich zu erkunden.
Denn sie erzog mich selbst mit Ktimene, ihrer geschmückten

Tugendreichen Tochter, der jüngsten ihres Geschlechtes;
Diese erzog sie mit mir und ehrte mich wenig geringer.
Und da wir beide das Ziel der lieblichen Jugend erreichten, 365
Gaben sie jene nach Same und nahmen große Geschenke,
Und mich kleidete sie, die Mutter, mit prächtigen Kleidern,
Einem Mantel und Rock, und gab mir Schuh an die Füße,
Sandte mich her aufs Land und tat mir Gutes auf Gutes.
Dieses muß ich nun alles entbehren: aber die Götter 370
Segnen mit reichem Gedeihn die Arbeit, welche mir obliegt;
Hievon eß ich und trinke und geb auch ehrlichen Leuten.
Von der Königin selbst ist keine Freude zu hoffen,
Weder Wort noch Tat, seitdem die Plage das Haus traf,
Jener verwüstende Schwarm! Und Knechte wünschen doch herzlich,
Vor der Frau des Hauses zu reden und alles zu hören,
Und zu essen und trinken und dann auch etwas zu Felde
Mitzunehmen, wodurch das Herz der Bedienten erfreut wird.
Ihm antwortete drauf der erfindungsreiche Odysseus:
Ei, so bist du als Kind, Eumaios, Hüter der Schweine, 380
Fern von dem Vaterland und deinen Eltern verirret?
Aber verkündige mir und sage die lautere Wahrheit:
Ward die prächtige Stadt von Kriegesscharen verwüstet,
Welche dein Vater einst und die treffliche Mutter bewohnten?
Oder fanden dich einsam bei Schafen oder bei Rindern 385
Räuber und schleppten dich fort zu den Schiffen und boten im Hause
Dieses Mannes dich feil, der dich nach Würden bezahlte?
Ihm antwortete drauf der männerbeherrschende Sauhirt:
Fremdling, weil du mich fragst und so genau dich erkundest,
Nun, so sitze still, erfreue dich horchend und trinke 390
Wein. Die Nächte sind lang; man kann ausruhen und kann auch
Angenehme Gespräch' anhören. Es zwinget dich niemand,
Frühe schlafen zu gehn; auch vieles Schlafen ist schädlich.
Sehnt sich der übrigen einer in seinem Herzen zur Ruhe,
Dieser gehe zu Bett; und sobald der Morgen sich rötet, 395
Frühstück' er und treibe des Königes Schweine zu Felde.
Aber wir wollen hier in der Hütte noch essen und trinken,
Um einander das Herz durch Erinnerung trauriger Leiden
Aufzuheitern; denn auch der Trübsal denket man gerne,

Wenn man so vieles erduldet, so viele Länder durchirrt ist. 400
Jetzo will ich dir das verkündigen, was du mich fragtest:
Eine der Inseln im Meer heißt Syria, wenn du sie kennest,
Über Ortygia hin, wo die Sonnenwende zu sehn ist.
Groß ist diese nicht sehr von Umfang, aber doch fruchtbar,
Reich an Schafen und Rindern, an Wein und schönem Getreide. 405
Nimmer besucht der Hunger und nimmer eine der andern
Schrecklichen Seuchen das Volk, die die armen Sterblichen hinrafft,
Sondern wann in der Stadt die Menschen das Alter erreichen,
Kommt die Freundin der Pfeil' und der Gott des silbernen Bogens,
Welche sie unversehens mit sanften Geschossen erlegen. 410
Allda sind zwo Städte, die zwiefach alles geteilet,
Und von diesen beiden war einst mein Vater Beherrscher,
Ktesios, Ormenos' Sohn, ein Bild der unsterblichen Götter.
Einst besuchten uns dort Phöniker, berühmt in der Seefahrt
Und Erzschinder, und führten im Schiff unzähliges Spielzeug. 415
Aber im Hause des Vaters war eine phönikische Sklavin,
Schöngebildet und groß und klug in künstlicher Arbeit.
Diese verführten mit List die ränkegeübten Phöniker.
Einer von ihnen pflog, da sie wusch, beim schwärzlichen Schiffe
Heimlicher Liebe mit ihr, die das Herz der biegsamen Weiber 420
Ganz in die Irre führt, wenn eine die Tugend auch ehret.
Dieser fragte darauf, wer sie wär und von wannen sie käme,
Und sie zeigte sogleich zu des Vaters hohem Palaste:
Meine Geburtsstadt ist die erzdurchschimmerte Sidon,
Und ich rühme mich dort des reichen Arybas Tochter. 425
Aber mich raubeten einst, da ich vom Felde zurückkam,
Taphische Räuber und brachten mich hier und boten im Hause
Dieses Mannes mich feil, der mich nach Würden bezahlte.
Ihr antwortete drauf der Mann, der sie heimlich beschlafen:
Möchtest du jetzo denn nicht mit uns nach Hause zurückgehn, 430
Deiner Eltern hohen Palast und Vater und Mutter
Wiederzusehn? Denn sie leben noch beid und man nennt sie begütert.
Und das phönikische Weib antwortete jenem und sagte:
Ja, auch dieses geschehe, wofern ihr Schiffer mir eidlich
Angelobt, mich sicher und wohl nach Hause zu bringen. 435
Also sprach sie; und alle beschwuren, was sie verlangte.

Als sie es jetzo gelobt und vollendet den heiligen Eidschwur,
Hub die Phönikerin an und sprach zu der Männer Versammlung:
Seid nun still, und keiner von eures Schiffes Genossen
Rede mit Worten mich an, er begegne mir auf der Straße 440
Oder beim Wasserschöpfen, daß niemand, zu unserem Hause
Gehend, dem Alten es sag und dieser vielleicht mir aus Argwohn
Schwere Band' anlege und euch das Verderben bereite!
Sondern haltet die Sache geheim und beschleunigt den Einkauf.
Aber sobald ihr das Schiff mit Lebensgütern beladen, 445
Dann geh einer geschwind in die Burg und bringe mir Botschaft;
Nehmen will ich, was mir an goldnem Geschirr in die Hand fällt,
Und ich möcht euch gerne die Fahrt noch höher bezahlen.
Denn ich erziehe den Sohn des alten Herrn im Palaste,
Welcher schon witzig ist und aus dem Hause so mitläuft. 450
Diesen brächt ich gerne zum Schiff; ihr würdet nicht wenig
Für ihn lösen, wohin ihr ihn auch in die Fremde verkauftet.
Also sprach das Weib und kehrte zum schönen Palaste.
Und die Phöniker weilten ein ganzes Jahr auf der Insel,
Kauften und schleppten ins Schiff unzählige Güter zusammen. 455
Als sie das hohle Schiff zur Heimfahrt hatten befrachtet,
Sandten sie einen Genossen, dem Weibe die Botschaft zu bringen.
Dieser listige Mann, der in des Vaters Palast kam,
Bracht ein goldnes Geschmeide, besetzt mit köstlichem Bernstein,
Welches die Mägde des Hauses und meine treffliche Mutter 460
Mit den Händen befühlten und sehr aufmerksam besahen.
Als sie über den Preis nun handelten, winkt' er der Sklavin
Heimlich und eilte zurück zum hohlen Schiffe. Die Sklavin
Nahm mich darauf bei der Hand und führte mich aus dem Palaste.
Und sie fand in dem vorderen Saal Weinbecher und Tische 465
Für die Gäste gestellt, die meinen Vater besuchten;
Diese waren jetzt auf dem Markt in des Volkes Versammlung.
Hurtig raubte sie drei der Gefäße, verbarg sie im Busen,
Eilte dann weg, von mir einfältigem Kinde begleitet.
Und die Sonne sank und Dunkel umhüllte die Pfade. 470
Jetzo hatten wir schnell den berühmten Hafen erreichet,
Wo der Phöniker Schiff das Meer zu durcheilen bereit lag.
Diese bestiegen mit uns das Verdeck des Schiffes und steurten

Über die Woge des Meers, von Gottes Winden getrieben.
Also durchsegelten wir sechs Tag' und Nächte die Wasser. 475
Als der siebente Tag von Zeus Kronion gesandt ward,
Tötete Artemis plötzlich das Weib mit ihrem Geschosse.
Rauschend fiel sie hinab in das Wasser des Raums, wie ein Seehuhn.
Und man warf sie, den Fischen und Ungeheuern zur Beute,
Über den Bord; allein ich blieb mit traurigem Herzen. 480
Wind und Woge trieben sie jetzt an Ithakas Ufer,
Wo Laertes mich mit seinem Vermögen erkaufte.
Also hab ich dies Land zuerst mit Augen gesehen.

Und der göttliche Held Odysseus gab ihm zur Antwort:
Wahrlich, Eumaios, ich fühl es im Innersten meines Herzens, 485
Alles, was du mir jetzo von deinen Leiden erzählt hast!
Aber dir hat doch Zeus bei dem Bösen auch Gutes verliehen,
Da du, nach großem Leiden, in dieses gütigen Mannes
Wohnung kamst, der dir sorgfältig zu essen und trinken
Reicht; denn du lebst hier ganz gemächlich. Aber ich Armer 490
Irre, von Stadt zu Stadt vertrieben, Hilfe zu suchen!

Also besprachen diese sich jetzo untereinander,
Legten sich dann zur Ruh, nicht lange, sondern ein wenig;
Denn bald rötete sich der Morgen. Aber am Ufer
Lösten Telemachos' Freunde die Segel, senkten den Mastbaum 495
Eilend herab, vollendeten dann mit Rudern die Landung,
Warfen die Anker aus und banden mit Seilen das Schiff an.
Und nun stiegen sie selbst ans krumme Gestade des Meeres,
Eilten, das Mahl zu bereiten, und mischten des funkelnden Weines.
Und nachdem die Begierde des Tranks und der Speise gestillt war, 500
Sprach der verständige Jüngling Telemachos zu der Versammlung:

Rudert, ihr andern, jetzt nach der Stadt mit dem schwärzlichen Schiffe;
Ich will erst ein wenig zu meinen Hirten aufs Land gehn.
Abends komm ich zur Stadt, sobald ich das Meine besehen.
Morgen dächt ich euch wohl ein gutes Mahl nach der Reise 505
Vorzusetzen, von Fleisch und herzerfreuendem Weine.

Und der göttliche Mann Theoklymenos gab ihm zur Antwort:
Aber wohin geh ich denn, mein Sohn? Zu wessen Palaste
Unter den Männern, die hier in der felsichten Ithaka herrschen?
Geh ich gerade zu deinem und deiner Mutter Palaste? 510

Und der verständige Jüngling Telemachos sagte dagegen:
Sonst geböt ich dir wohl, gerade zu unserem Hause
Hinzugehn, auch sollt es an nichts gebrechen; doch jetzo
Würd es dich selbst beschweren. Denn ich bin fern, und die Mutter
Siehet dich nicht; sie erscheint nicht oft vor den Freiern im Saale. 515
Abgesondert wirkt sie im obern Stock ihr Gewebe.
Aber ich will indes dir einen anderen nennen:
Geh zu Eurymachos hin, des Polybos trefflichem Sohne,
Welcher jetzt wie ein Gott in der Ithaker Volke geehrt wird.
Und er ist auch bei weitem der Edelste, wünscht auch am meisten 520
Meine Mutter zum Weib und Odysseus' Würde zu erben.
Aber das weiß Kronion, der Gott des hohen Olympos,
Ob vor der Hochzeit noch der böse Tag sie ereile!
Sprach's; und rechtsher flog ein heilweissagender Vogel,
Phöbos' schneller Gesandte, der Habicht; zwischen den Klauen 525
Hielt er und rupfte die Taub und goß die Federn zur Erde
Zwischen Telemachos nieder und seinem schwärzlichen Schiffe.
Eilend rief Theoklymenos ihn von den Freunden besonders,
Faßte des Jünglings Hand und erhub die Stimme der Weisheit:
Jüngling, nicht ohne Gott flog dir zur Rechten der Vogel; 530
Denn ich erkenn an ihm die heilweissagenden Zeichen!
Außer eurem Geschlecht erhebt sich nimmer ein König
In der Ithaker Volk; auf euch ruht ewig die Herrschaft!
Und der verständige Jüngling Telemachos sagte dagegen:
Fremdling, erfülleten doch die Götter, was du geweissagt! 535
Dann erkenntest du bald an vielen und großen Geschenken
Deinen Freund, und jeder Begegnende priese dich selig!
Also sprach er und rief dem treuen Gefährten Peiraios:
Klytios' Sohn, Peiraios, du bist von allen Gefährten,
Die mich nach Pylos gebracht, mir immer am meisten gewillfahrt.
Führe mir denn auch nun zu deinem Hause den Fremdling,
Ehr und bewirt ihn dort, bis ich heimkehre, mit Sorgfalt!
Und der lanzenberühmte Peiraios sagte dagegen:
Wenn du auch noch so lange, Telemachos, draußen verweilest,
Gerne bewirt ich den Gast, auch soll es an nichts ihm gebrechen! 545
Also sprach er und trat in das Schiff und befahl den Gefährten,
Einzusteigen und schnell die Seile vom Ufer zu lösen.

Und sie traten ins Schiff und setzten sich hin auf die Bänke.
Aber Telemachos band um die Füße die prächtigen Sohlen,
Nahm dann die mächtige Lanze mit scharfer eherner Spitze 550
Von des Schiffes Verdeck. Die andern lösten die Seile,
Stießen ab und fuhren zur Stadt mit dem schwärzlichen Schiffe,
Wie es Telemachos hieß, der geliebte Sohn von Odysseus.
Dieser eilte von dannen mit hurtigen Füßen zum Hofe,
Wo die Herden der Schwein' itzt ruheten, welche der Sauhirt 555
Schützte, der gute Mann, der seinen Herren so treu war.

XVI. GESANG

Ankunft des Telemachos in des Sauhirten Gehege. Während Eumaios der Königin die Botschaft bringt, entdeckt sich Odysseus dem Sohne und verabredet der Freier Ermordung. An der Stadt landen Telemachos' Genossen und drauf seine Nachsteller, die ihn in Ithaka selbst zu ermorden beschließen. Des Sauhirten Rückkehr.

Frühe bereitete schon mit Odysseus der treffliche Sauhirt
In der Hütte das Mahl bei angezündetem Feuer,
Sandte darauf die Hirten mit ihren Schweinen zu Felde.
Und Telemachos kam, ihn umhüpften die wachsamen Hunde
Schmeichelnd und bellten nicht. Der göttergleiche Odysseus 5
Sah die schmeichelnden Hund' und hörte des Kommenden Fußtritt,
Wandte sich schnell zu Eumaios und sprach die geflügelten Worte:
Sicher, Eumaios, besucht dich einer von deinen Gesellen
Oder auch sonst ein Bekannter; denn ihn umhüpfen die Hunde
Schmeichelnd und bellen nicht; auch hör ich des Kommenden Fußtritt.
Als er noch redete, siehe, da stand an der Schwelle des Hauses
Sein geliebtester Sohn. Voll Schrecken erhub sich der Sauhirt;
Seinen Händen entsank das Geschirr, das er eben gebrauchte,
Funkelnden Wein zu mischen; er eilte dem Fürsten entgegen,
Küßte sein Angesicht und beide glänzenden Augen, 15
Beide Hände dazu; und Tränen umflossen sein Antlitz.
Wie den geliebten Sohn ein gütiger Vater bewillkommt,
Ihn, der im zehnten Jahr aus fernen Landen zurückkehrt,
Ach, den einzigen, spätgebornen, mit Kummer erzognen:

Also umarmte den schönen Telemachos jetzo der Sauhirt 20
Und bedeckt' ihn mit Küssen, als wär er vom Tod erstanden.
Und lautweinend begann er und sprach die geflügelten Worte:
Kommst du, Telemachos, kommst du, mein süßes Leben? Ich hoffte
Nimmer dich wiederzusehn, da du nach Pylos geschifft warst!
Komm doch herein, du trautes Kind, daß mein Herz sich erfreue 25
Deines Anblicks; du! der erst aus der Fremde zurückkommt!
Oft besuchst du ja nicht uns Hirtenleut' auf dem Felde,
Sondern bleibst in der Stadt; denn du findest ein eignes Vergnügen,
Stets den verwüstenden Schwarm der bösen Freier zu sehen!
Und der verständige Jüngling Telemachos sagte dagegen: 30
Väterchen, dieses geschehe; denn deinethalben nur komm ich,
Um dich wieder mit Augen zu sehn und von dir zu erfahren,
Ob die Mutter daheim noch weile oder der andern
Einen zum Manne gewählt und nun das Lager Odysseus',
Aller Betten beraubt, von Spinneweben entstellt sei. 35
Ihm antwortete drauf der männerbeherrschende Sauhirt:
Allerdings weilt jene mit treuer, duldender Seele
Noch in deinem Palast, und immer schwinden in Jammer
Ihre Tage dahin und unter Tränen die Nächte!
Also sprach er und nahm ihm die eherne Lanze, da jener 40
Über die steinerne Schwell in seine Kammer hineintrat.
Vor dem Kommenden wich sein Vater Odysseus vom Sitze;
Aber Telemachos hielt ihn und sprach mit freundlicher Stimme:
Fremder Mann, bleib sitzen; wir finden in unserer Wohnung
Wohl noch anderswo Platz, der Mann hier wird mich schon setzen!
Sprach's; und Odysseus kam und setzte sich. Aber der Sauhirt
Breitete grüne Zweige für jenen und drüber ein Geißfell;
Hierauf setzte sich dann der geliebte Sohn von Odysseus.
Und nun tischte vor ihnen der Sauhirt Schüsseln gebratnen
Fleisches auf, die sie letzt von der Mahlzeit übrig gelassen, 50
Eilte hinweg und brachte gehäufte Körbe mit Kuchen,
Mischte dann süßen Wein im großen hölzernen Becher;
Hierauf setzt' er sich gegen den göttergleichen Odysseus.
Und sie erhoben die Hände zum leckerbereiteten Mahle.
Jetzo war die Begierde des Tranks und der Speise gestillet, 55
Und Telemachos sprach zu dem edlen Hüter der Schweine:

Vater, woher kam dieser Gast? Wie brachten die Schiffer
Ihn nach Ithaka her? Was rühmen sich jene für Leute?
Denn unmöglich ist er doch hier zu Fuße gekommen!
Ihm antwortetest du, Eumaios, Hüter der Schweine: 60
Dieses will ich dir, Sohn, und nach der Wahrheit erzählen.
Aus dem weiten Gefilde von Kreta stammet der Fremdling;
Viele Städte, sagte er, der Sterblichen sei er durchwandert,
Seit ihn der Himmlischen einer, die Welt zu durchflüchten, verurteilt.
Jetzo entrann er vom Schiffe thesprotischer Männer und eilte 65
Her in mein Hirtengeheg. Ich geb ihn dir in die Hände:
Tue mit ihm, wie du willst; denn deiner Gnade vertraut er.
Und der verständige Jüngling Telemachos sagte dagegen:
Was du mir jetzo gesagt, Eumaios, kümmert mich herzlich!
Denn wie kann ich den Fremdling in meinem Hause bewirten? 70
Sieh, ich selber bin jung, und Stärke fehlet den Händen,
Abzuwehren den Mann, der ihn zu beleidigen wagte.
Aber der Mutter Herz wankt zwischen beiden Entschlüssen:
Ob sie noch weile bei mir und meine Güter bewahre,
Scheuend das Lager des Ehegemahls und die Stimme des Volkes, 75
Oder jetzt von den Freiern im Hause den tapfersten Jüngling,
Welcher das meiste geschenkt, zu ihrem Bräutigam wähle.
Aber da dieser Fremdling zu deiner Hütte geflohn ist,
Will ich mit schönen Gewanden, mit Rock und Mantel, ihn kleiden,
Ein zweischneidiges Schwert und tüchtige Sohlen ihm schenken 80
Und ihn senden, wohin es seinem Herzen gelüstet.
Wenn du willst, so behalt du und pfleg ihn hier in der Hütte.
Ich will Kleider hieher und allerlei Speise zum Essen
Senden, daß er nicht dich und deine Freunde beschwere.
Aber dort gestatt ich ihm nicht in der Freier Gesellschaft 85
Hinzugehn; sie schalten mit zu unbändiger Frechheit:
Daß sie ihn nicht verhöhnen! Es würde mich äußerst betrüben!
Und ein einzelner Mann kann gegen mehrere wenig,
Sei er auch noch so stark; sie behalten immer den Vorrang!
Ihm antwortete drauf der herrliche Dulder Odysseus: 90
Lieber, erlaubst du mir, auch meine Gedanken zu sagen?
Wahrlich mir blutet das Herz vor Mitleid, wenn ich es höre,
Wie unbändig und frech in deinem Hause die Freier

Unfug treiben und dein, solch eines Jünglings! nicht achten.
Sprich: erträgst du das Joch freiwillig oder verabscheun 95
Dich die Völker des Landes, gewarnt durch göttlichen Ausspruch?
Oder liegt die Schuld an den Brüdern, welchen ein Streiter
Sonst in der Schlacht vertraut, auch wann sie am hitzigsten wütet?
Wollten die Götter, ich wäre so jung mit dieser Gesinnung,
Oder ein Sohn von Odysseus, dem herrlichen, oder er selber ... 100
Kehrete heim der Verirrte (denn noch ist Hoffnung zur Heimkehr):
Siehe, so sollte mein Feind das Haupt von der Schulter mir abhaun,
Wenn ich nicht zum Verderben der ganzen Räubergesellschaft
Eilt' in den hohen Palast des Laertiaden Odysseus!
Und wenn ich einzelner auch von der Menge würde besieget, 105
Oh, so wollt ich doch lieber in meinem Hause des Todes
Sterben, als immerfort den Greul der Verwüstungen ansehn:
Wie sie die Fremdlinge dort mißhandeln, die Mägde des Hauses
Zur abscheulichen Lust in den prächtigen Kammern umherziehn,
Allen Wein ausleeren und alle Speise verprassen, 110
Frech, ohne Maß, ohne Ziel, mit unersättlicher Raubgier!

Und der verständige Jüngling Telemachos sagte dagegen:
Dieses will ich dir, Fremdling, und nach der Wahrheit erzählen.
Weder das ganze Volk verabscheut oder verfolgt mich;
Noch liegt etwa die Schuld an den Brüdern, welchen ein Streiter 115
Sonst in der Schlacht vertraut, auch wann sie am hitzigsten wütet.
Denn nur einzeln pflanzte Kronion unser Geschlecht fort:
Von Arkeisios war der einzige Erbe Laertes,
Und von Laertes war's nur Odysseus; aber Odysseus
Zeugte nur mich, den er noch ungenossen daheim ließ! 120
Diesem erfüllen anitzt unzählige Feinde die Wohnung.
Alle Fürsten, so viel in diesen Inseln gebieten,
Same, Dulichion und der waldbewachsnen Zakynthos,
Und so viele hier in der felsichten Ithaka herrschen,
Alle werben um meine Mutter und zehren das Gut auf. 125
Aber die Mutter kann die aufgedrungne Vermählung
Nicht ausschlagen und nicht vollziehn. Nun verprassen die Schwelger
All mein Gut und werden in kurzem mich selber zerreißen!
Aber dieses ruhet im Schoße der seligen Götter.
Väterchen, eile du schnell zu der klugen Penelopeia, 130

Sag ihr, daß ich gesund aus Pylos wieder zurückkam.
Ich will indes hier bleiben, bis du heimkehrest. Doch bring ihr
Ja die Botschaft allein, und keiner der andern Achaier
Höre dich; denn es trachten mir viele das Leben zu rauben!
 Ihm antwortetest du, Eumaios, Hüter der Schweine: 135
Gut, ich verstehe dich schon, das sind auch meine Gedanken.
Aber verkündige mir und sage die lautere Wahrheit:
Soll ich auf diesem Weg auch dem armen Laertes die Botschaft
Bringen, welcher bisher, aus Gram um seinen Odysseus,
Selber das Land bestellte, doch stets mit den Knechten des Hauses
Aß und trank, sooft die Begierde des Herzens ihn antrieb?
Aber seit du von hinnen zur göttlichen Pylos geschifft warst,
Sagt man, hab er nicht mehr gegessen oder getrunken,
Noch auf die Wirtschaft gesehn; in unaufhörlicher Schwermut
Sitzt er und härmt sich ab, daß die Haut an den Knochen verdorret.
 Und der verständige Jüngling Telemachos sagte dagegen:
Traurig! Doch müssen wir jetzo in seinem Kummer ihn lassen.
Denn wenn alles sogleich, wie es Sterbliche wünschen, geschähe,
Wahrlich, so wünschten wir vor allem des Vaters Zurückkunft!
Aber kehre zurück, sobald du's verkündet, und schweife 150
Nicht auf dem Lande herum zu jenem. Doch sage der Mutter,
Daß sie eilend zu ihm die treue Schaffnerin heimlich
Sende; sie kann es ja auch dem alten Greise verkünden.
 Also sprach er und trieb ihn. Der Sauhirt langte die Sohlen,
Band sie unter die Füß' und eilete. Aber Athene 155
Ward des Hirten gewahr, der aus dem Gehege zur Stadt ging,
Und sie nahete sich und schien nun plötzlich ein Mädchen,
Schöngebildet und groß und klug in künstlicher Arbeit,
Stand an der Türe des Hofs und erschien dem edlen Odysseus.
Aber Telemachos sah und merkte nichts von der Göttin; 160
Denn nicht allen sichtbar erscheinen die seligen Götter:
Nur die Hunde sahn sie und bellten nicht, sondern entflohen
Winselnd und zitternd vor ihr nach der andern Seite des Hofes.
Und sie winkte. Den Wink verstand der edle Odysseus,
Ging aus der Hütte hinaus vor die hohe Mauer des Hofes. 165
Stellete sich vor die Göttin. Da sagte Pallas Athene:
 Edler Laertiad, erfindungsreicher Odysseus,

Rede mit deinem Sohn und gib dich ihm zu erkennen,
Daß ihr beide, den Freiern ein blutiges Ende bereitend,
Zu der berühmten Stadt der Ithaker wandelt. Ich selber 170
Werd euch nicht lange verlassen, mich drängt die Begierde des Kampfes.
Also sprach die Göttin und rührt' ihn mit goldener Rute.
Plötzlich umhüllte der schöngewaschene Mantel und Leibrock
Wieder Odysseus' Brust, und Hoheit schmückt' ihn und Jugend;
Brauner ward des Helden Gestalt und voller die Wangen; 175
Und sein silberner Bart zerfloß in finstere Locken.
Hierauf eilte die Göttin von dannen. Aber Odysseus
Ging zurück in die Hütte; mit Staunen erblickte der Sohn ihn,
Wandte die Augen hinweg und fürchtete, daß er ein Gott sei.
Und er redet' ihn an und sprach die geflügelten Worte: 180
Anders erscheinst du mir jetzt, o Fremdling, als vormals, auch hast du
Andere Kleider an; die ganze Gestalt ist verwandelt!
Wahrlich, du bist ein Gott, des weiten Himmels Bewohner!
Sei uns gnädig! Wir wollen auch liebliche Opfer dir bringen
Und Geschenke von köstlichem Gold! Erbarme dich unser! 185
Ihm antwortete drauf der herrliche Dulder Odysseus:
Wahrlich, ich bin kein Gott und keinem Unsterblichen ähnlich,
Sondern ich bin dein Vater, um den du so herzlich dich grämest
Und so viele Schmach von trotzigen Männern erduldest.
Also sprach er und küßte den Sohn; und über die Wange 190
Stürzten die Tränen zur Erde, die lange verhaltenen Tränen.
Aber Telemachos stand noch staunend und konnte nicht glauben,
Daß es sein Vater sei; und nun antwortet' er also:
Nein! Du bist nicht mein Vater Odysseus, sondern ein Dämon
Täuscht mich, daß ich noch mehr mein großes Elend beseufze. 195
Denn kein sterblicher Mann vermöchte mit seinem Verstande
Solch ein Wunder zu tun, ihm hülfe denn einer der Götter,
Welcher leicht, wie er will, zu Greisen und Jünglingen umschafft!
Siehe, nur eben warst du ein Greis und häßlich bekleidet,
Jetzo den Göttern gleich, die den weiten Himmel bewohnen! 200
Ihm antwortete drauf der erfindungsreiche Odysseus:
Deinen geliebten Vater, Telemachos, welcher nun heimkehrt,
Mußt du nicht allzusehr anstaunen oder bewundern.
Wahrlich, in Ithaka kommt hinfort kein andrer Odysseus,

Sondern ich bin der Mann, der nach vielem Jammer und Elend 205
Endlich im zwanzigsten Jahr in seine Heimat zurückkehrt.
Aber dies ist das Werk der siegenden Göttin Athene,
Welche mich, wie sie will, verwandelt; denn sie vermag es!
Darum erschein ich jetzo zerlumpt wie ein Bettler, und jetzo
Wieder in Jünglingsgestalt, mit schönen Gewanden bekleidet. 210
Denn leicht können die Götter, des weiten Himmels Bewohner,
Jeden sterblichen Mann erniedrigen oder erhöhen.
Also sprach er und setzte sich hin. Da umarmte der Jüngling
Seinen herrlichen Vater mit Inbrunst, bitterlich weinend.
Und in beiden erhob sich ein süßes Verlangen zu trauern. 215
Ach! sie weineten laut und klagender noch als Vögel,
Als scharfklauichte Geier und Habichte, welchen der Landmann
Ihre Jungen geraubt, bevor sie flügge geworden:
So zum Erbarmen weinten sie beide Tränen der Wehmut.
Über der Klage wäre die Sonne niedergesunken, 220
Hätte Telemachos nicht zu seinem Vater geredet:
Und in welcherlei Schiffe, mein Vater, brachten die Schiffer
Dich nach Ithaka her? Was rühmen sich jene für Leute?
Denn unmöglich bist du doch hier zu Fuße gekommen!
Ihm antwortete drauf der herrliche Dulder Odysseus: 225
Dieses will ich dir, Sohn, und nach der Wahrheit erzählen.
Siehe, mich brachte das Schiff der segelberühmten Phaiaken,
Welche jeden geleiten, der kommt und um Hilfe sie anfleht.
Diese brachten im Schlafe mich über die Wogen und setzten
Mich in Ithaka aus und gaben mir teure Geschenke, 230
Erzes und Goldes die Meng und schöngewebete Kleider.
Dieses liegt, nach dem Willen der Götter, in Höhlen verborgen.
Aber ich kam hieher auf Befehl der hohen Athene,
Daß wir uns über den Tod der Feindlichgesinnten beraten.
Auf denn, verkündige mir die Zahl der trotzigen Freier, 235
Daß ich wisse, wieviel und was für Leute so trotzen.
Denn ich muß zuvor in meiner unsträflichen Seele
Überlegen, ob wir allein, ohn andere Freunde,
Streiten können, oder ob's nötig sei, Hilfe zu suchen.
Und der verständige Jüngling Telemachos sagte dagegen: 240
Vater, ich habe viel von dem großen Ruhme gehöret

Deines Mutes im Kampf und deiner Weisheit im Rate,
Aber du sprachst zu kühn! Ich erstaune! Wie wär es doch möglich,
Daß zween Männer allein so viele Starke bekämpften?
Siehe, der Freier sind nicht zehn nur oder nur zwanzig, 245
Sondern bei weitem mehr! Berechne du selber die Menge:
Aus Dulichions Fluren sind zweiundfünfzig erlesne
Mutige Jünglinge hier, von sechs Aufwärtern begleitet;
Aus der bergichten Same sind vierundzwanzig in allem;
Aus Zakynthos' Gefilden sind zwanzig achaiische Fürsten; 250
Und aus Ithaka selbst sind zwölfe der tapfersten Männer.
Diesen großen Haufen begleitet Medon, der Herold,
Und der göttliche Sänger und zween erfahrene Köche.
Wollten wir diesen allen im Hause begegnen, du möchtest
Traurig und schreckenvoll die Strafe der Trotzigen enden. 255
Überlege vielmehr, ob du noch andere Freunde
Finden kannst, die uns mit freudigem Mute beschützen.
Ihm antwortete drauf der herrliche Dulder Odysseus:
Nun, ich verkündige dir, merk auf und höre die Worte!
Denke nach: wird uns Athene und Vater Kronion 260
Gnügen? Oder ist's nötig, noch andere Hilfe zu suchen?
Und der verständige Jüngling Telemachos sagte dagegen:
Wahrlich, mächtige Helfer sind jene, welche du nennest!
Denn sie sitzen hoch in den Wolken und herrschen mit Allmacht
Über die Menschen auf Erden und alle unsterblichen Götter. 265
Ihm antwortete drauf der herrliche Dulder Odysseus:
Diese werden gewiß in der schrecklichen Stunde des Kampfes
Uns nicht lange verlassen, wann nun in meinem Palaste
Zwischen den Freiern und uns die Gewalt des Krieges entscheidet.
Aber gehe du jetzo, sobald der Morgen sich rötet, 270
Heim und bleib in dem Schwarm der übermütigen Freier.
Dorthin folg ich dir bald, geführt von dem Hirten Eumaios
Und wie ein mühebeladner, bejahrter Bettler gestaltet.
Werden mich dann im Hause die Freier beschimpfen, so dulde
Standhaft dein Herz im Busen, wie sehr ich beleidiget werde! 275
Schleppten sie auch bei den Füßen mich durch den Saal vor die Haustür
Oder würfen nach mir, du mußt geduldig es ansehn!
Freilich kannst du sie wohl mit freundlichen Worten ermahnen,

Ihr ruchloses Verfahren zu mäßigen; aber sie werden
Dich nicht hören, denn schon naht ihnen der Tag des Verderbens!
Noch verkünd ich dir dieses, bewahr es im innersten Herzen:
Wann die Göttin des Rats Athene mir es gebietet,
Siehe, dann werd ich dir mit dem Haupte winken. Sobald du
Dieses siehst, dann nimm aus dem Saale die Waffen des Krieges
Und verwahre sie alle im Winkel des oberen Söllers. 285
Aber erkundigen sich die Freier, wo sie geblieben,
Dann besänftige sie mit guten Worten: ich trug sie
Aus dem Rauche hinweg; denn sie sehn den alten nicht ähnlich,
Wie sie Odysseus einst, gen Troja schiffend, zurückließ,
Sondern sind ganz entstellt von dem rußichten Dampfe des Feuers.
Und noch ein größeres gab Kronion mir zu bedenken:
Daß ihr nicht etwa im Rausch euch zankt und einander verwundet
Und die Freuden des Mahls und die Liebe zu Penelopeia
Blutig entweiht! Denn selbst das Eisen ziehet den Mann an! –
Aber uns beiden laß zwei Schwerter unten im Saale 295
Und zween Speere zurück und zween stierlederne Schilde,
Daß wir beim Überfall sie ergreifen. Jene wird sicher
Pallas Athene verblenden und Zeus' allwaltende Vorsicht!
Noch verkünd ich dir dieses, bewahr es im innersten Herzen:
Bist du wirklich mein Sohn und unsers edlen Geblütes, 300
So erfahre von dir kein Mensch, daß Odysseus daheim sei.
Nicht Laertes einmal darf's wissen oder der Sauhirt,
Keiner auch von dem Gesinde, ja selbst nicht Penelopeia,
Sondern nur ich und du: damit wir der Weiber Gesinnung
Prüfen, auch unsere Knechte zugleich ein wenig erforschen, 305
Wo man uns beide noch mit treuem Herzen verehret,
Oder wer untreu ward und deine Ehre dir weigert.

Und sein trefflicher Sohn Telemachos sagte dagegen:
Vater, ich hoffe, du sollst mein Herz hinfüro noch näher
Kennenlernen; ich bin nicht unvorsichtig und sorglos! 310
Aber ich glaube doch nicht, daß diese Prüfung uns beiden
Auch im mindesten nütze. Denn überlege nur selber:
Lange gingst du umher, wenn du die Werke der Männer
Nahe belauschen wolltest; indes verschwelgen die andern
Ruhig in deinem Palast und ohne Scheu dein Vermögen. 315

Zwar der Weiber Gesinnung zu prüfen, rat ich dir selber:
Wer dich im Hause verachtet und wer unsträflich geblieben.
Aber daß wir die Männer auf allen Höfen erforschen,
Dieses wünscht' ich nicht; verspar es lieber auf künftig,
Wenn du wirklich ein Zeichen vom großen Kronion gesehn hast. 320
Also besprachen diese sich jetzo untereinander.
Aber Telemachos' Freunde, die ihn von Pylos geleitet,
Steurten nach Ithakas Stadt mit dem schöngezimmerten Schiffe.
Als sie jetzo die Bucht des tiefen Hafens erreichten,
Zogen sie eilend das schwärzliche Schiff ans hohe Gestade; 325
Ihre Geräte trugen die stolzen Diener von dannen.
Und sie brachten in Klytios' Haus die schönen Geschenke,
Sandten dann einen Herold voran zu des edlen Odysseus'
Hause, um Botschaft zu bringen der klugen Penelopeia,
Daß ihr Sohn auf dem Lande sei und dem Schiffe befohlen, 330
Nach der Stadt zu fahren, damit vor Kummer des Herzens
Nicht die hohe Fürstin ihr Antlitz mit Tränen benetzte.
Diesem begegnete jetzo der edle Hüter der Schweine;
Beide gingen, der Mutter dieselbige Botschaft zu bringen.
Als sie jetzo ins Haus des göttlichen Königes kamen, 335
Hub der Herold an vor allen Mägden und sagte:
Fürstin, dein lieber Sohn ist jetzo wiedergekommen!
Aber der Sauhirt trat zu Penelopeia und sagte
Alles, was ihm ihr Sohn befohlen hatte zu sagen.
Und nachdem er der Fürstin Telemachos' Worte verkündigt, 340
Eilt' er zurück zu den Schweinen, den Hof des Hauses verlassend.
Aber die Freier wurden bestürzt und niedergeschlagen,
Und sie gingen hinaus vor die hohe Mauer des Hofes,
Allda setzten sie sich ratschlagend nieder am Tore.
Und des Polybos' Sohn Eurymachos sprach zur Versammlung: 345
Lieben, ein großes Werk hat Telemachos kühnlich vollendet,
Diese Reise! Wir dachten, er würde sie nimmer vollenden!
Aber wohlan, man ziehe das beste der schwärzlichen Schiffe
In das Meer und rüst es mit Ruderern, daß sie den andern
Schnell die Botschaft verkünden, um eilig wiederzukehren. 350
Also sprach er; und siehe, Amphinomos wandte sein Antlitz
Gegen den tiefen Hafen und sahe das Schiff in der Mündung,

Sahe die Segel gesenkt und die Ruder in eilenden Händen;
Und mit herzlicher Lache begann er zu seinen Gesellen:
  Keiner ferneren Botschaft bedarf es; sie sind schon zu Hause! 355
Ihnen verkündete dieses ein Himmlischer, oder sie selber
Sahn das segelnde Schiff und vermochten es nicht zu erreichen!
  Sprach's; da erhuben sie sich und gingen zum Ufer des Meeres,
Zogen dann eilend das schwärzliche Schiff ans hohe Gestade;
Ihre Geräte trugen die stolzen Diener zu Hause. 360
Aber sie selber eilten zum Markt, und keinen der andern
Ließen sie unter sich sitzen, der Jünglinge oder der Greise,
Und Eupeithes' Sohn Antinoos sprach zur Versammlung:
  Wunder! Wie haben die Götter doch den vom Verderben errettet!
Tages stellten wir Späher umher auf die luftigen Höhen, 365
Immer andre nach andern; und wann die Sonne sich senkte,
Ruhten wir nimmer die Nacht auf dem Lande, sondern im Meere
Kreuzten wir mit dem Schiff und harrten der heiligen Frühe,
Auf Telemachos lauernd, damit wir ihn fingen und heimlich
Töteten. Aber ihn führte der Himmlischen einer zu Hause! 370
Nun, so wollen wir hier auf den Tod des Telemachos sinnen!
Laßt ihn ja nicht entfliehn! Denn ich fürchte, solange der Jüngling
Lebt, wir werden nimmer zu unserem Zwecke gelangen.
Denn er selber kennt schon alle Künste der Klugheit,
Und die Völker sind uns nicht mehr so gänzlich gewogen. 375
Aber wohlan, bevor er zur allgemeinen Versammlung
Rufe das Volk der Achaier; denn säumen wird er gewiß nicht,
Sondern im heftigen Zorn aufstehen und allen verkünden,
Wie wir ihn zu ermorden gesucht und wie er entflohn sei.
Diese werden die Tat nicht loben, wann sie ihn hören; 380
Ja sie könnten uns gar mißhandeln und aus dem Lande
Unserer Väter uns alle zu fremden Völkern verjagen.
Darum laßt uns zuvor ihn töten, fern auf dem Lande
Oder auch auf dem Wege! Die Güter behalten wir selber,
Alles unter uns teilend nach Billigkeit; aber die Häuser 385
Geben wir seiner Mutter und wen sie zum Bräutigam wählet.
Mißfällt aber mein Rat der Versammlung und wünschet ihr lieber,
Daß Telemachos leb und des Vaters Erbe behalte,
Nun, so laßt uns nicht länger in solcher großen Versammlung

Seine köstlichen Schätze verprassen, sondern es werbe 390
Jeder außer dem Hause mit Brautgeschenken; sie aber
Wähle den Mann, der am meisten ihr schenkt und dem sie beschert ist.
Also sprach er; und alle verstummten umher und schwiegen.
Endlich erhub sich und sprach Amphinomos vor der Versammlung,
Nisos' rühmlicher Sohn, des aretiadischen Königs, 395
Der aus des weizenreichen Dulichions grünen Gefilden
War der erste der Freier und dessen Rede der Fürstin
Noch am meisten gefiel; denn edel war seine Gesinnung.
Dieser erhub sich und sprach wohlmeinend zu der Versammlung:
Lieben, ich wünschte nicht, daß wir Telemachos heimlich 400
Töteten; fürchterlich ist es, ein Königsgeschlecht zu ermorden!
Aber laßt uns zuvor der Götter Willen erforschen.
Wann der ewige Rat des großen Kronion es billigt,
Dann ermord ich ihn selber und rat es jedem der andern:
Aber verbieten es uns die Götter, dann rat ich zu ruhen. 405
Also sprach er, und allen gefiel Amphinomos' Rede.
Schnell erhuben sie sich und gingen zur Wohnung Odysseus',
Kamen und setzten sich nieder auf schöngebildete Throne.
Aber jetzo beschloß die kluge Penelopeia,
Sich zu zeigen den Freiern voll übermütiger Bosheit; 410
Denn sie vernahm des Sohnes Gefahr in ihren Gemächern.
Medon, der Herold, entdeckte sie ihr, der die Freier belauschet.
Und sie ging zu dem Saale, von ihren Mägden begleitet.
Als das göttliche Weib die Freier jetzo erreichte,
Stand sie still an der Schwelle des schönen gewölbeten Saales; 415
Ihre Wangen umwallte der feine Schleier des Hauptes.
Und sie redet' Antinoos an mit scheltenden Worten:
Tückischer, frecher Empörer Antinoos, nennen doch alle
Dich in Ithakas Volke den besten deiner Gespielen
An Verstand und Reden, allein du warest es nimmer! 420
Rasender, sprich, was suchst du Telemachos' Tod und Verderben
Und verachtest die Stimme der Leidenden, deren Kronion
Waltet? Es ist ja Sünde, das Unglück andrer zu suchen!
Weißt du nicht mehr, wie einst dein Vater flehend zu uns kam,
Von dem Volke geschreckt? Denn sie waren heftig erbittert, 425
Weil er die Räuberschiffe der Taphier hatte begleitet

Und die Thesproten beraubt, die Genossen unseres Bundes.
Töten wollten sie ihn und sein Herz dem Busen entreißen
Und ausplündern den reichen Palast voll köstlicher Güter;
Aber Odysseus hielt sie zurück und stillte den Aufruhr. 430
Und nun entehrst du sein Haus durch Schwelgen, wirbst um die Gattin,
Tötest sein einziges Kind, und meine Seele betrübst du.
Aber ich rate dir jetzt, halt ein und zähme die andern!

Aber Polybos' Sohn Eurymachos sagte dagegen:
O Ikarios' Tochter, du kluge Penelopeia, 435
Sei getrost und laß dich diese Gedanken nicht kümmern!
Wahrlich, er lebt nicht, der Mann, und wird nicht leben noch aufstehn,
Welcher an deinen Sohn Telemachos Hand anlege;
Nimmer, solang ich leb und mein Auge die Erde noch schauet!
Denn ich sage hier frei und werd es wahrlich erfüllen: 440
Schnell wird sein schwarzes Blut an meiner Lanze herunter
Triefen! Auch mir hat oft der Städteverwüster Odysseus,
Sitzend auf seinem Schoß, ein Stück gebratenen Fleisches
In die Hände gegeben, und roten Wein mir gereichet.
Drum ist Telemachos mir von allen Menschen der liebste; 445
Und ich sag es, er soll sich durchaus vor dem Tode nicht fürchten,
Von den Freiern; allein von Gott ist er unvermeidlich.

Also sprach er ihr zu und dacht, ihn selbst zu ermorden.
Jene stieg hinauf in den prächtigen Söller und weinte
Ihren trauten Gemahl Odysseus, bis ihr Athene 450
Sanft mit süßem Schlummer die Augenlider bedeckte.

Abends kam zu Odysseus und seinem Sohne der Sauhirt.
Diese standen jetzt und bereiteten emsig die Mahlzeit,
Da sie ein jähriges Schwein geopfert. Aber Athene
Hatte zuvor sich genaht dem Laertiaden Odysseus, 455
Ihn mit der Rute geführt und wieder zum Greise verwandelt
Und mit schmutzigen Lumpen bekleidet, daß ihn der Sauhirt
Nicht erkennte und dann mit überwallendem Herzen
Liefe, die Botschaft zu bringen der keuschen Penelopeia.

Und Telemachos rief dem kommenden Hirten entgegen: 460
Kommst du, edler Eumaios? Was hört man in Ithaka Neues?
Ob wohl die mutigen Freier vom Hinterhalte zurück sind
Oder ob sie noch immer auf mich Heimkehrenden lauern?

Ihm antwortetest du, Eumaios, Hüter der Schweine:
Hierum hab ich mich nicht bekümmert, die Stadt zu durchwandern
Und die Leute zu fragen; es lag mir näher am Herzen,
Da ich die Botschaft gebracht, aufs eiligste wiederzukehren.
Doch begegnete mir von deinen Gefährten ein Herold,
Der auch deiner Mutter zuerst die Botschaft verkündet.
Noch ein anderes weiß ich, das sah ich selber mit Augen. 470
Diesseits über der Stadt, dicht an dem hermeiischen Hügel,
War ich bereits gekommen, da sah ich in unserem Hafen
Landen ein hurtiges Schiff, mit vielen Männern gerüstet
Und mit Schilden beschwert und langen doppelten Lanzen.
Und ich meinte, sie waren's; allein ich weiß es nicht sicher. 475
Also sprach er; da blickte Telemachos' heilige Stärke
Lächelnd den Vater an, doch unbemerkt von Eumaios.
Als sie die Arbeit jetzo vollbracht und die Speise bereitet,
Teilten sie alles gleich und labten ihr Herz an dem Mahle.
Und nachdem die Begierde des Tranks und der Speise gestillt war,
Legten sie sich zur Ruh und genossen die Gabe des Schlafes.

XVII. GESANG

Am Morgen geht Telemachos in die Stadt. Odysseus, als Bettler mit Eumaios nachfolgend, wird vom Ziegenhirten Melantheus gemißhandelt. Sein Hund Argos erkennt ihn. Den Bettelnden wirft Antinoos. Der Königin, die ihn zu sprechen wünscht, bestimmt er den Abend. Euaimos geht ab.

Als die dämmernde Frühe mit Rosenfingern erwachte,
Stand Telemachos auf, der Sohn des großen Odysseus,
Band die schönen Sohlen sich unter die glänzenden Füße,
Nahm dann die mächtige Lanze, die seinen Händen gerecht war,
Hinzugehn in die Stadt, und sprach zum Hüter der Schweine: 5
Väterchen, ich will jetzt in die Stadt gehn, daß mich die Mutter
Wiedersehe; denn eher, besorg ich, ruhet sie schwerlich
Von dem bangen Gewinsel und ihrer tränenden Wehmut,
Bis sie mich selber sieht. Dir aber, Eumaios, befehl ich,
Führ ihn auch zu der Stadt, den unglückseligen Fremdling, 10
Daß er sich Nahrung bettle; ihm gebe jeder nach Willkür

Etwas Brosam und Wein. Ich kann unmöglich mir aller
Menschen Last aufbürden, mich drückt schon Kummer die Menge.
Dünkt sich der Fremdling etwa durch diese Worte beleidigt,
Desto schlimmer für ihn; ich rede gerne die Wahrheit. 15
Ihm antwortete drauf der erfindungsreiche Odysseus:
Lieber, ich selbst begehre nicht länger hier zu verweilen.
Leichter wird's in der Stadt als auf dem Lande dem Bettler,
Seine Nahrung zu finden; mir gebe jeder nach Willkür.
Denn mein Alter verstattet mir nicht, auf dem Lande zu bleiben 20
Und die Dienste zu tun, die mir ein Schaffner geböte.
Gehe denn. Dieser Mann wird mich nachführen, sobald ich
Mich am Feuer gewärmt und die Sonne höher gestiegen.
Diese Lumpen bedecken mich nur! Die Kälte des Morgens
Möchte mir schaden; ihr sagt ja, die Stadt sei ferne von hinnen. 25
Also sprach er. Telemachos ging aus der Pforte des Hofes,
Eilte mit hurtigen Füßen und sann auf der Freier Verderben.
Als er jetzo erreichte die schöngebauete Wohnung,
Stellt' er die Lanze hin an eine ragende Säule,
Überschritt dann selber die steinerne Schwelle des Saales. 30
Ihn erblickte zuerst die Pflegerin Eurykleia,
Welche mit Fellen bedeckte die künstlich gebildeten Throne.
Weinend lief sie gerad auf ihn zu; es drängten sich um ihn
Auch die übrigen Mägde des leidengeübten Odysseus,
Hießen ihn froh willkommen und küßten ihm Schultern und Antlitz.
Jetzo ging aus der Kammer die kluge Penelopeia,
Artemis gleich an Gestalt und der goldenen Aphrodite,
Und mit Tränen schlang sie den lieben Sohn in die Arme,
Küßte sein Angesicht und beide glänzenden Augen
Und begann lautweinend und sprach die geflügelten Worte: 40
Kommst du, Telemachos, kommst du, mein süßes Leben? Ich hoffte
Nimmer dich wiederzusehn, da du ohne mein Wissen und Wollen
Warst gen Pylos geschifft, den lieben Vater zu suchen!
Aber verkündige mir, was du auf der Reise gesehn hast!
Und der verständige Jüngling Telemachos sagte dagegen: 45
Mutter, erinnre mich nicht an meinen Kummer und reize
Nicht zur Klage mein Herz, da ich kaum dem Verderben entflohn bin,
Sondern bade dich erst und lege reine Gewand' an.

Steig in das Obergemach, von deinen Mägden begleitet,
Und gelobe den Göttern, vollkommene Hekatomben 50
Darzubringen, wenn Zeus doch endlich Rache vergölte.
Aber ich selber will zum Markte gehen, den Fremdling
Einzuladen, der mir hieher aus der Fremde gefolgt ist.
Diesen sandt ich voran mit meinen edlen Gefährten
Und befahl Peiraios, ihn mit nach Hause zu nehmen 55
Und sorgfältig zu pflegen, bis ich heimkehrte vom Lande.
  Also sprach er zu ihr und redete nicht in die Winde.
Jene badete sich und legte reine Gewand' an
Und gelobte den Göttern, vollkommene Hekatomben
Darzubringen, wenn Zeus doch endlich Rache vergölte. 60
  Aber Telemachos ging, mit seiner Lanze gerüstet,
Aus dem Palast; es begleiteten ihn schnellfüßige Hunde.
Siehe, mit himmlischer Anmut umstrahlt' ihn Pallas Athene,
Daß die Völker alle dem kommenden Jünglinge staunten.
Um ihn versammelten sich die übermütigen Freier, 65
Die viel Gutes ihm sagten und Böses im Herzen gedachten.
Aber Telemachos mied der Heuchler dichtes Gedränge
Und ging hin zu Mentor und Antiphos und Halitherses,
Welche von Anbeginn des Vaters Freunde gewesen;
Setzte bei ihnen sich nieder, und diese fragten nach allem. 70
  Ihnen nahte sich jetzo der lanzenberühmte Peiraios,
Welcher den Gast durch die Stadt zur Versammlung führte; und länger
Säumte Telemachos nicht, er eilte dem Fremdling entgegen.
Ihn ermahnte zuerst mit diesen Worten Peiraios:
  Eile, Telemachos, Mägde nach meinem Hause zu senden, 75
Um die Geschenke zu holen, die dir Menelaos geschenkt hat.
  Und der verständige Jüngling Telemachos sagte dagegen:
Freund, wir wissen ja nicht, welch Ende die Sache gewinne!
Wenn mich in meinem Hause die übermütigen Freier
Heimlich ermorden und dann mein väterlich Erbe sich teilen, 80
Will ich doch lieber, daß du, als ein anderer, jenes besitze.
Wenn es mir aber gelingt, sie mit blutigem Tode zu strafen,
Siehe, dann magst du es fröhlich zum Hause des Fröhlichen bringen.
  Sprach's, und führte zu Hause den unglückseligen Fremdling.
Als sie jetzo erreichten die schöngebauete Wohnung, 85

Legten sie ihre Mäntel auf prächtige Sessel und Throne,
Gingen und badeten sich in schöngeglätteten Wannen.
Als die Mägde sie jetzo gebadet, mit Öle gesalbet
Und mit wollichtem Mantel und Leibrock hatten bekleidet,
Stiegen sie aus dem Bad und setzten sich nieder auf Sessel. 90
Eine Dienerin trug in der schönen goldenen Kanne
Über dem silbernen Becken das Wasser, beströmte zum Waschen
Ihnen die Händ' und stellte vor sie die geglättete Tafel.
Und die ehrbare Schaffnerin kam und tischte das Brot auf
Und der Gerichte viel aus ihrem gesammelten Vorrat. 95
Gegenüber saß auf dem Ruhesessel die Mutter
An der Schwelle des Saals und drehte die zierliche Spindel.
Und sie erhoben die Hände zum leckerbereiteten Mahle.
Und nachdem die Begierde des Tranks und der Speise gestillt war,
Da begann das Gespräch die kluge Penelopeia: 100
Sohn, ich muß wohl wieder in meine Kammer hinaufgehn,
Auf dem Lager zu ruhn, dem jammervollen, das immer
Meine Tränen benetzen, seitdem der edle Odysseus
Mit den Atreiden gen Ilion zog; denn du findest Bedenken,
Ehe der Freier Schwarm zum Freudengelage zurückkehrt, 105
Mir zu erzählen, was du von deinem Vater gehört hast.
Und der verständige Jüngling Telemachos sagte dagegen:
Gerne will ich dir, Mutter, die lautere Wahrheit verkünden.
Siehe, wir schifften gen Pylos, zu Nestor, dem Hirten der Völker.
Freundlich empfing mich dieser in seinem hohen Palaste 110
Und bewirtete mich mit so geschäftiger Liebe,
Als ein Vater den Sohn, der spät aus der Fremde zurückkehrt:
So viel Liebe genoß ich von ihm und den trefflichen Söhnen.
Doch von dem leidengeübten Odysseus hatte der König
Nicht das geringste gehört, ob er tot sei oder noch lebe. 115
Aber zu Atreus' Sohn Menelaos, dem lanzenberühmten,
Sandt er mit Rossen mich hin und einem zierlichen Wagen,
Wo ich Argos' Helena sah, um welche die Troer
Und Argeier so viel nach dem Rat der Götter erduldet.
Und mich fragte sogleich der Rufer im Streit Menelaos, 120
Was mich zu kommen genötigt zur göttlichen Stadt Lakedaimon.
Und ich erzählte darauf umständlich die ganze Geschichte.

Nun antwortete mir der Held Menelaos und sagte:
O ihr Götter, ins Lager des übergewaltigen Mannes
Wollten jene sich legen, die feigen verworfenen Menschen! 125
Aber wie wenn in den Dickicht des starken Löwen die Hirschkuh
Ihre saugenden Jungen, die neugeborenen, hinlegt,
Dann auf den Bergen umher und kräuterbewachsenen Tälern
Weide sucht und jener darauf in sein Lager zurückkehrt
Und den Zwillingen beiden ein schreckliches Ende bereitet: 130
So wird jenen Odysseus ein schreckliches Ende bereiten.
Wenn er, o Vater Zeus, Athene und Phöbos Apollon,
Doch in jener Gestalt, wie er einst in der fruchtbaren Lesbos
Sich mit Philomeleides zum Wetteringen emporhub
Und auf den Boden ihn warf, daß alle Achaier sich freuten: 135
Wenn doch in jener Gestalt Odysseus den Freiern erschiene!
Bald wär ihr Leben gekürzt und ihnen die Heirat verbittert!
Aber warum du mich fragst und bittest, das will ich geradaus,
Ohn Umschweife, dir sagen und nicht durch Lügen dich täuschen;
Sondern was mir der wahrhafte Greis des Meeres geweissagt, 140
Davon will ich kein Wort dir bergen oder verhehlen.
Jener hatt auf der Insel den jammernden Helden gesehen
In dem Hause der Nymphe Kalypso, die mit Gewalt ihn
Hält; und er sehnt sich umsonst nach seiner heimischen Insel,
Denn es gebricht ihm dort an Ruderschiffen und Männern, 145
Über den weiten Rücken des Meeres ihn zu geleiten.
Also verkündigte mir Menelaos der lanzenberühmte.
Als ich dieses vollendet, da kehrt ich von dannen, die Götter
Sandten mir günstigen Wind und führten mich bald zu der Heimat.
Also sprach er, ihn hörte mit inniger Rührung die Mutter. 150
Und der göttliche Mann Theoklymenos redete jetzo:
Du ehrwürdiges Weib des Laertiaden Odysseus,
Jener wußte nicht alles; vernimm, was ich dir verkünde:
Denn ich will dir genau weissagen und nichts dir verhehlen.
Zeus von den Göttern bezeug es und diese gastliche Tafel 155
Und Odysseus' heiliger Herd, zu welchem ich fliehe:
Daß Odysseus schon im Vaterlande verborgen
Sitzet oder geheim umherschleicht, diese Verwüstung
Untersucht und den Freiern ein schreckliches Ende bereitet.

Dieses ersah ich, sitzend im schöngebordeten Schiffe, 160
Aus des Vogels Fluge und sagt es Telemachos heimlich.
Ihm antwortete drauf die kluge Penelopeia:
Fremdling, erfülleten doch die Götter, was du geweissagt!
Dann erkenntest du bald an vielen und großen Geschenken
Deine Freundin, und jeder Begegnende priese dich selig! 165
Also besprachen diese sich jetzo untereinander.
Aber vor dem Palaste Odysseus' schwärmten die Freier
Und belustigten sich, die Scheib und die Lanze zu werfen
Auf dem geebneten Platz, wo sie sonst Mutwillen verübten.
Jetzo kam die Stunde des Mahls, und die Hirten vom Felde 170
Brachten den täglichen Zoll des auserlesensten Mastviehs.
Da sprach Medon zu ihnen, der Herold, welcher am meisten
Unter den Freiern galt und ihrer Schmäuse Genoß war:
Jünglinge, da ihr euch alle mit edlen Spielen erfreuet,
Geht nun wieder ins Haus und bereitet die köstliche Mahlzeit; 175
Denn es ist nicht übel, zur rechten Stunde zu essen.
Also sprach er; da standen sie auf und folgten dem Herold.
Als sie jetzo erreichten die schöngebauete Wohnung,
Legten sie ihre Mäntel auf prächtige Sessel und Throne,
Schlachteten große Schafe zum Mahl und gemästete Ziegen, 180
Schlachteten fette Schwein' und eine Kuh von der Weide.
Und bereiteten eilig die Mahlzeit. Aber vom Landhof
Eilt' Odysseus zur Stadt und der edle Hüter der Schweine.
Also begann das Gespräch der männerbeherrschende Sauhirt:
Fremdling, weil du denn doch in die Stadt zu gehen verlangest,
Heute noch, wie mein Herr es dir befohlen (ich wünschte
Freilich, du wärest hier als Hüter des Hofes geblieben;
Aber ich scheue mich und fürchte, Telemachos möchte
Nachmals schelten; und kränkend sind doch die Verweise der Herren!):
Auf denn, so wollen wir gehn! Die größte Hälfte des Tages 190
Ist dahin, und die Kälte wird gegen Abend noch strenger.
Ihm antwortete drauf der erfindungsreiche Odysseus:
Gut, ich verstehe dich schon, das sind auch meine Gedanken.
Laß uns denn gehn, und du sei mein Begleiter und Führer.
Hast du auch einen Stab zurecht geschnitten, so gib ihn 195
Mir zur Stütze; ihr sagt ja, der Weg sei rauh und gefährlich.

Also sprach er und hängt' um die Schulter den häßlichen Ranzen,
Allenthalben geflickt, mit einem geflochtenen Tragband;
Einen bequemen Stab zur Stütze gab ihm Eumaios,
Und sie gingen. Den Hof bewachten indessen die Hunde 200
Und die übrigen Hirten; und dieser führte den König,
Der, wie ein alter Mann und mühebeladener Bettler,
Wankend am Stabe schlich, mit häßlichen Lumpen bekleidet.
Als die Wandernden jetzo auf ihrem höckrichten Wege
Nahe kamen der Stadt, am schöngebaueten Brunnen, 205
Welchem die Bürger der Stadt das klare Wasser entschöpften
(Ithakos hatt ihn gebaut und Neritos und Polyktor:
Ringsum war ein Hain von wasserliebenden Pappeln
In die Runde gepflanzt, und hoch von Felsen herunter
Schäumte das kalte Wasser; ein Altar stand auf der Höhe, 210
Wo die Wanderer alle den Nymphen pflegten zu opfern):
Da erreichte sie Dolios' Sohn, der Hirte Melantheus,
Welcher die trefflichsten Ziegen der ganzen Herde den Freiern
Brachte zum Schmaus; es begleiteten ihn zween andere Hirten.
Als sie dieser erblickte, da stieß er mit schreiender Stimme 215
Freche Schmähungen aus und reizte die Seele des Königs:
Wahrlich, das heißt wohl recht, ein Taugenicht führet den andern!
Wie gesellet doch Gott beständig Gleiche zu Gleichen!
Sprich, wo führst du den Hungrigen hin, nichtswürdiger Sauhirt,
Diesen beschwerlichen Bettler, der schmierigen Brocken Verschlinger,
Welcher von Türe zu Tür an den Pfosten die Schulter sich reibet
Und sich Krümchen erbettelt, nicht Schwerter noch eherne Kessel.
Gäbest du mir den Kerl zum Hüter meines Geheges,
Daß er die Ställe fegt' und Laub vortrüge den Zicklein,
Molken sollt er mir saufen, um Fleisch auf die Lenden zu kriegen! 225
Aber da er nun nichts als Bubenstücke gelernt hat,
Wird er nicht gern arbeiten und lieber das Land durchstreichen,
Seinen gefräßigen Leib mit Bettelbrote zu stopfen.
Aber ich sage dir an, und das wird wahrlich erfüllet:
Kommt er je in das Haus des göttergleichen Odysseus, 230
Hageln werden die Schemel im Saal aus den Händen der Männer
Rings um sein Haupt und die Ecken an seinen Rippen zerstoßen!
Also sprach er und kam und stieß mit der Ferse vor Bosheit

Ihm in die Seit; allein er wankte nicht aus dem Wege,
Sondern stand unerschüttert. Nun überlegte Odysseus, 235
Ob er auf ihn mit dem Stab anrennt' und das Leben ihm raubte
Oder ihn hoch erhüb und sein Haupt auf den Boden zerknirschte;
Doch er bezwang sein Herz und duldete. Aber der Sauhirt
Schalt ihn ins Antlitz und betete laut mit erhobenen Händen:
Nymphen des heiligen Quells, Zeus' Töchter! Hat jemals Odysseus
Lenden, mit Fette bedeckt, von jungen Ziegen und Lämmern
Euch zur Ehre verbrannt, so erfüllt mein heißes Verlangen:
Daß heimkehre der Held und ihn ein Himmlischer führe!
O dann würd er dir bald die hohen Gedanken vertreiben,
Welche du Trotziger jetzo hegst, da du immer die Stadt durch 245
Irrst, indes die Herde von bösen Hirten verderbt wird!
Und der Ziegenhirte Melanthios gab ihm zur Antwort:
Götter, was plaudert er da, der Hund voll hämischer Tücke!
Ha! ich werd ihn noch einst im schwarzen gerüsteten Schiffe
Fern von Ithaka bringen, damit ich ihn teuer verkaufe! 250
Tötete doch so gewiß der silberne Bogen Apollons
Oder der Freier Gewalt Telemachos heut im Palaste,
Als Odysseus ferne von seiner Heimat dahinsank!
Also sprach er und eilte voran; sie folgten ihm langsam.
Und mit hurtigen Schritten erreicht' er des Königes Wohnung, 255
Ging gerade hinein und setzte sich unter die Freier,
Gegen Eurymachos über; denn diesen liebt' er am meisten.
Vor ihn legten ein Teil des Fleisches die hurtigen Diener,
Und die ehrbare Schaffnerin kam und tischte das Brot auf;
Und er aß. Nun kam mit Odysseus der treffliche Sauhirt 260
Nahe; sie standen still. Der hohlen Harfe Getön scholl
Ihnen melodisch entgegen; denn Phemios hub den Gesang an.
Und Odysseus faßte die Hand des Hirten und sagte:
Wahrlich, Eumaios, dies ist die prächtige Wohnung Odysseus'!
Diese würde man leicht auch unter vielen erkennen! 265
Zimmer stehen auf Zimmern; den Hof umschließet die schöne
Zinnenbefestigte Mauer mit einem doppelten starken
Flügeltor; sie vermöchte wohl schwerlich ein Mann zu erobern!
Auch bemerk ich dieses, daß viele Männer ein Gastmahl
Drinnen begehn; denn es duftet von Speisen umher, und die Harfe

Tönet, welche die Götter dem Mahl zur Freundin verliehen.
 Ihm antwortetest du, Eumaios, Hüter der Schweine:
Richtig bemerkst du, da dir's auch sonst an Verstande nicht fehlet;
Aber wir wollen anitzt nachdenken, wie wir es machen.
Geh du entweder zuerst in die schöngebauete Wohnung 275
Unter den Haufen der Freier, so wart ich hier noch ein wenig;
Oder willst du, so bleib, und ich will erstlich hineingehn.
Aber zögere nicht; hier draußen möchte dich jemand
Schlagen oder auch werfen. Dies überlege nun selber.
 Ihm antwortete drauf der herrliche Dulder Odysseus: 280
Gut, ich verstehe dich schon, dies sind auch meine Gedanken.
Gehe denn erst hinein; ich warte hier noch ein wenig,
Denn ich verstehe mich auf Schläg' und Würfe so ziemlich,
Und nicht schwach ist mein Herz. Ich habe schon vieles erduldet,
Schrecken des Meers und des Kriegs, so mag auch dies noch geschehen!
Aber man kann unmöglich die Wut des hungrigen Magens
Bändigen, welcher den Menschen so vielen Kummer verursacht!
Ihn zu besänftigen, gehn selbst schöngezimmerte Schiffe
Über das wilde Meer, mit Schrecken des Krieges gerüstet!
 Also besprachen diese sich jetzo untereinander. 290
Aber ein Hund erhob auf dem Lager sein Haupt und die Ohren,
Argos, welchen vordem der leidengeübte Odysseus
Selber erzog; allein er schiffte zur heiligen Troja,
Ehe er seiner genoß. Ihn führten die Jünglinge vormals
Immer auf wilde Ziegen und flüchtige Hasen und Rehe; 295
Aber jetzt, da sein Herr entfernt war, lag er verachtet
Auf dem großen Haufen vom Miste der Mäuler und Rinder,
Welcher am Tore des Hofes gehäuft ward, daß ihn Odysseus'
Knechte von dannen führen, des Königes Äcker zu düngen;
Hier lag Argos, der Hund, von Ungeziefer zerfressen. 300
Dieser, da er nun endlich den nahen Odysseus erkannte,
Wedelte zwar mit dem Schwanz und senkte die Ohren herunter,
Aber er war zu schwach, sich seinem Herren zu nähern.
Und Odysseus sah es und trocknete heimlich die Träne,
Unbemerkt von Eumaios, und fragete seinen Begleiter: 305
 Wunderbar ist es, Eumaios, daß dieser Hund auf dem Miste
Liegt! Sein Körper ist schön von Bildung; aber ich weiß nicht,

Ob er mit dieser Gestalt auch schnell im Laufe gewesen
Oder so, wie die Hund' um der Reichen Tische gewöhnlich
Sind; denn solche Herren erziehn sie bloß zum Vergnügen. 310
Ihm antwortetest du, Eumaios, Hüter der Schweine:
Freilich, denn dies ist der Hund des ferne gestorbenen Mannes.
Wär er derselbige noch an Gestalt und mutigen Taten,
Als wie Odysseus ihn, gen Troja schiffend, zurückließ,
Sicherlich würdest du jetzo die Kraft und die Schnelle bewundern.
Trieb er ein Wildbret auf im dichtverwachsenen Waldtal,
Nimmer entfloh es ihm; denn er war auch ein weidlicher Spürhund.
Aber nun liegt er im Elend hier; denn fern von der Heimat
Starb sein Herr, und die Weiber, die faulen, versäumen ihn gänzlich.
Das ist die Art der Bedienten: sobald ihr Herr sie nicht antreibt, 320
Werden sie träge zum Guten und gehn nicht gern an die Arbeit.
Zeus' allwaltender Rat nimmt schon die Hälfte der Tugend
Einem Manne, sobald er die heilige Freiheit verlieret.
Also sprach er und ging in die schöngebauete Wohnung,
Eilte dann grad in den Saal zu den übermütigen Freiern. 325
Aber Argos umhüllte der schwarze Schatten des Todes,
Da er im zwanzigsten Jahr Odysseus wieder gesehen.
Jenen sahe zuerst Telemachos, göttlich von Bildung,
Durch den Palast herwandeln, den trefflichen Hirten; er winkt' ihm
Eilig und rief ihn heran. Der ringsumschauende Sauhirt 330
Nahm den ledigen Stuhl, worauf der Zerleger gesessen,
Welcher den Freiern im Saale die Menge des Fleisches zerteilte;
Diesen trug er von dannen und stellt' ihn Telemachos' Tafel
Gegenüber und setzte sich drauf; dann brachte der Herold
Ihm ein Teil des Fleisches und gab ihm Brot aus dem Korbe. 335
Lange saß er noch nicht, da trat in die Wohnung Odysseus,
Der wie ein alter Mann und mühebeladener Bettler
Wankend am Stabe schlich, mit häßlichen Lumpen bekleidet.
Dieser setzte sich hin auf die eschene Schwelle der Pforte,
An die zypressene Pfoste den Rücken lehnend, die vormals 340
Künstlich der Meister gebildet und nach dem Maße der Richtschnur.
Und Telemachos rief dem edlen Hirten der Schweine,
Gab ihm ein ganzes Brot aus dem schöngeflochtenen Korbe
Und des Fleisches so viel, als er mit den Händen umfaßte:

Bringe dieses dem Fremdlinge hin und sag ihm, er möchte 345
Selber bei allen Freiern im Saale bittend umhergehn;
Denn die Blödigkeit ist dem darbenden Manne nicht heilsam.
Sprach's; und der Sauhirt ging, sobald er die Rede vernommen,
Trat vor Odysseus hin und sprach die geflügelten Worte:
Fremdling, Telemachos sendet dir dies und saget, du möchtest 350
Selber bei allen Freiern im Saale bittend umhergehn;
Denn die Blödigkeit sei dem darbenden Manne nicht heilsam.
Ihm antwortete drauf der erfindungsreiche Odysseus:
Segne, du herrschender Zeus, Telemachos unter den Männern
Und vollend ihm alles, was seine Seele begehret! 355
Also sprach er, empfing es mit beiden Händen und legt' es
Dort vor den Füßen nieder auf seinen häßlichen Ranzen;
Und dann aß er, solange das Lied des Sängers ertönte.
Als er jetzo gespeist, da schwieg auch der göttliche Sänger.
Aber die Freier durchlärmten den Saal; und Pallas Athene 360
Nahte sich abermal dem Laertiaden Odysseus
Und ermahnt' ihn, sich Brosam von allen Freiern zu sammeln,
Daß er die Mildegesinnten und Ungerechten erkennte;
Dennoch sollte nicht einen die schreckliche Rache verschonen!
Und er wandte sich rechts und trat zu jeglichem Manne, 365
Reichte flehend die Hand, als hätt er schon lange gebettelt.
Jene gaben ihm mitleidsvoll und fragten, verwundert
Über des Bettlers Gestalt, wer er wär und von wannen er käme.
Und der Ziegenhirte Melanthios sprach zur Versammlung:
Höret mich an, ihr Freier der weitgepriesenen Fürstin, 370
Wegen des Fremdlings hier. Ich hab ihn nur eben gesehen;
Denn er ging zu der Stadt, und der Sauhirt war sein Geleiter;
Aber das weiß ich nicht, von welchem Geschlecht er sich rühme.
Sprach's, und Antinoos schalt den edlen Hirten der Schweine:
Warum führtest du diesen zur Stadt, du berüchtigter Sauhirt? 375
Irren nicht etwa genug Landstreicher vor unseren Türen,
Solche beschwerliche Bettler und schmieriger Brocken Verschlinger?
Oder glaubst du, hier fehl es an Gästen, welche die Güter
Deines Herrn verschlingen, daß du auch diesen noch herrufst?
Ihm antwortetest du, Eumaios, Hüter der Schweine: 380
Edel, Antinoos, bist du, allein du redest nicht schicklich.

Denn wer gehet wohl aus und ladet selber den Fremdling,
Wo er nicht etwa im Volk durch nützliche Künste berühmt ist,
Als den erleuchteten Seher, den Arzt, den Meister des Baues
Oder den göttlichen Sänger, der uns durch Lieder erfreuet? 385
Diese laden die Menschen in allen Landen der Erde;
Aber den Bettler, der nur belästiget, lüde wohl niemand!
Doch beständig warst du, vor allen Freiern, Odysseus'
Knechten hart und mir am härtesten; aber mich kümmert's
Nicht; denn siehe, noch lebt die kluge Penelopeia 390
Und ihr göttlicher Sohn Telemachos in dem Palaste!
  Und der verständige Jüngling Telemachos sagte dagegen:
Väterchen, laß das sein! Was gibst du ihm vieles zur Antwort?
Denn das war ja beständig Antinoos' böse Gewohnheit:
Hart und beleidigend redet er selbst und verführt auch die andern!
  Und zu Antinoos sprach er schnell die geflügelten Worte:
Traun, wie ein Vater des Sohns, Antinoos, waltest du meiner,
Da du befiehlst, den Fremdling mit harten Worten gewaltsam
Aus dem Hause zu treiben! Das wolle Gott nicht gefallen!
Nimm und gib ihm; ich sehe nicht scheel, ich heiß es dir selber!
Scheue dich hierin auch nicht vor meiner Mutter, noch jemand
Unter den Leuten im Hause des göttergleichen Odysseus!
Aber dein Herz bekümmern nicht solche Gedanken; du willst nur
Lieber alles allein aufschlingen, als etwas verschenken.
  Und Antinoos rief und gab ihm dieses zur Antwort: 405
Jüngling von trotziger Red und verwegenem Mute, was sagst du?
Schenkten so vieles, wie ich, ihm auch die übrigen Freier,
In drei Monden würd er dies Haus nicht wieder besuchen!
  Also sprach er und hob den Schemel unter dem Tische
Drohend empor, auf welchem die Füße des Schmausenden ruhten.
Aber die andern gaben ihm all und füllten den Ranzen
Ihm mit Fleisch und Brot. Und jetzo wollte Odysseus
Wieder zur Schwelle gehn, der Achaier Geschenke zu kosten,
Aber er stellte sich erst vor Antinoos' Tafel und sagte:
  Lieber, beschenke mich auch! Du scheinst mir nicht der geringste,
Sondern ein edler Achaier, du hast ein königlich Ansehn;
Darum mußt du mir auch mehr Speise geben als andre,

Und ich werde dein Lob in allen Landen verkünden.
Denn auch ich war ehmals ein glücklicher Mann und Bewohner
Eines reichen Palastes und gab dem irrenden Fremdling 420
Oftmals, wer er auch war und welche Not ihn auch drängte;
Und unzählige Knechte besaß ich und andere Güter,
Die man zum Überfluß und zur Pracht der Reichen erfordert.
Aber das nahm mir Zeus nach seinem heiligen Ratschluß;
Denn er verleitete mich, mit küstenumirrenden Räubern 425
Weit nach Aigyptos zu schiffen, um mein Verderben zu finden.
Und ich legte die Schiff' im Strom Aigyptos vor Anker;
Dringend ermahnt ich jetzo die lieben Reisegefährten,
An dem Gestade zu bleiben und unsere Schiffe zu hüten,
Und versendete Wachen umher auf die Höhen des Landes. 430
Aber sie wurden vom Trotz und Übermute verleitet,
Daß sie ohne Verzug der Aigypter schöne Gefilde
Plünderten, ihre Weiber gefangen führten, die Männer
Und unmündigen Kinder ermordeten. Und ihr Geschrei kam
Schnell in die Stadt. Sobald der Morgen sich rötete, zogen 435
Streiter zu Roß und zu Fuße daher, und vom blitzenden Erze
Strahlte das ganze Gefilde. Der Donnerer Zeus Kronion
Sendete meinen Gefährten die schändliche Flucht, und es wagte
Keiner, dem Feinde zu stehn; denn ringsum drohte Verderben.
Viele töteten sie mit ehernen Lanzen, und viele 440
Schleppten sie lebend hinweg zu harter sklavischer Arbeit.
Aber nach Kypros schenkten sie mich dem begegnenden Fremdling
Dmetor, Jasos Sohne, dem mächtigen Herrscher in Kypros.
Und von dannen komm ich nun hier, mit Kummer beladen.

Und Antinoos rief und gab ihm dieses zur Antwort: 445
Welch ein Himmlischer straft uns mit dieser Plage des Gastmahls?
Stelle dich dort in die Mitte und hebe dich weg von der Tafel,
Daß du mir nicht ein herbes Aigyptos und Kypros erblickest!
Ha, du bist mir der frechste, der unverschämteste Bettler!
Gehst nach der Reihe bei allen umher, und ohne Bedenken 450
Geben sie dir! Wozu auch so sparsam oder so ängstlich,
Fremdes Gut zu verschenken, wo man so reichlich versorgt ist!

Weichend erwiderte drauf der erfindungsreiche Odysseus:
Götter, wie wenig gleichen dein Herz und deine Gestalt sich!

Von dem Deinigen schenkst du dem Darbenden schwerlich ein Salz-
Da du an fremdem Tische dich nicht erbarmest, ein wenig [korn,
Mir von der Speise zu geben, womit du so reichlich versorgt bist!
Also sprach er; da ward Antinoos' Herz noch erboster;
Drohend blickt' er ihn an und sprach die geflügelten Worte:
Nun, so sollst du gewiß aus diesem Saale nicht wieder 460
Unbeschädigt entrinnen, da du noch Schmähungen redest!
Sprach's und warf mit dem Schemel die rechte Schulter Odysseus',
Dicht am Gelenke des Halses. Er aber stand wie ein Felsen
Fest und wankte nicht von Antinoos' mächtigem Wurfe,
Sondern schüttelte schweigend das Haupt und sann auf Verderben;
Ging dann zur Schwelle zurück und setzte sich, legte den Ranzen
Voll von Speise nieder und sprach zu der Freier Versammlung:
Höret mich an, ihr Freier der weitgepriesenen Fürstin,
Daß ich rede, wie mir das Herz im Busen gebietet.
Nicht der mindeste Schmerz noch Kummer beuget die Seele 470
Eines Mannes, der, streitend für seine Güter, vom Feinde
Wunden empfängt für die Herden der Rinder und wollichten Schafe;
Doch Antinoos warf mich wegen des traurigen Hungers,
Welcher den elenden Menschen so vielen Kummer verursacht!
Aber beschützt auch die Armen der Götter und Göttinnen Rache,
Dann ereile der Tod Antinoos vor der Vermählung!
Und Eupeithes' Sohn Antinoos gab ihm zur Antwort:
Fremdling, sitze geruhig und iß oder gehe von hinnen,
Daß dich die Jünglinge nicht bei den Händen und Füßen, du
Schwätzer,
Durch den Palast fortschleppen und deine Glieder zerreißen! 480
Also sprach er, allein die übrigen zürnten ihm heftig.
Also redete mancher der übermütigen Freier:
Übel, Antinoos, tatst du, den armen Fremdling zu werfen!
Unglückseliger! Wenn er nun gar ein Himmlischer wäre!
Denn oft tragen die Götter entfernter Fremdlinge Bildung; 485
Unter jeder Gestalt durchwandeln sie Länder und Städte,
Daß sie den Frevel der Menschen und ihre Frömmigkeit schauen.
Also sprachen die Freier, allein er verachtete solches.
Aber Telemachos schwoll das Herz von großer Betrübnis,
Als er ihn warf, doch netzt' ihm keine Träne die Wangen, 490

Sondern er schüttelte schweigend das Haupt und sann auf
Verderben.
Auch in der Kammer vernahm es die kluge Penelopeia,
Als man ihn warf im Saal, und redete unter den Weibern:
Also treffe dich selbst der bogenberühmte Apollon!
Aber die Schaffnerin Eurynome gab ihr zur Antwort: 495
Ja! Wenn die Sache, mein Kind, nach unsern Wünschen geschähe,
Keiner von diesen erlebte die goldene Röte des Morgens!
Ihr antwortete drauf die kluge Penelopeia:
Mutter, verhaßt sind mir alle, denn alle trachten nach Unglück!
Aber Antinoos gleicht doch am meisten dem schwarzen Verhängnis!
Denn es wanket im Saal ein unglückseliger Fremdling
Bittend umher bei den Männern, ihn zwingt der äußerste Mangel;
Und die übrigen füllten ihm alle den Ranzen mit Gaben,
Er nur warf ihm am Hals auf die rechte Schulter den Schemel.
Also redete sie, umringt von dienenden Weibern, 505
Sitzend in ihrer Kammer. Nun aß der edle Odysseus,
Und sie berief zu sich den edlen Hirten und sagte:
Eile schnell in den Saal, Eumaios, und heiße den Fremdling
Zu mir kommen. Ich möcht ihn ein wenig sprechen und fragen,
Ob er etwa gehört von dem leidengeübten Odysseus 510
Oder ihn selber gesehn; denn er scheint viel Länder zu kennen.
Ihr antwortetest du, Eumaios, Hüter der Schweine:
Schwiegen nur die Achaier, o Königin, drinnen im Saale,
Wahrlich, er würde dein Herz durch seine Reden erfreuen!
Denn ich hatt ihn bei mir drei Tag' und Nächt' in der Hütte, 515
Wo er zuerst ankam, nachdem er vom Schiffe geflohn war;
Und doch hat er mir nicht sein Leiden alles erzählet.
So aufmerksam ein Mann den gottbegeisterten Sänger
Anschaut, welcher die Menschen mit reizenden Liedern erfreuet
(Voller Begierde horcht die Versammlung seinem Gesange): 520
Ebenso rührt' er mein Herz, da er bei mir saß in der Hütte.
Und er saget', er sei durch seinen Vater ein Gastfreund
Von Odysseus und wohne in Kreta, Minos' Geburtsland;
Und von dannen komm er nun hier, durch mancherlei Trübsal
Weiter und weiter gewälzt; auch hab er gehört, daß Odysseus 525
Nahe bei uns im fetten Gebiet der thesprotischen Männer

Leb und mit großem Gut heimkehre zu seinem Palaste.
Ihm antwortete drauf die kluge Penelopeia:
Geh und ruf ihn hieher, damit er mir selber erzähle.
Jene mögen indes vor der Türe sitzen und scherzen 530
Oder auch dort im Saale, da ihre Herzen vergnügt sind.
Denn ihr eigenes Gut liegt unversehrt in den Häusern,
Speise und süßer Wein, und nähret bloß das Gesinde.
Aber sie schalten von Tage zu Tag in unserem Hause,
Schlachten unsere Rinder und Schaf' und gemästeten Ziegen 535
Für den üppigen Schmaus und schwelgen im funkelnden Weine
Ohne Scheu, und alles wird leer; denn es fehlt uns ein solcher
Mann, wie Odysseus war, die Plage vom Hause zu wenden.
Käm Odysseus zurück in seine Heimat, er würde
Bald mit seinem Sohne den Frevel der Männer bestrafen! 540
Also sprach sie, da nieste Telemachos laut, und ringsum
Scholl vom Getöse der Saal. Da lächelte Penelopeia,
Wandte sich schnell zu Eumaios und sprach die geflügelten Worte:
Gehe mir gleich in den Saal, Eumaios, und rufe den Fremdling!
Siehst du nicht, wie mein Sohn mir alle Worte beniest hat? 545
Ja, nun werde der Tod das unvermeidliche Schicksal
Aller Freier, und keiner entfliehe dem blutigen Tode!
Eins verkünd ich dir noch, bewahre dieses im Herzen:
Wann ich merke, daß jener mir lautere Wahrheit erzählet,
Will ich mit schönen Gewanden, mit Rock und Mantel, ihn kleiden.
Sprach's und der Sauhirt eilte, sobald er die Rede vernommen,
Trat vor Odysseus hin und sprach die geflügelten Worte:
Fremder Vater, dich läßt die kluge Penelopeia
Rufen, Telemachos' Mutter; denn ihre Seele gebeut ihr,
Wegen des Mannes zu fragen, um den sie so herzlich betrübt ist. 555
Wann sie merkt, daß du ihr lautere Wahrheit erzählest,
Will sie mit Rock und Mantel dich kleiden, die du am meisten
Nötig hast. Denn Speise, den Hunger zu stillen, erlangst du
Leicht durch Betteln im Volk, es gebe dir jeder nach Willkür.
Ihm antwortete drauf der herrliche Dulder Odysseus: 560
Gern erzählt ich nun gleich, Eumaios, die lautere Wahrheit
Vor Ikarios' Tochter, der klugen Penelopeia;
Denn viel weiß ich von ihm: wir duldeten gleiches Verhängnis.

Aber ich fürchte nur der bösen Freier Versammlung,
Deren Trotz und Gewalt den eisernen Himmel erreichet. 565
Denn jetzt eben, da jener mich warf, daß der Schmerz mich betäubte,
Mich, der kein Böses tat und bittend im Saale herumging,
Hat mich Telemachos weder noch irgendein andrer verteidigt.
Sage denn Penelopeien, sie möcht in ihren Gemächern
Harren, wie sehr sie verlangt, bis erst die Sonne gesunken. 570
Alsdann frage sie mich nach ihres Mannes Zurückkunft,
Nahe beim Feuer mich setzend; denn meine Kleider sind elend.
Dieses weißt du auch selbst, du warst mein erster Beschützer.
Sprach's, und der Sauhirt eilte, sobald er die Rede vernommen.
Als er die Schwelle betrat, da fragte Penelopeia: 575
Bringst du ihn nicht, Eumaios, warum bedenkt sich der Fremdling?
Hält ihn etwa die Furcht vor Gewalttat oder die Scham ab,
Durch den Palast zu gehn? Ein schamhafter Bettler ist elend!
Ihr antwortetest du, Eumaios, Hüter der Schweine:
Was er sagt, hat Grund; so würd auch ein anderer denken, 580
Um den Trotz zu vermeiden der übermütigen Männer.
Darum bittet er, harre, bis erst die Sonne gesunken.
Auch für dich selber ist der Abend bequemer, o Fürstin,
Daß du den fremden Mann allein befragest und hörest.
Ihm antwortete drauf die kluge Penelopeia: 585
Wer der Fremdling auch sei, so denkt er nicht unvernünftig;
Denn an keinem Orte, den sterbliche Menschen bewohnen,
Üben trotzige Männer so ausgelassene Greuel!
Also redete sie. Drauf ging der treffliche Sauhirt
Zu der Freier Versammlung, da sein Gewerbe bestellt war; 590
Und er neigte das Haupt zu Telemachos, redete leise,
Daß es die andern nicht hörten, und sprach die geflügelten Worte:
Lieber, ich gehe nun weg, die Schwein' und das andre zu hüten,
Dein und mein Vermögen; du sorg indessen für dieses.
Aber vor allen erhalte dich selbst und siehe dich wohl vor, 595
Daß dir kein Böses geschehe; denn viele sinnen auf Unglück.
Doch Zeus rotte sie aus, bevor sie uns Schaden bereitet!
Und der verständige Jüngling Telemachos sagte dagegen:
Väterchen, also geschehe, doch warte bis gegen den Abend.
Morgen früh komm wieder und bring die gemästeten Opfer; 600

Für das übrige laß mich und die Unsterblichen sorgen.
Sprach's, und der Sauhirt setzte sich auf den zierlichen Sessel.
Und nachdem er sein Herz mit Trank und Speise gesättigt,
Eilt' er zurück zu den Schweinen, den Hof des Hauses verlassend,
Wo die schwelgenden Freier sich schon beim Tanz und Gesange 605
Freuten; denn jetzo neigte der Tag sich gegen den Abend.

XVIII. GESANG

Odysseus kämpft mit dem Bettler Iros. Amphinomos wird umsonst gewarnt. Penelopeia besänftigt die Freier durch Hoffnung und empfängt Geschenke. Odysseus von den Mägden beleidigt, von Eurymachos verhöhnt und geworfen. Die Freier gehn zur Ruhe.

Jetzo kam ein Bettler von Ithaka, welcher die Gassen
Haus bei Haus durchlief, ein weitberüchtigter Vielfraß:
Immer füllt' er den Bauch mit Essen und Trinken und hatte
Weder Stärke noch Kraft, so groß auch seine Gestalt war.
Dieser hieß Arnaios; denn also nannt ihn die Mutter 5
Bei der Geburt; allein die Jünglinge nannten ihn Iros,
Weil er gerne mit Botschaft ging, wenn es einer verlangte.
Dieser kam, Odysseus von seinem eigenen Hause
Wegzutreiben; er schalt ihn und sprach die geflügelten Worte:
Geh von der Türe, du Greis, daß man nicht beim Fuße dich schleppe!
Merkst du nicht, wie man rings mit den Augenwimpern mir zuwinkt,
Dich von hinnen zu schleppen? Allein ich scheue mich dennoch.
Auf denn! oder es kommt noch zwischen uns beiden zum Faustkampf!
Zürnend schaute auf ihn und sprach der weise Odysseus:
Elender, hab ich doch nimmer mit Wort oder Tat dich beleidigt! 15
Auch mißgönn ich's dir nicht, wieviel dir einer auch schenke.
Und die Schwelle hat Raum für uns beide. Du mußt nicht so neidisch
Sehn bei anderer Milde; du scheinst mir ein irrender Fremdling,
Eben wie ich; der Reichtum kommt von den seligen Göttern.
Aber fordre mich nicht so übermütig zum Faustkampf, 20
Daß ich nicht zürn und dir, trotz meines Alters, mit Blute
Brust und Lippen besudle! Dann säß ich morgen vermutlich

Noch geruhiger hier; denn schwerlich kehrtest du jemals
Wieder zurück in das Haus des Laertiaden Odysseus!
Und mit zürnendem Blick antwortete Iros, der Bettler: 25
All ihr Götter, wie rasch der verhungerte Bettler da plappert,
Recht wie ein Heizerweib! Ich möcht es ihm übel gedenken,
Rechts und links ihn zerdreschen und alle Zähn aus dem Maul ihm
Schlagen wie einer Sau, die fremde Saaten verwüstet!
Auf und gürte dich jetzo, damit sie alle des Kampfes 30
Zeugen sei'n. Wie willst du des Jüngeren Stärke bestehen?
Also zankten sie sich vor der hohen Pforte des Saales,
Auf der geglätteten Schwelle, mit heftig erbitterten Worten.
Ihre Worte vernahm Antinoos' heilige Stärke,
Und mit herzlicher Lache begann er unter den Freiern: 35
So was, ihr Lieben, ist uns bisher noch nimmer begegnet!
Welche Freude beschert uns Gott in diesem Palaste!
Jener Fremdling und Iros, die fordern sich jetzo einander
Zum Faustkampfe heraus. Kommt eilig, wir wollen sie hetzen.
Also sprach er, und schnell erhuben sich alle mit Lachen 40
Und versammelten sich um die schlechtgekleideten Bettler.
Aber Eupeithes' Sohn Antinoos sprach zur Versammlung:
Höret, was ich euch sage, ihr edelmütigen Freier!
Hier sind Ziegenmagen, mit Fett und Blute gefüllet,
Die wir zum Abendschmaus auf glühende Kohlen geleget. 45
Wer nun am tapfersten kämpft und seinen Gegner besieget,
Dieser wähle sich selbst die beste der bratenden Würste.
Künftig find er auch immer an unserem Mahle sein Anteil,
Und kein anderer Bettler soll diese Schwelle betreten.
Also sprach er; und allen gefiel Antinoos' Rede. 50
Listensinnend begann der erfindungsreiche Odysseus:
Lieben, ich alter Mann, durch so viel Elend entkräftet,
Kann unmöglich die Stärke des jüngeren Mannes bestehen.
Aber mich zwingt der Hunger, die härtesten Schläge zu dulden!
Nun wohlan! Verheißt mir denn alle mit heiligem Eidschwur, 55
Daß nicht Iros zuliebe mich einer mit nervichter Rechter
Freventlich schlagen will, ihm seinen Sieg zu erleichtern.
Also sprach er, und alle beschwuren, was er verlangte.
Und die heilige Kraft Telemachos' redete jetzo:

Fremdling, gebeut es dein Herz und deine mutige Seele, 60
Treib ihn getrost hinweg und fürchte der andern Achaier
Keinen! Wer dich verletzt, der hat mit mehren zu kämpfen!
Dein Beschützer bin ich, und beide verständige Fürsten
Hegen, Antinoos dort und Eurymachos, gleiche Gesinnung.
Seine Rede lobten die übrigen. Aber Odysseus 65
Gürtete sich um die Scham mit seinen Lumpen und zeigte
Schöne, rüstige Lenden; auch seine nervichten Arme
Wurden entblößt, die Brust und die breite Schulter; Athene
Schmückt' unsichtbar mit Kraft und Größe den Hirten der Völker.
Aber die Freier alle umstaunten die Wundererscheinung. 70
Einer wendete sich zu seinem Nachbarn und sagte:
Iros, der arme Iros, bereitet sich wahrlich ein Unglück!
Welche fleischichte Lende der Greis aus den Lumpen hervorstreckt!
Also sprachen die Freier, und Iros ward übel zumute.
Aber es gürteten ihn mit Gewalt die Diener und führten 75
Ihn, wie er zitterte, fort, und sein Fleisch umbebte die Glieder.
Und Antinoos schalt ihn und sprach mit drohender Stimme:
Wärst du doch tot, Großprahler, ja wärst du nimmer geboren,
Da du vor diesem so bebst und so entsetzlich dich anstellst
Vor dem alten Manne, den mancherlei Elend geschwächt hat! 80
Aber ich sage dir an, und das wird wahrlich erfüllet:
Schlägt dich dieser zu Boden und geht als Sieger vom Kampfplatz,
Siehe, dann send ich dich gleich im schwarzen Schiffe zum König
Echetos in Epeiros, dem Schrecken des Menschengeschlechtes,
Daß er dir Nas und Ohren mit grausamem Erze verstümmle 85
Und die entrissene Scham den Hunden gebe zu fressen!
Sprach's; da zitterte jener noch stärker an Händen und Füßen.
Aber sie führten ihn hin, und beide erhoben die Fäuste.
Nun ratschlagte bei sich der herrliche Dulder Odysseus,
Ob er ihn schlüge, daß gleich auf der Stelle sein Leben entflöhe, 90
Oder mit sanftem Schlage nur bloß auf den Boden ihn streckte.
Dieser Gedanke schien dem Zweifelnden endlich der beste:
Sanft zu schlagen, um nicht den Achaiern Verdacht zu erwecken.
Iros schlug mit der Faust die rechte Schulter Odysseus',
Dieser ihm unter das Ohr an den Hals, daß der Kiefer des Bettlers 95
Knirschend zerbrach und purpurnes Blut dem Rachen entstürzte.

Schreiend fiel er zu Boden, ihm klappten die Zähn', und die Füße
Zappelten stäubend im Sand. Da erhuben die mutigen Freier
Jauchzend die Händ' und lachten sich atemlos. Aber Odysseus
Zog ihn beim Fuß aus der Tür und schleppt' ihn über den Vorhof 100
Durch die Pforte der Halle; da lehnt' er ihn mit dem Rücken
Gegen die Mauer des Hofs und gab ihm den Stab in die Rechte;
Und er redet' ihn an und sprach die geflügelten Worte:
  Sitze nun ruhig hier und scheuche die Hund' und die Schweine!
Hüte dich ferner, den Armen und Fremdlingen hier zu befehlen, 105
Elender Mensch, damit dir kein größeres Übel begegne!
  Also sprach er und warf um die Schulter den häßlichen Ranzen,
Allenthalben geflickt, mit einem geflochtenen Tragband,
Ging zur Schwelle zurück und setzte sich. Aber die Freier
Gingen mit herzlichem Lachen hinein und grüßten ihn also: 110
  Fremdling, dir gebe Zeus und die andern unsterblichen Götter,
Was du am meisten verlangst und was dein Herz nur begehret,
Weil du unsere Stadt von dem unersättlichen Bettler
Hast befreit! Bald werden wir ihn fortsenden zum König
Echetos in Epeiros, dem Schrecken des Menschengeschlechtes. 115
  Also sprachen die Freier; der vorbedeutenden Worte
Freute der edle Odysseus sich herzlich. Antinoos bracht ihm
Jetzo den großen Magen, mit Fett und Blute gefüllet;
Und Amphinomos nahm zwei Brot aus dem zierlichen Korbe,
Brachte sie, trank ihm zu aus goldenem Becher und sagte: 120
  Freue dich, fremder Vater! Es müsse dir wenigstens künftig
Wohl ergehn! Denn jetzo umringt dich mancherlei Trübsal.
  Ihm antwortete drauf der erfindungsreiche Odysseus:
Du, Amphinomos, scheinst mir ein sehr verständiger Jüngling
Und ein würdiger Sohn von deinem rühmlichen Vater 125
Nisos, der, wie ich höre, ein edler und mächtiger König
In Dulichion ist. Dein Blick verkündiget Scharfsinn.
Darum sag ich dir jetzt, nimm meine Worte zu Herzen:
Siehe, kein Wesen ist so eitel und unbeständig
Als der Mensch, von allem, was lebt und webet auf Erden. 130
Denn solange die Götter ihm Heil und blühende Jugend
Schenken, trotzt er und wähnt, ihn treffe nimmer ein Unglück.
Aber züchtigen ihn die seligen Götter mit Trübsal,

Dann erträgt er sein Leiden mit Ungeduld und Verzweiflung.
Denn wie die Tage sich ändern, die Gott vom Himmel uns sendet,
Ändert sich auch das Herz des erdebewohnenden Menschen.
Siehe, ich selber war einst ein glücklicher Mann und verübte
Viel Unarten, vom Trotz und Übermute verleitet,
Weil mein Vater mich schützte und meine mächtigen Brüder.
Drum erhebe sich nimmer ein Mann und frevele nimmer, 140
Sondern genieße, was ihm die Götter bescheren, in Demut!
Welchen Greuel erblick ich, den hier die Freier beginnen!
Wie sie die Güter verschwelgen und schmähn die Gattin des Mannes,
Welcher vielleicht nicht lange von seinen Freunden und Ländern
Ferne bleibt, vielleicht schon nah ist! Aber es führe 145
Dich ein Himmlischer heim, daß du nicht jenem begegnest,
Wann er wieder zurück in sein liebes Vaterland kehret!
Denn die Freier allhier und jener trennen sich schwerlich
Ohne Blut voneinander, sobald er unter sein Dach kommt!
Also sprach er und goß des süßen Weines den Göttern, 150
Trank und reichte den Becher zurück dem Führer der Völker.
Dieser ging durch den Saal mit tiefverwunderter Seele
Und mit gesunkenem Haupt; denn er ahndete Böses im Herzen.
Dennoch entrann er nicht dem Verderben; ihn fesselt' Athene,
Daß ihn Telemachos' Hand mit der Todeslanze vertilgte. 155
Und er setzte sich nieder auf seinen verlassenen Sessel.
Aber Ikarios' Tochter, der klugen Penelopeia,
Gab Athene, die Göttin mit blauen Augen, den Rat ein,
Sich den Freiern zu zeigen: auf daß sie mit täuschender Hoffnung
Ihre Herzen noch mehr erweiterte und bei Odysseus 160
Und Telemachos sich noch größere Achtung erwürbe.
Und sie erzwang ein Lächeln und sprach mit freundlicher Stimme:
Jetzt, Eurynome, fühl ich zum erstenmal ein Verlangen,
Mich den Freiern zu zeigen, wie sehr sie mir immer verhaßt sind.
Gerne möcht ich den Sohn zu seinem Besten erinnern, 165
Daß er ganz die Gesellschaft der stolzen Freier vermiede;
Denn sie reden zwar gut, doch heimlich denken sie Böses.
Aber die Schaffnerin Eurynome gab ihr zur Antwort:
Wahrlich, mein Kind, du hast mit vielem Verstande geredet.
Gehe denn hin und sprich mit deinem Sohne von Herzen, 170

Aber bade zuvor den Leib und salbe dein Antlitz.
Denn du mußt nicht so mit tränenumflossenen Wangen
Hingehn; unaufhörlicher Gram vermehrt nur das Leiden!
Siehe, du hast den erwachsenen Sohn, und du wünschest ja herzlich,
Daß dir die Götter gewährten, ihn einst im Barte zu sehen! 175
Ihr antwortete drauf die kluge Penelopeia:
Oh, so gut du es meinst, Eurynome, rate mir das nicht,
Meinen Leib zu baden und meine Wangen zu salben!
Denn die Liebe zum Schmuck ward mir von den himmlischen Göttern
Gänzlich geraubt, seit jener in hohlen Schiffen hinwegfuhr! 180
Aber laß mir Autonoe gleich und Hippodameia
Kommen: sie sollen mich in den Saal hinunter begleiten;
Denn es ziemet mir nicht, allein zu Männern zu gehen.
Also sprach sie; da ging die Schaffnerin aus dem Gemache,
Brachte der Fürstin Befehl und trieb die Mägde zu eilen. 185
Jetzo ersann ein andres die heilige Göttin Athene.
Siehe, mit süßem Schlummer umgoß sie Penelopeia,
Und sie entschlief hinsinkend; die hingesunkenen Glieder
Ruhten sanft auf dem Sessel. Da gab die heilige Göttin
Ihr unsterbliche Gaben, damit sie die Freier entzückte: 190
Wusch ihr schönes Gesicht mit ambrosischem Öle der Schönheit,
Jenem, womit Aphrodite die schöngekränzte sich salbet,
Wann sie zum reizenden Chore der Charitinnen dahinschwebt;
Schuf sie höher an Wuchs und jugendlicher an Bildung.
Schuf sie weißer als Elfenbein, das der Künstler geglättet. 195
Als sie dieses vollbracht, entschwebte die heilige Göttin.
Lärmend stürzten anjetzo die Mägde mit Lilienarmen
Aus dem Saale herein: da verließ sie der süße Schlummer.
Und sie rieb mit den Händen die schönen Wangen und sagte:
Ach, ein sanfter Schlaf umhüllte mich Herzlichbetrübte! 200
Einen so sanften Tod beschere die göttliche Jungfrau
Artemis mir, jetzt gleich, damit ich Arme nicht länger
Mich abhärme, vor Gram um meines trauten Gemahles
Edles Verdienst; denn er war der herrlichste aller Achaier!
Also sprach sie und stieg vom prächtigen Söller herunter; 205
Nicht allein, sie wurde von zwo Jungfrauen begleitet.
Als das göttliche Weib die Freier jetzo erreichte,

Stand sie still an der Schwelle des schönen gewölbeten Saales:
Ihre Wangen umwallte der feine Schleier des Hauptes,
Und an jeglichem Arm stand eine der stattlichen Jungfraun. 210
Allen erbebten die Knie, es glühten die Herzen vor Inbrunst
Und vor banger Begierde, mit ihr das Lager zu teilen.
Und zu Telemachos sprach die zärtliche Penelopeia:
Sohn, in deinem Herzen ist weder Verstand noch Empfindung!
Weit vernünftiger hast du dich schon als Knabe bewiesen! 215
Nun, da du größer bist und des Jünglings Alter erreicht hast
Und ein Fremder sogar aus der schönen und trefflichen Bildung
Schließen kann, du seist von edlem Samen entsprossen:
Siehe, nun zeigt dein Herz so wenig Verstand als Empfindung!
Welch unwürdige Tat ist hier im Saale geschehen! 220
Da man den Fremdling so sehr mißhandelte, saßest du ruhig?
Aber wie? Wenn ein Fremdling bei uns in unserem Hause
Hilfe sucht und dann so schnöde Beleidigung duldet!
Dieses bringt dir ja Schimpf und Verachtung unter den Menschen!
Und der verständige Jüngling Telemachos sagte dagegen: 225
Meine Mutter, ich will nicht murren, daß du mir zürnest.
Freilich fehlt es mir jetzo nicht mehr an Verstand und Erfahrung,
Gutes und Böses zu sehn (denn ehmals war ich ein Knabe!);
Aber ich kann nicht immer die klügsten Gedanken ersinnen;
Denn mich betäubt die Furcht vor diesen Übelgesinnten, 230
Welche mich rings umgeben; und niemand ist, der mir helfe.
Aber des Fremdlings Kampf mit Iros endigte gleichwohl
Nicht nach der Freier Sinn; denn dieser war stärker als Iros.
Gäbe doch Vater Zeus, Athene und Phöbos Apollon,
Daß auch jetzo die Freier, in unserem Hause bezwungen, 235
So ihr schwindelndes Haupt hinneigeten, draußen im Vorhof
Oder auch hier im Saal, an allen Gliedern gelähmet,
So wie dort an der Pforte des Hofs der zerschlagene Iros
Jetzo mit wankendem Haupt, gleich einem Betrunkenen, dasitzt
Und auf seinen Füßen nicht grade zu stehen noch wieder 240
Heimzukehren vermag, weil seine Glieder gelähmt sind!
Also besprachen diese sich jetzo untereinander,
Aber Eurymachos wandte sich drauf zu Penelopeia:
O Ikarios' Tochter, du kluge Penelopeia,

Sähen dich die Achaier im ganzen jasischen Argos, 245
Wahrlich, vom Morgen an erschienen noch mehrere Freier
Hier im Palaste zum Schmaus; denn dir gleicht keine der Weiber
An Gestalt, an Größe und Trefflichkeiten des Geistes!
Ihm antwortete drauf die kluge Penelopeia:
Ach, die Tugend des Geistes, Eurymachos, Schönheit und Bildung
Raubten die Himmlischen mir am Tage, da die Argeier
Schifften gen Troja, mit ihnen mein trauter Gemahl Odysseus!
Kehrete jener von dannen und lebt' in meiner Gesellschaft,
Ja, dann möchte mein Ruhm wohl größer werden und schöner.
Aber jetzo traur ich; denn Leiden beschied mir ein Dämon! 255
Ach! da er Abschied nahm am vaterländischen Ufer,
Faßt' er mich bei der Rechten und sprach mit freundlicher Stimme:
Frau, ich vermute nicht, die schöngeharnischten Griechen
Werden alle gesund und wohl von Ilion kehren;
Denn, wie man sagt, sind auch die Troer streitbare Männer, 260
Mit Wurfspießen geübt und geübt, den Bogen zu spannen
Und schnellfüßige Rosse der Schlacht zu lenken, die immer
Hurtig den großen Kampf des blutigen Krieges entscheiden.
Darum weiß ich nicht, ob Gott von Troja mich heimführt
Oder mich dort abfordert. Du sorg hier fleißig für alles! 265
Pfleg auch meinen Vater und meine Mutter im Hause,
So wie bisher, ja noch sorgfältiger, wann ich entfernt bin.
Siehst du aber den Sohn im ersten Barte der Jugend,
Magst du das Haus verlassen und, wem du willst, dich vermählen.
Also sprach er zuletzt, das wird nun alles erfüllet. 270
Kommen wird einst die Nacht, die schreckliche Nacht der Vermählung,
Mir unglücklicher Frau, die Zeus des Heiles beraubt hat!
Aber vor allen kränket mich das in der Tiefe des Herzens:
Unter den Freiern galt ja sonst nicht diese Begegnung!
Denn die ein edles Weib und eines Begüterten Tochter 275
Sich zur Gemahlin wünschen und Nebenbuhler befürchten,
Diese bringen ja Rinder und fette Schafe zum Schmause
Für die Freunde der Braut und schenken ihr köstliche Gaben,
Aber verschwelgen nicht so umsonst ein fremdes Vermögen!
Sprach's; da freuete sich der herrliche Dulder Odysseus, 280
Daß sie von ihnen Geschenke zog und mit freundlichen Worten

Ihre Herzen bestrickte, doch anders im Herzen gedachte.
Aber Eupeithes' Sohn Antinoos gab ihr zur Antwort:
O Ikarios' Tochter, du kluge Penelopeia,
Was dir jeder Achaier an köstlichen Gaben hieher bringt, 285
Dieses empfang; es wäre nicht fein, das Geschenk dir zu weigern.
Aber wir weichen nicht eh zu den Unsrigen oder zu andern,
Eh du den besten Achaier zu deinem Bräutigam wählest!
Also sprach er, und allen gefiel Antinoos' Rede.
Und die Geschenke zu bringen, entsandte jeder den Herold. 290
Für Antinoos bracht er ein prächtiges blumengesticktes
Großes Frauengewand; zwölf schöne goldene Häklein
Waren daran und faßten in schöngebogene Ösen.
Für Eurymachos bracht er ein köstliches Halsgeschmeide,
Lauteres Gold mit Ambra besetzt, der Sonne vergleichbar. 295
Für Eurydamas brachten zwei Ohrgehenke die Diener,
Dreigestirnt und künstlich gemacht, mit strahlender Anmut.
Aus Peisandros' Palast, des polyktoridischen Königs,
Brachte der Diener ein reiches und lieblichschimmerndes Halsband.
Also schenkte jeder Achaier ein anderes Kleinod. 300
Und das göttliche Weib stieg wieder zur oberen Wohnung;
Ihre Jungfraun trugen der Freier schöne Geschenke.
Aber die Freier wandten sich wieder zum Tanz und Gesange
Und belustigten sich, bis ihnen der Abend herabsank.
Als den Lustigen nun der dunkle Abend herabsank, 305
Setzten sie alsobald drei Feuerfässer im Saale,
Ihnen zu leuchten, umher und häuften trockene Splitter,
Welche sie frisch mit dem Erz aus dürrem Holze gespalten,
Und Kienstäbe darauf. Die Mägde des Helden Odysseus
Gingen vom einen zum andern und schürten die sinkende Flamme.
Aber zu ihnen sprach der göttliche weise Odysseus:
O ihr Mägde Odysseus', des langabwesenden Königs,
Geht zu den Wohnungen hin, wo die edle Königin wohnet,
Sitzt bei ihr im Saale, sie aufzuheitern, und drehet
Fleißig die Spindel oder bereitet die flockichte Wolle. 315
Diese will ich schon alle mit leuchtender Flamme versorgen.
Blieben sie auch die ganze Nacht, bis der Morgen sich rötet,
Mich ermüden sie nicht; ich bin zum Dulden gehärtet.

Also sprach er; da lachten sie laut und sahn nach einander.
Aber nun fuhr ihn Melantho, die rosenwangichte Tochter 320
Dolios', an. Es hatte sie Penelopeia erzogen
Und wie ihr Kind gepflegt und jeden Wunsch ihr gewähret.
Dennoch rührte sie nicht der Kummer Penelopeiens,
Sondern sie buhlte geheim mit Eurymachos, ihrem Geliebten.
Diese lästerte schändlich den edlen Dulder Odysseus: 325
Elender Fremdling, du bist wohl deiner Sinne nicht mächtig,
Daß du nicht gehst, die Nacht in der Herberg oder des Schmiedes
Warmer Esse zu ruhn, und hier in der großen Gesellschaft
Solcher Männer so dreist und ohne jemand zu fürchten
Plauderst! Traun, dich betört der Weinrausch, oder du bist auch 330
Immer ein solcher Geck und schwatzest solche Geschwätze!
Oder schwindelt dein Hirn, weil du Iros, den Bettler, besiegt hast?
Daß sich nur keiner erhebe, der tapferer streitet als Iros;
Denn er möchte dein Haupt mit starken Fäusten zerschlagen
Und aus dem Hause dich stoßen, mit triefendem Blute besudelt. 335
Zürnend schaute auf sie und sprach der weise Odysseus:
Wahrlich, das sag ich Telemachos an, was du Hündin da plauderst
(Siehst du ihn dort?), damit er dich gleich in Stücke zerhaue!
Also sprach er und schreckte die bangen Weiber von hinnen.
Und sie entflohn aus dem Saal und eileten durch die Gemächer, 340
Zitternd vor Angst; denn sie meinten, er hab im Ernste geredet.
Und Odysseus stand, der leuchtenden Feuergeschirre
Flamme nährend, und sahe nach allen. Aber sein Herz war
Andrer Gedanken voll, die bald zu Handlungen reiften.
Aber den mutigen Freiern verstattete Pallas Athene 345
Nicht, des erbitternden Spottes sich ganz zu enthalten, damit noch
Heißer entbrennte das Herz des Laertiaden Odysseus.
Siehe, Polybos' Sohn, Eurymachos, reizte den Helden
Vor der Versammlung zuerst und erregte der Freunde Gelächter.
Höret mich an, ihr Freier der weitgepriesenen Fürstin, 350
Daß ich rede, wie mir das Herz im Busen gebietet.
Wahrlich, ein Himmlischer führte den Mann in die Wohnung Odysseus'!
Denn, wo mir recht ist, kommt der Glanz nicht bloß von dem Feuer,
Sondern von seiner Glatze, worauf kein Härchen zu sehn ist.
Sprach's und wandte sich drauf zum Städteverwüster Odysseus:

Fremdling, willst du dich wohl bei mir zum Knechte verdingen,
Daß du, fern auf dem Land (ich meine für gute Bezahlung!),
Dornenzäune mir flechtest und schattige Bäume mir pflanzest?
Siehe, dann reicht' ich dir dein tägliches Essen und Trinken
Und bekleidete dich und gäbe dir Schuh an die Füße. 360
Aber da du nun nichts als Bubenstücke gelernt hast,
Wirst du nicht gern arbeiten und lieber das Land durchstreichen,
Deinen gefräßigen Bauch mit Bettelbrote zu stopfen!
Ihm antwortete drauf der erfindungsreiche Odysseus:
Oh, arbeiteten wir, Eurymachos, beide zur Wette 365
Einst in der Frühlingszeit, wann die Tage heiter und lang sind,
Auf der grasichten Wiese: mit schöngebogener Sichel
Gingen wir, ich und du, und mähten nüchtern vom Morgen
Bis zur sinkenden Nacht, solang es an Grase nicht fehlte!
Oder trieb ich ein Joch der trefflichsten Rinder am Pfluge, 370
Rötlich und groß von Wuchs, mit fettem Grase gesättigt,
Gleich an Alter und Kraft, mit unermüdlicher Stärke,
Eine Hufe zu ackern, und wiche die Erde der Pflugschar:
Sehen solltest du dann, wie grade Furchen ich zöge!
Oder sendete Zeus uns heute noch Krieg, und ging' ich, 375
Mit zwo blinkenden Lanzen und einem Schilde gerüstet
Und die Schläfe geschirmt mit einem ehernen Helme:
Sehen solltest du, traun, mich unter den vordersten Streitern
Und mich nicht so höhnend an meinen Magen erinnern!
Aber du bist sehr stolz und menschenfeindlichen Herzens, 380
Und du dünkst dir vielleicht ein großer und starker Achaier,
Weil du mit wenigen Leuten, und nicht den tapfersten, umgehst.
Aber käm Odysseus in seiner Väter Gefilde:
Oh, bald würde die Türe, so weit sie der Zimmerer baute,
Dennoch zu enge dir sein, wann du zum Hause hinausflöhst! 385
Also sprach er; da ward Eurymachos' Herz noch erboster,
Zürnend schaut' er ihn an und sprach die geflügelten Worte:
Elender, gleich empfange den Lohn, daß du unter so vielen
Edlen Männern so dreist und ohne jemand zu fürchten
Plauderst! Traun, dich betört der Weinrausch, oder du bist auch 390
Immer ein solcher Geck und schwatzest solche Geschwätze!
Oder schwindelt dein Hirn, weil du Iros, den Bettler, besiegt hast?

Also sprach er und griff nach dem Schemel. Aber Odysseus
Warf zu Amphinomos' Knien, des Dulichiers, eilend sich nieder,
Fürchtend Eurymachos' Wurf, und der Schemel flog an des Schenken
Rechte Hand, daß die Kanne voll Weins ihm tönend entstürzte
Und er selbst mit Geheul auf den Boden rücklings dahinsank.
Aber nun lärmten die Freier umher in dem schattichten Saale;
Einer wendete sich zu seinem Nachbar und sagte:
Wäre der irrende Fremdling doch ferne gestorben, bevor er 400
Ithaka sah, dann brächt er uns nicht dies laute Getümmel!
Aber wir zanken uns hier um den leidigen Bettler und schmecken
Nichts von den Freuden des Mahls; denn es wird je länger je ärger!
Und die heilige Kraft Telemachos' sprach zur Versammlung:
Unglückselige Männer, ihr rast, und eure Gespräche 405
Zeugen von Speis und Trank; euch reizet wahrlich ein Dämon!
Aber nachdem ihr geschmaust, so geht und legt euch zu Hause
Schlafen, wann's euch gefällt; doch treib ich keinen von hinnen.
Also sprach er; da bissen sie ringsumher sich die Lippen,
Über den Jüngling erstaunt, der so entschlossen geredet. 410
Drauf erhub sich und sprach Amphinomos zu der Versammlung,
Nisos' rühmlicher Sohn, des aretiadischen Königs:
Freunde, Telemachos hat mit großem Rechte geredet,
Drum entrüste sich keiner, noch geb ihm trotzige Antwort!
Auch mißhandelt nicht ferner den armen Fremdling, noch jemand
Von den Leuten im Hause des göttergleichen Odysseus.
Auf! Es fülle von neuem der Schenk mit Weine die Becher,
Daß wir opfern und dann nach Hause gehen, zu schlafen.
Aber der Fremdling bleib im Hause des edlen Odysseus
Unter Telemachos' Schutz; denn ihm vertraut' er sein Heil an. 420
Also sprach er, und allen gefiel Amphinomos' Rede.
Und Held Mulios mischte den Wein im Kelche mit Wasser,
Dieser dulichische Herold, Amphinomos' treuer Gefährte,
Reichte dann allen umher die vollen Becher. Die Freier
Opferten jetzt und tranken des herzerfreuenden Weines. 425
Und nachdem sie geopfert und nach Verlangen getrunken,
Gingen sie alle heim, der süßen Ruhe zu pflegen.

XIX. GESANG

Odysseus trägt mit Telemachos die Waffen in die obere Kammer und bleibt im Saale allein. Sein Gespräch mit Penelopeia. Er wird beim Fußwaschen von der Pflegerin Eurykleia an der Narbe erkannt. Die Königin, nachdem sie durch einen Bogenkampf die Freiwerbung zu endigen beschlossen, entfernt sich.

Aber im Saale blieb der göttergleiche Odysseus
Und umdachte den Tod der Freier mit Pallas Athene.
Eilend wandt er sich jetzt mit geflügelten Worten zum Sohne:
Laß uns, Telemachos, gleich die Waffen im Hause verbergen!
Aber erkundigen sich die Freier, wo sie geblieben, 5
Dann besänftige sie mit guten Worten: ich trug sie
Aus dem Rauche hinweg; denn sie sehn den alten nicht ähnlich,
Wie sie Odysseus einst, gen Troja schiffend, zurückließ,
Sondern sind ganz entstellt von dem rußichten Dampfe des Feuers.
Und noch ein Größeres gab ein Himmlischer mir zu bedenken: 10
Daß ihr nicht etwa im Rausch euch zankt und einander verwundet
Und die Freuden des Mahls und die Liebe zu Penelopeia
Blutig entweiht; denn selbst das Eisen ziehet den Mann an.
Also sprach Odysseus. Der Sohn gehorchte dem Vater
Und rief Eurykleia, die Pflegerin, zu sich und sagte: 15
Mütterchen, halte die Weiber so lang in ihren Gemächern,
Bis ich hinauf in den Söller die schönen Waffen des Vaters
Bringe, die hier im Saale der Rauch so schändlich entstellet;
Denn mein Vater ist weg, und ich war ehmals ein Knabe.
Jetzo verwahr ich sie dort, wo der Dampf des Feuers nicht hinkommt.
Ihm antwortete drauf die Pflegerin Eurykleia:
Wenn du doch endlich, mein Sohn, zu reifem Verstande gelangtest,
Um dein Haus zu besorgen und deine Güter zu schützen!
Aber wohlan, wer begleitet dich denn mit leuchtender Fackel,
Wann die Mägde, die dir sonst leuchten, nicht dürfen herausgehn? 25
Und der verständige Jüngling Telemachos sagte dagegen:
Dieser Fremdling! Denn wer von meinem Tische sich nähret,
Darf mir nicht müßig stehn, und käm er auch fern aus der Fremde.
Also sprach er zu ihr und redete nicht in die Winde.
Schnell verschloß sie die Pforten der schöngebaueten Wohnung. 30
Nun erhub sich Odysseus mit seinem trefflichen Sohne,

Und sie trugen die Helme hinein, die gewölbeten Schilde
Und scharfspitzigen Lanzen; voran ging Pallas Athene
Mit der goldenen Lamp und verbreitete leuchtenden Schimmer.
Und Telemachos sprach zu seinem Vater Odysseus: 35
Vater, ein großes Wunder erblick ich hier mit den Augen!
Alle Wände des Hauses und jegliche schöne Vertiefung,
Und die fichtenen Balken und hocherhabenen Säulen
Glänzen mir vor den Augen so hell als brennendes Feuer!
Wahrlich, ein Gott ist hier, des weiten Himmels Bewohner! 40
Ihm antwortete drauf der erfindungsreiche Odysseus:
Schweig und forsche nicht nach und bewahre deine Gedanken!
Siehe, das ist die Weise der himmelbewohnenden Götter.
Aber lege dich schlafen; ich bleibe hier noch ein wenig,
Um die Mägde hieher und deine Mutter zu locken; 45
Diese wird mich weinend nach allen Dingen befragen.
Sprach's, und Telemachos ging mit angezündeten Fackeln
Aus dem Saale hinaus in seine Kammer zu Bette,
Wo er gewöhnlich ruhte, wann süßer Schlummer ihn einlud.
Allda schlief er auch jetzt und harrte der heiligen Frühe. 50
Aber im Saale blieb der göttergleiche Odysseus,
Und umdachte den Tod der Freier mit Pallas Athene.
Jetzo ging aus der Kammer die kluge Penelopeia,
Artemis gleich an Gestalt und der goldenen Aphrodite.
Neben das Feuer setzten sie ihren gewöhnlichen Sessel, 55
Welcher, mit Elfenbein und Silber umzogen, ein Kunstwerk
Von Ikmalios war; der Schemel unter den Füßen
Hing daran, und ein zottichtes Fell bedeckte den Sessel.
Allda setzte sich nun die kluge Penelopeia.
Und weißarmige Mägde, die aus der hinteren Wohnung 60
Kamen, trugen von dannen das viele Brot und die Tische
Und die Trinkgefäße der übermütigen Männer,
Schütteten aus den Geschirren die Glut zur Erden und häuften
Anderes Holz darauf, zum Leuchten und zur Erwärmung.
Aber Melantho schalt von neuem den edlen Odysseus: 65
Fremdling, willst du auch noch die Ruhe der Nacht uns verderben,
Um das Haus zu durchwandern und auf die Weiber zu lauern?
Elender, geh aus der Tür und sei vergnügt mit der Mahlzeit,

Oder ich werfe dich gleich mit dem Brande, daß du hinausfliehst!
Zürnend schaute auf sie und sprach der weise Odysseus: 70
Unglückselige, sprich, was fährst du mich immer so hart an?
Weil ich nicht jung mehr bin und meine Kleider so schlecht sind?
Und weil die Not mich zwingt, als Bettler die Stadt zu durchwandern?
Dieses ist ja der Armen und irrenden Fremdlinge Schicksal!
Siehe, ich selber war einst ein glücklicher Mann und Bewohner 75
Eines reichen Palastes und gab dem irrenden Fremdling
Oftmals, wer er auch war und welche Not ihn auch drängte.
Und unzählige Knechte besaß ich und andere Güter,
Die man zum Überfluß und zur Pracht der Reichen erfordert.
Aber das nahm mir Zeus nach seinem heiligen Ratschluß. 80
Darum, Mädchen, bedenk: wenn auch du so gänzlich dein Ansehn
Einst verlörst, womit du vor deinen Gespielinnen prangest,
Oder wenn dich einmal der Zorn der Königin träfe
Oder Odysseus käme! Denn noch ist Hoffnung zur Heimkehr!
Aber er sei schon tot und kehre nimmer zur Heimat: 85
Dennoch lebt ja sein Sohn Telemachos, welchen Apollons
Gnade beschirmt; und er weiß, wieviel Unarten die Weiber
Hier im Hause beginnen; denn er ist wahrlich kein Kind mehr!
Also sprach er; ihn hörte die kluge Penelopeia.
Zürnend wandte sie sich zu der Magd mit scheltenden Worten: 90
Unverschämteste Hündin, ich kenne jegliche Schandtat,
Welche du tust, und du sollst mit deinem Haupte sie büßen!
Alles wußtest du ja, du hattest von mir es gehöret:
Daß ich in meiner Kammer den Fremdling wollte befragen
Wegen meines Gemahls, um den ich so herzlich betrübt bin! 95
Und zu der Schaffnerin Eurynome sagte sie also:
Auf, Eurynome, bringe mir einen Stuhl und ein Schafsfell,
Drauf zu legen, hieher, damit er sitzend erzähle
Und mich höre, der Fremdling; ich will ihn jetzo befragen.
Also sprach sie; da ging die Schaffnerin eilig und brachte 100
Einen zierlichen Stuhl und legte drüber ein Schafsfell.
Hierauf setzte sich nun der herrliche Dulder Odysseus.
Und es begann das Gespräch die kluge Penelopeia:
Hierum muß ich dich, Fremdling, vor allen Dingen befragen:
Wer, wes Volkes bist du und wo ist deine Geburtsstadt? 105

Ihr antwortete drauf der erfindungsreiche Odysseus:
Keiner, o Königin, lebt auf der unermeßlichen Erde,
Der dich tadle; dein Ruhm erreicht die Feste des Himmels,
Gleich dem Ruhme des guten und gottesfürchtigen Königs,
Welcher ein großes Volk von starken Männern beherrschet 110
Und die Gerechtigkeit schützt. Die fetten Hügel und Täler
Wallen von Weizen und Gerste, die Bäume hangen voll Obstes,
Häufig gebiert das Vieh, und die Wasser wimmeln von Fischen
Unter dem weisen König, der seine Völker beseligt.
Aber frage mich hier im Hause nach anderen Dingen 115
Und erkunde dich nicht nach meinem Geschlecht und Geburtsland,
Daß du nicht mein Herz mit herberen Qualen erfüllest,
Wenn ich mich allen Jammers erinnere, den ich erduldet.
Denn mit Klagen und Weinen im fremden Hause zu sitzen,
Ziemet mir nicht, und langer Gram vermehrt nur das Leiden. 120
Auch möcht eine der Mägde mir zürnen, oder du selber,
Und, wenn ich weinte, sagen, mir tränten die Augen vom Weinrausch.
Ihm antwortete drauf die kluge Penelopeia:
Fremdling, die Tugend des Geistes und meine Schönheit und Bildung
Raubten die Himmlischen mir am Tage, da die Argeier 125
Schifften gen Troja, mit ihnen mein trauter Gemahl Odysseus!
Kehrete jener von dannen und lebt' in meiner Gesellschaft,
Ja, dann möchte mein Ruhm wohl größer werden und schöner.
Aber jetzo traur ich; denn Leiden beschied mir ein Dämon!
Alle Fürsten, so viel in diesen Inseln gebieten, 130
Same, Dulichion und der waldbewachsnen Zakynthos,
Und so viele hier in der sonnigen Ithaka wohnen:
Alle werben um mich mit Gewalt und zehren das Gut auf.
Darum kümmern mich Fremdling' und Hilfeflehende wenig,
Selbst die Herolde nicht, des Volks geheiligte Diener, 135
Sondern ich härme mich ab um meinen trauten Odysseus.
Jene treiben die Hochzeit, und ich ersinne Verzögrung.
Erst gab diesen Gedanken ein Himmlischer mir in die Seele:
Trüglich zettelt ich mir in meiner Kammer ein feines,
Übergroßes Geweb und sprach zu der Freier Versammlung: 140
Jünglinge, die ihr mich liebt nach dem Tode des edlen Odysseus,
Dringt auf meine Vermählung nicht eher, bis ich den Mantel

Fertig gewirkt (damit nicht umsonst das Garn mir verderbe!),
Welcher dem Helden Laertes zum Leichengewande bestimmt ist,
Wann ihn die finstere Stunde mit Todesschlummer umschattet: 145
Daß nicht irgend im Lande mich eine Achaierin tadle,
Läg er uneingekleidet, der einst so vieles beherrschte.
Also sprach ich mit List und bewegte die Herzen der Edlen.
Und nun webt ich des Tages an meinem großen Gewande,
Aber des Nachts dann trennt ich es auf, beim Scheine der Fackeln.
Also täuschte ich sie drei Jahr' und betrog die Achaier.
Als nun das vierte Jahr im Geleite der Horen herankam
Und mit dem wechselnden Mond viel Tage waren verschwunden,
Da verrieten mich Mägde, die Hündinnen sonder Empfindung,
Und mich trafen die Freier und schalten mit drohenden Worten. 155
Also mußt ich es nun, auch wider Willen, vollenden.
Aber ich kann nicht länger die Hochzeit meiden, noch weiß ich
Neuen Rat zu erfinden. Denn dringend ermahnen die Eltern
Mich zur Heirat, auch sieht es mein Sohn mit großem Verdruß an,
Wie man sein Gut verzehrt; denn er ist nun ein Mann, der sein Erbe
Selber zu schützen vermag und dem Zeus Ehre verleihet.
Aber sage mir doch, aus welchem Geschlechte du herstammst;
Denn du stammst nicht vom Felsen noch von der gefabelten Eiche.
Ihr antwortete drauf der erfindungsreiche Odysseus:
Du ehrwürdiges Weib des Laertiaden Odysseus, 165
Also hörst du nicht auf, nach meinem Stamme zu forschen?
Nun, so will ich's dir sagen, wiewohl du mein bitteres Leiden
Mir noch bitterer machst; denn Schmerz empfindet doch jeder,
Welcher so lang als ich von seiner Heimat entfernt ist
Und, mit Jammer umringt, so viele Städte durchwandert. 170
Aber ich will dir doch, was du mich fragest, verkünden.
Kreta ist ein Land im dunkelwogenden Meere,
Fruchtbar und anmutsvoll und rings umflossen. Es wohnen
Dort unzählige Menschen, und ihrer Städte sind neunzig:
Völker von mancherlei Stamm und mancherlei Sprachen. Es wohnen
Dort Achaier, Kydonen und eingeborene Kreter,
Dorier, welche sich dreifach verteilet, und edle Pelasger.
Ihrer Könige Stadt ist Knossos, wo Minos geherrscht hat,
Der neunjährig mit Zeus, dem großen Gotte, geredet.

Dieser war des edelgesinnten Deukalion Vater, 180
Meines Vaters, der mich und den König Idomeneus zeugte.
Aber Idomeneus fuhr in schöngeschnäbelten Schiffen
Mit den Atreiden gen Troja, denn er ist älter und tapfrer:
Ich bin der jüngere Sohn, und mein rühmlicher Name ist Aithon.
Damals sah ich Odysseus und gab ihm Geschenke der Freundschaft.
Denn an Kretas Küste verschlug ihn die heftige Windsbraut,
Als er gen Ilion fuhr, und stürmt' ihn hinweg von Maleia.
In des Amnisos gefährlicher Bucht entrann er dem Sturme
Kaum und ankerte dort bei der Grotte der Eileithya,
Ging dann gleich in die Stadt, um Idomeneus selber zu sehen; 190
Denn er nannt ihn seinen geliebten und teuersten Gastfreund.
Aber schon zehnmal ging die Sonn auf oder schon elfmal,
Seit Idomeneus war mit den Schiffen gen Troja gesegelt.
Und ich führte den werten Gast in unsere Wohnung.
Freundlich bewirtet ich ihn von des Hauses reichlichem Vorrat 195
Und versorgte sein Schiff und seine Reisegefährten
Reichlich, auf Kosten des Volks, mit Mehl und funkelndem Weine
Und mit gemästeten Rindern, daß ihre Seele sich labte.
Und zwölf Tage blieben bei uns die edlen Achaier;
Denn der gewaltige Nord, den ein zürnender Dämon gesendet, 200
Wütete, daß man kaum auf dem Lande zu stehn vermochte.
Am dreizehnten ruhte der Sturm, und sie schifften von dannen.
Also täuscht' er die Gattin mit wahrheitgleicher Erdichtung.
Aber die horchende Gattin zerfloß in Tränen der Wehmut.
Wie der Schnee, den der West auf hohen Bergen gehäuft hat, 205
Vor dem schmelzenden Hauche des Morgenwindes herabfließt,
Daß von geschmolzenem Schnee die Ströme den Ufern entschwellen:
Also flossen ihr Tränen die schönen Wangen herunter,
Da sie den nahen Gemahl beweinete. Aber Odysseus
Fühlt' im innersten Herzen den Gram der weinenden Gattin; 210
Dennoch standen die Augen wie Horn ihm oder wie Eisen
Unbewegt in den Wimpern; denn klüglich hemmt' er die Träne.
Und nachdem sie ihr Herz mit vielen Tränen erleichtert,
Da begann sie von neuem und gab ihm dieses zur Antwort:
Nun, ich muß dich doch ein wenig prüfen, o Fremdling, 215
Ob du meinen Gemahl auch wirklich, wie du erzähltest,

Samt den edlen Genossen in deinem Hause bewirtet.
Sage mir denn, mit welcherlei Kleidern war er bekleidet
Und wie sah er aus? Auch nenne mir seine Begleiter.
Ihr antwortete drauf der erfindungsreiche Odysseus: 220
Schwer, o Königin, ist es, nach seiner langen Entfernung
Ihn so genau zu beschreiben; wir sind schon im zwanzigsten Jahre,
Seit er von dannen zog aus meiner heimischen Insel.
Dennoch will ich dir sagen, so viel mein Geist sich erinnert.
Einen zottichten schönen gefütterten Mantel von Purpur 225
Trug der edle Odysseus, mit einer zwiefachgeschlossnen
Goldenen Spange daran und vorn gezieret mit Stickwerk.
Zwischen den Vorderklauen des gierigblickenden Hundes
Zappelt' ein fleckichtes Rehchen; und alle sahn mit Bewundrung,
Wie, aus Golde gebildet, der Hund an der Gurgel das Rehkalb 230
Hielt und das ringende Reh zu entfliehn mit den Füßen sich sträubte.
Unter dem Mantel bemerkt' ich den wunderköstlichen Leibrock:
Zart und weich wie die Schale von einer getrockneten Zwiebel
War das feine Geweb und glänzendweiß wie die Sonne.
Wahrlich, viele Weiber betrachteten ihn mit Entzücken. 235
Eines sag ich dir noch, und du nimm solches zu Herzen!
Sicher weiß ich es nicht, ob Odysseus die Kleider daheim trug,
Oder ob sie ein Freund ihm mit zu Schiffe gegeben
Oder irgendein Fremdling, der ihn bewirtet. Denn viele
Waren Odysseus hold, ihm glichen wenig Achaier. 240
Ich auch schenkt' ihm ein ehernes Schwert, ein gefüttertes, schönes,
Purpurfarbnes Gewand und einen passenden Leibrock
Und entließ ihn mit Ehren zum schöngebordeten Schiffe.
Endlich folgte dem Helden ein etwas älterer Herold
Nach; auch dessen Gestalt will ich dir jetzo beschreiben. 245
Bucklicht war er und schwarz sein Gesicht und lockicht sein Haupthaar,
Und Eurybates hieß er; Odysseus schätzte vor allen
Übrigen Freunden ihn hoch, denn er suchte sein Bestes mit Klugheit.
Also sprach er; da hub sie noch heftiger an zu weinen,
Als sie die Zeichen erkannte, die ihr Odysseus beschrieben. 250
Und nachdem sie ihr Herz mit vielen Tränen erleichtert,
Da begann sie von neuem und gab ihm dieses zur Antwort:
Nun, du sollst mir, o Fremdling, so jammervoll du vorhin warst,

Jetzo in meinem Haus auch Lieb und Ehre genießen!
Denn ich selber gab ihm die Kleider, wovon du erzähltest, 255
Wohlgefügt aus der Kammer, und setzte die goldene Spange
Ihm zur Zierde daran. Doch niemals werd ich ihn wieder
Hier im Hause begrüßen, wann er zur Heimat zurückkehrt!
Zur unseligen Stund entschiffte mein trauter Odysseus,
Troja zu sehn, die verwünschte, die keiner nennet ohn Abscheu! 260
Ihr antwortete drauf der erfindungsreiche Odysseus:
Du ehrwürdiges Weib des Laertiaden Odysseus,
Schone der holden Gestalt und deines Lebens und jammre
Um den Gemahl nicht länger! Zwar tadeln kann ich den Schmerz nicht;
Denn es weint wohl jegliche Frau, die den Gatten verloren, 265
Ihrer Jugend Gemahl, mit dem sie Kinder gezeugt hat.
Und von Odysseus sagt man, er sei den Unsterblichen ähnlich.
Aber mäßige dich und höre, was ich dir sage.
Denn ich will dir die Wahrheit verkünden und nichts dir verhehlen,
Was ich von deines Gemahls Zurückkunft hörte, der jetzo 270
Nahe von hier im fetten Gebiet der thesprotischen Männer
Lebt. Er kehret mit großem und köstlichem Gute zur Heimat,
Das ihm die Völker geschenkt. Doch seine lieben Gefährten
Und sein rüstiges Schiff verlor er im stürmenden Meere,
Als er Thrinakiens Ufer verließ; denn es zürnten dem Helden 275
Zeus und der Sonnengott, des Rinder die Seinen geschlachtet.
Alle diese versanken im dunkelwogenden Meere.
Aber er rettete sich auf den Kiel und trieb mit den Wellen
An das glückliche Land der götternahen Phaiaken.
Diese verehrten ihn herzlich, wie einen der seligen Götter, 280
Schenkten ihm großes Gut und wollten ihn unbeschädigt
Heim gen Ithaka bringen. Dann wäre vermutlich Odysseus
Lange schon hier; allein ihm schien es ein besserer Anschlag,
Noch durch mehrere Länder zu reisen und Güter zu sammeln,
So wie immer Odysseus vor allen Menschen auf Erden 285
Wußte, was Vorteil schafft; kein Sterblicher gleicht ihm an Weisheit.
Also sagte mir Pheidon, der edle thesprotische König.
Dieser beschwur es mir selbst und beim Trankopfer im Hause,
Segelfertig wäre das Schiff und bereit die Gefährten,
Um ihn heimzusenden in seiner Väter Gefilde. 290

Aber mich sandt er zuvor im Schiffe thesprotischer Männer,
Welches zum weizenreichen Gefilde Dulichions abfuhr.
Pheidon zeigte mir auch die gesammelten Güter Odysseus'.
Noch bis ins zehnte Glied sind seine Kinder versorget:
Solch ein unendlicher Schatz lag dort im Hause des Königs! 295
Jener war, wie es hieß, nach Dodona gegangen, aus Gottes
Hochgewipfelter Eiche Kronions Willen zu hören,
Wie er in Ithaka ihm, nach seiner langen Entfernung,
Heimzukehren beföhle, ob öffentlich oder verborgen.
Also lebt er noch frisch und gesund und kehret gewiß nun 300
Bald zurück; er irrt nicht lange mehr in der Fremde,
Von den Seinigen fern; und das beschwör ich dir heilig!
Zeus bezeuge mir das, der höchste und beste der Götter,
Und Odysseus' heiliger Herd, zu welchem ich fliehe:
Daß dies alles gewiß geschehn wird, wie ich verkünde! 305
Selbst noch in diesem Jahre wird wiederkehren Odysseus,
Wann der jetzige Mond abnimmt und der folgende zunimmt!

Ihm antwortete drauf die kluge Penelopeia:
Fremdling, erfülleten doch die Götter, was du geweissagt!
Dann erkenntest du bald an vielen und großen Geschenken 310
Deine Freundin, und jeder Begegnende priese dich selig!
Aber es ahndet mir schon im Geiste, wie es geschehn wird.
Weder Odysseus kehrt zur Heimat wieder, noch wirst du
Jemals weiter gebracht; denn hier sind keine Gebieter,
Welche, wie einst der Held Odysseus, da er noch lebte, 315
Edle Gäste mit Ehren bewirteten oder entließen.
Aber ihr Mägde, wascht ihm die Füß' und bereitet sein Lager;
Bringet ein Bett und bedeckt es mit Mänteln und prächtigen Polstern,
Daß er in warmer Ruhe den goldenen Morgen erwarte.
Aber morgen sollt ihr ihn frühe baden und salben, 320
Daß er also geschmückt an Telemachos' Seite das Frühmahl
Hier im Saale genieße. Doch reuen soll es den Freier,
Der ihn wieder so frech mißhandelt: nicht das geringste
Hab er hier ferner zu schaffen, und zürnt' er noch so gewaltig!
Denn wie erkenntest du doch, o Fremdling, ob ich an Klugheit 325
Und verständigem Herzen vor andern Frauen geschmückt sei,
Ließ ich dich ungewaschen und schlechtbekleidet im Hause

Speisen? Es sind ja den Menschen nur wenige Tage beschieden.
Wer nun grausam denkt und grausame Handlungen ausübt,
Diesem wünschen alle, solang er lebet, nur Unglück, 330
Und noch selbst im Tode wird sein Gedächtnis verabscheut;
Aber wer edel denkt und edle Handlungen ausübt,
Dessen würdigen Ruhm verbreiten die Fremdlinge weithin
Unter die Menschen auf Erden, und jeder segnet den Guten.
 Ihr antwortete drauf der erfindungsreiche Odysseus: 335
Du ehrwürdiges Weib des Laertiaden Odysseus,
Ach, mir wurden Mäntel und weiche prächtige Polster
Ganz verhaßt, seitdem ich von Kretas schneeichten Bergen
Über die Wogen fuhr im langberuderten Schiffe!
Laß mich denn diese Nacht so ruhn, wie ich es gewohnt bin. 340
Viele schlaflose Nächte hab ich auf elendem Lager
Hingebracht und sehnlich den schönen Morgen erwartet.
Auch gebeut nicht diesen, mir meine Füße zu waschen;
Denn ich möchte nicht gern verstatten, daß eine der Mägde,
Die im Hause dir dienen, mir meine Füße berühre. 345
Wo du nicht etwa sonst eine alte verständige Frau hast,
Welche so vielen Kummer als ich im Leben erduldet;
Dieser wehr ich es nicht, mir meine Füße zu waschen.
 Ihm antwortete drauf die kluge Penelopeia:
Lieber Gast! denn nie ist solch ein verständiger Fremdling, 350
Nie ein werterer Gast in meine Wohnung gekommen:
So verständig und klug ist alles, was du auch sagest!
Ja, ich hab eine alte und sehr vernünftige Frau hier,
Welche die Pflegerin war des unglückseligen Mannes
Und in die Arme ihn nahm, sobald ihn die Mutter geboren: 355
Diese wird, so schwach sie auch ist, die Füße dir waschen.
Auf denn, und wasche den Greis, du redliche Eurykleia!
Er ist gleichen Alters mit deinem Herrn. Vielleicht sind
Jetzt Odysseus' Händ' und Füße schon ebenso kraftlos.
Denn im Unglück altern die armen Sterblichen frühe. 360
 Also sprach sie. Die Alte verbarg mit den Händen ihr Antlitz,
Heiße Tränen vergießend, und sprach mit jammernder Stimme:
 Wehe mir, wehe, mein Sohn! Ich Verlassene! Also verwarf dich
Zeus vor allen Menschen, so gottesfürchtig dein Herz ist?

Denn kein Sterblicher hat dem Gotte des Donners so viele 365
Fette Lenden verbrannt und erlesene Hekatomben,
Als du jenem geweiht, im Vertrauen, ein ruhiges Alter
Einst zu erreichen und selber den edlen Sohn zu erziehen!
Und nun raubt er dir gänzlich den Tag der fröhlichen Heimkehr!
Ach, es höhnten vielleicht auch ihn in der Fremde die Weiber, 370
Wann er hilfeflehend der Mächtigen Häuser besuchte,
Eben wie dich, o Fremdling, die Hündinnen alle verhöhnen,
Deren Schimpf und Spott zu vermeiden du jetzo dich weigerst,
Daß sie die Füße dir waschen. Doch mich, die willig gehorchet,
Heißt es Ikarios' Tochter, die kluge Penelopeia. 375
Und nicht Penelopeiens, auch deinethalben, o Fremdling,
Wasch ich dich gern; denn tief im innersten Herzen empfind ich
Mitleid! Aber wohlan, vernimm jetzt, was ich dir sage:
Unser Haus besuchte schon mancher bekümmerte Fremdling;
Aber ich habe noch nimmer so etwas Ähnlichs gesehen, 380
Als du, an Stimme, Gestalt und Füßen, Odysseus gleichest.
Ihr antwortete drauf der erfindungsreiche Odysseus:
Mutter, so sagen alle, die uns mit Augen gesehen,
Daß wir beide, Odysseus und ich, einander besonders
Ähnlich sind; wie auch du mit Scharfsinn jetzo bemerkest. 385
Also sprach er. Da trug die Alte die schimmernde Wanne
Zum Fußwaschen herbei; sie goß in die Wanne des Brunnen
Kaltes Wasser und mischt' es mit kochendem. Aber Odysseus
Setzte sich neben den Herd und wandte sich schnell in das Dunkel,
Denn es fiel ihm mit einmal aufs Herz, sie möchte beim Waschen
Seine Narben bemerken und sein Geheimnis verraten.
Jene kam, wusch ihren Herrn und erkannte die Narbe
Gleich, die ein Eber ihm einst mit weißem Zahne gehauen,
Als er an dem Parnaß Autolykos, seiner Mutter
Edlen Vater, besucht' und Autolykos' Söhne, des Klügsten 395
An Verstellung und Schwur! Hermeias selber gewährt' ihm
Diese Kunst; denn ihm verbrannt er der Lämmer und Zicklein
Lenden zum süßen Geruch, und huldreich schirmte der Gott ihn.
Dieser Autolykos kam in Ithakas fruchtbares Eiland,
Eben da seine Tochter ihm einen Enkel geboren. 400
Eurykleia setzte das neugeborene Knäblein

Nach dem fröhlichen Mahl auf die Kniee des Königs und sagte:
 Finde nun selbst den Namen, Autolykos, deinen geliebten
Tochtersohn zu benennen, den du so herzlich erwünscht hast.
 Und Autolykos sprach zu seinem Eidam und Tochter: 405
Liebe Kinder, gebt ihm den Namen, den ich euch sage.
Vielen Männern und Weibern auf lebenschenkender Erde
Zürnend, komm ich zu euch in Ithakas fruchtbares Eiland.
Darum soll das Knäblein Odysseus, der Zürnende, heißen.
Wann er mich einst als Jüngling im mütterlichen Palaste 410
Am Parnassos besucht, wo ich meine Güter beherrsche,
Will ich ihn reichlich beschenkt und fröhlich wieder entlassen.
 Jetzo besucht' ihn Odysseus, die reichen Geschenke zu holen.
Aber Autolykos selbst und Autolykos' treffliche Söhne
Reichten Odysseus die Hand und hießen ihn freundlich willkommen;
Auch Amphithea lief dem Enkel entgegen, umarmt' ihn,
Küßte sein Angesicht und beide glänzenden Augen.
Und Autolykos rief und ermahnte die rühmlichen Söhne,
Daß sie Odysseus ein Mahl bereiteten. Diese gehorchten,
Eilten hinaus und führten ein stark fünfjähriges Rind her, 420
Schlachteten, zogen es ab und hauten es ganz voneinander,
Und zerstückten behende das Fleisch und steckten's an Spieße,
Brieten's mit Vorsicht über der Glut und verteilten's den Gästen.
Also saßen sie dort den Tag, bis die Sonne sich neigte,
Und erfreuten ihr Herz am gleichgeteileten Mahle. 425
Als die Sonne nun sank und Dunkel die Erde bedeckte,
Legten sie sich zur Ruh und nahmen die Gabe des Schlafes.
 Als die dämmernde Frühe mit Rosenfingern erwachte,
Gingen sie auf die Jagd, Autolykos' treffliche Söhne
Und die spürenden Hunde, mit ihnen der edle Odysseus, 430
Und sie erstiegen die Höhe des waldbewachsnen Parnassos
Und durchwandelten bald des Berges luftige Krümmen.
Aus dem stillen Gewässer des Ozeanes erhub sich
Jetzo die Sonn und erhellte mit jungen Strahlen die Gegend.
Aber die Jäger durchsuchten das waldbewachsene Bergtal: 435
Vornan liefen die spürenden Hund', und hinter den Hunden
Gingen Autolykos' Söhne; doch eilte der edle Odysseus
Immer voraus und schwang den weithinschattenden Jagdspieß.

Allda lag im dichten Gesträuch ein gewaltiger Eber.
Nie durchstürmte den Ort die Wut naßhauchender Winde, 440
Ihn erleuchtete nimmer mit warmen Strahlen die Sonne,
Selbst der gießende Regen durchdrang ihn nimmer; so dicht war
Dieses Gesträuch, und hoch bedeckten die Blätter den Boden.
Jener vernahm das Getös von den Füßen der Männer und Hunde,
Welche dem Lager sich nahten, und stürzte hervor aus dem Dickicht,
Hoch die Borsten gesträubt, mit feuerflammenden Augen,
Grad auf die Jäger, und stand. Odysseus, welcher voranging,
Flog, in der nervichten Faust den langen erhobenen Jagdspieß,
Ihn zu verwunden, hinzu; doch er kam ihm zuvor und hieb ihm
Über dem Knie in die Lende; der seitwärts mähende Hauer 450
Riß viel Fleisch ihm hinweg, doch drang er nicht auf den Knochen.
Aber Odysseus traf die rechte Schulter des Ebers,
Und bis vorn durchdrang ihn die Spitze der schimmernden Lanze:
Schreiend stürzt' er dahin in den Staub und das Leben verließ ihn.
Um ihn waren sogleich Autolykos' Söhne beschäftigt. 455
Diese verbanden dem edlen, dem göttergleichen Odysseus
Sorgsam die Wund und stillten das schwarze Blut mit Beschwörung,
Und dann kehrten sie schnell zu ihres Vaters Palaste.
Als ihn Autolykos dort und Autolykos' Söhne mit Sorgfalt
Hatten geheilt, da beschenkten sie ihn sehr reichlich und ließen, 460
Froh des Jünglings, ihn froh nach seiner heimischen Insel
Ithaka ziehn. Sein Vater und seine treffliche Mutter
Freuten sich herzlich, ihn wiederzusehen, und fragten nach allem,
Wo er die Narbe bekommen; da sagt' er die ganze Geschichte,
Wie ein Eber sie ihm mit weißem Zahne gehauen, 465
Als er auf dem Parnaß mit Autolykos' Söhnen gejaget.

Diese betastete jetzo mit flachen Händen die Alte
Und erkannte sie gleich und ließ den Fuß aus den Händen
Sinken; er fiel in die Wanne. Da klang die eherne Wanne,
Stürzt' auf die Seite herum, und das Wasser floß auf den Boden. 470
Freud und Angst ergriffen das Herz der Alten; die Augen
Wurden mit Tränen erfüllt, und atmend stockte die Stimme.
Endlich erholte sie sich und faßt' ihn ans Kinn und sagte:

Wahrlich, du bist Odysseus, mein Kind! Und ich habe nicht eher
Meinen Herren erkannt, bevor ich dich ringsum betastet! 475

Also sprach sie und wandte die Augen nach Penelopeia,
Willens, ihr zu verkünden, ihr lieber Gemahl sei zu Hause.
Aber die Königin konnte so wenig hören als sehen;
Denn Athene lenkte ihr Herz ab. Aber Odysseus
Faßte schnell mit der rechten Hand die Kehle der Alten, 480
Und mit der andern zog er sie näher heran und sagte:
Mütterchen, mache mich nicht unglücklich! Du hast mich an deiner
Brust gesäugt, und jetzo, nach vielen Todesgefahren,
Bin ich im zwanzigsten Jahre zur Heimat wiedergekehret.
Aber da du mich nun durch Gottes Fügung erkannt hast, 485
Halt es geheim, damit es im Hause keiner erfahre!
Denn ich sage dir sonst, und das wird wahrlich erfüllet:
Wenn mir Gott die Vertilgung der stolzen Freier gewähret,
Siehe, dann werd ich auch deiner, die mich gesäuget, nicht schonen,
Sondern ich töte dich selbst mit den übrigen Weibern im Hause!
Ihm antwortete drauf die verständige Eurykleia:
Welche Rede, mein Kind, ist deinen Lippen entflohen?
Weißt du nicht selbst, wie stark und unerschüttert mein Herz ist?
Fest wie Eisen und Stein will ich das Geheimnis bewahren!
Eins verkünd ich dir noch, und du nimm solches zu Herzen: 495
Wann dir Gott die Vertilgung der stolzen Freier gewähret,
Siehe, dann will ich selbst die Weiber im Hause dir nennen.
Alle, die dich verraten und die unsträflich geblieben.
Ihr antwortete drauf der erfindungsreiche Odysseus:
Mütterchen, warum willst du sie nennen? Es ist ja nicht nötig. 500
Kann ich nicht selbst aufmerken und ihre Gesinnungen prüfen?
Aber verschweig die Sache und überlaß sie den Göttern.
Also sprach er. Da eilte die Pflegerin aus dem Gemache,
Anderes Wasser zu holen; das erste war alles verschüttet.
Als sie ihn jetzo gewaschen und drauf mit Öle gesalbet, 505
Nahm Odysseus den Stuhl und zog ihn näher ans Feuer,
Sich zu wärmen, und bedeckte mit seinen Lumpen die Narbe.
Drauf begann das Gespräch die verständige Penelopeia:
Fremdling, ich will dich jetzo nur noch ein weniges fragen;
Denn es nahet bereits die Stunde der lieblichen Ruhe, 510
Wem sein Leiden vergönnt, in süßem Schlummer zu ruhen.
Aber mich Arme belastet ein unermeßlicher Jammer!

Meine Freude des Tags ist, unter Tränen und Seufzern
In dem Saale zu wirken und auf die Mägde zu sehen.
Aber kommt nun die Nacht, da alle Sterblichen ausruhn, 515
Lieg ich schlaflos im Bett, und tausend nagende Sorgen
Wühlen mit neuer Wut um meine zerrissene Seele.
Wie wenn die Nachtigall, Pandareos' liebliche Tochter,
Ihren schönen Gesang im beginnenden Frühling erneuert
(Sitzend unter dem Laube der dichtumschattenden Bäume, 520
Rollt sie von Tönen zu Tönen die schnelle melodische Stimme,
Ihren geliebten Sohn, den sie selber ermordet, die Törin,
Ihren Itylos klagend, den Sohn des Königes Zethos):
Also wendet sich auch mein Geist bald hiehin bald dorthin:
Ob ich auch weile beim Sohn und alle Güter bewahre, 525
Meine Hab und die Mägd' und die hohe prächtige Wohnung,
Scheuend das Lager des Ehegemahls und die Stimme des Volkes,
Oder jetzt von den Freiern im Hause den tapfersten Jüngling,
Welcher das meiste geschenkt, zu meinem Bräutigam wähle.
Als mein Sohn noch ein Kind war und schwachen Verstandes, da durft
Ihm zuliebe nicht wählen, noch diese Wohnung verlassen; [ich
Nun, da er größer ist und des Jünglings Alter erreicht hat,
Wünscht er selber, ich möge nur bald aus dem Hause hinweggehn,
Zürnend wegen der Habe, so ihm die Achaier verschwelgen.
Aber höre den Traum und sage mir seine Bedeutung. 535
Zwanzig Gänse hab ich in meinem Hause, die fressen
Weizen mit Wasser gemischt, und ich freue mich, wenn ich sie anseh.
Aber es kam ein großer und krummgeschnabelter Adler
Von dem Gebirg und brach den Gänsen die Hälse; getötet
Lagen sie all im Haus, und er flog in die heilige Luft auf. 540
Und ich begann zu weinen und schluchzt im Traume. Da kamen
Ringsumher, mich zu trösten, der Stadt schönlockige Frauen;
Aber ich jammerte laut, daß der Adler die Gänse getötet.
Plötzlich flog er zurück und saß auf dem Simse des Rauchfangs,
Wandte sich tröstend zu mir und sprach mit menschlicher Stimme:
Tochter des fernberühmten Ikarios, fröhlichen Mutes!
Nicht ein Traum ist dieses, ein Göttergesicht, das dir Heil bringt.
Jene Gänse sind Freier, und ich war eben ein Adler;
Aber jetzo bin ich, dein Gatte, wiedergekommen,

Daß ich den Freiern allen ein schreckliches Ende bereite. 550
Also sprach der Adler. Der süße Schlummer verließ mich;
Eilend sah ich im Hause nach meinen Gänsen, und alle
Fraßen aus ihrem Troge den Weizen, so wie gewöhnlich.
Ihr antwortete drauf der erfindungsreiche Odysseus:
Fürstin, es wäre vergebens, nach einer anderen Deutung 555
Deines Traumes zu forschen. Dir sagte ja selber Odysseus,
Wie er ihn denkt zu erfüllen. Verderben drohet den Freiern
Allzumal, und keiner entrinnt dem Todesverhängnis.
Ihm antwortete drauf die kluge Penelopeia:
Fremdling, es gibt doch dunkle und unerklärbare Träume, 560
Und nicht alle verkünden der Menschen künftiges Schicksal.
Denn es sind, wie man sagt, zwo Pforten der nichtigen Träume:
Eine von Elfenbein, die andre von Horne gebauet.
Welche nun aus der Pforte von Elfenbeine herausgehn,
Diese täuschen den Geist durch lügenhafte Verkündung; 565
Andere, die aus der Pforte von glattem Horne hervorgehn,
Deuten Wirklichkeit an, wenn sie den Menschen erscheinen.
Aber ich zweifle, ob dorther ein vorbedeutendes Traumbild
Zu mir kam. O wie herzlich erwünscht wär es mir und dem Sohne!
Eins verkünd ich dir noch, und du nimm solches zu Herzen. 570
Morgen erscheinet der Tag, der entsetzliche! der von Odysseus'
Hause mich trennen wird; denn morgen gebiet ich den Wettkampf,
Durch zwölf Äxte zu schießen, die jener in seinem Palaste
Pflegte wie Hölzer des Kiels in grader Reihe zu stellen;
Ferne stand er alsdann und schnellte den Pfeil durch die Äxte. 575
Diesen Wettkampf will ich den Freiern jetzo gebieten.
Wessen Hand von ihnen den Bogen am leichtesten spannet
Und mit der Senne den Pfeil durch alle zwölf Äxte hindurchschnellt:
Siehe, dem folg ich als Weib aus diesem werten Palaste
Meines ersten Gemahls, dem prächtigen reichen Palaste, 580
Dessen mein Herz sich vielleicht noch künftig in Träumen erinnert.
Ihr antwortete drauf der erfindungsreiche Odysseus:
Du ehrwürdiges Weib des Laertiaden Odysseus,
Zögere nicht und gebeut in deinem Hause den Wettkampf.
Wahrlich, noch eher kommt der erfindungsreiche Odysseus, 585
Ehe von allen, die mühsam den glatten Bogen versuchen,

Einer die Senne spannt und den Pfeil durch die Eisen hindurchschnellt.
Ihm antwortete drauf die kluge Penelopeia:
Fremdling, wolltest du mich, im Saale sitzend, noch länger
Unterhalten, mir würde kein Schlaf die Augen bedecken. 590
Aber es können ja doch die sterblichen Menschen nicht immer
Schlaflos sein; die Götter bestimmten jeglichen Dinges
Maß und Ziel den Menschen auf lebenschenkender Erde.
Darum will ich jetzo in meine Kammer hinaufgehn,
Auf dem Lager zu ruhn, dem jammervollen, das immer 595
Meine Tränen benetzen, seitdem Odysseus hinwegfuhr,
Troja zu sehn, die verwünschte, die keiner nennet ohn Abscheu!
Dorthin geh ich zu ruhn; du aber bereite dein Lager
Hier im Haus auf der Erd oder laß ein Bette dir bringen.
Also sprach sie und stieg empor zu den schönen Gemächern, 600
Nicht allein; es gingen mit ihr die übrigen Jungfraun.
Als sie nun oben kam mit den Jungfraun, weinte sie wieder
Ihren trauten Gemahl Odysseus, bis ihr Athene
Sanft mit süßem Schlummer die Augenlider bedeckte.

XX. GESANG

Odysseus, im Vorsaal ruhend, bemerkt die Unarten der Mägde. Bald erweckt ihn das Jammern der Gemahlin. Glückliche Zeichen. Eurykleia bereitet den Saal zum früheren Schmause des Neumondfestes. Nach dem Sauhirten und Ziegenhirten kommt der Rinderhirt Philötios und bewährt seine Treue. Die Freier hindert ein Zeichen an Telemachos' Mord. Beim Schmause wird nach Odysseus ein Kuhfuß geworfen. Verwirrung der Freier, die in wilder Lust den Tod ahnden. Der weissagende Theoklymenos wird verhöhnt und geht weg. Penelopeia bemerkt die Ausgelassenheit.

Aber im Vorsaal lagerte sich der edle Odysseus.
Über die rohe Haut des Stieres breitet' er viele
Wollichte Felle der Schafe vom üppigen Schmause der Freier;
Und Eurynome deckte den Ruhenden zu mit dem Mantel.
Allda lag Odysseus und sann dem Verderben der Freier 5
Wachend nach. Nun gingen die Weiber aus dem Palaste,
Welche schon ehemals mit den Freiern hatten geschaltet,
Und belustigten sich und lachten untereinander.

Aber dem Könige ward sein Herz im Busen erreget,
Und er bedachte sich hin und her mit wankendem Vorsatz, 10
Ob er sich plötzlich erhübe, die Frechen alle zu töten,
Oder ihnen noch einmal, zum allerletzten, erlaubte,
Mit den Freiern zu schalten. Im Innersten bellte sein Herz ihm.
So wie die mutige Hündin, die zarten Jungen umwandelnd,
Jemand, den sie nicht kennt, anbellt und zum Kampfe hervorspringt:
Also bellte sein Herz, durch die schändlichen Greuel erbittert.
Aber er schlug an die Brust und sprach die zürnenden Worte:
Dulde, mein Herz! Du hast noch härtere Kränkung erduldet,
Damals, als der Kyklop, das Ungeheuer, die lieben,
Tapfern Freunde dir fraß. Du duldetest, bis dich ein Anschlag 20
Aus der Höhle befreite, wo dir dein Tod schon bestimmt war.
Also strafte der Edle sein Herz im wallenden Busen;
Und sein empörtes Herz ermannte sich schnell und harrte
Standhaft aus. Allein er wandte sich hiehin und dorthin.
Also wendet der Pflüger am großen brennenden Feuer 25
Einen Ziegenmagen, mit Fett und Blute gefüllet,
Hin und her und erwartet es kaum, ihn gebraten zu sehen:
Also wandte der Held sich hin und wider, bekümmert,
Wie er den schrecklichen Kampf mit den schamlosen Freiern begönne,
Er allein mit so vielen. Da schwebete Pallas Athene 30
Hoch vom Himmel herab und kam in weiblicher Bildung,
Neigte sich über sein Haupt und sprach mit freundlicher Stimme:
Warum wachst du doch, Unglücklichster aller, die leben?
Dieses ist ja dein Haus und drinnen ist deine Gemahlin
Und ein Sohn, so trefflich ihn irgendein Vater sich wünschet! 35
Ihr antwortete drauf der erfindungsreiche Odysseus:
Dieses alles ist wahr, o Göttin, was du geredet.
Aber eines ist, was meine Seele bekümmert:
Wie ich den schrecklichen Kampf mit den schamlosen Freiern beginne,
Ich allein mit so vielen, die hier sich täglich versammeln. 40
Und noch ein größeres ist, was meine Seele bekümmert:
Wann ich jene mit Zeus' und deinem Willen ermorde,
Wo entflieh ich alsdann? Dies überlege nun selber.
Drauf antwortete Zeus' blauäugichte Tochter Athene:
O Kleinmütiger, traut man doch einem geringeren Freunde, 45

Welcher nur sterblich ist und eingeschränkten Verstandes,
Und der Unsterblichen eine bin ich, die deiner beständig
Waltet in jeder Gefahr. Vernimm denn, was ich dir sage:
Stünden auch fünfzig Scharen der vielfachredenden Menschen
Um uns her und trachteten dich im Kampfe zu töten, 50
Dennoch raubtest du ihnen die fetten Rinder und Schafe.
Aber schlummre nun ein! Die ganze Nacht zu durchwachen,
Ist ermattend; du wirst ja der Trübsal jetzo entrinnen!
Also sprach sie und deckte Odysseus' Augen mit Schlummer.
Und zum Olympos empor erhub sich die heilige Göttin, 55
Als ihn der Schlummer umfing, den Gram zerstreute, die Glieder
Sanft auflöste. Allein Odysseus' edle Gemahlin
Fuhr aus dem Schlafe, sie saß auf dem weichen Lager und weinte.
Als sie endlich ihr Herz mit vielen Tränen erleichtert,
Flehte sie Artemis an, die trefflichste unter den Weibern: 60
Hochgepriesene Göttin, o Artemis, Tochter Kronions,
Träfest du doch mein Herz mit deinem Bogen und nähmest
Meinen bekümmerten Geist gleich jetzo! Oder ein Sturmwind
Raubte durch finstere Wege mich schnell von hinnen und würfe
Mich am fernen Gestade des ebbenden Ozeans nieder, 65
So wie die Stürme vordem Pandareos' Töchter entführten!
Ihrer Eltern beraubt von den Göttern, blieben sie hilflos
In dem Palaste zurück; da nährte sie Aphrodite
Mit geronnener Milch und süßem Honig und Weine.
Ihnen schenkte dann Here vor allen sterblichen Weibern 70
Schönheit und klugen Verstand, die keusche Artemis Größe
Und Athene die Kunde des Webestuhls und der Nadel.
Aber da einst Aphrodite zum großen Olympos emporstieg,
Daß der Donnerer Zeus den lieblichen Tag der Hochzeit
Ihren Mädchen gewährte (denn dessen ewige Vorsicht 75
Lenkt allwissend das Glück und Unglück sterblicher Menschen),
Raubten indes die Harpyen Pandareos' Töchter und schenkten
Sie den verhaßten Erinnen zu harter sklavischer Arbeit.
Führten die Himmlischen so auch mich aus der Kunde der Menschen!
Oder entseelte mich Artemis' Pfeil, damit ich, Odysseus' 80
Bild im Herzen, nur unter die traurige Erde versänke,
Eh ich die schnöde Begierd eines schlechteren Mannes gesättigt!

Ach, zu erdulden ist noch immer das Leiden, wenn jemand
Zwar die Tage durchweint und jammert, aber die Nächte
Ruhiger Schlummer beherrscht; denn dieser tilgt aus dem Herzen 85
Alles, Gutes und Böses, sobald er die Augen umschattet.
Doch mir sendet auch nachts ein Dämon schreckende Träume!
Eben schlief es wieder bei mir, ganz ähnlich ihm selber,
Wie er gen Ilion fuhr; und ich Arme freute mich herzlich,
Denn ich hielt es nicht für ein Traumbild, sondern für Wahrheit. 90

Also sprach sie; da kam die goldenthronende Eos.
Und der Weinenden Stimme vernahm der edle Odysseus.
Ängstlich sann er umher; ihn deucht' im Herzen, sie stünde,
Ihn erkennend, bereits zu seinem Haupte. Da nahm er
Hurtig Mantel und Felle, worauf er ruhte, zusammen, 95
Legte sie schnell in den Saal auf einen Sessel, die Stierhaut
Trug er hinaus und flehete Zeus mit erhobenen Händen:

Vater Zeus, wenn ihr Götter nach vielem Jammer mich huldreich
Über Wasser und Land in meine Heimat geführt habt,
Oh, so rede nun einer der Wachenden glückliche Worte 100
Hier im Palast, und draußen gescheh ein Zeichen vom Himmel!

Also flehte der Held; den Flehenden hörte Kronion.
Und er donnerte schnell vom glanzerhellten Olympos
Hoch aus den Wolken herab. Da freute sich herzlich Odysseus.
Plötzlich hört' er ein mahlendes Weib, das glückliche Worte 105
Redete, nahe bei ihm, wo die Mühlen des Königes standen.
Täglich waren allhier zwölf Müllerinnen beschäftigt,
Weizen- und Gerstenmehl, das Mark der Männer, zu mahlen.
Aber die übrigen schliefen, nachdem sie den Weizen zermalmet,
Sie nur feirte noch nicht, denn sie war von allen die schwächste. 110
Stehen ließ sie die Mühl und sprach die prophetischen Worte:

Vater Zeus, der Götter und sterblichen Menschen Beherrscher,
Wahrlich, du donnertest laut vom Sternenhimmel, und nirgends
Ist ein Gewölk; du sendest gewiß jemandem ein Zeichen.
Ach, so gewähr auch jetzo mir armem Weibe die Bitte: 115
Laß die stolzen Freier zum letztenmal heute, zum letzten,
Ihren üppigen Schmaus in Odysseus' Hause genießen,
Welche mir alle Kraft durch die seelenkränkende Arbeit,
Mehl zu bereiten, geraubt! Nun laß sie zum letztenmal schwelgen!

Sprach's, und freudig vernahm Odysseus ihre Verkündung 120
Und Zeus' Donnergetön; denn er hoffte die Frevler zu strafen.
Jetzo versammelten sich die andern Mägde des Königs,
Und es loderte bald auf dem Herde das mächtige Feuer.
Auch der göttliche Jüngling Telemachos sprang von dem Lager,
Legte die Kleider an und hängte sein Schwert um die Schulter, 125
Band die schönen Sohlen sich unter die rüstigen Füße,
Faßte den mächtigen Speer mit scharfer eherner Spitze,
Ging und stand an der Schwelle und sagte zu Eurykleia:
Mütterchen, habt ihr auch für die Ruh und Pflege des Fremdlings
Hier im Saale gesorgt? Oder liegt er gänzlich versäumet? 130
Meine Mutter, die ist nun so (wie gut sie auch denket),
Daß sie den schlechteren Mann in ihres Herzens Verwirrung
Oftmals ehrt und den besseren ungeehret hinwegschickt.
Ihm erwiderte drauf die verständige Eurykleia:
Sohn, beschuldige nicht die ganz unschuldige Mutter! 135
Denn er saß da und trank, solang er wollte, des Weines;
Speise, sagte er selbst, verlangt' er nicht mehr; denn sie fragt' ihn.
Und als endlich die Stunde des süßen Schlafes herankam,
Da befahl sie den Mägden, ein Lager ihm zu bereiten.
Aber er, als ein ganz unglücklicher Leidengeübter, 140
Weigerte sich, im Bette auf weichen Polstern zu schlafen;
Auf Schafsfellen allein und der unbereiteten Stierhaut
Wollt er im Vorsaal ruhn; wir deckten ihn noch mit dem Mantel.
Also sprach sie. Da ging, den Speer in der Rechten, der Jüngling
Aus dem Palast; es begleiteten ihn schnellfüßige Hunde. 145
Und er ging zur Versammlung der schöngeharnischten Griechen.
Aber den Mägden befahl die Edelste unter den Weibern,
Eurykleia, die Tochter Ops', des Sohnes Peisenors:
Hurtig, ihr Mägde! Kehrt mir den Saal geschwinde mit Besen,
Aber sprengt ihn zuvor; die purpurnen Teppiche legt dann 150
Auf die zierlichen Sessel! Ihr andern scheuert die Tische
Alle mit Schwämmen rein; dann spült die künstlichgegoßnen
Doppelbecher und Kelche mir aus! Ihr übrigen aber
Holet Wasser vom Quell; doch daß ihr nur eilig zurückkommt!
Heute zögern gewiß die Freier nicht lange, sie werden 155
Frühe sich hier versammeln; denn heut ist der heilige Neumond!

Also sprach sie; ihr hörten die Mägde mit Fleiß und gehorchten.
Zwanzig eileten schnell zum Wasser der schattichten Quelle,
Und die andern im Saale vollendeten klüglich die Arbeit.
Jetzo kamen ins Haus der Freier mutige Diener, 160
Welche das Holz geschickt zerspalteten; und von der Quelle
Kamen die Weiber zurück. Auch kam der treffliche Sauhirt,
Der drei Schweine, die besten der ganzen Herde, hereintrieb.
Diese ließ er weidend im schönen Hofe herumgehn,
Trat dann selbst zu Odysseus und sprach die freundlichen Worte: 165
Fremdling, hast du anitzt mehr Ansehn vor den Achaiern?
Oder verschmähen sie dich wie vormals hier im Palaste?
Ihm antwortete drauf der erfindungsreiche Odysseus:
Ach, Eumaios, bestraften doch einst die Götter den Frevel
Dieser verruchten Empörer, die hier im fremden Palaste 170
Schändliche Greuel verüben und Scham und Ehre verachten!
Also besprachen diese sich jetzo untereinander.
Und es nahte sich ihnen der Ziegenhirte Melantheus,
Welcher die trefflichsten Ziegen der ganzen Herde den Freiern
Brachte zum Schmaus; es begleiteten ihn zween andere Hirten. 175
Diese banden sie fest dort unter der tönenden Halle.
Aber Melanthios sprach zu Odysseus die schmähenden Worte:
Fremdling, du willst noch jetzo in diesem Hause die Männer
Durch dein Betteln beschweren? Und nie zur Türe hinausgehn?
Nun, wir werden uns wohl nicht wieder trennen, bevor du 180
Diese Fäuste gekostet! Es ist ganz wider die Ordnung,
Solch ein Betteln! Es gibt ja noch andere Schmäuse der Griechen!
Also sprach er; und nichts antwortete jenem Odysseus,
Sondern schüttelte schweigend sein Haupt und sann auf Verderben.
Auch der Männerbeherrscher Philötios brachte den Freiern 185
Eine gemästete Kuh und fette Ziegen zum Schmause.
Diese kamen vom festen Land in der Fähre der Schiffer,
Die auch andere fahren, wenn jemand solches begehret.
Und er knüpfte sein Vieh auch unter der tönenden Halle
Fest; dann trat er näher und fragte den edlen Eumaios: 190
Hüter der Schweine, wer ist der neulich gekommene Fremdling
Hier in unserem Hause? Von welchen rühmlichen Eltern
Stammt er ab? Wo ist sein Geschlecht und väterlich Erbe?

Armer! Wahrlich, er trägt der herrschenden Könige Bildung!
Aber die Götter verdunkeln das Ansehn irrender Menschen, 195
Auch wenn Königen selbst ein solcher Jammer zuteil wird.
  Also sprach er und kam und reichte dem edlen Odysseus
Freundlich die rechte Hand und sprach die geflügelten Worte:
  Freue dich, fremder Vater! Es müsse dir wenigstens künftig
Wohl ergehn! Denn jetzo umringt dich mancherlei Trübsal! 200
Vater Zeus, du bist doch vor allen Unsterblichen grausam!
Du erbarmest dich nicht der Menschen, die du gezeugt hast,
Sondern verdammst sie alle zu Not und schrecklichem Jammer!
Heißer und kalter Schweiß umströmte mich, als ich dich sahe,
Und mir tränten die Augen; ich dachte gleich an Odysseus, 205
Der wohl auch so zerlumpt bei fremden Leuten umherirrt,
Wo er anders noch lebt und das Licht der Sonne noch schauet!
Ist er aber schon tot und in der Schatten Behausung,
Weh mir, wie klag ich Odysseus, den Herrlichen, der mich als Jüngling
Über die Rinder im Lande der Kephallenier setzte! 210
Diese werden nun fast unzählbar; schwerlich hat jemand
Eine so frischaufwachsende Zucht breitstirniger Rinder.
Aber mich zwingen Fremde, sie ihnen zum üppigen Mahle
Herzuführen, und achten nicht des Sohnes im Hause,
Zittern auch nicht vor der Rache der Götter; ja ihnen gelüstet 215
Schon, die Güter zu teilen des langabwesenden Königs.
O wie oft hat mein Herz in Verzweifelung diesen Gedanken
Hin und wider bewegt: sehr unrecht wär's, da der Sohn lebt,
In ein anderes Land mit den Rindern zu fliehen und Hilfe
Fremder Leute zu suchen; doch schrecklicher ist es, zu bleiben 220
Und die Rinder für andre mit innigem Kummer zu hüten.
Und ich wäre schon längst zu einem mächtigen König
Außer dem Lande geflohn (denn es ist nicht länger zu dulden!),
Aber ich hoffe noch immer, daß mein unglücklicher König
Wiederkomm und die Schar der Freier im Hause zerstreue! 225
  Ihm antwortete drauf der erfindungsreiche Odysseus:
Keinem geringen Manne noch törichten gleichst du, o Kuhhirt,
Und ich erkenn es selber, du denkst vernünftig und edel.
Darum verkünd ich dir jetzt und beteur es mit hohem Eidschwur:
Zeus von den Göttern bezeug es und diese gastliche Tafel 230

Und Odysseus' heiliger Herd, zu welchem ich fliehe:
Du wirst selber zugegen sein, wann Odysseus zurückkommt,
Und, so du willst, auch selber mit deinen Augen es ansehn,
Wie er die Freier vertilgt, die hier im Hause gebieten.
Ihm antwortete drauf der Oberhirte der Rinder: 235
Fremdling, erfüllte doch Zeus, was du verkündet! Du solltest
Sehn, was auch meine Kraft und meine Hände vermöchten!
Auch Eumaios flehte zu allen unsterblichen Göttern,
Daß sie dem weisen Odysseus verstatteten wiederzukehren.
Also besprachen diese sich jetzo untereinander. 240
Und die Freier beschlossen, Telemachos heimlich zu töten.
Aber linksher kam ein unglückdrohender Vogel,
Ein hochfliegender Adler, und hielt die bebende Taube.
Als ihn Amphinomos sahe, da sprach er zu der Versammlung:
Freunde, nimmer gelingt uns dieser heimliche Ratschluß 245
Über Telemachos' Tod; wohlauf! und gedenket des Mahles!
Also sprach er, und allen gefiel Amphinomos' Rede.
Und sie gingen ins Haus des göttergleichen Odysseus,
Legten die Mäntel nieder auf prächtige Sessel und Throne,
Opferten große Schafe zum Mahl und gemästete Ziegen, 250
Opferten fette Schwein' und eine Kuh von der Weide,
Brieten und reichten umher die Eingeweide und mischten
Dann des Weines in Kelchen; die Becher verteilte der Sauhirt;
Und der Männerbeherrscher Philötios reichte den Freiern
Brot in zierlichen Körben; Melanthios schenkte den Wein ein. 255
Und sie erhoben die Hände zum leckerbereiteten Mahle.
Aber Telemachos hieß, auf Listen sinnend, Odysseus
Sitzen im schöngemauerten Saal an der steinernen Schwelle,
Neben dem kleinen Tisch, auf einem der schlechteren Stühle.
Und er bracht ihm ein Teil der Eingeweide und schenkte 260
Wein in den goldenen Becher und sprach zu dem edlen Odysseus:
Sitze nun ruhig hier und trinke Wein mit den Männern.
Vor Gewaltsamkeiten und Schmähungen will ich dich selber
Schützen gegen die Freier! Denn hier ist kein öffentlich Gasthaus,
Sondern Odysseus' Haus, und ich bin der Erbe des Königs! 265
Aber ihr, o Freier, enthaltet euch aller Beschimpfung
Und Gewalt, damit kein Zank noch Hader entstehe!

Also sprach er; da bissen sie rings umher sich die Lippen,
Über den Jüngling erstaunt, der so entschlossen geredet.
Aber Eupeithes' Sohn Antinoos sprach zur Versammlung: 270
Freunde, wie hart sie auch ist, wir wollen Telemachos' Rede
Nur annehmen; ihr hört ja des Jünglings schreckliche Drohung!
Zeus Kronion verstattet' es nicht, sonst hätten wir lange
Hier im Hause den Redner mit heller Stimme geschweiget.
Also sprach der Freier, doch jener verachtete solches. 275
Und die Herolde führten die Hekatombe der Götter
Durch die Stadt; und die Schar der hauptumlockten Achaier
Ging in den Schattenhain des göttlichen Schützen Apollo.
Aber die Freier brieten das Fleisch und zogen's herunter,
Teilten's den Gästen umher und feirten das prächtige Gastmahl. 280
Und Odysseus brachten die Diener, welche zerlegten,
Ebensoviel des Fleisches, als jedem Gaste das Los gab,
Weil es Telemachos hieß, der Sohn des edlen Odysseus.
Aber den mutigen Freiern verstattete Pallas Athene
Nicht, des erbitternden Spottes sich ganz zu enthalten, damit noch
Heißer entbrennte das Herz des Laertiaden Odysseus.
Unter den Freiern war ein ungezogener Jüngling,
Dieser hieß Ktesippos und war aus Same gebürtig.
Stolz auf das große Gut des Vaters, warb er anitzo
Um die Gattin Odysseus', des langabwesenden Königs. 290
Dieser erhub die Stimme und sprach zu den trotzigen Freiern:
Höret, was ich euch sag, ihr edelmütigen Freier!
Zwar empfing der Fremdling schon längst sein gebührendes Anteil,
Eben wie wir; denn es wäre nicht recht und gegen den Wohlstand,
Fremde zu übergehn, die Telemachos' Wohnung besuchen: 295
Aber ich will ihm doch auch ein wenig verehren, damit er
Etwa die Magd, die ihn badet, beschenke, oder auch jemand
Sonst von den Leuten im Hause des göttergleichen Odysseus.
Also sprach er und warf mit nervichter Rechter den Kuhfuß,
Welcher im Korbe lag, nach Odysseus. Aber Odysseus 300
Wandte behende sein Haupt und barg mit schrecklichem Lächeln
Seinen Zorn; und das Bein fuhr gegen die zierliche Mauer.
Aber Telemachos schalt den Freier mit drohenden Worten:
Wahrlich, Ktesippos, es ist ein großes Glück für dein Leben,

Daß du den Fremdling nicht trafst; denn dieser beugte dem Wurf aus·
Traun, ich hätte dich gleich mit der spitzen Lanze durchbohret,
Und statt der Hochzeit würde dein Vater ein Leichenbegängnis
Hier begehn! Verübe mir keiner die mindeste Unart
Hier im Palast! Mir fehlt nun weder Verstand noch Erfahrung,
Gutes und Böses zu sehn; denn ehmals war ich ein Knabe! 310
Dennoch schaun wir es an und leiden alles geduldig,
Wie ihr das Mastvieh schlachtet und schwelgend den Wein und die
Ausleert; denn was vermag ein einziger gegen so viele? [Speise
Aber hierbei laßt nun auch eure Beleidigung stillstehn!
Habt ihr indes beschlossen, mich mit dem Schwerte zu töten: 315
Lieber wollt ich doch das, und wahrlich, es wäre mir besser,
Sterben, als immerfort den Greul der Verwüstungen ansehn,
Wie man die Fremdlinge hier mißhandelt oder die Mägde
Zur abscheulichen Lust in den prächtigen Kammern umherzieht!
Also sprach er, und alle verstummten umher und schwiegen. 320
Endlich erwiderte drauf Damastors Sohn Agelaos:
Freunde, Telemachos hat mit großem Rechte geredet;
Drum entrüste sich keiner, noch geb ihm trotzige Antwort!
Auch mißhandelt nicht ferner den armen Fremdling, noch jemand
Von den Leuten im Hause des göttergleichen Odysseus. 325
Aber Telemachos möcht ich anitzt und Telemachos' Mutter
Dies wohlmeinend raten, wenn's ihrem Herzen gefiele.
Als ihr beide noch immer mit sehnlich harrendem Herzen
Hofftet die Wiederkehr des erfindungsreichen Odysseus,
War es nicht tadelhaft, zu warten und die Achaier 330
Hinzuhalten im Hause (denn besser wär es gewesen,
Hätten die Götter Odysseus verstattet wiederzukehren).
Doch nun ist es ja klar, daß Odysseus nimmer zurückkehrt.
Drum geh hin zu der Mutter und sag ihr, sie möge den besten
Jüngling, welcher das meiste geschenkt, zum Bräutigam wählen, 335
Daß du alle Güter des Vaters beherrschen und friedlich
Essen und trinken könnest, da sie mit dem Manne hinwegzieht!
Und der verständige Jüngling Telemachos sagte dagegen:
Nein, bei Zeus, Agelaos, und bei den Leiden des Vaters,
Der von Ithaka ferne den Tod fand oder umherirrt, 340
Ich verhindre sie nicht, ich selber heiße die Mutter

Wählen, welchen sie will und wer sie reichlich beschenket.
Aber ich scheue mich, sie mit harten Worten gewaltsam
Aus dem Hause zu treiben; das wolle Gott nicht gefallen!
 Also sprach er. Und siehe, ein großes Gelächter erregte 345
Pallas Athene im Saal und verwirrte der Freier Gedanken.
Und schon lachten sie alle mit gräßlichverzuckten Gesichtern.
Blutbesudeltes Fleisch verschlangen sie jetzo; die Augen
Waren mit Tränen erfüllt, und Jammer umschwebte die Seele.
Und der göttliche Mann Theoklymenos sprach zur Versammlung:
 Ach, unglückliche Männer, welch Elend ist euch begegnet!
Finstere Nacht umhüllt euch Haupt und Antlitz und Glieder,
Und Wehklagen ertönt und Tränen netzen die Wangen!
Und von Blute triefen die Wänd' und das schöne Getäfel!
Flatternde Geister füllen die Flur und füllen den Vorhof, 355
Zu des Erebos Schatten hinuntereilend! Die Sonne
Ist am Himmel erloschen, und rings herrscht schreckliches Dunkel!
 Also sprach er, und alle begannen herzlich zu lachen.
Aber Polybos' Sohn Eurymachos sprach zu den Freiern:
 Hört, wie der Fremdling rast, der neulich von ferne hieherkam!
Hurtig, ihr Jünglinge, eilt und leitet ihn aus dem Palaste
Nach dem Versammlungsplatz! Hier kommt ihm alles wie Nacht vor!
 Und der göttliche Mann Theoklymenos gab ihm zur Antwort:
Keinesweges bedarf ich, Eurymachos, deiner Geleiter;
Denn du siehst, ich habe noch Augen und Ohren und Füße, 365
Und mein guter Verstand ist auch nicht irre geworden.
Hiermit will ich allein hinausgehn; denn ich erkenne
Schon das kommende Graun des Todes, dem keiner entfliehn wird,
Keiner von euch, ihr Freier im Hause des edlen Odysseus,
Wo ihr die Fremdlinge höhnt und schändliche Greuel verübet! 370
 Also sprach er und ging aus der schöngebaueten Wohnung
Hin zum Hause Peiraios' und wurde freundlich empfangen.
 Aber die Freier sahn sich all einander ins Antlitz,
Höhnten Telemachos aus und lachten über die Gäste.
Unter dem Schwarme begann ein übermütiger Jüngling: 375
 Nein, Telemachos, keiner hat jemals schlechtere Gäste
Aufgenommen als du! Denn dieser verhungerte Bettler
Sitzt da, nach Speise und Wein heißhungrig; aber zur Arbeit

Hat er nicht Lust noch Kraft, die verworfene Last der Erde!
Und der andere dort erhub sich, uns wahrzusagen. 380
Aber willst du mir folgen (es ist wahrhaftig das beste!):
Laß uns die Fremdlinge beid im vielgeruderten Schiffe
Zu den Sikelern senden; da kannst du sie teuer verkaufen.
Also sprachen die Freier; doch jener verachtete solches.
Schweigend sah er Odysseus an und harrte beständig, 385
Wann sein mächtiger Arm die schamlosen Freier bestrafte.
Gegenüber dem Saal auf einem prächtigen Sessel
Saß Ikarios' Tochter, die kluge Penelopeia,
Und behorchte die Reden der übermütigen Männer.
Diese feirten nun zwar mit lautem Lachen das Frühmahl, 390
Lustig und fröhlichen Muts, denn sie hatten die Menge geschlachtet:
Doch unlieblicher ward kein Abendschmaus noch gefeiert,
Als den bald die Göttin, mit ihr der starke Odysseus,
Jenen gab, die bisher so schändliche Greuel verübten.

XXI. GESANG

Penelopeia veranstaltet den entscheidenden Bogenkampf. Empfindung der treuen Hirten. Telemachos stellt die Kampfeisen und wird, den Bogen zu spannen, vom Vater gehindert. Die Freier versuchen nacheinander. Ahndung des Opferpropheten. Der Bogen wird erweicht. Odysseus entdeckt sich draußen dem Sauhirten und Rinderhirten und heißt die Türen verschließen. Die Freier verschieben den Bogenkampf. Odysseus bittet um den Bogen, und die Freier lassen es endlich geschehn. Er spannt und trifft durch die Eisen.

Aber Ikarios' Tochter, der klugen Penelopeia,
Gab Athene, die Göttin mit blauen Augen, den Rat ein,
Daß sie den Freiern den Bogen und blinkende Eisen zum Wettkampf
In dem Palast vorlegte, und zum Beginne des Mordens.
Und schon stieg sie empor die hohen Stufen der Wohnung, 5
Faßte mit zarter Hand den schöngebogenen Schlüssel,
Zierlich von Erz gegossen, mit elfenbeinernem Griffe,
Eilete dann und ging, von ihren Mägden begleitet,
Zu dem innern Gemach, wo die Schätze des Königes lagen,
Erzes und Goldes die Meng und künstlich geschmiedeten Eisens. 10
Unter den Schätzen war der krumme Bogen Odysseus'

Und sein Köcher, gefüllt mit jammerbringenden Pfeilen.
Beide schenkt' ihm vordem in Lakedaimon ein Gastfreund,
Iphitos, Eurytos' Sohn, den unsterblichen Göttern vergleichbar.
In Messene trafen die beiden Helden einander, 15
Im Palaste des tapfern Orsilochos. Dort war Odysseus,
Um die Bezahlung der Schuld vom ganzen Volke zu fordern;
Denn aus Ithaka hatten die Schiffe messenischer Männer
Jüngst dreihundert Schafe mit ihren Hirten geraubet.
Darum kam als Gesandter Odysseus den weiten Weg her, 20
Jung wie er war, von Laertes ersehn und den übrigen Greisen.
Aber Iphitos kam, die verlorenen Rosse zu suchen,
Zwölf noch säugende Stuten mit Füllen lastbarer Mäuler.
Doch sie beschleunigten nur des Suchenden Todesverhängnis.
Denn als Iphitos endlich bei Zeus' hochtrotzendem Sohne 25
Kam, dem starken Herakles, dem Manne von großen Taten,
Tötete dieser den Gast in seinem Hause, der Wütrich,
Unbesorgt um der Götter Gericht und den heiligen Gasttisch,
Den er ihm vorgesetzt! Ihn selbst erschlug er im Hause
Und behielt für sich die Rosse mit malmenden Hufen. 30
Diese suchend, traf er den jungen Odysseus und schenkt' ihm
Seinen Bogen, den einst der große Eurytos führte,
Aber sterbend dem Sohn im hohen Palaste zurückließ.
Und Odysseus schenkt' ihm sein Schwert und die mächtige Lanze
Zu der vertraulichsten Freundschaft Beginn. Doch saßen sie niemals
Einer am Tische des andern; denn bald sank unter Herakles
Iphitos, Eurytos' Sohn, den unsterblichen Göttern vergleichbar.
Iphitos' Bogen führte der edelgesinnte Odysseus
Niemals, wann er zum Krieg in schwarzen Schiffen hinwegfuhr,
Sondern ließ im Palaste des unvergeßlichen Freundes 40
Angedenken zurück; in Ithaka führt' er ihn immer.
Als das göttliche Weib die gewölbete Kammer erreichte
Und die eichene Schwelle hinanstieg, welche der Meister
Künstlich hatte geglättet und nach dem Maße der Richtschnur
Drauf den Pfosten gerichtet, mit ihren glänzenden Flügeln, 45
Löste sie schnell vom Ringe den künstlichen Knoten des Riemens,
Steckte den Schlüssel hinein und drängte die Riegel der Pforte,
Scharf hinblickend, zurück: da krachten laut, wie ein Pflugstier

Brüllt auf blumiger Au, so krachten die prächtigen Flügel,
Von dem Schlüssel geöffnet, und breiteten sich auseinander. 50
Und sie trat ins Gewölb und stieg auf die bretterne Bühne,
Wo die Laden standen voll lieblichduftender Kleider,
Langte von dort in die Höh und nahm vom Nagel den Bogen
Samt der glänzenden Scheide, die ihn umhüllte, herunter.
Und sie setzte sich, legt' auf den Schoß den Bogen des Königs, 55
Hub laut an zu weinen und zog ihn hervor aus der Scheide.
Und nachdem sie ihr Herz mit vielen Tränen erleichtert,
Ging sie hinauf in den Saal zu den übermütigen Freiern,
Haltend in ihrer Hand den krummen Bogen Odysseus'
Und den Köcher, gefüllt mit jammerbringenden Pfeilen. 60
Hinter ihr trugen die Mägde die zierliche Kiste, mit Eisen
Und mit Erze beschwert, den Kampfgeräten des Königs.
Als das göttliche Weib die Freier jetzo erreichte,
Stand sie still an der Schwelle des schönen gewölbeten Saales;
Ihre Wangen umwallte der feine Schleier des Hauptes, 65
Und an jeglichem Arm stand eine der stattlichen Jungfraun.
Und sie sprach zur Versammlung der übermütigen Freier:

Hört, ihr mutigen Freier, die ihr in diesem Palaste
Scharenweise euch stets zum Essen und Trinken versammelt,
Da mein Gemahl so lang entfernt ist, und die ihr keinen 70
Einzigen Grund angebt zu dieser großen Verwüstung,
Außer daß ihr mich liebt und zur Gemahlin begehret:
Auf, ihr Freier, wohlan, denn jetzo erscheinet ein Wettkampf!
Hier ist der große Bogen des göttergleichen Odysseus.
Wessen Hand von euch den Bogen am leichtesten spannet 75
Und mit der Senne den Pfeil durch alle zwölf Äxte hindurchschnellt,
Seht, dem folg ich als Weib aus diesem werten Palaste
Meines ersten Gemahls, dem prächtigen reichen Palaste,
Dessen mein Herz sich vielleicht noch künftig in Träumen erinnert.

Also sprach sie und winkte dem edlen Hirten Eumaios, 80
Ihnen den Bogen zum Kampf und die blinkenden Äxte zu bringen.
Weinend empfing sie Eumaios und legte sie nieder. Der Kuhhirt
Weint' auf der andern Seite, da er den Bogen des Herrn sah.
Aber Antinoos schalt und sprach die geflügelten Worte:
Alberne Hirten des Viehs, in den Tag hinträumende Toren, 85

Unglückselige, sprecht, was vergießt ihr Tränen und reizet
Unserer Königin Herz, noch mehr zu trauern, das so schon
Tiefgebeugt den Verlust des lieben Gemahles bejammert?
Sitzt geruhig am Tisch und schmauset; oder entfernt euch
Hurtig und heult vor der Tür und laßt den Bogen uns Freiern, 90
Daß wir den Kampf versuchen, den furchtbaren! Denn ich vermute,
Daß es so leicht nicht sei, den geglätteten Bogen zu spannen.
Denn ein solcher Mann ist nicht in der ganzen Versammlung,
Als Odysseus war! Ich hab ihn selber gesehen
Und entsinne mich wohl: ich war noch ein stammelnder Knabe. 95
Also sprach er; allein in seinem Herzen gedacht er,
Selbst die Senne zu spannen und durch die Äxte zu treffen.
Aber er sollte zuerst den Pfeil aus den Händen Odysseus'
Kosten, weil er vordem den Herrlichen, in dem Palaste
Sitzend, hatte geschmäht und die übrigen Freier gereizet. 100
Unter ihnen begann Telemachos' heilige Stärke:
Wahrlich, Zeus Kronion beraubte mich allen Verstandes!
Meine Mutter verheißet anitzt (wie gut sie auch denket!),
Einem andern zu folgen und dieses Haus zu verlassen;
Und ich freue mich noch und lache, ich törichter Jüngling! 105
Aber wohlan, ihr Freier! denn jetzo erscheinet der Wettkampf
Um ein Weib, wie keines im ganzen achaiischen Lande,
Nicht in der heiligen Pylos, in Argos oder Mykene,
Selbst in Ithaka nicht und nicht auf der fruchtbaren Feste!
Aber das wißt ihr selber, was brauch ich die Mutter zu loben! 110
Auf denn! verzögert ihn nicht durch lange Zweifel und spannet
Ohne Geschwätz den Bogen, damit wir den Sieger erkennen!
Und ich hätte wohl Lust, den Bogen selbst zu versuchen.
Denn wär ich's, der ihn spannt und durch die Äxte hindurchschießt,
Dann verließe mich Trauernden nicht die teuerste Mutter, 115
Einem andern folgend, noch blieb ich einsam im Hause,
Da ich schon tüchtig bin zu den edlen Kämpfen des Vaters!
Also sprach er und warf von der Schulter den purpurnen Mantel,
Seinem Sessel entspringend, und warf sein Schwert von der Schulter.
Hierauf stellt' er die Eisen im aufgegrabenen Estrich 120
Alle zwölf nach der Reih und nach dem Maße der Richtschnur,
Stampfte die Erde dann fest; und alle staunten dem Jüngling,

Wie gerad er sie stellte, da er's doch nimmer gesehen.
Und er trat an die Schwelle des Saals und versuchte den Bogen,
Dreimal erschüttert' er ihn und strebt' ihn aufzuspannen; 125
Dreimal verließ ihn die Kraft. Noch immer hoffte der Jüngling,
Selbst die Senne zu spannen und durch die Äxte zu treffen,
Und er hätt es vollbracht, da der Starke zum viertenmal anzog;
Aber ihm winkt' Odysseus und hielt den strebenden Jüngling.
Und zu den Freiern sprach Telemachos' heilige Stärke: 130
Götter, ich bleibe vielleicht auf immer weichlich und kraftlos,
Oder ich bin noch zu jung und darf den Händen nicht trauen,
Abzuwehren den Mann, der mich hohnsprechend beleidigt.
Aber wohlan, ihr andern, die ihr viel stärker als ich seid,
Kommt und versucht den Bogen und endiget hurtig den Wettkampf!
Also sprach er und stellte den Bogen nieder zur Erden,
Hingelehnt an die feste, mit Kunst gebildete Pforte,
Lehnte den schnellen Pfeil an des Bogens zierliche Krümmung,
Ging und setzte sich wieder auf seinen verlassenen Sessel.
Aber Eupeithes' Sohn Antinoos sprach zur Versammlung: 140
Steht nach der Ordnung auf, von der Linken zur Rechten, o Freunde,
An der Stelle beginnend, von wannen der Schenke herumgeht.
Also sprach er; und allen gefiel Antinoos' Rede.
Und es erhub sich zuerst der Önopide Leiodes,
Welcher, ihr Opferprophet, beständig am schimmernden Kelche 145
Unten im Winkel saß: der einzige, dem die Verwüstung
Nicht gefiel; er haßte die ganze Rotte der Freier.
Dieser nahm den Bogen und schnellen Pfeil von der Erde,
Stellte sich drauf an die Schwelle des Saals und versuchte den Bogen.
Aber er spannt' ihn nicht; die zarten Hände des Sehers 150
Wurden im Aufziehn laß. Da sprach er zu der Versammlung:
Freunde, ich spann ihn nicht; ihn nehm ein anderer jetzo!
Viele der Edeln im Volk wird dieser Bogen des Atems
Und der Seele berauben; denn das ist tausendmal besser:
Sterben, als lebend den Zweck zu verfehlen, um den wir uns immer
Hier im Hause versammeln und harren von Tage zu Tage!
Jetzo hofft wohl mancher in seinem Herzen und wünscht sich
Penelopeia zum Weib, Odysseus' edle Gemahlin.
Aber wird er einmal den Bogen prüfen und ansehn,

O dann such er sich nur von Achaias lieblichen Töchtern 160
Eine andre und werbe mit Brautgeschenken; doch diese
Nehme den Mann, der das meiste geschenkt und dem sie bestimmt [ward.
  Also sprach Leiodes und stellte den Bogen zur Erden,
Hingelehnt an die feste, mit Kunst gebildete Pforte;
Lehnte den schnellen Pfeil an des Bogens zierliche Krümmung, 165
Ging und setzte sich wieder auf seinen verlassenen Sessel.
Aber Antinoos schalt und sprach die geflügelten Worte:
  Welche Rede, Leiodes, ist deinen Lippen entflohen!
Welche schreckliche Drohung! Ich ärgere mich, es zu hören!
Viele der Edeln im Volk soll dieser Bogen des Atems 170
Und der Seele berauben, weil du nicht vermagst ihn zu spannen?
Dich gebar nun freilich die teure Mutter nicht dazu,
Daß du mit Pfeil und Bogen dir Ruhm bei den Menschen erwürbest;
Aber es sind, ihn zu spannen, noch andere mutige Freier!
  Also sprach er und rief dem Ziegenhirten Melantheus: 175
Hurtig, Melanthios, eil und zünd hier Feuer im Saal an,
Stelle davor den Sessel und breite Felle darüber,
Hol aus der Kammer alsdann eine große Scheibe von Stierfett,
Daß wir Jüngling' am Feuer den Bogen wärmen und salben;
Dann versuchen wir ihn und endigen hurtig den Wettkampf. 180
  Sprach's und Melanthios zündet' ein helles Feuer im Saal an,
Stellte davor den Sessel und breitete Felle darüber,
Holt' aus der Kammer alsdann eine große Scheibe von Stierfett.
Und die Jünglinge salbten und prüften den Bogen, doch keiner
Konnt ihn spannen, zu sehr gebrach es den Händen an Stärke. 185
Aber Antinoos selbst und Eurymachos saßen noch ruhig,
Beide Häupter der Freier und ihre tapfersten Helden.
  Jetzo gingen zugleich aus der Türe des hohen Palastes
Beide, der Rinderhirt und der männerbeherrschende Sauhirt;
Ihnen folgte sofort der göttergleiche Odysseus. 190
Als sie jetzt aus der Tür und dem Vorhof waren gekommen,
Redet' Odysseus sie an und sprach die freundlichen Worte:
  Hört, ich möcht euch was sagen, du Rinderhirt und du Sauhirt!
Oder verschweig ich's lieber? Mein Herz gebeut mir zu reden.
Wen verteidigtet ihr, wenn jetzo mit einmal Odysseus 195
Hier aus der Fremde käm und ihn ein Himmlischer brächte?

Wolltet ihr dann die Freier verteidigen oder Odysseus?
Redet heraus, wie euch das Herz im Busen gebietet!
 Ihm antwortete drauf der Oberhirte der Rinder:
Vater Zeus, erfülltest du doch mein heißes Verlangen, 200
Daß ein Himmlischer jenen zur Heimat führte! Du solltest
Sehn, was auch meine Kraft und meine Hände vermöchten!
Auch Eumaios flehte zu allen unsterblichen Göttern,
Daß sie dem weisen Odysseus verstatteten wiederzukehren.
Und nachdem Odysseus die Treue der Hirten geprüfet, 205
Da antwortet' er ihnen und sprach die freundlichen Worte:
 Nun, ich selber bin hier! Nach vielen Todesgefahren
Bin ich im zwanzigsten Jahre zur Heimat wiedergekehret!
Und ich erkenne, wie sehr ihr beiden meine Zurückkunft
Wünschtet, ihr allein von den Knechten! Denn keinen der andern
Hört ich flehn, daß ein Gott mir heimzukehren vergönnte!
Drum vernehmet auch ihr, was euch zum Lohne bestimmt ist:
Wenn mir Gott die Vertilgung der stolzen Freier gewähret,
Dann will ich jedem ein Weib und Güter zum Eigentum geben,
Jedem nahe bei mir ein Haus erbauen und künftig 215
Beide wie Freund' und Brüder von meinem Telemachos achten.
Aber daß ihr mir glaubt und mich für Odysseus erkennet:
Kommt und betrachtet hier ein entscheidendes Zeichen, die Narbe,
Die ein Eber mir einst mit weißem Zahne gehauen,
Als ich auf dem Parnaß mit den Söhnen Autolykos' jagte. 220
 Also sprach er und zog von der großen Narbe die Lumpen.
Aber da jene sie sahn und alles deutlich erkannten,
Weinten sie, schlangen die Händ' um den edlen Helden Odysseus,
Hießen ihn froh willkommen und küßten ihm Schultern und Antlitz.
Auch Odysseus küßte den Hirten Antlitz und Hände. 225
Über der Klage wäre die Sonne niedergesunken,
Hätt Odysseus sie nicht mit diesen Worten geendet:
 Hemmt anitzo die Tränen und euren Jammer, daß niemand
Von den Leuten im Haus uns seh und drinnen verrate.
Geht nun einzeln wieder hinein, nicht alle mit einmal; 230
Ich zuerst, dann ihr! Die Abred aber sei diese:
Nimmer wird es die Schar der übermütigen Freier
Billigen, daß mir der Bogen und Köcher werde gegeben;

Aber gehe nur dreist mit dem Bogen, edler Eumaios,
Durch den Saal und reiche mir ihn. Auch sage den Weibern, 235
Daß sie die festen Türen des Hinterhauses verriegeln;
Und wenn eine vielleicht ein Röcheln oder Gepolter
Drinnen im Saale der Männer vernimmt, daß keine herausgeh,
Sondern geruhig sitze bei ihrer beschiedenen Arbeit.
Edler Philötios, dir vertrau ich die Pforte des Hofes, 240
Sie mit dem Riegel zu schließen und fest mit dem Seile zu binden.
Also sprach er und ging in die schöngebauete Wohnung;
Allda setzt' er sich wieder auf seinen verlassenen Sessel.
Einzeln folgten die Knechte des göttergleichen Odysseus.
Und Eurymachos wandte nunmehr in den Händen den Bogen,
Hin und wider ihn wärmend im Glanze des Feuers, und dennoch
Konnt' er die Senne nicht spannen. Ein tiefaufatmender Seufzer
Schwellte sein stolzes Herz, und zürnend sprach er die Worte: [dern!
Götter, wie kränkt mich der Schmerz, um mich selber und um die an-
Wegen der Hochzeit nicht, wiewohl mich auch diese bekümmert
(Denn es sind ja noch andre Achaierinnen die Menge,
Hier in Ithaka selbst und auch in anderen Städten),
Sondern weil unsere Kraft vor des göttergleichen Odysseus
Stärke so ganz verschwindet, daß seinen Bogen nicht einer
Spannen kann! Hohnlachend wird selbst der Enkel es hören! 255
Aber Eupeithes' Sohn Antinoos gab ihm zur Antwort:
Nein, Eurymachos, nicht also! Du weißt es auch besser!
Heute feirt ja das Volk des großen Gottes Apollon
Fest, wer wollte denn heute den Bogen spannen? O legt ihn
Ruhig nieder! Allein die Äxte können wir immer 260
Stehen lassen; denn schwerlich wird jemand sie zu entwenden
Kommen in den Palast des Laertiaden Odysseus.
Auf! es fülle von neuem der Schenk mit Weine die Becher,
Daß wir opfern und dann hinlegen des Königes Bogen.
Aber morgen befehlt dem Ziegenhirten Melantheus, 265
Uns die trefflichsten Ziegen der ganzen Herde zu bringen.
Seht, dann opfern wir erst dem bogenberühmten Apollon
Und versuchen den Bogen und endigen hurtig den Wettkampf.
Also sprach er, und allen gefiel Antinoos' Rede.
Herolde gossen ihnen das Wasser über die Hände, 270

Jünglinge füllten die Kelche bis oben mit dem Getränke
Und verteilten von neuem, sich rechtshin wendend, die Becher.
Als sie des Trankes geopfert und nach Verlangen getrunken,
Sprach zu ihnen mit List der erfindungsreiche Odysseus:
Hört mich an, ihr Freier der weitgepriesenen Fürstin, 275
Daß ich rede, wie mir das Herz im Busen gebietet!
Doch vor allen fleh ich Eurymachos und den erhabnen
Helden Antinoos an, der jetzt so weise geredet.
Legt den Bogen nun hin und befehlt die Sache den Göttern;
Morgen wird Gott, wem er will, die Kraft des Sieges verleihen. 280
Aber wohlan! Gebt mir den geglätteten Bogen, damit ich
Meiner Hände Gewalt vor euch versuche, ob jetzt noch
Kraft in den Nerven ist, wie sie ehmals die Glieder belebte,
Oder ob sie das Wandern und langes Elend vertilgt hat.
Also sprach er, und rings entbrannten von Zorne die Freier, 285
Fürchtend, es möcht ihm gelingen, den glatten Bogen zu spannen.
Aber Antinoos schalt und sprach die geflügelten Worte:
Ha, du elender Fremdling, es fehlt dir ganz an Verstande!
Bist du nicht froh, daß du in unserer stolzen Versammlung
Ruhig schmausest? Daß dir dein Teil von allem gereicht wird, 290
Und daß du die Gespräch' und Reden der Männer behorchest,
Die kein anderer Fremdling und lumpichter Bettler behorchet?
Wahrlich, der süße Wein betört dich, welcher auch andern
Schadet, wenn man ihn gierig verschlingt, nicht mäßig genießet:
Selbst der berühmte Kentaur Eurytion tobte vor Unsinn, 295
Von dem Weine berauscht, in des edlen Peirithoos Hause.
Denn er kam auf das Fest der Lapithen; aber vom Weine
Rasend, begann er im Hause Peirithoos' schändliche Greuel.
Zürnend sprangen die Helden empor, und über den Vorsaal
Schleppten sie ihn hinaus und schnitten mit grausamem Erze 300
Nas und Ohren ihm ab; und so in voller Betäubung
Wankte der Trunkenbold heim und trug die Strafe des Unsinns.
Hierauf folgte der blutige Krieg der Kentauren und Männer;
Aber vor allen traf das Verderben den Säufer des Weines.
Also verkünd ich auch dir dein Unglück, wenn du den Bogen 305
Spannest. Du sollst nicht mehr Almosen in unserem Volke
Sammeln; wir senden dich gleich im schwarzen Schiffe zum König

Echetos in Epeiros, dem Schrecken des Menschengeschlechtes,
Dem du gewiß nicht lebend entrinnst! Drum sitze geruhig,
Trink und begehre nicht mit jüngeren Männern den Wettkampf! 310
Ihm antwortete drauf die kluge Penelopeia:
O Antinoos, denke, wie unanständig, wie unrecht,
Fremde zu übergehn, die Telemachos' Wohnung besuchen!
Meinst du, wenn etwa der Fremdling den großen Bogen Odysseus'
Spannt, so wie er den Händen und seiner Stärke vertrauet, 315
Daß er mich dann heimführe und zur Gemahlin bekomme?
Schwerlich heget er selbst im Herzen solche Gedanken!
Und auch keinen von euch bekümmere diese Vermutung
Unter den Freuden des Mahls! Unmöglich ist es, unmöglich!
Aber Polybos' Sohn Eurymachos sagte dagegen: 320
O Ikarios' Tochter, du kluge Penelopeia,
Daß du ihn nehmest, besorgt wohl keiner; es wäre nicht möglich.
Sondern wir fürchten nur das Gerede der Männer und Weiber.
Künftig spräche vielleicht der schlechteste aller Achaier:
Weichliche Männer werben um jenes gewaltigen Mannes 325
Gattin; denn keiner vermag den glatten Bogen zu spannen.
Aber ein anderer kam, ein armer, irrender Fremdling,
Spannte den Bogen leicht und schnellte den Pfeil durch die Äxte!
Also sprächen sie dann, und es wär uns ewige Schande!
Ihm antwortete drauf die kluge Penelopeia: 330
Ganz unmöglich ist es, Eurymachos, daß man im Volke
Gutes rede von Leuten, die jenes trefflichen Mannes [Schande?
Haus durch Schwelgen entweihn! Doch was achtet ihr jenes für
Seht den Fremdling nur an, wie groß und stark er gebaut ist;
Und er stammt, wie er sagt, aus einem edlen Geschlechte. 335
Aber wohlan, gebt ihm den schöngeglätteten Bogen!
Denn ich verkündige jetzt, und das wird wahrlich erfüllet:
Spannt der Fremdling den Bogen und schenkt Apollon ihm Ehre,
Will ich mit schönen Gewanden, mit Rock und Mantel, ihn kleiden,
Einen Speer ihm verehren, den Schrecken der Menschen und Hunde,
Ein zweischneidiges Schwert und Sohlen unter die Füße,
Und ihn senden, wohin es seinem Herzen gelüstet.
Und der verständige Jüngling Telemachos sagte dagegen:
Mutter, über den Bogen hat keiner von allen Achaiern

Macht als ich, wem ich will, ihn zu geben oder zu weigern; 345
Keiner von allen, die hier in der felsichten Ithaka herrschen
Oder die nahe wohnen der rosseweidenden Elis!
Keiner von allen soll mit Gewalt mich hindern; und wollt ich
Diesen Bogen dem Fremdling auch ganz zum Eigentum schenken!
Aber gehe nun heim, besorge deine Geschäfte, 350
Spindel und Webestuhl und treib an beschiedener Arbeit
Deine Mägde zum Fleiß! Der Bogen gebühret den Männern,
Und vor allen mir; denn mein ist die Herrschaft im Hause!
Staunend kehrte die Mutter zurück in ihre Gemächer
Und erwog im Herzen die kluge Rede des Sohnes. 355
Als sie nun oben kam mit den Jungfraun, weinte sie wieder
Ihren trauten Gemahl Odysseus, bis ihr Athene
Sanft mit süßem Schlummer die Augenlider bedeckte.
Jetzo nahm er den Bogen und ging, der treffliche Sauhirt;
Aber die Freier fuhren ihn alle mit lautem Geschrei an. 360
Unter dem Schwarme begann ein übermütiger Jüngling:
Halt! Wohin mit dem Bogen, du niederträchtiger Sauhirt?
Rasender! Ha! Bald sollen dein Aas bei den Schweinen die Hunde,
Die du selber ernährt, von den Menschen ferne zerreißen,
Wenn Apollon uns hilft und die andern unsterblichen Götter! 365
Also rufte der Schwarm; und der Tragende legte den Bogen
Dort auf der Stelle hin, aus Furcht vor dem Schelten der Freier.
Aber Telemachos rief auf der andern Seite die Drohung:
Du! Bring weiter den Bogen! Du sollst mir, nicht allen, gehorchen!
Oder ich jage dich gleich mit geworfenen Steinen zu Felde. 370
Ob ich gleich jünger bin, an Kräften bin ich doch stärker!
Überträf ich so sehr wie dich an Stärke des Armes
Alle Freier, so viel in diesen Wohnungen schalten,
O bald taumelte mancher, von mir sehr übel bewirtet,
Heim aus unserm Palast! Denn alle treiben nur Unfug! 375
Also sprach er; und alle begannen herzlich zu lachen
Über den drohenden Jüngling und ließen vom heftigen Zorne
Gegen Telemachos nach. Da nahm den Bogen der Sauhirt,
Trug ihn weiter und reicht' ihn dem streiterfahrnen Odysseus;
Rief die Pflegerin dann aus ihrer Kammer und sagte: 380
Höre, Telemachos will, verständige Eurykleia,

Daß du die festen Türen des Hinterhauses verriegelst;
Und wenn eine vielleicht ein Röcheln oder Gepolter
Drinnen im Saale der Männer vernimmt, daß keine herausgeh,
Sondern geruhig sitze bei ihrer beschiedenen Arbeit. 385
  Also sprach er zu ihr und redete nicht in die Winde.
Eilend verschloß sie die Türen der schöngebaueten Wohnung.
  Aber Philötios sprang stillschweigend aus dem Palaste
Und verschloß die Pforte des wohlbefestigten Vorhofs.
Unter der Halle lag ein Seil aus dem Baste des Byblos 390
Vom gleichrudrichten Schiffe; mit diesem band er die Flügel,
Ging und setzte sich wieder auf seinen verlassenen Sessel,
Nach Odysseus blickend. Doch dieser bewegte den Bogen
Hin und her in der Hand, auf allen Seiten versuchend,
Ob auch die Würmer das Horn seit zwanzig Jahren zerfressen. 395
Und es wandte sich einer zu seinem Nachbar und sagte:
  Traun, das ist ein schlauer und listiger Kenner des Bogens!
Sicherlich heget er selbst schon einen solchen zu Hause;
Oder er hat auch vor, ihn nachzumachen! Wie dreht er
Ihn in den Händen herum, der landdurchstreichende Gaudieb! 400
  Und von neuem begann ein übermütiger Jüngling:
Daß doch jeglicher Wunsch dem Fremdling also gelinge,
Wie es ihm jetzo gelingt, den krummen Bogen zu spannen!
  Also sprachen die Freier. Allein der weise Odysseus,
Als er den großen Bogen geprüft und ringsum betrachtet, 405
So wie ein Mann, erfahren im Lautenspiel und Gesange,
Leicht mit dem neuen Wirbel die klingende Saite spannet,
Knüpfend an beiden Enden den schöngesponnenen Schafdarm:
So nachlässig spannte den großen Bogen Odysseus.
Und mit der rechten Hand versucht' er die Senne des Bogens; 410
Lieblich tönte die Senne und hell wie die Stimme der Schwalbe.
Schrecken ergriff die Freier, und aller Antlitz erblaßte.
Und Zeus donnerte laut und sandte sein Zeichen vom Himmel;
Freudig vernahm das Wunder der herrliche Dulder Odysseus,
Welches ihm sandte der Sohn des unerforschlichen Kronos. 415
Und er nahm den gefiederten Pfeil, der bloß auf dem Tische
Vor ihm lag, indes im hohlen Köcher die andern
Ruheten, welche nun bald die Achaier sollten versuchen.

Diesen faßt' er zugleich mit dem Griffe des Bogens; dann zog er,
Sitzend auf seinem Stuhle, die Senn und die Kerbe des Pfeils an, 420
Zielte dann, schnellte den Pfeil und verfehlete keine der Äxte;
Von dem vordersten Öhre bis durch das letzte von allen
Stürmte das ehrne Geschoß. Er sprach zu Telemachos jetzo:
Nun, Telemachos, siehst du, ob dir der Fremdling im Hause
Schande bringt! Ich traf das Ziel und spannte den Bogen 425
Ohne langes Bemühn! Noch hab ich Stärke der Jugend
Und bin nicht so verächtlich, wie jene Freier mich schimpfen!
Aber es ist nun Zeit, den Abendschmaus zu besorgen,
Noch bei Tage! Nachher erfreue die scherzenden Männer
Saitenspiel und Gesang, die liebliche Zierde des Mahles! 430
Sprach's und winkte mit Augen. Da warf Telemachos eilend
Um die Schulter sein Schwert, der Sohn des großen Odysseus,
Faßte mit nervichter Hand die scharfe Lanze und stand nun
Neben dem Vater am Stuhle, mit blinkendem Erze gerüstet.

XXII. GESANG

Odysseus erschießt den Antinoos und entdeckt sich den Freiern. Eurymachos bittet um Schonung. Kampf. Telemachos bringt Waffen von oben und läßt die Türe offen. Der Ziegenhirt schleicht hinauf und wird von den treuen Hirten gebunden. Athene erscheint in Mentors Gestalt, dann als Schwalbe. Entscheidender Sieg. Nur der Sänger und Medon werden verschont. Der gerufenen Eurykleia Frohlocken gehemmt. Reinigung des Saals und Strafe der Treulosen. Odysseus räuchert das Haus und wird von den treuen Mägden bewillkommt.

Jetzo entblößte sich von den Lumpen der weise Odysseus,
Sprang auf die hohe Schwell und hielt in den Händen den Bogen
Samt dem gefüllten Köcher; er goß die gefiederten Pfeile
Hin vor sich auf die Erd und sprach zu der Freier Versammlung:
Diesen furchtbaren Kampf, ihr Freier, hab ich vollendet! 5
Jetzo wähl ich ein Ziel, das noch kein Schütze getroffen,
Ob ich's treffen kann und Apollon mir Ehre verleihet.
Sprach's, und Antinoos traf er mit bitterm Todesgeschosse.
Dieser wollte vom Tisch das zweigehenkelte schöne
Goldne Geschirr aufheben und faßt' es schon mit den Händen, 10

Daß er tränke des Weins; allein von seiner Ermordung
Ahndet' ihm nichts: und wer in der schmausenden Männer Gesellschaft
Hätte geglaubt, daß einer, und wenn er der Tapferste wäre,
Unter so vielen es wagte, ihm Mord und Tod zu bereiten!
Aber Odysseus traf mit dem Pfeil ihn grad in die Gurgel, 15
Daß im zarten Genick die Spitze wieder hervordrang.
Und er sank zur Seite hinab; der Becher voll Weines
Stürzte dahin aus der Hand des Erschossenen, und aus der Nase
Sprang ihm ein Strahl dickströmenden Bluts. Er wälzte sich zuckend,
Stieß mit dem Fuß an den Tisch, und die Speisen fielen zur Erde; 20
Brot und gebratenes Fleisch ward blutig. Aber die Freier
Schrien laut auf im Saale, da sie den Stürzenden sahen,
Sprangen empor von den Thronen und schwärmten wild durcheinander,
Schaueten ringsumher nach den schöngemauerten Wänden;
Aber da war kein Schild und keine mächtige Lanze. 25
Und sie schalten Odysseus und schrien die zürnenden Worte:
Übel bekommt dir, Fremdling, das Männerschießen! Du kämpftest
Heute den letzten Kampf! Nun ist dein Verderben entschieden!
Wahrlich, du tötetest hier den Jüngling, welcher der größte
Held in Ithaka war! Drum sollen die Geier dich fressen! 30
Also rufte der Schwarm; denn sie wähnten, er habe den Jüngling
Wider Willen getötet: die Toren! und wußten das nicht,
Daß nun über sie alle die Stunde des Todes verhängt war.
Zürnend schaute auf sie und sprach der weise Odysseus:
Ha! ihr Hunde, ihr wähntet, ich kehrete nimmer zur Heimat 35
Aus dem Lande der Troer! Drum zehrtet ihr Schwelger mein Gut auf
Und beschlieft mit Gewalt die Weiber in meinem Palaste,
Ja, ihr warbt sogar, da ich lebte, um meine Gemahlin:
Weder die Götter scheuend, des weiten Himmels Bewohner,
Noch ob ewige Schand auf eurem Gedächtnisse ruhte. 40
Nun ist über euch alle die Stunde des Todes verhänget!
Also sprach er. Da faßte sie alle bleiches Entsetzen;
Jeder sahe sich um, wo er dem Verderben entflöhe.
Nur Eurymachos gab aus dem Haufen ihm dieses zur Antwort:
Bist du denn jetzt, Odysseus, der Ithaker wiedergekommen, 45
O so rügst du mit Recht die Taten dieser Achaier:
Viel Unarten geschahn im Palast und viel auf dem Lande!

Aber er liegt ja schon, der solches alles verschuldet!
Denn Antinoos war der Stifter aller Verwüstung,
Und ihn trieb nicht einmal die heiße Begierde der Hochzeit, 50
Sondern andre Gedanken, die Zeus Kronion vernichtet:
Selber König zu sein in Ithakas mächtigem Reiche,
Strebt' er, und deinen Sohn mit Hinterlist zu ermorden.
Doch nun hat er sein Teil empfangen! Du aber verschone
Deines Volks! Wir wollen forthin dir willig gehorchen! 55
Aber was hier im Palast an Speis und Tranke verzehrt ward,
Dafür bringen wir gleich ein jeglicher zwanzig Rinder,
Bringen dir Erz und Gold zur Versöhnung, bis wir dein Herz nun
Haben erfreut! So lang ist freilich dein Zorn nicht zu tadeln!
Zürnend schaute auf ihn und sprach der weise Odysseus: 60
Nein, Eurymachos, brächtet ihr euer ganzes Vermögen,
Das ihr vom Vater besitzt, und legtet von anderm noch mehr zu:
Dennoch sollte mein Arm von eurem Morde nicht eher
Rasten, bevor ihr Freier mir allen Frevel gebüßt habt!
Jetzo habt ihr die Wahl: entweder tapfer zu streiten 65
Oder zu fliehn, wer etwa den Schrecken des Todes entfliehn kann.
Aber ich hoffe, nicht einer entrinnt dem Todesverhängnis!
Also sprach er; und allen erzitterten Herz und Kniee.
Aber Eurymachos sprach noch einmal zu der Versammlung:
Nimmer, o Freunde, ruhn die schrecklichen Hände des Mannes, 70
Sondern nachdem er den Bogen und vollen Köcher gefaßt hat,
Sendet er seine Geschosse herab von der zierlichen Schwelle,
Bis er uns alle vertilgt! Drum auf, gedenket des Kampfes!
Hurtig, und zieht die Schwerter und schirmt euch alle mit Tischen
Gegen die tötenden Pfeile! Dann dringen wir alle mit einmal 75
Gegen ihn an! Denn vertrieben wir ihn von der Schwell und der Pforte
Und durchliefen die Stadt, dann erhübe sich plötzlich ein Aufruhr,
Und bald hätte der Mann die letzten Pfeile versendet!
Als er dieses gesagt, da zog er das eherne scharfe
Und zweischneidige Schwert und sprang mit gräßlichem Schreien 80
Gegen Odysseus empor. Allein der edle Odysseus
Schnellte zugleich den Pfeil und traf ihm die Mitte des Busens:
Tief in die Leber fuhr der gefiederte Pfeil; aus der Rechten
Fiel ihm das Schwert; und er stürzte, mit strömendem Blute besudelt,

Taumelnd über den Tisch und warf die Speisen zur Erde, 85
Samt dem doppelten Becher, und schlug mit der Stirne den Boden
In der entsetzlichen Angst; mit beiden zappelnden Füßen [Nacht.
Stürzt' er den Sessel herum, und die brechenden Augen umschloß
Aber Amphinomos sprang zu dem hochberühmten Odysseus
Stürmend hinan und schwang das blinkende Schwert in der Rechten,
Ihn von der Pforte zu treiben. Doch mitten im stürmenden Angriff
Rannte Telemachos ihm von hinten die eherne Lanze
Zwischen die Schultern hinein, daß vorn die Spitze hervordrang.
Tönend stürzt' er dahin und schlug mit der Stirne den Boden.
Aber Telemachos floh und ließ in Amphinomos' Schulter 95
Seinen gewaltigen Speer, denn er fürchtete, daß ein Achaier,
Wenn er die Lanze herausarbeitete, gegen ihn stürzend,
Ihn mit geschliffenem Schwert durchstäche oder zerhaute.
Eilend lief er und floh zu dem lieben Vater Odysseus,
Stellte sich nahe bei ihm und sprach die geflügelten Worte: 100
Vater, ich hole geschwinde dir einen Schild und zwo Lanzen
Und den ehernen Helm, der deiner Schläfe gerecht ist,
Rüste mich selber alsdann und bringe den Hirten Eumaios
Und Philötios Waffen. Man kämpft doch besser in Rüstung.
Ihm antwortete drauf der erfindungsreiche Odysseus: 105
Lauf und bringe sie, eh ich die tötenden Pfeile verschossen,
Daß sie mich nicht von der Pforte vertreiben, wenn ich allein bin!
Sprach's, und eilend gehorchte Telemachos seinem Gebote,
Stieg in den Söller empor, wo die prächtige Rüstung verwahrt lag,
Wählte sich vier gewölbete Schild', acht blinkende Lanzen 110
Und vier eherne Helme, geschmückt mit wallendem Roßschweif;
Trug sie hinab und eilte zum lieben Vater Odysseus.
Jetzo bedeckt' er zuerst den Leib mit der ehernen Rüstung,
Und dann waffneten sich der Rinderhirt und der Sauhirt;
Und sie standen zur Seite des weisen Helden Odysseus. 115
Dieser, solang es ihm noch an Todesgeschosse nicht fehlte,
Streckte mit jeglichem Schuß hinzielend einen der Freier
In dem Palaste dahin, und Haufen stürzten bei Haufen.
Aber da's an Geschoß dem zürnenden Könige fehlte,
Lehnt' er gegen die Pfosten des schöngemauerten Saales 120
Seinen Bogen zu stehn an eine der schimmernden Wände.

Eilend warf er sich jetzo den vierfachen Schild um die Schulter,
Deckte sein mächtiges Haupt mit dem schöngebildeten Helme,
Welchen fürchterlich winkend die Mähne des Rosses umwallte,
Und ergriff zwo starke mit Erz gerüstete Lanzen. 125
Rechts in der zierlichen Wand war eine Pforte zur Treppe.
Und von der äußeren Schwelle der schöngebaueten Wohnung
Führt' ein Weg in den Gang, mit festverschlossener Türe.
Diesen befahl Odysseus dem edlen Hirten Eumaios
Nahe stehend zu hüten; denn einen nur faßte die Öffnung. 130
Und Agelaos begann und sprach zu der Freier Versammlung:
Freunde, könnte nicht einer zur Treppentüre hinaufgehn
Und es dem Volke sagen? Dann würde plötzlich ein Aufruhr,
Und bald hätte der Mann die letzten Pfeile versendet!
Ihm antwortete drauf der Ziegenhirte Melantheus: 135
Göttlicher Held Agelaos, das geht nicht! Fürchterlich nahe
Ist die Pforte des Hofes und eng der Weg nach dem Vorsaal.
Selbst ein einzelner Mann, wenn er Herz hat, wehret ihn allen.
Aber wohlan, ich will euch Waffen holen vom Söller,
Daß ihr euch rüsten könnt! Denn dort, sonst nirgends, vermut ich, 140
Hat sie Odysseus versteckt nebst seinem glänzenden Sohne.
Also sprach er und stieg, der Ziegenhirte Melantheus,
Durch die Stufen des Hauses empor zu den Kammern des Königs.
Und zwölf Schilde holt' er und zwölf weitschattende Lanzen,
Und zwölf eherne Helme, geschmückt mit wallendem Roßschweif;
Stieg dann wieder hinab und brachte sie eilig den Freiern.
Aber dem edlen Odysseus erzitterten Herz und Kniee,
Als sie um Schultern und Haupt sich rüsteten und in den Händen
Lange Speere bewegten; ihm drohte die schrecklichste Arbeit.
Und er wandte sich schnell mit geflügelten Worten zum Sohne: 150
Sicher, Telemachos, hat uns eine der Weiber im Hause
Jenen furchtbaren Kampf bereitet oder Melantheus!
Und der verständige Jüngling Telemachos sagte dagegen:
O mein Vater, das hab ich selber versehen, und niemand
Anders ist schuld! Ich ließ die feste Türe des Söllers 155
Unverschlossen zurück, und das hat ein Lauscher bemerket.
Aber, Eumaios, eil und verschließ die Türe des Söllers
Und gib acht, ob eine der Mägde dieses getan hat

Oder Dolios' Sohn Melantheus, wie ich vermute.
Als sie mit diesen Worten sich untereinander besprachen, 160
Stieg in den Söller von neuem der Ziegenhirte Melantheus,
Schöne Waffen zu holen. Ihn merkte der treffliche Sauhirt,
Eilete wieder zurück und sprach zum nahen Odysseus:
Edler Laertiad, erfindungsreicher Odysseus,
Siehe, da geht er schon wieder, der Bösewicht, den wir vermutet, 165
Nach dem Söller hinauf! Nun sage mir eilig, Odysseus:
Soll ich selber ihn töten, wenn ich mich seiner bemeistre,
Oder bring ich ihn dir, damit er büße die Frevel,
Deren der Bube so viel in deinem Hause verübt hat?
Ihm antwortete drauf der erfindungsreiche Odysseus: 170
Ich und Telemachos wollen die Schar der trotzigen Freier
Hier im Saale schon halten, wie sehr sie auch gegen uns anstürmt.
Aber ihr beiden dreht ihm Händ' und Füß' auf den Rücken,
Werft ihn hinein in den Söller und schließt von innen die Pforte;
Knüpfet darauf an die Fessel ein starkes Seil und zieht ihn 175
Hoch an die ragende Säule hinauf, bis dicht an die Balken,
Daß er noch lange lebe, von schrecklichen Schmerzen gefoltert!
Also sprach er; ihm hörten sie beide mit Fleiß und gehorchten,
Eilten zum Söller empor und fanden Melanthios drinnen.
Dieser suchte nach Waffen umher im Winkel des Söllers. 180
Und sie standen erwartend an beiden Pfosten des Eingangs.
Als nun über die Schwelle der Ziegenhirte Melantheus
Trat, in der einen Hand den prächtigen Helm, in der andern
Einen großen veralteten Schild des Helden Laertes,
Den er als Jüngling trug (doch jetzo lag er im Winkel, 185
Ganz von Schimmel entstellt, und es barsten die Nähte der Riemen),
Siehe, da stürzten sie beide hervor und ergriffen und schleppten
Ihn bei den Haaren hinein und warfen den Jammernden nieder,
Banden ihm Händ' und Füße mit schmerzender Fessel, gewaltsam
Hinten am Rücken zusammengedreht, wie ihnen befohlen 190
Hatte Laertes' Sohn, der herrliche Dulder Odysseus,
Knüpften darauf an die Fessel ein starkes Seil und zogen
Ihn an die ragende Säule hinauf, bis dicht an die Balken.
Höhnend sprachst du zu ihm, Eumaios, Hüter der Schweine:
Jetzo wirst du hier wohl die Nacht durchschlummern, Melantheus,

Wann du im weichen Lager dich ausdehnst, wie dir gebühret.
Und du siehest gewiß die schöne Morgenröte
Aus des Ozeans Fluten hervorgehn, daß du den Freiern
Treffliche Ziegen bringest, im Saale den Schmaus zu bereiten.
Also ließ man ihn hangen, gespannt in der folternden Fessel. 200
Jene nahmen die Rüstung und schlossen die schimmernde Pforte,
Eilten dann wieder zum tapfern erfindungsreichen Odysseus.
Kriegsmut atmend standen die Streitenden: hier auf der Schwelle
Vier und dort in dem Saale so viel und so rüstige Männer!
Siehe, da nahte sich Zeus' blauäugichte Tochter Athene, 205
Mentorn gleich in allem, sowohl an Gestalt wie an Stimme.
Freudig erblickte die Göttin der Held Odysseus und sagte:
Mentor, stehe mir bei und rette deinen Geliebten,
Der dir Gutes getan und gleichen Alters mit dir ist!
Also sprach er, Athene die Völkererhalterin ahndend. 210
Aber die Freier erhuben ein lautes Geschrei in dem Saale,
Und vor allen droht' ihr Damastors Sohn Agelaos:
Mentor, lasse dich nicht durch Odysseus' Worte verleiten,
Daß du jetzt mit den Freiern zu seiner Verteidigung kämpfest!
Denn wir geloben dir an, und ich meine, wir werden es halten: 215
Haben wir diese getötet, den Vater und Sohn, dann wollen
Wir mit ihnen auch dich umbringen, der du so mutig
Hier zu schalten gedenkst: mit dem Haupte sollst du es büßen!
Aber nachdem wir euch mit dem Erze des Geistes beraubet,
Wollen wir alle dein Gut, im Haus und außer dem Hause, 220
Alles, vermischt mit den Gütern Odysseus', unter uns teilen!
Weder die Söhne sollen noch Töchter in dem Palaste
Leben, noch deine Gemahlin im Lande von Ithaka wohnen!
Also sprach er; da zürnte noch heftiger Pallas Athene.
Und sie strafte Odysseus mit diesen zürnenden Worten: 225
Hast du denn völlig den Mut und die Stärke verloren, Odysseus?
Du, der um Helena einst, die lilienarmichte Tochter
Zeus', neun Jahre hindurch mit den Troern so tapfer gekämpft hat
Und so viele Männer getötet in schrecklicher Feldschlacht?
Siehe, durch deinen Rat sank Priamos' türmende Feste! 230
Und nun, da du dein Land und Erbteil wieder erreicht hast,
Nun wehklagest du so im Streite gegen die Freier?

Auf, komm näher, mein Freund, steh hier und schaue mein Tun an,
Daß du erkennest, wie dir im Kampfe mit feindlichen Männern
Mentor, Alkimos' Sohn, Wohltaten pflegt zu vergelten! 235
Also sprach sie; allein noch schenkte nicht völlig die Göttin
Ihm den wankenden Sieg; sie prüfte noch ferner die Stärke
Und den Mut Odysseus' und seines rühmlichen Sohnes. [Ansehn
Plötzlich entschwand sie den Blicken, und gleich der Schwalbe von
Flog sie empor und saß auf dem rußichten Simse des Rauchfangs. 240
Aber die Freier reizte Damastors Sohn Agelaos,
Demoptolemos und Amphimedon und der entschloßne
Polybos und Eurynomos an, und der edle Peisandros:
Diese waren die ersten und tapfersten unter den Freiern,
Aller welche noch lebten und ihre Seele verfochten; 245
Jene lagen getötet vom pfeileversendenden Bogen.
Und Agelaos begann und sprach zu der Freier Versammlung:
Freunde, gewiß bald ruhn die schrecklichen Hände des Mannes!
Schon verließ ihn Mentor, nachdem er vergebens geprahlet,
Und sie stehen allein an der großen Pforte des Saales! 250
Darum sendet nicht alle zugleich die langen Lanzen,
Sondern wohlan, ihr sechs werft erstlich, ob euch Kronion
Gnade verleiht, Odysseus zu treffen und Ruhm zu gewinnen!
Denn mit den andern hat es nicht Not, wenn jener nur daliegt.
Also sprach er. Da warfen sie alle, wie er befohlen, 255
Wütend, doch aller Würfe vereitelte Pallas Athene.
Einer durchbohrte die Pfoste der schöngebaueten Wohnung,
Jenes Lanze durchdrang die festeinfugende Pforte,
Jener traf in die Wand mit der erzgerüsteten Esche.
Und nachdem sie die Lanzen der Freier hatten vermieden, 260
Da begann zu ihnen der herrliche Dulder Odysseus:
Jetzo wär es an mir, ihr Lieben, euch zu befehlen,
Daß ihr die Schar der Freier mit scharfen Lanzen begrüßet,
Die zu dem vorigen Frevel uns noch zu ermorden gedenken.
Also sprach er; da warfen sie alle zielend die Lanzen. 265
Demoptolemos traf der göttergleiche Odysseus,
Und Euryades traf Telemachos, aber der Sauhirt
Elatos, und Peisandros der Oberhirte der Rinder:
Diese fielen zugleich und bissen die weite Erde.

Aber die Freier entflohn in den innersten Winkel des Saales; 270
Jene sprangen hinzu und zogen die Speer' aus den Toten.
Und von neuem warfen die Freier schimmernde Lanzen,
Wütend, aber die meisten vereitelte Pallas Athene.
Einer durchbohrte die Pfoste der schöngebaueten Wohnung,
Jenes Lanze durchdrang die festeinfugende Pforte, 275
Jener traf in die Wand mit der erzgerüsteten Esche.
Nur Amphimedon streifte Telemachos' Hand an dem Knöchel
Sanft, die obere Haut ward kaum von dem Erze verwundet.
Und Ktesippos ritzte Eumaios über dem Schilde
Leicht die Schulter; der Speer flog über und fiel auf die Erde. 280
Aber die Schar des tapfern erfindungsreichen Odysseus
Zielte von neuem und warf die Lanzen unter die Freier.
Und Eurydamos traf der Städteverwüster Odysseus,
Und Amphimedon traf Telemachos, aber der Sauhirt
Polybos; und Ktesippos durchbohrte der Hirte der Rinder 285
Mit der Lanze die Brust und sprach die höhnenden Worte:
O Polytherses' Sohn, du Spötter, rede nicht ferner,
Durch Mutwillen verleitet, so prahlerisch, sondern befiehl es
Alles den Göttern an: denn sie sind stärker als Menschen!
Nimm dies Ehrengeschenk für den Kuhfuß, welchen du neulich 290
Gabst dem edlen Odysseus, der bettelnd im Saale herumging!
Also sprach der Hirte der Rinder. Aber Odysseus
Sprang auf Damastors Sohn und erstach ihn mit eherner Lanze,
Und Telemachos sprang auf Leiokritos wütend und rannt ihm
Seinen Speer durch den Bauch, daß hinten die Spitze hervordrang:
Vorwärts fiel er dahin und schlug mit der Stirne den Boden.
Aber Athene erhub an der Decke den leuchtenden dunkeln
Menschenverderbenden Schild und schreckte die Herzen der Freier.
Zitternd liefen sie rings durch den Saal wie die Herde der Rinder,
Welche auf grasichter Weide die rasche Bremse verfolget, 300
Im anmutigen Lenz, wenn die Tage heiter und lang sind.
Aber gleich scharfklauichten, krummgeschnabelten Falken,
Welche von dem Gebirg herstürmend auf fliegende Vögel
Schießen (sie flattern voll Angst aus den Wolken herab auf die Felder,
Doch die verfolgenden Stößer ereilen sie würgend; da gilt nicht 305
Streiten oder Entfliehn; es freun sich die Menschen des Schauspiels):

Also stürzten sie wütend sich unter die Freier und würgten
Links und rechts durch den Saal; mit dem Krachen zerschlagener Schädel
Tönte das Jammergeschrei, und Blut floß über den Boden.
  Und nun eilte Leiodes, umschlang Odysseus die Kniee, 310
Jammerte laut um Erbarmen und sprach die geflügelten Worte:
  Flehend umfaß ich dein Knie; erbarme dich meiner, Odysseus!
Denn ich habe ja keine der Weiber in dem Palaste
Weder mit Worten noch Taten verunehrt, sondern beständig
Andere Freier gewarnt, wenn einer dergleichen verübte. 315
Aber sie folgten mir nicht, die Hand vom Bösen zu wenden;
Darum traf die Frevler das schreckliche Todesverhängnis.
Aber soll ich, ihr Opferprophet, der nichts getan hat,
Sterben wie sie? So ist ja des Guten keine Vergeltung!
  Zürnend schaute auf ihn und sprach der weise Odysseus: 320
Bist du Opferprophet bei den Freiern gewesen, so hast du
Ohne Zweifel auch oft in diesem Saale gebetet,
Daß ich ferne verlöre den Tag der fröhlichen Heimkehr
Und daß meine Gemahlin dir folgt' und Kinder gebäre.
Darum wünsche nur nicht den schrecklichen Tod zu vermeiden! 325
  Als er dieses gesagt, da nahm er mit nervichter Rechter
Von der Erde das Schwert, das Agelaos im Tode
Fallen lassen, und schwang es und haut ihm tief in den Nacken,
Daß des Redenden Haupt hinrollend mit Staube vermischt ward.
  Aber Terpios' Sohn entrann dem schwarzen Verhängnis, 330
Phemios, der bei den Freiern gezwungen wurde zu singen.
Dieser stand, in den Händen die hell erklingende Harfe,
Nahe der Seitentür und sann in zweifelndem Herzen:
Ob er heimlich entflöh und an des großen Kronion
Schönem Altar auf dem Hofe sich setzte, auf welchem Laertes 335
Und Odysseus die Lenden so vieler Stiere geopfert,
Oder um Mitleid flehend Odysseus zu Füßen sich würfe.
Dieser Gedanke schien dem Zweifelnden endlich der beste,
Flehend die Kniee zu rühren des göttergleichen Odysseus.
Und er setzte zur Erden die schöngewölbete Harfe, 340
Zwischen dem großen Kelch und dem silberbeschlagenen Sessel,
Lief dann eilend hinzu, umschlang Odysseus die Kniee,
Jammerte laut um Erbarmen und sprach die geflügelten Worte:

Flehend umfaß ich dein Knie; erbarme dich meiner, Odysseus!
Töte mich nicht! Du würdest hinfort es selber bereuen, 345
Wenn du den Sänger erschlügst, der Göttern und Menschen gesungen!
Mich hat niemand gelehrt; ein Gott hat die mancherlei Lieder
Mir in die Seele gepflanzt! Ich verdiene, wie einem der Götter
Dir zu singen! Drum haue mir nicht mit dem Schwerte das Haupt ab!
Siehe, dein lieber Sohn Telemachos kann es bezeugen, 350
Daß ich nie freiwillig und wegen schnöden Gewinstes
Kam in deinen Palast, den Freiern am Mahle zu singen,
Sondern es führten mich viele und Mächtige hier mit Gewalt her!
Also sprach er. Ihn hörte Telemachos' heilige Stärke,
Eilte hinzu und sprach zu seinem Vater Odysseus: 355
Halt, verwunde nicht diesen; er ist unschuldig, mein Vater!
Laß uns auch Medon verschonen, den Herold, welcher mich immer
Sorgsam in unserem Hause gepflegt hat, als ich ein Kind war,
Wo ihn Philötios nicht schon tötete oder Eumaios,
Oder du selbst ihn trafst, den Saal mit Rache durchstürmend! 360
Also sprach er; ihn hörte der gute verständige Medon:
Unter dem Throne sich schmiegend, vermied er das schwarze Ver-
Eingehüllt in die Haut des frischgeschlachteten Rindes. [hängnis,
Eilend kroch er hervor und hüllte sich schnell aus der Kuhhaut,
Sprang zu Telemachos hin, umschlang die Kniee des Jünglings, 365
Jammerte laut um Erbarmen und sprach die geflügelten Worte:
Lieber, da bin ich selbst! O schone und bitte den Vater,
Daß mich der Wütende nicht mit scharfem Erze vertilge,
Zürnend wegen der Freier, die alle Güter im Hause
Ihm verschwelgten und dich mit törichtem Herzen entehrten! 370
Lächelnd erwiderte drauf der erfindungsreiche Odysseus:
Sei getrost, denn dieser ist dein Beschirmer und Retter:
Daß du im Herzen erkennst und andern Menschen verkündest,
Wie viel besser es sei, gerecht als böse zu handeln.
Aber geht aus dem Saal und setzt euch aus dem Gewürge 375
Draußen im Hofe, du selbst und der liederkundige Sänger,
Bis ich alles im Hause vollendet, was mir gebühret.
Also sprach er. Da gingen sie schnell aus dem blutigen Saale,
Setzten sich draußen im Hof am Altare des großen Kronion
Nieder und blickten umher, den Tod noch immer erwartend. 380

Jetzo schaute Odysseus umher im Saale, ob irgend
Noch ein Lebender sich dem schwarzen Tode verberge.
Aber er sahe sie alle, mit Blut und Staube besudelt,
Weit den Boden bedecken: wie Fische, welche die Fischer
Aus dem bläulichen Meer ans hohle Felsengestade 385
Im vielmaschichten Netz aufzogen; nun liegen sie, lechzend
Nach den Fluten des Meers, im dürren Sande verbreitet,
Und die sengende Hitze der Sonne raubet ihr Leben:
Also lagen im Saale die Freier Haufen bei Haufen.
Und zu Telemachos sprach der erfindungsreiche Odysseus: 390
Auf, Telemachos, rufe die Pflegerin Eurykleia;
Denn ich habe noch was auf dem Herzen, das ich dir sage.
Sprach's; und Telemachos eilte, wie ihm sein Vater befohlen,
Pocht' an die Tür und rief der Pflegerin Eurykleia;
Eile geschwinde hierher, du alte redliche Mutter, 395
Welche die Aufsicht hat der Weiber in unserem Hause!
Komm! Dich ruft mein Vater, er hat dir etwas zu sagen!
Also sprach er zu ihr und redete nicht in die Winde.
Als sie die Pforten geöffnet der schöngebaueten Wohnung,
Ging sie hinaus und folgte Telemachos, welcher sie führte. 400
Und sie fanden Odysseus, umringt von erschlagenen Leichen,
Ganz mit Blut und Staube besudelt, ähnlich dem Löwen,
Der, vom ermordeten Stiere gesättiget, stolz einhergeht;
Seine zottichte Brust und beide Backen des Würgers
Triefen von schwarzem Blut, und fürchterlich glühn ihm die Augen:
Also war auch Odysseus an Händen und Füßen besudelt.
Als sie die Toten nun sah und rings die Ströme des Blutes,
Da frohlockte sie jauchzend; denn schrecklich und groß war der Anblick.
Aber Odysseus hielt sie und zähmt' ihr lautes Entzücken.
Und er redte sie an und sprach die geflügelten Worte: 410
Freue dich, Mutter, im Herzen; doch halte dich, daß du nicht frohlockst!
Über erschlagene Menschen zu jauchzen ist grausam und Sünde!
Diese vertilgte der Götter Gericht und ihr böses Beginnen:
Denn sie ehrten ja keinen von allen Erdebewohnern,
Vornehm oder geringe, wer auch um Erbarmen sie ansprach. 415
Darum traf die Frevler das schreckliche Todesverhängnis.

Aber nenne mir jetzo die Weiber in dem Palaste,
Alle, die mich verachten und die unsträflich geblieben.
Ihm antwortete drauf die Pflegerin Eurykleia:
Gerne will ich dir, Sohn, die lautere Wahrheit verkünden. 420
Fünfzig sind der Weiber in deinem hohen Palaste,
Welche wir alle die Kunst des Webestuhls und der Nadel
Lehrten und Wolle zu kämmen und treu und fleißig zu dienen.
Aber zwölfe verüben die unverschämtesten Greuel
Und verachten mich ganz, ja selber Penelopeia. 425
Zwar seit kurzem erwuchs Telemachos; aber die Mutter
Wollte nimmer gestatten, daß er den Mägden befehle.
Jetzo geh ich hinauf und bringe deiner Gemahlin
Botschaft; eben erquickt sie ein Gott mit lieblichem Schlummer.
Ihr antwortete drauf der erfindungsreiche Odysseus: 430
Wecke sie jetzo noch nicht; laß erst die Weiber des Hauses
Kommen, welche bisher so viel Unarten verübten.
Also sprach er; da ging die Pflegerin aus dem Gemache,
Brachte des Königs Befehl und trieb die Mägde zu eilen.
Aber Telemachos und die beiden trefflichen Hirten 435
Rief er zu sich heran und sprach die geflügelten Worte:
Traget jetzo die Toten hinaus und befehlt es den Weibern;
Und dann reiniget wieder die zierlichen Sessel und Tische
Von der Erschlagenen Blute mit angefeuchteten Schwämmen.
Aber sobald ihr alles umher im Saale geordnet, 440
Führt die Weiber hinaus vor die schöngebauete Wohnung,
Zwischen das Küchengewölb und die feste Mauer des Hofes,
Und erwürgt sie dort mit der Schärfe des Schwertes, bis aller
Seelen entfliehn und vergessen der ungebändigten Lüste,
Welche sie oft gebüßt in geheimer Umarmung der Freier. 445
Also sprach er; da kamen die Weiber alle bei Haufen
Lautwehklagend herein und heiße Tränen vergießend.
Und sie trugen hinaus die abgeschiedenen Toten
Unter die tönende Halle des festverschlossenen Hofes,
Legten übereinander sie hin; es trieb sie Odysseus, 450
Hurtig zu eilen, und traurig vollendeten jene die Arbeit.
Hierauf reinigten sie die zierlichen Sessel und Tische
Von der Erschlagenen Blute mit angefeuchteten Schwämmen.

Aber Telemachos, der Rinderhirt und der Sauhirt
Säuberten eilig mit Schaufeln des schönen gewölbeten Saales 455
Estrich; den Unrat trugen die Mägde hinaus vor die Türe.
Und nachdem sie alles umher im Saale geordnet,
Führten sie jene hinaus vor die schöngebauete Wohnung,
Zwischen das Küchengewölb und die feste Mauer des Hofes,
Trieben sie dort in die Enge, wo nirgends ein Weg zum Entfliehn war.
Und der verständige Jüngling Telemachos sprach zu den Hirten:
Wahrlich, den reinen Tod des Schwertes sollen die Weiber
Mir nicht sterben, die mich und meine Mutter so lange
Schmäheten und mit den Freiern so schändliche Greuel verübten!
Sprach's, da band er ein Seil des blaugeschnäbelten Schiffes 465
An den ragenden Pfeiler und knüpft' es hoch am Gewölbe
Fest, daß die Hangenden nicht mit den Füßen die Erde berührten.
Und wie die fliegenden Vögel, die Drosseln oder die Tauben,
In die Schlingen geraten, die im Gebüsche gestellt sind;
Müde eilten sie heim und finden ein trauriges Lager: 470
Also hingen sie dort mit den Häuptern nebeneinander,
Alle die Schling um den Hals, und starben des kläglichsten Todes,
Zappelten noch mit den Füßen ein wenig, aber nicht lange.
Jetzo holten sie auch den Ziegenhirten Melantheus;
Und sie schnitten ihm Nas und Ohren mit grausamem Erze 475
Ab, entrissen und warfen die blutige Scham vor die Hunde,
Hauten dann Händ' und Füße vom Rumpf mit zürnendem Herzen.
Und nun wuschen sie sich die Händ' und Füße und gingen
Wieder hinein zu Odysseus im Saal; und das Werk war vollendet.
Aber Odysseus sprach zu der Pflegerin Eurykleia: 480
Alte, bringe mir Feuer und fluchabwendenden Schwefel,
Daß ich den Saal durchräuchre. Dann sage Penelopeien,
Daß sie geschwind herkomme mit ihren begleitenden Jungfraun;
Auch die übrigen Weiber im Hause rufe mir eilig.
Ihm antwortete drauf die Pflegerin Eurykleia: 485
Gut, mein geliebter Sohn, du hast mit Weisheit geredet,
Aber ich will dir ein Kleid herbringen, Mantel und Leibrock,
Daß du nicht, mit den Lumpen die rüstigen Schultern umhüllet,
Hier in dem Saale stehst. Wie häßlich würde das aussehn!
Ihr antwortete drauf der erfindungsreiche Odysseus: 490

Erstlich bringe mir Schwefel und zünde Feuer im Saal an.
Also sprach er. Da eilte die Pflegerin Eurykleia;
Und nun brachte sie Feuer und Schwefel. Aber Odysseus
Räucherte rings im Saal, im Vorhaus und in dem Hofe.
Und die Alte stieg aus Odysseus' prächtiger Wohnung, 495
Brachte des Königs Befehl und trieb die Mägde zu eilen.
Und sie gingen hervor, in den Händen die leuchtende Fackel.
Jetzo umringten sie alle den wiedergekommenen König,
Hießen ihn froh willkommen und küßten ihm Schultern und Antlitz,
Küßten und drückten die Hände mit Inbrunst. Aber Odysseus 500
Weint' und schluchzte vor Freude; sein Herz erkannte noch alle.

XXIII. GESANG

Penelopeia, von der Pflegerin gerufen, geht mißtrauisch in den Saal. Odysseus gebeut den Seinigen Reigentanz, um die Ithaker zu täuschen. Er selbst, vom Bade verschönert, rechtfertigt sich der Gemahlin durch ein Geheimnis. Die Neuverbundenen erzählen vor dem Schlafe sich ihre Leiden. Am Morgen befiehlt Odysseus der Gemahlin, sich einzuschließen, und geht mit dem Sohn und den Hirten zu Laertes hinaus.

Aber das Mütterchen stieg frohlockend empor in den Söller,
Um der Fürstin zu melden, ihr lieber Gemahl sei zu Hause;
Jugendlich strebten die Knie und hurtiger eilten die Schenkel.
Und sie trat zu dem Haupte der schlafenden Fürstin und sagte:
Wach auf, Penelopeia, geliebte Tochter, und schau es 5
Selber mit Augen, worauf du so lange geharret: Odysseus
Ist gekommen, Odysseus! Und wieder zu Hause, nun endlich!
Und hat alle Freier getötet, die hier im Palaste
Trotzten, sein Gut verschlangen und seinen Telemachos höhnten!
Ihr antwortete drauf die kluge Penelopeia: 10
Liebe Mutter, dich haben die Götter betöret, die oftmal
Selbst die verständigsten Menschen in unverständige wandeln
Und einfältige oft mit hoher Weisheit erleuchten!
Diese verrückten gewiß auch deine richtigen Sinne.
Warum spottest du meiner, die so schon herzlich betrübt ist, 15
Und verkündest mir Lügen und weckst mich vom lieblichen Schlum-
Welcher mir, ach so sanft, die lieben Wimpern bedeckte? [mer,

Denn ich schlief noch nimmer so fest, seit Odysseus hinwegfuhr,
Troja zu sehn, die verwünschte, die keiner nennet ohn Abscheu!
Aber nun steige hinab und geh in die untere Wohnung! 20
Hätte mir eine der andern, so viel auch Weiber mir dienen,
Solch ein Märchen verkündet und mich vom Schlummer erwecket,
Fürchterlich hätt ich sie gleich, die unwillkommene Botin,
Heimgesandt in den Saal! Dich rettet diesmal dein Alter!
Ihr antwortete drauf die Pflegerin Eurykleia: 25
Liebe Tochter, ich spotte ja nicht! Wahrhaftig, Odysseus
Ist gekommen und wieder zu Hause, wie ich dir sage!
Jener Fremdling, den alle so schändlich im Saale verhöhnten!
Und Telemachos wußte schon lange, daß er daheim sei;
Aber mit weisem Bedacht verschwieg er des Vaters Geheimnis, 30
Bis er den Übermut der stolzen Männer bestrafet.
Also sprach sie, und freudig entsprang die Fürstin dem Lager
Und umarmte die Alte, und Tränen umströmten ihr Antlitz.
Weinend begann sie jetzo und sprach die geflügelten Worte:
Liebes Mütterchen, sage mir doch die lautere Wahrheit! 35
Ist er denn wirklich zu Hause gekommen, wie du erzählest?
O wie hat er den Kampf mit den schamlosen Freiern vollendet,
Er allein mit so vielen, die hier sich täglich ergötzten?
Ihr antwortete drauf die Pflegerin Eurykleia:
Weder gesehn hab ich's, noch sonst erfahren, ich hörte 40
Bloß der Erschlagnen Geächz. Denn hinten in unserer Wohnung
Saßen wir alle voll Angst, bei festverriegelten Türen,
Bis mich endlich dein Sohn Telemachos aus dem Gemache
Rief; denn diesen hatte sein Vater gesandt, mich zu rufen.
Und nun fand ich Odysseus umringt von erschlagenen Leichen 45
Stehn, die hochgehäuft das schöngepflasterte Estrich
Weit bedeckten. O hättest du selbst die Freude gesehen,
Als er mit Blut und Staube besudelt stand wie ein Löwe!
Jetzo liegen sie alle gehäuft an der Pforte des Hofes;
Und er reinigt mit Schwefel bei angezündetem Feuer
Seinen prächtigen Saal und sendet mich her, dich zu rufen. 50
Folge mir denn, damit ihr die lieben Herzen einander
Wieder mit Freuden erfüllt, nachdem ihr so vieles erduldet.
Nun ist ja endlich geschehn, was ihr so lange gewünscht habt:

Lebend kehret er heim zum Vaterherde und findet 55
Dich und den Sohn im Palast; und alle, die ihn beleidigt,
Alle Freier vertilgt' die schreckliche Rache des Königs.
Ihr antwortete drauf die kluge Penelopeia:
Liebe Mutter, du mußt nicht so frohlocken und jauchzen!
Ach du weißt ja, wie herzlich erwünscht er allen im Hause 60
Käme, vor allem mir und unserm einzigen Sohne!
Aber es ist unmöglich geschehen, wie du erzählest!
Einer der Himmlischen hat die stolzen Freier getötet,
Durch die Greuel gereizt und die seelenkränkende Bosheit!
Denn sie ehrten ja keinen von allen Erdebewohnern, 65
Vornehm oder geringe, wer auch um Erbarmen sie ansprach.
Darum strafte sie Gott, die Freveler! Aber Odysseus,
Fern von Achaia verlor er die Heimkehr, ach! und sein Leben!
Ihr antwortete drauf die Pflegerin Eurykleia:
Welche Rede, mein Kind, ist deinen Lippen entflohen! 70
Dein Gemahl, der schon unten am Herde sitzt, der kehret
Nimmer nach Hause zurück? O wie gar ungläubig dein Herz ist!
Nun, so sag ich dir jetzt ein entscheidendes Merkmal, die Narbe,
Die ein Eber ihm einst mit weißem Zahne gehauen.
Beim Fußwaschen nahm ich sie wahr und wollt' es dir selber 75
Sagen; allein er faßte mir schnell mit der Hand an die Gurgel
Und verhinderte mich mit weisem Bedachte zu reden.
Komm denn und folge mir jetzt. Denn ich verbürge mich selber,
Hab ich dir Lügen gesagt, des kläglichsten Todes zu sterben.
Ihr antwortete drauf die kluge Penelopeia: 80
Liebe Mutter, den Rat der ewiglebenden Götter
Strebst du umsonst zu erforschen, obgleich du vieles verstehest.
Aber wir wollen doch zu meinem Sohne hinabgehn,
Daß ich die Leichname sehe der Freier, und wer sie getötet.
Also sprach sie und stieg hinab. Der Gehenden Herz schlug 85
Zweifelnd, ob sie den lieben Gemahl von ferne befragte
Oder entgegen ihm flög und Händ' und Antlitz ihm küßte.
Als sie nun über die Schwelle von glattem Marmor hineintrat,
Setzte sie fern an der Wand im Glanze des Feuers, Odysseus
Gegenüber, sich hin. An einer ragenden Säule 90
Saß er, die Augen gesenkt, und wartete, was sie ihm sagen

Würde, die edle Gemahlin, da sie ihn selber erblickte.
Lange saß sie schweigend; ihr Herz war voller Erstaunens.
Jetzo glaubte sie schon sein Angesicht zu erkennen,
Jetzo verkannte sie ihn in seiner häßlichen Kleidung. 95
Aber Telemachos sprach unwillig zu Penelopeia:
Mutter, du böse Mutter von unempfindlicher Seele!
Warum sonderst du dich von meinem Vater und setzest
Dich nicht neben ihn hin und fragst und forschest nach allem?
Keine andere Frau wird sich von ihrem Gemahle 100
So halsstarrig entfernen, der nach unendlicher Trübsal
Endlich im zwanzigsten Jahre zum Vaterlande zurückkehrt!
Aber du trägst im Busen ein Herz, das härter als Stein ist!
Ihm antwortete drauf die kluge Penelopeia:
Lieber Sohn, mein Geist ist ganz in Erstaunen verloren, 105
Und ich vermag kein Wort zu reden oder zu fragen,
Noch ihm gerad ins Antlitz zu schaun! Doch ist er es wirklich,
Mein Odysseus, der wiederkam, so werden wir beide
Uns einander gewiß noch besser erkennen: wir haben
Unsre geheimen Zeichen, die keinem andern bekannt sind. 110
Sprach's, da lächelte sanft der herrliche Dulder Odysseus,
Wandte sich drauf zum Sohn und sprach die geflügelten Worte:
O Telemachos, laß die Mutter, so lange sie Lust hat,
Mich im Hause versuchen; sie wird bald freundlicher werden.
Weil ich so häßlich bin und mit schlechten Lumpen bekleidet, 115
Darum verachtet sie mich und glaubt, ich sei es nicht selber.
Aber wir müssen bedenken, was nun der sicherste Rat sei.
Denn hat jemand im Volk nur einen Menschen getötet,
Welcher, arm und geringe, nicht viele Rächer zurückläßt,
Flüchtet er doch und verläßt die Heimat und seine Verwandten; 120
Und wir erschlugen die Stütze der Stadt, der edelsten Männer
Söhne in Ithakas Reich. Dies überlege nun selber.
Und der verständige Jüngling Telemachos sagte dagegen:
Lieber Vater, da mußt du allein zusehen; du bist ja
Unter den Menschen berühmt durch deine Weisheit, und niemand 125
Wagt es, sich dir zu vergleichen von allen Erdebewohnern!
Aber wir sind zu folgen bereit; und ich hoffe, du werdest
Mut in keinem vermissen, so viel die Kräfte gewähren.

Ihm antwortete drauf der erfindungsreiche Odysseus:
Nun, so will ich denn sagen, was mir das beste zu sein dünkt. 130
Geht nun erstlich ins Bad und schmückt euch mit festlichem Leibrock;
Laßt dann die Weiber im Hause mit schönen Gewanden sich schmücken;
Aber der göttliche Sänger entlocke der klingenden Harfe
Melodien und beflügle den fröhlichhüpfenden Reigen:
Daß die Nachbarn umher und die auf der Gasse vorbeigehn 135
Sagen, wann sie es hören, man feire der Königin Hochzeit;
Und damit nicht eher der Ruf von dem Morde der Freier
Durch die Stadt sich verbreite, bevor wir das schattige Lustgut
Fern auf dem Land erreicht. Dort wollen wir ferner bedenken,
Welchen nützlichen Rat uns Zeus der Olympier eingibt. 140
Also sprach er. Sie hörten ihm alle mit Fleiß und gehorchten,
Gingen ins Bad und schmückten sich dann mit festlichem Leibrock.
Auch die Weiber kamen geschmückt. Der göttliche Sänger
Nahm die gewölbete Harf und reizte mit lieblichen Tönen
Alle zum süßen Gesang und schönnachahmenden Tanze, 145
Daß der hohe Palast ringsum von dem stampfenden Fußtritt
Fröhlicher Männer erscholl und schöngegürteter Weiber.
Und wer vorüberging, blieb horchend stehen und sagte:
Wahrlich, ein Freier macht mit der schönen Königin Hochzeit!
Konnte die böse Frau nicht ihres ersten Gemahles 150
Hohen Palast bewahren, bis er aus der Fremde zurückkehrt?
Also sprachen die Leute und wußten nicht, was geschehn war.
Aber den edelgesinnten Odysseus in seinem Palaste
Badet' Eurynome jetzt, die Schaffnerin, salbte mit Öl ihn
Und umhüllt' ihm darauf den prächtigen Mantel und Leibrock. 155
Siehe, sein Haupt umstrahlt' Athene mit göttlicher Anmut,
Schuf ihn höher und stärker an Wuchs und goß von dem Scheitel
Ringelnde Locken herab, wie der Purpurlilien Blüte.
Also umgießt ein Mann mit feinem Golde das Silber,
Welchen Hephaistos selbst und Pallas Athene die Weisheit 160
Vieler Künste gelehrt, und bildet reizende Werke:
Also umgoß die Göttin ihm Haupt und Schultern mit Anmut.
Und er stieg aus dem Bad, an Gestalt den Unsterblichen ähnlich,
Kam und setzte sich wieder auf seinen verlassenen Sessel
Gegenüber dem Sitz der edlen Gemahlin und sagte: 165

Wunderliche, gewiß vor allen Weibern der Erde
Schufen die Himmlischen dir ein Herz so starr und gefühllos!
Keine andere Frau wird sich von ihrem Gemahle
So halsstarrig entfernen, der nach unendlicher Trübsal
Endlich im zwanzigsten Jahre zum Vaterlande zurückkehrt! 170
Aber bereite mein Bett, o Mütterchen, daß ich allein mich
Niederlege: denn diese hat wahrlich ein Herz von Eisen!
Ihm antwortete drauf die kluge Penelopeia:
Wunderlicher, mich hält so wenig Stolz wie Verachtung
Oder Befremden zurück; ich weiß recht gut, wie du aussahst, 175
Als du von Ithaka fuhrst im langberuderten Schiffe.
Aber wohlan, bereite sein Lager ihm, Eurykleia,
Außerhalb des schönen Gemachs, das er selber gebauet.
Setzt das zierliche Bette hinaus und leget zum Ruhen
Wollichte Felle hinein und prächtige Decken und Mäntel. 180
Also sprach sie zum Schein, den Gemahl zu versuchen. Doch zürnend
Wandte sich jetzt Odysseus zu seiner edlen Gemahlin:
Wahrlich, o Frau, dies Wort hat meine Seele verwundet!
Wer hat mein Bette denn anders gesetzt? Das könnte ja schwerlich
Selbst der erfahrenste Mann, wo nicht der Unsterblichen einer 185
Durch sein allmächtiges Wort es leicht von der Stelle versetzte;
Doch kein sterblicher Mensch, und trotzt' er in Kräften der Jugend,
Könnt es hinwegarbeiten! Ein wunderbares Geheimnis
War an dem künstlichen Bett, und ich selber baut es, kein andrer!
Innerhalb des Gehegs war ein weitumschattender Ölbaum, 190
Stark und blühenden Wuchses; der Stamm glich Säulen an Dicke.
Rings um diesen erbaut ich von dichtgeordneten Steinen
Unser Ehegemach und wölbte die obere Decke,
Und verschloß die Pforte mit festeinfugenden Flügeln.
Hierauf kappt ich die Äste des weitumschattenden Ölbaums 195
Und behaute den Stamm an der Wurzel, glättet ihn ringsum
Künstlich und schön mit dem Erz und nach dem Maße der Richtschnur,
Schnitzt ihn zum Fuße des Bettes und bohrt ihn rings mit dem Bohrer,
Fügete Bohlen daran und baute das zierliche Bette,
Welches mit Gold und Silber und Elfenbeine geschmückt war, 200
Und durchzog es mit Riemen von purpurfarbener Stierhaut.
Dies Wahrzeichen sag ich dir also. Aber ich weiß nicht,

Frau, ob es noch so ist wie vormals, oder ob jemand
Schon den Fuß von der Wurzel gehaun und das Bette versetzt hat.
  Also sprach er. Der Fürstin erzitterten Herz und Kniee, 205
Als sie die Zeichen erkannte, die ihr Odysseus verkündet.
Weinend lief sie hinzu und fiel mit offenen Armen
Ihrem Gemahl um den Hals und küßte sein Antlitz und sagte:
  Sei mir nicht bös, Odysseus! Du warst ja immer ein guter
Und verständiger Mann! Die Götter gaben uns Elend; 210
Denn zu groß war das Glück, daß wir beisammen in Eintracht
Unserer Jugend genössen und sanft dem Alter uns nahten!
Aber du mußt mir jetzo nicht darum zürnen noch gram sein,
Daß ich, Geliebter, dich nicht beim ersten Blicke bewillkommt!
Siehe, mein armes Herz war immer in Sorgen, es möchte 215
Irgendein Sterblicher kommen und mich mit täuschenden Worten
Hintergehn; es gibt ja so viele schlaue Betrüger!
Nimmer hätte der Fremdling die schöne argeiische Fürstin
Helena, Tochter von Zeus, zur heimlichen Liebe verleitet,
Hätte sie vorbedacht, daß die kriegrischen Söhne Achaias 220
Würden mit Feuer und Schwert sie zurück aus Ilion fordern.
Aber gereizt von der Göttin, erlag sie der schnöden Verführung
Und erwog nicht vorher in ihrem Herzen das nahe
Schreckensgericht, das auch uns so vielen Jammer gebracht hat!
Jetzo, da du, Geliebter, mir so umständlich die Zeichen 225
Unserer Kammer nennst, die doch kein Sterblicher sahe,
Sondern nur du und ich und die einzige Kammerbediente
Aktoris, welche mein Vater mir mitgab, als ich hieher zog,
[Die uns beiden die Pforte bewahrt des festen Gemaches:]
Jetzo besiegst du mein Herz, und alle Zweifel verschwinden. 230
  Also sprach sie. Da schwoll ihm sein Herz von inniger Wehmut.
Weinend hielt er sein treues geliebtes Weib in den Armen.
So erfreulich das Land den schwimmenden Männern erscheinet,
Deren rüstiges Schiff der Erdumgürter Poseidon
Mitten im Meere durch Sturm und geschwollene Fluten zerschmettert
(Wenige nur entflohn dem dunkelwogenden Abgrund,
Schwimmen ans Land, ringsum vom Schlamme des Meeres besudelt,
Und nun steigen sie freudig, dem Tod entronnen, ans Ufer):
So erfreulich war ihr der Anblick ihres Gemahles.

Und fest hielt sie den Hals mit weißen Armen umschlungen. 240
Und sie hätten vielleicht bis zur Morgenröte gejammert,
Aber ein andres beschloß die heilige Pallas Athene.
Denn sie hemmte die Nacht am Ende des Laufes und weilte
An des Ozeans Fluten, die goldenthronende Eos,
Und noch spannte sie nicht die schnellen leuchtenden Rosse 245
Lampos und Phaeton an, das Licht den Menschen zu bringen.
Aber zu seiner Gemahlin begann der weise Odysseus:
Liebes Weib, noch haben wir nicht der furchtbaren Kämpfe
Ziel erreicht; es droht noch unermeßliche Arbeit,
Viel und gefahrenvoll, und alle muß ich vollenden! 250
Also verkündigte mir des großen Teiresias Seele
Jenes Tages, da ich in Ais' Wohnung hinabstieg,
Forschend nach der Gefährten und meiner eigenen Heimkehr.
Aber nun laß uns, Frau, zu Bette gehen, damit uns
Beide jetzo die Ruhe des süßen Schlafes erquicke. 255
Ihm antwortete drauf die kluge Penelopeia:
Jetzo wird dein Lager bereit sein, wann du es wünschest,
Da dir endlich die Götter verstatteten, wiederzukehren
In dein prächtiges Haus und deiner Väter Gefilde;
Aber weil dich ein Gott daran erinnert, mein Lieber, 260
Sage mir auch den Kampf! Ich muß ihn, denk ich, doch einmal
Hören; so ist es ja wohl nicht schlimmer, ihn gleich zu erfahren.
Ihr antwortete drauf der erfindungsreiche Odysseus:
Armes Weib, warum verlangst du, daß ich dir dieses
Sage? Ich will es dir denn verkünden und nichts dir verhehlen. 265
Freilich wird sich darob dein Herz nicht freuen; ich selber
Freue mich nicht. Denn mir gebeut der erleuchtete Seher,
Fort durch die Welt zu gehn, in der Hand ein geglättetes Ruder,
Immerfort, bis ich komme zu Menschen, welche das Meer nicht
Kennen und keine Speise gewürzt mit Salze genießen, 270
Welchen auch Kenntnis fehlt von rotgeschnäbelten Schiffen
Und von geglätteten Rudern, den Fittichen eilender Schiffe.
Deutlich hat er sie mir bezeichnet, daß ich nicht irre.
Wenn ein Wanderer einst, der mir in der Fremde begegnet,
Sagt, ich trag eine Schaufel auf meiner rüstigen Schulter, 275
Dann soll ich dort in die Erde das schöngeglättete Ruder

Stecken und Opfer bringen dem Meerbeherrscher Poseidon,
Einen Widder und Stier und einen mutigen Eber;
Drauf zur Heimat kehren und opfern heilige Gaben
Allen unsterblichen Göttern, des weiten Himmels Bewohnern, 280
Nach der Reihe herum. Zuletzt wird außer dem Meere
Kommen der Tod und mich, von hohem, behaglichem Alter
Aufgelöseten, sanft hinnehmen, wann ringsum die Völker
Froh und glücklich sind. Dies hat mir der Seher verkündet.
Ihm antwortete drauf die kluge Penelopeia: 285
Nun, wenn dir von den Göttern ein frohes Alter bestimmt ist,
Können wir hoffen, du wirst dein Leiden glücklich vollenden.
Also besprachen diese sich jetzo untereinander.
Eurykleia indes und Eurynome breiteten emsig
Weiche Gewande zum Lager beim Scheine leuchtender Fackeln.
Und nachdem sie in Eile das warme Lager gebettet,
Ging die Alte zurück in ihre Kammer, zu ruhen.
Aber Eurynome führte den König und seine Gemahlin
Zu dem bereiteten Lager und trug die leuchtende Fackel;
Als sie die Kammer erreicht, enteilte sie. Jene bestiegen 295
Freudig ihr altes Lager, der keuschen Liebe geheiligt.
Aber Telemachos, der Rinderhirt und der Sauhirt
Ruhten jetzo vom fröhlichen Tanz, es ruhten die Weiber;
Und sie legten sich schlafen umher im dunklen Palaste.
Jene, nachdem sie die Fülle der seligen Liebe gekostet, 300
Wachten noch lang, ihr Herz mit vielen Gesprächen erfreuend.
Erst erzählte das göttliche Weib, wie viel sie im Hause
Von dem verwüstenden Schwarme der bösen Freier erduldet,
Wie sie um ihretwillen die fetten Rinder und Schafe
Scharenweise geschlachtet und frech im Weine geschwelget. 305
Dann erzählte der Held, wie vielen Jammer er andern
Menschen gebracht und wie viel er selber vom Schicksal erduldet.
Und die Königin horchte mit inniger Wonne; kein Schlummer
Sank auf die Augenlider, bevor er alles erzählet.
Und er begann, wie er erst die Kikonen bezwungen und hierauf 310
An der fruchtbaren Küste der Lotophagen gelandet.
Was der Kyklope getan, und wie er der edlen Gefährten
Tod bestraft, die er fraß, der unbarmherzige Wütrich.

Und wie Aiolos ihn nach milder Bewirtung zur Heimfahrt
Ausgerüstet; allein die Stunde der fröhlichen Heimkehr 315
War noch nicht; denn er trieb, von dem wilden Orkane geschleudert,
Lautwehklagend zurück ins fischdurchwimmelte Weltmeer.
Wie er Telepylos dann und die Laistrygonen gesehen,
Wo er die rüstigen Schiffe und schön geharnischten Freunde
Alle verlor; nur er selber entrann mit dem schwärzlichen Schiffe. 320
Auch von Kirkes Betrug und Zauberkünsten erzählt' er,
Und wie er hingefahren in Aides' dumpfe Behausung,
Um des thebaiischen Greises Teiresias Seele zu fragen,
Im vielrudrigen Schiff, und alle Freunde gesehen,
Auch die Mutter, die ihn gebar und als Knaben ernährte. 325
Wie er dann den Gesang der holden Sirenen gehöret,
Dann die irrenden Klippen gesehn und die wilde Charybdis
Und die Skylla, die keiner noch unbeschädigt vorbeifuhr.
Dann, wie seine Gefährten die Sonnenrinder geschlachtet,
Und wie sein rüstiges Schiff der Gott hochrollender Donner, 330
Zeus, mit dem Blitze zerschmettert; es sanken die tapfern Genossen
Allzumal, nur er selber entfloh dem Schreckenverhängnis.
Wie er drauf gen Ogygia kam, zur Nymphe Kalypso,
Die ihn so lang aufhielt in ihrer gewölbeten Grotte
Und zum Gemahl ihn begehrte: sie reicht' ihm Nahrung und sagte 335
Ihm Unsterblichkeit zu und nimmerverblühende Jugend;
Dennoch vermochte sie nicht, sein standhaftes Herz zu bewegen.
Wie er endlich nach großer Gefahr die Phaiaken erreichet,
Welche von Herzen ihn hoch wie einen Unsterblichen ehrten
Und ihn sandten im Schiffe zur lieben heimischen Insel, 340
Reichlich mit Erz und Golde beschenkt und prächtigen Kleidern.
Und kaum hatt er das letzte gesagt, da beschlich ihn der süße
Sanftauflösende Schlummer, den Gram der Seele vertilgend.

Aber ein Neues ersann die heilige Pallas Athene:
Als sie glaubte, der Held Odysseus habe nun endlich 345
Seine Seele in Lieb und süßem Schlafe gesättigt,
Rief sie vom Ozean schnell die goldenthronende Frühe,
Daß sie die finstere Welt erleuchtete. Aber Odysseus
Sprang vom schwellenden Lager und sprach zu seiner Gemahlin:

Frau, wir haben bisher der Leiden volle Genüge 350

Beide geschmeckt, da du so herzlich um meine Zurückkunft
Weintest und mich der Kronid und die andern Götter durch Unglück
Stets, wie sehr ich auch strebte, von meiner Heimat entfernten.
Jetzo, nachdem wir die Nacht der seligen Liebe gefeiert,
Sorge du für die Güter, die mir im Palaste geblieben; 355
Aber die Rinder und Schafe, die mir die Freier verschwelget,
Werden mir teils die Achaier ersetzen und andere werd ich
Beuten von fremden Völkern, bis alle Höfe gefüllt sind.
Jetzo geh ich hinaus, den guten Vater Laertes
Auf dem Lande zu sehn, der mich so herzlich bejammert. 360
Dir befehl ich, o Frau, zwar bist du selber verständig:
Gleich wenn die Sonn aufgeht, wird sicher der Ruf von den Freiern
Durch die Stadt sich verbreiten, die ich im Hause getötet;
Darum steig in den Söller und sitze dort unter den Weibern
Ruhig; siehe nach keinem dich um und rede mit keinem! 365
Also sprach er und panzerte sich mit schimmernder Rüstung,
Weckte Telemachos dann und beide Hirten vom Schlummer
Und gebot, in die Hand die Waffen des Krieges zu nehmen.
Diese gehorchten ihm schnell und standen in eherner Rüstung,
Schlossen die Pforte dann auf und gingen, geführt von Odysseus. 370
Schon umschimmerte Licht die Erde. Doch Pallas Athene
Führte sie schnell aus der Stadt, mit dichtem Nebel umhüllet.

XXIV. GESANG

Die Seelen der Freier finden in der Unterwelt Achilleus mit Agamemnon sich unterredend; jener, der ruhmvoll vor Troja starb, sei glücklich vor diesem, der heimkehrend ermordet ward. Agamemnon, dem Amphimedon das Geschehene nach seiner Vorstellung erzählt, preiset die Glückseligkeit des siegreich heimkehrenden Odysseus. Dieser indes entdeckt sich dem Vater Laertes mit schonender Vorsicht und wird beim Mahle von Dolios und dessen Söhnen erkannt. Eupeithes, des Antinoos' Vater, erregt einen Aufruhr, der nach kurzem Kampfe durch Athene gestillt wird.

Aber Hermes, der Gott von Kyllene, nahte sich jetzo,
Rief den Seelen der Freier und hielt in der Rechten den schönen
Goldenen Herrscherstab, womit er die Augen der Menschen
Zuschließt, welcher er will, und wieder vom Schlummer erwecket;
Hiermit scheucht' er sie fort, und schwirrend folgten die Seelen. 5
So wie die Fledermäus' im Winkel der graulichen Höhle
Schwirrend flattern, wenn eine des angeklammerten Schwarmes
Nieder vom Felsen sinkt, und drauf aneinander sich hangen:
Also schwirrten die Seelen und folgten in drängendem Zuge
Hermes, dem Retter in Not, durch dumpfe, schimmlichte Pfade.
Und sie gingen des Ozeans Flut, den leukadischen Felsen,
Gingen das Sonnentor und das Land der Träume vorüber
Und erreichten nun bald die graue Asphodeloswiese,
Wo die Seelen wohnen, die Luftgebilde der Toten.
Und sie fanden die Seele des Peleiden Achilleus 15
Und die Seele Patroklos', des tapfern Antilochos Seele
Und des gewaltigen Ajas, des Ersten an Wuchs und Bildung
In dem achaiischen Heer, nach dem tadellosen Achilleus:
Diese waren stets um den Peleionen versammelt.
Eben kam auch die Seele von Atreus' Sohn Agamemnon 20
Trauernd daher, umringt von anderen Seelen, die mit ihm
In Aigisthos' Palaste das Ziel des Todes erreichten.
Zu den Kommenden sprach die Seele des Peleionen:
Atreus' Sohn, wir dachten, der donnerfrohe Kronion
Hätte dich unter den Helden auf immer zum Liebling erkoren, 25
Weil du das große Heer der tapfersten Sieger beherrschtest
In dem troischen Lande, wo Not uns Achaier umdrängte.
Aber es mußte auch dich so bald des Todes Verhängnis
Treffen, welchem kein Mensch, vom Weibe geboren, entfliehet.

Hättest du doch, umringt von den glänzenden Ehren der Herrschaft, 30
Dort im Lande der Troer das Ziel des Todes erreichet!
Denn ein Denkmal hätte der Griechen Volk dir errichtet,
Und so wäre zugleich dein Sohn bei den Enkeln verherrlicht.
Aber es war dein Los, des traurigsten Todes zu sterben!
Ihm antwortete drauf die Seele des großen Atreiden: 35
Glücklicher Peleide, du göttergleicher Achilleus,
Der du vor Ilion starbst, von Argos ferne! Denn ringsum
Sanken die tapfersten Söhne der Troer und der Achaier,
Kämpfend um deine Leiche; du lagst in der Wolke des Staubes,
Groß, weithingestreckt, ausruhend vom Wagengetümmel! 40
Aber wir kämpften den ganzen Tag und kämpften noch immer
Brennend vor Wut, bis Zeus durch Sturm und Wetter uns trennte.
Jetzo trugen wir dich aus der Schlacht zu unseren Schiffen,
Wuschen den schönen Leib mit lauem Wasser und legten
Ihn mit Balsam gesalbt auf prächtige Betten, und ringsum 45
Weinten und jammerten laut die Achaier und schoren ihr Haupthaar.
Auch die Mutter entstieg mit den heiligen Nymphen dem Meere,
Als sie die Botschaft vernahm; von lautwehklagenden Stimmen
Hallte die Flut, und Entsetzen ergriff das Heer der Achaier.
Zitternd wären sie schnell zu den hohlen Schiffen geflohen; 50
Aber es hielt sie der Mann von alter und großer Erfahrung,
Nestor, dessen Rat wir auch ehmals immer bewundert.
Dieser erhub im Heere die Stimme der Weisheit und sagte:
Haltet ein, Argeier, und flieht nicht, Söhne Achaias!
Dies ist seine Mutter mit ihren unsterblichen Nymphen, 55
Welche dem Meer entsteigt, den toten Sohn zu bejammern!
Also sprach er und hemmte die Flucht der edlen Achaier.
Lautwehklagend standen um dich des alternden Meergotts
Töchter und kleideten dich mit ambrosiaduftenden Kleidern.
Gegeneinander sangen mit schöner Stimme die Musen 60
Alle neun und weinten; da sahe man keinen Argeier
Tränenlos; so rührten der Göttinnen helle Gesänge!
Siebzehn Tag' und Nächte beweinten wir unaufhörlich
Deinen Tod, der Unsterblichen Chor und die sterblichen Menschen.
Am achtzehnten verbrannten wir dich und schlachteten ringsum 65
Viele gemästete Schaf' und krummgehörnete Rinder.

Aber du lagst, umhüllt mit Göttergewanden, und um dich
Standen Gefäße mit Öl und süßem Honig; und viele
Helden Achaias rannten gerüstet zu Fuß und zu Wagen,
Rings um das lodernde Feuer; es stieg ein lautes Getös auf. 70
Als dich Hephaistos' Flamme verzehrt, da gossen wir morgens
Lauteren Wein in die Asche und sammelten, edler Achilleus,
Deine weißen Gebeine, mit zwiefachem Fette bedeckend.
Aber die Mutter brachte die goldne gehenkelte Urne,
Dionysos' Geschenk und ein Werk des berühmten Hephaistos. 75
Hierin ruht dein weißes Gebein, ruhmvoller Achilleus,
Mit dem Gebeine vermischt des Menötiaden Patroklos,
Und gesondert die Asche Antilochos', den du vor allen
Anderen Freunden ehrtest, nach deinem geliebten Patroklos.
Und das heilige Heer der sieggewohnten Achaier 80
Häufte darüber ein großes und weitbewundertes Denkmal
Auf der Spitze des Landes am breiten Hellespontos,
Daß es fern im Meere vorüberschiffende Männer
Sähen, die jetzo leben und spät in kommenden Jahren.
Aber die Mutter bracht auf den Kampfplatz köstliche Preise, 85
Von den Göttern erfleht, für die tapfersten aller Achaier.
Schon bei vieler Helden Begräbnis warst du zugegen,
Sahst die Jünglinge oft am Ehrenhügel des Königs
Zum Wettkampfe sich gürten um manches schimmernde Kleinod;
Dennoch hättest du dort mit tiefem Erstaunen betrachtet, 90
Welche köstliche Preise die silberfüßige Thetis
Dir zu Ehren gesetzt: denn du warst ein Liebling der Götter!
Also erlosch auch im Tode nicht dein Gedächtnis, und ewig
Glänzet bei allen Menschen dein großer Name, Achilleus.
Aber was frommte mir des rühmlichen Krieges Vollendung? 95
Selbst bei der Heimkehr weihte mich Zeus dem schrecklichsten Tode
Unter Aigisthos' Hand und der Hand des heillosen Weibes.

Also besprachen sich diese jetzo untereinander.
Jetzo nahte sich ihnen der rüstige Argosbesieger,
Und ihm folgte zur Tiefe die Schar der erschlagenen Freier; 100
Voll Verwunderung gingen die Könige ihnen entgegen.
Und der hohe Schatten von Atreus' Sohn Agamemnon
Kannte des Melaniden, des tapfern Amphimedons Seele,

Welcher ein Gastfreund war in Ithakas felsichtem Eiland.
Zu dem Kommenden sprach die Seele des großen Atreiden: 105
Was, Amphimedon, führt euch ins unterirdische Dunkel?
Lauter erlesene Männer von gleichem Alter! Man würde
Schwerlich in einer Stadt so treffliche Männer erlesen!
Tötet' euch etwa in Schiffen der Erderschüttrer Poseidon,
Da er den wilden Orkan und die steigenden Wogen empörte? 110
Oder ermordeten euch auf dem Lande feindliche Männer,
Als ihr die schönen Herden der Rinder und Schafe hinwegtriebt,
Oder indem sie die Stadt und ihre Weiber verfochten?
Lieber, sage mir dies, ich war ja im Leben dein Gastfreund.
Weißt du nicht mehr, wie ihr mich in eurem Hause bewirtet, 115
Als ich Odysseus ermahnte, dem göttlichen Menelaos
Mit gen Troja zu folgen in schöngebordeten Schiffen?
Erst nach einem Monat entschifften wir eurem Gestade
Und beredeten kaum den Städteverwüster Odysseus.
Also sprach er; ihm gab Amphimedons Seele zur Antwort: 120
Atreus' rühmlicher Sohn, weitherrschender Held Agamemnon,
Dieses weiß ich noch alles und will umständlich erzählen,
Wie uns so plötzlich die Stunde des schrecklichen Todes ereilt hat.
Siehe, wir liebten die Gattin des langentfernten Odysseus.
Nimmer versagte sie uns und vollendete nimmer die Hochzeit, 125
Heimlich uns allen den Tod und das schwarze Verhängnis bereitend.
Unter anderen Listen ersann sie endlich auch diese:
Trüglich zettelte sie in ihrer Kammer ein feines
Übergroßes Geweb und sprach zu unsrer Versammlung:
Jünglinge, die ihr mich liebt nach dem Tode des edlen Odysseus, 130
Dringt auf meine Vermählung nicht eher, bis ich den Mantel
Fertig gewirkt (damit nicht umsonst das Garn mir verderbe!),
Welcher dem Helden Laertes zum Leichengewande bestimmt ist,
Wenn ihn die finstre Stunde mit Todesschlummer umschattet:
Daß nicht irgend im Lande mich eine Achaierin tadle, 135
Läg er uneingekleidet, der einst so vieles beherrschte.
Also sprach sie mit List und bewegte die Herzen der Edlen.
Und nun webete sie des Tages am großen Gewebe,
Aber des Nachts dann trennte sie's auf beim Scheine der Fackeln.
Also täuschte sie uns drei Jahr' und betrog die Achaier. 140

Als nun das vierte Jahr im Geleite der Horen herankam
Und mit dem wechselnden Mond viel Tage waren verschwunden,
Da verkündet' uns eine der Weiber das schlaue Geheimnis,
Und wir fanden sie selbst bei der Trennung des schönen Gewebes.
Also mußte sie's nun auch wider Willen vollenden. 145
Als sie den großen Mantel gewirkt und sauber gewaschen
Und er hell wie die Sonn und der Mond entgegen uns glänzte,
Siehe, da führte mit einmal ein böser Dämon Odysseus
Draußen zum Maierhof, den der Schweine Hüter bewohnte.
Dorthin kam auch der Sohn des göttergleichen Odysseus, 150
Der von der sandigen Pylos im schwarzen Schiffe zurückfuhr.
Diese bereiteten sich zum schrecklichen Morde der Freier,
Gingen dann in die prächtige Stadt: der edle Odysseus
War der letzte, sein Sohn Telemachos kam zuerst an.
Aber der Sauhirt führte den schlechtgekleideten König, 155
Der, wie ein alter Mann und mühebeladener Bettler,
Wankend am Stabe schlich, mit häßlichen Lumpen bekleidet.
Keiner konnte von uns den plötzlich erscheinenden Fremdling
Für Odysseus erkennen, auch selbst von den ältesten keiner,
Sondern alle verspotteten wir und warfen den Fremdling. 160
Und Odysseus ertrug zuerst in seinem Palaste
Unsre kränkenden Reden und Würfe mit duldender Seele.
Aber als ihn der Geist des Donnergottes erweckte,
Nahm er mit seinem Sohn aus dem Saale die zierliche Rüstung,
Trug sie hinauf in den Söller und schloß die Pforte mit Riegeln; 165
Ging dann hin und befahl arglistig seiner Gemahlin,
Uns den Bogen zu bringen und blinkende Eisen, zum Wettkampf
Uns unglücklichen Freiern und zum Beginne des Mordens.
Aber es konnte von uns nicht einer des mächtigen Bogens
Senne spannen; zu sehr gebrach es allen an Stärke. 170
Doch wie der Sauhirt jetzo den großen Bogen Odysseus
Brachte, da zürnten wir alle und schalten mit drohenden Worten,
Daß er den Bogen ihm nicht darreichte, was er auch sagte;
Aber Telemachos rief und befahl ihm, weiterzugehen.
Und nun nahm er den Bogen, der herrliche Dulder Odysseus, 175
Spannt' ihn ohne Bemühn und schnellte den Pfeil durch die Äxte;
Sprang auf die Schwelle, die Pfeile dem Köcher entschüttend, und blickte

Drohend umher und schoß; und Antinoos stürzte zu Boden.
Und nun flog auf die andern des scharf hinzielenden Königs
Schreckliches Todesgeschoß, und Haufen sanken bei Haufen. 180
Und man erkannte leicht, daß ihnen ein Himmlischer beistand.
Denn bald stürzten sie wütend sich unter den Haufen und würgten
Links und rechts durch den Saal: mit dem Krachen zerschlagener Schädel
Tönte das Jammergeschrei, und Blut floß über den Boden.
Also kamen wir um, Agamemnon, und unsere Leiber 185
Liegen noch unbestattet im Hause des edlen Odysseus.
Denn noch wissen es nicht die Freund' in unseren Häusern,
Daß sie das schwarze Blut aus den Wunden waschen und klagend
Unsere Bahr umringen, die letzte Ehre der Toten!
Ihm antwortete drauf die Seele des großen Atreiden: 190
Glücklicher Sohn Laertes', erfindungsreicher Odysseus,
Wahrlich, dir ward ein Weib von großer Tugend beschieden!
Welche treffliche Seele hat doch Ikarios' Tochter
Penelopeia! Wie treu die Edle dem Manne der Jugend,
Ihrem Odysseus, blieb! O nimmer verschwindet der Nachruhm 195
Ihrer Tugend; die Götter verewigen unter den Menschen
Durch den schönsten Gesang die keusche Penelopeia!
Nicht wie Tyndareos' Tochter verübte sie schändliche Taten,
Welche den Mann der Jugend erschlug und ein ewiges Schandlied
Unter den Sterblichen ist; denn sie hat auf immer der Weiber 200
Namen entehrt, wenn eine sich auch des Guten befleißigt!
Also besprachen sich jetzo die Luftgebilde der Toten,
Unter der Erde stehend, in Aides' dunkler Behausung.
Jene gingen den Weg von der Stadt hinunter und kamen
Bald zu dem wohlbestellten und schönen Hofe Laertes', 205
Welchen er selber vordem durch Heldentaten erworben.
Allda hatt er sein Haus, und wirtschaftliche Gebäude
Liefen rings um den Hof: es speiseten, saßen und schliefen
Hier die nötigen Knechte, die seine Geschäfte bestellten.
Auch war dort eine alte Sikelerin, welche des Greises 210
Fern von der Stadt auf dem Lande mit treuer Sorge sich annahm.
Aber Odysseus sprach zu Telemachos und zu den Hirten:
Geht ihr jetzo hinein in die schöngebauete Wohnung
Und bereitet uns schnell zum Mahle das treffliche Mastschwein.

Ich will indes hingehen, um unsern Vater zu prüfen:
Ob er mich wohl noch kennt, wenn seine Augen mich sehen, 215
Oder ob ich ihm fremd bin nach meiner langen Entfernung.
Also sprach er und gab den Hirten die kriegrische Rüstung.
Diese gingen sogleich in die Wohnnug. Aber Odysseus
Eilte zu seinem Vater im obstbeladenen Fruchthain. 220
Und er fand, da er eilig den langen Garten hinabging,
Weder Dolios dort noch Dolios' Knechte und Söhne.
Diese waren aufs Feld gegangen und sammelten Dornen
Zu des Gartens Geheg, und der alte Mann war ihr Führer.
Nur Laertes fand er im schöngeordneten Fruchthain 225
Um ein Bäumchen die Erd auflockern. Ein schmutziger Leibrock
Deckt' ihn, geflickt und grob, und seine Schenkel umhüllten
Gegen die ritzenden Dornen geflickte Stiefel von Stierhaut
Und Handschuhe die Hände der Disteln wegen, den Scheitel
Eine Kappe von Ziegenfell. So traurte sein Vater. 230
Als er ihn jetzo erblickte, der herrliche Dulder Odysseus,
Wie er vom Alter entkräftet und tief in der Seele betrübt war,
Sah er ihm weinend zu im Schatten des ragenden Birnbaums.
Dann bedacht er sich hin und her, mit wankendem Vorsatz,
Ob er ihn küssend umarmte, den lieben Vater, und alles 235
Sagte, wie er nun endlich zur Heimat wiedergekehrt sei,
Oder ihn erst ausfragte, um seine Seele zu prüfen.
Dieser Gedanke schien dem Zweifelnden endlich der beste:
Erst mit sanftem Tadel des Vaters Seele zu prüfen.
Dieses beschloß Odysseus und eilte hin zu Laertes, 240
Der mit gesenktem Haupte des Baumes Wurzel umhackte;
Und der treffliche Sohn trat nahe zum Vater und sagte:
Alter, es fehlet dir nicht an Kunst, den Garten zu bauen!
Schön ist alles bestellt; kein einziges dieser Gewächse,
Keine Rebe vermißt, kein Ölbaum, Feigen- und Birnbaum, 245
Keines der Beet' im Garten vermißt die gehörige Pflege!
Eins erinnre ich nur, nimm mir's nicht übel, o Vater!
Du wirst selber nicht gut gepflegt! Wie kümmerlich gehst du,
Schwach vor Alter und schmutzig dabei und häßlich bekleidet!
Wegen der Faulheit gewiß kann dich dein Herr nicht versäumen! 250
Selbst der Gedank an Knechtschaft verschwindet einem Betrachter

Deiner Gestalt und Größe; du hast ein königlich Ansehn:
Gleich als ob dir gebührte, dich nach dem Bad und der Mahlzeit
Sanft zur Ruhe zu legen; denn das ist die Pflege der Alten.
Aber verkündige mir und sage die lautere Wahrheit: 255
Welcher Mann ist dein Herr und wessen Garten besorgst du?
Auch verkündige mir aufrichtig, damit ich es wisse:
Sind wir denn wirklich hier in Ithaka, wie mir ein Mann dort
Sagte, welchem ich eben begegnete, als ich hieher ging?
Aber der Mann war nicht so artig, mir alles zu sagen 260
Oder auf meine Frage zu achten, wegen des Gastfreunds,
Den ich in Ithaka habe: ob dieser noch lebt und gesund ist
Oder ob er schon starb und zu den Schatten hinabfuhr.
Denn ich sage dir an, merk auf und höre die Worte.
Einen Mann hab ich einst im Vaterlande bewirtet, 265
Welcher mein Haus besuchte; so viel ich auch Fremde beherbergt,
Ist kein werterer Gast in meine Wohnung gekommen!
Dieser sagte, er stammt' aus Ithakas felsichtem Eiland
Und Arkeisios' Sohn Laertes wäre sein Vater.
Und ich führte den werten Gast in unsere Wohnung. 270
Freundlich bewirtet ich ihn von des Hauses reichlichem Vorrat
Und verehrt ihm Geschenke zum Denkmal unserer Freundschaft:
Schenkt ihm sieben Talente des künstlichgebildeten Goldes,
Einen silbernen Kelch mit schönerhobenen Blumen,
Feiner Teppiche zwölf und zwölf der einfachen Mäntel, 275
Zwölf Leibröcke dazu mit prächtigen Purpurgewanden;
Über dieses schenkt ich ihm vier untadlige Jungfraun,
Kunstverständig und schön, die er sich selber gewählet.
 Ihm antwortete drauf sein Vater, Tränen vergießend:
Fremdling, du bist gewiß in dem Lande, nach welchem du fragest! 280
Aber hier wohnen freche und übermütige Männer!
Und vergeblich hast du die vielen Geschenke verschwendet!
Hättest du ihn lebendig in Ithakas Volke gefunden,
Dann entließ er gewiß dich reichlich wiederbeschenket
Und anständig bewirtet; denn Pflicht ist des Guten Vergeltung. 285
Aber verkündige mir und sage die lautere Wahrheit:
Wieviel Jahr sind es, seitdem dich jener besuchte?
Dein unglücklicher Freund, mein Sohn, so lang ich ihn hatte!

Armer Sohn, den fern von der Heimat und seinen Geliebten
Schon die Fische des Meers verzehreten oder zu Lande 290
Vögel und Tiere zerrissen! Ihn hat die liebende Mutter
Nicht einkleidend beweint noch der Vater, die wir ihn zeugten,
Noch sein edles Weib, die keusche Penelopeia,
Schluchzend am Sterbebette des lieben Gemahles gejammert
Und ihm die Augen geschlossen, die letzte Ehre der Toten! 295
Auch verkündige mir aufrichtig, damit ich es wisse:
Wer, wes Volkes bist du, und wo ist deine Geburtsstadt?
Und wo liegt das Schiff, das dich und die tapfern Genossen
Brachte? Kamst du vielleicht in einem gedungenen Schiffe,
Und die Schiffer setzten dich aus und fuhren dann weiter? 300
Ihm antwortete drauf der erfindungsreiche Odysseus:
Gerne will ich dir dieses und nach der Wahrheit erzählen.
Ich bin aus Alybas her und wohn im berühmten Palaste
Meines Vaters Apheidas, des mächtigen Sohns Polypemons.
Und mein Name ist Eperitos. Aber ein Dämon 305
Trieb mich durch Stürme hieher, als ich gen Sikania steurte.
Und mein Schiff liegt außer der Stadt am freien Gestade.
Jetzo sind's fünf Jahre, seitdem der edle Odysseus
Wieder von dannen fuhr und Alybas' Ufer zurückließ.
Armer Freund! Und ihm flogen doch heilweissagende Vögel, 310
Als er zu Schiffe ging: drum sah ich freudig ihn scheiden,
Und er freute sich auch; denn wir hofften, einer den andern
Künftig noch oft zu bewirten und schöne Geschenke zu wechseln.
Sprach's, und den Vater umhüllte die schwarze Wolke des Kummers.
Siehe, er nahm mit den Händen des dürren Staubes und streut' ihn 315
Über sein graues Haupt und weint' und jammerte herzlich.
Aber Odysseus ergrimmte im Geist, und es schnob in der Nase
Ihm der erschütternde Schmerz beim Anblick des liebenden Vaters.
Küssend sprang er hinzu mit umschlingenden Armen und sagte:
Vater, ich bin es selbst, mein Vater, nach welchem du fragest, 320
Bin im zwanzigsten Jahre zur Heimat wiedergekehret!
Darum trockne die Tränen und hemme den weinenden Jammer!
Denn ich sage dir kurz (uns dringt die äußerste Eile!):
Alle Freier hab ich in unserem Hause getötet
Und ihr Trotzen bestraft und die seelenkränkenden Greuel! 325

Ihm antwortete drauf sein alter Vater Laertes:
Bist du denn wirklich, mein Sohn Odysseus, wiedergekommen?
Lieber, so sage mir doch ein Merkmal, daß ich es glaube!
Ihm antwortete drauf der erfindungsreiche Odysseus:
Erstlich betrachte hier mit deinen Augen die Narbe, 330
Die ein Eber mir einst mit weißem Zahne gehauen,
Ferne von hier am Parnassos; denn du und die treffliche Mutter
Sandtet mich dort zu Autolykos hin, die Geschenke zu holen,
Die mir bei der Geburt ihr besuchender Vater verheißen.
Jetzo will ich dir auch die Bäume des lieblichen Fruchthains 335
Nennen, die du mir einst auf meine Bitte geschenkt hast;
Denn ich begleitete dich als Knab im Garten; wir gingen
Unter den Bäumen umher, und du nanntest und zeigtest mir jeden.
Dreizehn Bäume mit Birnen und zehn voll rötlicher Äpfel
Schenktest du mir und vierzig der Feigenbäume; und nanntest 340
Fünfzig Rebengeländer mit lauter fruchtbaren Stöcken,
Die du mir schenken wolltest: sie hangen voll mancherlei Trauben,
Wenn sie der Segen Gottes mit mildem Gewitter erfreuet.
Also sprach er; und jenem erzitterten Herz und Kniee,
Als er die Zeichen erkannte, die ihm Odysseus verkündet. 345
Seinen geliebtesten Sohn umarmend, sank er in Ohnmacht
An sein Herz; ihn hielt der herrliche Dulder Odysseus.
Als er zu atmen begann und sein Geist dem Herzen zurückkam,
Da erhub er die Stimme und rief mit lautem Entzücken:
Vater Zeus, ja noch lebt ihr Götter im hohen Olympos, 350
Wenn doch endlich die Greuel der üppigen Freier bestraft sind!
Aber nun fürcht ich sehr in meinem Herzen, daß plötzlich
Alle Ithaker hier uns überfallen und Botschaft
Ringsumher in die Städte der Kephallenier senden!
Ihm antwortete drauf der erfindungsreiche Odysseus: 355
Sei getrost und laß dich diese Gedanken nicht kümmern!
Folge mir jetzt in das Haus, hier nahe am Ende des Gartens:
Dort ist Telemachos auch und der Rinderhirt und der Sauhirt;
Denn ich sandte sie hin, uns eilend das Mahl zu bereiten.
Also besprachen sie sich und gingen zur prächtigen Wohnung. 360
Und sie traten jetzt in die schönen Zimmer des Hauses,
Wo Telemachos schon und der Rinderhirt und der Sauhirt

Teilten die Menge des Fleisches und Wein mit Wasser vermischten.
Aber den edelgesinnten Laertes in seinem Palaste
Badete jetzo die treue Sikelerin, salbte mit Öl ihn 365
Und umhüllt' ihn dann mit dem prächtigen Mantel; Athene
Schmückt' unsichtbar mit Kraft und Größe den Hirten der Völker,
Schuf ihn höher an Wuchs und jugendlicher an Bildung.
Und er stieg aus dem Bade. Mit Staunen erblickte der Sohn ihn,
Wie er gleich an Gestalt den unsterblichen Göttern einherging. 370
Und er redet' ihn an und sprach die geflügelten Worte:
Wahrlich, o Vater, es hat ein unsterblicher Gott des Olympos
Deine Gestalt erhöht und deine Bildung verschönert!
Und der verständige Greis Laertes sagte dagegen:
Wollte doch Vater Zeus, Athene und Phöbos Apollon, 375
Daß ich so, wie ich einst am Vorgebirge der Feste
Nerikos' Mauern erstieg, die Kephallenier führend:
Daß ich in jener Gestalt dir gestern in unserm Palaste,
Um die Schultern gepanzert, zur Seite hätte gestritten
Gegen der Freier Schar! Dann hätt ich ihrer wohl manchen 380
Hingestreckt in den Saal und dein Herz im Busen erfreuet.
Also besprachen diese sich jetzo untereinander.
Aber da jene das Mahl in Eile hatten bereitet,
Setzten sie sich nach der Reih auf prächtige Sessel und Throne
Und erhoben die Hände zum Essen. Siehe, da nahte 385
Dolios sich, der Greis, und Dolios' Söhne; sie kamen
Müde vom Felde zurück; denn die Mutter hatte sie selber
Heimgeholt, die alte Sikelerin, die sie erzogen
Und sorgfältig des Greises in seinem Alter sich annahm.
Diese, sobald sie Odysseus sahn und im Herzen erkannten, 390
Standen still an der Schwell und stauneten. Aber Odysseus
Wandte sich gegen den Greis mit diesen freundlichen Worten:
Setze dich, Alter, zu Tisch und sehet mich nicht so erstaunt an;
Denn wir haben schon lange, begierig der Speise zu kosten,
Hier im Saale geharrt und euch beständig erwartet. 395
Also sprach er. Da lief mit ausgebreiteten Armen
Dolios grad auf ihn zu und küßte die Hände des Königs,
Redete freundlich ihn an und sprach die geflügelten Worte:
Lieber, kommst du nun endlich nach unserem herzlichen Wunsche,

Aber ohn alles Vermuten, und führten dich Götter zur Heimat; 400
Nun so wünsch ich dir Freude, Gesundheit und Segen der Götter!
Aber sage mir doch aufrichtig, damit ich es wisse:
Weiß es deine Gemahlin, die kluge Penelopeia,
Daß du zu Hause bist? oder sollen wir's eilig verkünden?
Ihm antwortete drauf der erfindungsreiche Odysseus: 405
Alter, sie weiß es schon, du brauchst dich nicht zu bemühen.
Also sprach er und setzte sich hin auf den zierlichen Sessel.
Dolios' Söhne traten nun auch zum berühmten Odysseus,
Hießen ihn froh willkommen und drückten ihm alle die Hände,
Setzten sich dann nach der Reihe bei Dolios, ihrem Vater. 410
Also waren sie hier mit dem fröhlichen Schmause beschäftigt.
Aber Ossa, die schnelle Verkünderin, eilete ringsum
Durch die Stadt mit der Botschaft vom traurigen Tode der Freier.
Und nun erhuben sich alle und sammelten hieher und dorther,
Lautwehklagend und lärmend, sich vor dem Palaste des Königs, 415
Trugen die Toten hinaus und bestatteten jeder den Seinen;
Aber die andern, die rings von den Inseln waren gekommen,
Legten sie, heimzufahren, in schnelle Kähne der Fischer.
Und nun eilten sie alle zum Markte mit großer Betrübnis.
Als die Versammelten jetzt in geschlossener Reihe sich drängten, 420
Da erhub sich der Held Eupeithes vor den Achaiern,
Der mit unendlichem Schmerz um den toten Antinoos traurte,
Seinen Sohn, den zuerst der edle Odysseus getötet.
Weinend erhub sich dieser und redete vor der Versammlung:
Freunde, wahrlich ein Großes bereitete jener den Griechen! 425
Erst entführt' er in Schiffen so viel und tapfere Männer
Und verlor die gerüsteten Schiff' und verlor die Gefährten;
Und nun kommt er und tötet die Edelsten unseres Reiches.
Aber wohlan! bevor der Flüchtende Pylos erreichet
Oder die heilige Elis, die von den Epeiern beherrscht wird, 430
Eilet ihm nach! Sonst werden wir nimmer das Antlitz erheben!
Schande brächt es ja uns, und noch bei den spätesten Enkeln,
Wenn wir die Mörder nicht straften, die unsere Kinder und
Brüder
Töteten! Ha, ich könnte nicht länger mit fröhlichem Herzen
Leben! Mich förderte bald der Tod in die Schattenbehausung! 435

Auf denn und eilt, damit sie uns nicht zu Wasser entfliehen!
Weinend sprach er's und rührte die ganze Versammlung zum Mitleid.
Jetzo kam zu ihnen der göttliche Sänger und Medon
Aus Odysseus' Palaste, nachdem sie der Schlummer verlassen;
Und sie traten beid in die Mitte des staunenden Volkes. 440
Und nun sprach zur Versammlung der gute verständige Medon:
Höret mich an, ihr Männer von Ithaka! Wahrlich, Odysseus
Hat nicht ohne den Rat der Unsterblichen dieses vollendet!
Denn ich sah ihn selbst, den unendlichen Gott, der Odysseus
Immer zur Seite stand, in Mentors Bildung gehüllet. 445
Dieser unsterbliche Gott beseelete jetzo den König,
Vor ihm stehend, mit Mut, und jetzo stürmt' er vertilgend
Unter die Freier im Saal, und Haufen sanken bei Haufen.
Als er es sprach, da ergriff sie alle bleiches Entsetzen.
Unter ihnen begann der graue Held Halitherses, 450
Mastors Sohn, der allein Zukunft und Vergangenes wahrnahm:
Dieser erhub im Volke die Stimme der Weisheit und sagte:
Höret mich an, ihr Männer von Ithaka, was ich euch sage!
Eurer Trägheit halber, ihr Freund', ist dieses geschehen!
Denn ihr gehorchtet mir nicht, noch Mentor, dem Hirten der Völker,
Daß ihr eurer Söhn' unbändige Herzen bezähmtet,
Welche mit Unverstand die entsetzlichen Greuel verübten,
Da sie die Güter verschwelgten und selbst die Gemahlin entehrten
Jenes trefflichen Manns und wähnten, er kehre nicht wieder.
Nun ist dieses mein Rat; gehorcht mir, wie ich euch sage: 460
Eilt ihm nicht nach, daß keiner sich selbst das Verderben bereite!
Also sprach er. Da standen die Griechen mit lautem Geschrei auf,
Mehr als die Hälfte der Schar; allein die übrigen blieben,
Welche den Rat Halitherses' nicht achteten, sondern Eupeithes
Folgten. Sie eilten darauf zu ihrer ehernen Rüstung. 465
Und nachdem sie sich alle mit blinkendem Erze gepanzert,
Kamen sie vor der Stadt im weiten Gefilde zusammen.
Und sie führte Eupeithes, der Törichte! denn er gedachte
Seines Antinoos Tod zu rächen; aber ihm war nicht
Heimzukehren bestimmt, sein harrte des Todes Verhängnis. 470

Aber Athene sprach zum Donnerer Zeus Kronion:
Unser Vater Kronion, der herrschenden Könige Herrscher,
Sage mir, welchen Rat du jetzo im Herzen verbirgest.
Wirst du hinfort verderbenden Krieg und schreckliche Zwietracht
Senden? Oder beschließest du Freundschaft unter dem Volke? 475
Ihr antwortete drauf der Wolkenversammler Kronion:
Warum fragst du mich, Tochter, und forschest meine Gedanken?
Hast du nicht selber den Rat in deinem Herzen ersonnen,
Daß heimkehrend jenen Odysseus' Rache vergölte?
Tue, wie dir's gefällt, doch will ich das Beste dir sagen. 480
Da der edle Odysseus die Freier jetzo bestraft hat,
Werde das Bündnis erneut: er bleib in Ithaka König;
Und wir wollen dem Volke der Söhn' und Brüder Ermordung
Aus dem Gedächtnis vertilgen; und beide lieben einander
Künftig wie vor, und Fried und Reichtum blühen im Lande! 485
Also sprach er und reizte die schon verlangende Göttin;
Eilend fuhr sie hinab von den Gipfeln des hohen Olympos.
Jene hatten sich nun mit lieblicher Speise gesättigt.
Unter ihnen begann der herrliche Dulder Odysseus:
Gehe doch einer und seh, ob unsere Feinde schon annahn. 490
Also sprach er; und schnell ging einer von Dolios' Söhnen,
Stand auf der Schwelle des Hauses und sahe sie alle herannahn.
Eilend rief er Odysseus und sprach die geflügelten Worte:
Nahe sind sie uns schon; wir müssen uns eilig bewaffnen!
Also rief er; da sprangen sie auf und ergriffen die Rüstung: 495
Vier war Odysseus' Zahl und sechs von Dolios' Söhnen.
Auch der alte Laertes und Dolios legten die Rüstung
An, so grau sie auch waren, durch Not gezwungene Krieger!
Und nachdem sie sich alle mit blinkendem Erze gerüstet,
Öffneten sie die Pforte und gingen, geführt von Odysseus. 500
Jetzo nahte sich Zeus' blauäugichte Tochter Athene,
Mentorn gleich in allem, sowohl an Gestalt wie an Stimme.
Freudig erblickte die Göttin der herrliche Dulder Odysseus.
Und zu dem lieben Sohne Telemachos wandt er sich also:
Jetzo wirst du doch sorgen, Telemachos, wenn du dahin kommst:
Daß du im Streite der Männer, wo sich die Tapfern hervortun,

Deiner Väter Geschlecht nicht schändest, die wir von Anfang
Immer durch Kraft und Mut der Menschen Bewundrung
erwarben!
Und der verständige Jüngling Telemachos sagte dagegen:
Sehen wirst du es selbst, mein Vater, wenn du es wünschest, 510
Daß dies Herz dein Geschlecht nicht schändet! Wie kannst du das
sagen!
Also sprach er; da rief mit herzlicher Freude Laertes:
Welch ein Tag ist mir dieser! Ihr Götter, wie bin ich so glücklich!
Sohn und Enkel streiten den edlen Streit um die Tugend!
Siehe, da nahte sich Zeus' blauäugichte Tochter und sagte: 515
O Arkeisios' Sohn, Geliebtester meiner Geliebten,
Flehe zu Vater Zeus und Zeus' blauäugichter Tochter,
Schwinge dann mutig und wirf die weithinschattende Lanze!
Also sprach die Göttin und haucht' ihm unsterblichen Mut ein.
Eilend flehte der Greis zur Tochter des großen Kronion, 520
Schwang dann mutig und warf die weithinschattende Lanze.
Und er traf Eupeithes am ehernwangichten Helme,
Und den weichenden Helm durchdrang die stürmende Lanze:
Tönend sank er dahin, von der ehernen Rüstung umrasselt.
Aber Odysseus fiel und Telemachos unter die Feinde, 525
Hauten und stachen mit Schwertern und langgeschafteten Spießen.
Und nun hätten sie alle vertilgt und zu Boden gestürzet;
Aber die Tochter des Gottes mit wetterleuchtendem Schilde,
Pallas Athene rief und hemmte die streitenden Scharen:
Ruht, ihr Ithaker, ruht vom unglückseligen Kriege! 530
Schonet des Menschenblutes und trennet euch schnell voneinander!
Also rief die Göttin; da faßte sie bleiches Entsetzen:
Ihren zitternden Händen entflogen die Waffen, und alle
Fielen zur Erd, als laut die Stimme der Göttin ertönte.
Und sie wandten sich fliehend zur Stadt, ihr Leben zu retten. 535
Aber fürchterlich schrie der herrliche Dulder Odysseus
Und verfolgte sie rasch, wie ein hochherfliegender Adler.
Und nun sandte Kronion den flammenden Strahl vom Olympos,
Dieser fiel vor Athene, der Tochter des schrecklichen Vaters.
Und zu Odysseus sprach die heilige Göttin Athene: 540
Edler Laertiad, erfindungsreicher Odysseus,

Halte nun ein und ruhe vom allverderbenden Kriege,
Daß dir Kronion nicht zürne, der Gott weithallender Donner!
Also sprach sie, und freudig gehorcht' Odysseus der Göttin.
Zwischen ihm und dem Volk erneuete jetzo das Bündnis 545
Pallas Athene, die Tochter des wetterleuchtenden Gottes,
Mentorn gleich in allem, sowohl an Gestalt wie an Stimme.

NACHWORT

Den Duldern des Märchens, die ein großes Gewässer mit einem Fingerhut oder gar mit einem durchlöcherten Löffel ausschöpfen sollen, ist keine verzweifeltere Aufgabe gestellt als demjenigen, der auf wenigen Seiten über Homer zu handeln hat. Nicht so sehr die Vielzahl der Aspekte oder die Unzahl der Probleme setzt ihn in Verlegenheit; gerade die Auswahl, soweit sie von ihm selbst und nicht schon von der Enge seines Horizonts besorgt wird, hat ihren Reiz. Aber es fehlt das gewöhnlichste und zweckmäßigste Instrument solcher Einführungen, es fehlen glaubwürdige Nachrichten über den Dichter. Die antike Literaturgeschichte ist in dieser Hinsicht überhaupt unergiebig. Selbst von einem so bedeutenden und bei Mitwelt wie Nachwelt so erfolgreichen Meister wie Sophokles wissen wir herzlich wenig Persönliches. Doch können wir immerhin seine engere Heimat und seine Epoche angeben, können über die Welt, in der und für die er lebte, über das Athen des 5. Jahrhunderts, einiges aussagen. Wo aber war Homer zu Hause, welchen Jahrhunderts Kind? Wo und wann entstanden Ilias und Odyssee? Und angenommen, ein glücklicher Zufall setzte uns instand, Homers Zeit in Zahlen auszudrücken (wie denn Archilochos, ein jüngerer, aber immer noch früher Dichter sich für uns durch die Erwähnung einer Sonnenfinsternis datiert), so würde uns das nicht allzuviel nützen, weil die in Frage kommenden Jahrhunderte nach wie vor dunkel blieben. Aber spiegeln die Gedichte nicht wenigstens ihre eigene Zeit wider, ob wir sie nun beziffern können oder nicht? Ach, sie sprechen von längst für sie selbst vergangenen Zeiten, und wieweit des Dichters Epoche sich trotzdem durchsetzt, ist schwer zu sagen. Was man also zu Beginn eines solchen Nachworts zu lesen pflegt, kann erst, wenn überhaupt, an seinem Schluß zur Sprache kommen. Es bleibt uns nichts anderes übrig, als uns gleich an die Gedichte zu wenden. Vielleicht werden wir Modernen, die wir von unsern Künstlern eher zuviel als zu wenig wissen und, selbst wenn wir die gute Absicht haben, das Werk kaum noch unabhängig vom Menschlich-Allzumenschlichen seines Urhebers zu betrachten vermögen, auf alle historisch-biographisch-privaten Vorkenntnisse nicht ungern einmal verzichten.

I

»Ich lese jetzt fast nichts als Homer. Ich habe mir Vossens Übersetzung der Odyssee kommen lassen, die in der Tat ganz vortrefflich ist; die Hexameter weggerechnet, die ich gar nicht mehr leiden mag; aber es webt ein so herzlicher Geist in dieser Sprache, daß ich den Ausdruck des Übersetzers für kein Original, wär es noch so schön, missen möchte.« So schrieb Schiller am 20. 8. 1788 an Körner. Eine Neuausgabe der Homerübersetzung von Johann Heinrich Voß bedarf also keiner Rechtfertigung. Auch wer die Ilias und Odyssee auf griechisch lesen kann, auch wer lieber zu einer neueren Übersetzung greift, als Deutscher muß er Vossens Werk kennen, weil sonst seine Kenntnis unseres klassischen Zeitalters unvollständig bliebe, das diesen Homer geduldig vorbereitet und rühmlich vollendet, sich tief angeeignet und den folgenden Generationen als nicht geringen Teil ihres Erbes hinterlassen hat. Zudem besitzt diese Übertragung ihren jüngeren Nebenbuhlerinnen gegenüber unleugbare Vorzüge, so daß sie sich nicht einmal auf ihre geistesgeschichtliche Bedeutung zu berufen braucht. Vielleicht ist sie schwerer zu lesen, das heißt, vielleicht gehört heute etwas mehr guter Wille und etwas mehr Bildung dazu, sich von ihr ansprechen zu lassen, als es einstmals der Fall war. Zweifellos kann man die homerische Sprache unserer gewöhnlichen Ausdrucksweise stärker annähern; diejenigen Leser aber, die sich überhaupt an das alte Epos wagen, haben diese Erleichterung kaum nötig, und richtig ist sie auf keinen Fall. Fanden die Griechen z. B. der hochklassischen Epoche, des 5. Jahrhunderts v. Chr., im Homer etwa diejenige Sprache wieder, deren sie sich im Alltag, in der literarischen Prosa oder in ihrer Bühnendichtung bedienten? Doch so wenig, daß man schon damals in der Schule homerische Vokabeln lernen mußte und Aristophanes sie in einer seiner Komödien abfragen ließ. Manche Wörter verstand man schon damals nicht mehr, ja sie waren schon unverständlich, als an Ilias und

Odyssee noch gedichtet wurde. Nun wird man den Abstand einer deutschen Übersetzung vom uns Geläufigen gewiß nicht bis zur Unverständlichkeit vergrößern, zumal wir den Stimmungsgehalt altehrwürdiger Dunkelheiten doch nicht heraufbeschwören könnten, aber es wäre auch der Inbegriff der Verfälschung, ihn ganz aufheben zu wollen. Der Abstand, der unsere Sprache, auch die dichterische, von der unsrer Klassiker mittlerweile trennt, scheint mir das »zu fern« und das »zu nah« gleichermaßen zu verhüten. Es ist ein unverächtlicher Vorteil, eine Übertragung zu besitzen, deren Altertümlichkeit nicht erkünstelt wurde, sondern sich mit der Zeit ungezwungen herstellte; die nicht unsre Sprache, aber doch die noch vertraute des Goldnen Zeitalters unsrer Poesie redet.

Gewiß, an den »helmumflatterten Hektor« und die »saumnachschleppenden Weiber« muß man sich erst gewöhnen. Wenn aber gerade Homerforscher darüber spöttelten, so vergaßen sie, die historische Betrachtungsweise ihrem Landsmann zugute kommen zu lassen, die ihnen bei der Würdigung antiker Gedichte längst selbstverständlich war. Einst war es nämlich ein kühnes Unterfangen, der deutschen Sprache die Nachahmung der griechischen Beiworte zuzutrauen, und wenn man nicht das Risiko des Experiments auf sich genommen hätte, wäre es niemals zur Fülle des Geglückten gekommen. Als Gottsched 1737 seine verdienstlichen Übersetzungsproben veröffentlichte, war er davon noch weit entfernt und sagte zum Beispiel »Juno mit den weißen Armen«. Die »weißarmigte Göttin« bildete erst Bodmer, den »fernhintreffenden Apollon« erst Bürger dem Griechischen nach. Übrigens bedurfte es einiger theoretischen Anstrengungen, um vom Umschreiben, Glätten und Einebnen, von der Paraphrase also, zum eigentlichen Übersetzen zu kommen, dem Leser das Fremdartige nicht vorzuenthalten, sondern es ihm zu seiner Bereicherung aufzugeben. Bodmers Gefährte Breitinger bereitete diesen Fortschritt vor, indem er 1740 schrieb, daß die bisherigen Übersetzungen »gegen die Originalien gehalten ... matt, seicht und plauderhaft aussehen; weil sie in denselben alle Idiotismos, die in der Form der Rede bestehen, mit einer schädlichen Behutsamkeit vermeiden«. Dieselbe Zaghaftigkeit wird man noch heute in unsern zumeist matten und plauderhaften Tragikerübersetzungen antreffen; im Homer ward sie durch Bodmer und Bürger, Stolberg und Voß überwunden. Freilich muten die

»Idiotismi« dem Leser oft ein so starkes Einfühlungsvermögen zu, daß man später doch wieder meinte, mit einem glatten Durchschnittsdeutsch sei der Leserschaft besser gedient.

Andrerseits ist es für den Übersetzer, wie bei aller großen Dichtung, auch bei Homer oft schwierig, von der Wirkung ganz schlicht formulierter Aussagen einen Begriff zu vermitteln. Die Neigung, mit tönenden Ergänzungen nachzuhelfen, ist nur zu verständlich und muß nicht immer ein Fehler sein. Der genialische Albrecht Schaeffer, dessen trochäischer Homer das jambische Wagnis Bürgers wieder aufnahm, veranschaulichte das Problem in einer heiteren Szene seines »Helianth«. Der Held des Romans unternimmt es, die Odyssee in sein geliebtes Deutsch zu übertragen, und entfernt sich in dem Bestreben, den vollen und dunklen Klang des vierten Verses wiederzugeben, soweit vom Text, daß er sich den Einwand gefallen lassen muß, im Griechischen stünden hier doch nur ganz einfache »Wört«. Es gibt kaum einen deutschen Homer, der diesen Einwand nicht immer wieder herausforderte. Homer erzählt zum Beispiel mit ganz einfachen »Wört«, daß der in der Unterwelt von Sisyphos mühsam aufwärts gewälzte Stein »danach wieder zur Ebene rollte«; der einzige Schmuck der Stelle ist ihr Rhythmus und die (übrigens der Ilias entlehnte) Bezeichnung des Steines, der die Anstrengung schnöde zunichte macht, als rücksichtslos, »ruchlos« im alten Sinne des Worts. Was lesen wir in der gelungensten der neueren deutschen Übersetzungen? »Rückwärts/kollert mit Plumpen hinunter ins Tal der abscheuliche Felsblock.« Käme dieser Grobianismus auf Homers Rechnung, hätte ihm Voltaire mit Recht *grossièreté* vorgeworfen. Dürfen wir Voß da noch tadeln, weil er den »tückischen« Felsblock »hurtig mit Donnergepolter« entrollen ließ? Dazu sind wir um so weniger berechtigt, als wir ihn mit dem trotz Winckelmann immer noch weitgehend barocken Kunstgeschmack seiner Zeit entschuldigen müssen. Nach zwei Jahrhunderten des Hellenismus sollte man aber wissen, was einigermaßen homerisch ist und was nicht; was bei Voß verzeihlich war, ist mittlerweile unverzeihlich, was barock war, eindeutig geschmacklos geworden.

Gewichtiger wäre ein andrer Einwand, gegen Bodmer und Stolberg nicht minder als gegen Voß. Widerstrebt die deutsche Sprache nicht dem Hexameter? (Schiller scheint 1788 noch dieser Ansicht gewesen zu sein.) Daß sowohl der »Messias« als »Hermann und Dorothea«

in diesem Maße geschrieben sind, hat die Zweifler nicht beschwichtigt. Denn, so beharrte man, »große Dichter sind Könige und können Bastarde legitimieren«; Übersetzern jedoch komme dieses Privileg nicht zu. Freilich hat es wohl noch keine Sprache gegeben, die sich dem Hexameter nicht widersetzt hätte. Anderthalb Jahrhunderte haben die Römer gebraucht, bis sie den Fremdling so eingebürgert hatten, daß er das Lateinische mühelos und so hinreißend redete wie seine Muttersprache. Wirklich die Muttersprache? Das Griechische hat nicht geringe morphologische Zugeständnisse gemacht, es hat lange Silben kürzen und kurze längen, hat oft geeignete Wortendungen entwickeln und einen großen Teil des Wortschatzes ausschließen müssen, ehe es eine epische Sprache im epischen Vers geben konnte. Die Anpassungen sind zum Teil so gewaltsam, das Metrum scheint manchmal ein solches Prokrustesbett für das Griechische zu sein, daß man schon den Verdacht schöpfte, man habe es auch hier bereits mit einer Entlehnung, etwa aus der vorgriechischen Inselkultur, zu tun. Was Vergil recht ist, mag Homer billig sein, und man wird zugeben, daß es schon sehr früh Könige gegeben haben kann, die Bastarde legitimierten. Nur ist das daktylische Prinzip (das die zwei Kürzen der zweiten Takthälfte gleich einer Länge setzt, also eine Art Zweivierteltakt erzeugt, dessen erstes Viertel ungeteilt bleiben muß, — ⏑⏑) in seiner Regelmäßigkeit keiner einzigen Sprache natürlich; denn die gewöhnliche Rede ist nun einmal unregelmäßig. Seine Anwendung auf irgendeine Sprache kann sich also niemals einfach ergeben haben, sondern sie wird immer und überall künstlerischer An-Ordnung verdankt. Der Jambus mag für das Deutsche bequemer sein; er war es, laut Aristoteles, auch für das Griechische. Während er aber bei uns eine lose, die Prosa oft kaum profilierende Form geblieben ist, haben die Griechen neben ihren volkstümlichen Jamben den durchgeregelten Trimeter entwickelt, der dann der Tragödie als Dialogmaß diente, und in dieser Gestalt ist der Jambus ebensowenig entstanden wie der Hexameter, sondern geschaffen wie er. Es unterscheidet also den deutschen Hexameter weder vom lateinischen noch vom griechischen, daß er ein Kunstwerk, meinetwegen sogar künstlich ist; der Unterschied liegt vielmehr darin, daß sein Kunstcharakter bei uns gegen ihn spricht – womit es denn zusammenhängen mag, daß man ihn zu keiner verbindlichen Form weiter- und durchgebildet hat. Dennoch hat der Erfolg das Wagnis nicht ins Unrecht gesetzt. Es gibt zwar rhythmisch mißglückte Hexameter genug, nicht zuletzt von unsern größten Dichtern (wie andere mißglückte Verse auch); nichtsdestoweniger gibt es des glorreich Gelungenen die Fülle, nicht nur bei den Größten, sondern gerade auch bei Voß. Grund genug, den Hexameter zu den Unsrigen zu zählen und es ihn nicht entgelten zu lassen, daß ihn erst Schulpfortas dankbarer Zögling Klopstock nach Deutschland verpflanzt und tapfer gegen Trochäus und Jambus verteidigt hat.

Daß dabei ein neuer Hexameter entstand, wußte Klopstock sehr wohl und betonte es in seinen Abhandlungen; er hielt das mit Recht für einen Vorzug seiner Schöpfung (schon der lateinische Hexameter war alt und neu zugleich). Auch bei den Jüngeren kann von sklavischer Nachbildung des antiken Vorbilds keine Rede sein, jedoch hat Voß sich mit Klopstocks Grundsätzen nicht begnügt und den eignen Vers dem griechischen wieder stärker genähert. Anschließend an Moritz' »Versuch einer deutschen Prosodie« erörterte er die »Zeitmessung der deutschen Sprache« – es ist nicht Schuld dieser Männer, wenn wir auf diesem Gebiet, mit Schiller zu reden, im allgemeinen »roheste Empiriker« geblieben sind. So wollte Voß der Eigenart unsrer Sprache, nach Möglichkeit aber auch der Feinheit des griechischen Hexameters gerecht werden, die er besser als seine Vorgänger und Zeitgenossen zu beurteilen verstand. Er darf nämlich (ein hervorragender Homerforscher macht mich darauf aufmerksam) als Entdecker einer für unser Ohr zunächst unauffälligen Gepflogenheit gelten, die von den Griechen, nicht von den Lateinern, im 4. Fuße des Verses beobachtet wird (gleich der erste Vers von Goethes Reineke Fuchs verletzt mit seiner Interpunktion diese empfindliche Stelle); die Metrik sollte daher vom »Vossischen Gesetz« reden statt vom »Wernickeschen«.

Voß war also Philologe genug, um die Ansprüche zu beachten, die von zwei Seiten an ihn gestellt wurden; und er war Dichter genug, sich sehenden Auges auf diesen schmalen Grat zu begeben und so sicher und ungezwungen darauf zu bewegen, wie man es höchstens einem Nachtwandler zutrauen möchte. Der »herzliche Geist«, der in seiner Sprache webt, läßt uns alle Schwierigkeiten des Unternehmens vergessen und beweist zugleich, daß man das Deutsche nicht zu überanstrengen braucht, wenn man es auf diese griechische »Ausforderung« antworten läßt.

2

Das heroische Jahrhundert des deutschen Geistes, das achtzehnte, ist auch das Jahrhundert der Wiederentdeckung Homers. Diese Renaissance (denn wir dürfen den anspruchsvollen Begriff hier verwenden) beginnt merkwürdigerweise in Berlin, dem Berlin des Soldatenkönigs. Dort wirkte am Köllschen Gymnasium Christian Tobias Damm, der Winckelmann, Mendelssohn und Nicolai ins Griechische eingeführt hat, ein rechter Spree-Athener, ja Spree-Sokrates, der als alter Mann, ausgerechnet unter der Regierung Friedrichs II., nur mit knapper Not der frommen Volkswut entging, die er durch seine Freigeisterei gegen sich aufgebracht hatte. Damm, der Ilias und Odyssee übersetzt hat, überließ es andern, ihre Schönheiten zu preisen; er war durchaus Grammatiker und suchte das genaue Verständnis seines Textes durch ein etymologisches Wörterbuch zu Homer zu fördern. So stand an der Wiege unsrer Homerphilologie nicht allein der ästhetische Enthusiasmus, sondern auch die redliche Schulmeisterei, die sich im Dienste am Wort nicht genug tun kann. Einen gültigen deutschen Homer zu schaffen blieb denn auch einem Manne vorbehalten, der beides in sich vereinigte. »Mit Fleiß und Tücke webt ich mir ein eignes Ruhmgespinste«, läßt Goethe zwar den Eutiner, das ist Voß, in der Walpurgisnacht sagen. Aber ohne eine zähe und dabei klug angewandte Ausdauer kommen solche Leistungen nicht zustande, und ganz gewiß nicht ohne eine begeisterte Hingabe an die große Sache, wie sie kleinlichem Ehrgeiz nicht zu entspringen pflegt.

Inzwischen war eine wichtige Anregung von außen, aus England gekommen. Weder die von Winckelmann gelegentlich empfohlenen Homerbearbeitungen von Pope (seit 1715), noch das von Herder hochgeschätzte Homerbuch von Blackwell (1735) wurden für Deutschland annähernd so wichtig wie eine anspruchslose Studie über das »Originalgenie« Homer, die Robert Wood als Privatdruck seinen Freunden zugänglich gemacht hatte. Der Göttinger Professor Heyne, der für Winckelmann mehr Tadel als Lob übrig gehabt hatte, besprach das Werkchen überaus günstig und regte einen Kollegen, den Orientalisten Michaelis, zu einer Übersetzung an, der jene Rezension als Empfehlung vorangestellt ward (1773). Heutzutage fällt es schwer, die Wirkung zu begreifen, die das harmlose Buch hervorrief. Ein

Reisender, der das östliche Mittelmeer befuhr, beobachtete bei dieser Gelegenheit, wie wahrheitsgetreu Homer die Wind- und Wetterverhältnisse dieser Gegend beschrieben hatte, auch fand er manche Sitten der Heroen in den altertümlichen Lebensformen des Orients wieder, nicht ohne einige Unterschiede festzustellen – was war daran so sensationell? Zunächst der Abstand von dem damals viel bekannteren und gemeinhin viel höher gestellten Vergil, der seine im Guten und Bösen idealischen Helden in einer andern Welt als der unsrigen handeln und leiden läßt und sich gerade im Nautisch-Atmosphärischen weit, weit von der noch heute erfahrbaren Natur entfernt. Sodann der Schluß, den man aus diesem Gegensatze zog. War die Äneis der Inbegriff der Kunstpoesie, so waren die alten griechischen Epen dagegen Naturpoesie. Heyne hob hervor, Homer habe »noch kein Vorbild nicht« vor Augen gehabt, der junge Goethe forderte, man müsse »sich lebhaft überzeugen, wie er sich und der Mutter Natur alles zu danken gehabt habe«, Graf Stolberg reimte:

Und Ilias und Odyssee
Entstiegen mit Gesang der See,

jener See, an deren Ufer stehend der blinde Sänger Weltliteratur erlauschte ... Mit ungleich besserem Recht haben Damm und Winckelmann, Lessing und Herder an Homer gerade die reife Meisterschaft bewundert; aber nur als Naturtalent, nicht als Künstler konnte Homer den Künstler Vergil verdrängen, und ohne den berauschenden Irrtum wäre der Hellenismus bei uns keine so bedeutende Bildungsmacht geworden. Wie hätte man, im Jahrhundert Rousseaus, nicht hoffen sollen, man brauche nur eine Schicht erstarrter romanischer Konventionen abzutragen, um stracks zur Natur durchzustoßen, und wie hätte man die unverwüstliche Frische Homers nicht als ein geniales Urereignis empfinden sollen? Konnte man damals einsehen, daß solche Unmittelbarkeit literarisch bereits weit her sei, eine lange Kunstübung voraussetze? Nein, das kann man nicht verlangen. Es ist die Eigenart, und es bleibt das Geheimnis dieser Dichtung, zugleich uralt und urjung zu sein.

3

Sich der ewigen Jugend Homers zu erfreuen, kann man getrost der Empfänglichkeit eines jeden überlassen; es bedarf dazu keiner Anleitung. Doch der ewige Quell sprudelt uns zwar immer wieder, aber nicht allenthalben so freundlich entgegen, daß wir nur die Hand auszustrecken und zu schöpfen brauchten. Manchmal müssen wir das Wasser auch geduldig aus einer Zisterne emporwinden, von deren Tiefe keine Übersetzung, sondern nur die Forschung, insbesondere die Grammatik Kunde gibt. Es gibt nämlich bei Homer Besonderheiten, die über die eigentlich griechische Zeit hinaufreichen, von Sängern der Vorzeit erfunden sein müssen, die sie den einzelnen Gruppen der Völkersippe auf die Wanderung mitgaben. Andres ist nicht vorgriechisch, aber so frühgriechisch, daß kein Hellene der historischen Zeit es mehr zu deuten wußte. Gerade unter den Beiwörtern finden wir mancherlei Ogygisches, dessen Klang uns unvergeßlich bleibt, obgleich oder weil wir seinen Sinn höchstens ahnen: das Meer ist *atrýgeton*, *oulos* ein Traum, das Erz ist *nórops*, ein Antlitz *blosyrón* und so fort. Alle Übersetzungen werden hierfür verständliche Adjektiva einsetzen, aber die Verständlichkeit ist eine Verfälschung.

Da die Griechen sich mit fremden Sprachen wenig beschäftigten, haben wir ihnen die Sprachvergleichung voraus und können manche Bedeutung wiedergewinnen, die ihnen abhanden gekommen war. Nicht wenige Vokabeln sind unserer Etymologie durchsichtig, die schon den Homeriden, nicht erst der klassischen Zeit, unverständlich waren. Zuweilen haben sie Wörter entstellt, etliche zum Beispiel aus der Gruppe falsch ausgegliedert; verschiebt man da die Wortgrenze um ein Kleines, flugs enthüllen Wörter, die über zwei Jahrtausende rätselhaft waren, ihren schlichten Sinn.

Unser Hochdeutsch hat zwar mancherlei aus dem Niederdeutschen aufgenommen, aber es vermag trotzdem keinen Begriff von der Farbigkeit zu geben, die der griechische Text seiner Dialektmischung verdankt. Die Sprache Homers ist zwar in der Hauptsache jonisch, doch ist ihr etliches aus dem Äolischen, der Mundart Sapphos, beigemischt. Während wir die niederdeutschen Bestandteile unserer Rede unbewußt verwenden, fand der Jonier in den Epen viele Dinge, die ihm durchaus ungeläufig waren. Der Tatbestand erklärt sich schwerlich daraus, daß die Epen in einem Gebiet entstanden, wo man einen Mischdialekt sprach. Das Äolische wird nämlich (von einigen Fällen abgesehen, in denen es lediglich die metrisch bequemere Form liefert) nicht willkürlich benutzt, sondern unverkennbar seines feierlich-ungewöhnlichen Klanges wegen. Zum unalltäglichen Charakter der epischen Sprache trägt es so Wesentliches bei, daß es schon darum für einen jonischen Dichter nichts Alltägliches gewesen sein kann. Sollte es nun ein Zufall sein, daß der größte Held der Ilias, daß seine Eltern Thetis und Peleus, sein Erzieher Cheiron der Kentaur nach Thessalien, ins äolische Sprachgebiet gehören? Äolisch wie der Inhalt war ursprünglich wohl auch die Form des Heldenliedes, und als die Jonier es übernahmen und weiterbildeten, verzichteten sie nicht ganz auf die vertraut-fremdartigen Laute der äolischen Dichtung – etwa wie unsere klassische Musik nicht ganz auf die Kirchentonarten verzichtete. Die Dialektmischung des Epos ist kaum zufällig zustande gekommen, sondern auch sie ist Anordnung.

Ziehen wir aber von der epischen Sprache die äolischen Bestandteile ab, bleibt noch kein reines Jonisch übrig. Ein attischer Einschlag läßt sich weder überhören noch durch Textänderungen beseitigen. Wieder wird man es kaum für Zufall halten, daß antike Nachrichten behaupten, die Epen seien auf Veranlassung des »Tyrannen« Peisistratos zusammengefügt worden, hätten also in Athen ihre endgültige Form erhalten. Demnach verlören sich (um ein Bild zu gebrauchen) die Quellen des Heldengesanges im Vorgriechischen und Vorgeschichtlichen; zurückverfolgen ließen sie sich bis ins Äolische, der aus ihnen entstandene Strom flösse durchs jonische Sprachgebiet, um endlich in Attika zu münden.

Homer bedient sich also einer Kunstsprache, die niemals und nirgends von Griechen für den Hausgebrauch, als Prosa, benutzt wurde. Indessen ließ sich die Gebrauchssprache nicht gänzlich aus dem Epos verbannen. Es drückt sich zwar gewählt aus und vermeidet namentlich grobe Worte (wie sich auch der vielbewunderte und vielgescholtene Realismus seiner Schilderungen in scharf gezogenen Grenzen hält); jedoch allerlei Unscheinbares schlüpft durch die Ritzen des hohen Stils: der Artikel, den das Epos gemeiniglich noch ignoriert, wird zuweilen denn doch gesetzt; ursprünglich getrennt ausgesprochene Vokale werden, wenn das Metrum einmal nicht aufpaßt, zusammengezogen, andrerseits werden die alten Trennungen, die das Metrum verlangt, massenhaft falsch rekonstruiert – ein Zeichen dafür, daß die Sprache des Tages nur noch die zusammengezogenen Formen kannte; der im Jonischen früh verschollene Buchstabe v (F) wird zwar noch sehr oft, keineswegs aber immer metrisch gerechnet, und was dergleichen Dinge mehr sind.

All das gilt für die Odyssee ebenso wie für die Ilias, und doch stellt jedes der beiden Epen auch sprachlich eine ausgesprochene Individualität dar. Ist man über das elementarste Verständnis erst einmal hinaus, bemerkt man eine Fülle von Abweichungen, die sich nicht einfach auf die Verschiedenheit des Stoffs zurückführen lassen. Gegenüber der Ilias hat in der Odyssee Altertümliches ab- und Moderneres zugenommen, manche Worte sind verschwunden, neue dagegen aufgetaucht, der Satzbau bringt dem sorgfältigen Leser Überraschungen. Immerhin, daß die Odyssee nicht nur andersartige Abenteuer erzählt als die Ilias, sondern auch eine veränderte Welt beschreibt, liegt einigermaßen auf der Hand; man wird daher auf einen neuen Stil und, innerhalb der epischen Grenzen, auf eine neue Sprache gefaßt sein. Befremdlicher ist schon die Behauptung, die einzelnen Epen seien sprachlich nicht so einheitlich, wie sie bei oberflächlicher Betrachtung wirken. Als der Vater der deutschen Homer-Analyse, Friedrich August Wolf, von der »Diversität« innerhalb der einzelnen Epen sprach, meinte er damit verschiedene Arten der poetischen Darstellung. Aber die Grammatik brachte eindeutigere Diversitäten ans Licht als die oft höchst subjektive Stilkritik. Wie geht es zu, daß das gleiche Wort *kýmbachos* einmal »Helmkegel«, ein andermal »vornüber« bedeutet? Daß überhaupt Wörter und Wendungen einmal genau und ausdrucksvoll, einmal verwaschen und ausdrucksleer, bald etymologisch einleuchtend und dann wieder unangenehm mißbräuchlich verwendet werden? Wen sprachliche Probleme zu bewegen vermögen, muß sich fragen, ob wirklich immer derselbe Dichter spricht.

4

Die Sprache Homers läßt sich also nicht einfach horizontal, als ein räumliches Nebeneinander, betrachten, sondern muß zugleich vertikal, als zeitliches Nacheinander, begriffen werden. Durch die für unser Auge keineswegs »ewig still ruhende«, sondern sich ständig verändernde Vergangenheit läßt sich nirgends ein Querschnitt legen, der alle die besprochenen Erscheinungen zusammen aufwiese; am allerwenigsten eignet sich Homers eigenes Zeitalter dazu. Nur in Ausläufern reicht die epische Sprache bis in seine Epoche.

Nicht anders steht es mit den Inhalten. Die Erzählung verknüpft unbedenklich Dinge miteinander, die sich nur auf einer mythischen, nicht auf einer historischen Ebene miteinander vertragen. Kämpfe, in denen der Turmschild und der Streitwagen vorherrschten, hat es einmal gegeben, und Homer weiß davon zu singen und zu sagen. Aber in der Zeit, in der die Phalanx der Hopliten, von der er ebenfalls spricht, das wichtigste Instrument des Krieges darstellte, waren sie schon verschwunden. Eine Schlacht, wie sie schier endlos im Gefilde des Skamandros hin und her wogt, hat es als kriegsgeschichtlichen Typus niemals gegeben. Hundsfellmützen, Helme aus Eberzähnen, Leinenpanzer und manches andere, was er erwähnt, konnte Homer mit eigenen Augen sehen; aber den Panzer Agamemnons, wie er im 11. Gesang beschrieben ist, hat nur seine Phantasie erblickt, schon weil es ein derartiges Stück niemals gegeben hat, auch nicht in einer zurückliegenden Zeit. Denn er läßt es zwar aus historischen Elementen bestehen (so daß man vom orientalisierenden Stil der Dekoration sprechen kann), aber als Ganzes ist es, wie die vergeblichen Rekonstruktionsversuche zeigen, nicht recht vorstellbar, vielmehr phantastisch, märchenhaft.

Homer sorgt dafür, daß man seine eigene Zeit nicht mit derjenigen, die er besingt, verwechsle. »Wie die Menschen heute sind«, sagt er wohl, hätten sie dies oder jenes nicht mehr vollbringen können. Soviel menschliche Schwächen die Helden zeigen, sie sind immer wieder unerhörter Steigerungen fähig, und die größten unter ihnen, Achilleus und Diomedes, stehen den Göttern, die gegen sie oder an ihrer Seite kämpfen, näher als gewöhnlichen Menschen. Gelegentlich drängt sich aber doch das »Gewöhnliche« ein. Thersites, der »Dreistling«, ist gewiß keine mythische Gestalt, sonst könnte er dem Dichter nicht so widerwärtig sein. Sein Porträt ist mit Galle gezeichnet, die epische Gelassenheit ist dahin, wenn dieser Königstadler auftritt und das Wort ergreift. Genau genommen ist in diesem Augenblick eine allgemeinere Situation vorausgesetzt, als sie soeben geschildert war, die giftige Scheltrede setzt etwas unvermittelt ein; es kommt eben wenig auf den Anlaß an bei einem Manne, dem jede Gelegenheit recht ist, über die Herrschaft herzuziehen. So sieht ein Stand, dessen Vorrechte nicht mehr als selbstverständlich hingenommen werden, die Gefahr verkörpert, die ihm droht: als niederträchtigen und dazu kümmerlich mißgestalteten Hetzer, und gönnt dem Stellvertreter einer Schicht, die nicht verhaßt wäre, wenn sie nicht auch gefürchtet würde, die Prügel, die Odysseus ihm verabfolgt. Die Leichtigkeit, mit der hier die Auflehnung im Keime erstickt wird, verrät sich als ein Wunschbild, das der Dichter seinen Gönnern zuliebe malt. Gegenwärtiges, das beunruhigend draußen rumort, wird für einen Augenblick eingelassen, um so nachdrücklich vor die Tür gesetzt zu werden, daß es das Wiederkommen vergißt.

Die Odyssee führt uns Menschen von sehr viel niedrigerer Gesinnung vor, als es bei Lichte betrachtet der aufsässige Krieger ist, der die Fürsten herausfordert. Aber hier erhebt die Gemeinheit ihr Haupt nicht wie ein bizarres Untier aus einer fremdartigen, unmöglichen Welt, sondern sie ist aus diesem Epos ebensowenig fortzudenken wie aus dem Leben selbst. Der göttliche Sauhirt erhält seinen Gegenspieler im bösartigen Ziegenhirten, die würdige Schaffnerin in den verbuhlten Mägden, der verständige Telemachos in den rücksichtslosen Freiern. Die Wertskala reicht vom göttlichen Dulder und seinem unwandelbar getreuen Weibe hinab bis zu Iros, dem erbärmlichsten aller Bettler. Zwischen dem Höchsten und dem Niedrigsten wird durch Zwischenstufen vermittelt, so daß ein normaler Lebenszusammenhang entsteht. Neben dem Riesenmaß der größten Iliashelden wirkt der belfernde Thersites zwergenhaft, unterirdisch; der Odysseus der Odyssee ist ein Mensch unter Menschen, guten und schlechten; wenn er den Bogen spannt, den die andern nicht bewältigen, so geschieht kein Wunder, es bewährt sich der Beste. Das Reich des Mythos ist keine ferne Welt, sondern der Gegenwart in erreichbare Nähe gerückt.

Die ungeheure Spannweite der Ilias wäre aber unterschätzt, wenn man glaubte, sie habe die neuere Zeit nur als Folie für die Vergangenheit gelegentlich zugelassen. In Wahrheit verdankt sie der nachheroischen Zeit eine hohe Idee, die der bürgerlichen Verbundenheit im Stadtstaat, in der Polis. Wenn Hektor nach Troja kommt, von den

Angehörigen der Krieger umdrängt und befragt wird, wenn er seine Mutter beruhigt, sich an das Ehrgefühl seines Bruders Paris wendet, Frau und Kind zum letzten Male sieht und gefaßt seinem Schicksal wieder entgegengeht, so spüren wir nichts mehr von der Ungebundenheit und Selbstherrlichkeit der Halbgötter Agamemnon, Diomedes, Achilleus: Hektor bindet die Verantwortung für die Seinen und für die Stadt, ihn bindet die Pflicht. Er ist in diesem 6. Gesang der erste Bürger Trojas und steht nicht wie Achilleus jenseits von Gut und Böse, sondern gehorcht einer ethischen Norm. Hier sind wir schon so nahe an der Problematik des Aischylos, des Dichters der Polis und der Verantwortung, daß man sagen darf, Homer habe nicht allein seine Gegenwart, sondern schon die griechische Zukunft in sein Werk aufgenommen und zugleich zu zeitloser Gültigkeit verklärt. Es ist aber gewiß eine Übertreibung, wenn gesagt wird, die ganze Ilias sei vom Polis-Gedanken beherrscht (obschon im 12. Gesang mit dem Lykier Sarpedon nochmals ein Fürst auftritt, der sich zum Grundsatz des *noblesse oblige* bekennt). Ihre Besonderheit, ihre Weite und Unergründlichkeit verdankt sie nicht zuletzt der Mannigfaltigkeit der Lebensformen, die sich in ihren Helden darstellen.

5

Es ist ziemlich mühsam, die horizontale Lektüre laufend mit vertikalen Stützen zu versehen. Es wäre einfacher, bloß die Melodie nachzuklimpern, ohne die Harmonien zusammenzusuchen, von denen sie getragen wird. Homers Text ist aber nicht homophon, sondern vielstimmig, und er bliebe ganz unbegreiflich, wenn wir seine Vielschichtigkeit vernachlässigten. Das Nebeneinander darf für uns nicht Fläche bleiben, sondern muß Relief gewinnen. So wird es uns möglich, den Menschengeist ein Stück des Weges zu begleiten, der ihn auf den Gipfel, zu den Musen geführt hat.

Nachdem wir es als Grammatiker und dann als Historiker taten, wollen wir nun als Literarhistoriker in den Brunnen der Vergangenheit hinabblicken.

Das Epos arbeitet mit einer Unmenge fester Formen. Der Sänger konnte aus dem Stegreif vortragen, weil er nicht alles und jedes neu zu prägen brauchte, sondern jederzeit auf diesen Vorrat zurückgreifen durfte. Für welche Stelle nun ein Ausdruck erfunden, auf welche er übertragen ward, ist oft nicht zu entscheiden, zumal man das letzte Vorbild häufig außerhalb unsrer erhaltenen Gedichte suchen und von diesem die betreffenden empirischen Stellen ableiten muß. Oft ist die Frage aber weder müßig noch hoffnungslos. Wenn es von verschiedenen verwundeten Helden heißt, daß sie herabfielen wie Taucher, mithin einen Kopfsprung vollführten, so liegt dieses Gleichnis gewiß nahe. Da aber der eine von einer verhältnismäßig hohen Bastion, der andere vom verhältnismäßig niedrigen Streitwagen fällt, scheint es im einen Falle denn doch noch näher zu liegen als im andern. Wenn aber ein dritter vom Wagen kopfüber in den offenbar lose gehäuften Sand stürzt und dort, die Beine nach oben, eine Weile steckenbleibt, sieht dies wie eine groteske Variation des Tauchermotivs aus, und das Auftreten des ominösen *kýmbachos* im Sinne von »kopfüber« spricht gleichfalls dafür, daß wir es hier mit einer voraussetzenden, abgeleiteten Stelle zu tun haben. Wesentlicher ist jedoch das gebrochene Verhältnis zur Wirklichkeit: zwischen der Erfahrung und der Erzählung steht bereits Literatur, die Phantasie von der Rücksicht auf Wahrscheinlichkeit entbindend, ihr aber dabei den Boden unter den Füßen wegziehend. Solche frei schwebenden, emanzipierten Stellen sind zahlreich und verleugnen glücklicherweise ihre bodenständigeren Vorfahren im allgemeinen nicht. Wie der sprachliche Ausdruck oft in einer Weise weiterentwickelt wird, daß man schon annehmen müßte, der Dichter habe sich selber mißverstanden, so werden auch die erzählerischen Mittel zuweilen so verwegen variiert, daß ein Bruch zwischen dem Vorbild und der unverkennbaren Nachbildung entsteht, weil Sinn und Unsinn nun einmal unvereinbar sind. Denn es hieße den verwirrenden Tatbestand unerlaubt frisieren, wenn wir leugneten, daß im Homer auch manches Ungereimte steht.

Aber auch die sinnvolle Nachahmung kann unsere Stellungnahme fordern. Unvergeßlich, wie Odysseus in Tränen ausbricht, als er sich im Liede des Phäakensängers wiederbegegnet. Der 4. Gesang der Odyssee erneuert die Szene und verbreitert sie dabei nicht unbeträchtlich. Als Telemachos anhört, wie Menelaos seinen Vater Odysseus rühmt, verbirgt er, wie Odysseus selber bei den Phäaken, die Tränenflut im gleichfalls purpurnen Mantel. Auch diese Begebenheit ist rührend genug, es fehlt ihr aber die herzzerreißende Paradoxie jener andern. Keinem Dichter kann es verwehrt werden, ein glückliches Motiv zu wiederholen und damit, wie es zu gehen pflegt, abzuschwächen. Aber sicherlich ist es besser, wenn wir uns bei der Episode im Hause des Alkinoos der Szene am Hofe des Menelaos nicht entsinnen. Vor allem aber: der Geist der Geschichte hat sich bezeichnend gewandelt. Anders als bei den Phäaken werden in Sparta alle Anwesenden von Wehmut ergriffen: »Es weinte die argivische Helena, die Zeusentsproßne, es weinten Telemachos und der Atride Menelaos, und auch Nestors Sohn bewahrte das Auge nicht tränenlos.« Sie weinen aus verschiedenen Gründen, nicht mehr die heroische Träne, sondern die Träne einer weichen Empfindsamkeit. Nicht die Telemachie hat mit der Gebärde auch deren Geist übernommen, sondern Schiller, wenn er Kaiser Rudolphs heilige Macht »der Tränen stürzenden Quell in des Mantels purpurnen Falten« verbergen läßt. Da hätten wir also innerhalb der Odyssee eine »Diversität«, die zu denken gibt. Schwerlich wird man sie von der starken Abnützung von Pathosformeln trennen können, die schon in der Ilias in schwächeren Partien grassiert, in der Odyssee aber manchmal herrliche Prägungen peinlich entwertet (so »homerisch« dem unkritischen Verehrer solcher Leerlauf auch erscheinen mag). Ein Beispiel dafür ist die Wiederbegegnung des Odysseus mit seinem Vater Laertes im letzten Gesang – mit ihrem Versteckspiel eine matte Wiederholung der unsterblichen Episode, da Odysseus seiner Frau gegenübersteht, ohne sich ihr zu erkennen zu geben. Hätten wir dies nicht vorher gelesen, könnten wir die Laertes-Szene als Erfindung recht hübsch finden; sie bliebe aber immer noch mit entliehenen Pathosversen überlastet.

Andere Varianten stehen künstlerisch in erheblich schärferem Wettbewerb, insbesondere dann, wenn die ästhetischen Mittel und Ziele verschieden sind. Der edle Realismus, der im Epos so erquicklich überwiegt, ist begrenzt von einem zuweilen rohen Naturalismus einerseits und jenem phantastischen Surrealismus andrerseits (hier ist nicht die Schilderung des eigentlichen Wunderbaren gemeint, sondern eine Spielart der Kampfbeschreibung, die das Seltsamste unter der Maske der Naturtreue einschmuggelt). Daß zum Beispiel realistische und surrealistische Stellen vom gleichen Verfasser stammen können, wird man (sofern nicht sprachliche oder sonstige Bedenken auftauchen) vielleicht zugeben. Deswegen wird aber die »homerische Frage« auch in solchen Fällen noch nicht gegenstandslos.

Daß ein Künstler seine Ziele und Mittel wechselt, ist an und für sich nichts Unerhörtes. Das kann durch seine Entwicklung bedingt sein, oder er kann sich nach Gutdünken bald der einen, bald der anderen Technik bedienen, sei sie nun von ihm selbst oder von anderen geschaffen. Nun verwandelt aber schon die Annahme einer Entwicklung dasjenige in ein Nacheinander, was im Text nebeneinander steht, historisiert es also; und die Frage nach Vorbildern greift vollends hinter die Gegenwart des Werks zurück. Da wir ohne die Annahme von Vorbildern aber keinesfalls auskommen (die Geschichte der Homerkritik hat das immer wieder gezeigt), möchte man auf die allzu modern anmutende Vorstellung einer persönlichen künstlerischen Entwicklung Homers gern verzichten (sie müßte viel radikalere Umschwünge verursacht haben, als wir sie etwa bei den Tragikern beobachten können) und möchte mit seiner Kunst lieber als einheitlicher, organischer denn als uferlos veränderlicher Größe rechnen. Der beliebte Hinweis auf Goethe und die Fülle seiner poetischen Möglichkeiten vereinfacht den Sachverhalt nur scheinbar. Die Vielseitigkeit der Vollender wäre gerade undenkbar, wenn sie jede Einzelform erst hätten erfinden müssen. Also gerade der Hinweis auf die Universalität historisch wohlbekannter Größen löst die Problematik aus, die er so gern beseitigen möchte, gerade er lenkt die Aufmerksamkeit vom Phänomen zu den Ursachen, vom Vollender zu den Wegbereitern. Denn das vielschichtige Riesenepos ist kein Anfang, wie die Geniezeit glaubte, sondern ist Abschluß, kein erst- und einmaliger Wurf, sondern umsichtige Synthese.

Bekanntlich sind sich im fremden Land zunächst alle Leute ähnlich. Je tiefer man sich dort einlebt, desto mannigfaltiger werden die Physiognomien. Mit den epischen Gleichnissen geht es dem Leser nicht anders. Wer von »dem« homerischen Gleichnis redet, vereinfacht verdächtig. Nicht die Verschiedenheit des Stoffes braucht den Ausschlag zu geben (obgleich es uns nicht gleichgültig sein kann, was dem vergleichenden Dichter jeweils in den Sinn kommt): oft wird man gerade bei gleichem Gegenstand stilistische Abweichungen beobachten können. Der jugendliche Simoeisios wird als schlanke Pappel gesehen, wie sie mit andern im feuchten Wiesengrund emporwächst; Imbrios,

Priamos' Schwiegersohn, als Esche, die weithin sichtbar auf dem Berge steht. Das sind zwei Stellen, die nicht allein stofflich verbunden sind, sondern vor allem künstlerisch. Das Bild entspricht genau dem Wesen und der Bedeutung des Kriegers, die Landschaft wird mit wenigen Strichen überzeugend anschaulich gemacht. Da auch zwischen den Namen der beiden Männer eine gewisse Beziehung besteht, der Kampf, in dem sie fallen, in auffallend ähnlicher und keineswegs selbstverständlicher Weise erzählt wird, entsprechen beide Stellen sich offenbar, soll sich der Leser bei der einen an die andere erinnern. Leider wird das dadurch erschwert, daß jene im 4., diese erst im 13. Gesang steht – der Verdacht wird rege, daß sie erst durch spätere Bereicherungen der Erzählung so weit auseinander gedrängt wurden. Werfen wir nun einen Blick auf ein anderes Baumgleichnis des 13. Gesanges. Asios fällt, heißt es, wie eine Eiche oder eine Pappel oder eine Fichte. Wir dürfen wählen, unsere Vorstellung wechselt so rasch, daß eigentlich nur der Begriff Baum übrigbleibt. Hier wird nicht individualisiert, wie es in den beiden andern Fällen unübertrefflich geschah, sondern generalisiert. Es ist nicht nur der geringere Wert des letzten Gleichnisses, der stutzig macht (es ist flüchtig gearbeitet), sondern zugleich seine Abstellung auf den Vorgang des Fallens allein, während Simoeisios und Imbrios in dem besonderen Baum noch gegenwärtig blieben. So haben wir ausgeführte Raubtiergleichnisse von packender Bildhaftigkeit, während es anderwärts nur heißt: »Sie kämpften wie Löwen oder Eber«, so daß wieder nur der Begriff »Raubtier« für den Leser verbindlich bleibt. Es lohnt sich, auf solche Dinge (die sogar in der Übersetzung erhalten bleiben) laufend zu achten; man wird der eigentümlichen Vorzüge vieler Gleichnisse dabei erst innewerden.

Nichtsdestoweniger kann sich der Eindruck der einzelnen Kampfphasen mit dem Inhalt der Gleichnisse völlig verändern. Ob diese der großen Natur mit ihren Gebirgen und Meeren, Gewittern und Raubtieren entnommen werden oder dem menschlichen Alltag, ob die Geschosse so dicht fallen wie der Schnee, der die Blumenwiese verschüttet, oder wie Erbsen, die auf der Tenne hüpfen, ob die Leichtigkeit, mit der die Götter etwas vollbringen, der Gedankenschnelle entspricht, mit der sich die Erinnerung des Weitgereisten von einem Ort an den andern versetzt, oder der Lässigkeit, mit der eine Mutter die Fliegen von ihrem Säugling verscheucht, wir werden jeweils fragen müssen, inwiefern die Gleichnissphäre ihrer Umgebung entspricht. So möglich es ist, daß die Rhapsoden in ihrer reichen Schatzkammer nicht immer das Geeignetste griffen und mancherlei vertauscht haben, im allgemeinen wird man doch das Schmuckstück seiner Fassung angemessen finden. Immer wieder entzücken uns die wundersamsten Kostbarkeiten, aber auch Billiges ist darunter. Man glaubt zu ahnen, welche Gleichnisse Winckelmann in der Verzweiflung seines Schulmärtyrtums »betete« und welche nicht: wahrscheinlich war das Simoeisios-Gleichnis darunter, schwerlich aber jene Stelle, da der schlaflose Odysseus sich hin und her dreht wie die Wurst am Spieß.

Die Odyssee, die den Leser durch die vielgestaltige Welt führt, hat begreiflicherweise ein geringeres Bedürfnis nach Gleichnissen als die Ilias, die auf engem Raum spielt und die Welt des wechselnden Wetters, der Hirten und Bauern im allgemeinen nur im Gleichnis einläßt – wenn nicht ausnahmsweise einmal der Schild des Achilleus der Gegenwart des Dichters eine Stätte gewährt. Aber die Ilias verteilt die Gleichnisse, die nicht ihr geringster Ruhm sind, nicht etwa gleichmäßig; der herrlich durchgestaltete 1. Gesang verzichtet darauf. Das gibt zu denken.

6

Epische Sprache im epischen Vers, das war das Gefäß des gesamten griechischen Mythos, nicht allein der troischen Sagen. Die Ilias spielt im 14. Gesang auf ein Abenteuer des Herakles so an, daß geradezu ein bestimmtes Gedicht zitiert scheint; auch ein Gedicht über seine Höllenfahrt hat es einst gegeben, das in den Unterweltsschilderungen Vergils und Senecas einige Spuren hinterlassen hat. Selbst ohne solche Nachwirkungen wäre es wahrscheinlich, daß der größte und volkstümlichste Held der Griechen episch besungen wurde; sonst wäre er eben nicht so groß und so volkstümlich geworden. – Im 9. Gesang der Ilias wird Meleagros dem zürnenden Achilleus als warnendes Beispiel vorgehalten. Dessen in Mittelgriechenland spielende Geschichte ist ersichtlich für die Zwecke der Ilias zurechtgebogen, sie wird also gewiß nicht zum ersten Male erzählt, wohl auch nicht zum ersten Male dichterisch geformt. – Im Peloponnes ereignen sich die Abenteuer, die Nestor im 11. Gesang ausführlich erzählt, gewissermaßen als sein eigener Homer, sich selbst als »gottgleichen« Kämpfer bezeichnend. – Durch Diomedes, den Sohn des Tydeus, ist die thebanische Sage in der Ilias vertreten. Ein Epos »Thebais« wurde sogar dem Homer zugeschrieben, schwerlich mit größerem Recht als andere Epen auch. Frühzeitig ging es verloren, der Greuel waren wohl zu viele darin, zu viele und zu widerwärtge namentlich für einen wichtigen Teil auch des antiken Publikums, für die Schuljugend. Unermeßlich aber ist seine Wirkung: Aischylos, Sophokles und Euripides entnahmen ihm noch die Schicksale des Labdakidenhauses, namentlich des Oidipus und seiner Kinder. Der Ton solcher düsteren Mären – »von mancher Sippe angestammtem Leide / Und bösen Sternen über manchem Dache« – erklingt einmal in der Ilias, dann, wenn Phoinix die haarsträubende Geschichte seines Haders mit dem eignen Vater erzählt.

All das sind ursprünglich selbständige, in verschiedenen griechischen Landschaften gewachsene Sagen. Allgemeingut wurden sie in epischer Fassung, und sie wurden dadurch in einem weitesten Sinne homerisch. Offenbar gehört es zu den Absichten unsrer Ilias, möglichst viel von diesem epischen Gut in sich aufzunehmen und dadurch miteinander in Beziehung zu setzen. Ihre Erzählung bewegt sich nicht allein im Umkreis von Troja, sondern bei Gelegenheit im sozusagen großgriechischen Raum. Die Gelegenheit ist nicht immer ungesucht, und manches, zum Beispiel die lange Erzählung Nestors im 11. Gesang, könnte man sich wegdenken, ohne die Haupthandlung anzutasten; schwerer fällt es schon, die Erzähler selbst, Nestor und auch Phoinix, wegzudenken. Ganz unmöglich ist es aber nicht, und es sind keineswegs durchweg schlechte Gründe, mit denen man bezweifelt hat, ob sie im troischen Mythos eigentlich etwas zu suchen haben. Andere Helden aber stammen aus anderen Bereichen, ohne daß man auf sie verzichten könnte. Sarpedon, der Lykier, und Tlepolemos, der Rhodier, kämpfen im 5. Gesang miteinander; Tlepolemos fällt. Man wird kaum bestreiten können, daß sich hier Historisches widerspiegelt, etwa der Versuch der Griechen von Rhodos, sich auf dem gegenüberliegenden Festland, eben Lykien, festzusetzen, und man darf vielleicht sogar weitergehen und sagen, daß der Tod des Tlepolemos den unglücklichen Ausgang dieses Unternehmens symbolisiert; denn daß die Griechen die Südwestecke Kleinasiens gern dazugewonnen hätten, ist ebenso wahrscheinlich, wie es notorisch ist, daß ihnen das nie so recht gelang. Der

Zweikampf ist also nach Troja verpflanzt, zum höheren Ruhme des Sarpedon, dem der Dichter den ersten Einbruch ins griechische Lager, noch vor Hektor, zuschreibt und als pflichtbewußtem Herrscher Achtung bezeugt – Schlaf und Tod werden ihn, auf Geheiß seines Vaters Zeus, in seine Heimat zurücktragen, nachdem Patroklos ihn gefällt hat. Das würde man ungern missen, aber daß Sarpedon den ursprünglichen Personenkreis erweitert, verrät sein episodisches und mit Hektor nicht glücklich konkurrierendes Auftreten. Welches ist aber der ursprüngliche Personenkreis? Gehören Idomeneus, der Kreter, Diomedes, der Argiver, der wie sein Vater gen Theben zog, wirklich dazu? Es mag uns hier die Annahme genügen, daß die troische Sage, kraft der Genialität eines frühen Gestalters, zeitig Helden aus allen Gegenden Griechenlands anzog (weil die Hörer ihre Lieblinge auch auf diesem Schauplatz nicht missen wollten, am wenigsten diejenigen Hörer, die ihre Herkunft auf Heroen zurückführten), daß die Ilias aber, einmal universal geworden, sich der gemeingriechischen Aufgabe bewußt wurde und sie zielstrebig erfüllte. Der große Index der Helden im 2. Gesang, wie die Meleagrosgeschichte für die besonderen Bedürfnisse der Ilias aus einem älteren Gedicht umgeformt, machte das Zusammenwirken der verschiedenen griechischen Stämme übersichtlich und trug zur Bildung eines hellenischen Nationalgefühls nicht unwesentlich bei.

Homerisch in einem engeren, gleichwohl noch recht weiten Sinne waren sämtliche Gedichte des sogenannten troischen Kyklos. Vorgeschichte und Beginn des Krieges waren in den Kyprien behandelt, es folgte das Riesengedicht vom Zorn des Achilleus, unsere Ilias. Was sich nach Patroklos' und Hektors Bestattung bis zu Achilleus' Tod ereignet hatte (zum Beispiel griffen die Amazone Penthesileia und Memnon, der Sohn der Morgenröte, in die Kämpfe ein und wurden von Achilleus besiegt), Aias' und Odysseus' verhängnisvoller Streit um seine Waffen, die Einholung des einst verstoßenen Philoktet und seine Bestrafung des Paris, endlich die Eroberung der Stadt, dies und anderes mehr füllte zwei bis drei kleinere Epen. Doch wollte man sich von den Helden des Krieges immer noch nicht trennen, das Epos begleitete sie auf ihrem Rückweg, erzählte die »Heimkehren«, die Nostoi. Ein eigenes Heimkehrgedicht, bedeutender als jenes, es aber, wie auch andere Gedichte des Kyklos, eifrig benutzend, liegt uns in der

Odyssee vor. Die Reihe der troischen Epen endete mit den letzten Schicksalen des Odysseus, der Telegoneia, so genannt nach seinem Sohn von Kirke, der Zauberin.

Die Vorliebe der griechischen Leserschaft und das Urteil der griechischen Philologie hoben Ilias und Odyssee als die weitaus wichtigsten und wertvollsten aus dieser Epenmasse heraus. Beide blieben infolgedessen allein erhalten und bestimmen nun unsern Begriff von homerischer Dichtung. Daß die antike Kritik sich bei dieser Auswahl von vernünftigen Erwägungen leiten ließ, glauben wir gern; sie nachzuprüfen fehlen uns nach dem Verlust der übrigen Epen leider die Mittel. Dürfen wir wenigstens auf unsrer Suche nach dem »eigentlichen« Homer vor den zwei verbliebenen Epen haltmachen? Schon den antiken Philologen entging deren Verschiedenheit nicht. Wenn sie die Odyssee mit der immer noch schönen, aber matten untergehenden Sonne verglichen, erblickten sie in ihr ein Spätwerk des Iliasdichters. Von Herzen gern würden wir, in Ermangelung aller zuverlässigen Nachrichten über den Dichter, mit dieser Entwicklungshypothese arbeiten, wenn sie uns nur die Schwierigkeiten behöbe, die sich dem Glauben an einen einzigen Verfasser auf Schritt und Tritt entgegenstellen! Die Odyssee repräsentiert wohl einen Altersstil, aber nicht eines einzigen Künstlers, sondern einer Kunstgattung, einer geistigen Epoche. Man muß also wählen, welchem der beiden Großepen man den Namen des größten Dichters lassen will. Zweifellos ist die Ilias das erstaunlichere, überwältigendere Werk, und so hat man sich in der neueren Philologie schließlich daran gewöhnt, unter »Homer« im genaueren Sinne den Verfasser der Ilias zu verstehen, dessen Name den des Odyssee-Dichters aufsog, falls dieser sein Epos nicht absichtlich von vornherein unter den schon berühmten Namen stellte. Aber auch damit sind wir nicht am Ende – die Identitätsprobleme sind nicht bloß zwischenepisch, sondern auch innerepisch. So kommt es denn, daß heutzutage kaum zwei Gelehrte mit Homers erlauchtem Namen den gleichen Dichter meinen. Ist das zum Verzweifeln? Nicht weniger und nicht mehr als andere transzendente Probleme, aber auch faszinierend wie nur irgendeines. Die endlosen Querelen der Homerkritik mögen den Laien abstoßen, der Forscher zieht das unerschöpfliche Gespräch mit seinesgleichen der Kirchhofsruhe gleichgültiger Einigkeit vor.

7

Ilias und Odyssee haben demnach die übrigen Epen des »Kyklos« erst verdunkelt, dann ausgelöscht. Doch einigermaßen ersetzen sie den Schaden wieder. Die Nachbarepen sind nämlich teilweise in sie eingegangen. Die Ilias spielt im neunten Jahr des Krieges; daß die Mannen des langwierigen Feldzugs überdrüssig sind, ist eine wesentliche Voraussetzung des 2. Gesangs. Aber noch im gleichen Gesang lesen wir den erwähnten sogenanten Schiffskatalog, der Stärke und Herkunft der einzelnen griechischen Kontingente aufführt und zusammen mit einem flüchtigeren Troerkatalog ein Stück Exposition bildet – nicht für ein spätes Jahr des Kampfes, sondern für den Kampf selbst. Prolog einer ersten Feldschlacht ist auch die Mauerschau des 3. Gesanges, bei der Helena die bedeutendsten Helden unter den Feinden dem Priamos benennt, der sie längst kennen müßte (die besondere Ilias-Situation wird nur in der Weglassung des Achilleus berücksichtigt). Dementsprechend scheinen die beiden Heere im 3. Gesang zum ersten Male aufeinanderzutreffen, voran die beiden Rivalen Menelaos und Paris. Ihr Zweikampf um Helena soll den Zwist auf die ritterlichste Weise aus der Welt schaffen; der Versuch scheitert, und nun erst wird die Entscheidung in allgemeiner Feldschlacht gesucht: ein echter Kriegsbeginn.

Die Ilias holt nicht nur Vorgeschichte nach, sie nimmt auch Nachgeschichte vorweg. Achilleus' Tod liegt außerhalb ihrer Handlung, aber er wirft seinen Schatten voraus. Wir denken hier weniger an die Prophezeiungen der Thetis, des göttlichen Rosses, des sterbenden Hektor als an eine merkwürdige Stellvertretung. Patroklos, weit über sein eignes Maß hinausgewachsen und im Siegesrausch ungeheuerliche Taten vollbringend, begegnet, schon im Begriff, die Stadt zu erobern, ihrem göttlichen Beschützer Apollon und stirbt durch ihn (Euphorbos und Hektor sind dabei nur die irdischen Werkzeuge, wie beim Tode Achills Paris das Werkzeug desselben Gottes sein wird). Nun leiht sich Patroklos vorher für sein Abenteuer Achilleus' Waffen. Mit dieser genialen, übrigens nicht durchweg festgehaltenen Erfindung gleicht die Ilias den Unterschied zwischen den beiden Helden, das Mißverhältnis zwischen Ursache und Wirkung, Kampfstärke und Erfolg ebenso sinnfällig aus, wie sie darauf aufmerksam macht. Patroklos erkämpft in der Ilias Achilleus' letzten Sieg und stirbt auch seinen Tod: im Gewande der Patrokleia lesen wir bereits Achilleis. Patroklos ist aber nicht der einzige Stellvertreter des grollenden Göttersohns auf dem Schlachtfeld. Zu Agamemnons menschlich-allzumenschlichen Dimensionen wollen weder der überschwengliche Lobpreis in der Mauerschau noch seine überschwenglichen Heldentaten im 11. Gesang ganz stimmen, auch nicht die gnadenlose Erbitterung gegen wehrlose Troer. Man setze Achilleus an seine Stelle, und sämtliche Proportionen rücken sich zurecht.

Auch die Odyssee ist ein einbeziehendes, angereichertes und alles andere als einfaches Gebilde. Aus dem Stoff der Epen, durch die sie einst mit der Ilias verbunden war, bringt sie mancherlei, zum Teil ziemlich ausführlich: den Tod des Nestorsohns Antilochos, die Bestattung Achills, den Streit um seine Waffen, Helenas mehr als bedenkliche Rolle bei der Eroberung Trojas und anderes mehr. Das meiste erfahren wir über die Rückkehr der beiden Atriden, über das ägyptische Abenteuer des Menelaos und, an mehreren sich ergänzenden Stellen, über Agamemnons Ermordung und die glorreiche Rache, die Orestes für seinen Vater nahm. Wie die Ilias begnügt auch die Odyssee sich nicht damit, »troisches« Sagengut an sich zu ziehen. Die Unterweltsbeschreibung des 11. Gesangs läßt berühmte Stammütter vorüberziehen und führt die Höllenstrafen noch berühmterer Frevler vor – Anleihen einerseits bei der Katalogpoesie, die in der Antike unter Hesiodos' Namen lief, andrerseits bei religiöser Poesie orphischer Richtung. Weniger episodisch, vielmehr die Thematik der Abenteuer weithin bestimmend zeigt sich der Einfluß der Argonautensage. In ihr ist die Zauberin Kirke zu Hause; und Schrecknisse wie Skylla und Charybdis sind uraltes Seemannsgarn, längst gesponnen, ehe man von Odysseus' Fahrten sang, und nun artig verwoben mit den Gefahren einer recht fortschrittlichen Seeräuberei.

Bei aller Geschlossenheit ihrer Komposition sind die beiden erhaltenen Gedichte glücklicherweise doch nicht gegen ihre epische Umgebung abgedichtet, sondern mit Fenstern versehen, durch die der Beschauer ein ungefähres Bild einer mythischen Landschaft gewinnen kann.

8

Unzählige Städte sind belagert und erobert worden, aber das Leid der heiligen Ilios ist das Leid aller; nicht ihre Größe oder ihr Schicksal, ihr Dichter hat sie über Sybaris und Milet, Karthago und Byzanz erhoben. Ein geschichtlicher Kern der Sage ist glaublich, gerade weil ein solcher Untergang leider nicht ungewöhnlich ist, und aus dem gleichen Grunde ist mit der Anerkennung eines historischen Ereignisses so wenig gewonnen. Es war also nicht nur Hochmut gegenüber dem Außenseiter, wenn sich die Philologen von Schliemanns Grabung nicht allzuviel versprachen. Was er fand, übertraf denn doch alle Erwartungen. Aber er fand das homerische Troja nicht, sondern einen Berg übereinandergeschichteter Städte, von denen man keine als die heilige Ilios ansprechen kann. Die übliche Gleichsetzung mit der sechsten Stadt ist in Wahrheit bestenfalls eine Annäherung, und Prokrustes muß ganze Arbeit leisten (das heißt alles, was sich nicht fügen will, beseitigen), wenn das gleiche Bett für die poetische und die historische Vergangenheit passen soll. Schliemann glaubte, in Mykene das Grab Agamemnons, in einer troischen Mauerfuge den Schmuck der Helena wiedergefunden zu haben; das erhöhte seine Entdeckerfreude und die Teilnahme der Gebildeten an seiner Arbeit. Deren Wert verringerte sich aber durchaus nicht, als man die mythischen Namen mit Frage- oder Anführungszeichen zu versehen begann.

Darf man einfach für überliefert halten, was Homer erzählt, die Zinne suchen, von der Helena und Priamos in die Ebene blickten, oder den Weg verfolgen, auf dem der fliehende Hektor dreimal die Stadt umkreiste? Eine geeignete Mauerstelle wäre leicht zu finden, aber keine Fluchtbahn, die nicht phantastisch wäre. Wenn es Dichtererfindung ist, daß Aphrodite das Helmband ihres Lieblings zerriß, daß Athena zu Diomedes auf den Wagen stieg, Aineias mit Appollons Hilfe einen gewaltigen Sprung über etliche Reihen von Männern vollführte, wenn es Erfindung ist, daß Mydon köpflings im Sande steckenblieb, dem Peisandros die Augen vor die Füße fielen und das Roß Xanthos plötzlich zu reden vermochte, wird man nach der Grenze fragen müssen, wo die Erfindung aufhört und die Überlieferung beginnt. Sollte jene sich wirklich nur aufs Wunderbare beschränkt haben, diese alles halbwegs und ganz Natürliche beanspruchen dürfen? Das wäre eine willkürliche Annahme.

Wie frei die Dichtung mit wirklichen Ereignissen umgeht, wissen wir Deutschen besonders durch das Nibelungenlied. Seinen geschichtlichen Hintergrund kennen wir, den Untergang der Burgunden in der Völkerwanderung. Niemand aber denkt daran, die Umstände, unter denen das hohe Mittelalter, viele Jahrhunderte nach der Völkerwanderung, diese Katastrophe eintreten ließ, als Tatsachen zu nehmen. Die homerischen Namen Priamos, Paris, Aineias und andere, insbesondere die ungriechischen unter ihnen, können sehr wohl von berühmten Persönlichkeiten getragen worden sein; auch Dietrich von Bern ist ein geschichtlicher Name. Jedoch als Quelle für die Geschichte des großen Theoderich werden wir darum das Nibelungenlied nicht benutzen. Der Vergleich der beiden Gedichte fordert uns nicht nur auf, uns mit der völligen, wenn man will hoffnungslosen Mythisierung der Geschichte im Heldenlied abzufinden, er zeigt auch, daß das Zusammenwachsen ursprünglich getrennter Sagenkreise ganz natürlich ist: im Nibelungenlied begegnen sich fränkisch-burgundische und gotisch-langobardische Gestalten.

In der Odyssee, dem »Ur-Roman« des Abendlandes (nach Jean Paul), wird heutzutage wohl niemand mehr Überlieferung suchen. Wer zu aufgeklärt ist, an die einäugigen Menschenfresser, an Kirke und an Skylla zu glauben, muß auch zu aufgeklärt sein, um die Halle zu suchen, in der Odysseus die Freier erschoß. Mythische Ereignisse und Gestalten lassen sich nicht in Geschichte verwandeln, beziehungsweise zurückverwandeln. Wohl aber sind viele Gegenstände gefunden worden, die mehr oder minder mit Dingen, von denen bei Homer die Heroen umgeben sind, mit Gerätschaften, Waffen und Schmucksachen, deren sie sich bedienen, ungefähr übereinstimmen. Es ist nicht zu verachten, daß wir das Floß und das Haus des Odysseus, den Becher des Nestor und den Schild des Achilleus leidlich zeitgerecht rekonstruieren und die einschlägigen Stellen zum Teil mit Hilfe von Museumsstücken illustrieren können. Da die Zeiten des naiven Anachronismus und der pittoresken Utopie unwiederbringlich dahin sind, wird man dankbar sein müssen, wenn uns wenigstens ein antiquarischer Rahmen gegeben wird, der unsern inneren Bildern einen gewissen Halt gibt. Es könnte ja auch nichts schaden, wenn wir zum Beispiel die Pflanzen, von denen Homer spricht, deutlich vor uns sähen. Aber die Bevormundung der Phantasie entartet leicht zu einer Tyrannei, die jede Entfaltung verhindert. In einer Zeit, der das rastlose Heimsuchen von Sehenswürdigkeiten anscheinend alles, das nachschaffende Lesen im stillen Kämmerlein sehr wenig bedeutet, darf man wohl einmal davor warnen, den Wert des unmittelbar Schaubaren, Tastbaren, Inventarisierbaren für die Interpretation einer Dichtung zu überschätzen. Niemandem freilich ist es zu verübeln, wenn er ein Epos nicht als Poesie, sondern als ein Dokument betrachtet, das ihm bestimmte Kenntnisse vermitteln soll, und sicherlich hat die Erforschung der homerischen »Realien« eine Unmenge Wissenswertes zutage gefördert. Aber Pegasus läßt sich bekanntlich ungern vorspannen und rächt sich an seinen Lenkern, indem er sich unvorhergesehen mit ihnen in die Lüfte erhebt. Das heißt, wie sich der Mythos nicht in Geschichte zurückverwandeln läßt, widersetzen sich auch zahlreiche Aussagen über Gegenstände der antiquarischen Fixierung. Neben Eindeutigem steht Zweideutiges, mit keiner Anstrengung zu Rekonstruierendes. Das wird oft vergessen und dann nicht gefragt, wo überhaupt auf eine realistische Frage eine realistische Antwort zu erwarten ist und wo nicht.

9

Historische Fakten hin, historische Fakten her – das größte Gedicht vom trojanischen Krieg ist seiner Hauptvoraussetzung eigentümlich entfremdet. Es handelt nicht von der Eroberung der Stadt; das besorgte eine der Fortsetzungen. Handelt es wenigstens von ihrer Belagerung? Regelrecht belagert werden doch nur die Griechen! Viele Gesänge hindurch beherrscht Hektor, wenn nicht das Feld, so doch das Geschehen, und groß wie er im Angriff ist Aias, sein griechischer Widerpart, in der Verteidigung. Die Verdrängung der Griechen aus dem Vorfeld von Stadt und Lager, der Ansturm gegen die Schutzwehr für die Schiffe, das troische Biwak davor, die Überflutung dieses schirmenden Damms, die äußerste Not, in die Flotte und Heer nun geraten: dies ist das immer wieder verzögerte und doch beklemmend unaufhaltsame Drama, das uns die zentralen Gesänge der Ilias vorführen. Ist nun den Griechen einmal ein Zwischenerfolg beschieden oder greift Achilleus endlich wieder ein, so kommt es nur zum ersten Akt des Gegenspiels, der Flucht der Troer aus dem Felde; aber ihre Stadt wird nicht berannt und auch nicht von den Mauern herab verteidigt. (Niemals wird sie regelrecht berannt werden; auch nach Hektors Tod bleibt das vom Skamandros durchflossene Gefilde der Kriegsschauplatz, und es wird des hölzernen Pferdes bedürfen, um in den Mauerring einzudringen – ersteigen wird man ihn nicht.)

So läßt sich die Ansicht hören, die den innersten Kern der Ilias in der Darstellung einer Niederlage erblickt, wie sie die Griechen manches Mal erlitten haben, wenn sie an einer fremden Küste Fuß zu fassen versuchten.

Agamemnon, der König der goldreichen Mykene, Diomedes, der Sohn des urtümlich ungestümen Tydeus, Achilleus, der Sohn der Meergöttin und Zögling des Kentauren, sie sind nicht die Männer, Angriffe gegen befestigte Plätze zu leiten wie Hektor oder eine Verteidigung zu organisieren wie der unberühmte Thoas, sondern sich im Felde zu tummeln, mit dem Streitwagen vorzubrechen, den Zweikampf der vorzüglichsten Helden zu suchen und unter dem geringeren Volk unabsehbares Gemetzel anzurichten. Wie sie als Bürger undenkbar sind (nicht weil wir sie nur als Krieger kennen, sondern weil sie jede Gemeinde sprengen müßten), bleiben sie als Belagerer außer Betracht; sie vertreten ein anderes, heroischeres, mythosnäheres Kämpfertum. Umgekehrt verdient Hektor, trotz zahlreicher Erfolge im Handgemenge, weniger als Einzelkämpfer unsre Bewunderung denn als Seele des troischen Widerstandes, bald die vordersten, bald die letzten Reihen anfeuernd und, wie ein Stern zwischen treibendem Gewölk, in der Menge bald auftauchend, bald verschwindend.

Hält man fest, daß sich in der Ilias verschiedene Sphären durchdringen, wird auch ein Widerspruch, der den Philologen schweres Kopfzerbrechen gemacht hat, zwar nicht behoben, aber völlig begriffen. Die griechische Lagerbefestigung, die im 7. Gesang angelegt wird, ist nachher bald vorhanden, bald nicht. Wer sie sich aus der Ilias wegdenken möchte, müßte auch die Kampftechnik vereinheitlichen und das irrationale Nebeneinander verschiedener Lebensformen rückgängig machen. Pragmatische Stimmigkeit ist hier nicht durch Beseitigung einer Einzelheit zu erreichen, sondern nur, wenn man den

Wunderteppich auflöste und neu zu weben versuchte. Da nehmen wir es lieber hin, daß die Mauer zur Stelle ist, wenn der Dichter sie braucht, und verborgen bleibt, wenn er sie nicht braucht.

10

Der Kampf um die Mauer und um die Schiffe wirkt erlebt, nicht erfunden; wahrscheinlich, nicht mythisch. Es gibt nun eine Episode in der Ilias, deren Lebensnähe man als aufdringlich und allzu unheroisch empfunden hat. Schon die Antike hat den 10. Gesang aus der Ilias verbannen wollen, und man muß zugeben, daß auch sprachliche und stilistische Abnützungserscheinungen dafür sprechen könnten. Andrerseits ist die Atmosphäre dieses Nachtstücks bestürzend echt; wer das Soldatenleben kennt, kann sich ihrer nicht erwehren. Die Schlaflosigkeit, das Tappen im Dunkeln, die geflüsterten Gespräche, das lautlose Wecken, das Hinauslauschen, die Stille mit dem vereinzelten Vogelruf, die gespannte Aufmerksamkeit der Krieger, die Begegnung mit dem hurtigen Kundschafter, sein Verhör und die zweckmäßige Grausamkeit, mit der er getötet wird – all das wird in der Tat von der Poesie nicht über die Ebene erhoben, auf der sich der Krieg zu allen Zeiten abspielt. Diomedes und Odysseus schlachten dann allerdings im troischen Lager übermenschlich viele Schläfer ab, aber nur für die Quantität, nicht für die Qualität der Leistung sind Helden von solcher Größe und solchem Adel zuständig. Den gemeinsamen Kampf der beiden im 11. Gesang muß man vergessen; im 10. Gesang sind wir in einer anderen Welt mit andern Menschen. Man wird aber nicht übersehen dürfen, daß dieser Abstand in der Ilias durch Zwischenglieder ausgefüllt wird, die vom heroischen Zweikampf ebensoweit entfernt scheinen wie von der niederen Kriegführung der Dolon-Episode. Wenn sie auch ohne Schaden für den Zusammenhang fortbleiben könnte (denn der Handstreich ändert an der Kriegslage nicht das geringste), wenn sie sich dadurch auch als Zuwachs verraten mag, müssen wir doch der Überlieferung dankbar sein, die sie der Kritik zum Trotz beibehalten hat. Das Epos erreicht hier, nicht im Sprunge, sondern stufenweise hinabsteigend, die Grenze, an der es sich trotz der epischen Sprache und ungeachtet einer ungeminderten, eigenartigen Gestaltungskraft selbst verleugnet. Es bedarf neuer Formen, wenn man es poetisch mit dem eisernen Zeitalter aufnehmen will. Archilochos, Kämpe und Dichter, wird die scharfe Klinge schmieden, mit der man sich gegen seine Feinde und gegen die feindliche Wirklichkeit behauptet.

Verwandtes findet sich in der Odyssee. Die Erzählung, mit der es Odysseus bewerkstelligt, von Eumaios eine warme Decke zur Nacht zu bekommen, spielt in keiner höheren Welt, sondern in der gewöhnlichen, in der man erbärmlich friert, wenn man sich ohne Mantel auf die Lauer legt. Für das Epos selbst wäre der Vorfall zu bescheiden, aber in der Form der Erinnerung kann er Einlaß finden. Odysseus verkleinert sich zum Bettler, und so bringt er aus dem großen Kriege eine Kleinigkeit, wie sie seinem scheinbaren Format entspricht. Wir wissen aber doch, daß der große Odysseus redet, daß die Unbedeutendheit der Geschichte nur ein Vorwand ist, daß sie vom Bedeutenden abstechen soll. Der Dolonie liegen dergleichen Absichten fern, sie stellt sich mit den anderen Ereignissen der Ilias auf eine Stufe und schlägt, wenn auch mit wenig Glück, unverzüglich den hohen epischen Ton an, wenn sie Agamemnons Unruhe mit einem (im einzelnen etwas undurchsichtigen) Gleichnis ausmalt.

II

Solange Achilleus dem Kampfe fernbleibt, überragen Hektor und Aias alle anderen Helden, obgleich die Ilias sie nirgends mit solchem Aufwande feiert wie den Diomedes im 5., den Agamemnon im 11. Gesang. In ihrem Falle hat der Dichter die Verschiedenheit der Charaktere zu einem genauen, die Möglichkeiten des heroischen Kriegertums genial erschöpfenden Kontrast polarisiert. Der Dynamik des Angreifers entspricht die Beharrlichkeit des Verteidigers, der Beweglichkeit des von Hektor gelenkten Troerschwarms die Unerschütterlichkeit des riesigen Einzelnen mit dem ehrwürdigen Turmschild. Es empfiehlt sich, nach diesem Doppelstern Ausschau zu halten, wenn man in dem unendlichen Gewoge der Schlacht nicht den Kurs verlieren will. Schon im 5. Gesang, inmitten der Wunder, die sich mit Diomedes und Aineias begeben, sehen wir Hektor die Griechen bedrängen, Aias sie stützen. Die Situation wiederholt sich, wir können auch sagen, sie bleibt sehr lange gültig; daran ändern die vielen Unterbrechungen nichts, zu denen auch ein turniermäßiger Waffengang zwischen den beiden gehört. Endlich ist es im 11. Gesang so weit, nach dem Ausscheiden des Agamemnon, Diomedes und Odysseus: Aias muß dem unerschöpflich sich erneuernden Druck der Feinde weichen; eigensinnig wie ein Esel, auf dessen Rücken die Kinder vergebens ihre Stekken zerbrechen, geht er seinen Weg, aber der Weg führt zurück. Von Buch zu Buch steigert sich unsere Erwartung auf einen ernsten, entscheidenden Zweikampf der Rivalen; am Ende des 13. Gesangs, nachdem bereits Hektors Brüder Deiphobos und Helenos verwundet worden sind, scheint es so weit zu sein, aber wiederum werden wir enttäuscht, erst gegen Ende des 14. Gesangs geraten sie unmittelbar aneinander, und nun erweist sich Aias doch als der Größere, indem er Hektor mit einem wohlgezielten Steinwurf niederstreckt. Aber selbst das ist kein endgültiger Erfolg; Hektor rafft sich mit Apollons Hilfe wieder auf, dringt wieder vor, und ein letztes Mal kämpfen beide erbittert bei den Schiffen, Aias, bereits ohne Lanze, kann nicht verhindern, daß eines von Hektor in Brand gesteckt wird – da endlich greifen, von Patroklos geführt, die Myrmidonen ein und retten Lager, Flotte und Griechen.

Hektor zwingt die Griechen zum Rückzug, aber Aias ist ihm im Einzelkampf überlegen. Der Dichter gleicht hier aus, er steht auf Seiten der Bedrängten, ja er sieht das beängstigende Gewimmel der Troer aus ihrem Gesichtswinkel, sieht insbesondere an Hektor die unberechenbare, dämonische Wildheit, und wir sehen mit ihm hier einen andern Hektor, als wir ihn in Troja kennenlernten. Um so erstaunlicher ist, daß Homer auf Schwarzweißmalerei (die ihm nicht immer fremd bleibt) verzichtet und in den beiden Helden zwei Hochbilder unerschütterlicher Kampfmoral schafft. Im gleichen Augenblick, da er zu verstehen gibt, daß Hektor unrecht daran tat, Polydamas' Warnung zu mißachten und trotz des ungünstigen Vogelzeichens vorwärtszustürmen, legt er ihm das edle Wort in den Mund, es gelte nur ein einziges Zeichen: für das Vaterland einzustehen.

Als sollte die Zusammengehörigkeit mit allen Mitteln eingeprägt werden, wird der Ruhm der Helden durch Gleichnisse von besonderer und ebenbürtiger Schönheit gesteigert: das ruhevolle Verweilen der Wolken auf hohem Gipfel, das trotzige Ausharren des Felsens in der Brandung ist für Aias, das Aufleuchten und Erlöschen des Sterns am Wolkenhimmel, das jähe Einschlagen der Welle ins Schiff für Hektor ersonnen.

Wie Achilleus' Name die Herrschaft des Pathos (das ist der Leidenschaft), so bezeichnet der des Hektor den Geltungsbereich des Ethos in der Ilias. Diese beiden Helden kommen aus verschiedenen Welten und sind einander ganz ungemäß, eher Antipoden als Antagonisten. Der echte Gegenspieler des Peliden heißt Agamemnon. Zu Hektor und Aias treten Diomedes und Odysseus, deren Würde und Ehrgefühl von keiner Not gebrochen werden. Diese vier gewinnen uns durch eine männliche Reife, die für Achilleus erst jenseits der Raserei von Schmerz und Rache erreichbar scheint. Mit Bedacht hat der Dichter, neben dem alten Phoinix, gerade Aias und Odysseus ihm als Bittgesandte gegenübergestellt und in den Reden dieser Verhandlung ein Wunder der »Ethopoiia«, der Charakterzeichnung, geschaffen, wie es die Tragödie kaum je erreicht, niemals aber übertroffen hat.

12

Homer zeichnet nicht durchweg festumrissene Charaktere. Eindeutig wirken bei ihm am ehesten die Gestalten, die selten oder nur ein einziges Mal auftreten, Thersites und Dolon zum Beispiel (deren vulgäre Häßlichkeit in dieser Welt individuell, porträthaft erscheint), der weise Phoinix, der übermütige Rosselenker Asios, der zart-üppige Euphorbos und viele andere. Eindeutig wirken auch Nestor und Aias durch die gleichbleibende Aufgabe, die der Dichter ihnen zuweist: Nestor als der mahnende Vertreter einer größeren Vergangenheit, Aias als Beispiel unerschütterlicher Tapferkeit.

Hingegen wird unser Bild von andern Großen durch einige Episoden bestimmt, die uns besonders zu Herzen gehen, ohne daß alle übrigen damit unbedingt harmonierten. Von Odysseus und Diomedes sprachen wir soeben, die im 10. Gesang verändert, mindestens verringert aussehen. Hektor zeigt, aus der Sicht der Bedrängten, die der Dichter nicht selten teilt, unheimlich dämonische Züge, die dem erhabenen Ernst widersprechen, den wir im 6. Gesang an ihm bewundern. Trotzdem glauben wir ihn zu kennen. Anders Agamemnon; zu verschieden sind die Eindrücke, die wir von ihm empfangen. Bald ein unübertroffener, bald ein geringerer Held; bald von heroischer Entschlußkraft, bald kleinmütig und unsicher; bald skrupellos selbstsüchtig, bald einsichtsvoll und hochherzig: wie ihn der Dichter jeweils benötigt, so erscheint er. Es wäre verwegene, jedenfalls ganz moderne Psychologie, hier eine Mitte anzusetzen, von der so verschiedene Möglichkeiten ausstrahlen könnten. Sympathischer, aber auch blasser ist sein Bruder, der blonde Menelaos. Er steht im Schatten Agamemnons und scheint, obwohl das nicht gesagt wird, der Jüngere zu sein. Auch er gilt bald als Held ersten Ranges, bald als »weicher Lanzenkämpfer«, je nachdem, ob er an Paris oder an Hektor gemessen wird. (Blond ist übrigens bei Homer die Haarfarbe der Jugend, wie Blauschwarz des reifen Mannesalters; gar so jung kann der Gatte der Helena im neunten Jahre des Krieges eigentlich nicht mehr sein, aber auch Achilleus sehen wir als ungestümen Jüngling und mögen ihn uns nur ungern so bärtig vorstellen, wie ihn die Vasenmalerei des 6. Jahrhunderts v. Chr. zeigt.) Selbst Randfiguren sind manchmal wie ausgetauscht. Polydamas, als Warner Hektors der Inbegriff der Besonnenheit, des Maßes, führt sich im 14. Gesang nicht besser auf als nur irgendein überheblicher Barbar.

Wie die Ilias überhaupt viel Unvereinbares vereinigt, so liegt auch in den Helden allerlei Inkommensurables beieinander. Homer integriert auch die verschiedenen Fähigkeiten, Empfindungen, Triebe noch in keiner Seele; vielmehr weist er ihnen ihren Sitz an verschiedenen Stellen des Körpers an, der seinerseits noch nicht als einheitlicher Organismus erkannt ist; die »Psyche« ist nur eine Kraft neben andern, ist der Lebenshauch, der den sterbenden Körper durch den Mund, gelegentlich sogar durch eine Wunde verläßt.

Danach braucht man sich nicht mehr verpflichtet zu fühlen, ein geschlossenes Charakterbild des Achilleus zu entwerfen, die Einheit in der Vielfalt seiner Lebensäußerungen zu ermitteln. Jedoch fordert uns diesmal Homer selbst dazu auf. In der Lykaon-Episode des 21. Gesangs (einer der ergreifendsten der Ilias – Schiller hat ihr die Montgomery-Szene der Jungfrau von Orleans nachgeschaffen) läßt es sich der Dichter angelegen sein, einen scheinbaren Widerspruch in Achills Charakter aufzulösen. Früher, erfahren wir dort, ließ er gegen besiegte Feinde, auch gegen Söhne des Priamos, Gnade walten und machte sie zu Gefangenen; jetzt aber, nach dem Tode des Freundes durch die Hand eines Troers und Priamiden, kennt er nur noch die Vernichtung des Gegners. Ein solcher Wandel ist für uns, die wir ohne den Entwicklungsgedanken nicht mehr auskommen und viele Entwicklungsromane und -biographien hinter uns haben, nichts Besonderes. In der Ilias hingegen ist er auffallend genug. Zum erstenmal ist hier zum Problem geworden, wie aus einem Menschen ein ganz anderer werden konnte, wie verdeckte Möglichkeiten seines Wesens (Eigenschaften wird man nicht sagen dürfen) plötzlich ans Licht kamen. Ausnahmsweise empfand Homer das Bedürfnis, dieses Phänomen ausdrücklich zu motivieren, beruhigte sich also nicht dabei, die verschiedenen Achilleusbilder verschiedener Gedichte (die Lykaon-Episode bezieht sich auf Ereignisse, die der Ilias vorausliegen) nebeneinander stehen zu lassen, sondern suchte sie in einen Zusammenhang zu bringen.

Nichtsdestoweniger bleibt der Achilleus der Iliasgesänge 18–22 ein Naturereignis, vor dem die Psychologie verstummt. »Löwenhaft« nannte ihn Heinse, und ein Forscher wie Viktor Hehn erblickte sogar (einer Neigung des vorigen Jahrhunderts folgend) im Sohn der Nereide eine Personifikation des tosenden Wildbachs (immerhin ringt er einmal mit dem zürnenden Flußgott, wie vor ihm Herakles mit dem stiergehörnten Acheloos). Besonnenheit, Gerechtigkeit, Menschlichkeit wird man von einer solchen Natur nicht erwarten. Öfters erzählt die Ilias, daß ein Krieger ergrimmte, wenn einer seiner Gefährten fiel, und seine Kräfte verdoppelte, ihn zu rächen. Was ist aus diesem schlichten Motiv geworden! Achilleus' Ergrimmen überschreitet jegliches Maß so weit, daß man später eine Erklärung ergänzte und veränderter Sitte gemäß unterstellte, nicht Freundschaft, sondern ein Liebesverhältnis habe Achilleus und Patroklos verbunden. Auf die Orgie der Trauer folgt die Orgie der Rache, die gräßliche Mißhandlung der Leiche Hektors, Rückfall in eine Barbarei, die in der Ilias im allgemeinen überwunden scheint. Hier sind nun auch wir Modernen in Versuchung, zu ergänzen und etwas in die Ilias hineinzulesen, was uns die Tragik der Begebenheit erst zu vollenden scheint, nämlich Achilleus die Einsicht zuzuschreiben, er selbst habe den Tod seines Freundes durch seine hartnäckige Kampfverweigerung verschuldet.

Aber auch davon sagt die Ilias nichts, und erst Aischylos, der Achilleus zum Liebhaber des Patroklos machte, ließ ihn seinen eignen Anteil an dem Unheil erkennen. Wirklich entwickeln Ilias und Odyssee längst nicht alle ihre Probleme zu Ende, lassen sie viele Widersprüche unausgeglichen, manche Lücke des Zusammenhangs ungefüllt. So kann man an ihnen weiterdichten und tut es, wie einst die Lyriker und Tragiker, auch heute noch. Im übrigen sind die Versuche, die Reste einer Ur-Ilias und Ur-Odyssee aus den Gedichten herauszulösen und inhaltlich zu vervollständigen, oft weniger philologische als poetische Konzeptionen, manchmal nicht ohne Reiz und Anregungsvermögen.

Nicht immer wandelt Achilleus in der Sturmwolke des Pathos dahin; der 1. und 9., der vorletzte und letzte Gesang zeigen ihn anders. Sein gerechter Zorn gegen Agamemnon hat mit dem wilden Rachedurst gegen Hektor wenig gemein und artet nicht zu Tätlichkeiten aus; die Sendlinge Agamemnons läßt Achilleus ihren undankbaren Auftrag nicht entgelten; als ihn die Bittgesandtschaft aufsucht, bleibt er zwar in der Sache unnachgiebig, aber untadelig in der Form (»so schickt es sich unter manierlichen Leuten«, pflegte der alte Damm zu solchen Stellen zu sagen); die Leichenspiele richtet er freigebig und liebenswürdig aus, ein vollendeter Herr; dem Vater des toten Feindes begegnet er huldvoll und teilnehmend. Freilich wird er trotz alledem kein ethisches Wesen, und der Immoralismus der Sophistik, der Nietzsche so fasziniert hat, sollte sich am Vorbild dieses selbstherrlichen Übermenschen gefährlich entzünden.

13

Daß ein Mann nach langen Jahren der Heimatlosigkeit, der Entbehrungen und Gefahren gealtert und zerlumpt zurückkehrt und daheim nur noch von seinem greisen Hund erkannt wird, ist eine Geschichte, deren Möglichkeit uns die letzte Zeit bestätigt hat (wie manch andere kühne Voraussetzung der Poesie). Wer so erzählt, verläßt jedenfalls kaum den Bereich der Erfahrung und mutet der Leichtgläubigkeit der Hörer nicht viel zu. Dennoch behandelt die Odyssee die Begebenheit als ein Wunder. Eine Gottheit muß eingreifen, um den zwanzig Jahre älter Gewordenen, aber nicht Gealterten unkenntlich zu machen, muß ihn beugen und einschrumpfen lassen. Wenn es dessen nicht mehr bedarf, wird sie ihn rückverwandeln, ihn »größer und feister« machen, auf daß er ansehnlich werde wie eh und je. Auch sein Weib ist noch schön und begehrenswert wie eh und je. Die beiden Jahrzehnte, eines für den Kriegsdienst und eines für die Irrfahrten des Odysseus, braucht man freilich nicht allzu wörtlich zu nehmen; das sind so mythische Zahlen, Ausdruck für eine lange, lange Zeit, und zweimal sieben Jahre täten es auch, es könnte sogar der Hund dann allenfalls noch leben. Aber man sollte doch meinen, ein Wunder sei nötig, um die Gatten unverändert jung zu erhalten, nicht, um einen von beiden altern zu lassen. Dabei hat rings um sie her die Zeit ihr Werk getan: wie Argos, der Hund, ist auch Odysseus' Vater Laertes inzwischen uralt geworden, Telemachos ist herangewachsen, und in Ithaka kennen nur die älteren Leute noch ihren König Odysseus. Die Freier der Penelope haben zwar ältere Brüder, die mit ihm ins Feld gezogen sind, sie selbst aber scheinen von Erinnerungen an ihn gänzlich unbeschwert.

Wir stellten schon fest, daß in der Ilias die Zeit stillsteht. Wie Menelaos und Achilleus noch immer jung erscheinen, so ist auch Helena nicht gealtert. Nestor war uralt, als der Krieg begann, er ist nicht älter, wenn Telemachos ihn besucht. Wie es in der Ilias außerhalb der Gleichnisse kein »Wetter« gibt, sondern nur einen gleichbleibenden ungetrübten Himmel, wie von den Jahreszeiten, von der Art, wie das Heer die Wintermonate verbrachte, nicht gesprochen wird, so werden die Heroen auch nicht krank – nur die Mannschaften scheinen für die Pest anfällig zu sein. Odysseus und Penelope altern nicht, weil sie zu den Heroen gehören, wie Menelaos und Helena, aber die Menschen um sie her altern, weil sie nicht dazugehören. Wie ihre beiden Helden, hat die Odyssee selbst Anteil an zwei Welten, einer heroischen und einer unheroischen (es regnet in ihr infolgedessen auch, sogar heftig). Ihre großepischen Ambitionen treten namentlich gegen Ende, beim Freiermord zutage, der als eine »Aristeia« gestaltet ist in der Art der Triumphe, die in der Ilias die großen Helden feiern. Das scheint uns wenig angemessen, zumal die Gegner des Helden trotz ihrer Schwerter unkriegerisch wirken; wir müssen uns aber erinnern, daß die Odyssee bei aller Abrundung ihrer Komposition doch in den epischen Kyklos gehörte und daß die Aristeia vielleicht aus dem Rahmen des Einzelgedichts, aber nicht aus dem Rahmen dieses Kyklos fiel, vielmehr dazu beitrug, die Odyssee hier als »homerisch« zu legitimieren.

Wenn Odysseus nur äußerlich und vorübergehend zum armseligen Greise wird, in Wahrheit aber stets etwas anderes ist und bleibt, so trennen sich hier Sein und Schein in einer Weise, die der Ilias fremd ist. Der Sauhirt ist ein verschlepptes Königskind; das Gegenbeispiel bietet der gedunsene Iros, der sich dem unscheinbaren fremden Bettler überlegen dünkt und von ihm im Handumdrehen halbtot geschlagen wird. Die Rolle des Bettlers ist nicht die einzige, die Odysseus zu spielen hat. Ist sein Mißtrauen, seine Schläue, seine Geschicklichkeit im Lügen des Helden noch würdig, den wir aus der Ilias kennen? Zeigt sich in ihnen der eigentliche Odysseus, oder handelt es sich hier nur um Masken, um Arrangements mit einer feindlichen Umwelt, ohne die auch der Beste nicht immer auskommt? In der Ilias gibt es in diesem Sinne keinen trügerischen Schein, allenfalls ein Mißverhältnis von Selbsteinschätzung und Stärke. Die menschliche Existenz ist dort noch ungespalten. Die Odyssee weist mit ihrer Unterscheidung in die Zukunft. Fragt man erst, nicht allein beim Menschen, sondern bei der gesamten Erscheinungswelt, nach dem Eigentlichen, das »wandellos im ewigen Ruin« bestehen bleibt, ist man beim Philosophem des Parmenides angelangt. Inzwischen mochten sich die Rhapsoden, die sich, wie Phemios vor den Freiern, vor launischen Gönnern ducken mußten, damit trösten, daß die Lebensbedingungen den menschlichen Rang nicht immer bestimmen.

14

Auf ihre einfachsten Elemente zurückgeführt, ist die Handlung der Ilias nicht phantastischer als die Grundfabel der Odyssee. Zwei große Herren geraten wegen der Kriegsbeute in Streit; derjenige, der sich benachteiligt fühlt, bleibt mit seinen Männern dem Kampfe fern; dadurch verschiebt sich das Kräfteverhältnis im Felde, die bisherigen Angreifer werden zurückgeworfen; als ihre Schiffe in Brand gesteckt werden und sogar die Flucht aufs Meer gefährdet scheint, hält es die Männer des grollenden Führers nicht mehr, sie greifen in den Kampf ein, dabei fällt sein bester Freund; Schmerz und Rachbegier lassen den Gekränkten seinen Groll vergessen, er stellt sich an die Spitze der Seinen, schlägt die Feinde in die Flucht und erlegt ihren Feldherrn. – Nichts kann besser begründet scheinen als die Niederlage der Griechen. Aber für die Ilias geschieht auch hier ein Wunder. Den Troern fällt der Sieg nicht zu, weil ihr gefährlichster Gegner abwesend ist, sondern weil dessen göttliche Mutter Zeus überredet hat, den Griechen eine empfindliche Lehre zu erteilen. Ursache und Wirkung hängen gar nicht so zusammen, wie es die irdischen Vorgänge vortäuschen; wir müssen dem Dichter auf den Olympos folgen und die Gespräche der Götter belauschen, wenn wir die Wahrheit erfahren wollen.

Warum diese Verwicklung eines einfachen Sachverhalts? Gönnt der Dichter den Troern den Ruhm nicht? Will er zu verstehen geben, auch ohne Achilleus und die Myrmidonen hätten die Griechen siegen müssen, wenn es mit rechten Dingen zugegangen wäre? Obwohl sich der Sinn der Götterhandlung wohl kaum in dieser Tendenz erschöpfen wird, darf man doch zunächst zugeben, daß Homer nicht immer unparteilich ist, die Troer oft genug mit den Augen des Nationalismus betrachtet. Ungeordnet und schreiend wie Vogelschwärme ziehen sie ins Feld, während die Griechen ihnen schweigend und dem Wink ihrer Anführer gehorsam entgegenrücken: diesen Gegensatz betont Homer mit spürbarer Genugtuung gleich zweimal (Anfang des 3. und gegen Ende des 4. Gesangs). Er sagt den Barbaren immer wieder Prahlerei nach und läßt nur sie, nicht die Griechen, schreiend sterben. Exponent dieses wimmelnden und lärmenden Haufens ist Paris, der »sehr herzlich lachend« aus dem Versteck hervorspringt, wenn es ihm mit der hinterhältigen Waffe, mit Pfeil und Bogen, gelungen ist, einen ehrlichen Speerkämpfer wie Diomedes außer Gefecht zu setzen, der aber in die Menge, der er munter vorangesprungen war, schleunigst zurückweicht, wenn er auf den Mann trifft, dem er die Gattin fortnahm. Freilich stellt er sich, auf Hektors Vorstellung hin, dann doch zum Zweikampf, aber da ergeht es ihm schlecht. Kein Troer, aber immerhin ein troischer Bundesgenosse ist es, der Menelaos um die Früchte seines Sieges bringt: Pandaros bricht die beschworene Vereinbarung und verwundet ihn mit einem tückischen Pfeilschuß. Damit haben sich die Gegner abermals ins Unrecht gesetzt, und die Griechen dürfen, im Vertrauen auf ihre gerechte Sache, auf göttliche Hilfe rechnen.

So erzählt, scheint der Zusammenhang wieder vollkommen durchsichtig. Freilich entspricht er in dieser Einfachheit eher dem Vertragsbruch in Tassos »Befreitem Jerusalem«: dort messen sich ein christlicher und ein heidnischer Vorkämpfer; der Teufel verhindert einen Sieg des Christen, indem er einen Heiden zum Pandarosschuß verleitet. In der Ilias lesen wir Komplizierteres, und damit kompliziert sich auch (für den Leser, nicht für die Griechen vor Troja) die Schuldfrage, die so klar zu liegen schien. Zunächst rettet Aphrodite, nicht Pandaros, den Entführer der Helena, indem sie ihm das würgende Helmband zerreißt und ihn durch die Lüfte nach Troja bringt. Mit den beiden verlassen wir das Schlachtfeld und werden zu Zeugen der nicht eben freundlichen Aufnahme, die Helena dem unheldischen Helden bereitet. Indessen sucht Menelaos seinen Gegner auf dem Schlachtfeld, aber niemand weiß ihm den zu zeigen; die Troer, hören wir nicht ohne Überraschung, hätten es gern getan, denn sie haßten Paris tödlich. Er ist also doch nicht ihr Exponent? Später werden wir hören, daß er in Troja bezahlte Parteigänger hat, daß aber die Besten, Hektor voran, ihn mißbilligen, wie ihn auch die enttäuschte Helena mißbilligt. Abermals verlassen wir das Schlachtfeld; diesmal werden wir auf den Olympos versetzt und erfahren nun, was eigentlich gespielt wird. Hera ist es, die Ilios unter allen Umständen vernichten will. Eine Beilegung des Zwistes durch den Zweikampf, der dort unten im Gange ist, wäre nicht nach ihrem Sinn. Weswegen sie die Stadt so haßt, daß sie nach Zeus' Worten Priamos, seine Kinder und sein Volk am liebsten roh verschlänge, sagt sie nicht, macht die Zurücksetzung durch Paris nicht geltend, so daß dieses sein Verschulden, wenn es eines ist, außer Betracht bleibt und man ihr Verhalten nur als Tatsache hinnehmen kann. Sie bietet ihre drei liebsten Städte zum Tausch, und Zeus geht ohne weiteres auf diesen Handel ein. So wird Athena hinuntergeschickt, um Pandaros zu dem verhängnisvollen Schuß zu verführen. »Die Gottheit schafft den Sterblichen eine Schuld, wenn sie ein Haus gründlich schädigen will«, sagte Aischylos in seiner Niobe.

Wenn Agamemnon behauptet, ein Gott habe ihn berückt, anders sei es nicht zu erklären, daß er Achilleus kränkte und soviel Unheil heraufbeschwor, so ist das eine gewiß gutgläubige, aber auch sehr bequeme Entschuldigung. Pandaros und mit ihm die Troer werden aber vom Dichter selbst entschuldigt, der die Verantwortung denjenigen zuschiebt, die keine Verantwortung kennen. Als hätte er seine grimmige Freude daran, uns die höhere Nichtigkeit menschlicher Normen zu enthüllen, läßt er die Götter in einem Ton über unser Wohl und Wehe verhandeln, der nicht würdevoll, sondern derb, nicht erbaulich, sondern bestürzend, wenn nicht aufreizend ist. Diomedes und Hektor mögen weiter der Ansicht sein, daß Troja seinen Untergang selber verwirkt habe – wir wissen es anders.

Wenn man also näher an die Wolke der troischen Schuld herangeht, scheint sie sich aufzulösen. Nicht einmal Paris mag man noch richten, wenn man ihn verschiedene Lebenswege unterscheiden und die Gnade der Aphrodite preisen hört, die ihm nun einmal zuteil geworden sei. Wir müssen uns schon an die Göttin selbst halten und werden ihr vielleicht die Wunde gönnen, die Diomedes ihr mit Hilfe der jungfräulichen Pallas beibringen darf. Gelegentlich vereinfacht Homer das Bild der Barbaren so, wie eben das Vorurteil zu vereinfachen pflegt. Wenn er uns aber auf die troische Seite hinüberführt, sehen wir keine Barbaren mehr, sondern Menschen. Wo bleibt da die poetische Gerechtigkeit? Wenn Ilios seine barbarische Hybris mit dem Untergang sühnte, wie tröstlich wäre das – und wieviel enger wäre die Welt Homers!

Homer moralisiert nur bedingt, und so bleibt der Untergang der Stadt letztlich ungedeutet. Das Weltregiment ist nicht vernünftig. Wenn Zeus eine Entscheidung fällt, erschüttert er zwar den großen Olympos, es ist ein kosmisches Ereignis; aber er ist nicht so souverän, wie es dann den Anschein hat, sondern hört auch auf seine parteiische, launische, sich schlagende und (weil die Menschlein denn doch zu unwichtig sind) wieder vertragende Umgebung. So munter es zuweilen droben zugeht, der Glaube an solche »leicht lebenden« Götter war nicht süß, sondern bitter. Xenophanes, der älteste Dichterphilosoph, entrüstete sich: »Alles haben Homer und Hesiod den Göttern untergeschoben, was bei den Menschen Schmach und Tadel ist: Diebstahl, Buhlerei und gegenseitigen Betrug.« Schon in der Ilias wird die Frage nach der himmlischen Gerechtigkeit zuweilen gestellt, nicht zufällig von Menelaos, der auszog, sein Recht wiederherzustellen: »Vater Zeus, keiner der Götter ist schlimmer als du!« ruft er, als sein Schwert am Helme des Paris zerspringt.

Wir müssen uns vom Olympos herabbegeben, zurück in unsern beschränkten irdischen Horizont, um die Götter nicht als eine gesteigerte, über Zeit und Raum verfügende Nobilität, sondern als Wesen andrer Art zu erleben. Da sehen wir denn Apollon finster wie die Nacht herabschreiten und die pestbringenden Pfeile versenden, sehen ihn von der Burg her die Troer lenken und plötzlich im Gewühl vor den Griechenhelden auftauchen – fremd, feindselig, gewaltig. Wir sehen Ares auf uns zukommen, ungeschlacht, wild, von scheußlichen Dämonen umgeben. Athena, als Botin, Wagenlenkerin und als fast allzu geschäftige Beraterin den Helden und uns ziemlich familiär, ist unnahbar und rätselhaft, sowie wir sie mit den Augen der betenden Frauen in Troja sehen. Lautlos tun die Todesengel ihr Werk, hold-unheimlich steht der Menschen- und Seelengeleiter Hermes in der ambrosischen Nacht. Das sind die leicht Lebenden nicht, die sich im Hause des Zeus beraten und streiten.

Die Vermenschlichung, der Anschaulichkeit der Götter ebenso förderlich wie ihrer Dämonie abträglich, erweckt für zwei von ihnen, ohne ihre Würde im geringsten zu vermindern, eine warme Sympathie, wie sie sich an die andern niemals heranwagen würde. Thetis und Hephaistos stehen uns dazu nahe genug, und der Dichter hat sie in überzeugend sinnvoller Weise zusammengeführt: die bekümmerte Mutter, die ihren Sohn für die Kürze und das Leid seines Lebens zu entschädigen sucht, und den lächerlich Hinkenden, dessen Hände das Kostbarste und Schönste hervorbringen und vergeben. Auch sie gehören nicht zu den leicht Lebenden und auch nicht zu den Mächtigen; aber sie sind, was unter den Göttern so selten ist wie unter den Menschen, edel, hilfreich und gut.

15

In der Odyssee geht es schließlich und endlich gerecht zu. Die Guten bekommen ihren Lohn, die Schlechten ihre Strafe. Mitleid mit den Freiern wäre unangebracht; der Dichter prägt unermüdlich ein, daß sie selbst ihr Verderben heraufbeschworen haben. Die Götter sind gerecht geworden und weisen den Vorwurf zurück, sie brächten unverdientes Leid über die Menschen. Poseidons Grimm ist verständlich, denn Odysseus hat in der Notwehr seinen Sohn geblendet; die übrigen Götter (es sind eigentlich nur die eng zusammenarbeitenden Zeus und Athena) sorgen aber dafür, daß der Meergott den Dulder nicht zugrunde richtet. Athena, der in der Ilias jedes Mittel recht ist, ihren Freunden zu nützen und deren Widersacher zu schädigen, hilft hier unermüdlich der guten Sache. Frühzeitig hat man in ihr die verkörperte Vernunft erblickt, von der Odysseus und Telemachos sich leiten lassen, und man kann allerdings geneigt sein, sie wieder zu entkörpern, sie als Allegorie aufzufassen, um sie sich nicht fortwährend umherschwirrend vorstellen zu müssen. Gelegentlich steht sie aber in so anziehender Leibhaftigkeit vor uns, daß unsere Phantasie alle Müdigkeit vergißt: nicht als gepanzerte Kriegsgöttin, sondern als schönes, hochgewachsenes und kunstfertiges Weib, eine ideale Hausfrau.

Geht die Odyssee mit kleineren Wundern zeitweise auch etwas verschwenderisch um, verdient sie doch oftmals höchstes Lob für die Sorgfalt ihrer Motivierung. Der schiffbrüchige Odysseus findet an der Steilküste der Phäakeninsel keinen andern Zugang als die Mündung eines Flusses; diese aber ist einleuchtenderweise zugleich ein geeigneter Waschplatz, es werden hin und wieder Menschen zu dieser abgelegenen Stelle kommen. Die Begegnung des Odysseus mit Nausikaa ist also trefflich vorbereitet. Es fehlt nur noch, daß die Hilfe für den tödlich Erschöpften recht bald kommt. Glücklicherweise fügt es sich so, vielmehr es wird gefügt. Homer überläßt das nicht einem an und für sich recht glaublichen Zufall, sondern beseitigt jeden irrationalen Rest: die Göttin erinnert Nausikaa durch einen Traum an die längst fällige Wäsche. Es bedarf mithin nur einer kleinen geschickten Ergänzung, und das Getrennte schließt sich sinnvoll zusammen. Die Harmonie zwischen Irdischem und Überirdischem scheint in solchen Augenblicken vollkommen, die ganze Welt wie aus einem Guß zu sein.

Dabei führt uns Odysseus' Geschichte zu abartigen Scheusalen, zur Skylla, zu den Sirenen und zu Polyphem, führt uns zur Zauberin Kirke und an die Höllenpforte. Aber mit genialem Kunstgriff rettet der Dichter die Einheit der »eigentlichen« Welt, indem er diese Ungeheuerlichkeiten nicht selber berichtet, sondern von Odysseus berichten läßt. Nicht als ob er sie irgendwie in Frage stellen wollte; an mißgebildete Menschenfresser, tückische Hexen und seltsame Untiere hat die Menschheit noch lange und haben sicherlich die ersten Hörer der Odyssee noch fest geglaubt. Aber er macht diese Abenteuer zu einer abgeschlossenen Vergangenheit, schafft zwischen ihnen und uns einen beträchtlichen Abstand, drängt die Greuel an den Rand der Zivilisation, von der Polyphem, der von Zeus nie gehört hat, sich selber ausschließt. (Der Kunstgriff ist übrigens auch bequem; er ermöglicht es, bald knapper, bald ausführlicher, bald sprunghaft und bald zusammenhängend zu erzählen.) Zwei Abenteuer freilich spielen in dieser Ferne und Fremde, aber Homer erzählt sie selber, sie dienen ihm als Rahmen für die Ich-Erzählung: Odysseus' Aufenthalte bei Kalypso und den Phäaken. Sehr bezeichnend, daß Homer alles Unheimliche entfernt hat, das (wenn wir der Sagenkunde glauben dürfen) der »Verhüllerin« und den leisen Fährleuten des Jenseits einmal anhaftete; er hat sie als freundliche, ja gemütvolle Zwischenwesen in seine große Harmonie aufgenommen.

Als wolle er keinen Zweifel darüber lassen, welches für ihn die gültige Welt sei, hat der Dichter das Ganze mit einem breiten Vorspiel eingeleitet, dessen Held der junge Telemachos, dessen Schauplatz erst Ithaka, dann Pylos und schließlich Sparta ist. Zusammen mit Odysseus' Kampf um Ithaka bildet es einen zweiten, weiteren Rahmen, der sich um die Icherzählung von den Irrfahrten legt. Es zeigt uns Griechenland, wie es leibt und lebt, und zeichnet das ungemein echt wirkende Bild eines Jungherrentums, das keine Pflichten und keine Autorität anzuerkennen gedenkt. Ithaka kontrastiert in diesem unerfreulichen Zustand mit dem patriarchalisch beruhigten Pylos und dem üppig blühenden Sparta. Sobald Odysseus in seiner Heimat die alte Ordnung wiederherstellt, wird in Griechenland allenthalben Eintracht und Wohlstand herrschen (denn auch im Reiche Agamemnons ist, wie wir hören, seit Orestes' Thronbesteigung die Zeit der Wirren vorbei): mit dieser angenehmen Zuversicht entläßt uns die Odyssee.

Auch die Ilias verdeutlicht ihre einbeziehende Aufgabe durch eine gewaltige Ringkomposition. Die Geschichte von dem Manne, der gekränkt und seines Wertes bewußt die Teilnahme am Kampf verweigert und damit nicht allein die anderen, sondern am meisten sich selbst straft, ist mutatis mutandis im Leben immer wieder anzutreffen. Die Entdeckung ihrer tragischen Möglichkeiten war eine große dichterische Tat. Unverächtlich ist aber auch die zusätzliche Entdeckung ihrer tektonischen Verwendbarkeit. Wenn der größte Held dem Kampfe fernblieb, war die Stunde der übrigen gekommen; die Sonnenfinsternis machte die Sterne sichtbar. Es war also Gelegenheit zu zeigen, wie reich Griechenland an großen Kämpfern war. (Daß man diese Gelegenheit auch ungenutzt lassen konnte, zeigt die Erzählung vom Zorn des Meleagros im 9. Gesang.) Freilich mußte man solange gegen den Strom schwimmen; der Zorn des Peliden mußte ja früher oder später zum Verhängnis werden, die Heldentaten der Griechen durften daran letzten Endes nichts ändern, sie durften nur vorübergehende Erfolge zeitigen. Daraus ergaben sich Unterbrechungen, Verzögerungen, Rückläufigkeiten – ihre Unzahl ist sicherlich erst durch die Rücksicht auf lokale und familiäre Ambitionen verursacht, und auf die grell kolorierten Taten des mythischen Neuadels, mag er nun durch Meriones, Peneleos oder gar durch Aineias vertreten sein, kann man ohne Schaden für das Ganze verzichten. Es ergab sich aber noch mehr. Wenn die Griechen den Sieg auch ohne Achilleus verdient hatten, so mußten Überkräfte am Werk gewesen sein, die sie darum brachten; das heißt, ohne Götter kam die Erzählung nicht mehr aus. Damit gewann das Epos aber eine neue Dimension hinzu und entfaltete sich zum Weltgedicht. Seither gilt, was Jean Paul so ausdrückt: »Dem Epos ist das Wunder unentbehrlich; denn das Weltall herrscht, das selber eines ist, und worin alles, mithin auch die Wunder sind.«

16

Im Epos sprechen die Musen durch den Mund des Sängers; er ruft sie einzeln oder alle an, beruft sich auf sie: »Ihr seid Göttinnen und gegenwärtig und kennt alles; wir hören nur die Kunde und kennen nichts.« So redet denn der Dichter nicht von sich selbst, obwohl er dazu, anders als der Dramatiker, Gelegenheit hätte. Nur selten und unbetont sagt er »ich« oder »wir«, er apostrophiert zuweilen einen seiner Helden und schilt ihn, den wohlmeinenden Unwillen seiner Hörer vorwegnehmend, einen Toren. Daß der Lehrdichter Hesiodos, aus welchen Gründen immer, diese Zurückhaltung aufgibt, kündigt ein neues Zeitalter an. Für das Großepos ist sie wesentlich geblieben, und wenn der Begründer des römischen Epos von sich und seiner Dichterweihe einiges Aufheben machte, hielten doch seine bedeutendsten Nachfolger, insbesondere Vergil, wieder auf die alte Verborgenheit des Dichters.

In der Odyssee beginnt allerdings der Schleier etwas durchsichtiger zu werden, wenn er auch nur ganz allgemeine Umrisse durchschimmern läßt. Kein Selbstbewußtsein, aber doch ein Standesbewußtsein macht sich bemerkbar.

Berufssänger werden bei der Bestattung Hektors herangezogen, scheinen aber kaum über gewöhnlichen Klageweibern zu stehen; nicht ihnen, sondern Andromache, Hekabe und Helena ist die große Aufgabe anvertraut, der Trauer um den Helden Worte zu leihen. Für den Sänger von Heldenliedern wäre im Lager vor Troja an und für sich wohl Platz, es ist ja Zeit und Gelegenheit für die langen Erzählungen des Nestor und Phoinix; es verkürzt aber keiner dem Achilleus die schwer erträgliche Muße, sondern der Held singt selbst zur Phorminx, singt dasselbe, was Helena auf die Gewänder stickt und der epische Dichter verkündet: den Ruhm der Männer. Man hat daher fragen können, ob es den Sängerstand überhaupt schon gab, als die Ilias entstand, ob das Epos nicht von Laien geschaffen wurde, von Adligen wie Wolfram von Eschenbach. Doch wo vornehme Herren erst einmal Gesang und Zitherspiel pflegen, finden auch Lehrer dieser Kunst ihr Brot, das Gewerbe wird durch Achilleus eher bezeugt als ausgeschlossen. Beim Gelage freilich, bei dem der Sänger am allerwillkommensten ist, finden wir ihn weder vor noch in Troja – aber wir finden ihn auf dem Olymp: dort spielt beim Götterschmause Apollon die Phorminx, und die Musen singen dazu. In ihnen allen ist die Rolle der Sänger so verklärt wie die Rolle der Klageweiber im Chor der Thetis und ihrer Nereiden.

Es ist hier also angedeutet, was die Odyssee mit ihrem ausgeprägten Sinn für Lebens- und Gesellschaftsformen unmittelbar darstellt. Sie zeigt den Sänger öfters beim Gelage, macht ihn einmal sogar zum Mittelpunkt eines Festes. Die soziale Geltung schwankt. Die Auszeichnung, die der Phäakenkönig dem blinden Demodokos zuteil werden läßt, ist abermals eine Verklärung, ein Wunschbild, das die Hörer beherzigen sollten. Die rauhe Wirklichkeit zeichnet sich im Schicksal des Phemios ab, der gezwungen ist, Penelopes Freier zu unterhalten (man muß zugeben, daß sie sehr aufmerksame Zuhörer sind), und dafür beinahe mit ihnen zusammen umgebracht wird. Mit Demodokos hat er trotzdem einiges gemein: beide sind Berufssänger und beide ortsansässig. Den wandernden Sänger gibt es in der Odyssee ebensowenig wie den Berufssänger in der Ilias, und doch ist er aus dem Leben jener Zeit nicht fortzudenken. Wieder also ein Wunschbild, vor allem einem gealterten Sänger naheliegend und auch erreichbarer als der Glanz des Demodokos. Eine aus zumeist nichtigen Kombinationen zusammengesetzte antike Homerbiographie läßt den Dichter, übrigens vergebens, sich um einen kleinen Posten bei der Stadtverwaltung bewerben, sicherlich keine abwegige Erfindung. Bedeutsamer ist aber, daß wir in der Odyssee einen Sänger als Hofmeister der Klytaimnestra treffen; Agamemnon stellte, als er nach Troja zog, ihn ihr als zuverlässigen und gebildeten Berater zur Seite; daß er ihr guter Geist war und sich den Plänen des Aigisthos widersetzte, geht daraus hervor, daß man ihn aus dem Wege räumte.

Die nächste Stufe des dichterischen Selbstbewußtseins nehmen wir in einem (im weitesten Sinne homerischen) Hymnos auf Apollon wahr. Hier hat der Dichter unter sein Werk das sogenannte Siegel gesetzt. »Ihr Mädchen«, mahnt er seinen Chor, »wenn ein Fremder hierher nach Delos kommt und euch fragt, welcher Sänger euch die meiste Freude bereitet, dann antwortet glückverheißend: ‚Der blinde Mann, der im schluchtenreichen Chios wohnt.‘« Warum nennt er seinen Namen nicht? Er ist doch so nahe daran, daß man sogar vermutet hat, der Name habe hier ursprünglich gestanden und sei von Späteren getilgt worden, die den Verfasser mit Homer gleichsetzen wollten. Aber die Weise, in der sich der Hymnos-Dichter bezeichnet, ist stilvoller, poetischer als die Namensnennung, die sich dagegen privat und distanzlos ausnehmen müßte. Indessen ist es zu dieser Nennung wirklich nur noch ein Schritt; der Schaffende scheint schon im Begriff, aus seinem Werk hervorzutreten.

Sah man Homer in dem Sänger von Chios, so war Homer blind gewesen, blind wie Demodokos bei den Phäaken, wie der Seher Teiresias von Theben. Die inneren Gesichte sind an Stelle der äußeren getreten, die Götter nehmen das eine und geben das andre. Das ist echt griechische Religiosität, und das ergreifende Bild, das uns hier vor Augen tritt, besitzt den höchsten Symbolwert. Aber ein geschichtliches Zeugnis für den Vater des griechischen Heldengesanges ist es ebensowenig, wie der wundervolle hellenistische Homerkopf ein Porträt ist, und die Ansprüche von Chios vermochte dieses Siegel zwar zu begünstigen, aber nicht zu sichern.

Wenigstens darf der Name Homeros als überliefert gelten. Es erweckt nämlich Vertrauen, daß er kein redender Sängername ist wie Musaios, Eumolpos, Phemios. Aber gerade weil er nicht redete, suchte man ihn dazu zu bringen. Er konnte den Bürgen, den Geisel, allenfalls auch den Blinden bedeuten, der ebenso wie der Geisel einem andern, der ihn führt oder wegführt, »angefügt« ist. Da man als Bürge nicht zur Welt kommt, der unvergleichliche Schilderer der sichtbaren Welt auch nicht blind geboren sein konnte, so mußte Homer das eine wie das andere im Laufe seines Lebens einmal geworden sein und mußte infolgedessen erst anders geheißen haben. Man brauchte den überlieferten Namen also nur als Niederschlag eines Lebensschicksals aufzufassen, und schon hatte man, wie man auch interpretierte, zwei Daten gewonnen, die man nur noch auszuschmücken brauchte. Wählte man den postulierten Namen und den des Vaters, den Homer schließlich gehabt haben mußte, geschickt, so konnte man die Geographie einer Landschaft und damit ihre Ansprüche auf den großen Dichter anklingen lassen; die Namen Melesigenes für Homer und Maion für seinen Vater berücksichtigen die Wünsche Südwestkleinasiens.

Homers Heimat zu sein, behaupteten nämlich viele griechische Städte, nicht nur die sprichwörtlichen sieben, sondern, wie eine kleine antike »Biographie« sagt, »sozusagen alle nebst ihren Ablegern«. Nun darf man die Bewerbung von Chios, Smyrna, Kolophon ernster nehmen als die von Kyme und Athen, aber der ganze Streit war doch nur möglich, weil sich nirgends unzweifelhafte Spuren von Homers Erdendasein erhalten hatten. Kein Wunder, daß man einen Ausgleich suchte, indem man Homer von einer Stadt zur andern ziehen ließ. Das braucht nicht einmal falsch zu sein; denn daß die Sänger ein Wanderleben führten, führen mußten, leuchtet ein. Aber was die antike Homerbiographie daraus gemacht hat, ist Roman.

Kein Wunder auch, daß man die Gedichte nach versteckten Selbstzeugnissen absuchte, wie man denn, unzufrieden mit der spärlichen Überlieferung, Shakespeares Dramen immer wieder nach Anspielungen auf ihn selbst und seine Zeitgenossen abgesucht hat. Da wurde denn der Sänger Phemios zum Ziehvater und Lehrer Homers, Mentor und Glaukos wurden zu Gastfreunden. »Roman« sagen wir wieder, aber gegen die Versuchung zu solchen süßen Kombinationen ist auch die Wissenschaft nicht gefeit. Sollte die wirklich auffallende Teilnahme der Ilias für Aineias und seine Familie, sollte die Beflissenheit, mit der sie diesen Helden, der am Verlauf der Dinge niemals etwas ändert, in den Vordergrund schiebt und von den Priamiden distanziert, nicht ihren Grund in Beziehungen des Dichters zu einer Dynastie haben, die zu seiner Zeit in der Troas herrschte und sich von einem Aineias ableitete? Wir fragen also ähnlich wie die antiken Biographen, nur machen wir es uns mit der Antwort nicht so leicht wie sie.

Die Rückschlüsse aus Namen und Text konnten durch Wandermotive ergänzt werden. Die antike Legende ließ die Dichter mit Vorliebe eines absonderlichen Todes sterben: dem Aischylos fällt eine Schildkröte auf den Kopf, Sophokles erstickt an einer Weinbeere, Euripides wird von Hunden zerrissen. Homer, für die Alten die Allwissenheit selbst, geht vor Kummer zugrunde, weil er ein Scherzrätsel nicht lösen kann, das ihm auf dem Inselchen Ios, sozusagen in der tiefsten Provinz, ein paar Fischerknaben aufgeben. So lautet die verbreitetste Version über seinen Tod, die hier eine Art Nemesis walten läßt und die spielerische Variante darstellt zu der von Homer selbst erzählten Tragödie des Thamyris, den die Musen blendeten und des Gesanges beraubten.

Hübsch zu lesen ist das Volksbüchlein vom Wettstreit Homers mit Hesiod, in dem der Vertreter des heroischen Epos über den Lehrdichter obsiegt. Es behandelt die beiden als Zeitgenossen und führt auf ein Problem, das für den Philologen ebenso wichtig wie verwickelt ist. Zwischen den Werken, die unter beider Namen gehen, bestehen mancherlei Beziehungen. Im großen Ganzen gebührt Homer der zeitliche Vorrang, gelegentlich aber anscheinend dem Hesiod. Sollten etwa die großen Epen zu ihrer Entstehung so viel Zeit benötigt haben, daß sie Hesiods Kleinepik zwar überwiegend beeinflussen, zuweilen aber auch von ihr beeinflußt werden konnten? Beide Meister, der mythische, im Werk verschwindende sowohl wie der historische, im Werk deutlich erscheinende, sind jedenfalls insofern Zeitgenossen, als sie sich als Nachfahren der heroischen Epoche empfinden. Über diese, genauer: um diese herum läßt Hesiod die Menschheit vom Goldenen und Silbernen Zeitalter zum Eisernen herunterkommen, dem er selber angehört. Homer kennt vor der großen Zeit, die er besingt, eine noch größere, die durch Nestor vertreten ist, kennt also zusammen mit seiner eigenen geringeren Zeit drei Wertstufen. Insofern drücken beide ein gewisses historisches Bewußtsein aus und dürfen als Väter der

Dekadenztheorie gelten, die als Denkschema für die griechisch-römische Geschichtsschreibung überwichtig geworden ist. So blicken die beiden Patriarchen der abendländischen Kultur bereits zurück, empfinden sich als spät, wie es sich für den Vollender und für den Verwandler einer Kunstgattung ziemt.

Wem auch immer in der Ilias und Odyssee das Heldenlied, der »Ruhm der Männer« in den Mund gelegt wird, immer handelt es sich um wirkliche Lieder, die man singt und selbst auf einem Saiteninstrument begleitet. Die Rhapsoden indessen, die später die Epen vortrugen, sangen nicht mehr, sondern rezitierten, und sie hatten nicht mehr die Phorminx, sondern einen Stab zur Hand. Wie sollen wir uns Homer vorstellen, wie Demodokos oder wie den Vortragskünstler, den uns Platon in seinem Ion so ergötzlich schildert? Es gibt zahlreiche Hexameter, die wir sehr wohl noch als einen Singsang hören können; deren rhythmische und inhaltliche Zweiteiligkeit oft sogar einen Parallelismus der Glieder erzeugt; deren wiegendes Hin und Her eine einförmige Begleitung nicht nur duldet, sondern geradezu fordert. Demgegenüber stehen zahlreiche Episoden, die diesen Eindruck nicht aufkommen lassen; wo der Hexameter als rhythmische Einheit vom Satzbau überspielt und die Rede so lebhaft wird, daß sie den Vers zerpflückt oder ihn in den nächsten fortreißt, bald kürzere, bald längere Abschnitte erzeugend. Solche Stellen soll man offenbar nicht »im langsam abgemeßnen Schritte« dahinwandeln lassen, vielmehr nicht ohne einigen Naturalismus der üblichen Sprache und ihrer Unregelmäßigkeit annähern. Der mimische Aufwand des Rhapsoden, den Platon verspottet, entspricht der böigen Unruhe gewisser auch inhaltlich wildbewegter Stellen. Dennoch überwiegt der Eindruck einer strömenden Ruhe, der magischen »epischen Schläfrigkeit«. Demnach wäre Homer das eine wie das andere, singender und spielender Aöde und deklamierender Rhapsode – wie er Wandrer und Seßhafter ist, Untertan und Fürst, Handwerker in einer Zunft und musenunmittelbarer »göttlicher Sänger«. Seine Zeit wird man daher ganz verschieden ansetzen können. Wer in ihm den Erfinder des Hexameters sieht, wird unter das Jahr 1000 v. Chr. nicht hinab-, wer ihn für den letzten Ordner und Urheber der machtvollen Ringkompositionen hält, über das 6. Jahrhundert nicht hinaufgehen dürfen. Mancher Dom hat Jahrhunderte zu seiner Entstehung gebraucht; aus den verschiedenen Stilen, die er in sich vereint, schließen wir auf verschiedene Baumeister, auch wenn über ihre Tätigkeit sonst nichts verlautet. Man wird mit etlichen Homeren rechnen, wenn man den Zeitraum bedenkt, über den sich die epische Dichtung erstreckt haben muß, und den geistigen Raum zu ermessen sucht, der allein von Ilias und Odyssee gefüllt wird. Aber das lebendige Prinzip, das die Dauer im Wechsel, die Einheit in der Mannigfaltigkeit schafft, bleibt unteilbar und läßt sich nur im Bilde eines einzigen großen Stifters anschauen, des göttlichen »selbstgelehrten« Sängers. Damit schließlich auch das unvermeidliche Goethezitat nicht fehle, sei an ein Wort erinnert, das gegen die Homerkritik eifrig ausgespielt, zu diesem Zweck aber jammervoll aus seinem Zusammenhang herausgerissen zu werden pflegt. In dem kleinen Aufsatz »Homer, noch einmal« wird es der notwendigen Wandlung des Zeitgeistes und der Ablösung einer Generation durch die andere zugeschrieben, wenn bald das Sondern und Trennen, bald das Vereinen und Vermitteln überwiege. Wir nun, die uns jenen Generationen gleichermaßen zu Dank verpflichtet fühlen, werden nachgerade beide Betrachtungsweisen ins Gleichgewicht setzen müssen; es ist möglicher und notwendiger als je.

LITERATURHINWEISE

Die vorliegende Auswahl will nur erste Hinweise geben. Ausführlich informieren die Forschungsberichte von *A. Lesky* in: Anz. f. d. Altertumswiss. 4, 1951 ff., *H. J. Mette* in: Lustrum 1, 1956 ff., sowie *A. Heubeck*, Die Homerische Frage. Ein Bericht über die Forschung der letzten Jahrzehnte, Darmstadt 1974 (= Erträge der Forschung 27).

Ausgaben

Griech. Text mit krit. Apparat: Opera, recogn. brevique adn. crit. instr. *D. B. Monro* et *Th. W. Allen*, Oxford $^{2-3}$1917–20 u. ö. (= Bibliotheca Oxoniensis). – Ilias, ed. *Th. W. Allen*, 3 Bde., Oxford 1931. – Odyssea, recogn. *P. v. d. Mühll*, Basel ^{3}1962 (= Editiones Helveticae, ser. Graeca 4).

Ausgaben mit Kommentar: Ilias, f. d. Schulgebrauch erkl. v. *C. F. Ameis* und *C. Hentze*, 2 Bde. in 8 Heften, Leipzig/Berlin $^{4-8}$1905–32; Ndr. Amsterdam 1965. – Odyssee, f. d. Schulgebrauch erkl. v. *C. F. Ameis*, *C. Hentze* und *P. Cauer*, 2 Bde. in 4 Heften, Leipzig/Berlin $^{9-13}$1908–20; Ndr. Amsterdam 1964. – Iliad, ed. with app. crit., proleg., notes & app. by *W. Leaf*, 2 Bde., London ^{2}1900–02; Ndr. Amsterdam 1960. – Odyssee, ed. with gen. & gramm. introd., comm. & indexes by *W. B. Stanford*, 2 Bde., London ^{2}1958–61.

Zweisprachige Ausgaben: Ilias, griech. u. dt. ed. *H. Rupé*, München ^{6}1977. – Odyssee, griech. u. dt. ed. *A. Weiher*, München ^{4}1974 (beide = Tusculum Bücherei).

Übersetzungen

S. Schaidenreisser, Odyssea, Augsburg 1537. – *J. Spreng*, Ilias, Augsburg 1610. – *Ch. T. Damm*, Homers Werke, 4 Bde., Lemgo 1769–71. – *J. J. Bodmer*, Homers Werke, 2 Bde., Zürich 1778. – *F. L. Graf zu Stolberg*, Ilias, 2 Bde., Flensburg/Leipzig 1778. – *J. H. Voß*, Odüssee, Hamburg 1781; Homers Werke, 4 Bde., Altona 1793, Königsberg ^{2}1802, Tübingen ^{3}1806, ^{4}1814, Stuttgart ^{5}1822 (= ^{4}1814; Ausg. letzter Hand), danach zahlreiche Ndrr. – *J. J. C. Donner*, Homers Werke, 2 Bde., Stuttgart 1855–58. – *R. A. Schröder*, Odyssee, 2 Bde., Leipzig 1907–10 u. ö.; Ilias, Berlin 1943; beide ern. in: Ges. Werke IV, Frankfurt/M. 1952. – *Th. v. Scheffer*, Ilias. Odyssee, München 1913–18 (= Klassiker des Altertums 9/10). – *W. Schadewaldt*, Odyssee, Hamburg 1958 (= Rowohlts Klassiker 2); Ilias, Frankfurt/M. 1975.

Zu Dichter und Werk

P. Cauer, Grundfragen der Homerkritik, Leipzig ^{3}1921–23. – *H. Fränkel*, Die Homerischen Gleichnisse, Göttingen 1921. – *E. Bethe*, Homer, Dichtung und

Sage, 2 Bde., Leipzig/Berlin ²1929. – *A. Ruegg*, Kunst und Menschlichkeit Homers, Einsiedeln 1948. – *W. Schadewaldt*, Legende von Homer dem fahrenden Sänger, Zürich/Stuttgart ²1959. – *G. S. Kirk*, The songs of Homer, Cambridge 1962. – Ders. (Hrsg.), The language and background of Homer. Some recent studies and controversies, Cambridge 1964. – *A. J. B. Wace / F. H. Stubbings* (Hrsg.), A companion to Homer, London 1963. – *W. Schadewaldt*, Von Homers Welt und Werk. Aufsätze und Auslegungen zur Homerischen Frage, Stuttgart ⁴1965. – *A. Lesky*, Art.: »Homeros« in: Pauly's Realenzyklopädie d. klass. Altertumswiss., Suppl. 11, Stuttgart 1967, 1–160. – *C. M. Bowra*, Homer, London 1972.

Zur Ilias

U. v. Wilamowitz-Moellendorff, Die Ilias und Homer, Berlin 1916. – *C. M. Bowra*, Tradition and design in the Iliad, Oxford 1930. – *W. Schadewaldt*, Iliasstudien, Leipzig 1938 (= Abh. Sächs. Akad. Wiss. 43,6); Ndr. Darmstadt 1966. – *P. Mazon*, Introduction à l' Iliade, avec la collaboration de *P. Chantraine*, *P. Collart* et *R. Langumier*, Paris 1942. – *E. Howald*, Der Dichter der Ilias, Erlenbach-Zürich 1946. – *P. v. d. Mühll*, Kritisches Hypomnema zur Ilias, Basel 1952 (= Schweizer Beitr. z. Altertumswiss. 4). – *W. Kullmann*, Das Wirken der Götter in der Ilias, Berlin 1956 (= Schr. d. Sekt. Altertumswiss. Dt. Akad. Wiss. 1956,1). – *K. Reinhardt*, Die Ilias und ihr Dichter, hrsg. v. *U. Hölscher*, Göttingen 1961.

Zur Odyssee

E. Schwartz, Die Odyssee, München 1924. – *U. v. Wilamowitz-Moellendorff*, Die Heimkehr des Odysseus. Neue Homerische Untersuchungen, Berlin 1927. – *U. Hölscher*, Untersuchungen zur Form der Odyssee. Szenenwechsel und gleichzeitige Handlungen, Berlin 1939 (= Hermes Einzelschr. 6). – *F. Focke*, Die Odyssee, Stuttgart/Berlin 1943. – *F. Klingner*, Über die vier ersten Bücher der Odyssee, Leipzig 1944; Ndr. in: *F. K.*, Studien zur griechischen und römischen Literatur, Zürich/Stuttgart 1964, 39–79. – *K. Reinhardt*, Homer und die Telemachie. Und: Die Abenteuer der Odyssee (1948), in: *K. R.*, Tradition und Geist. Gesammelte Essays zur Dichtung, hrsg. v. *C. Becker*, Göttingen 1960, 37–124. – *R. Merkelbach*, Untersuchungen zur Odyssee, München 1951 (= Zetemata 2). – *M. I. Finley*, The world of Odysseus, London ³1964; dt. Darmstadt 1968. – *D. Page*, Folktales in Homer's Odyssee, Cambridge, Mass. 1973.

Zur Rezeption

J. Bernays, Einleitung zu: Homers Odyssee von J. H. Voß, Abdr. d. 1. Ausg. v. 1781, Stuttgart 1881. – *A. Schroeter*, Geschichte der deutschen Homer-Übersetzung im 18. Jahrhundert, Jena 1882. – *G. Finsler*, Homer in der Neuzeit von Dante bis Goethe. Italien, Frankreich, England, Deutschland, Leipzig/Berlin 1912. – *W. B. Stanford*, The Ulysses theme. A study in the adaptability of a traditional hero, Oxford ²1963. – *Th. Bleicher*, Homer in der deutschen Literatur (1450–1740). Zur Rezeption der Antike und zur Poetologie der Neuzeit, Stuttgart 1972 (= Germ. Abh. 39). – *G. Häntzschel*, Johann Heinrich Voß. Seine Homerübersetzung als sprachschöpferische Leistung, München 1977.

INHALT

ILIAS

Am Morgen rüstet sich Agamemnon und führt zur Schlacht. Hektor ihm entgegen. Vor Agamemnons Tapferkeit fliehn die Troer. Zeus vom Ida sendet dem Hektor Befehl, bis Agamemnon verwundet sei, den Kampf zu vermeiden. Der verwundete Agamemnon entweicht und Hektor dringt vor. Verwundet kehrt Diomedes zu den Schiffen; dann Odysseus, von Ajas aus der Umzingelung gerettet; dann Machaon und Eurypylos. Zu Nestor, der mit Machaon vorbeifuhr, sendet Achilleus den Patroklos zu fragen, wer der Verwundete sei. Patroklos, durch Nestors Rede gerührt, begegnet dem Eurypylos, führt ihn voll Mitleid ins Zelt und verbindet ihn.

Künftige Vertilgung der Mauer. Die Achaier eingetrieben. Hektor, wie Polydamas riet, läßt die Reisigen absteigen und in fünf Ordnungen anrücken. Nur Asios mit seiner Schar fährt auf das linke Tor, welches zween Lapithen verteidigen. Ein unglücklicher Vogel erscheint den Troern; Polydamas warnt den Hektor umsonst, Zeus sendet den Achaiern einen stäubenden Wind entgegen. Hektor stürmt die Mauer, und die beiden Ajas ermuntern zur Gegenwehr. Sarpedon und Glaukos nahn dem Turme des Menesteus, dem Telamons Söhne zu Hilfe eilen. Glaukos entweicht verwundet; Sarpedon reißt die Brustwehr herab. Hektor zersprengt ein Tor mit einem Steinwurf, worauf die Troer zugleich über die Mauern und durch das Tor eindringen.

Kampf um die Schiffe. Poseidon, von Zeus unbemerkt, kommt, die Achaier zu ermuntern. Dem Hektor am erstürmten Tore des Menestheus widerstehen vorzüglich die Ajas. Zur Linken kämpfen am tapfersten Idomeneus und Meriones wider Äneias, Paris und andere. Auf Polydamas' Rat beruft Hektor die Fürsten, daß man vereint kämpfe oder zurückziehe. Verstärkter Angriff.

Nestor, der den verwundeten Machaon bewirtet, eilt auf das Getöse hinaus und spähet. Ihm begegnen Agamemnon, Diomedes und Odysseus, die, matt von den Wunden, das Treffen zu schauen kommen. Agamemnons Gedanken an Rückzug tadelt Odysseus. Nach Diomedes' Vorschlag gehen sie, die Achaier zu ermuntern, und Poseidon tröstet den Agamemnon. Here, mit Aphroditens Gürtel geschmückt, schläfert den Zeus auf Ida ein, daß Poseidon noch mächtiger helfe. Hektor, den Ajas mit dem Steine traf, wird ohnmächtig aus der Schlacht getragen. Die Troer fliehn, indem Ajas, Oileus' Sohn, sich auszeichnet.

Der erwachte Zeus bedroht Here und gebeut, ihm Iris und Apollon vom Olympos zu rufen, daß jene den Poseidon aus der Schlacht gehen heiße, dieser den Hektor herstelle und die Achaier scheuche, bis Achilleus den Patroklos sende. Es geschieht. Hektor mit Apollon schreckt die Achaier, deren Helden nur widerstehen, in das Lager zurück und folgt mit den Streitwagen über Graben und Mauer, wo Apollon ihm bahnt. Den Kampf hört Patroklos in Eurypylos' Zelt und eilt, den Achilleus zu erweichen. Die Achaier ziehn sich von den vorderen Schiffen zurück. Ajas, Telamons Sohn, kämpft von den Verdecken mit einem Schiffspeere und verteidigt des Protesilaos Schiff, das Hektor anzünden will.

Speer haucht Athene zurück, ihn selbst entführt Apollon. Achilleus mordet die Fliehenden.

Achilleus stürzt einer Schar Troer in den Skamandros mit dem Schwerte nach. Zwölf Lebende fesselt er zum Sühnopfer für Patroklos. Den getöteten Lykaon hineinwerfend, höhnt er, daß der Stromgott nicht rette. Auch den Asteropäos, eines Stromgottes Sohn, welchen Skamandros erregte, streckt er ans Ufer und höhnt der Stromgötter. Skamandros gebeut ihm, außer dem Strome zu verfolgen. Er verspricht's; doch in der Wut springt er wieder hinein. Der zürnende Strom verfolgt ihn ins Feld. Jener, von Göttern gestärkt, durchdringt die Flut. Als Skamandros noch wütender den Simois zu Hilfe ruft, sendet ihm Here den Hephästos entgegen, der das Feld trocknet, dann ihn selber entflammt. Des Jammernden gebeut Here zu schonen. Ares und Aphrodite von Athene besiegt, Phöbos dem Poseidon ausweichend, Artemis von Here geschlagen, Hermes die Leto scheuend. Rückkehr der Götter. Priamos öffnet den Flüchtigen das Tor. Den verfolgenden Achilleus hemmt Agenor; dann, in Agenors Gestalt fliehend, lockt Apollon ihn feldwärts, indes die Troer einflüchten.

Den zurückkehrenden Achilleus erwartet Hektor vor der Stadt, obgleich die Eltern von der Mauer ihn jammernd hereinrufen; beim Annahen des Schrecklichen flieht er, dreimal um Ilios verfolgt. Zeus wägt Hektors Verderben, und sein Beschützer Apollon weicht. Athene in Deiphobos' Gestalt verleitet den Hektor zu widerstehen. Achilleus fehlt, Hektors Lanze prallt ab; darauf mit dem Schwert anrennend, wird er am Halse durchstochen, dann entwaffnet und rückwärts am Wagen zu den Schiffen geschleift. Wehklage der Eltern von der Mauer und der zukommenden Andromache.

Achilleus mit den Seinen umfährt den Patroklos, wehklagt und legt den Hektor aufs Antlitz am Totenlager. In der Nacht erscheint ihm Patroklos und bittet um Bestattung. Am Morgen holen die Achaier Holz zum Scheiterhaufen. Patroklos wird ausgetragen, mit Haarlocken umhäuft und samt den Totenopfern verbrannt. Boreas und Zephyros erregen die Flamme. Den andern Morgen wird Patroklos' Gebein in eine Urne gelegt und, bis Achilleus' Gebein hinzukomme, beigesetzt; vorläufiger Ehrenhügel auf der Brandstelle. Wettspiele zur Ehre des Toten; Wagenrennen, Faustkampf, Ringen, Lauf, Waffenkampf, Kugelwurf, Bogenschuß, Speerwurf.

Achilleus, nach schlafloser Nacht, schleift Hektors Leib um Patroklos' Grab, doch Apollon verhütet Entstellungen. Zeus befiehlt dem Achilleus durch Thetis, den Leichnam zu erlassen, und dem Priamos durch Iris, dem Achilleus die Lösung zu bringen. Priamos, durch ein Zeichen gestärkt, kommt unter Hermes' Geleit, unbemerkt von den Hütern, zu Achilleus' Gezelt. Er erlangt den Leichnam des Sohnes, nebst Waffenstillstand und Bestattung, und kehrt unbemerkt nach Ilios zurück. Um Hektors Totenlager Wehklage der Gattin, der Mutter und Helenens. Bestattung und Gastmahl.

ODYSSEE

das Geräusch weckte, naht flehend, erhält Pflege und Kleidung und folgt der Beschützerin bis zum Pappelhain der Athene vor der Stadt.

Nach Nausikaa geht Odysseus in die Stadt, von Athene in Nebel gehüllt und zum Palaste des Königs geführt, wo die Fürsten versammelt sind. Er fleht der Königin Arete um Heimsendung und wird von Alkinoos als Gast aufgenommen. Nach dem Mahle, da Arete um die Kleider ihn fragt, erzählt er seine Geschichte seit der Abfahrt von Kalypso.

Alkinoos empfiehlt dem versammelten Volke die Heimsendung des Fremdlings und ladet die Fürsten samt den Reisegefährten zum Gastmahl. Kampfspiele. Odysseus wirft die Scheibe. Tanz zu Demodokos' Gesang von Ares und Aphrodite. Andere Tänze. Odysseus wird beschenkt. Beim Abendschmaus singt Demodokos von dem hölzernen Roß; den weinenden Fremdling ersucht der König um seine Geschichte.

Odysseus erzählt seine Irrfahrt von Troja. Siegende Kikonen. Bei Maleia Nordsturm, der ihn ins Unbekannte zu den Lotophagen verschlägt. Dorther zu den einäugigen Kyklopen verirrt, besucht er Poseidons Sohn Polyphemos, der sechs seiner Genossen frißt, dann, im Schlafe geblendet, den Fliehenden Felsstücke nachschleudert.

Aiolos, der Winde erregt und stillt, entsendet den Odysseus mit günstigem West und gibt ihm die Gewalt über die andern in einem Zauberschlauch. Nahe vor Ithaka öffnen ihn die Genossen; der Sturm wirft sie nach dem schwimmenden Eilande zurück, woher, von Aiolos verjagt, sie in die fabelhafte Westgegend geraten. Die Laistrygonen vertilgen elf Schiffe; in den übrigen erreicht er Aiaia. Kirke verwandelt die Hälfte der Seinigen in Schweine. Er selbst, durch ein Heilkraut des Hermes geschützt, gewinnt die Liebe der Zauberin und rettet die Freunde. Nach einem Jahre fordert er Heimkehr; Kirke befiehlt ihm zuvor, zum Eingange des Totenreichs am Okeanos zu schiffen und den Teiresias zu befragen. Elpenors Tod.

Ein nördlicher Götterwind führt Odysseus zum Gestade der nächtlichen Kimmerier, wo der Weltstrom Okeanos ins Meer einströmt. An der Kluft, die in Aides' unterirdisches Reich hinabgeht, opfert er Totenopfer, worauf die Geister aus der Tiefe dem Blute nahn. Elpenor fleht um Bestattung. Die Mutter wird vom Blute gehemmt, bis Teiresias getrunken und geweissagt. Dann trinkt die Mutter und erkennt ihn. Dann Seelen uralter Heldinnen. Dann Agamemnon mit den Seinigen. Achilleus mit Patroklos und Antilochos, auch Ajas, Telamons Sohn. In der Ferne der richtende Minos, Orion jagend; Tityos, Tantalos und Sisyphos gequält. Des Herakles Bild annahend. Rückfahrt aus dem Okeanos.

Ankunft in Meer und Tageslicht bei Aiaia. Elpenors Bestattung. Kirke meldet die Gefahren des Wegs: erst die Sirenen, dann rechts die malmenden Irrfelsen, links die Enge